PIERRE BARBÉRIS

Balzac
et le mal du siècle

Contribution
à une physiologie
du monde moderne

I

1799-1829

*Une expérience de l'absurde :
aliénations
et prises de conscience*

GALLIMARD

à ma femme
à mes enfants

Le dix-huitième siècle a tout mis en question. Le dix-neuvième siècle est chargé de conclure.

BALZAC,
Illusions perdues.

On a fait de la France un champ de bataille où combattent des ambitions sans frein.

BALZAC,
Observations critiques sur les niaiseries particulières du XIXe siècle.

Il y a donc une fausse civilisation

STENDHAL,
Lucien Leuwen.

Nul n'a mieux expliqué les malaises de cette société mixte, s'accrochant aux traditions mortes qu'elle parodie de bonne foi, et aspirant déjà les brises de la terre promise dont les senteurs vigoureuses l'attirent et l'effraient tour à tour.

MERAY,
La Démocratie pacifique,
25 août 1850.

I

Cet ouvrage aujourd'hui proposé aux balzaciens et au public constitue les deux premiers volets d'une sorte de quadriptyque[1]. Balzac y est suivi pas à pas de sa naissance à la fin de 1832 et au début de 1833, c'est-à-dire au moment où il va devenir un romancier « descriptif », un romancier proprement « balzacien ». *Eugénie Grandet* marque le tournant. On s'éloigne des turbulences, et Balzac n'est plus le jeune homme qui ouvre les yeux sur un monde. *Le Médecin de campagne* est une réponse à *Louis Lambert*, un terme symbolique mis à ce qu'on pourrait appeler la période « romantique » de Balzac. Tout ceci mérite éclaircissements.

De l'enfance à Tours et à Vendôme, jusqu'à *La Peau de chagrin*, la formation de Balzac suit une courbe ascendante. Elle épouse le siècle, dans ses espoirs, dans ses doutes, dans ses difficultés, dans sa rage ironique après le « coup » de Juillet. Le jeune homme, puis l'homme jeune, d'abord portés par lui, et continuant de l'être, découvrent les absurdités, les contradictions de ce monde bourgeois qui est le leur. *La Peau de chagrin*, après certains espoirs entrevus, marque un sommet. C'est aussi, pour la première fois, la gloire, la célébrité sans conteste, et les saint-simoniens saluent en l'auteur l'un de ceux qui ont le plus fidèlement exprimé le siècle. Puis, c'est une sorte de crise, des recherches de

---

1. Le troisième volet étant un livre à paraître : *Le Monde de Balzac*; le quatrième, un autre livre en préparation : *Mythes balzaciens*.

solution, un désarroi. La tentation incarnée par certains aspects de *Louis Lambert* est conjurée toutefois. Benassis et ses entreprises, avec leurs limites, avec aussi leurs conquêtes, leur valeur indicative, marquent une reprise. Benassis est un anti-René, au moment où, par réaction contre l'ordre bourgeois, la jeune génération se lance, souvent, dans un nihilisme échevelé, *irresponsable*. Balzac a dix ans de plus que ses jeunes cadets, jetés par l'échec de Juillet à la lycan-thropie. Il accueillera l'un d'eux, plus tard : Lassailly.

1799-1833 est donc, pour Balzac comme pour le siècle, une période de formation. Les efforts de la Restauration, la révolution de 1830, le conflit Résistance-Mouvement, la bourgeoisie, de libérale devenant ouvertement réaction-naire et malthusienne : Balzac vit, suit, cherche à comprendre, apporte sa pierre. Tout impose, alors, une méthode stricte-ment chronologique.

Après les grandes secousses de 1830-1832, tout se stabilise. La Résistance l'emporte; l'échec de Madame sonne le glas du carlisme militant; les tentatives républicaines sont écra-sées; la bourgeoisie s'installe. Parallèlement, le romancier maîtrise sa technique et déverse dans son œuvre ses immenses souvenirs des années précédentes. Il serait forcé de dire qu'il cesse d'apprendre, mais il est certain qu'il est bien peu de chose dans *La Comédie humaine* qui ne puisse être rattaché à des rencontres, à des lectures, à des expériences, qui remontent à ces années de formation qui font l'objet de cette étude. D'autres rencontres se produiront encore, qui feront repartir la pensée, mais le plus souvent dans un cadre déjà formé : l'amitié avec Félix Davin, la polémique avec Mgr Guillon, le flirt fouriériste de 1840, etc. L'essentiel, incontestablement, est acquis. L'œuvre est riche, traite tous les sujets, revient en arrière, regroupe, réutilise des textes plus anciens, etc. En même temps, le relatif ralentissement de la lutte des classes (il n'y a plus d'aristocratie, et le peuple n'est pas encore suffisamment constitué pour peser d'un poids décisif et spécifique) engendre une relative stabilité. S'impose, alors, l'étude par thème, quitte à tenir compte des redéparts de détail. Thème de la division sociale, thème de la division en classes, thème de l'individu, thème de la solitude, thème de la jeunesse, thème des passions, thème de la politique et de l'économie : tout ceci peut être étudié par grandes masses,

par groupage. En annexe, s'impose une étude des rapports
entre forme et fond, entre mal du siècle et roman. Subterfuges
et essais de solution alternent avec les analyses, les descriptions, mais la forme choisie, outre qu'elle est propre à exprimer un aspect très particulier du mal du siècle, est, à elle
seule, une ébauche de résolution, une résolution même, à la
limite, des contradictions vécues. Moins « philosophe »,
Balzac est aussi plus « romancier ». Pourquoi? Il importe de
répondre à cette question.

Vers la fin de la monarchie de Juillet, tout recommence à
bouger. L'agitation renaît, et le ministère Guizot, depuis
1840, semble un défi à ce redémarrage du siècle. Il n'y avait
plus de problème, pour Guizot, depuis la victoire bourgeoise.
Tout dit, au contraire, que de nouveaux problèmes se posent,
avec une acuité insoupçonnée, insoupçonnable, tant que la
Restauration masquait le réel capitaliste. Balzac enregistre
avec retard, mais enregistre quand même, ces nouveautés.
En même temps, par une sorte d'illusion magnifique, le
romancier, prisonnier de l'univers romanesque qu'il a créé,
devient comme victime du poids et de la réalité de son œuvre.
Il vit dans son univers propre, tandis que l'homme, vieilli,
usé, ne songe plus qu'au port : son mariage avec Mme Hanska.
Il importe, alors, de recommencer à le suivre pas à pas, en
ces quelques années où il semble « décrocher » du réel contemporain, alors que de nouveaux enfants du siècle, ses cadets
de vingt ans et plus, cette fois, recommencent son aventure,
mais dans une atmosphère autrement sombre, avec des
perspectives autrement bouchées qu'en 1830. Balzac meurt
en 1850, au moment où la Bourgeoisie, une seconde fois
victorieuse, mais cette fois d'une victoire sans rayons, s'installe pour un nouveau règne. Chateaubriand était mort
pendant les journées de Juin, et Balzac avait sollicité d'être
son successeur à l'Académie. Qu'aurait-il dit dans son discours
de réception si l'on avait voulu de lui? Comment aurait-il
fait l'éloge de René? Dialogue des morts à imaginer, qui serait
la véritable conclusion de cette enquête. Avec ces deux grands
témoins, une page était tournée : celle du libéralisme, au-delà
duquel ils s'étaient parfois demandé s'il y avait autre chose,
de plus grand, de plus complet. L'impossibilité de donner
réponse à cette question est au fond même du mal du siècle.

D'autres ouvrages, ultérieurement, doivent traiter des grands

thèmes de l'inquiétude moderne dans *La Comédie humaine*
et de la découverte de nouvelles contradictions à la veille de
1848. Nous nous en tenons, pour cette fois, à ces années
montantes, foisonnantes, plus riches en réflexions, souvent,
qu'en œuvres majeures. Chaque fois que nous pourrons
repérer la naissance d'un thème promis à développements
romanesques dans l'œuvre de la maturité, nous nous y atta-
cherons, en regardant en avant. Tout est « appelé », tout vient
de loin, chez Balzac. Comme Philippe Bertault, comme
Maurice Bardèche, comme Bernard Guyon, nous nous arrê-
terons au seuil de ce *Port-Royal* du xixe siècle qu'il faudrait
écrire à partir de l'œuvre de Balzac. Cette coupure de 1832-
1833 n'est pas factice. Elle s'est imposée à tous les balzaciens. La trajectoire se comprend assez bien, une fois connues
ses composantes originelles. Reste que, ce livre achevé, une
suite lui est indispensable, qui étudie le message d'ensemble
de *La Comédie humaine* et de l'aventure balzacienne.

II

L'une de nos hypothèses de travail sera la distinction entre
réalisme critique et *romantisme révolutionnaire*, qui est un
apport de premier ordre de la critique littéraire marxiste [1],
et notamment de Georges Lukács. Le romantisme révolutionnaire (Hugo, Michelet) refuse et condamne la réalité issue
de la révolution bourgeoise, mais lui oppose des notions
morales, des visions exaltantes de l'avenir, au lieu d'en faire
l'analyse. Le romantisme révolutionnaire a pour lui l'éclat,
la générosité. Il a contre lui le verbalisme, l'imprécision,
une connaissance insuffisante du réel immédiat, une incapacité congénitale à faire voir les problèmes concrets de la
bourgeoisie dans laquelle il est né. Il dit le besoin profond
d'un renouveau humain qui travaille les intellectuels bourgeois confrontés avec les réalités de leur propre classe, mais,
en même temps, leur refus, leur impuissance à mettre vraiment en cause, autrement que par le biais de la charité,
de la pitié, etc..., les bases de la puissance bourgeoise. Utopique,

---

1. Voir une bonne mise au point dans l'article de Ian Fisher, *Quelques leçons
méthodologiques du réalisme balzacien et stendhalien, La notion de réalisme critique*
(*Acta Universitatis Carolinae, Philologica*, no 2, 1961, *Romanistica Pragencia*, II).

insuffisamment scientifique, il se jette dans le Peuple (non dans le prolétariat), dans l'Avenir, dans l'Idéal. Il *témoigne*. Il n'est pas *connaissance*. Il n'est pas science. C'est par là qu'il a vieilli, rien de ce qu'il avait prédit, entrevu, ne s'étant réalisé, le modernisme qu'il avait chanté ou espéré ayant accouché de l'affairisme, de la corruption politicienne, des guerres coloniales, de la guerre mondiale, par deux fois, après la double répression de 1848 et de 1871. Le réalisme critique [1], au contraire, tout en refusant, lui aussi, la réalité bourgeoise, en fait l'analyse concrète, précise, *de l'intérieur*, sans se référer nécessairement à quelque vision compensatrice. Il démonte les mécanismes, voit et fait voir les problèmes, exprime les contradictions. Et ce, non tant par des *analyses* que par des *constructions*, des *créations artistiques*. Ses héros sont paradoxaux et contradictoires, comme la réalité dont ils sont issus. Ils ne sont pas ombre ou lumière, mais tensions. Ils ne sont pas *antithèses* vivantes, mais *complexes* dynamiques. En un temps où l'on peut encore faire la critique de la bourgeoisie sans faire le jeu des masses barbares, le réalisme critique, entrant dans les plus infimes détails, mais, en même temps, conservant le sens de l'ensemble, du total, du mouvement, qui seuls donnent un sens aux détails, s'oppose fermement au romantisme révolutionnaire qui vole, lui, d'un coup d'aile, à ce total, à cet ensemble, à ce mouvement, mais abstraits, poétiques. Les infra-réalistes bourgeois, les auteurs de pochades, de petites « choses vues », s'en tenaient au pittoresque sans problème [2]. Les romantiques révolutionnaires rusent avec le détail, au niveau duquel se saisit nécessairement le sens de la vie bourgeoise. Les réalistes critiques, incapables encore de savoir où conduit leur méthode, ce qu'implique leurs aptitudes [3], enregistrent et créent pour des lecteurs d'après eux. Leurs contemporains les trouvent

---

1. Différent de ce qu'on a appelé le *réalisme socialiste*, qui, lui, pense savoir où il va et peut, d'ailleurs, sur le plan de la réussite esthétique, en souffrir. Mais ne peut-on imaginer un art nouveau qui ne tirerait pas nécessairement son efficacité d'implications qui auraient échappé à l'auteur?

2. Cf. *infra*, p. 39 et 379 sq., pour *L'Hermite de la chaussée d'Antin* et ses semblables.

3. *Pourquoi* Balzac et Stendhal n'ont-ils pas *vu* et *dit* les choses de leur temps de la même manière que Hugo et Michelet ? Il y a une *nature* des expériences qui, conjuguée avec une culture, peut aider à comprendre la nature d'une vision. C'est l'une des enquêtes les plus délicates à mener que celle concernant, de plus, les rapports du naturel et de l'acquis, de ce que l'acquis a développé du naturel, etc.

souvent vulgaires, parce qu'ils traitent des sujets non littéraires, c'est-à-dire tabous pour la bourgeoisie. Leur grandeur
est d'avoir tiré de sujets non littéraires, ou difficilement
littéraires, un pathétique nouveau, fait de l'expression des
contradictions vécues par leurs lecteurs. Par là, ils ont été
des révélateurs; ils ont aidé à des prises de conscience; ils
continuent à nous aider à comprendre un réel qui s'est éloigné
de nous, mais d'où est sorti le nôtre. Ils sont actuels, en ceci
qu'ils ont devancé la connaissance scientifique des sociétés.
Balzac, disait Gautier, avait cette étonnante aptitude à
voir à la fois « *les deux côtés des choses* »[1], et Henri Evans
souligne à juste titre aujourd'hui « *qu'il ne redoutait pas la
contradiction logique* »[2]. Particularité psychologique? C'est
sans doute ce qu'entendaient les deux critiques. Nous aurons
l'occasion de débattre la question, et de montrer, à propos
de Balzac, qu'il s'agit là de tout autre chose : d'une expérience directe, précise de la *pratique* bourgeoise[3]. Balzac
n'était pas plus du peuple que Marx, mais il est un écrivain
d'une portée autrement révolutionnaire que Michelet, fils
du peuple, lui, mais qui s'en tenait significativement au vieux
conflit contre les nobles, les prêtres et les rois. En un temps
de manichéisme, Balzac a vu et montré que rien n'était
simple, parce que la bourgeoisie était *à la fois* élan et retenue,
révolution et réaction, promesse de plus de vie et blocage de
la vie[4]. Il a été *réaliste* en peignant le vrai, et *critique* en fai-

1. Article paru dans *L'Artiste* en 1858 et reproduit dans *Écrivains et artistes
romantiques*, p. 48 sq.
2. Henri Evans, *Louis Lambert et la philosophie de Balzac*, p. 24.
3. L'originalité de l'expérience balzacienne, pendant les années de formation
(1819-1829), par rapport aux expériences des autres écrivains contemporains,
réside dans la profondeur et dans l'accumulation des rencontres avec les réalités
bourgeoises. C'est cette profondeur et cette accumulation qui font subir à cette
expérience une véritable mutation du quantitatif au qualitatif. Ce qui, pour
d'autres, n'est qu'accident, et ne change pas leur vision pré-bourgeoise des
choses, est, au contraire, pour Balzac, l'essentiel.
4. La *double* signification, et la double portée, de toute vision, et de toute
création balzacienne n'ont absolument rien de commun avec le *dédoublement*,
fréquent chez les écrivains de l'impossible, de l'absurde, et de la fermeture
du monde. Toute *créature* balzacienne, toute *situation* balzacienne, sont à la fois
ombre et lumière, passif et actif, témoignage du blocage du siècle par le capitalisme et par la bourgeoisie, mais aussi témoignage de l'aptitude originelle et,
malgré tout, continuée, continuante, du siècle à autre chose. Ainsi, Rastignac
(le jeune homme ou l'ambitieux) et du Bousquier (le modernisateur de la Normandie ou le fournisseur véreux) peuvent être vus sous deux angles différents,
complémentaires, et qui aident à définir une vision ouverte, optimiste, de l'ensemble social et de son destin. Mais, chez Musset, par exemple, le dédoublement de
l'auteur en Octave et Celio ne débouche en aucune façon dans une dynamique ou
exaltante vision. Tout au contraire. Octave et Celio disent deux tentations, deux

sant sourdre du vrai une problématique. Les échecs de 1848 et de 1871 ne le concernent pas, non plus que Stendhal, alors qu'ils concernent, et durement, tous les représentants du romantisme utopique. Il y a donc là une distinction capitale, toujours à revérifier au fil des textes et des événements, mais qui ordonne, aussi, les textes et les événements.

III

La littérature, la création littéraire, seront envisagées, dans les pages qui suivent comme l'un des divers aspects de l'activité sociale, du point de vue de l'histoire sociale. Ce que les hommes ont écrit, à un moment de leur Histoire, fait partie de cette Histoire. On a assez parlé de la littérature en soi, de la Littérature avec un grand L, de la création littéraire comme d'une activité *uniquement* mystérieuse et ne devant rien qu'à ses lois propres; on a assez tourné en rond, pour essayer, peut-être, de comprendre par d'autres moyens. Quel problème, d'ailleurs, s'y prête mieux que celui du romantisme et du mal du siècle? Nés d'une histoire truquée, d'une société ambiguë, de l'impossibilité de choisir et de s'enrôler totalement, du besoin de formes plus complètes, romantisme et mal du siècle sont plus *directement* explicables par le politique et le social que, par exemple, le classicisme. Que ce genre d'explication n'épuise pas le problème du style et du génie, qui le nierait? Mais on approche. Le Géricault d'Ara-

possibilités contraires, et dont la conjonction, loin d'ouvrir l'angle, le referme. Le dédoublement est figuration de la lucidité. Mais lucidité *pour quoi?* Octave, pseudo-homme libre, est aussi enfermé que Celio, homme de sentiment. Ni l'un ni l'autre n'aboutissent à quoi que ce soit de fort et de complet. Ils s'opposent l'un à l'autre; ils ne se composent pas. La dissociation qu'ils expriment et figurent semble acquise, établie, sans issue. Tous deux se regardent, comme deux moitiés douloureusement séparées du même être. Pensons à David et Lucien, tous deux incarnant une dimension de Balzac : mais tous deux sortent d'eux-mêmes, se définissent contradictoirement par leurs choix et risques respectifs. Ni Lucien n'a raison contre David, ni David contre Lucien. Alors que l'Octave de Musset n'est pas loin de penser que c'est Celio qui a raison, de même que, sans doute, le seul fait d'avoir fait Octave, est une vivante réfutation de l'idéalisme de Celio. Il y a, dans le couple d'amis des *Caprices de Marianne*, comme une première figuration de cette atomisation d'un monde désormais sans signification qui sera le lot de la seconde moitié du siècle. Balzac, lui, ne transmet pas l'image d'un monde divisé, condamné à la division, mais d'un monde *contradictoire*, ce qui est bien différent. Il existe un en avant concevable à tous les doubles balzaciens; il n'en existe pas aux doubles de Musset, qui ne se rejoignent, *qui ne peuvent déjà plus* se rejoindre en rien.

gon, avec son cuirassier blessé, au carrefour de deux mensonges, sans références, encore dans ce xixᵉ siècle qui commence,
incarne tout le drame intellectuel, moral, artistique, d'une
époque :

> Théodore ne peindra pas demain le retour de l'île d'Elbe,
> où tout s'ordonne sur le geste de convention de l'Empereur,
> non! ni cela, ni cette pourriture qui tient encore les Tuileries.
> Oh! ces yeux pleins de bitume qu'il tourne ce soir-là vers
> l'avenir, le jeune Géricault, qui sent dans ses bras et dans
> son cœur un grand vide impossible à combler [1]!

Jamais, sans doute, aucune littérature ne proclama avec plus
de force son propre conditionnement par l'Histoire « J'appartiens à cette génération... » : pourquoi ne pas prendre,
à la lettre ce que disent, parfois, les écrivains? Si l'on s'est si
fort détourné du romantisme, depuis 1850, on l'a fait, le
plus souvent, en invoquant le *goût*, en proclamant la nécessité de tordre son cou à l'éloquence. Mais ne serait-ce pas,
aussi, parce qu'on n'aimait guère cette littérature qui s'avouait
si naïvement historique? En fait, l'un des problèmes majeurs
de la critique, aujourd'hui, semble être l'étude des rapports
entre structures personnelles (hérédité, éducation, traumatismes ou héritages psycho-intellectuels) et structures
historiques. Quelles structures historiques relancent, annu-
lent ou pervertissent telles structures personnelles? Quelles
structures personnelles préparent le mieux à s'intégrer à
certaines structures historiques, à les comprendre, à les exprimer? On le verra, à propos du père et de la mère, chez Balzac :
une étude d'intentions scientifiques de la littérature en tant
que faisant partie de la civilisation n'exclut nullement une
étude du mystère personnel. Il y a là une dialectique de l'unique et de l'explicable qui peut aider à sortir de paralysie.

IV

Ce premier ouvrage faisait nécessairement une place très
importante aux mystérieuses années de la jeunesse de Balzac.
L'œuvre s'en trouvera éclairée d'une manière nouvelle. Le
Balzac schématiquement qualifié de « balzacien » n'apparaît

---

1. Aragon, *La Semaine sainte.*

qu'assez tardivement, et le Balzac « philosophe » doit être, dans l'optique d'une saine et totale compréhension, pleinement « habilité ». Ceci n'était possible qu'au prix d'un recensement aussi complet que possible des premières tentatives et réalisations, de l'établissement d'une chronologie, etc. Ce travail avait été commencé dans les thèses de Bardèche, Guyon, Prioult ; il a reçu récemment le renfort de la publication de la *Correspondance* par Roger Pierrot, qui a révélé des inédits et précisé des points de date. Nous avons largement utilisé ces travaux, trouvant parfois à les enrichir, à les compléter. Nous avons pu, également, leur adjoindre les résultats des nôtres [1], et parvenir ainsi à un profil de la préhistoire balzacienne plus proche de la réalité, de manière à en venir à un Balzac total et continu.

Sur un autre point précis, la connaissance de Balzac a fait, récemment, des progrès considérables. On sait aujourd'hui que le romancier a peu imaginé, qu'il a puisé à pleines mains, dans l'histoire de sa propre famille, dans les milieux qu'il avait fréquentés, dans l'actualité contemporaine, dans les pièces de théâtre qu'il avait vu jouer, dans les livres — innombrables — qu'il avait lus. Cette ponction constante qu'opère dans le réel un fournisseur de copie en mal de sujets, n'altère en rien les fameuses facultés du « visionnaire », mais, à savoir qu'il part de *faits* vrais, on mesure mieux sa prodigieuse aptitude à passer aux *problèmes*. C'est par là que le fameux dilemme Balzac réaliste — Balzac visionnaire est en train d'être dépassé, De nombreuses enquêtes, menées séparément, ont prouvé [2] que Balzac, presque toujours, était parti de ce dont d'autres, aussi bien, auraient pu partir. Nous avons pu nous-même allonger la liste. Mais nous avons tenu, toujours, à aller plus loin que l'érudition et que la recherche des fameuses *sources :* l'essentiel n'est-il pas que Balzac, à partir d'un matériel, finalement disponible et banal, ait posé des questions, parce qu'il avait au plus haut degré cette aptitude qui fait toute la supériorité des grands esprits sur les « crapoussins » ? Il savait « coudre ensemble deux idées ». Le temps de la synthèse n'est jamais tout à fait venu, mais nous pensons qu'il y a de moins en moins de

---

1. Nous renverrons, fréquemment, sur ce point, à notre ouvrage *Aux sources de Balzac.*
2. Voir dans la bibliographie les travaux d'Anne-Marie Meininger, Madeleine Fargeaud, P.-G. Castex, J.-H. Donnard, etc.

raisons valables d'en retarder sans cesse le commencement.

Nous devons beaucoup à tous les balzaciens avec qui nous avons échangé des impressions ou discuté, à qui nous avons demandé des renseignements, et de qui nous en avons reçu. Nous tenons à remercier tout particulièrement M. P.-G. Castex, qui a bien voulu accueillir ce travail, et nous aider dans de « seconds » premiers pas balzaciens, après des années passées loin de la critique vivante. Nous exprimons notre vive gratitude à MM. J.-A. Ducourneau, Bernard Guyon, Roger Pierrot, Jean Pommier, qui nous a ouvert les portes de la collection Lovenjoul. Notre contribution à l'élucidation du message balzacien est largement redevable à ce séminaire de rigueur critique qu'est le *Groupe d'Études balzaciennes*, que préside M. Jean Pommier, et dont le secrétaire général est M. P.-G. Castex. Si le balzacisme est un amour, il est aussi une science. On peut intégrer l'un et l'autre à une vision plus large des choses, mais il faut d'abord partir de là. On nous permettra également d'adresser des remerciements reconnaissants à notre maître, M. René Jasinski, sous qui nous avons commencé, il y a bien longtemps, à réfléchir aux problèmes du romantisme.

v

Notre étude étant strictement chronologique, il arrivera souvent qu'une œuvre soit étudiée non à sa date de publication, mais de conception ou de rédaction. Balzac a souvent conservé en portefeuille pendant des mois, voire des années, des manuscrits que, pour diverses raisons, il ne publiait pas. Il convient donc, si l'on veut faire une histoire fidèle de sa pensée, tenir compte de ces décalages. L'érudition balzacienne disons de domaine public que nous avons pu renforcer de quelques découvertes, a permis, sur ce point encore de rectifier la courbe. C'est ainsi que *Wann-Chlore* (paru en 1825), sera étudié en 1823, que *Le Corrupteur* (paru en 1827) sera étudié en 1826, au lendemain de la première *Physiologie du mariage*, qui elle-même n'attendra pas, bien entendu, l'édition originale de 1829; c'est ainsi qu'*Une blonde* (paru en 1832) sera étudiée en 1828 et que *Le Rendez-vous* (paru en 1831) sera d'abord étudié en 1829-1830.

POST-SCRIPTUM I

En ce qui concerne le sujet même de ce livre, il convient de signaler que si des balzaciens, à l'occasion de tel ou tel texte, avaient fugitivement considéré l'œuvre et la pensée de Balzac dans l'optique et en tenant compte de la problématique du mal du siècle [1], c'est dans l'ouvrage de Per Nykrog, *La Pensée de Balzac*, paru en 1965, que nous avons trouvé pour la première fois, après bien des années de lecture et de réflexion, des rapprochements non plus au niveau des détails ou de l'anecdote, mais au niveau des thèmes fondamentaux d'inspiration et des structures d'expression. C'est dans un autre ouvrage que nous aborderons à notre tour l'étude thématique du mal du siècle dans *La Comédie humaine* : nous n'en sommes qu'à étudier un cheminement et à amasser des matériaux. Nous devons, toutefois, dès l'entrée, marquer notre accord et notre désaccord avec Nykrog. Toute notre analyse, on le verra, renforcera l'un et l'autre. Nous approuvons vivement lorsque Nykrog trouve dans l'opposition balzacienne entre *homme intérieur* et *homme extérieur* de quoi le ranger dans la « famille d'esprits dualistes que sont les romantiques [2] ». Nous le suivons avec encore plus de cœur, lorsqu'il ajoute :

> Balzac se distingue du type romantique cent pour cent en ceci qu'il ne considère pas l'état d'enfer comme identique à la condition humaine. Il y a dans la Comédie humaine des œuvres qui semblent puiser leur inspiration dans le mal du siècle, mais le fait même que ces œuvres voisinent dans l'ensemble avec d'autres moins désespérées, montre qu'il reconnaît en cet état une possibilité, mais seulement une possibilité parmi d'autres : le point de vue du désespoir peut être le bilan d'*une* vie, mais non pas de *la* vie.

Ces lignes, lorsque nous les avons lues, nous ont causé une joie profonde : par des voies différentes nous étions parvenus à des conclusions identiques. Mais l'analyse et les constatations de Nykrog souffrent de demeurer abstraites, de ne pas

---

1. Deux exemples. A propos de *Louis Lambert* : « Ajoutez les rapports de Lambert avec *Oberman*, et vous voyez quelle place occupe le roman dans la littérature du « mal du siècle » (Jean Pommier, *Deux moments dans la genèse de Louis Lambert*, A.B., 1960, p. 96). A propos du *Médecin de campagne* : « Balzac veut apaiser l'angoisse des jeunes gens de sa génération, atteints du « mal du siècle » (Bernard Guyon, *Les conditions d'une renaissance de la vie rurale d'après Balzac*, A.B., 1964, p. 250).

2. Nykrog, *La Pensée de Balzac*, p. 336.

distinguer, lorsqu'il s'agit de *la* vie, de *la* société, par rapport auxquelles réagit Balzac, entre la société, la vie, idéales, de droit, et la société, la vie de fait, dans le XIXe siècle bourgeois. Nykrog a eu l'immense mérite, dans son ouvrage de s'attacher à un optimisme, à un positivisme balzaciens, dont il n'a pas, malheureusement, défini les composantes historico-sociales. Les structures conceptuelles qu'il détecte et démonte, sont nées de réactions précises à des événements et à un devenir précis. Ce sera l'objet de toutes les pages qui vont suivre que de s'attacher à le prouver [1].

POST-SCRIPTUM II

Ce livre a été écrit pour Balzac, pour le romantisme, pour l'Histoire des hommes et pour sa signification. C'est dire qu'il a été écrit (comme tout est toujours écrit *contre* quelque chose, comme tout est toujours entrepris *contre* quelque chose, pour sortir d'affaire et pour avancer) contre toute une pseudo-critique balzacienne, plus essayiste et aventureuse, que scientifique de méthode, qui s'est employée depuis un quart de siècle à annexer Balzac à toute une conception « mystique », mystérieuse, absurdiste, pessimiste, et pour tout dire, obscurantiste et réactionnaire. Chaque contre-offensive, au fil du texte, sera menée à objectif découvert et nommé. Il semble toutefois dès l'abord légitime et sain d'opposer à tous ceux (Albert Béguin, Gaëtan Picon, André Allemand, Rolland de Rénéville, etc...) qui, au mépris des textes formels et de leur histoire, au mépris du *contenu* balzacien, ont voulu faire de *La Comédie humaine* un arsenal de pessimisme et de scepticisme, un texte de Balzac lui-même :

> quelle autre importance offre au regard du penseur la collection des faits constants qui se produisent au sein des familles, et qui, en définitif, font mouvoir la société même; c'est de là que chaque esprit peut partir pour arriver aux plus graves réflexions sur la morale, et découvrir *les vices non du cœur humain, mais des milieux dans lesquels les lois, les usages, les mœurs anciennes ou nouvelles obligent les hommes à faire leurs évolutions privées* [2].

1. Cf. Pierre Barbéris, *La pensée de Balzac : Histoire et structures* (R.H.L.F., janvier-mars 1967).
2. Dédicace inédite de *La Rabouilleuse*, publiée en 1966 par Pierre Citron, dans son édition des Classiques Garnier, p. 420.

Une déclaration aussi claire, aussi nette, situe immédiatement comme mystificatrices toutes les tentatives de déshisto-
risation de Balzac. L'un des objets de ce livre sera de montrer
que comprendre l'Histoire (et l'admettre) n'exclut nullement
de comprendre le génie (et de l'admettre). Mais le génie lui-
même fait partie de l'Histoire. « Les personnages principaux
de Flaubert, écrit André Malraux, sont bien souvent des
personnages de Balzac conçus dans l'échec au lieu de l'être
dans la réussite : Madame Bovary devenue châtelaine de la
Vaubyessard, c'est un roman de Balzac, et *L'Éducation
sentimentale*, c'est les *Illusions perdues*, dont l'auteur ne
croirait plus à l'ambition [1] ». Mais qu'est-ce que concevoir,
et qu'est-ce que croire, ou ne pas croire, et pourquoi croit-
on, croit-on encore, ou ne croit-on plus? Pourquoi Flaubert
aurait-il choisi de retourner ainsi Balzac? La phrase de Malraux peut valoir comme *description*, mais qu'est-ce qu'une
description sans un effort *d'explication?* Seule une critique
qui n'a rien à craindre d'une étude totale des causalités peut,
avec quelque chance d'exactitude et de fidélité, conduire,
comme le tentera ce livre, aux portes de la *Comédie*.

---

1. *Laclos*, par André Malraux, *Tableau de la littérature française, XVIIe-
XVIIIe siècles*, préface par André Gide, Gallimard, 1939, p. 421.

RÉFÉRENCES ET ABRÉVIATIONS

I

Les références balzaciennes sont données, lorsqu'il n'y a pas inconvénient (texte non remanié) d'après l'édition Bouteron de *La Comédie humaine* dans la Bibliothèque de la Pléiade (C. H., suivi du tome et de la page). C. H. XI renvoie au tome XI qui contient, outre les *Contes drolatiques*, les préfaces non recueillies par Balzac, les notices de Roger Pierrot et les Index (allusions littéraires, personnages réels, personnages fictifs) du docteur Lotte. On trouvera quelques références à l'édition des *Œuvres* dirigée par Albert Béguin et Jean-A. Ducourneau (B. D.) et à l'édition des *Œuvres complètes* du Club de l'Honnête Homme, dirigée par Maurice Bardèche (H. H.). Dans les autres cas, on renvoie aux éditions originales, ou aux éditions critiques ou annotées qui en tiennent compte.

Autres sigles renvoyant à des publications fréquemment citées :

A.B., *L'Année balzacienne*.
A.N., *Archives nationales*.
B.F., *Bibliographie de la France*.
Corr., *Correspondance* (éd. Roger Pierrot).
E.B., *Études balzaciennes*.
Étr., *Lettre à l'Étrangère*.
H.O., *Histoire des œuvres de Balzac*, de Lovenjoul.
L.F., *Lettres à sa famille* (éd. Hastings).
Lov., *Dossier de la collection Lovenjoul*.
N.C., *La Nouvelle Critique*.
O.D., *Œuvres diverses* (éd. Conard).
R.H.L.F., *Revue d'histoire littéraire de la France*.
R.S.H., *Revue des sciences humaines*.
R.L.C., *Revue de littérature comparée*.

Sauf indication « souligné dans le texte », les soulignés le sont par nous. Les crochets [...] indiquent soit une coupure, soit une restitution, soit un commentaire.

II. ŒUVRES DE BALZAC
(éditions originales; à l'exclusion des textes recueillis
dans les éditions collectives).

Le Dernier Chouan, ou la Bretagne en 1800, Canel, 1829, 4 vol.
Physiologie du mariage, Levavasseur et Canel, 1829, 2 vol. (fac-similé
au Club du Meilleur Livre, 1950).
Scènes de la vie privée, Mame et Delaunay-Vallée, 1830, 2 vol.
La Peau de chagrin, Canel et Gosselin, 1831, 2 vol.
Romans et contes philosophiques, Gosselin, 3 vol., 1831.
Contes bruns (en collaboration avec Chasles et Rabou), Canel, 1832.
Scènes de la vie privée, deuxième édition, Mame et Delaunay, 1832, 4 vol.
Nouveaux contes philosophiques, Gosselin, 1832.
Histoire intellectuelle de Louis Lambert, Gosselin, 1833.
Le Médecin de campagne, Mame, 1833.
Le Livre mystique, Werdet, 1835.
Le Papa Gobseck, Béchet, 1835.

III. ŒUVRES DE BALZAC (éditions collectives).

La Comédie humaine, édition Marcel Bouteron, 10 vol., Pléiade.
    (Tome XI : *Contes drolatiques*, *Œuvres ébauchées*, *Préfaces*, *Index*).
Œuvres, édition Albert Béguin-Jean A.-Ducourneau, Club Français du
    Livre, 16 vol.
Œuvres complètes, édition Maurice Bardèche, Club de l'Honnête Homme,
    28 vol.
Premiers romans (1822-1825), édition fac-similé des éditions originales,
    Les Bibliophiles de l'originale, 15 vol.
Œuvres complètes d'Horace de Saint-Aubin (réédition modifiée des romans
    de jeunesse, avec une *Notice* biographique rédigée par Jules San-
    deau), Souverain, 1836-1840, 16 vol.
Œuvres diverses, éd. Conard des *Œuvres complètes*, 3 vol.

IV. ŒUVRES DE BALZAC
(éditions séparées, avec une présentation critique;
titre suivi du nom de l'annotateur).

Béatrix (Maurice Regard), Classiques Garnier.
Cabinet des antiques (Le) (P.-G. Gastex), Classiques Garnier.
César Birotteau (Pierre Laubriet), Classiques Garnier.
Colonel Chabert (Le) (Pierre Citron), Droz.
Correspondance (Roger Pierrot), Classiques Garnier.
Cousine Bette (La) (P.-G. Castex), collection Astrée.
Début dans la vie (Un) (Guy Robert), Droz.
Du Gouvernement moderne (Bernard Guyon), Petite Bibliothèque roman-
    tique.
Eugénie Grandet (P.-G. Castex), Classiques Garnier.
Enfant maudit (L') (François Germain), Les Belles-Lettres.
Envers de l'histoire contemporaine (Maurice Regard), Classiques Garnier.
Falthurne (P.-G. Castex), Corti, 1951.
Femme de trente ans (La) (Pierre Citron), Garnier-Flammarion.
Histoire des treize (P.-G. Castex), Classiques Garnier.
Illusions perdues (Antoine Adam), Classiques Garnier.
Louis Lambert (Marcel Bouteron, Jean Pommier), Corti.

Lys dans la vallée (Le) (Moïse le Yaouanc), Classiques Garnier.
Médecin de campagne (Le) (M. Allem), Classiques Garnier.
Paysans (Les) (J. H. Donnard), Classiques Garnier.
Petits Bourgeois (Les) (R. Picard), Classiques Garnier.
Père Goriot (Le) (P.-G. Castex), Classiques Garnier.
Peau de chagrin (La) (M. Allem), Classiques Garnier.
Rabouilleuse (La) (Pierre Citron), Classiques Garnier.
Scènes de la vie privée (La Maison du chat-qui-pelote, Le Bal de Sceaux,
La Vendetta) (P.-G. Castex), Classiques Garnier.
Sténie (A. Prioult), Courville.
Ténébreuse affaire (Une) (Suzanne Jean-Bérard), Cluny.
Torpille (La) (J. Pommier), Droz.
Traité de la prière (Ph. Bertault), Boivin.
Vieille Fille (La) (P.-G. Castex), Classiques Garnier.

V. CORRESPONDANCE

Correspondance (édition Roger Pierrot, Classiques Garnier), 5 vol.
Lettres à l'Étrangère, Calman-Lévy, 4 vol.
Lettres à sa famille (édition Hastings), Albin Michel.

VI. MANUSCRITS (collection Lovenjoul).

A 49   *Cromwell.*
A 59   *Les Deux Rêves.*
A 77   *La Femme de trente ans.*
A 83   *Fœdora.*
A 84   Fragments divers de manuscrits de Balzac.
A 115   *Lettres sur le travail* et fragments politiques divers.
A 116 ⎫
A 117 ⎬ *Le Lys dans la vallée.*
A 118 ⎭
A 137-140   *Le Médecin de campagne,* manuscrit et épreuves.
A 156   Notes diverses.
A 157   Notes philosophiques.
A 158   Notes prises par Balzac pour ses romans.
A 160   *Notice biographique sur Louis Lambert.*
A 166   Œuvres diverses.
A 214   *Sténie ou les erreurs philosophiques.*
A 224   *Traité de la vie élégante.*
A 228   *Un grand homme de Paris en province.*
A 240   Vers autographes.
A 244   *Wann-Chlore.*
A 256   Affaires de librairie et d'imprimerie.
A 271   Autographe de Bayeux.
A 278 ⎫
A 279 ⎬ *Correspondance.*
A 378 ⎫
A 378 *bis* ⎬ Correspondance de la famille Balzac.
A 379 ⎪
A 381 ⎭

CHAPITRE I

Définitions et perspectives

> *Le XIXᵉ siècle, dont l'auteur essaie de configurer l'immense tableau, sans oublier ni l'individu, ni les professions, ni les effets, ni les principes sociaux, est en ce moment travaillé par le doute.*
>
> BALZAC,
> *Préface du* Livre Mystique, *1835.*

BALZAC ET LE MAL DU SIÈCLE : cette alliance de mots surprendra, habitués que nous sommes, lorsque nous pensons *mal du siècle* à évoquer les lyriques, les analystes de la conscience douloureuse de soi. L'expression « enfant du siècle » se trouve pourtant sous la plume de Balzac dès 1821, dans *Sténie*, et, à l'autre bout de sa carrière, il intitulera *Le Mal du siècle* un chapitre de son *Envers de l'histoire contemporaine* consacré aux désenchantements d'un jeune libéral après 1830. Au passage, il avait probablement mis la main à un roman de son ami Davin, *La Maison de l'ange, ou le Mal du siècle*, en 1835, et intitulé, après Musset, *Triste confession d'un enfant du siècle*, en 1842, l'introduction à la troisième partie d'*Illusions perdues*. Il s'agit donc là, pour lui, d'un concept familier, d'une expression chargée de sens [1]. Des objections demeurent, cependant, que l'on songe

---

1. Dans un projet de préface pour la seconde édition d'*Adolphe*, il est question d' « une des principales maladies morales du siècle » (éd. Bornecque, I, p. 304), mais semble-t-il, dans un sens assez restrictif (« cette fatigue, cette incertitude, cette absence de force, cette analyse perpétuelle »...). Stendhal, lui, parle comme d'un ridicule de la « maladie morale de son siècle » (« se croire philosophe le profond ») qu'il oppose, implicitement à la vivacité xviiie siècle (*Armance, Œuvres*, I, p. 82). Mais il semble bien que l'inventeur de l'idée et de l'expression, toutes deux destinées à faire fortune, quitte à voir leur signification évoluer considérablement, ait été Lamennais dans son *Essai :* « le siècle le plus malade n'est pas celui qui se passionne pour l'erreur, mais le siècle qui méprise, qui dédaigne la vérité » (*Essai sur l'indifférence en matière de religion*, I, p. 1). Paul-Louis Courier y fait une allusion significative en 1822 : « Voilà d'où vient l'indifférence qu'à bon droit nous reproche l'Abbé de Lamennais, en matière de religion [...] *c'est proprement le mal du siècle* » (*Pétition pour des villageois qu'on empêche de danser*, *Œuvres*, p. 43) et il est possible que ce soit comme une sorte de correction à Lamennais, que doive être comprise la remarque de Stendhal. C'est encore semble-t-il, avec une intention de précision, que Sainte-Beuve écrit dans sa préface de 1833 à la réédition d'Oberman : « Ce mot d'ennui, pris dans l'acception la plus générale et la plus philosophique, est le trait distinctif et le mal d'Oberman ; *ça a été en partie le mal du siècle*, et Oberman se trouve ainsi l'un des livres les

à l'homme ou à l'écrivain. Comment ranger avec René, avec Musset, ce gros sanguin, cet ennemi des « intéressantes pâleurs[1] », cet adversaire de *Chatterton*[2]? Les ananas des Jardies cadrent mal avec la difficulté d'être. Comment, admettre, d'autre part, le créateur d'*Eugénie Grandet*, le peintre de la pension Vauquer, le conteur des *Drolatiques*, dans la phalange des rêveurs, à nacelle ou non? En fait, il semble bien que ce que spontanément, on oppose, dans le cas de Balzac, à son « romantisme », ce soit son « réalisme ». Ou, plus exactement une certaine idée qu'on s'en fait. C'est dire qu'ici s'impose un effort de définition.

On remarquera d'abord que la confession de Raphaël, ou celle de Benassis[3] relèvent directement, tant par les thèmes que par le vocabulaire, de la littérature *descriptive*.

plus vrais de ce siècle, l'un des plus sincères témoignages dans lequel bien des âmes purent se reconnaître » (*Oberman*, Abel Ledoux, I, p. v) : le mal du siècle n'est pas *que* l'indifférence. Quelques jours plus tard, *Bagatelle*, revue littéraire royaliste qui publia le XIII(dans ce même numéro *Le Prosne du Joyeux Curé de Meudon*) et rendit compte de plusieurs de ses ouvrages (*Nouveaux contes philosophiques, Le Médecin de campagne*) reprenait la balle : « Pour bien comprendre *Oberman*, il est bon de savoir à quelle époque fut composé cet ouvrage. Ce fut dans les dernières années du Consulat, c'est-à-dire à une époque où notre société, épuisée de fatigue, lasse de flotter de l'un à l'autre pouvoir, se prit à douter d'elle-même, et fut conduite de la lassitude dans l'ennui. *L'ennui était alors le mal du siècle* » (*Bagatelle*, 13 juin 1833, I, p. 389, compte rendu de la réédition d'*Oberman*). Quant à l'expression d'*enfant du siècle*, elle semble procéder d'une double origine : 1º religieuse ; en ce sens, « enfant du siècle » signifie homme du siècle profane, par opposition au siècle à venir, c'est-à-dire de la vie supra-terrestre ; ainsi, le moine Magnus, dans *Lélia*, s'écriera : « Je ne me laisserai pas décourager par les paroles impies de *cet enfant du siècle* » (*Lélia*, éd. Reboul, p. 277). 2º Historique ; en ce sens, « enfant du siècle » renvoie à l'expérience précise du XIXe siècle. C'est celui qu'on trouve dans la *Confession d'un enfant du siècle*, avec comme contre-preuve, cette *Confession d'un enfant de l'autre siècle* (Ulrich Guttinger) des *Poésies posthumes*, du même Musset. Qui est le premier responsable ? Il semble bien que ce soit Victor Cousin qui ait lancé cette nouvelle utilisation d'un vieux cliché ; on ne trouve guère, dans ses cours publiés, que « *les enfants de cette époque* » (*Cours d'histoire de la philosophie*, I, p. 36), mais de nombreux commentaires de presse et des allusions irritées de Jay dans sa *Conversion d'un romantique*, en 1830, prouvent qu'on lui attribuait l'expression que Musset devait rendre célèbre. Il est probable que, lorsque Balzac l'emploie, en 1821 dans *Sténie*, et précisément dans un sens historico-philosophique, en la chargeant de fierté, il s'agit d'une réminiscence précise du temps où il suivait les cours de Sorbonne. De même le poème de Musset semble bien suggérer la même origine. Dans *Une fille d'Ève* en 1839, Balzac dira de Nathan : « C'était bien l'*enfant de ce siècle*, dévoré de jalousie, où mille rivalités à couvert sous des systèmes nourrissant à leur profit l'hydre de l'anarchie de tous leurs mécomptes, qui veut la fortune sans le travail, la gloire sans le talent et le succès sans peine, mais qu'après bien des rébellions, bien des escarmouches, ses vices amènent à émarger le Budget sous le bon plaisir du Pouvoir » (C. H. II, p. 92). Dans ce sens vivement polémique, l'expression s'inscrira dans une grande opération du genre anti-Chatterton. Dans l'ensemble des autres cas, cette intention est moins voyante, et la résonance plus compréhensive.

1. *Jean-Louis* (1822).
2. *Chronique de Paris* (1836).
3. « Je passai de tristes jours, en proie au *vague des passions* » (*Confession du Médecin de campagne*) ; utilisation d'un cliché, mais aussi acceptation et intégration d'un thème. (C. H. VIII, p. 478.)

Les jeunes gens perdus de Balzac ne relèvent pas de la faune parisienne ou de province au même titre que l'usurier, l'avoué, la vieille fille. Il les a, certes, rencontrés. Mais ils *vivent*, aussi, ils ont vécu en lui. L'essentiel, toutefois, est ailleurs : dans la portée même du réalisme balzacien [1].

Toute une critique, à partir d'une certaine date, s'est mise à juger le romantisme et le mal du siècle à travers sa peur rétrospective de 48 et de 71. Tout ce qui pouvait encourager les tendances antisociales, tout ce qui pouvait affaiblir la capacité de résistance de la société bourgeoise ou diminuer la foi qu'elle avait en elle-même, était considéré comme du Diable. Inquiets, révoltés, les romantiques l'avaient été par vice ou malformation, par orgueil. Mais bien des années ont passé depuis le temps où les maurrassiens ne voulaient voir dans la mélancolie du « stupide xixe siècle » que des éléments totalement étrangers au génie national, importés de Germanie (ô Helvétie, quelle responsabilité!...), par quelques esprits détraqués [2]. On sait aujourd'hui que cette inquiétude et cette révolte montaient du plus profond de la conscience française, secouée par l'écroulement de l'ancien régime, par les difficultés du rationalisme classique, devenu une philosophie des satisfaits, par les premières contradictions de la révolution bourgeoise. De cette crise prolongée, dans laquelle on distingue nettement plusieurs périodes, Balzac est l'un des témoins les plus précieux, les plus fidèles. Tous les espoirs, toutes les déceptions, engendrés par le renouvellement des structures et de la pensée au début du siècle de l'argent, toutes les tentatives d'élucidation de la réalité moderne, on en trouve les échos dans son œuvre, qui mérite bien, par conséquent, pourvu que l'on ne donne pas à l'expression une signification trop étroitement décorative, d'être étudiée sous la rubrique *mal du siècle*. Lorsque Balzac décrit le besoin de partage et de dévouement, la soif d'efficacité vraie, qui

1. Le texte de la préface du *Livre mystique* cité en épigraphe (p. 9, C. H. XI, p. 266) prouve bien que, pour Balzac, le doute, le mal du siècle, faisaient partie du *tableau* qu'il s'était proposé de configurer dans son œuvre romanesque. Mais, évidemment, il n'est de *peinture* valable du mal du siècle sans expérience et conscience intime. On le verra aussi bien dans ce premier livre, au fil des années, que dans le second, de cercle en cercle et de thème en thème, Balzac a vu et senti : bien vu parce qu'il avait senti, senti avec plus d'exactitude que d'autres parce qu'il avait pris du recul par rapport à ses expériences et à ses émotions.
2. Sainte-Beuve, avec une intelligence critique, avait bien senti le scandale de cette explication : « Il y avait une fois une grande dame qui ouvrait son salon à tous les venants; là surtout prêchait un novateur tudesque qui endoctrinait les jeunes têtes. La semence a fructifié : d'imberbes professeurs, sortis du salon de Mme de Staël, en ont propagé les doctrines, et, depuis que *Le Globe* a paru, le mal est devenu effrayant. » Voilà en trois mots l'histoire du romantisme selon M. Duval [...] (*Le Globe*, 5 juillet 1828, *Œuvres*, I, p. 288).

travaille une jeunesse barrée par la « gérontocratie », d'abord,
par le « Juste-Milieu », ensuite, lorsqu'il nous explique comment cette même jeunesse, se tournant vers le plaisir et l'ambition, n'y trouve qu'âcres insatisfactions, nous sommes en face
de l'une de ces analyses et expressions qui, renouvelant notre
connaissance de l'Homme à un moment de son Histoire, nous
font avancer dans la compréhension de cette histoire même.
Tous les dégoûts, toutes les tristesses, toutes les violences, prennent alors leur véritable sens. On ne peut plus, après avoir lu
La Comédie humaine, se satisfaire des explications « littéraires ».
On est forcé de se poser la question des *causes*. Et, le mouvement étant donné, on en vient, nécessairement, à s'interroger
sur la notion, centrale, pour toute étude du mal du siècle,
d'*aliénation*, puis sur celle qui la suit, de *prise de conscience*.

*

Aucun écrivain, sans doute, ne fut plus *engagé* que Balzac
dans son siècle [1]. Les articles de la *Revue parisienne* comptent
moins, d'ailleurs, ici, que *La Comédie humaine :* ce n'est ni
par la tribune, ni par la polémique — qui toujours laissent
échapper quelque chose du réel, et qui jamais ne disent tout
le réel — qu'il nous en fait comprendre les problèmes. Son
œuvre, très tôt, apparaît comme l'une des plus fermes protestations contre cette forme d'ordre que Vautrin, avant
Péguy, appelait le désordre établi. Elle montre une société
perpétuellement conquérante, mais aussi perpétuellement
insatisfaite et frustrée. Toute conquête, s'y faisant au nom
d'une loi de division, non d'association, contre les hommes, non
contre la nature, tout vainqueur l'est, peu ou prou, aux dépens
de soi-même, au prix de la meurtrissure d'une idée qu'il
portait en lui, de réussite selon le bien, selon le juste et le
vrai, selon l'unité. Rastignac à l'enterrement de Lucien,
Rastignac faisant des démarches pour Michel Chrestien,
autant de témoignages sur le peu d'illusions que se fait l'ambitieux arrivé sur la *valeur* de sa réussite. Le mal du siècle,
toutes les descriptions formelles l'ont dit, c'est l'insatisfaction éternelle. Mais cette insatisfaction tient à la structure
même de rapports sociaux, qui sont des rapports d'exploitation. Le maître, on le sait, n'est pas plus libre que l'esclave,

---

1. Et aussi plus *présent*. Sainte-Beuve a écrit : « Le juste par sa mort proteste
et se retire » (*Vie, Poésies et pensées de Joseph Delorme*, éd. Antoine, p. 94,
Dévouement), alignant son pessimisme et son idéalisme sur celui des romantiques
de droite. Jamais Balzac n'aurait pu écrire ces mots.

puisqu'il est soumis, lui aussi, à la loi qui régit les rapports maître-esclave. Toute tentative, chez Balzac, pour résoudre le mal du siècle par l'entreprise — sauf dans les deux cas privilégiés du *Médecin de campagne* et du *Curé de village*, qui relatent des tentatives faites *en dehors* du cadre capitaliste — aboutit à dénoncer le caractère truqué de la société. Cycle absurde, que celui de l'ennui et celui de l'action! L'affrontement de la jeunesse et des « ventrus », le sentiment pénible de posséder des « trésors qui n'ont pas cours », tout ceci ne prend son véritable sens qu'au spectacle de l'inassouvissement des nantis. Nul homme, chez Balzac, ne « fonctionne » réellement dans le cadre d'un ensemble indiscuté, insoupçonné. Toute victoire, dans cet univers, est précaire, matériellement, mais surtout moralement. Le xixe siècle n'offre aux hommes que la possibilité de succès incomplets. Ceci, Balzac l'a vu et l'a fait voir. Le mal du siècle, chez lui, est le début d'une prise de conscience, incertaine, sans guides, sans références, que n'assiste aucune idéologie, aucune solidarité réelle; prise de conscience de l' « ilotisme », comme il le dit, auquel le capitalisme, quelles que soient les formes politiques, condamne l'Homme. Les différences superficielles de *régime* comptent peu. La présidence a changé, mais la séance continue. Le problème balzacien numéro un est celui de la prise de mesure d'une société dont on avait cru pouvoir tout attendre.

Il importe donc, au début d'une ère de frustration en même temps que de vouloir-vivre, de définir avec précision par quel biais Balzac en est venu à cette prise de conscience des problèmes d'une société renouvelée, dans laquelle, par conséquent, avaient cessé de suffire les clés du monde d'autrefois. Jeune homme, Balzac a vécu les tentations qui sont celles de toute jeunesse, rêvé de gloire, d'amour, d'affirmations définitives, de système universel; son esprit et son sang ont nourri des exigences que relayaient les promesses d'un siècle neuf. C'est donc à la fois au fil des découvertes de soi et de l'apprentissage du monde que se précise la nature de sa critique. Réfractée au travers d'un tempérament privilégié, l'expérience du siècle, de diffuse et d'inexprimée, devient quelque chose que cerne le langage et que fait vivre le roman. L'inquiétude balzacienne apparaît ainsi à la fois comme le *produit* d'une situation, et comme la *réaction* particulière d'un homme exceptionnel qui élabore ses propres réponses. *Avec* et *contre* son siècle, il définit un ensemble de jugements, de propositions, d'institutions, de mythes, dont la cohérence et la continuité, relevant autant de l'Histoire que de la fidélité

à soi-même, se nourrissent en *avançant* de cette confrontation
entre le *moi* et les autres qui s'appelle la vie. C'est dire qu'on
ne saurait comprendre le mal du siècle balzacien en s'en
tenant à l'histoire d'une âme. Il faudra chercher dans l'étude
des structures, des décors, l'origine de réactions subjectives
qui seules sont créatrices et constituent une avancée dans la
prise de conscience, *mais qui ne sauraient être comprises comme
un pur jeu de sentiments*. L'œuvre résulte d'une résolution
provisoire, sur le plan de l'esthétique, du conflit dialectique
conscience-société; elle apporte, en un sens, une première
réponse à l'inquiétude, en ceci qu'elle est acte positif et affirmation d'une relative maîtrise. Mais elle devient à son tour
élément de l'ensemble dans la mesure où, éclairant la réalité,
elle s'y confronte et force à réfléchir. L'idée qu'on se fait du
réel n'est plus la même une fois qu'on l'a vue à travers un
roman réaliste, et donc les *rapports* du lecteur avec cette
réalité ne sont plus les mêmes. C'est par là que les analyses
et descriptions balzaciennes sont non seulement des *documents*,
mais des *instruments*. Toute la causalité de *La Comédie
humaine* est une causalité strictement humaine, matérialiste. Balzac lui-même, le plus souvent, établit explicitement
le lien entre le subjectif et le politique. A moins de s'y refuser,
on doit, à lire Balzac, à le voir se former, aller au fond du vieux
problème : *quelles sont les racines du sentiment d'exil?*

Le lien, toutefois, entre le subjectif et l'objectif, n'est pas
toujours indiqué de manière explicite. Certains thèmes ou
mythes peuvent se développer sans que soit clairement perçue
par l'auteur la relation qui les unit à l'Histoire. C'est même
dans ce cas que la puissance créatrice atteint sa plus grande
efficacité. Toute explication de sentiments éprouvés leur
confère un caractère de relativité qui en diminue la virulence :
l'essentiel, dès lors, n'est plus le sentiment vécu, *mais sa
cause*. Balzac écrit l'*Enquête sur la politique de deux ministères* au lieu de *La Peau de chagrin*. Mais l'*Enquête* est aujour-
d'hui une lune morte, alors que *La Peau de chagrin*, sans se
dévorer, continue de vivre. Le mal du siècle est infiniment
plus significatif, lorsqu'il n'est pas totalement conscient
de ses origines, lorsque le poète est poète, non historien ou
analyste, lorsque les déterminations externes se confondent
avec l'air même respiré. Mais alors, c'est à nous de chercher,
dans l'étude des thèmes et des mises en forme, ce qu'ils doivent à des causes qui nous apparaissent avec nécessairement
plus de clarté puisque nous bénéficions du recul de l'Histoire
accomplie. L'écho, dans une conscience, des difficultés du
siècle, engendre ce que Valéry appelait une « réaction », que

seuls peuvent vraiment interpréter ceux qui se trouvent par-delà le processus qui lui a donné naissance. Cette « réaction » relève certes, de l' « individuel »; elle est gauchissement du réel par une conscience particulière; les types d'esprits existent, ainsi que les humeurs, le plus ou moins d'aptitude à l'amour, etc. Mais elle relève aussi du général dans la mesure où elle se retrouve chez d'autres hommes. Le sentiment de l'absurde, après 1830, est très répandu : comment admettre [1] qu'il s'agisse là de manifestations d'individus excités qui veulent attirer l'attention? Le refus des explications historiques et sociologiques, d'abord est toujours suspect dans ses intentions, ensuite et surtout peut conduire à d'énormes contresens, comme de ne pas voir que *La Peau de chagrin* est le livre d'une révolution trahie, *et qui ne pouvait ne pas l'être*. Sur ce point précis, d'ailleurs, on retrouve cette délicate convergence de l'individuel et de l'historique : Raphaël raconte sa vie de misère *après* que Balzac nous a montré ce que Juillet avait fait de la jeunesse. Mais l'aurait-il fait, si Juillet avait rendu à la jeunesse le sens de la vie? Que de fantômes montent du souvenir, lorsque l'Histoire devient tréteau de bateleur! Tout ce qui en nous est ténèbres n'attend qu'un signe de l'extérieur pour occuper la place de choix. Mais il en est de même de ce qui est lumière. On verra Droui-neau, les armes à la main, devant le Louvre, alors que le drapeau tricolore flotte sur Notre-Dame, *oublier* — il le dira lui-même — tout son passé de misère, trouver, pour la première fois, que les choses sont belles. Le mal du siècle est relais des frustrations de la vie privée par celles de la vie sociale. L'Histoire est bien la même pour tous, mais ce qu'elle éveille, ou réveille en chaque homme, porte la marque d'une expérience particulière. D'où les difficultés de l'analyse. Il faut démêler la part du double conditionnement, interne et externe; il faut retrouver comment, et pour quelles raisons, sous quelles influences les réactions de défense élémentaires devant l'événement ont pu engendrer des complexes expressifs, des jeux d'images, qui transposent et organisent ce qui fut d'abord pagaye et déroute. Il faut essayer de retrouver dans ce qui est apparence de l'absolu (l'œuvre), le relatif; dans ce qui est donné comme premier, ce qui est en réalité second. Le mythe de l'Antiquaire, comme le thème de l'Homme entre les deux infinis, est premier, pour Balzac comme pour Pascal, mais il ne saurait plus l'être pour nous, qui pouvons *le replacer* dans un ensemble mieux compris.

1. Par exemple avec Maurice Bardèche.

Le propre de tous les grands mythes est de livrer peu à peu
leurs composantes. Le risque est grand, certes, de tomber
dans le schématisme. Il reste toujours une part d'irréductible,
dans l'élaboration des mythes et dans la construction des
œuvres; on n'a pas tout dit des *Pensées* lorsqu'on a évoqué
les conséquences du copernicisme ou la situation faite à une
certaine bourgeoisie; on n'a pas tout dit de *La Peau de chagrin* lorsqu'on a évoqué le conflit entre la « résistance » et
le « mouvement », entre les tentations de la sagesse et celles
de l'expansion en régime capitaliste. Mais on a quand même
approché d'une explication plus complète que celle qui s'en
tient au simple « mystère créateur » et au scandale du génie.
L'élucidation par l'analyse historique des schèmes de pensée
et d'expression littéraire ne permet pas d'aboutir à des
explications *totales*, mais elle permet de faire reculer un peu
encore la zone d'inconnu que voudraient maintenir autour
de nous les philosophies sceptiques et réactionnaires. Psychanalyse du mal du siècle, en même temps que démon-
tages de ses composantes concrètes : telle sera, un peu, la
double attitude que nous aurons à adopter en face d'œuvres
d'apparence obscure, mais qui toutes expriment des refoulements, des recherches de compensation, des subterfuges, des
ruses avec soi-même ou avec les choses [1]. Ne pouvant régler
le monde, je me règle moi-même. Se régler soi-même donne
l'œuvre d'art ou la formulation d'une morale. *Mais pourquoi
ne pouvoir régler le monde? Le critique de bonne foi est obligé
ici de poser la question politique.* Toute mutilation du *vouloir*
au nom d'une impuissance du *pouvoir* force à se demander
quelles sont les raisons politiques de cet échec du *vouloir*.
Le sujet écrivant, lui, ne sait pas toujours clairement : il
est le nez contre les choses. Mais nous? A condition de ne
pas trop tenir à justifier les choses, on peut arriver à voir
assez clair. Quelle est la nature exacte des matériaux fournis
par Balzac?
    Du tableau donné par lui de la France dans la première
moitié du XIXe siècle, il est possible de tirer des documents
descriptifs d'une exceptionnelle valeur, et les « trous » même

---

1. On aura cent fois l'occasion de le vérifier : les écrivains romantiques établissent toujours une équivalence, un lien, au moins une concomitance, entre les
faillites de la vie intime et les faillites historiques ou, vice versa, entre les affirmations de l'individu et les moments où l'histoire libérale était positive, conquérante et pleine. Béranger liera le grenier, Lisette et ses vingt ans aux souvenirs
de Marengo. Sainte-Beuve écrira : « qu'à vingt ans ont fui pour ne plus revenir /
L'Amour aux ailes d'or, que je croyais tenir / Et la gloire emportant les hymnes de
la France » (*Sonnet*, in *Joseph Delorme*, éd. Antoine, p. 34). Il ne faut exclure ni
Marengo, ni 1815, ni toute Histoire, pas plus qu'il ne faut exclure cousines et
voisines, par quoi, en bourgeoisie, souvent tout commence.

de ce tableau témoignent moins d'une insuffisance d'information ou d'un gauchissement volontaire de la vision, que d'un
sens aigu de ce qui comptait alors, et de ce qui comptait
moins. Les insurgés de Juillet, la classe ouvrière en tant que
telle, ne jouent aucun rôle dans *La Comédie humaine :* ce
n'est pas chez eux que se fait l'Histoire. N'est-ce pas dire
que ce que fournit Balzac, ce sont moins des faits que des
orientations, des complexes de force? Balzac vivant n'est
pas un fournisseur de tranches de vie; c'est un homme qui
a vu et fait voir dans quel processus se trouvaient embarqués
ses contemporains, quelles tensions sous-tendent le dynamisme du siècle. Il y avait bien assez pour nous communiquer instantanés, choses vues, tableaux de genre, échos
de l'actualité, de tous les petits réalistes qui pullulèrent de
l'Empire à la Monarchie de Juillet : Jay, Jouy, Balisson de
Rougemont, Bazin, Saint Prosper, Lanfranchi, Montigny [1].
Chez eux, rien ne vit, ils peignent un monde curieux, coloré,
aimable, mais sans problèmes. Balzac, lui, fait vivre les poussées, ce qui porte le corps social. Son réalisme est critique dans
la mesure où il n'est pas un réalisme des détails, mais de
l'ensemble, pensé comme ensemble, et comme ensemble
portant en lui la raison de son mouvement. Or, le mal du
siècle est conscience d'être emporté dans un *mouvement* dont
on ne voit pas le *sens*, et l'essentiel du témoignage historique
de Balzac porte sur cette conscience, précisément, d'être à
la fois instruments et victimes d'un processus dont échappe
l'orientation. Son réalisme est inséparable de l'inquiétude
et de la recherche, que l'on aurait pu croire apanage des
idéalismes et des théologies. Comme tout matérialisme,
non mécaniste, il ouvre sur un devenir. Ce réel qui est unité
est aussi mouvement, disait Politzer. Il ne suffit donc pas,
comme l'a fait Jean-Hervé Donnard [2], de marquer les correspondances entre les sujets traités par Balzac et l'actualité,
ses lectures, etc. Que Balzac n'ait pas inventé, qui, aujourd'hui,
n'en serait d'accord? Et ceci est vrai dans d'autres domaines,
en particulier celui de la vie privée. Mais ce qu'il n'était pas
obligé de sentir, et de faire sentir, souvent à son insu, c'est
la *problématique* d'ensemble qui, seule, fait l'intérêt des
innombrables *faits* rapportés et utilisés. Il ne faut pas confondre *incidents* et *événements ;* un incident se produit; un évé-

---

1. *L'Hermite de la chaussée d'Antin, L'Hermite en prison, L'Hermite en liberté,*
*Le Rôdeur français, L'Observateur du XX*e *siècle, Journal d'un voyage à Paris,*
Le Provincial à Paris, L'Époque sans nom, etc.
2. *Réalités économiques et classes sociales dans l'œuvre de Balzac.*

nement signifie et se compose avec d'autres. L'Hermite
de la chaussée d'Antin lit les journaux, rencontre des spectacles curieux, croise des gens pittoresques. Et après? Son
« réalisme » est immobile. Balzac, lui, est passé de l'entomo-
logie aux principes moteurs, des détails aux forces. Certes,
il n'a pas toujours clairement établi le lien des « choses vues »
au grand *impetus* qui emporte le siècle : Pons sur le boulevard
aux dynasties bourgeoises, Goriot dans sa mansarde aux
mines de Wortshin. Alors, cet *impetus*, il en fait une force
abstraite, une entité métaphysique et philosophique. Les
deux thèmes se rejoignent parfois, comme dans *Ferragus* et
dans *La Fille aux yeux d'or*, mais, contrairement à ce qu'on
dit souvent, ce n'est pas le mouvement « social » de ces deux
ouvertures qui est *figure* du mouvement métaphysique, c'est
ce mouvement métaphysique qui est *figure* du mouvement
social. Deux écoles de balzaciens s'opposent, qui insistent
les uns sur le réalisme, les autres sur la philosophie de leur
grand homme. Vaine querelle! La société devait porter avec
elle la raison de son mouvement. Une fois remportées les
victoires nécessaires, le mécanisme et le sec matérialisme
du xviiie siècle bouchaient l'avenir. Ils aboutissaient à
Étienne, à M. de Jouy, aux « progressifs » du *Constitutionnel*.
Or de nouveau, la société bougeait dans ses profondeurs,
de nouveau les âmes se tendaient vers autre chose, vers un
avenir infiniment plus éloigné que celui qu'attendait Voltaire.
Il s'agissait de l'immense drainage des capitaux vers les entreprises, il s'agissait de l'immense concentration des activités,
il s'agissait d'une universelle ascension, avec, déjà, cet inquiétant problème ouvrier, ce grouillement de foules, cet entassement de misérables. La bourgeoisie naissante, comme le
dira Engels, portait en elle son contraire. Dès lors, il ne
s'agissait plus seulement de prouver (comme Voltaire) qu'un
négociant était plus utile qu'un courtisan qui sait à quelle
heure le roi se lève. Dès lors, pour exprimer ce rush, la pensée
« raisonnable » devenait insuffisante. D'où, chez Balzac,
comme chez Lamennais, comme chez les saint-simoniens,
comme chez Cousin, cette hantise des notions de *mouvement*,
de *synthèse*, de *dépassement*, d'*intégration*. Seulement, en
l'absence de perspectives révolutionnaires claires, en l'absence,
même, de perspectives de développement *total* de la bourgeoisie [1], quelle forme peut prendre, risque de prendre, le
besoin d'autre chose, le sens du mouvement, sinon une forme

---

1. Cf. *infra*, t. II, en 1830, le refus, sous l'influence des manufacturiers du
Nord, d'annexer la Belgique qui s'offrait.

métaphysique? Les sociétés qui satisfont les besoins de la jeunesse ignorent les Louis Lambert, et Balzac a clairement signifié aux tenants de la littérature « pure » et des « pures » aventures spirituelles que son Lambert était bien un enfant *du siècle*, en ajoutant dans l'édition de 1835, cette *Lettre à l'Oncle* qui est comme la réponse à son père de quelque Pantagruel déçu. Après cette plongée dans le réel, Lambert revient à ses démons, dont il mourra. Mais s'il avait trouvé le général qu'il cherchait? Le « mouvement » abstrait de Lambert avait, un moment, rejoint le « mouvement » du siècle, qui se révèle être un mouvement tronqué. Voilà une « réalité » d'une autre importance qu'un fait correctement rapporté. Le réalisme balzacien n'est pas *enregistreur* mais *créateur ;* il saisit et montre, il fait exister ce qui échappe aux « observateurs ». Par là, il est créateur de *formes*. C'est Balzac qui a fait du roman populaire, platement narratif, qui ne progresse pas, qui *n'épaissit pas* et procède par accumulations dont rien ne naît (Restif, Pigault-Lebrun : il les a imités dans *Jean-Louis*), un *grand* genre. Et ceci en remplaçant un réalisme plat par un réalisme de vision. Baudelaire n'est pas responsable, non plus que Gautier, des multiples utilisations de cette expression qui a fait fortune. Que signifie-t-elle, sinon que Balzac, comme Vautrin, est l'homme qui a le sens du *lien?* Pour les petits réalistes, le mal du siècle, l'inquiétude, ne sont que des bizarreries qui s'ajoutent à d'autres. Balzac, lui, a le sens du *total*. Si les concierges même, dans son œuvre, ont du génie, cela signifie qu'il voit les hommes non livrés à de chatoyantes ou pittoresques besognes, mais engagés dans une aventure. Il n'y a pas pour ses héros, d'arrière-boutique. Ils sont tout entiers dans la quête d'amour, de richesse, de certitude, d'efficacité; il n'y a jamais, chez eux, cette réserve implicite sur la valeur des entreprises humaines qui garde l'âme d'en trop attendre et limite d'avance les effets de la découverte du monde. L'Homme balzacien est un Homme tout entier de la Terre, mais la courbe de son destin est celle d'un Homme aliéné. Qu'importent les « choses vues »? Que Balzac, le plus souvent ait pris son bien au réel vérifiable peut être excitant pour l'esprit d'érudition. Mais Balisson de Rougemont, mais l'Hermite de la Chaussée d'Antin, n'ont rien inventé, eux non plus. Ce que Balzac a vu du monde moderne, ce sont ses problèmes, la nature de ses ambitions, le mouvement qui l'emportait, les craintes suscitées par cette obscure et puissante marée. Avec lui s'élargit la notion de mal du siècle, qui n'est plus seulement le propre d'une jeunesse sans expérience ni responsabilité, mais bien d'une

humanité, dans son ensemble, aux ailes coupées. De Flicotteaux à la terrasse de Clochegourde, on rêve d'une autre vie,
mais sans appel aux orages désirés ni aux espaces de la tradition spiritualiste. Pourquoi — et ici il faut sortir de Balzac —
à la fois l'*idée* d'une vie plus large selon la terre, et l'*expérience* aussi universelle de manque et d'échec?

*

Castille verra clair qui, en 1853, écrira : « Le siècle est triste »,
mais ajoutera : « La tristesse du siècle a des causes diverses.
*Le dégoût où nous a jetés le triomphe du parti des obèses n'est
pas l'unique motif de nos suicides et de nos élégies* [1]. » Les
causes lointaines, selon lui, sont la Révolution, qui a jeté bas
toute une organisation sociale, la philosophie du xviiie siècle
qui a sapé les croyances et laissé des habitudes critiques
profondes, la *Déclaration des Droits de l'Homme*, qui a ouvert
à tous des ambitions démesurées, sans que soient assurés
les débouchés nécessaires. Dix-sept ans plus tôt, Nettement
faisait remonter, lui aussi, aux bouleversements du siècle
précédent les causes du déséquilibre moderne. Pour lui,
le symptôme le plus caractéristique fut l'affaire Law qui,
brisant les vieux cadres, révéla le nouveau pouvoir de l'argent.
« *Tout un avenir pressé d'éclore* [2] » se manifeste pour lui dans
dans cette immense folie. Le sentiment chrétien, le sentiment
de l'honneur, cédaient d'un coup au dynamisme neuf de
l'individualisme et du désir de faire fortune. L'antique société
découvrait *le mouvement*, avec ses périls comme ses séductions. Vers quoi allait-on? Non vers une nouvelle unité, mais,
nécessairement, vers d'éternelles insatisfactions : « L'industrialisme accouchait d'une *société-Tantale*, enflammée de la
soif du lucre, et tourmentée des angoisses de la mendicité [3]. »
On allait vivre au jour le jour, selon le rythme court et sac-
cadé des ambitions. Plus de longs espoirs; le technique même
n'était qu'un *moyen* de gagner; on était condamné à une
« *politique de cabotage* [4] ». *Le mouvement ne serait pas dynamisme et organisation, mais agitation.* Or, agitation égale
absurde. Ce sera l'un des thèmes de *La Peau de chagrin*
et des œuvres qui y conduisent. L'Humanité grouille au lieu
d'avancer. Mais prenons bien garde : il s'agit ici de tout autre

1. *Les Hommes et les mœurs en France sous le règne de Louis-Philippe*, p. 271-279.
2. *Ruines morales et intellectuelles*, p. 11.
3. *Ibid.*, p. 20.
4. *Ibid.*, p. 20.

chose que de la dénonciation moraliste des « promesses du monde »; une certitude pouvait alors aider l'âme à n'y plus espérer. La « vaine agitation » bien connue des exhortateurs n'était que l'un des choix possibles de l'Homme. L'explosion bourgeoise, la laïcisation de la vie, le triomphe du matériel et de l'argent, faisaient sauter l'alternative. On était embarqué dans une aventure d'un nouveau genre. « Plutôt mourir! — Plutôt vivre! » lira-t-on dans *Illusions perdues*. Le nouveau domaine est tracé. Benassis refusera de s'enfermer à la Grande Chartreuse. Le besoin de totalité, de pleinemploi de soi-même ne peut plus essayer de se satisfaire *que* dans les limites de l'entreprise humaine. Les écrivains regretteront, parfois sottement, et parce qu'ils jugent en idéalistes, que les vieilles barrières aient cédé. Mais c'est un fait qu'elles aient cédé, et qu'elles le devaient. Tout, désormais, se pose en termes neufs, en termes de rapports d'hommes à hommes, et sentis comme tels. Tout un romantisme gémira : l'Unité s'est abîmée, il n'y a plus de points fixes, rien n'est assuré. *L'Homme s'invente et se fait quotidiennement.* Il a bien fallu, toutefois, que quelque chose se produise, pour que, dans cet univers du *faire*, l'action en vienne à douter d'elle-même. De tout temps, il y avait eu des aigris, des ratés, des incertains de soi et de la vie. De tout temps, l'argent avait brimé des mérites personnels. Mais pourquoi cette nouvelle manière de poser la question?

Oui, problème de l'argent, du mérite personnel : est-ce à dire que les sociétés d'ancien régime aient ignoré ces problèmes? Qui le soutiendrait? On ne peut retenir un peu d'agacement devant les explications réactionnaires du « monde moderne ». Le monde a toujours été mené par les problèmes de « subsistances », mais le grand changement, au début du XIXᵉ siècle, est un changement de rythme [1]. Il serait absurde

1. C'est la théorie stendhalienne du paraître et de la vanité. Avant que ne se produise l'appel d'air de la société nouvelle, chacun était heureux à sa place. A vingt ans, on savait où l'on serait à soixante : « la fixité de la place m'eût donné celle des dépenses; je n'aurais pas été au désespoir parce que je ne puis changer mon ameublement tous les deux ans comme le banquier mon voisin, ou bien parce que ma femme n'a pas de *mardi* comme son amie Mᵐᵉ Blanchard » (*Mélanges de littérature*, III, p. 422, à propos des Lettres du Président de Brosses). D'où, il ne peut plus y avoir de *naturel*, puisqu'il n'y a plus de *nature*, puisque tout est constamment remis en cause. On vit par l'imagination, on envie, on rage, on affecte, parce qu'on voudrait sans cesse être autre chose et plus que ce qu'on est. D'où, plus de vraie passion. « On peut se figurer un peuple de gens passionnés allant chacun à leur but, et n'ayant pas assez d'attention de reste pour être envieux. Le Français ne désire pas assez profondément aller à son but pour que la passion l'empêche de faire attention à toutes les jouissances ou à tous les désappointements de la vanité qu'il rencontre dans son chemin » (*Sur un Molière, Marginalia*, I, p. 210-211). Ce 28 mars 1811, Stendhal remarque que, à Paris, les figures sont « inquiètes et jalouses ». C'est la « société-Tantale », dont parlera si bien Laurentie, l'ami de Balzac en 1832-1833. On la voit naître, déjà dans les *Mémoires* de Saint-Simon, là où la société nouvelle commence à percer sous la société classique

de faire de la société pré-révolutionnaire une société idyllique,
mais il est exact que ce qui la caractérisait était la *stabilité*.
Lukacs écrit que, dans le monde pré-romanesque, « la part
de l'absurde et du désolant *n'a pas crû depuis l'origine des
temps* [1] », et il situe la coupure entre monde grec et monde
moderne à la découverte d'une dimension infinie de la vie.
Mais ce que dit Lukacs du monde grec par rapport au monde
moderne, est encore plus vrai du monde pré-révolutionnaire
par rapport au monde post-révolutionnaire. Avant 1789,
la part d'absurde et de désolant n'avait pas crû depuis l'origine des « temps » (installation de la monarchie et du catholicisme). Mais, avec la Révolution, s'était opérée une brusque
accélération, avec une double conséquence : d'une part,
s'étaient ouvertes d'extraordinaires possibilités d'emploi de
soi. D'autre part, les barrières, un moment levées, s'étaient
refermées. Tout était apparu possible, et tout était à nouveau
mis en question. La part de l'absurde et du désolant croissait
d'un seul coup; il ne s'agissait plus d'un absurde « stable »,
éternel, facile à mettre au compte de la nature des choses, et
contre quoi se révélaient efficaces les morales de l'effort
ascétique; il s'agissait d'un absurde dont les responsables
pouvaient être montrés du doigt, les origines localisées.
Dès lors, tout craquait. Avant 1789, l'évolution se faisait
dans des cadres « normaux », acceptés, dans le cadre d'institutions « naturelles ». Si l'Homme se retournait vers soi,
il n'avait qu'à s'en prendre à ses propres illusions. Mais voici
que ce qui avait si longtemps relevé du transcendant se mettait
à relever de l'immanent. Le bonheur est une idée neuve en
Europe. Le XIXe siècle sera un siècle de *vouloir-vivre* parce
qu'il s'était ouvert sous le signe du *pouvoir-vivre*. Jamais
plus universelles ambitions n'avaient découvert aussi, plus
vite, plus innombrables obstacles. Jamais la notion d'insuffisance et d'imperfection n'était apparue plus clairement liée
aux conditions concrètes, et donc changeables, de la vie.
L'Homme n'était plus seul sous le regard des Dieux éternels.
Il était seul, au milieu d'autres hommes, ses frères — avait-il
cru — ses rivaux — en fait — et sur qui il lui fallait l'emporter. La secousse révolutionnaire devait, d'un coup brusque,
ouvrir les yeux, mais dès avant 1789, quelques sondages
avaient été opérés par des esprits clairvoyants.

(nobles ambitieux, magistrats qui veulent gouverner, rois qui ne respectent plus
les codes traditionnels, fortunes fondées non plus sur la terre mais sur la finance,
sur la politique et l'intrigue, etc...). Le mal du siècle, ce sera, en grande partie,
cet effort épuisant, cette course après une fuyante *nature*.
1. Georges Lukács, *La Théorie du roman*, *Médiations*, 1963, p. 20-21.

*

Sébastien Mercier, dans son fameux *Tableau de Paris*, décrivait déjà une France où tout commençait à bouger, à vivre selon des normes et exigences nouvelles; une France, aussi, où se faisaient jour certains déséquilibres. Cent treize places de notaires à Paris pour quatre mille postulants : cette hypertrophie du « tertiaire », avec ses conséquences, c'est un argument que Balzac reprendra[1]. Conséquences, d'autre part, de la centralisation et la décadence des anciennes structures : la France devient comme perméable. L'individu n'y est plus enserré dans un réseau de relations locales stables, et le mot *bourgeois* perd son ancienne signification de titulaire de franchises pour céder la place au *citoyen*, anonyme, à l'individu circulant librement. On lit, dans le *Tableau*, à propos de la capitale : « C'est le Paris de tout le monde; le Parisien natif n'y a pas plus de privilèges que le Chinois qui viendrait s'y établir[2]. » La conséquence de cette ruine des vieilles barrières, de cette fusion progressive en un vaste ensemble ouvert d'un pays jusqu'alors cloisonné, est un immense « appel d'air » qui déséquilibre la vie provinciale : « Autrefois, les routes entre la capitale et la province n'étaient ni ouvertes ni battues. Chaque ville retenait la génération de ses enfants qui vivaient dans les murs qui les avaient vus naître et qui prêtaient un appui à la vieillesse de leurs parents[3] ». Mais les villes n'ont plus de murs. L'Houmeau est fait pour lâcher vers Paris des Lucien que rien ne retient au bord de la Charente. N'ayant en commun que leurs ambitions, ces jeunes gens débarquent dans un Paris qui n'est plus qu'une immense foire. D'où, inévitablement, gaspillage, et, déjà, illusions perdues :

> C'est un très grand mal que cette manie récente d'envoyer les enfants à Paris où ils viennent se perdre et se corrompre (...). Que de jeunes gens sont détrompés quand ils sont sur les lieux[4]!

1. *Tableau de Paris*, I, p. 145; et Balzac, brochure *Du droit d'aînesse* (1824), et compte rendu des *Entretiens sur le suicide*, de Mgr Guillon (1836).
2. *Ibid.*, I, p. 29.
3. *Ibid.*, I, p. 259.
4. *Ibid.*, II, p. 12 et 259. Insistons : ceci est écrit *avant* 1789. Mercier se montre encore curieusement prophète lorsque, parlant du Paris moderne, il remarque que la vieille Bastille y fait tache. On avait, raconte-t-il, pensé la démolir, mais le projet a été abandonné.

Voilà du *réalisme* qui ouvre des *perspectives*. Toute une humanité « décroche » et, livrée à elle-même, ne découvrant autour d'elle d'autre loi que celle du « débrouillage » et de l'ambition sans règle, un monde qui, bien qu'ayant besoin d'elle, n'est qu'imparfaitement préparé à la recevoir, amorce une immense expérience de solitude. Très tôt, le « remède » apparaît : ne pas être victime, et frapper. Faire son chemin. Au « sommet », là où la pratique des choses de l'esprit devrait, pense-t-on, introduire au moins un peu d'ordre, c'est déjà la loi de la jungle que décrira Balzac. On n'a pas oublié le tableau fait par Beaumarchais de la « république des lettres ». Mais Sébastien Mercier, en termes autrement plus nets et plus modernes, a dénoncé les impuissants, les médiocres, « *voués au journalisme;* ce mélange absurde de pédantisme et de tyrannie [1] ». Qu'est-ce que le journaliste pour Mercier? Un homme qui par des *moyens non créateurs*, cherche quand même à s'affirmer, à se sentir être. Ce n'est plus le thème du repas ridicule ou des poètes crottés. C'est le thème des moyens nouveaux qui permettent de se donner l'illusion de « monter », alors qu'on n'est qu'instrument dans un système fondé sur la division. L'Homme évoqué par Mercier est déjà un homme sans traditions, sans patrie fixe, happé, flatté, menacé, ballotté. En termes humbles, Mercier donne les premiers exemples de ce désamarrage de l'Homme, conséquence de la révolution capitaliste, qui est au cœur de l'inquiétude moderne.

*

Désamarrage pour quoi, désamarrage de quoi? La critique traditionnelle parle toujours des déceptions idéologiques ou sentimentales. Les hommes, et singulièrement la jeunesse, se seraient mis à être inquiets parce que des opinions, des « espoirs » auraient été froissés. Habile moyen de « démontrer » l'indépendance des idées, des sentiments, par rapport aux forces économiques. Mais, en fait, ne faut-il pas aller plus profond? Un homme l'a dit, qui fut, en un temps, le type du « philosophe », de l' « idéaliste », mais qui, parce qu'il entendait aborder les problèmes de l'homme, de la vie, des sociétés, par le biais des grandes forces, permanentes ou évolutives, en venait nécessairement, à s'attacher moins aux apparences, aux accidents strictement politiques. Hyacinthe Azaïs, dont il faudra souvent reparler, prenant, avec d'autres

---

1. *Tableau de Paris*, I, p. 168.

instruments et d'autres intentions, la suite de Sébastien
Mercier, voyant tout par masses, par grands contrastes,
faisait ainsi la voie à ce qu'il ne soupçonnait guère. Comment
ne pas être surpris de trouver, chez cet idéaliste, des considérations, une causalité que ne soupçonnaient pas encore les
philosophes dits d'avant-garde? Qu'on en juge :

> Donc, depuis quelques années, une inquiétude profonde agite
> profondément la France; voilà le fait le plus incontestable,
> le plus frappant [...]

Russie mise à part (selon Azaïs), il en va de même partout
en Europe. Il y a donc un phénomène *européen* de ce qui
s'est, depuis, appelé *romantisme*. Pourquoi?

> Dès le premier aperçu, on est porté à conclure que l'Europe
> civilisée s'agite *parce qu'elle est trop pleine d'habitants*, et
> que, par l'effet de cette civilisation avancée qui donne à
> chaque individu plus de besoins, plus d'activité, plus de
> ressort, plus de talents, plus d'intelligence, il se trouve que
> l'exigence générale est portée indéfiniment au-delà de ce que
> le territoire et la société peuvent satisfaire; en sorte qu'un
> très grand nombre d'hommes forcément retenus dans une
> sphère beaucoup trop étroite pour leurs désirs, leurs tempé-
> raments, leurs moyens personnels d'extension et de jouis-
> sances, trépignent, pour ainsi dire, contre cette contrainte
> oppressive [1].

En France, expose ensuite Azaïs, le long et pacifique ministère du cardinal Fleury « contraignit [...] la population
industrieuse et mécanique, et la population *libérale et intellec-*
tuelle à s'entasser fortement sur elle-même. La fermentation
de l'industrie et *des idées* naquit de ce double entassement ».
Le résultat fut l'explosion de 1789, ainsi sagement et intelligemment renvoyée, pour explication, à l'évolution démographique et sociale, non aux petits secrets. La population
française ne tenait plus dans ses cadres naturels. Reste
que les hommes, ainsi « libérés », au sens chimique, plus qu'au
sens moral, eurent à se tirer comme ils purent d'une situation dans laquelle manquaient et les axes et les possibilités
d'expansion. La force était là, les disponibilités, mais ensuite?
Le fameux « malaise » de l'Homme moderne, que tant de
critiques réactionnaires seraient, bien entendu, tout disposés
à mettre au passif de tout effort libérateur et de toute modernité, ne serait-il pas à mettre au passif d'une société qui ne
savait que faire d'elle-même?

---

1. Azaïs, *Comment cela finira-t-il?* Vve Cellis, 1819, p. 6-7.

L'Homme classique (du moins tel qu'on le vit dès qu'il eut cessé de vivre) se définissait en accord avec la Société. L'Homme moderne se définit, sinon toujours *contre* elle, du moins en termes *d'originalité*. C'est l'éclatement des structures, et des habitudes mentales qui leur correspondent, qui explique cet essor de l'individu. La notion d'entreprise ayant remplacé celle de continuité, la notion de carrière celle d'héritage, il s'ensuit d'abord d'incontestables motifs d'exaltation, une expérience neuve de liberté. En 1827, Ancelot écrira excellemment, dans la préface de son *Homme du monde :*

> Pendant longtemps, en France, le plus grand défaut que l'on pût apporter dans la société fut de n'être pas *comme tout le monde* (souligné dans le texte) : il fallait d'abord éviter le ridicule, plaire ensuite et le succès, la considération, ne s'obtenaient qu'à ce prix. Les institutions nouvelles, en appelant chacun à la discussion des grandes idées politiques, et en accordant au talent *le droit comme le pouvoir* (souligné par nous) de contribuer au bien de tous, ont donné plus de ressort aux nobles facultés de l'âme, et déjà l'estime s'attache plus souvent à des qualités réelles [1].

Dans ce roman, Ancelot oppose à « l'homme du monde », fruit « d'une civilisation vieillie », le jeune homme exigeant et naïf, « *né de ce que les idées nouvelles ont de neuf et de sain* ». L'Homme clos opposé à l'Homme ouvert, allant de l'avant. Ancelot, romancier rassurant, présente le problème en termes optimistes. Mais il existe un envers; car cet Homme nouveau parcourt un chemin qui est à la fois celui de la réussite et celui de l'inquiétude. Appelé et retenu : tel est son destin depuis qu'il s'est désancré d'absolus périmés [2].

Ce désancrage remonte aux premières conséquences du libertinage, de la critique rationaliste, de la recherche humaniste. *Enthousiasme* et *inquiétude*, inséparables, apparaissent chez l'homme occidental le jour où il ne peut plus s'appuyer fermement sur une révélation, sur une loi reçue, universelle, où il doit trouver en lui-même et dans ses propres constructions ses raisons de vivre. Selon les circonstances, il se verra devant une exaltante carrière à parcourir ou devant un vide impossible à combler. Il inventera des religions, et le

---

1. *L'Homme du monde*, Amboise Dupont, 1827, I, p. 12.
2. Nous nous appliquerons, dans les pages qui suivent, à tenter de définir l'inquiétude propre aux premières années du xix⁰ siècle. En ce qui concerne le romantisme propre à la Monarchie de Juillet, moins élégiaque, plus sombre et plus violent, nous y viendrons au moment de la *Peau de chagrin* et du *Médecin de campagne*, afin de marquer l'originalité de Balzac par rapport aux insurrections de ses cadets (Borel, Lassailly, O'Neddy, etc.).

monde apparaîtra baigné de lumière nouvelle aux pieds du vicaire savoyard. Mais aussi, il regrettera les Dieux morts, la paix maternelle de la foi, un monde sans autres problèmes que de fonctionnement. L'Homme moderne a créé des rois; Locke s'est fait le théoricien de la monarchie élective; l'affairisme canalise capitaux et énergies, tisse des liens nouveaux, promeut de nouvelles noblesses, jette les bases de dynasties, ouvre les horizons, engendre une morale de la parole donnée. Mais dans cet univers exaltant, tout est constamment à réinventer, et il n'est plus d'essences. Tout, dramatiquement, *existe*. On a cessé de vivre en vase clos, l'induction a remplacé le syllogisme, mais la règle d'or de la science est que tout doit toujours être remis en question. L'Homme est, à la fois, libéré, et trop libre. Libre pour rien.

Les plus fortes analyses, sur ce point, et les plus complètes, les moins connues aussi, demeurent celles des saint-simoniens. A partir du xvie siècle, pour satisfaire de nouveaux besoins, l'Homme a commencé à briser des cadres de vie séculaires. Le Christianisme avait été la seconde grande « période organique » de l'Histoire. Luther, la Réforme, et, au sens le plus large, le libéralisme, étaient venus donner le grand signal d'une nouvelle « période critique », comme jadis le socratisme avait mis fin à l'organicité grecque. Cette rupture était *nécessaire*. Elle faisait passer l'Humanité de l'ère de la guerre à celle de l'Industrie, elle marquait un progrès sur la route de l'Association, c'est-à-dire, en langage moderne, d'une meilleure utilisation des moyens de production. Il serait absurde, en conséquence, d'y voir quelque péché, quelque effet de l'esprit d'orgueil et de déviation. Mais, sur le plan vécu, cette rupture devait laisser les hommes secrètement insatisfaits. Depuis le xvie siècle, on vivait dans le désordre et le provisoire. L'exaltation du combat contre féodalités et théologies avait pu, longtemps, masquer ce besoin de positif. Mais, la victoire remportée, les justifications disparues aux attitudes purement destructrices, l'on éprouvait avec force un besoin d'ordre, le désir de nouveaux liens et de nouvelles synthèses. Il se trouvait, toutefois, une classe d'hommes qui avaient intérêt à maintenir l'esprit critique : ceux qui avaient confisqué à leur profit le grand élan industriel. C'est eux, désormais, qui bouchaient l'avenir. Nous reviendrons en détail sur ces analyses. Elles eurent, très tôt, l'immense mérite de montrer le double caractère de la révolution bourgeoise, à la fois libératrice et incomplète, provoquant d'exaltants espoirs, mais laissant insatisfait le besoin d'ordre et d'unité. Le mal du siècle vient de là. L'Homme se trouvait démesurément libre, mais d'une liberté à qui ne s'offrait guère pour carrière que la satisfaction de besoins et d'ambitions égoïstes, *d'une liberté qui ne rejoignait pas une foi.* Les cœurs étaient « plus fatigués que satisfaits [1] ». Élans et retombées : ce couple bien connu de la littérature « romantique » ne relève pas de bizarreries psychologiques, ou, tout au moins, n'en relève pas *seulement.* Cessant d'être enserré de certitudes, livré à lui-même, alors qu'autour de lui croît et se développe une société dure, étrangère, en tout cas, aux immenses perspectives entrevues par des âmes dégagées de tout *credo* restrictif, l'Homme va d'une soif démesurée de vivre à la douloureuse prise de conscience des difficultés à vivre. Ce degré zéro du romantisme se trouve déjà dans la littérature pré-révolutionnaire, où les passions, le sentiment, que ne retient plus la morale traditionnelle, envahissent tout l'être, le dilatent aux dimensions du monde, puis se replient, amers, creusent, engendrent le doute, développent le goût pour la solitude, etc... Il fallait, d'abord, cette totale remise de l'Homme à lui-même par la révolution bourgeoise, la fin des *magister dixit*, la découverte d'immenses possibilités, pour que s'affirment les exigences et s'ouvrent les portes de l'imaginaire. Il fallait, ensuite, la découverte de nouvelles limites, au sein d'un monde cependant renouvelé, la prise de conscience d'aliénations insoupçonnées, pour que naisse le dégoût des choses. Rousseau, dans une société où triomphent les « philosophes », mais qui laisse deviner, déjà, par-delà la ligne de crête d'une révolution imminente, la reconstitution d'un système où l'Homme, né libre, se retrouverait dans les fers, avait exprimé les réserves nécessaires. On avait voulu, comme d'Alceste, en faire un fou. Mais ce qu'il avait dit allait être entendu, repris, par tous ceux qui se sentaient appelés à mieux qu'à prendre leur place dans la hiérarchie des nouveaux princes. Avant même que la révolution et ses conséquences ne viennent expliciter les composantes historiques du mal du siècle, l'orienter vers des revendications plus précises, le dégager avec plus de netteté des explications morales ou métaphysiques, toute une littérature allait exprimer, en d'innombrables rêveries, méditations, autobiographies, confessions, transpositions romanesques, cet état d'esprit qui, bien plus que le procès des individus, instruit, contrairement à tout ce qu'ont toujours proclamé les critiques réactionnaires, le

---

1. *Exposé de la doctrine saint-simonienne*, 1830.

procès d'une société à son aurore[1]. Prenons un exemple.
Le roman de Mme de Krüdener, *Valérie*, qui connut un
succès européen, et qui appartient à la littérature du second
rayon, peut fournir un bon exemple de cette ardeur à vivre
qui ne se définit que par son intensité, sans références précises
à des obstacles concrets; œuvre d'une femme qui est loin
d'être de génie, il témoigne de l'écho largement rencontré
par un certain style de sensibilité. Que de lecteurs, que de
lectrices, se reconnurent en ces pages ardentes :

> Ernest, plus que jamais, elle est dans mon cœur, cette secrète
> agitation qui tantôt portait nos pas sur les sommets écartés
> de Kammoun tantôt sur nos désertes grèves. Ah! tu le sais,
> je n'y étais pas seul! La solitude des mers, leur vaste silence
> ou leur orageuse activité, le vol incertain de l'alcyon, le cri
> mélancolique de l'oiseau qui aime nos régions glacées, la
> triste et douce clarté de nos aurores boréales, tout nourris-
> sait *les vagues et ravissantes inquiétudes de ma jeunesse.* Que
> de fois, dévoré par la fièvre de mon cœur, j'eusse voulu,
> comme l'aigle des montagnes, me baigner dans un nuage
> et renouveler ma vie. Que de fois j'eusse voulu me plonger
> dans l'abîme de ces mers dévorantes, et tirer de tous ces
> éléments, de toutes ces secousses, une nouvelle énergie,
> quand je sentais la mienne s'éteindre au milieu des feux qui
> me consumaient. Ernest, j'ai quitté tous ces témoins de mon
> inquiète existence, mais partout j'en trouve d'autres. J'ai
> changé de ciel, mais j'ai emporté avec moi mes fantas-
> tiques songes et mes vœux immodérés[2].

La double interrogation de Gustave, on la trouvera sous la
plume de Balzac : « Hélas, serai-je jamais aimé? Verrai-je
jamais s'exaucer ces brillants et ambitieux désirs[3]? » C'est
le fameux — et faux[4] — « Être célèbre et être aimé » des

---

1. On demeure souvent surpris devant les histoires du romantisme ou du pré-
romantisme. Que ce soit, par exemple, le livre de Daniel Mornet *(Le Romantisme
en France)* ou celui de Van Thiegem *(Le Romantisme en Europe)*, aucun de ces
auteurs, qui décrivent fort bien, classent, étiquettent, analysent, nuancent, les
différentes manifestations du romantisme, ne se pose la question de fond : *pourquoi* y a-t-il eu un romantisme? Pourquoi, à partir d'un certain moment, cette
amorce de dépassement de la raison par le sentiment, cette inquiétude vague,
ce besoin d'autre chose? Le phénomène littéraire romantique est pris en soi,
comme quelque chose qui est là, sans causes. L'ampleur, cependant, de ce phénomène, dans le temps comme dans l'espace, ses générations comme ses nationalités,
ne devrait-elle pas conduire à l'étudier comme on a pu étudier, par exemple, la
Réforme? Il est sans doute significatif qu'une critique orientée, parfois à son
insu, par les valeurs et préoccupations de la bourgeoisie régnante, n'ait pas voulu
poser le problème des origines d'un mouvement littéraire, artistique et intellectuel, qui mettait en cause, précisément, la validité de la société bourgeoise.
2. *Valérie*, éd. or., Henrischs, 1804 (an XII), I, p. 10-11.
3. *Ibid.*, p. 12.
4. Balzac n'a jamais *écrit* ces mots, qui sont un arrangement de sa sœur. Mais
il a *éprouvé* ce qu'ils expriment.

lettres à Laure, cette double royauté rêvée du cœur et de
l'esprit. Mais chez Balzac, très vite, comme d'instinct, l'inquiétude sera socialement localisée. Quel progrès par rapport
aux fuyantes indications de *Valérie!* Ce qui fait peur à
Gustave, ce qui l'inquiète, c'est le « grand nombre », avec ses
ambitions « vulgaires », et qui lui apparaît comme « une arène
hérissée de lances [1] ». Mais, ce « grand nombre », il est encore
lointain, indéfini ; il lui manque d'être emporté par cette folle
accélération qui sera celle de l'univers balzacien. Il est encore
relativement stable, « éternel », apte à nourrir des antithèses
poétiques ou morales. Il n'est pas question d'en découvrir
les secrets, d'y trouver l'explication de l'universelle difficulté
à vivre. Le temps des « initiateurs » balzaciens est loin encore,
et celui des vertiges provoqués par les perspectives ouvertes
sur le monde comme il va. De même dans cette littérature,
la retombée, mélancolique plus que révoltée, est fille surtout,
du temps :

> Où est-il, ce temps où mon cœur, plus jeune encore, que
> mon imagination, ressemblait aux poètes qui, d'un petit
> espace aperçoivent un monde entier ; où un écho au-dedans
> de moi répondait à chaque voix qui se faisait entendre ;
> où il y avait en moi de quoi remplir tous les jours. La vie
> me paraissait comme une fleur d'où sortait lentement un fruit
> superbe ; et maintenant, il me semble que chacun de mes
> jours tombe derrière moi, comme les feuilles qui tombent
> à la fin de l'automne [2].

Ce thème n'apparaîtra chez Balzac que tout à la fin de sa vie,
lorsque, malade, las de lutter, l'orléanisme plus fort que jamais,
la seule menace de bouleversement émanant de « barbares »,
il se mettra à repenser à la rue Lesdiguières, se reverra jeune,
à vingt ans. Mais même à ce moment encore, un rien le fera
repartir. Son expérience historique et personnelle, n'en fera
jamais un mesureur de temps perdu, un effeuilleur de feuilles
de saules. Chez Mme de Krüdener, le caractère à la fois *intense*
et *abstrait* du sentiment éprouvé incline aux simplifications :
« Quoi ! d'une seule émotion, d'une seule secousse, ai-je donc
épuisé l'existence [3] ? » Ceux qui vivront en se colletant aux
choses, aux événements, ceux qui auront pris la mesure de
l'Histoire, de ses difficultés, mais aussi de ses possibilités,
iront moins vite. Il ne s'écrieront pas : « Et moi aussi, fils de
l'orage, je disparaîtrai dans l'orage [4] ». Littérature ! Oui,

---

1. *Valérie*, p. 26-27.
2. *Ibid.*, p. 26-27.
3. *Ibid.*, p. 28.
4. *Ibid.*, p. 28.

mais le caractère « littéraire » de ces textes ne traduit qu'une impuissance à cerner les causes historiques de ce qu'on éprouve. Dès 1801, Ballanche, *avant Chateaubriand*, souligne que ce qui distingue la mélancolie moderne de la mélancolie antique, c'est le sentiment de l'infini[1]; mais, en 1818, un peu plus d'Histoire ayant coulé sous les ponts, il précise la cause, devenue plus clairement politique, de ce sentiment de l'infini : « Nous sommes arrivés à un âge critique, à une époque de fin et de renouvellement; *la société ne repose plus sur les mêmes bases*, et les peuples ont besoin d'institutions qui soient en rapport avec leurs destinées futures. » « Comme les Hébreux dans le désert, ajoute-t-il, à peine échappés de la maison de servitude, *nous vivons sous la tente*[2]. » Il y avait longtemps que l'on vivait sous la tente, mais le sachant nécessairement moins bien qu'après deux Restaurations. *La politisation du mal du siècle :* voilà ce qui, qualitativement, sépare le traditionnel « pré-romantisme » du non moins traditionnel «romantisme». Lentement l'Homme avait amorcé l'apprentissage d'une vie nouvelle; mais tout un décor, toute une continuité formelle, masquaient encore les réalités repérées par Mercier. La solidité impériale interdisait les mises en cause trop universalistes[3]. Une classe d'hommes,

---

1. Ballanche, *Du sentiment considéré dans ses rapports avec la littérature et les beaux-arts*, Ballanche et Barret, 1801.

2. *Essai sur les institutions sociales dans leur rapport avec les idées nouvelles.* Didot, 1818, p. 66.

3. Autre exemple, plus célèbre, de ce mal du siècle en apparence non déterminé dans *Oberman*. « Pourquoi la terre est-elle ainsi désenchantée à mes yeux? Je ne connais pas la satiété, je trouve partout le vide » (Éd. orig., I, p. 16). Angoisse métaphysique? Senancour ne nous gâte pas en « explications ». *Pourquoi* son héros *est*-il ainsi? « Dans la plus grande anxiété où j'eusse jamais été, j'ai joui, pour la première fois, de la conscience de mon être » (*Ibid.*, p. 17). Mais ce n'est là qu'une raison au second degré. En effet le goût de cette conscience de soi ne saurait apparaître en dehors de certaines *conditions* de vie. L'âme sensible, paraît-il, est vouée au malheur, à l'instabilité, à l'incompréhension, mais cette leçon de Rousseau aurait-elle été retenue si ne s'étaient pas retrouvées certaines conditions d'aliénation? « *Ce n'est qu'avec de l'argent que l'on peut obtenir même ce que l'argent ne paye pas*, écrit Oberman avant Louis Lambert, et que l'on peut éviter ce qu'il procure. » (*Ibid.*, p. 58.) Le héros de Balzac dira : « *Il faut de l'argent même pour se passer d'argent.* » Mais surtout, il y a déjà chez Oberman cette exigence de totalité qui dit bien que le monde tel qu'il va ne saurait plus la satisfaire. Seules les faillites du concret parent l'abstrait. Il faut que la vie dans le monde réel se révèle tragiquement insuffisante pour que l'on demande tant à la vie idéale : « Qu'un jour, montant sur le Grimsel ou le Titlis, seul avec l'homme des montagnes, j'entende sur l'herbe courte, auprès des neiges, les sons romantiques que connaissent les vaches d'Under Welden et d'Hasly, et que là, une fois avant la mort, je puisse dire à un homme qui m'entende : si nous avions vécu! » (*Ibid.*, p. 122). Profondément vécue et sentie par le sujet, l'inadaptation ne livre guère, immédiatement, ses composantes sociales. Mais comment, avec le recul, ne pas lire entre les lignes? Lorsque Senancour écrit dans son roman *Aldomen*, en 1795 : « que peuvent sur l'homme mal disposé les objets qui l'environnent? Tout cela m'est devenu étranger : *il n'est point de vrai bonheur si on ne le porte en soi.* Les vertes prairies, les vergers fleuris, l'ombre naissante dans les bois, ce spectacle convient peu à mes idées qui languis-

toutefois, allait, la première, s'en prendre au « siècle », fauteur de solitude. Le pré-romantisme avait pu avoir des résonances revendicatives : mouvement, impatience, il pouvait encore, relativement, se modeler sur l'élan d'une ère où tout changeait. Il n'en allait pas de même chez les tenants de l'ordre ancien, autour de qui tout perdait sa signification. Le mal du siècle fut d'abord un phénomène de droite.

On a répété : phénomène de civilisations fatiguées. En un sens, oui, si l'on entend par fatigue le sentiment d'avoir perdu, avant l'heure, innocence et jeunesse. Chateaubriand l'avait dit : les civilisations naissantes ignorent le « vague des passions », et Lamartine le redira dans la préface de son *Dernier Chant du pèlerinage d'Harold :* « C'est le poème d'une civilisation avancée, où l'homme sent encore la nature avec cette force d'enthousiasme qu'il ne perdra jamais, mais où il se plaît à analyser ses propres sentiments, à se rendre compte de ce qu'il éprouve, à savourer à loisir ses impressions fugitives, et où son propre cœur est pour lui un thème plus intéressant que les aventures un peu usées des héros imaginaires, fabuleux ou historiques [1] ». Cette manière de voir, toutefois, toute poétique et littéraire, laisse de côté un élément essentiel de la réalité. Pour Lamartine, comme pour Chateaubriand, le caractère particulier de leur expérience les conduit à ne s'attacher qu'à une certaine difficulté d'être et à négliger cet appel du siècle qui saisit et saisira leurs contemporains et leurs cadets. Tout prend, chez eux, et non sans complaisance, couleur d'illusion; le monde se rétrécit aisément aux dimensions d'un cœur solitaire : « Le chant de l'oiseau dans les bois de Combourg m'entretenait d'une félicité que je croyais atteindre; le même chant dans le parc de Montboisier me rappelait des jours perdus à la poursuite de cette félicité insaisissable ». Mais Lamartine et Chateaubriand ne sont pas seulement des hommes abstraits, ce sont les

sent *à mon espérance qui s'éteint* » (éd. Monglond, p. 7-8), il ne nomme rien. Mais il a écrit, dans son avant-propos : « Qu'il [l'homme] cherche donc, comme Aldomen, à fixer le bonheur sur sa vie actuelle; et qu'*au lieu des systèmes illusoires et désastreux dont on a voulu éclairer* le ténébreux avenir, il n'adopte, comme Ynarès, que la confiance » (*ibid.*, p. 5). Est-ce clair? Il n'est de métaphysique qui ne livre quand même, finalement, au lecteur attentif, et même sans avoir besoin d'attendre vraiment le recul du temps, ses secrets historiques. Exilé, ruiné par la Révolution, Senancour, dans son livre publié dès 1793, *Sur les générations actuelles, absurdités humaines*, avait par avance fourni les clés de ses œuvres poético-romanesques, et montré la corde de son mal du siècle.

1. *Le Dernier Chant du pèlerinage d'Harold*, Dondé-Duprey, et Ponthieu, 1825, reproduit dans M. Levaillant, *Lamartine, Œuvres choisies*, Hatier, p. 305.

hommes, d'une époque, d'une formation, d'une classe. Si le mal du siècle est conscience d'aliénations historiques précises, il convient de s'interroger sur la nature exacte de ces aliénations.

René Jasinski a distingué trois « générations » du mal du siècle : celle de *René* (« fièvre de jeunesse dans l'impatience du désir »), celle de Musset, de Sainte-Beuve (« sorte de réveil cruellement lucide, amère découverte du réel par des âmes tourmentées d'élans perdus »), celle de Gautier, Flaubert, Baudelaire (« romantisme de vaincus, plus replié, plus intérieur, à la fois contemplatif et désenchanté, celui non plus des véhémentes aspirations du désir, mais des nostalgies et du regret [1] ». Cette courbe correspond, en effet, à celle même du siècle, des premiers désordres libérateurs aux retombées d'après 1848 [2]. Les pulsations de l'Histoire concrète, toutefois, n'y sont pas suffisamment répérées. Elle ne tient compte ni de certaines données chiffrées, ni surtout de la cohabitation, dans le siècle, d'hommes pour qui le devenir historique ne pouvait avoir la même signification. Il était déjà très important de se placer dans une perspective historique, mais l'étude du *mouvement* d'une société ne saurait être séparée des *contradictions* qui lui donnent naissance. Il est impossible d'essayer de rendre compte du phénomène romantique si l'on ne part pas, d'abord, des rapports de classe.

Des carrières avaient été brisées, des propriétés vendues des raisons de vivre rendues vaines. L'avenir était à jamais paralysé pour des milliers d'hommes, rendu incompréhensible. Placés entre le ralliement-reniement ou l'échafaud, au mieux, l'exil, les aristocrates — et parmi eux, surtout, les meilleurs,

---

1. *Histoire de la littérature française*, II, p. 324 sq.
2. C'est par là que marque une classification marque un progrès considérable par rapport à la critique traditionnelle. Pour celle-ci, il est entendu que le mal du siècle résulte du bouleversement consécutif à la Révolution, sans que soit précisée la nature de ce bouleversement. C'est la position, par exemple, de Daniel-Rops (*Notre inquiétude*, deuxième édition, 1953, Perrin, p. 64). Pour ces analystes, il ne saurait être question de donner un contenu précis à la notion de mal du siècle, ainsi transportable en d'autres époques, pour lesquelles on ne se soucie guère d'aller plus loin qu'un rapide et superficiel repérage de la « crise » des esprits. Ainsi, Daniel-Rops cite et approuve Marcel Arland, qui voit, après la guerre de 1914-1918, un « nouveau mal du siècle ». Mais la *nature* de cette guerre? Mais les causes de ses conséquences? Mais le capitalisme derrière tout cela? Qui en parlera? Le moyen, c'est la fameuse idée d'homme éternel, qui permet à Daniel-Rops d'écrire : « Lamartine, au bord du lac immuable, n'est pas seulement le symbole d'un désespoir d'amour, mais de cette angoisse qui saisit l'homme devant le cours irrévocable du destin » (*ibid.*, p. 61). Ceci a été la base de toute une pédagogie (ou de toute une propagande).

les plus purs, les plus éloignés de la vie de Cour —, très tôt,
eurent toutes les raisons de voir dans l'Histoire autre chose
qu'un devenir intelligemment et rationnellement déterminé :
l'Histoire leur donnait tort. Dépouillés, sans « maximes
d'action », ils vivaient d'une vie diminuée. René n'est pas
seulement un jeune homme que tourmentent ses désirs et
qui cherche à vivre selon ses passions : René est un jeune
aristocrate dont la Révolution a fait un proscrit. Symbole :
René, comme son créateur s'est exilé lui-même de sa patrie,
dans laquelle il n'a plus sa place. Étranger parmi les siens,
il est aussi étranger vis-à-vis de soi-même. Quelles autres
images pourraient affluer en lui que celles de la mousse séchée,
du puits tari, de la feuille emportée par le vent ? Ces longues
bruyères sur lesquelles il s'égare, c'est l'océan sans bornes,
indéterminé, la vie qui ne sait, qui ne *peut* se prendre à rien.
Il faut retrouver, dans la prose poétique de *René*, les motivations profondes, celles qu'explicite, en citant Shakespeare,
ce parent de Vigny, là-bas, aux Indes, tandis que triomphe la
Révolution :

> *Eating the bitter bread of banishment*
> *While you have fed upon my seignories*
> *Disparked my parks and fell'd my forest woods* [1].

Mais il faut bien voir qu'il est des hommes, alors, qui ignorent
totalement ce que peut être le goût du « pain amer de l'exil ».
Nous retrouverons ici le jeune Balzac, la « belle saison »
de Villeparisis — l'anti-Combourg. De tout temps, *le siècle*
avait, de manière confuse renvoyé à quelque passé perdu,
dégradé ; son méchant goût, en ce sens, faisait peur à Alceste
et à sa vertu des vieux âges. Mais quelle résonance nouvelle
allait prendre ce mot dans une classe arasée en tant que
classe ! Il ne s'agissait plus de l'exil des guerres féodales, des
châteaux occupés par le baron ennemi, par la race abhorrée :
tout ceci, chez Shakespeare, ne faisait souffrir que les intérêts
matériels. La conception du monde restait debout. Mais ce
qui s'était abîmé, cette fois, dans une contestation à la fois
idéologique et armée, c'était tout un univers. Il y avait eu,
à la fois, dans un même mouvement, saccage de positions
sociales et perversion des valeurs. C'est le degré zéro du mal
du siècle.

Traditionnellement, le mot siècle désignait dans le vocabulaire religieux, le monde profane par opposition à celui de
la vie spirituelle. Mais les audaces philosophiques, la déca-

---

1. Vigny, *Mémoires inédits*, p. 26.

dence religieuse, les brusques mutations révolutionnaires, devaient bientôt charger ce vocable usé de significations nouvelles. « Les erreurs qui souillent ce livre, écrit de Maistre au sujet d'un ouvrage du physiologiste Barthez, ne sont qu'une offrande *au siècle* [1] ». Il ne s'agissait plus d'une opposition vague, limitée à quelques cercles d'érudits, mais d'une opposition concertée, universelle, *victorieuse*, aux crédos traditionnels. D'où, toujours chez de Maistre, « les philosophes de *ce malheureux siècle* [2] », d'où « cet esprit général *du siècle* [3] ». Le siècle incarne le Démon; ses triomphes sont ceux du mal et de la dissociation, qui rejettent les hommes à la solitude. « L'homme semble, de nos jours, ne plus pouvoir respirer dans le cercle antique des facultés humaines. [N. B. retenons cette image du cercle : elle sera reprise par les saint-simoniens.] Il veut les franchir, il s'agite comme un aigle indigné contre les barreaux de sa cage. » Insurrection, qui appelle châtiments et catastrophes : le siècle est *coupable*. Le siècle, en même temps, n'est pas heureux. Il lui faudra, tôt ou tard, *revenir* à l'antique sagesse. C'est ce qu'exprime Senancour, en 1799, lorsqu'il annonce, pour un jour, une révolution enfin complète, enfin totale, et lorsqu'il s'en prend aux « hommes jetés dans le moule commun, vrais enfants de notre siècle, enivrés d'esprit et privés d'âme [4] ». C'est ce qu'exprime Lamennais en 1819 : « Ce n'est pas en flattant les idées *du siècle* qu'on ranimera [la société], mais en la rappelant à la raison de *tous les siècles* [5]. » Voici qui est net : le siècle, c'est le relatif, qui s'oppose à l'absolu, à la parole; c'est l'aventure singulière et scandaleuse; c'est la crise et l'orgueil. Le siècle est maudit, et c'est contre lui que se lèvent les nouveaux prophètes. En février 1819, dans *Le Conservateur*, paraît un *Examen du siècle*, par le vicomte de La Rochefoucauld, et en juin de la même année, un article du marquis d'Herbouville, *Sur l'esprit du siècle :* dans les deux cas est taillée en pièces la maxime : « il faut vivre avec son siècle »; c'est un acte de salubrité publique de réagir contre le *fait* révolutionnaire. *Le Conservateur* se pique, cependant, d'être un journal éclairé [6]. L'année suivante, dans *Le Défenseur*, un article de

---

1. *Soirées de Saint-Pétersbourg*, II, p. 225.
2. *Ibid.*, p. 266.
3. *Ibid.*, p. 266.
4. Senancour, *Rêveries...*, p. 253-254.
5. *De la réunion...*, in *Réflexions sur l'état de l'Église...*, 1819, p. 502.
6. « *Minerve* blanche », disaient les royalistes ministériels.

Lamennais, *De l'orgueil de notre siècle*, développe l'anathème :
« lorsque après avoir considéré l'état de la société, des doctrines
dans les états modernes, on entend certains hommes élever
hardiment au-dessus de tous les siècles ce siècle qui leur a
été livré, le ridicule de cette idiote et coupable admiration
n'est pas ce qui frappe le plus; je ne sais quelle pitié mêlée
d'effroi s'empare de l'âme à la vue d'un si étonnant accès
d'orgueil [1] ».

Version nouvelle du *sicut eritis dei !* Et quelques pages plus
loin, un certain Joseph Rocher reprend :

> Enfants déshérités qui n'avez rien recueilli de la grande
> succession des siècles, et ne laisserez rien à vos descendants,
> soyez fiers de votre indigence. Jamais il n'en exista de plus
> profonde et de plus hideuse. Qu'avez-vous en propre que
> votre folie, votre ignorance, vos doutes, et des crimes dont
> le récit épouvantera l'avenir ?

---

1. Lamennais, *De l'orgueil de notre siècle*, Le Défenseur, déc. 1820, III, p. 377.
Les analyses et notations de la Presse catholique, sur ce point, seraient innombrables. Voici un exemple frappant de définition quasi officielle du mal du siècle
en 1815 : « L'opinion éprouve, en ce moment, tout le désordre qu'ont dû occa-
sionner les longs orages politiques dont nous ne sommes pas entièrement sortis.
Vingt-cinq ans d'une révolution aussi violente que variée dans ses excès, ont
renversé successivement toutes les anciennes institutions sans en fonder aucune,
et ont, en même temps, bouleversé toutes les notions de morale publique et particulière sur lesquelles reposent l'ordre et la paix, objet de l'état social » (*Le Spectateur Politique*, 1815, prospectus; cette feuille fut vivement recommandée par le
ministre de l'Intérieur aux préfets qui s'empressèrent de la soutenir et de la
diffuser dans les départements. cf. *Archives nationales*, F 18, 12, plaq. 6). Mais il
faut accorder plus d'intérêt, par exemple, au *Mémorial catholique*, qui deviendra
peu à peu l'organe d'un certain catholicisme de gauche. La critique n'y est pas
platement autoritaire et réactionnaire, mais implique, au contraire, une récusation
de l'ordre bourgeois. En septembre 1826, *Le Mémorial*, dans un article intitulé
De l'état présent des esprits en matière de politique et de religion, explique qu'il est
deux sortes de révolutions. Les unes, « liées à de grands noms », laissent la société
retrouver ensuite son assiette d'autrefois. Les autres, comportent une perversion radicale des valeurs et des forces en rapport; alors, « l'homme, impatient
de ce qui existe, soupire après mille nouveautés inconnues, et préfère enfin ce
qu'il ignore aux réalités qui fatiguent sa vanité ». Pour le moment, certes, seules
sont en cause les « doctrines téméraires », et « le caractère *de ce siècle* est vraiment
effrayant par le grand nombre de séditions qu'il nous montre dans la société »,
mais c'est ce même journal qui, la même année, après la lecture du *Producteur*
saint-simonien, approuve, dans leur ensemble, les analyses de l'École et applaudit
à la proclamation de la nécessité d'un « nouveau pouvoir spirituel » (février 1826).
Le *Mémorial* attirera l'attention, en 1831, sur des problèmes sociaux, que reprendra Balzac. Il semble, très tôt, avoir senti ce que les « nouveautés » bourgeoises
avaient d'inhumain. Ce n'est pas exactement aux conquêtes qu'il s'en prend, mais
aux résultats moraux. En juin 1827, à propos des insultes reçues par Charles X
lors de la revue de la Garde Nationale, il écrira : « avec cette peur énorme d'une
certaine domination intellectuelle dans la société, on a fait de la société un assem-
blage confus d'opinions désordonnées, et seulement attachées à des intérêts matériels, avec lesquels rien ne saurait plus être permanent et commun entre les
hommes ». Nous aurons d'autres occasions de revenir sur l'aspect positif de ces
critiques de la pensée jeune catholique.

Oui, la démonstration du désordre, du vide moral et des misères de l'individualisme, fut d'abord un thème des écrivains monarchistes et catholiques qui, les premiers, montrèrent l'Homme sans croyances et sans « maximes d'action ». Alors que les libéraux, profiteurs du système, usaient volontiers d'un style satisfait, eux, portés par leur sujet, recouraient au lyrique, à l'indigné, pour montrer le désarroi des consciences le fruit de la Révolution et des accommodements post-révolutionnaires. Pour un Lamennais, ces attaques contre le « monde moderne » étaient grosses, sans doute, de découvertes à venir, mais, sur le moment, elles ne débouchaient, nécessairement, que dans la proposition d'une éthique de *retour*. S'en prenant aux valeurs « bourgeoises » ou « restaurées », vouant aux gémonies les ministres d'une monarchie trop aisément continuatrice du gallicanisme impérial, Lamennais et les siens ne pensèrent que beaucoup plus tard à brancher leurs critiques sur l'avenir : le jour où il deviendra évident que la poussée démocratique relève moins du Démon que de la nature des choses. A un niveau moins systématique, le *René* de Chateaubriand était, lui aussi, une figure de droite; il disait la solitude à quoi condamnait toute une jeunesse une révolution toute proche. Mais n'est-il pas significatif que le thème de *René* ait pu être traité par les « plébéiens » comme Nodier *(Les Proscrits, Thérèse Aubert)* ou Brisset *(Ernest)* ? C'est que, en fait, toutes les solitudes se tiennent, sinon par leurs motivations du moins par leur expression. La situation historique faite à René rechargeait de sens les incertitudes de sa jeunesse; tout jeune homme malheureux ou frustré put, comme Sainte-Beuve, se reconnaître en *René* et frémir. Partagé entre la fierté d'appartenir à un siècle de conquêtes et la déception de le voir incapable de satisfaire le besoin d'absolu, la jeunesse roturière put, souvent, s'alimenter à la source du romantisme distingué, encore paré, ne l'oublions pas, d'immenses prestiges. Il n'en demeure pas moins, que le mal du siècle bourgeois, qui sera, comme le dira magnifiquement Balzac, « impatience d'avenir [1] », prendra nécessairement des distances par rapport au mal du siècle aristocratique, plus tourné vers la contemplation, plus installé dans un noble décor [2]. Le mot *siècle* n'aura pas, nécessairement,

---

1. En 1830, dans les *Complaintes satiriques sur les mœurs du temps présent*.
2. Le cas Nodier serait à étudier ici de près. Ses intérêts ne le portaient nullement à se solidariser avec Chateaubriand. Ce sont les spectacles de violences révolutionnaires, le sentiment d'universelle instabilité qui semblent avoir fait de lui un homme de *La Quotidienne*. Quoi qu'il en soit, ce qui est intéressant, chez

le même sens à droite et à gauche. A gauche, il signifiera, chez les jeunes, l'épreuve et la promesse, le règne de l'argent, mais aussi celui de l'intelligence; à droite il signifia toujours l'Histoire infligée sans promesse et sans rayonnement [1].

Les textes à citer seraient innombrables. Rappelons *René* : « Je me trouvai bientôt plus isolé dans ma patrie que je ne l'avais été sur une terre étrangère [...]. Je voulus me jeter pendant quelque temps dans un monde qui ne me disait rien et qui ne m'entendait pas [2] ». La vie échappe à René, parce qu'elle échappe à sa classe, errante, impuissante, dispersée. L'historien des *Mémoires* opposera plus tard, en termes magnifiques, les deux France, celle des émigrés, inutiles, fidèles, et celle des révolutionnaires, momentanément bâtisseurs :

lui, c'est le lien qu'il établit précisément entre ses tourments, sa difficulté à être, et les événements récents. Voici deux textes significatifs :

> J'ai vingt-huit ans [...] et, ce qui est rare à cet âge, l'expérience d'une douzaine d'années de malheurs. J'ai vécu vite, parce que ma sensibilité, qui était ma vie, s'est usée en essais infructueux et en affections stériles. *Les calamités de la révolution*, les dangers de la proscription, et de la guerre, les agitations toujours renaissantes d'une vie incertaine et mobile, des pertes bien multiples, bien vives, bien douloureuses, tout cela sans doute a pu imprimer à mon organisation, à mon caractère, au mouvement de mes pensées, au tour de mes expressions, je ne sais quoi de singulier, d'inusité, de bizarre, cette espèce d'exagération dont tu blâmes avec tant de raison les écarts. » (*Adèle*, réimpression Renduel, 1832, II, p. 149.)

> Si jeune et si malheureux, désabusé de la vie et de la société par une expérience précoce, étranger aux hommes qui ont flétri mon cœur, et privé de toutes les espérances qui m'avaient déçu, j'ai cherché un asile dans ma misère et je n'en ai point trouvé [...]. *Voilà une génération tout entière à laquelle les événements ont tenu lieu de l'éducation d'Achille.* Elle a eu pour aliments la moelle et le sang des lions, et maintenant qu'un gouvernement qui ne laisse rien au hasard, et qui fixe l'avenir, restreint le développement dangereux de ses facultés maintenant qu'on a tracé autour d'elle le cercle étroit de Popilius, et qu'on lui a dit, comme le tout-puissant aux flots de la mer : vous ne passerez pas ces limites, sait-on ce que tant de passions oisives et d'énergies réprimées peuvent produire de funeste? Sait-on combien il est prêt à s'ouvrir au crime un cœur impétueux qui s'est ouvert à l'ennui? Je le déclare avec amertume, avec effroi, le pistolet de Werther et la hache des bourreaux nous ont déjà décimés. *Cette génération se lève et vous demande des cloîtres* » (*Les Méditations du cloître, ibid.*, p. 118 et 129).

1. A partir de 1830, alors que le siècle pour la jeunesse, pour toute la jeunesse, sera de moins en moins promesse, et de plus en plus destin, le mot siècle sera moins fier et plus douloureux. Dès lors, on tendra, spontanément, à opposer au siècle à son tour infligé, inévitable, une autre Histoire, idéalisée, dans laquelle l'Homme pouvait vivre et s'épanouir. C'est ainsi que dans les *Caprices de Marianne*, Octave dira de Celio : « C'était un homme d'un autre temps » (éd. or, II, 6). Dans l'ensemble, la vision balzacienne du siècle est qualitativement antérieure, et le restera.

2. *René*, éd. Chinard, p. 43.

Dans les histoires de la Révolution, on a oublié de placer le tableau de la France extérieure auprès du tableau de la France intérieure, de peindre cette grande colonie d'exilés, variant son industrie et ses peines de la diversité des climats et de la différence des mœurs des peuples.

En dehors de la France, *tout s'opérant par individus*, métamorphoses d'états, afflictions obscures, sacrifices sans bruit, sans récompense; et dans cette variété d'individus de tout rang, de tout âge, de tout sexe, une idée fixe conservée; la vieille France voyageuse avec ses préjugés et ses fidèles comme autrefois l'Église de Dieu errante sur la terre avec ses vertus et ses martyrs.

En dedans de la France, *tout s'opérant par masses;* Barrère annonçant des meurtres et des conquêtes; des guerres civiles et des guerres étrangères; les combats gigantesques de la Vendée et des bords du Rhin; les trônes croulant au bruit de la marche de nos armées; nos flottes abîmées dans les flots; le peuple déterrant les monarques à Saint-Denis et jetant la poussière des rois morts au visage des rois vivants pour les aveugler; la nouvelle France, glorieuse de ses nouvelles libertés, fière même de ses crimes; stable sur son propre sol, tout en reculant ses frontières, doublement armée du glaive du bourreau et de l'épée du soldat [1].

Vigny, de son côté, raconte comment ses camarades de collège s'éloignaient de lui avec un air de haine lorsqu'il leur avouait être noble [2], et il précise :

J'étais redevenu une sorte d'ennemi féodal sans le savoir, et moi, qui leur apportais encore mon cœur tout plein de ses joies d'enfant, et de ses grâces presque féminines, j'appris d'eux les premières et glaciales impressions des *froideurs politiques* [3].

Pourquoi ne pas donner à ces textes toute leur portée? Le romantisme fut bien d'abord, un phénomène aristocratique, étroitement lié aux catastrophes révolutionnaires et à leurs conséquences sentimentales. Écoutons encore Vigny :

L'entourage des Bourbons eut toujours *quelque chose d'élégiaque*. L'attachement héréditaire pour les royautés frappées, les plaies encore saignantes de nos familles toutes ruinées, toutes décimées, et proscrites, avaient répandu un sentiment général et généreux, un ton universel de faiblesse même [4].

1. *M. O. T.*, I, p. 366-367.
2. *Mémoires inédits*, p. 56.
3. *Ibid.*, p. 58.
4. *Ibid.*, p. 209.

Et il dit encore de la conversation dans les salons légitimistes sous la Restauration :

> Elle était empreinte d'un ton religieux *un peu mystique et élégiaque* par le souvenir des ruines de la révolution de 1789, des douleurs de l'exil, des mutilations de la terreur et de l'oppression de l'Empire [1].

Comment ceci aurait-il échappé à Balzac? Il évoquera, dans *La Vieille Fille*, « les profils de Louis XVI et des membres de sa famille tracés dans un saule pleureur, le sublime testament imprimé en façon d'urne, enfin *toutes les sentimentalités inventées par le royalisme sous la terreur* [2] ». Le romantisme ou la tristesse d'une classe : pourquoi les manuels s'obstinent-ils à ne pas aborder cet aspect de la question? « Une femme, donc, est née au milieu d'une famille heureuse et, dès l'enfance, a passé de la joie à la douleur [3] » : lorsque Balzac « fera » du carlisme, il retrouvera spontanément, mais non sans un peu de postiche, le style « romantique » et « vierges de Verdun ». Mais, dans ce romantisme, il n'y a pas *que* regrets réactionnaires. Il y a aussi une critique implicite, et *qui s'opère avec les moyens du bord*, des Malin de Gondreville et de tous les truqueurs de l'ordre nouveau. L'esprit sec de Châtelet ne pourra comprendre cette « poésie », et lui préférera la chanson, le bout-rimé : réaction de coureur de préfectures! Nous retrouvons ici la possibilité de faire d'un mal du siècle à contre-courant de l'Histoire la base de départ d'une nouvelle critique [4]. Faute d'une idéologie socialiste de dépassement de la révolution bourgeoise, la génération de Balzac pourra prendre appui, dans son offensive contre l'ordre de l'argent, sur les valeurs et les vertus idéalisées d'une pureté aristocratique perdue. Tout un absolu s'était effondré, au profit d'un relatif dont personne ne voulait. On n'a pas attendu Claudel pour dresser Cygne de Coufontaine-Laurence de Saint-Cygne face à Turelure-Malin. Comme dans le cas de Sainte-Beuve lisant *René*, s'établissent de subtiles correspondances des émigrés de la veille à ceux du lendemain. Si le premier mal du siècle a été nostalgie, il a pu, aussi, contre l'opportunisme des thermidoriens, magnifier l'attitude d'hommes demeurés fidèles.

Pour ces hommes, aujourd'hui souvent injustement traités, et ce dans une perspective purement bourgeoise, la Restau-

---

1. *Mémoires inédits*, p. 189.
2. *La Vieille Fille*, C. H. IV, p. 221.
3. *La Vie d'une femme*, O.D. II, p. 519.
4. Cf. *infra*, t. II, pour la portée subjectivement et objectivement critique du néo-légitimisme au début de la monarchie de Juillet.

ration fut une déception. Ils avaient vécu le combat contre-révolutionnaire dans l'exaltation; le retour des Lys leur semblait devoir être la victoire d'un absolu, d'une pureté. Mais la force des choses allait obliger le gouvernement à négocier, à politiquer. Balzac dressera, avec le vieux du Guénic et surtout M. de Morsauf, d'extraordinaires figures de ce mal du siècle des émigrés. La dissolution de la Chambre introuvable devait sonner le glas d'espoirs qui n'étaient pas tous — subjectivement — méprisables. Le ministère Decazes (de Decazeville, ne l'oublions pas) incarna à lui seul, et pendant des années qui parurent insupportables, l'affairisme au pouvoir, la petitesse politicienne. Policier, Decazes jouait les Colbert. Contre Chateaubriand et sa *Monarchie selon la Charte*, on recourait aux méprisables méthodes de Savary ou de Fouché. Sans doute, la politique ultra était-elle absurde, et sans doute le succès de Decazes était-il dû à d'autres raisons que la faveur de Louis XVIII; plus que meneur de jeu, le ministre honni était porte-parole et agent d'exécution de milieux qui n'avaient pas cessé de gouverner. Il n'empêche qu'au niveau de la pensée irresponsable, la Restauration « trahissait ».

Après la fièvre guerrière et patriotique de l'Empire, l'enthousiasme royaliste avait un moment, en 1814, occupé les esprits. Mais voici que cet enthousiasme était officiellement condamné, lui aussi. La jeunesse, en particulier, était désorientée. Il est peu d'époques, intellectuellement et moralement, plus pénibles que ces premières années de la Restauration, *et ceux qui se demandent les causes de ce fameux mal du siècle feraient bien de songer au désarroi créé par la dissolution de la Chambre introuvable et la politique des années suivantes* [1].

Écoutons à présent Castelbajac, dans un discours prononcé le 6 février 1817 :

Nous avons entendu prononcer comme maxime : *Méfions-nous des ultra-royalistes*, ce qui, en d'autres termes, signifie : Méfions-nous de ces hommes *ultra-malheureux* pour la cause royale, à qui il ne reste de leur fortune que des débris, de leur famille que des tombeaux, qui ont été repoussés de leur patrie et qui mourront encore, s'il le faut, pour cette même patrie [2]

1. Beau de Loménie, *La Carrière politique de Chateaubriand*, I, p. 137. La Chambre introuvable avait des députés de trente ans. Après sa dissolution on en revint à la lettre de la Charte : éligibilité à quarante ans. Les synarques de Brumaire avaient tout fait pour que la chambre élective fût le fief des installés. La Restauration se repliait sur les positions de la néo-féodalité impériale. Le carriérisme allait pouvoir se donner libre cours, les « ventrus » — contre qui Balzac écrira une satire en 1822 — monopoliser les places.
2. Castelbajac, qui interviendra à la demande de M. de Berny pour faire obtenir à Balzac son brevet d'imprimeur, se « ralliera », cependant, sous Villèle.

Le comte de Fontaine, lui, comprendra ; mais si le comte de
Fontaine représente bien un opportunisme nécessaire, son
ralliement n'en signifie pas moins à sa droite, la désagrégation, *imposée par le siècle*, de certaines notions de pureté et
de fidélité. L'image du comte de Fontaine, et des profiteurs
du decazisme devait achever la liquidation d'un mythe.

Mais ce ralliement de fait, ce ralliement silencieux, dans la
pratique sociale, sinon dans les mots et les idées, ne doit pas
faire négliger un autre fait important : héritiers d'une culture,
les aristocrates devaient, pouvaient, très vite se faire les juges,
et souvent les seuls juges possibles alors, de ce que la mutation bourgeoise avait de lourd, de court, d'égoïste et d'inculte.
Le John Bell de *Chatterton*, cruel envers ses ouvriers, baron
d'un nouveau genre, épais comme son âpreté, sera jugé par
l'aristocrate Vigny bien avant de l'être par des socialistes.
Une certaine tradition morale, chez les hommes de droite,
le sentiment d'être le produit d'une longue élaboration,
d'avoir hérité de valeurs, de croyances, alors que les bourgeois ne semblent mus que par de sordides intérêts à court
terme, feront d'eux, et en particulier des moins engagés dans
le ralliement décrit plus haut, des moins compromis dans la
foire aux places et dans l'opportunisme capitaliste, les dénonciateurs, et souvent les peintres les plus lucides du désordre
et de l'absurdité modernes. Voici, par exemple, une page
remarquable de Montlosier, homme de l'ancienne France,
qui dénude, d'un coup, les mots d'ordre libéraux et montre
ce qui est, en fait, derrière les apparences. Point n'est besoin
de partager les préoccupations de classe de Montlosier pour
acquiescer à la description ; les solutions de Montlosier n'importent guère ; ce qu'il apporte de positif, c'est, précisément,
cette démythification de la bourgeoisie :

> *Accroissement des lumières, esprit du siècle, puissance du
> temps, progrès de la civilisation :* voilà les grands mots que
> répètent une multitude de crieurs qui s'élèvent contre
> l'esprit de famille. Véritables fantômes qu'on ne sait com-
> ment saisir, spectres voilés qu'on ne sait comment signaler,

---

Il deviendra directeur des Haras puis des Douanes, rejoignant dans le camp des
profiteurs Lourdoueix, sectateur de Decazes, en 1817... Comme quoi la « pureté »
de droite ne relevait que du rêve. Il fallait vivre, et le constitutionnalisme se révélait une redoutable machine à happer et néantiser les tentations d'absolu. La
jeunesse du siècle, bien avant le mois d'août 1830, a eu sous les yeux une « curée »
constante et générale. Stendhal parle souvent à ses lecteurs anglais de cette course
aux places, propre à toutes les classes, et qui ruine, chez les nobles, toutes les
velléités de reconstruction. Dans le même ordre d'idées, plus d'un grand seigneur
joua à la Bourse les fonds de son indemnité (cf. *Armance* et *La Duchesse de Langeais*), sacrifiant ainsi à ce qu'avait eu de plus réel et de plus durable cette Révolution que la loi Villèle était supposée corriger.

parlez franchement : qui êtes-vous? Le premier qui est interrogé répond : « Je suis originairement un petit gratte-papier à 1 500 francs d'appointements. J'ai trouvé le moyen de m'attacher à la fourniture d'une armée. J'ai fait ensuite de bonnes opérations sur la banque de Vienne, sur celle de Hambourg. Bref, j'ai gagné plusieurs millions. Je suis devenu ainsi le centre d'un grand mouvement; je suis beaucoup; je veux être tout. »

Un second : « Je fondais d'abord de la graisse au coin de la rue Montorgueil. J'ai inventé au Palais-Royal un nouveau plat de morue. Tout Paris accourt chez moi. Je gagne depuis quelque temps trois mille francs par jour. J'ai quarante mille livres de rentes inscrites sur le Grand Livre, une belle maison de campagne à deux lieues de Paris. J'ai encore le bonnet blanc et la serviette, mais mon fils a un cabriolet; il aura bientôt un carrosse. Il a l'air d'un seigneur. Il faut qu'il le soit. »

Un troisième : « Je suis le fils d'un marchand de chandelle demeurant à Montargis, sur la grande rue. Après avoir appris à lire et à écrire, on m'a envoyé à Paris chez une parente marchande d'herbes pour perfectionner mon éducation. Là, je me suis mis à faire des vers, et ils ont eu du succès. J'ai essayé ensuite un petit opéra, et il a réussi. J'ai actuellement une pièce en répétition au Vaudeville, une autre reçue au Français. On me traite comme un homme important. Attendons. Je suis l'égal de tout, dans peu, je serai supérieur à tout. » Un quatrième : « Je suis le marchand de poudrette au bas coteau de Belleville. Ce que je remue habituellement a une mauvaise odeur... pas plus, après tout, que les plaies que soigne le chirurgien et le foie de soufre de l'apothicaire. Comme Bonaparte était un grand homme! Il donnait des titres de baron aux chirurgiens et il faisait entrer les marchands de toile peinte à la chambre des Pairs! Veut-on faire moins pour un homme qui vient de réaliser la fable du phénix reproduit de ses cendres? Depuis quelque temps, ce ne sont plus des charretées que j'expédie, ce sont des navires. Ma marchandise vogue avec mon nom sur les fleuves et sur les mers. Je féconde les environs de Versailles et de Paris, la Beauce et la Brie, les plaines de Normandie et celles de Philadelphie. »

Sans étendre davantage cette énumération, on peut s'assurer que telle est la véritable figure des fantômes que j'ai mentionnés. Ils n'ont pas tout le tort de se prévaloir des progrès de la civilisation. La société d'aujourd'hui est faite de manière que, en peu d'années, on peut acquérir une grande fortune par l'industrie, par un grand talent, par l'éducation [1].

1. Montlosier, *De la monarchie française depuis la seconde Restauration jusqu'à la fin de la session de 1816*, Gide et Nicolle, 1818, p. 402-405. Identifier ces quatre personnages serait assez futile, et Montlosier a dû composer. On peut songer,

Cruelle, cette mise au point n'est pas fausse. Elle force à
revenir des déclarations universalistes de la gauche libérale
à son substrat social, c'est-à-dire non à une promotion d'ensemble, mais à une masse limitée de réussites individuelles.
Face à ces poussées récentes, à ces réussites et prétentions
sans racines, un homme comme Montlosier sent monter en
lui une clairvoyance que nous ne pouvons tout à fait récuser.
Ces bourgeois n'ont fait la Révolution que pour eux, et *leur*
progrès, *leur* civilisation, tout cela a, pour eux, mais aussi
en fait, de leur point de vue, mais aussi objectivement, un
sens bien précis. C'est pourquoi ces hommes de culture et de
tradition, lorsqu'ils pensent en termes de culture, même
lorsque ceux-ci dissimulent d'étroites rancœurs de classe,
ne peuvent ne pas marquer le divorce des mots d'ordre et des
aspirations d'une part, et des réalités socio-politiques, de
l'autre. Tout un côté du légitimisme de Balzac s'expliquera
par là. Le mal du siècle a été *vécu*, *ressenti*, et aussi *vu* par les
hommes de gauche. D'abord mal du siècle de simples, et
parfois égoïstes victimes, puis, progressivement, à mesure
que se révélait la société bourgeoise, mal du siècle prenant une
résonance plus large, critique, partiellement récupérable
pour une nouvelle vague progressive. Le quadruple exemple
de Montlosier pourrait très bien être repris par d'autres, dans
d'autres perspectives que simplement passéistes. Il pourrait
aussi fournir des sujets de roman. Imaginons, sous la monarchie
de Juillet, le fournisseur, le gargotier, l'écrivain, le droguiste, ou
leurs enfants : ne seraient-ils pas à la Chambre, aux côtés des
Camusot ? C'est cela, dans la chair du quotidien, le progrès,
la civilisation, les lumières, l'esprit du siècle. Et ceci explique
comment, au niveau de l'analyse « désintéressée », chez quelques
hommes non engagés dans la foire aux places, soucieux d'absolu,
devait se dégager, s'exprimer, avec la condamnation de l'arrivisme bourgeois, de l'égoïsme bourgeois, le dégoût du compromis, la nostalgie d'une politique qui ne serait pas empirisme
guidé par quelques intérêts, mais application ferme et lucide,
totale, d'une *doctrine*. Un désordre établi, de plus en plus
établi, et qui ne profite qu'à une classe fractionnelle et démissionnaire de ses antiques mots d'ordre : sur ce point, le mal
du siècle de droite marque un progrès énorme par rapport
à ses premières et plus étroites apparitions.

toutefois, à plus d'un fournisseur ou banquier (Ouvrard, Rothschild), à un restaurateur comme Véry, à un fabricant de pièces comme Scribe, aux Cardot-Camu-
sot-Protez et Chiffreville, de Balzac.

L'art de gouverner consiste à tenir le milieu entre le bien
et le mal, à négocier sans cesse avec les opinions, *à composer
avec le désordre.* Dès lors, plus de principes certains, plus de
maximes ni de lois fixes, et comme il n'y a rien de stable
dans les institutions, il n'y a rien d'arrêté dans les pensées.
Tout est vrai et tout est faux [1].

Ne prenons pas « désordre » au sens trop polémiquement
précis de « doctrines subversives », mais au sens large de
« politique des intérêts ». A droite, où la nostalgie d'ordre et
d'unité était forte, comme une pratique, comme la pire pratique, de l'anarchie, à la fois cause et symptôme. Cause,
parce qu'il encourageait toutes les tendances centrifuges,
institutionnalisait la défense des intérêts. Symptôme, parce
qu'il n'aurait pas été possible, pensait par exemple Lamennais,
dans une société qui fût demeurée une société de foi. Idéalisme,
certes, dans cette explication, mais aussi manière de saisir,
avec les moyens idéologiques et les instruments intellectuels
d'alors, cette donnée capitale de l'esprit « romantique » :
on ne s'est pas encore habitué à la pratique du relatif, dans
une société pour laquelle il est, cependant, un besoin premier.

Tous les liens sont brisés, continue Lamennais, *l'homme est
seul,* la foi sociale a disparu, les esprits abandonnés ne savent
où se pendre. [...] Il y a au fond des cœurs, *avec un malaise
indicible,* comme un immense dégoût de la vie et un insatiable besoin de destruction. Riches et pauvres, peuples,
grands, roi même, tous, comme s'ils se sentaient poursuivis
par les siècles, qu'ils ont reniés, se hâtent, se précipitent
vers un avenir inconnu [2].

On veut un État, mais on ne sait lequel. On veut une religion,
mais on ne sait laquelle.

On trouve de tout ceci une expression lucide et ferme chez
l'un des hommes les mieux doués de la jeune génération
monarchiste et catholique : Laurentie, avec qui Balzac
collaborera, plus tard, au *Rénovateur.* Dans un livre publié en
1822, il commence ainsi son premier chapitre, *État de la
société au XIX⁰ siècle :*

---

1. Lamennais, *De l'état actuel de la société, Le Défenseur,* mai 1820, p. 434 (*Le
Défenseur* avait pris la suite du *Conservateur* après la retraite de Chateaubriand).
Ce texte reprend celui de la préface du tome II de l'*Essai* (p. 11).
2. Lamennais, *De l'état actuel de la société, Le Défenseur,* mai 1820, p. 436.
Sainte-Beuve verra bien ce qu'ont de commun tous les dénonciateurs et recons-
tructeurs. En 1857, dans sa préface à la réédition de *Valérie,* après avoir parlé
de « cette plaie du néant de la foi, de l'indifférence et de la misère moderne »,
il rendra hommage à « ceux qui, en des sens divers, tendent au même but de la
grande régénération du monde, Saint-Martin, de Maistre, *Saint-Simon,* Ballanche,
Fourier, *Lamennais* ».

La société présente aujourd'hui un caractère particulier
que chacun peut aisément saisir, c'est la diversité infinie
des croyances et la liberté extrême des opinions [1].

L'origine de ce désordre, il faut aller le chercher à Luther et
à la Réforme, qui ont engendré la Philosophie de la Révolution. Décrivant ensuite le paysage intellectuel et moral
contemporain, Laurentie y montre

une continuelle agitation dans les têtes, de là un incroyable
mouvement dans les idées et dans la société, de là enfin,
l'impossibilité d'arrêter les esprits à ces points certains et
généralement reconnus comme les fondements des croyances
humaines. Alors, point de morale universelle, point de vices
publics; on ne s'entend ni sur ce qui convient, ni sur ce qui
est utile, ni sur ce qui est nécessaire, soit à l'existence privée
des citoyens, ou des familles, soit à l'existence politique de
l'État [2].

Aggravée par celle de la tribune et de la presse, cette division accroît le malaise contemporain :

Comme les hommes ont cessé d'être liés entre eux par des
croyances communes, ils se font des besoins à l'infini suivant leurs croyances particulières [3].

On ne peut qu'être frappé, à la lecture de ces lignes, par
leur ressemblance avec plus d'un écrit saint-simonien, de
1825 à 1830. Mais, alors que les saints-simoniens expliqueront
le désordre par l'évolution des structures et celle, originelle,
des besoins — donc le justifieront, en demandant seulement
qu'on entreprenne de le dépasser par l'instauration d'un
ordre neuf — Laurentie n'attribue tout ce bouleversement
et toute cette instabilité qu'à de vicieux abandons. L'accord
existe au niveau de la description formelle, non à celui de
l'explication causale. *Mais ceci n'est vraiment important que
pour nous :* pour les contemporains, les dénonciations pouvaient se rejoindre. Et c'est encore plus net lorsque Laurentie,
quatre ans plus tard, en vient à aborder le problème des
causes économiques et de leurs concomitants sociaux :

Un besoin extrême de liberté, un amour aveugle des choses
nouvelles, un désir insatiable de domination et de richesse,
voilà ce qui tourmente également les hommes [...]. Cette
agitation est la même dans toutes les classes; elle ébranle
les classes élevées, et elle enflamme les classes inférieures [4].

1. Laurentie. *De la justice au XIX*e *siècle,* Boucher, p. 5.
2. *Ibid.,* p. 20.
3. *Ibid.,* p. 27.
4. *Considérations sur les institutions démocratiques,* p. 5.

Tel est « le caractère universel du siècle [1] ». Conclusion pratique : renforcer l'autorité, lutter contre la subversion. Ce sera également la position de Thomassy, l'ami de Balzac. Mais négligeons les solutions concrètes et attachons-nous surtout au diagnostic, que reprendra Balzac en 1830 : la France est tout et rien; la France est désordre. D'où un contraste vivement senti avec la vision spontanément unificatrice de la jeunesse. Elle débarque dans un monde que se partagent des passions qui n'ont plus toujours, pour elle, grand sens. Il n'est pas de gérontocratie que de places et de sinécures; il en existe une aussi, plus redoutable encore sur le plan intellectuel, d'idéologies, d'habitudes mentales, etc... A la base, certes, se trouvent des oppositions réelles d'intérêts, des clivages nés de l'Histoire, mais que la pensée de droite a tendance à porter au compte — toujours — de quelque esprit de perversion. Il faudra les découvertes du saint-simonisme pour que les choses commencent à se composer de manière plus rationnelle. Au niveau du vécu, insistons-y, la différence est mince. Pour tous, le Siècle, c'est l'absurde et le gaspillage.

Très significatif, par exemple, est le livre de Lourdoueix, *Les Folies du siècle*, paru en 1818, et que Balzac avait lu. Il met en scène un bon jeune homme que ne peut satisfaire l'idéal bourgeois de sa famille et qui donne à fond dans le romantisme : mélancolie, style gothique, poésie du Nord. Un vague besoin d'autre chose, en lui, trouve à se satisfaire dans une littérature non du fini raisonnable, mais de l'indéterminé, dans une littérature « ouverte ». On le fait enfermer à Charenton, où il fait connaissance avec de pittoresques hurluberlus qui, tous, incarnent l'une des « folies du siècle ». Le bonapartiste, l'ultra, l'homme à principes, la majesté détrônée (le Peuple), tous le prennent pour confident, lui content leurs espoirs, lui annoncent catastrophes ou triomphes à venir. Le vieux de la vieille est le plus émouvant, en même temps que le plus absurde :

> Il n'y a que des souris dans son île. Elles lui ont creusé une route souterraine; il débouchera par ce trou, nous nous réunirons à lui, nous mangerons tout ce qui se présentera. Les souverains de la terre se ligueront pour nous attaquer; nous les mangerons, et nous nous emparerons de la lune où il m'a assuré un majorat [2].

---

1. *Considérations sur les institutions démocratiques*, p. 9.
2. *Les Folies du siècle*, p. 83.

De telles absurdités *s'expliquent* :

> Il y a toujours, chez un grand peuple, *plus de passions nobles et généreuses que la société n'en peut employer*. Dans un État bien constitué, la religion devient le refuge de toutes celles qui ne trouvent pas de place sur la terre [1].

Faute de ce refuge, on a nécessairement des obsédés, des maniaques, des fanatiques, des hommes murés dans leurs hantises, avec, comme conséquence, une rupture de tous les liens sociaux. Lourdoueix, ami de Decazes, propose une solution : l'application loyale de la Charte, instrument de fusion et d'achèvement de la Révolution dans l'ordre, moyen de « *régulariser le système social* ». Peu importe l'intention polémique (justifier la dissolution de la Chambre introuvable) : Lourdoueix voit bien que le siècle est un chaos d'idéologies, de passions, d'attitudes, d'affirmations qui, dans leur affrontement stérile, sont autant de négations. Le livre s'achève, malheureusement, d'une manière assez plate : le decazisme guérira le héros, qui n'aura pas le destin de Raphaël; mais il importe qu'au passage une correspondance instinctive se soit établie entre les vagues tourments d'un jeune « enfant du siècle » et ceux des héros fatigués de la génération précédente. Trois ans après cette levée de barrière que constitua la première Restauration, le désordre et l'anarchie morale s'imposent comme composantes essentielles du paysage français. L'optique « modérée » de Lourdoueix, son acceptation des solutions fusionnaires, ne donnent que plus de portée à son diagnostic. Le mal du siècle n'est pas une spécialité pour amateurs de catastrophes. Il fait platement partie de la vie de tous les jours.

*

Mais de l'autre côté, chez les fils ou les bénéficiaires de la Révolution, le passage d'une Révolution large, idéaliste, à une Révolution plus dure, puis au despotisme impérial, n'avait-il pu donner naissance à un autre mal du siècle, mal du siècle « républicain », mal du siècle de la liberté étouffée ou fourvoyée? En fait, non. Et, en tout cas, pas sur le moment. Tous les témoignages le concernant sont très tardifs, et s'expliquent en grande partie par l'évolution ultérieure du siècle. L'exemple le plus frappant est celui de Philarète Chasles,

---

1. *Les Folies du siècle*, p. 83.

fils de conventionnel « votant ». Il avait été élevé « comme une
république à fonder [1] »; il ne voulait « devenir grand que par
les événements [2] ». Mais l'évolution du régime avait fait de
son père un demi-paria, un être vivant de ses grands souvenirs; il suivait rêveusement la fumée de sa pipe en songeant
à la liberté évanouie... Quant au fils, commençant sa vie avec le
siècle, « avec ce siècle d'orages et de chaos [3] », il explique
comment sa vie fut troublée par l'impossibilité de réaliser les
grandes aspirations qui lui venaient de son père. Les « passions », comme chez René, l'agitaient, mais elles prenaient
appui sur des exigences morales qui n'étaient plus de saison.
Bel exemple de « relais » du social par le psychologique, du
psychologique par le social : « Un mélange d'orgueil, de méditation, de tendresse, m'enivrait dès le premier âge, et la
puberté, qui vint de bonne heure, augmenta *cette furie morale
à laquelle on m'avait si imprudemment livré* [4]. » Un monde à
façonner, de grands principes à vivre. Mais, « au moment où
je suis né, l'avortement des utopies que l'on avait prétendu
réaliser et espéré réaliser, était complet [5] ». Partout, certes,
on se battait, on agissait, mais « c'était la République active,
vengeresse, immorale et victorieuse [6] ». « *On prenait tout* »,
explique Chasles, qui évoque les pillages en Italie, les rapines
de toutes sortes, et à tous les niveaux. Plus d'un récit balzacien sera la vérification de ces pages, si dures pour l'épopée.
On faisait carrière et on s'enrichissait. « Aucun principe n'était
éclos pour remplacer le principe monarchique ou l'honneur
chevaleresque. » Mais que recouvrait cet honneur? Chasles
écrit ces lignes terribles : « Ceux qui, comme moi, sont nés
entre 1798 et 1800 sont marqués. *Ce sont les fils du désastre.* »
Non le désastre de 1815, auquel on songe toujours, mais bien
un désastre moral :

> Le naufrage des nobles idées les a bercés. La génération
> héroïque antérieure, celle de Kléber et de Desaix, mourait
> alors sur les champs de bataille. Elle avait eu pour nourrice
> l'utopie sublime de 1789, et pour prédécesseurs immédiats
> les hommes de la philosophie, les Turgot, les Necker, les
> hommes de l'espoir et de l'aspiration ardente vers le bien.
> Le génie des Turgot s'était levé dans l'aurore boréale des

1. Philarète Chasles, *Mémoires*, I, p. 7.
2. *Ibid.*, I, p. 15.
3. *Ibid.*, p. 7.
4. *Ibid.*, p. 15.
5. *Ibid.*, p. 19.
6. *Ibid.*, p. 19.

idées les plus pures, en 1789; notre enfance à nous, en 1800, voyait s'éteindre et se couvrir de larmes le soleil couchant des libertés publiques [1].

La démoralisation de la France depuis 1800, conclut Chasles : on ferait un très beau livre avec cela, et un nom y brillerait, d'une sombre lueur : Bonaparte. Comment toute une nouvelle vague de Renés n'est-elle pas née de cela?

Le témoignage de Chasles, toutefois, est un témoignage de souvenir. Il s'est chargé de rancœurs nées bien postérieurement à la transformation de la République en Empire absolu. Il fait partie d'un acte d'accusation contre *l'ensemble* du XIXe siècle. N'est-il pas frappant, d'ailleurs, que, si la littérature jeune-émigré apparaît très tôt, sous l'Empire, si elle continue à prospérer sous la Restauration, si elle engendre de nombreux romans, poèmes, traités, analyses, diatribes, la littérature jeune-républicain est pratiquement inexistante? C'est bien plus tard que des hommes comme Chasles, comme Michelet, songeant à leur enfance triste sous Napoléon, viendront dire que l'époque impériale fut une époque d'étouffement. L'explication serait-elle uniquement dans l'impossibilité d'exprimer, alors, des tristesses, des révoltes inadmissibles pour le pouvoir? Mais sous la Restauration? En fait, la dynamique historique suffit à expliquer qu'il n'y ait guère eu de mal du siècle républicain. L'Empire, immense entreprise, immense effort d'organisation, happait, littéralement, les forces vives du pays. L'Empire fonctionnait à un rythme de plein emploi. Il ne manqua pas, dans la réalité, d'hommes comme le lieutenant Gérard (dans *Le Dernier Chouan*), comme Veryno (dans *Le Centenaire*), comme Niseron (dans *Les Paysans*), qui regrettèrent le temps de la liberté. Carnot, à lui seul, pourrait en être un bon exemple. Mais que de lieutenants Gérard firent quand même leur carrière dans la Grande Armée! Si l'Empire blessa quelques idéaux, il ouvrait tant de portes, il avait besoin de tant de monde, que le romantisme républicain n'eut pas le temps de naître [2]. L'Empire fut une machine

---

1. Philarète Chasles, *Mémoires*, p. 19.
2. Ceci a été supérieurement vu :
1° par Azaïs, une fois encore matérialiste de premier ordre : « Napoléon épancha l'un et l'autre [N. B. l'entassement des idées et l'entassement de l'industrie, cf. *supra*, p. 47]. Il fut démontré alors que la France n'était pas précisément avide de telle ou telle constitution sociale, mais d'une forme de gouvernement qui puisse lui procurer une action spacieuse et éclatante, car sous la dictature la plus prononcée, la satisfaction publique se manifesta spontanément avec enthousiasme; le pouvoir franc et absolu de Napoléon, *ainsi que l'harmonie sociale*, dérivèrent surtout de ce qu'il sut fournir de l'emploi à tous les genres d'activité » (*Comment cela finira-t-il?* p. 9). Il faudra se rappeler ce texte en lisant la brochure que publiera Bernard-François Balzac en 1807.

à promouvoir. La lutte, d'autre part, contre l'Europe, fournissait la meilleure des justifications. On allait. Or, le mal du siècle naît de ne pas aller, de se sentir perdu, sans rien pour s'orienter. On pouvait porter un jugement *moral* sur l'évolution de l'Empire : pour les jeunes générations, il fut une chance *sociale*. Point trop d'intérêts murmurants : il manqua sans doute aux frustrations morales de se fonder sur des aliénations plus concrètes pour donner naissance à une littérature, à un état d'esprit; les mines ne deviennent vraiment grises que lorsque les carrières sont menacées. Et, lorsque vint la Restauration, le conflit avec le nouveau pouvoir, la magie idéalisante du souvenir, la haine pour les traités de 1815, tout contribua à tourner les pensées contre les Bourbons, à préserver ainsi le réel impérial, à l'aider à se muer en mythe. Plus d'un polémiste monarchique le dira : comment des républi-

2° par Stendhal, lorsqu'il explique la France et les Français aux Anglais - « Ces sentiments vagues et mélancoliques, partagés par beaucoup de jeunes gens riches de l'époque actuelle, sont tout simplement l'effet de l'oisiveté. Napoléon faisait remuer cette jeunesse; pour la garder de soupirer auprès des ruisseaux murmurants ou de chercher dans les nuages des figures fantasques; de son temps, on connaissait peu l'ennui mélancolique » (*New Monthly Magazine*, 1er septembre 1825, *Courrier anglais*, I, p. 164). Ou encore, avec plus de précision : « la chute de Napoléon, qui a tellement favorisé les progrès de la liberté ou plus exactement la naissance des sentiments « libéraux » si fort en vogue maintenant parmi nos jeunes gens, a néanmoins causé le malheur de beaucoup d'entre eux. Je parle de ceux dont les pères possèdent dix mille à trente mille francs de revenus annuels. Sous Napoléon, ces jeunes gens *travaillaient* [souligné dans le texte], acquéraient de bonne heure une expérience personnelle et devenaient des *hommes* [souligné dans le texte]. J'admets que Napoléon les faisait souvent travailler d'une façon peu favorable au genre humain; mais cependant ces hommes de vingt ans *travaillaient* [souligné dans le texte]. Maintenant, ils ne savent quoi faire d'eux-mêmes; ils lisent des romans ou de la *philosophie sentimentale* [souligné dans le texte] et tombent rapidement dans un complet dégoût de tout; en un mot, ils ont le spleen. Ils n'ont ni assez de fermeté de caractère, ni assez de bon sens pour se faire employés de commerce ou pour s'embarquer pour l'Amérique. Ils préfèrent écrire ou lire de mauvais vers à Paris. M. de Lamartine nous a donné quelques poèmes qui ont tiré de tendres larmes des yeux de ces jeunes gens, qui sont eux-mêmes plutôt tendres et que guérirait un peu de travail. Ces mêmes jeunes gens pensifs sont de grands admirateurs de M. Cousin (qui a, vous le savez, été emprisonné à Berlin durant ces six derniers mois). La plupart de ceux qui sont mélancoliques sans trop savoir pourquoi sont des romantiques... » (*London Magazine*, avril 1825, *Courrier anglais*, V, p. 30). Mais Stendhal, toutefois, ne comprend pas tout, faute de pouvoir clairement recourir à la notion de *classe*. Ainsi, il signale que c'est « cependant » sous Napoléon que l'on a fait « la plus belle peinture » de la mélancolie », *René* (*Courrier anglais*, I, p. 164). Il ne serre pas d'assez près la distinction à faire entre aristocrates de naissance et d'argent. Autre témoignage intéressant chez la duchesse d'Abrantès. Depuis la Révolution « l'éducation des bonnes manières » avait certes souffert, mais « il est notoire qu'il lui était ouvert [à la jeunesse] une carrière bien autrement féconde dans ses résultats que *l'enseignement gothique et routinier* que suivaient les frères minimes dans les Écoles ». Et elle ajoute : « tout se développait avant le moment, avec une rapidité presque effrayante. *Nos esprits, nos facultés mûrissaient avant la saison* » (*Mémoires* [...], I, pp. 9-10). On retrouvera ce thème chez Balzac, dans la grande discussion de *Wann-Chlore* sur les mérites comparés de l'éducation avant et depuis la Révolution. L'interlocuteur de la marquise d'Arneuse, jadis femme de salon,

cains, des hommes de gauche, peuvent-ils regretter l'Empire [1]?
Mais c'est qu'ils le regrettaient *contre* la Restauration. Il faut
tenir compte de la hiérarchie des urgences : on ne sent ni ne
se bat sur deux fronts, et un ami de la liberté ne pouvait, à la
fois, souffrir profondément de ce qu'*avait été* l'Empire et de ce
qu'*était* la Restauration. Une Zulma Carraud sera toujours
persuadée que seuls les aristocrates font obstacle à la liberté [2];
elle s'en tiendra à cette vision simplificatrice des choses.
Pourquoi? Parce que, selon une loi de plus grande pente,
l'affectivité va à l'immédiat. Le rideau bourbonien a caché,
longtemps, la vraie nature sociale et morale, non seulement
du libéralisme, mais aussi de ce qu'avait été l'Empire, de ce
qu'il avait préparé. C'est ainsi que, chose bien faite pour
étonner, on ne sentit pas tout le positif de la Restauration,
et qu'on oublia le négatif de l'Empire. L'étouffement de la
liberté n'a pas mobilisé les consciences, du moins dans l'immédiat, d'abord parce qu'il eut une contrepartie sous forme de
réussites, de sentiment de l'efficace, ensuite parce que le jeu
fut brouillé par la superficielle « restauration » bourbonienne.
Les royalistes, eux, ne pouvaient même être satisfaits de cette
Restauration qui continuait, *nolens volens*, trop de choses.
D'où la permanence des thèmes romantiques chez leurs écrivains. La prise de conscience — douloureuse — d'un échec
et d'une trahison de l'idéal révolutionnaire, chez les jeunes
bourgeois, attendra que, grâce à la paix, la Restauration ait
commencé de révéler le vrai visage de ce qui avait commencé
sous l'Empire, à s'emparer de tout : le système capitaliste.
Alors, mais alors seulement, va naître un nouveau mal du
siècle, mal du siècle bourgeois, mal du siècle « de gauche »,
qui pourra à l'occasion, faire retour sur la vraie nature de
l'Empire, mais qui en sera détourné, le plus souvent, par
l'éloignement, par l'insuffisance des modes d'appréhension
du réel social, par tout ce qui continuera, longtemps, à vivre
d'une légende nécessaire [3].
  Assez vite, en effet, le problème devait se poser en termes
neufs, le siècle se révéler frustrateur de gens qu'on n'attendait

---

sera d'ailleurs un polytechnicien. Autre point sur lequel Balzac se rencontre avec
(à cette date) sa future maîtresse et collaboratrice : elle insiste, toujours dans
'*Introduction* à ses *Mémoires*, sur ce fait que, non seulement les temps nouveaux
fournissaient à la jeunesse carrière pour leurs énergies, mais encore que c'est la
Convention qui a créé toutes les grandes écoles spéciales.
  1. Par exemple, Thomassy, l'ami de Balzac, dans sa brochure de 1821, *De la
sensation qu'a faite en France la mort de Bonaparte, et des écrits publiés à ce sujet.*
  2. Cf. *infra*, p. 533, le débat qui l'opposera à Balzac en automne 1830.
  3. Cf. *infra*, p. 537 sq., pour *le Centenaire*, premier roman balzacien de la
démystification de l'Empire, allant d'ailleurs de pair avec les constitutions du
mythe napoléonien.

pas. Ici interviennent des notions, et des instruments d'approche que l'histoire littéraire est bien obligée d'aller emprunter aux sciences voisines, ses sœurs séparées : enquête sociale, sondage, statistiques. La notion de génération, pourtant déjà utilisée par les écrivains romantiques eux-mêmes, n'a pas inspiré aux historiens du romantisme un désir très fort de la serrer de près. Pourquoi? Son contenu psychologique et moral ne saurait être compris, cependant, s'il n'est relié à son contenu social. Les perspectives de plus en plus idéalisantes de l'histoire (et de l'histoire littéraire) bourgeoise au XIXe siècle, le reflux d'un réalisme, d'un matérialisme qui commençaient à servir des intérêts dangereux, expliquent sans doute ce calage. Mais, aujourd'hui, tout convie à dépasser les méthodes impressionnistes et qualitatives. Le romantisme est quelque chose qui s'est passé dans la société française pour des causes bien précises; il résulte d'un processus social que l'on peut décrire. Après avoir reclassé les « songes » de Chateaubriand [1] il faut faire de même pour cette immense poussée morale qui vint lézarder, à partir de la Restauration, l'édifice des certitudes bourgeoises [2].

Le premier fait important est l'assourdissement progressif de la contradiction Aristocratie-Bourgeoisie, avec, pour conséquence nécessaire, l'émergence de contradictions nouvelles nées de la Bourgeoisie même. Certes, et nous aurons mainte occasion de le voir avec Balzac, la Restauration ultra,

---

1. Malgré la permanence du thème des « songes », chez Chateaubriand, on pourrait considérer *René* comme son *Werther*. Le solide réalisme, souvent, des brochures politiques de 1814 à 1831, est d'un homme qui avait pensé trouver la solution de ses contradictions dans une politique de cœur, à la fois, et de raison. Le Chateaubriand politique est, à bien des égards, à réhabiliter.

2. La courbe du *désenchantement* bourgeois (le mot étant à prendre au sens fort, non au sens fade) se trouve parfaitement définie par Stendhal. 1° « Une ambition fougueuse entraînait mon âme dans *les pays imaginaires* » (*Le Rouge et le Noir*, *Œuvres*, I, p. 695, ce qui vient, qualitativement, du procès Berthet : « le fils du maréchal-ferrant de Brangues s'était fait en perspective un horizon peut-être sans bornes », *Gazette des tribunaux* du 31 décembre 1827). C'est le romantisme, l'imagination non de fuite, mais de conquête et d'élan, tournés vers un avenir pensable et justifié; le vocabulaire est le même que chez les romantiques pessimistes, mais les implications sont tout autres. 2°. « Il y a donc une fausse civilisation! » (*Lucien Leuwen*, *Œuvres*, I, p. 814). Après Juillet, le faux obstacle aristocratique levé, prise de mesure de la vanité des ambitions et réussites dans le cadre de la société bourgeoise. On croyait pouvoir *faire*, et l'on *joue*. La civilisation est mise en cause par l'expérience de la classe même qui la portait à bout de bras; la bourgeoisie s'effondre en son propre centre : les valeurs d'entreprise et d'action. 3° À son tour, Leuwen va au bout de tout, et le héros bourgeois retrouve les thèmes et le vocabulaire de la satiété, de la vie inutile, de l'ennui. Le vocabulaire est, à nouveau le même, mais les désenchantements se rejoignent : « Succès du monde... je vous ai goûtés! » (*ibid.*, p. 1356). Qui pourrait dire que cet ennui a la moindre origine métaphysique, qu'il puisse justifier la moindre construction pessimiste? Ses origines politiques et sociales sont trop claires. D'ardente et conquérante devenant sceptique, la jeunesse bourgeoise ne pose-t-elle pas déjà correctement une question qui institue le procès de la bourgeoisie?

à partir du ministère Villèle, a masqué le problème; elle a fait croire que l'essentiel demeurait la lutte contre la noblesse et le clergé; par là, elle a artificiellement maintenu l'unité d'une Bourgeoisie et de valeurs bourgeoises qui, Balzac l'a vu de bonne heure, commençaient déjà, sous le règne de leurs adversaires, à perdre leur innocence. Mais il ne faut pas être dupe du décor, des apparences. Chateaubriand l'a bien vu, dès 1814 : tout un brassage s'est opéré, pendant quinze ans, qui a littéralement noyé l'aristocratie, en tant que classe concrètement réactionnaire. La vie s'est unifiée. Les pères, souvent, sont rentrés, dès qu'ils l'ont pu; ils ont pris du service. Les enfants ont bien été obligés de passer des concours, de chercher une place selon la loi commune : quelques nominations dans les « Rouges », en 1814, ne peuvent rien là-contre. Le comte de Fontaine, dans *Le Bal de Sceaux*, les grands seigneurs qui jouent à la Bourse, dans *La Duchesse de Langeais*, Eugène de Rastignac, qui vient faire des études à Paris : autant de preuves de cette fusion de l'ancienne société dans la nouvelle. « Intérêts communs avec le reste des Français », « alliances », « places », « liens de reconnaissance », « habitudes de société [1] » : il y a plus, même. Il y a cet appel du siècle, de ses valeurs, de ses modes de vie, de ses splendeurs, qui feront sortir de leurs maisons un Calyste du Guénic, un Victurnien d'Esgrignon, un Savinien de Portenduère. C'est hors de leur classe, qu'ils chercheront à se réaliser. Ils se brûleront les ailes, souvent, à cette fausse civilisation moderne, mais l'appel de Béatrix à Calyste, cette grande demeure où brillent l'art, la poésie, l'amour, quel symbole de la fascination exercée par le siècle, maudit des parents, sur les plus jeunes! Il restera, sans doute, des habitudes mentales, des types de pensée et de sensibilité, mais, très vite, le héros du type René, Ernest ou Nodier disparaîtra. Le Cisy de Flaubert n'aura plus que le Jockey-Club, et rien n'animera plus ce pantin vide. La Révolution de 1830 achèvera de liquider le problème. On se retrouvera alors entre soi, face à soi-même, et il faudra bien se voir tel qu'on est, aussi bien Rastignac ministre de la monarchie bourgeoise que David Séchard brisé par les trusts. Les dates d'affabulation des romans de Balzac

1. *Réflexions politiques* [...], p. 28. Chateaubriand se proposait de montrer entre autres choses que l'aristocratie ne pouvait représenter un danger pour le régime constitutionnel, et qu'elle s'était, dans l'ensemble, intégrée au nouvel ordre de choses. Il n'y a donc plus trace chez lui de regrets stérilisants, et les coups qu'il dirige contre les monopolisateurs des prébendes impériales qui entendent conserver leurs bastions, sont clairement, pour le lecteur moderne qui juge avec le recul, des coups dirigés contre la bourgeoisie en ce qu'elle a déjà d'accapareur et de frustrateur.

compteront moins que la date à laquelle ils auront été écrits.

Dès la Restauration, toutefois, un homme avait bien vu et montré, que le conflit majeur de la société française n'était plus uniquement un conflit *de classes*, qu'il se recoupait avec un conflit *de générations*, c'est-à-dire, pour nous, qu'il tendait à devenir *un conflit à l'intérieur de la même classe*[1]. Charles Dupin, en 1827, dans son grand ouvrage, *Forces productives et commerciales de la France*, a fourni des chiffres qui permettent de cerner d'une manière assez précise le phénomène romantique : le quart de la population qui vivait sous l'Empire n'existe plus; les deux tiers de la génération actuelle n'étaient pas nés en 1789; ceux qui avaient vingt ans alors ne représentent qu'un neuvième de la population française, et ceux qui avaient vingt ans à la mort de Louis XV, un quarante-neuvième; depuis treize ans, 9 700 000 Français sont morts, et 21 400 000 sont nés[2]. Balzac sera donc parfaitement fondé à parler, en 1830, d' « une population née d'hier[3] ». La France nouvelle, la Jeune France, ces expres-

1. Ceci apparaît déjà clairement si l'on a gardé à l'esprit cette évidence que, sous la Restauration, malgré le décor, l'essentiel social est *déjà* bourgeois. Nous rencontrerons fréquemment ce fait et cette idée. Elle se trouve exprimée avec une belle netteté, en 1832, par les saint-simoniens, reprenant plus d'une de leurs analyses d'avant 1830 : « Ce serait une erreur de croire que le fait capital de la Restauration fut la réapparition du jésuitisme et de la vieille noblesse. *Son caractère fondamental, c'est le triomphe de la bourgeoisie*. Maintenant, nous en avons la preuve. Aux journées de Juillet, elle seule est restée debout; elle a tout envahi; le bourgeois est au forum, au prétoire et au corps de garde; il légifère; il juge et il est au combat; il est souverain et magistrat » (*Religion saint-simonienne, économie politique*, 1832, p. 90 sq).
2. Charles Dupin, *Forces productives et commerciales de la France*, Bachelier, 1827, I, p. 111 sq. Cet ouvrage fut vite célèbre, par la nouveauté des calculs statistiques et par, surtout, sa *Carte figurative de l'instruction populaire de la France*, dans laquelle les départements étaient figurés en plus ou moins clair ou foncé selon que la scolarisation y était plus ou moins poussée. Stendhal, Balzac, comme tant d'autres intellectuels et écrivains alors furent très frappés par cette *Carte* et par ces statistiques. Cf. Pierre Barbéris, *Le Baron Charles Dupin, les statistiques, la Physiologie du mariage et la vie de province*, A. B., 1966.
3. *Complaintes satiriques sur les mœurs du temps présent, La Mode*, 20 février 1830, O. D. II, p. 129. Balzac connaissait parfaitement les travaux de Dupin, le problème des générations à la fin de la Restauration, comme le prouve cette phrase d'un article consacré à la *Physiologie du mariage* qu'il rédigea lui-même et que publia le *Mercure du XIXe siècle* de février 1830 : « la statistique conjugale est plus amusante que les calculs du baron Charles Dupin » (C. H. XI, p. 159). On ne manqua pas, d'ailleurs, de faire le rapprochement qui s'imposait, et, au mois d'août 1831, Fonfrède, rendant compte de la *Physiologie* dans le *Mémorial Bordelais*, écrira : « Que répondre à un homme qui vous prouve statistiquement, à la manière de M. Charles Dupin qu'il n'y a en France que quatre cent mille femmes honnêtes? » L'originalité de Dupin, qui a dû frapper Balzac, était, à partir de statistiques économiques, d'aborder des problèmes « moraux », relevant de ce que nous appelons aujourd'hui les sciences humaines. Certains phénomènes sociaux cessaient de relever de la pure et simple description individuelle et qualitative. En 1845 encore, dans un chapitre de *Petites misères de la vie conjugale*

sions appelées à faire fortune[1], correspondent à des réalités chiffrables, et ce d'autant plus qu'il y a contradiction entre ce renouvellement démographique et la fixation du pouvoir dans les vieilles générations. En effet, expose Dupin, la moitié des électeurs, c'est-à-dire ceux qui, parce qu'ils ont la propriété, accèdent au pouvoir politique, ou pèsent sur le pouvoir politique, a plus de cinquante-neuf ans. En 1824, le neuvième de la population détenait encore la majorité sur les listes électorales! Le rapport est en train de changer, puisque, en 1826, on compte 68 000 électeurs de la nouvelle génération pour 31 000 de l'ancienne, et l'évolution est irréversible. Les hommes d'État doivent en tenir compte. Une forte pression égalitaire s'exerce sur les structures françaises[2], parce que, dans une France qui rajeunit vite, dont le relèvement économique depuis 1815 a été extraordinaire, le pouvoir demeure aux mains d'une minorité d'anciens, aussi bien héritiers de l'ancien régime qu'héritiers de la Révolution et de l'Empire. Dupin parle d' « immenses mutations »; il signale le bond prodigieux de tout ce qui touche à l'instruction, à la culture : 12 % d'augmentation annuelle sur les non-périodiques, une augmentation globale des impressions de 774/1 000 de 1814 à 1820, et de 787/1 000 de 1820 à 1826. « Ce progrès, précise-t-il, est plus rapide que celui de la production de fer et des terres, plus rapide que l'accroissement des patentes. » Le nombre des Français qui savent lire a doublé depuis la paix. Et d'aucuns veulent gouverner comme si de rien n'était! Le modernisme est un fait. Dupin, lorsqu'il passe à l'attaque, ne songe qu'aux ultras, aux Gérontes les plus apparents, mais Balzac saura bien, dès l'hiver de 1830, leur joindre les Gérontes doctrinaires. En 1827, Dupin ne songe qu'à un problème purement politique, mais lui-même sait bien que ce ne sont là qu'apparences :

(Les ambitions trompées ; I, *L'illustre Chodoreille),* il écrira : « Un jeune homme a quitté sa ville natale, au fond de quelque département marqué par M. Charles Dupin en couleur plus ou moins foncée. Il avait pour vocation la gloire, n'importe laquelle... » (C. H. X. p. 976).

1. Le 3 mai 1827, *Le Globe* rend compte de l'ouvrage de Dupin sous un titre significatif : *La génération ancienne et la France nouvelle.*

2. L'analyse chiffrée de Dupin indique bien la véritable nature de cet égalitarisme des classes moyennes, qui fera dire à Tocqueville que « c'est une espèce d'inégalité, plutôt que l'inégalité en général, que haïssent les hommes ». Victorieux, cet égalitarisme se révélera nécessairement décevant, puisqu'il s'accommodera très bien, à son tour, de l'écrasement de certaines classes ou catégories sociales.

Des hommes profondément avisés veulent nous persuader que la lutte entre les deux générations a pour objet l'existence même, ou la destruction du culte chrétien, de la monarchie, de la dynastie, et même du ministère [1].

Faux problème! « *Une vaste partie de nos forces productives demeure encore paralysée* [2]. » Le siècle pousse, les besoins, *comme les possibilités*, sont immenses, mais le pouvoir n'est pas exercé par ceux qui en sont économiquement les plus dignes [3]. Qu'on laisse faire la France qui compte les capacités [4]. Faut-il une révolution pour dissiper le malaise? Ce n'est pas sûr, et Dupin, dans son optimisme [5], n'imagine même pas que, par-delà les ajustements qu'il souhaite, on puisse découvrir d'autres freins. Le mal du siècle, phénomène de sous-emploi, ne se dissipera pas avec la victoire de Juillet, et c'est bien là l'insuffisance des analyses de Dupin. Mais il a bien vu, sans mesurer toutes les conséquences de ses coups de sonde, que le mal du siècle était lié à des déséquilibres dans la répartition des tâches sociales et dans la mise en valeur de toutes les ressources. S'il ne voit pas que, derrière l'avant-garde industrielle, se presse toute une petite bourgeoisie boutiquière et administrative (que peindra Balzac), s'il ne soupçonne pas quelles fatalités malthusiennes guettent la

---

1. A noter l'échelle bourgeoise des valeurs qui explique la révolution de 1830; on peut toucher au ministère, sans toucher à la dynastie; on peut toucher, si besoin est, à la dynastie, sans toucher à la monarchie. Tout dépendra du niveau où la résistance sera la plus grande. La république des notables, après 1870, prouvera qu'on peut aller jusqu'à toucher à la monarchie.

2. Cf. *infra*.

3. Après 1830, outre la dignité économique, apparaîtra l'idée de dignité morale, humaine. Mais, précisément, à ne revendiquer que pour des raisons sentimentales contre l'ordre bourgeois, ne s'appuyant, et ne pouvant s'appuyer sur des arguments économiques (aptitude des classes prolétariennes à mieux mettre en valeur les ressources), le « socialisme » romantique manquera de sérieux; le libéralisme, sous la Restauration, a dû une grande partie de son rayonnement à cette base économique que définit Dupin.

4. Ce sont là des idées que Dupin partage avec les saint-simoniens. Il ne les nomme jamais dans son ouvrage, ce qui s'explique aisément, mais il a donné la preuve de l'intérêt qu'il leur portait en faisant réimprimer sa préface au tome I d'une publication populaire, à bon marché, qu'il intitule significativement *Le petit producteur français*. Dupin était professeur aux Arts et Métiers. Il est le type même du penseur libéral de bonne foi pour qui l'ascension des classes « industrielles » n'impliquait nullement la naissance de conflits entre maîtres et ouvriers. Bien au contraire, il était persuadé que la solidarité de ceux qu'il appelle, comme tout le monde alors, les « travailleurs », n'irait que se renforçant à mesure que reculeraient les menaces « rétrogrades ». Il déchantera cruellement après la révolution de Juillet, en particulier avec les grèves du mois d'août 1830. On le retrouvera, en 1831, faisant la leçon à cette « force anarchique, indéfinissable, inconnue (qui) pousse sans cesse au désordre » (*Discours sur le sort des ouvriers*, Bachelier, 19 juin 1831, p. 23).

5. Dupin écrit avant la crise économique de 1827, dont il soulignera lui-même l'importance, la gravité, le caractère inattendu, dans son avant-propos rédigé au moment où éclatait ce phénomène d'importance capitale. Cf. t. II.

société industrielle bourgeoise. Comment le pourrait-il? Seule une enquête menée à un autre niveau que la sienne, avec d'autres instruments de mesure, pourra remettre en cause ses conclusions et prévisions, déclencher les critiques de l'ingénieur Gérard, *après* Juillet[1]. En l'absence d'une analyse socialiste (impensable), seule une vision romanesque réaliste pourra amorcer et le dépassement de Dupin, et la jonction avec l'avenir. En attendant ces découvertes, ces ouvertures, toutes les forces de frustration du siècle ne sont-elles pas impliquées dans l'unité supérieure d'un développement entravé? Les théoriciens bourgeois qui tentent de ne voir d'autre obstacle à l'épanouissement de la vie que la colonisation de l'État par l'aristocratie, se trompent contre la bourgeoisie elle-même. Lorsque Balzac, pendant l'été 1830, parlera de « la noble jeunesse qui, silencieuse, attend le pouvoir[2] », il ne reniera pas Dupin; il le prolongera. L'incompréhensible, alors, eût été, sans doute, que Dupin et ses amis ne fissent pas la petite bouche : ne s'estimaient-ils pas qualifiés au premier chef pour mettre fin à la crise morale née du sous-emploi? Dupin était plus pour *Le Globe* et *Le Producteur* que pour *Le Constitutionnel*, et les premières attaques de la gauche, après 1830, porteront sur *Le Constitutionnel*, bastille du journalisme d'argent. Mais *Le Globe*, et même *Le Producteur*, l'un avec ses « progressifs » de quarante ans, l'autre avec ses technocrates guettés par le ralliement, n'ont-ils pas un avenir dans l'histoire des aliénations successives? Toute victime d'*une* aliénation est persuadée de mettre fin pour toujours à l'Aliénation en mettant fin à celle qui l'empêchait de vivre. Un autre truquage était recélé dans les profondeurs de la société française que l'administrativisme de la Restauration. A chaque jour suffit sa peine, mais la littérature, plus apte à enregistrer les recommencements, dressée par la tradition moraliste à parler du malheur des hommes et de la difficulté d'être, demeurait plus ouverte à la critique que la science de classe d'un Dupin, persuadé qu'il n'y aurait bientôt plus de problèmes. Plus d'une percée littéraire, dont celle de Balzac dans *Les Dangers de l'inconduite*, à la fin la Restauration, plus d'un éloge de la jeunesse, disent que de nouveaux clivages se font jour. Aux statistiques de Dupin on peut joindre, par exemple, celles du *Corsaire* sur les âges moyens des rédacteurs de journaux : 51 ans pour les royalistes, 36 pour les libéraux. Mais, à l'intérieur du camp libéral, les différences ne sont pas moins intéressantes : *Le Constitutionnel*, 44, les

---

1. *Le Curé de village* (1841).
2. *Lettres sur Paris*; cf t. II.

Débats, 42, *Le Courrier français*, 40, *Le Globe*, 36, *Le National*, 33, *Le Corsaire*, 30. Et d'ironiser, bien entendu, sur la parenté des moyennes du *Constitutionnel* et du *Drapeau blanc* : 44 dans les deux cas [1] ! La moyenne de trente-six ans pour la gauche représente, et est objectivement vécue comme une unité trompeuse [2].

Est-ce à dire que c'en soit fini des nostalgies aristocratiques ? Oui et non. Oui, en ce sens qu'il s'agit de contestations de plus en plus dépassées en tant que telles. Non, dans la mesure où leur portée antibourgeoise va leur conférer, parfois, une virulence inattendue, leur trouver des auditeurs et des propagandistes. Ce sera l'aventure de la Jeune France et du Balzac carliste. Ce sera l'aventure de Chateaubriand, idole de la jeunesse contre Casimir Perier. La relance du mal du siècle après Juillet viendra de l'impuissance de la bourgeoisie à faire vivre dans la lumière une génération qui l'attendait depuis quinze ans. La frustration ne sera certes pas vécue de la même manière à droite et à gauche. A droite, on continuera d'accuser un siècle sans foi ; on trouvera dans les John Bell du jour les justifications nécessaires. A gauche, on sera plus incertain sur l'orientation à donner aux révoltes. A qui, à quoi se prendre, alors que rien ne se dessine en avant ? Les intellectuels bourgeois et petit-bourgeois ne retrouveront

---

1. *Le Corsaire*, 16 février 1830.

2. Des sciences humaines mieux armées, mieux informées, pourront peut-être un jour pousser plus loin l'étude du rapport entre le romantisme et l'évolution démographique. Le phénomène de la montée à Paris correspond à un trop-plein d'hommes conjugué avec un sous-développement ou à un non-développement local tenace. Il semble sûr, d'autre part, que, vers la première moitié du XIXe siècle, les hommes du passé, aussi bien royalistes que libéraux, eurent le plus grand mal à se mettre à penser comme le demandait l'évolution de la population. Une population plus nombreuse change, à partir d'un certain point, qualitativement les problèmes. Rien de funeste, expose le légitimiste du Poirier à Lucien Leuwen, comme une population trop nombreuse et trop instruite (Stendhal, *Œuvres*, I, p. 1011). La « population née d'hier », dont parle Balzac, laisse sans grandes ressources aussi bien ceux qui n'avaient déjà pu comprendre le phénomène révolutionnaire (les armées nationales, les masses dans l'Histoire, etc...) que ceux qui en étaient restés à la promotion de la frange supérieure du Tiers-État, numériquement, et bientôt qualitativement dépassée par « le plus grand nombre » cher aux saint-simoniens. Jamais semble-t-il, les historiens de la littérature ne se sont interrogés sur les causes démographiques du mal du siècle ; pendant longtemps, ce n'était pas la manière suffisamment digne d'aborder les problèmes de l'art. Mais il faut signaler, chez un historien, de la société, lui, une notation, la première, intéressante et courageuse. « *Le véritable mal du siècle*, écrit Bertier de Sauvigny, de la génération de 1830 », vient d'une « congestion » causée par l'engorgement de l'État, conséquence de l'installation et du maintien en place des générations vieillies qui avaient fait la Révolution et l'Empire (*La Restauration*, p. 321), et il se réfère, notamment à Fazy et à sa *Gérontocratie*. On est surpris, par contre, de ne rien trouver à ce sujet dans la thèse de Donnard, qui cite bien Fazy, pour montrer que Balzac s'est inspiré d'un texte connu, mais n'aborde pas le problème au fond.

un début d'efficacité et de vérité que le jour où le socialisme, théorique et pratique, *né hors d'eux*, leur assurera une possibilité de relais insoupçonnable auparavant. En attendant, ils erreront, leurs exigences d'absolu se fourvoyant, parfois, mais faisant quand même progresser la conscience. « Est-ce ma faute à moi si...? » : cette question, qui est celle de Raphaël, dans *La Peau de chagrin*, celle de Lucien Leuwen, plus tard, celle du jeune duc Léon dans *Le Rose et le Vert*, ouvre assez grandes les portes d'une critique féconde. Elle s'est d'abord adressée à Dieu, à la providence. Pourquoi le mal, pourquoi la souffrance, pourquoi l'absurdité du monde? La véritable inquiétude lamartinienne avait commencé par là, dans le poème à Byron. Puis, c'est La Fayette qui est mis en cause, et l'évolution du libéralisme, de la société « progressive ». Le pas en avant est décisif. La jeunesse est perturbatrice, au

Il est très délicat d'établir avec exactitude les rapports qui existent entre la notion de classe et celle de génération. L'aristocratie, frustrée par la Révolution, demeurera longtemps traumatisée, malgré les éventuelles mesures de réparations ou les revanches ultérieures. La bourgeoisie, d'autre part, verra se scinder son unité première. Ces deux classes étant chacune soumise aux lois d'aliénation, lors même qu'elles sont dominatrices, ou l'ont été, retrouvent chacune, aux tournants décisifs de l'Histoire, la division, la solitude, l'insatisfaction. Balzac le montrera avec force : les jeunes nobles ont autant souffert de la gérontocratie que les jeunes bourgeois. Mais l'aristocratie qui truste, sous la Restauration, prébendes et pouvoirs aux dépens de sa propre jeunesse, est-elle encore l'aristocratie? N'est-elle pas engagée à fond dans le jeu bourgeois de l'argent, du parlementarisme, des compromissions avec les milieux d'affaires? Les noms restent, les habitudes mentales, mais le comte de Fontaine n'est plus exactement un noble. C'est pourquoi la notion de génération ne met nullement en péril la notion fondamentale de classe. *Il existe, au début du XIXᵉ siècle, une unité de frustration, mais qui ne s'explique pas par la disparition des classes, qui s'explique par l'unification bourgeoise de la société.* La notion de génération ne doit pas faire oublier celle de classe (il serait absurde et malhonnête, par exemple, dans le monde du XIXᵉ siècle, de mettre sur le même plan les jeunes des classes ouvrières avec les jeunes des classes bourgeoises), mais la notion de classe, toutefois, ne doit pas empêcher de voir qu'une mutation sociale aussi importante que celle de 1789 creuse entre les générations, qui bénéficient à des degrés divers de ses bienfaits un véritable fossé qualitatif. Le mal du siècle est d'abord, essentiellement, celui d'une classe; mais, le jour où s'efface l'aristocratie en tant que classe réelle, il devient un phénomène de générations, et l'opposition des jeunes bourgeois à leurs aînés prend un sens infiniment plus large que celui d'un simple conflit à l'intérieur d'une classe. Spontanément, les jeunes bourgeois reprennent à leur compte les aspirations universalistes qui avaient été celles de leurs pères et auxquelles ceux-ci renonçaient. Par là, ils font craquer l'unité factice de la bourgeoisie, et fraient la voie aux forces révolutionnaires qui suivront. Il est capital de distinguer, dans l'histoire du romantisme, comme nous le faisons ici, les motivations aristocratiques des motivations bourgeoises, mais il faut bien voir qu'une convergence tend à s'établir, tant au niveau de la forme qu'au niveau du contenu, entre les divers « mal du siècle », le plus agressif, le plus fécond, le plus tourné vers l'avenir, s'intégrant peu à peu les éléments les plus valables de celui qui regardait, d'abord, vers le passé. Bourgeois, Balzac et Joseph Delorme pourront être attirés par un certain style romantique propre à une autre classe que la leur, et, aristocrate, Chateaubriand pourra être attiré par les valeurs nouvelles de liberté. L'eau va toujours à la rivière.

lieu d'être annonciatrice. A la révolte de René succède la révolte de Joseph Delorme. C'est le tournant du premier XIXe siècle. Il a été la cause ou l'occasion de bien des erreurs, de bien des incompréhensions. Et comment en aurait-il pu être autrement?

Le problème, en effet, devait être posé en termes tels que personne ne devait plus sur le moment s'y reconnaître, le vocabulaire passant du politique au social. Ce n'est plus chez les adversaires de la Révolution, mais chez ses partisans que le siècle était mis en accusation. Insistons bien : partisans, non profiteurs. Les profiteurs, eux, vieux thermidoriens, bénéficiaires des prébendes impériales [1], ne sont pas inquiets et n'ont pas à l'être. Censeurs, jadis, les voici solidement installés aux commandes du Constitutionnel [2], et dans une opposition pourvoyeuse de bonne conscience. Ils sont riches, et ils luttent contre un gouvernement peu amical envers la liberté. Comment broyer du noir? Les partisans, eux, sont ceux qui, pour des raisons plus abstraites, plus intellectuelles, parce qu'ils sont plus jeunes, parce qu'ils sont portés par ce que le siècle a encore d'inachevé, pensent que la Révolution est un fait important, et surtout une promesse. Non encore pourvus, disponibles, formés, le plus souvent par la nouvelle vague universitaire, ils ont une mentalité exigeante. Lancés, ils ont aussi conscience d'une sorte de grippage. En 1825, *Le Producteur* écrira : « La Révolution, longtemps comprimée

---

1. Voir à ce sujet les remarquables analyses de Beau de Loménie dans ses *Responsabilités des dynasties bourgeoises (* I, *De Bonaparte à Mac-Mahon).* Cf. également Régine Pernoud, *Histoire de la bourgeoisie en France,* II, p. 420, avec l'anecdote de Talleyrand se rendant à la Chambre des Pairs en 1835, ne trouvant que cinq de ses collègues dans la salle, et confiant à Guizot : « Nous étions tous de l'Assemblée Nationale [N.B. de 1789] et nous avions tous plus de quatre-vingts ans. »

2. *Le Constitutionnel* était une affaire riche et florissante. Stendhal explique à plusieurs reprises à ses lecteurs anglais que l'académicien Étienne y gagnait 80 000 francs, et que la recette générale était de 1 368 000 francs par an *(New Monthly Magazine,* avril 1826, *Courrier anglais,* III, p. 40). Cette prospérité, toujours selon Stendhal, explique la prudence du *Constitutionnel* dans les grands conflits politiques. De fait, en 1830, *Le Constitutionnel,* peu soucieux de voir briser ses presses à vapeur toute neuves (les premières à Paris), ne signera pas l'appel à la résistance des autres journaux de la gauche. Nous retrouverons cette affaire en son temps. Ajoutons que, selon Robert Marquant *(Thiers et le baron Cotta),* à la fin de la Restauration, une action du *Constitutionnel,* qui rapportait dix pour cent, se négociait sur la base de cent mille francs. Parmi les actionnaires figurait, par exemple, le publiciste d'extrême gauche, Cauchois-Lemaire, dont nous aurons à reparler. Lorsque Stendhal nous montre d'ardents petits jeunes gens qui cachent des *Constitutionnels* au séminaire, dans *Le rouge et le noir,* il souligne intelligemment l'illusion de ceux qui n'ont pas encore vu la vraie nature du libéralisme installé. La dissociation progressive de l'idée qu'on se faisait du libéralisme (correspondant à un besoin) et de ce qu'il était objectivement sera l'une des causes déterminantes du nouveau mal du siècle.

sous le despotisme impérial a repris sa marche morale [1]. »
Voilà ce que signifiait, pour de lucides analystes, la Restauration, le constitutionnalisme, l'explosion universitaire. On
repartait. Mais on repartait vers quoi? Pour *Le Globe*, en
1830, ce sera une conquête de la jeunesse que l'élection de
M. Guizot, enfin, à la Chambre des Députés. Mais Guizot,
en 1830, est déjà, lui aussi, un arrivé, et l'on ne se trompera pas
en faisant de lui le premier ministre de l'Intérieur de la monarchie de Juillet. Chargé, après les barricades, de maintenir
l'ordre, contre le peuple, contre la jeunesse : n'est-ce pas un
symbole? Le programme, d'ailleurs, du « vieux » *Globe*, du
Globe doctrinaire, qui irritera tant Balzac, en 1830 (parlementarisme à l'anglaise, élimination des séquelles absolutistes,
la Charte, rien que la Charte, romantisme modéré, gouvernement à ceux qui attendent, depuis 1815, que les vieux synarques se soient effacés), est un programme de candidats à la
succession. Mais, en d'autres zones, on veut autre chose. Le
fameux « noviciat de quinze ans » qui, en 1830, aiguisera les
dents de la seconde génération doctrinaire, a formé les cadres
de la première réaction bourgeoise.

Mais lisons ce que, en 1825 encore, expose un recueil collectif auquel collabore Saint-Simon avant de mourir :

> Nous sommes pleins de santé, pleins de force, pleins de rai
> son, et cependant, nous n'avons pas encore arrêté notre plan
> de vie; nous ne marchons pas, nous piétinons [...]. *Jeunes
> gens, nous connaissons l'état d'anxiété qui vous pèse;* on ne
> vous enseigne pas tout ce que vous désirerez d'apprendre. Les
> événements qui ont passé sur votre patrie, et qui ont agité
> la société dans ses profondes racines, ont laissé de grands
> besoins au fond des cœurs; *vous rêvez je ne sais quoi de juste
> et de beau que vous ne voyez nulle part.* Ce n'est pas en vain
> que vous avez grandi au milieu des épées et des tambours,
> que vous vivez au milieu des soldats devenus citoyens, qui
> se souviennent à peine d'avoir autrefois remué le monde,
> et que derrière vous s'agite encore un passé plein d'hommes
> et de choses [2].

L'année suivante, c'est *Le Producteur* qui pose à nouveau la
question, mettant en cause un élément neuf : la loi de l'argent.
La Révolution n'est pas seulement souvenir. Elle est avortement.

---

1. *Le Producteur*, 1825. Au mois de mai, Stendhal, qui lisait attentivement
Le Producteur, écrit dans le *London Magazine : «* La chute de Napoléon a permis
à la Révolution française de reprendre son cours » (*Courrier anglais*, 5, p. 59).
2. *Opinions littéraires, philosophiques et industrielles*, p. 9 et 12.

Nulle idée générale commune ne réunit les hommes, aucun but que celui de leur intérêt et de leurs besoins personnels. On a foi aux sciences, mais cette foi elle-même ne sert à rien ; *elle n'est qu'un élément de désordre de plus* [1].

On le voit : c'est de *l'intérieur* du camp révolutionnaire que monte à présent la critique. Il n'est plus question, ici, d'élégie sur les châteaux. Ce sont les insuffisances de la révolution bourgeoise qui sont rendues responsables du désordre des esprits. On aura remarqué la réflexion sur les sciences : quatre ans plus tard, un autre organe saint-simonien, autrement mordant, d'ailleurs, donnera l'explication complète :

> Lorsqu'un rapprochement s'opère entre la science et la technique, c'est toujours fortuitement, isolément, et d'une manière incomplète [2].

Conséquence du malthusianisme et de l'anarchie économique : la science se montre incapable d'organiser la vie. Elle est très capable, par contre, de déchaîner dans de jeunes esprits des appétits démesurés de savoir *et* d'efficacité, qui iront se heurter aux réalités de la société des intérêts locaux. Ce sera le mal du siècle des techniciens, où nous trouverons l'ingénieur Gérard. La pensée, en effet, tourne à vide. Des puissances ont été libérées, qui ne servent à rien. Conflit entre vouloir et pouvoir, que l'universalité, la toute-puissance, le caractère « naturel » de l'obstacle, finiront par transformer, de conflit entre forces purement humaines, et donc soluble, en conflit de nature morale et métaphysique : l'Homme a tort de trop vouloir, de trop espérer. Ce sera *La Peau de chagrin*. Mais les saint-simoniens ont déjà montré que, dans *certaines conditions*, la pensée tuait le penseur. *Le Producteur*, soulignons-le, était édité par Sautelet, ami et camarade de Balzac [3].

A partir de ces quelques textes saint-simoniens, le pas fait est décisif dans l'analyse du mal moderne. Désordre, individualisme, déchaînement des intérêts, absence de points communs de référence : ce ne sont plus des hommes de droite qui disent cela, mais des hommes qui souhaitent l'achèvement de la révolution :

> Quel est le tableau [écrit en 1829 *L'Organisateur*] que présente la société livrée à l'individualisme *dont ils chantent le triomphe*, et privée des doctrines vivifiantes qu'ils redoutent [*ils* désigne les hommes du *Globe* et du *Courrier français*, avec lesquels *L'Organisateur* est en polémique]? Plus de

---

1. *Le Producteur*, III, p. 560.
2. *L'Organisateur*, n° 2, août 1829.
3. Sur Sautelet, cf. *infra*, p. 329 sq.

lien moral dans toutes les relations dont se compose la vie sociale; le culte du moi, vrai culte dominant, s'est établi sur la poussière des vieilles croyances; il étouffe de plus en plus le germe des inspirations généreuses et des passions louables; il nie le don céleste de sympathie et les nobles sentiments qui en dérivent; il proscrit la vertu comme une niaiserie, célèbre le succès du vice, et ne laisse au monde d'autre Dieu que la personnalité, d'autre religion que l'intérêt, d'autre morale que le calcul[1].

On retrouve ici des échos de la pensée de droite, *mais avec des implications tout autres.* L'une des conférences de la doctrine saint-simonienne, en 1830, parlera de

> *ces hommes, si nombreux aujourd'hui, qui, las du vide intellectuel et moral, des doctrines politiques et philosophiques, professent par les salons, dégoûtés du passé, fatigués du présent, appellent un avenir qu'ils ignorent,* mais auquel ils demandent la solution des grands problèmes que présente la marche progressive de l'espèce humaine[2].

Ce texte capital est largement antérieur à celui, beaucoup plus connu de Musset :

> Toute la maladie du siècle vient de deux causes [...]. Tout ce qui était n'est plus; tout ce qui sera n'est pas encore[3].

à celui, plus ignoré, de Nettement :

> Nous avons cherché autour de nous et nous n'avons rencontré que des ruines, restes mélancoliques d'une ancienne société qui n'est plus, éléments d'une nouvelle qui n'est pas encore[4].

ainsi qu'à la puissante formule de Lamennais :

> Un avenir aussi inconnu qu'inévitable.

Dès la fin de la Restauration, les saint-simoniens avaient détecté les causes du mal du siècle, non bizarrerie psychologique ou complaisance littéraire, mais fruit nécessaire de l'organisation de la société par la bourgeoisie d'argent. « Enfant du siècle et de la liberté », comme l'écrivait Balzac en 1821, change de sens : il ne s'agit plus désormais, d'immenses ambitions, de *droits*, de *pouvoirs. Il s'agit d'un destin.* Le siècle, c'est cette société nouvelle, sans guides, sans certitudes, dans laquelle il faut bien vivre, monde exaltant

---

1. *L'Organisateur*, n° 1, 15 août 1829.
2. *Exposition de la doctrine* en 1830.
3. *Confession d'un enfant du siècle*, éd. Duchet, p. 20.
4. *Ruines intellectuelles et morales*, p. 3.

par ses nouveautés, ses séductions, mais aussi monde décevant et qui n'a pas tenu ses promesses. La notion de siècle
met en cause les nouveaux princes, au nom de critères qui
sont « en avant » d'eux. Cousin lui-même, rendu à l'Université par Martignac, emploie à plusieurs reprises l'expression
« enfant du siècle » dans son cours de 1828-29. Il n'en faut pas
plus pour que l'expression connaisse un début de fortune,
et pour que le vieux libéral-classique Jay marque son agacement : « Quel est cet homme efflanqué et à lunettes vertes,
nonchalamment enfoncé dans une bergère? *C'est un enfant
du siècle* [1] ». Ainsi se dessine un nouveau clivage, non plus
entre hommes du passé et hommes du présent, *mais entre
deux générations de la même classe.* Balzac, dans sa mansarde,
vouera au Diable le bourgeois Vomorel. La nouvelle génération, qui découvre les tares du monde construit par leurs
pères, est volontiers amère, violente, plébéienne de ton. Elle
débarque dans un monde où les nantis se disent « de gauche »,
parlent de liberté, de justice, de vérité; elle est pauvre, elle
est instruite, elle a déjà de nombreux souvenirs, le constitutionnalisme l'a dressée à la discussion. D'instinct, les vieux
refrains du libéralisme traditionnel ne sont pas les siens. Où
ira-t-elle? Incontestablement, un nouveau romantisme naît
ici, et qui devait, précisément parce que le saint-simonisme
était alors *la seule* doctrine à lui fournir une explication
d'ensemble, sinon toujours rallier sa doctrine, du moins être
vivement attiré par elle. Un romantisme aussi qui cherchera
spontanément son expression propre, renonçant aux oripeaux
du romantisme distingué qui l'avait précédé. Sainte-Beuve
le dira clairement, en novembre 1831, pour appuyer la seconde
édition de son *Joseph Delorme*. On lui avait reproché son
« style »; il répond :

> On objectera Werther, René, Byron, Adolphe, *toutes les
> grandes douleurs philosophiques et aristocratiques*, qui avaient
> su concilier la rêverie et la confidence avec un certain bon
> goût littéraire et un décorum de bonne compagnie. Mais ce
> pauvre diable de Joseph Delorme n'avait pas le choix des
> douleurs : ces nobles doléances ne lui allaient guère; il
> n'aimait pas une dame polonaise, comme Adolphe; il n'était
> pas pair du royaume, comme Byron, il n'avait pas de châ-
> teau d'aïeux en Bretagne, comme René; Werther était bien
> autrement philosophe que lui, Lamartine avait eu son Elvire,
> ses lacs de Côme, sa baie de Naples et sa brise d'Ischia.
> Pour Joseph, *il n'avait pas ainsi toutes ses aises pour rêver,*

---

1. Jay, *Conversion d'un romantique*, p. 287.

ni toutes ses ressources pour peindre; il avait fait pour tout
voyage celui d'Amiens à Paris, et peut-être encore quelque
excursion à Rouen pendant les vacances de l'École de
Médecine; il vivait dans un faubourg, ne connaissait d'arbres
que ceux de son boulevard, de fleurs que celles qui poussaient
dans les fentes des pavés de sa cour, de femmes que les fantômes de ses rêves ou les héroïnes des romans qu'il avait lus.
Il était gauche, timide, gueux et fier [1].

Significative récusation, en un significatif amalgame, de
toutes les aristocraties : celle de la naissance, celle de l'argent,
Balzac a vingt ans, et plus tard, avec seulement plus de ron-
deur, est-il si différent du Sainte-Beuve ici évoqué? Ne
découvrira-t-il pas, lui aussi, dans ce monde neuf légué par la
génération de son père, injustices et absurdités, symboles d'un
bâclage intéressé? Le jeune Balzac, comme tous les jeunes
gens du second romantisme, ne se heurtera pas à la Révolu-
tion-obstacle, mais aux insuffisances du développement, à
l'accaparement de la vie par les Gérontes. Que faire de soi
dans une société qui n'a pas besoin de tout le monde, ni
— surtout — de tout ce qu'on est ou rêverait d'être. La
société repousse vos qualités actuelles, sera-t-il dit à Lucien
Leuwen. On comprend que le second mal du siècle, *le mal du
siècle bourgeois*, ait été, comme l'écrit Balzac, à la veille de
la révolution de Juillet, « impatience d'avenir ». Aussi sa
portée est-elle autrement significative que celle de l'ennui
de la génération précédente. Comme l'écrit à la perfection
Lucien Maury :

> Balzac a vu ou pressenti, avec sa clarté française, ce que les
> grands Russes, de Tolstoï à Dostoïevski, évoquent dans leurs
> ténèbres illuminées de fulminants éclairs, ce mal du siècle
> qui n'est pas, comme on l'a cru, une langueur décolorée
> d'oisifs, et de rêveurs, mais une révolte du sang et de l'âme,
> un titanisme, *un prométhéisme*, forme moderne de l'insurrec-
> tion de l'homme devant son destin [2].

Et nous avons sur ce point le précieux témoignage de Quinet :

---

1. *Le Globe*, 4 novembre 1830. *Le Globe* doctrinaire, en 1829, avait réagi de
manière significative à *Joseph Delorme* : « Joseph n'est pas en proie, comme Werther, à une passion ardente, romanesque, unique; donc, il ne saurait prétendre à
l'intérêt. Il n'a pas non plus, comme René, les manières distinguées d'un grand
seigneur déchu, ni cet élégant désordre qui ne messied pas au désespoir. Ce n'est
qu'un pauvre étudiant en médecine logé dans une mansarde » (11 mars 1829).
Mais, après avoir fait cette intelligente distinction, *Le Globe*, en venant au vif
du débat, répond que « la société n'a pas tous les torts » dans l'histoire de ces
« génies noués, destinés à mourir dans la croissance ». On retrouvera une réaction
semblable à propos de l'*Ernest* de Drouineau.
2. *Opinions politiques et sociales de Balzac*, préface, p. 35.

Quoique cette souffrance allât souvent jusqu'au désespoir, il n'y avait pourtant rien là qui ressemblât au spleen, à l'ennui de la vie, à tout ce qu'on a appelé le vague des passions vers la fin du siècle dernier. C'était, il me semble, à bien des égards, le contraire de la lassitude, de la satiété. C'était plutôt *une aveugle impatience de vivre*, une attente fiévreuse, une ambition prématurée d'avenir, une sorte d'enivrement de la pensée renaissante, une soif effrénée de l'âme après le désert de l'Empire. Tout cela joint à un désir consumant de produire, de créer, de faire quelque chose au milieu d'un monde vide encore [1].

Est-ce assez net? De cette lignée seront Gérard, Athanase, Granson, tous ceux pour qui le mal du siècle sera non le dégoût des choses qui vous ont trahis, mais le désir des choses que les hommes vous refusent. Mal du siècle : premier témoignage moral de la crise de la société bourgeoise [2].

1. *Histoire de mes idées*, p. 241.
2. Marx et Engels ont vu, uniquement, le témoignage *idéologique* que constitue l'apparition du premier socialisme utopique (Saint-Simon, Fourier, Owen). Avant ces systématisations et propositions, le phénomène romantique, *dans la bourgeoisie*, est d'une valeur indicative au moins aussi significative. Le mal du siècle bourgeois ne sera pas que révolte et critique. Il sera aussi mauvaise foi et construction idéaliste, contre, certes, mais aussi *à l'intérieur* d'une réalité bourgeoise qu'on n'est pas réellement disposé à contester. Il sera ruse avec le réel. C'est ainsi que l'une de ses formes les plus intéressantes et les plus significatives se trouvera dans l'idéalisation, dans le maintien à bout de bras, d'une « jeune Révolution », tirant sa force et son rayonnement du sursaut contre un ancien régime frivole et déshumanisé, mais coupée de ce qui devait la suivre, et non seulement l'Empire et son despotisme gênant pour les classes éclairées, mais aussi d'abord la Convention ; une jeune Révolution mourant, en quelque sorte, avec une Révolution plus âpre, plus sombre, plus exigeante, *populaire*, et peu élégamment mobilisatrice. La Fayette, les Girondins, Camille Desmoulins (inséparable de Lucile, bien entendu), Mme Roland (sur qui on ne disait pas tout), sont les images qui s'imposent de cette jeune révolution innocente, elle aussi tombée sous les coups de l'Histoire. Les thèmes élégiaques à la Chénier (jeune malade, jeune martyre) peuvent très bien se conjuguer et se composer avec ces thèmes d'un idéalisme blessé de ce que la Constituante et la Gironde aient pu, aient dû, conduire à la Terreur et à Robespierre. Avant Napoléon, un rapprochement s'opère ainsi entre des figures socialement séparées, mais qui participent à la constitution d'un Panthéon commun. Les articles du jeune Sainte-Beuve, au *Globe*, sont pénétrés de cet état d'esprit et organisés autour de cette thématique. On ne parle pas de l'émigration de La Fayette; on évoque discrètement la « défection » de Dumouriez (comme jadis la trahison de Condé); on s'en tient avec amour (et intelligence, d'ailleurs) à 1789, à cette régénération d'une société par les modérés, par les hommes de sens et de raison (articles des 5 mars, 8 mars, 2 et 5 avril, 21 mai, 16 juillet, 28 juillet 1825). Il est délicat dans ce « montage », de faire la part d'une mauvaise conscience bourgeoise qui tente d'épurer l'image d'une Révolution dont elle a besoin, et celle d'une récusation obscure par une conscience déjà transbourgeoise, se définissant en dehors de la globalité bourgeoise et contre elle, de la révolution bourgeoise en tant que phénomène global, ayant non pas achevé une Histoire lumineuse, mais installé une Histoire mutilatrice et déshumanisante. Cette ambiguïté, cette complexité, ce caractère contradictoire de l'image révolutionnaire, explique la richesse certaine par exemple, de la figure de Joseph Delorme, enfant vieilli et meurtri d'un monde un moment reparti vers la jeunesse et vers la santé. L'option de Balzac, par contre, en faveur de Robespierre et de la Convention, son incapacité à intégrer les Girondins et tous les tièdes, tous les

*

Le choc majeur se produit le jour où perce cette vérité :
la Révolution française n'a pas été la révolution de la liberté
universelle; elle a été la révolution de l'argent. Elle a parlé
d'égalité, de liberté politique? De bonne foi, souvent, mais
c'était là illusion ou mystification, puisque cette égalité,
puisque cette liberté ne jouaient, ne fonctionnaient, que dans
le cadre d'une société qui demeurait dominée par l'argent,
mue par l'argent, justifiée par l'argent. Parler d'égalité, de
liberté politique dans une société marchande, c'est parler
d'une égalité profitable aux seuls marchands, c'est parler
de la liberté des marchands, et d'eux seuls. Et c'est un homme
de droite, c'est un adversaire de la Révolution, c'est un boudeur et un pessimiste, un chercheur de raisons sceptiques,
qui l'a peut-être dit le premier, et avec quelle force, avec
quelle pénétration! Senancour agace, certes, lui aussi, lorsqu'il mobilise l'histoire universelle et ses absurdités ou ses
cruautés pour ne pas accorder à la révolution toute proche
l'importance et la signification que, de toutes parts, il se sent
sommé de lui accorder. Mais cet antirévolutionnaire, assoiffé
d'idées générales, voit clair dans un processus encore masqué
par la proximité des grands gestes, des mots d'histoire et des
dévouements sans nombre. « L'un a beaucoup de talents, de
richesse et de considération; l'autre est inepte, pauvre et
méprisé : peut-être ils sont égaux devant la loi, *mais assurément, ils ne le seront point devant ses interprètes* [1] ». Quant à
la liberté politique, elle est peu à peu dévorée, corrompue,
annulée, par les conséquences du développement économique,
qui accentue l'inégalité, enkyste l'inégalité, fait de l'inégalité
l'un des moyens obligés du « progrès » : « cette industrie qui,
produisant quelques biens à la vérité, conduit à des maux
beaucoup plus grands, ne peut être exclusée, quelque séduisante qu'elle paraisse [2] »; les philosophes même s'y sont laissé

hommes du relatif, tous les hommes de l'Histoire qui s'arrête aux intérêts intermédiaires, feront qu'il ne concevra pas, lui, de Joseph Delorme; son dynamisme,
son sens de l'absolu (non tant moral que de devenir), feront qu'il ne pourra jamais
conseiller à « l'homme pur », pendant les révolutions, de « rentrer dans son foyer
de s'y asseoir jusqu'à des jours meilleurs, et, s'il le faut, d'y mourir » (Sainte-
Beuve, article sur l'*Histoire de la révolution française de Thiers, Le Globe,* 19 janvier 1826, *Œuvres,* I, p. 148). Le héros balzacien n'attendra pas que l'histoire
rentre dans les chemins de l'idéal et de l'innocuité; mais c'est que Balzac ne rusera
pas, lui, avec la réalité bourgeoise et ses implications. En quoi son réalisme est
critique.
1. Senancour, *Rêveries sur la nature primitive de l'homme,* Laveaux, la Tyna,
Moutardier, Cérioux, an VIII, p. 188.
2. *Ibid.,* p. 193.

prendre, et Senancour met clairement en cause Voltaire et son *Mondain.* Il va plus loin : il met en cause le libéralisme, l'automatisme prétendu fécond des sociétés commerçantes : « quand le luxe nourrit un peuple, c'est aux dépens de plusieurs autres ; comme s'il fait jouir un homme, c'est par les efforts et les privations de beaucoup d'hommes [1] »; *notre* égalité, *notre* liberté, étant donné leurs bases économiques, sont nécessairement aliénatrices. Et c'est la terrible conclusion :

> Toute nation forcée au commerce par l'habitude des besoins qu'elle s'est fait, par la nécessité des choses, ou par sa propre déviation, *tenterait vainement de se régénérer ;* elle ne peut attendre qu'une amélioration partielle et assez illusoire; *il lui faut une législation ordinaire, une police et des maîtres* [2].

Il lui faut une législation ordinaire, une police et des maîtres : c'est la fin de toutes les illusions des Lumières. La société française, qui vient de bénéficier d'une révolution, n'a été que *partiellement* améliorée, et de manière *illusoire*, puisque, nécessairement, pour fonctionner et se développer, il lui faut recourir aux vieilles méthodes du gouvernement des hommes, puisqu'elle est encore plus forcée à le faire que l'ancienne société qu'elle a remplacée. Senancour en conclut aisément : rien de changé sous le soleil, et la faillite universaliste de la révolution bourgeoise vient prendre sa place dans une assez rhétorique démonstration de l'universelle vanité. Mais ce qui compte, c'est bien la vérité neuve (révolutionnaire, elle, et profondément) entrevue au passage, exprimée. Grandet, Rigou, Malin de Gondreville, se sont enrichis et ont assuré leur pouvoir, tous trois, Balzac le dira, « la révolution aidant ». Passéisme politico-économique? Réaction, comme au temps de Fénelon et de Saint-Simon, de représentants ou clients des classes en train d'être dépassées, prenant plaisir à démasquer les mots d'ordre et les valeurs des impurs vainqueurs? En partie, oui, et ce sera le cas pour bien des hommes de droite qui s'en prendront au « monde moderne ». Mais aussi, ce que critique Senancour, c'est la société marchande, alors seule forme visible et pensable du développement, mais, non tout le développement pensable. Développement signifie relance de l'utilisation, de l'exploitation, au profit du plus grand nombre possible d'hommes, des possibilités, de toutes les possibilités du réel. Or, ces possibilités du réel, la révolution bourgeoise ne les avait libérées que partiellement, et pour les fausser, pour les pervertir, pour les faire tourner à une contre-révolu-

---

1. Senancour, *Rêveries sur la nature primitive de l'homme.*, p. 195.
2. *Ibid.*, p. 200.

tion de fait. Autre chose était en avant, plus complet, plus total. Une autre révolution se ferait que celle qui n'avait abouti qu'à renforcer les bases du factice, du sous-être, du pseudo-être, du « paroistre ». Laquelle, et comment? Les littératures ne sont jamais chargées, *n'ont pas à être chargées*, de répondre en termes pratiques, techniques, à ce genre de question. Elles y répondent, *on n'a à leur demander de répondre*, qu'en termes de besoins, de possibilités éprouvées, d'intuitions des développements possibles, d'appel au nouveau. Or, le romantisme, le pré-romantisme, ont répondu. D'une manière critique, en démystifiant la révolution bourgeoise, si toutefois, on consent aujourd'hui à les lire correctement. D'une manière plus explicite, aussi, parfois, en disant quel serait, nécessairement, un ordre post-libéral, à quelles conditions il commencerait de paraître nécessaire, quelles mises en cause il supposait, un autre texte magnifique de Senancour, simple poète et philosophe, mais qui, l'un des premiers, avait mesuré tout ce que l'Évangile nouveau contenait de mystification, le dit avec un éclat et une précision, avec des implications qui peuvent encore surprendre :

> Tout est lié, dans l'ordre social, dans l'ordre moral, dans l'ordre physique. La plus funeste des erreurs est celle qui éternise le mal en persuadant qu'il est inévitable. *Les fruits désastreux de la perfectibilité s'accumuleront*, les yeux s'ouvriront enfin sur l'avenir plus sinistre encore ; par l'expérience de ses misères, l'homme apprendra quels sont ses biens. Cette révolution générale des choses exigera l'accord universel de tout ce qui compose l'ordre social. Les meilleures institutions que l'on établirait en négligeant celles qui les doivent soutenir, ne seraient que des règlements d'un jour. Cependant, les hommes jetés dans le moule commun, *ces vrais enfants de notre siècle*, enivrés d'esprit et privés d'âme ; pour qui l'usage de la loi est irrévocable ; qui voient dans le monde comme il va le monde comme il doit aller ; que tout mouvement alarme ; que toute grande chose étonne ; dont toutes les conceptions étroites sont badines, fleuries, délicieuses ; qui chérissent surtout les arts aimables, et sont nés pour les choses délicates ; dont la capricieuse et indolente volupté cherche, quitte, reprend et dédaigne des nouveautés d'un goût exquis [...] [1].

La vraie révolution se fera contre les « raisonnables » et les mondains, contre les modérés, contre les satisfaits, qui ne sont déjà plus, ici, les frivoles de la douceur de vivre, mais les lecteurs — on le sent venir — du *Journal des débats* ou du

---

1. Senancour, *Rêveries sur la nature primitive de l'homme*, p. 254.

Constitutionnel. Expérience des misères de l'homme, fruits désastreux de la perfectibilité, véritables biens, accord universel, trop d'esprit et pas assez d'âme, légalisme, monde comme il va identifié avec le monde tel qu'il doit aller, crainte de tout mouvement et de toute grande chose, lutte du goût contre les nouveautés : tout le romantisme est là, combat des forces vives encore sans nom ni même contours précis, contre les bénéficiaires de la perfectibilité (ô Ballanche !) de classe. Le combat littéraire ne sera bien que la forme la plus visible du combat social qui recommence. Les écrivains, sur ce terrain, n'attendent pas toujours les politiques. Simplement, leur langage est moins directement lisible. Et pourtant, les politiques de bonne heure, les voici.

Au lendemain du vote par la Constituante de la loi le Chapelier, qui interdisait les coalitions et assurait que la Révolution, libérant les riches plébéiens, ne les livrerait pas pour autant au peuple, Marat s'était écrié :

> Qu'aurons-nous gagné à détruire l'aristocratie des nobles, si elle est remplacée par l'aristocratie des riches [1]?

Cri isolé. Protestation solitaire. Sur quoi s'accordait-on, pour l'essentiel ? Un texte étonnant de Michel Chasles, le père de Philarète (l'ami, le propagandiste de Balzac) le dit, au lendemain de Thermidor. On prendra garde que Chasles demeure robespierriste, et qu'il voit parfaitement se profiler les menaces réactionnaires. Sentant néanmoins venu le moment du bilan, il écrit cette page, borne milliaire dans l'histoire d'une mystification, des autres comme de soi-même :

> *Au profit de qui la Révolution finira-t-elle ?*
> La Révolution finira *non au profit de quelques-uns, mais de tous*, non du gouvernement, mais du gouverné; *non de telle classe* ou de telle profession, *mais de la république entière*. Elle établira, sur les bases éternelles des lois et des vertus, l'empire de la liberté et de l'égalité. Elle donnera au peuple français ce caractère de grandeur et de loyauté qui doit le faire admirer, respecter et chérir. Elle préparera la liberté de l'Europe et le bonheur des générations futures. L'industrie, l'agriculture, le commerce et les arts reprendront une nouvelle vie. Tout va participer aux bienfaits de la Révolution. Voyez dans l'avenir la fainéantise proscrite, *le luxe utilisé*, tous les canaux de l'abondance ouverts, la république triomphante au-dehors, calme et florissante au-dedans, la Convention couverte de gloire, l'aristocratie confondue,

---

1. Cité par Maurice Bouvier Ajam, Colloque Balzac *(Les opérations financières de la Maison Nucingen), Europe,* janvier-février 1965, p. 53. Balzac parlera, en 1830, après Stendhal, de « l'aristocratie du coffre-fort ». Cf. t. II.

l'esprit public dirigé vers le bonheur commun. Voyez les citoyens abjurer à l'envi leurs préventions et leurs haines; voyez-les tous, citadins et campagnards, *riches et pauvres*, ignorants et savants, aristocrates et patriotes, se prodiguer les doux noms d'amis, de frères et d'égaux, et dans l'ivresse de la joie ne plus former qu'*une seule famille*, immuable par son union, respectable par ses mœurs, heureuse par ses lois [1]...

N'est-ce point assez clair? Un autre passage donne la clé définitive :

Sans égalité, il n'y a point de liberté [...] Soyons égaux, par là même, nous sommes libres [...] *Que tu sois riche et moi pauvre*, ignorant et moi savant, qu'il y ait entre toi et moi toutes les différences morales, physiques et politiques qu'il te plaira d'imaginer, *tout cela ne détruit point l'égalité. Nous sommes et nous demeurons égaux tant que nous ne voyons au-dessus de nous que la loi, et ses agents. Tes millions ne te donnent pas le droit de me commander ni de m'opprimer, ni ma misère celui de t'insulter, de te piller* [2].

Tout l'illusionnisme révolutionnaire par rapport à l'avenir est là. Bernard-François Balzac pensait certainement ainsi. Tout ce qui a, en France, dans la tradition libérale et républicaine bourgeoise ou petite-bourgeoise, constitué le culte de la Révolution de 1789, a pensé, et — ce qui est plus grave — appris à penser ainsi aux jeunes générations; l'égalité légale, qui libère la bourgeoisie, a libéré toute l'humanité; la contradiction riches-pauvres, maîtres-ouvriers, est illusoire; malgré, même, la victoire de Tallien et des agioteurs sur Robespierre, l'avenir est définitivement assuré. Question : que fait, pendant ce temps, Ouvrard? Ou Nucingen?

Romantisme et mal du siècle naissent de la rupture d'unités, de la désagrégation de certitudes et du vieillissement du monde. Or, au départ de l'aventure bourgeoise, il y avait eu certitudes; il y avait eu unité; il y avait eu jeunesse et régénération [3]. Nous avons parlé de Dupin. Nous reparlerons de

1. *La Chronique scandaleuse de l'aristocratie, depuis le dix thermidor*, par Chasles, représentant du peuple, à Paris, pluviose an III, p. 93-94.
2. *Ibid.*, p. 32.
3. Ce sera l'une des contradictions majeures du romantisme et de la littérature du mal du siècle, que d'insister sur le thème du *vieillissement* des hommes et de la civilisation, alors même que, selon le vocabulaire de l'époque, tout venait d'être *régénéré*. On connaît le texte fameux de Musset (« Je suis venu trop tard dans un monde trop vieux »); le jeune Sainte-Beuve, dans l'un de ses premiers articles du *Globe* (18 décembre 1824), écrit : « en peu d'années, l'Europe a grandement vieilli » (*Œuvres*, I, p. 65), et il part de cette idée pour expliquer la curiosité générale provoquée par l'étranger et le lointain. En fait, la contradiction est parfaitement logique et rend compte avec la plus grande justesse de la contradiction

certaines illusions de certains saint-simoniens. Mais il est
un exemple plus caractéristique encore de certitudes unitaires
qui devaient, très tôt, se trouver tristement ridiculisées par
l'évolution concrète du siècle. Un homme, dès les tout premiers temps de la Restauration, s'est fait le théoricien de
l'optimisme et de l'unitarisme industriel. Auguste Comte,
dans ses articles si fermes, si nets, du *Producteur*, dans son
confidentiel *Système de politique positive*, de 1824, a poussé
à leurs extrêmes limites les conséquences philosophiques de la
montée industrielle. Ces textes, relus aujourd'hui, font autant
sourire que les *Notes philosophiques* du jeune Balzac en 1818-
1820. Le siècle s'est chargé de réduire à néant ces constructions, ne leur laissant pour tout potage que quelques vertus
anticléricales, que quelques virulences anti-métaphysiques
et antithéologiques qui ont cessé depuis longtemps, de menacer quoi que ce soit qui mériterait d'être menacé. Comte eut le
mérite de faire le point, d'exprimer, comme Cousin, comme les
saint-simoniens, le *besoin* profond d'unité qui travaillait les
esprits ; mais, parce qu'il abordait, comme tant d'autres, le
monde moderne dans une optique résolument intra-bour-
geoise, intra-industrielle, dépourvu de cette antenne particulière que seul possède un romancier réaliste, la vision
comtienne, si elle exclut et évite le désenchantement, exclut,
aussi, et évite, un réel qu'elle se condamne à ne jamais rencontrer. L'univers, explique Comte dès ses premiers écrits, est
soumis à deux séries de forces antagonistes : les unes désorganisatrices, les autres réorganisatrices. Or, il se trouve que les
forces réorganisatrices (les Rois, la Sainte-Alliance) ont
échoué, et les forces désorganisatrices également (les
Peuples, les diverses tentatives de gouvernement républicain).
Dans le cas de ces dernières, l'obstacle numéro un est cette
idée de « liberté de conscience », devenue principe et fin. Or,
expose Comte, qui rejoint exactement sur ce point les saint-
simoniens et Lamennais, « il n'y a pas de liberté de conscience
en astronomie, en physique, en chimie, en physiologie [1] ».
D'autre part, « des machines de guerre ne sauraient, par une

historique vécue : rajeunissement par la liquidation de l'ancien régime ; vieillissement par l'installation de la bourgeoisie libérale ; régénération par la révolution,
dégénérescence par l'enlisement dans l'argent et les nouveaux pouvoirs. L'accumulation d'expérience devenait fardeau, faute de servir à renforcer et relancer
l'élan initial. A partir du moment où toute histoire est *subie*, elle pèse au lieu de
libérer, ses éléments les plus dynamiques et les plus mobilisateurs se tournant
eux-mêmes en poison, alourdissant un héritage et un destin au lieu d'aiguiser le
vouloir et le pouvoir. Tout ceci se retrouvera dans le mythe de *la Peau de chagrin*.
   1. Auguste Comte, *Système de politique positive*, à Paris, chez les principaux
libraires, Paris, 1824, p. 14.

étrange métamorphose, devenir subitement des instruments de fondation [1] ». La seule solution est (idéalisme!) d'adopter une doctrine organique; ainsi serait mis un terme au succès, dont il faut pouvoir rendre compte, des « solutions bâtardes ». Idéalisme, toujours, comme chez tout le monde alors :

> *L'anarchie spirituelle a précédé et engendré l'anarchie tempo-*
> *relle.* Aujourd'hui même, le malaise social dépend beaucoup
> plus de la seconde cause que de la première [2].

La solution? Le pouvoir spirituel aux savants, le pouvoir temporel aux « chefs de travaux industriels [3] ». La politique ne doit-elle pas passer, elle aussi, par les trois états? Rois, peuples et politique positive correspondent à théologie, métaphysique et positivisme. L'essentiel est que « le gouvernement des choses remplace le gouvernement des hommes [4] », c'est-à-dire que fin soit mise à l'aliénation des hommes, afin qu'ils trouvent enfin leur plein pouvoir sur la nature. Qui soupçonnerait, alors, que la *nature* puisse être l'ennemie d'autre chose que de l'ancien régime et de ses séquelles? Nature est encore identifiée à société *libérale*, c'est-à-dire libérée. Nature est encore identifiée au progrès tel que le donne à voir (domaine du roman!) la société industrielle. Que cette nature, que ce progrès, que cette liberté, fassent légèrement creux à l'intérieur du progrès, de la nature, du progrès, de la liberté tels que définis ou envisagés par les Lumières, comment en douter, dès qu'on lisait un peu la Presse pratique et non théorique du début du siècle? La théorie, l'idéologie, qui tirent parti (aussi complètement que possible) de l'événement récent, digéré, retardent toujours, aussi bien en leurs conclusions qu'en leurs ambitions, sur les développements en cours. Comte, dans ses trois articles publiés en 1825-1826 par *Le Producteur* [5], considère l'avènement de l'époque positive comme imminente et nécessaire, comme déjà faite, et ne nécessitant plus qu'ajustements et mises au point. La « physique sociale [6] » est devenue possible parce que l'Histoire est devenue claire; face aux faits sociaux, on ne doit avoir ni admiration ni critique; on ne doit qu'observer et décrire. Le sous-entendu et l'impliqué sont clairs : lorsqu'on

---

1. Auguste Comte, *Système de politique positive.* p, 16.
2. *Ibid.*, p. 45.
3. *Ibid.*, p. 53.
4. *Ibid.*, p. 117 (une rencontre extrêmement précise avec les saint-simoniens, à tel point qu'on peut même penser que c'est Comte qui a inventé l'expression).
5. Auguste Comte, *Considérations philosophiques sur la science et les savants*, et *Considérations sur le pouvoir spirituel*, Le Producteur, novembre 1825 et mars 1826, I, p. 289 sq., I, p. 355 sq., et II, p. 314 sq.
6. *Le Producteur*, I, p. 355.

a, ou croit avoir, l'Histoire pour soi, qu'importent morale et sentiment? Ils viendront de surcroît, et l'engagement affectif de Comte réside, justement, dans ce refus de l'affectif de surface fondé sur une profonde croyance en la validité, en l'efficacité, de la civilisation industrielle. Le positivisme fera la prochaine unité, qui remplacera celles, abîmées, de la métaphysique et de la théologie. Que la société industrielle recelât en son propre sein des facteurs de distorsion, d'abord, de division, ensuite, cette idée n'effleure même pas les théoriciens du capitalisme naissant. Quelles structures sociales, dans leur esprit, devaient être bousculées, abolies, pour que s'instaure l'unité, pour que commence le gouvernement des choses? Uniquement les structures théologico-féodales, ou ce qu'il en restait. Comte, exactement comme Charles Dupin, ne soupçonne pas une seconde que la vie de tous les jours, que la vie privée, puisse être, d'abord, le plus cruel démenti à cette vision optimiste et mystifiante du monde moderne; ensuite, que le développement ultérieur de l'Histoire puisse et doive faire voler en éclats, par l'apparition, puis par l'aggravation, de contradictions proprement « industrielles », cette unité pratique, puis, donc, théorique, dont il ne se croyait séparé que par un peu de mauvaise volonté ou de déplorables habitudes mentales. Le gouvernement des hommes, l'appropriation des hommes, le roman balzacien montrera que ce sont là caractéristiques non seulement des quelques cabinets des antiques demeurés enkystés dans la réalité moderne, mais bien de la société nouvelle, dynamique, ayant pour elle les plus grandes chances immédiates de développement, la plus statistiquement importante, la mieux armée. Comment, dès lors, parler valablement de « nouveaux pouvoirs spirituels », si les bases matérielles sont obérées? Trop vite, Comte avait bâti ses structures sur une infrastructure dont tout allait dire qu'elle n'allait pas de soi. Dire que suffisait un dernier effort intellectuel, accommodé d'un dernier effort contre les *seules* injustices de la Droite, alors que des « patriciens bourgeois » allaient bientôt condamner Julien Sorel, est illusion, jobardise ou truquage. De telles certitudes ne peuvent naître que du sentiment que l'Histoire est finie. Guizot le dira quelques années plus tard, limitant les combats encore livrables à l'accession à la classe censitaire : « Enrichissez-vous! ». Le positif commence avec l'argent. *Quel* positif? L'ambiguïté des mots dit bien ici l'ambiguïté de l'Histoire. D'optimistes et largement prométhéens, *positif, positivisme et positivité*, allaient devenir des mots *bourgeois*, des mots renvoyant à des expériences appauvrissantes et étrécissantes, et que, spontanément, on allait vite commencer à opposer à l'*idéal*, à un idéal non pas idéaliste, irréaliste, nostalgique et réactionnaire, mais, bien au contraire, né des exigences d'un réel brimé dans son développement, et qui relance les idéaux parce qu'il relance l'Histoire.

Oui, et c'est bien là le point essentiel, la bourgeoisie, au début du xixe siècle avait eu conscience d'avoir achevé, ou d'être sur le point d'achever, non *une* révolution, mais *la* Révolution :

> L'industrie, en détruisant la domination qu'exerçait une partie de l'espèce humaine sur l'autre, ou, pour mieux dire, *en faisant disparaître les maîtres et les esclaves a donc créé de nouveaux hommes ;* étrangers aux préjugés et aux habitudes des uns, et à l'avilissement ou à la bassesse des autres [...]. Les rapports de haine ou d'amitié qui existaient jadis entre les hommes ont donc entièrement changé [1].

C'est exactement le langage que tiendra Marx en ce qui concerne la victoire du prolétariat : une classe victorieuse met fin à la lutte des classes, et par là même à sa propre domination en tant que classe. L'humanité touche au port. Les longues pages que *Le Censeur* consacre au mouvement luddiste en Angleterre ne lui font pas soupçonner le moins du monde la possibilité d'apparition de nouvelles contradictions au sein de la « société industrielle ». Le seul combat qui reste à mener est celui rendu nécessaire par les quelques rares survivances féodales. Mais, en 1825, Dunoyer publie chez Sautelet, l'ami de Balzac, *L'Industrie et la morale considérées dans leurs rapports avec la liberté*. Il y reprend les thèmes majeurs du *Censeur;* mais il y ajoute des remarques entièrement nouvelles : si l'industrie ne suffit pas à fonder la liberté, elle est une condition nécessaire de son existence; les concurrents ne sont pas des ennemis; dans l'univers industriel, tout le monde peut prospérer *à la fois*, etc... On voit apparaître des *réponses* nouvelles à des *questions*, nécessairement, elles aussi, nouvelles. L'industrie a supprimé les inégalités artificielles, résultant de la conquête, mais non les inégalités *naturelles :* « il paraît impossible d'empêcher le développement d'une classe pauvre [2] »; l'industrie « implique les inégalités sociales [3] ». Ne devine-t-on chez ces jeunes intellectuels, si sûrs d'eux-mêmes en 1817, le début de certains doutes? Mais il avait fallu que des événements extérieurs se produi-

1. *Le Censeur européen* (de Charles Comte et Dunoyer), 1817, I, p. 50-51.
2. *L'Industrie et la morale...*, p. 373.
3. *Ibid.*, p. 390.

sent, il avait fallu que se manifestent des inquiétudes inédites, pour que s'amorce l'opération de justification. Ce que la Bourgeoisie allait découvrir était terrible : elle n'était pas la bénéficiaire définitive de l'Histoire.

> La prétendue évolution historique, écrit Marx, repose en général sur le fait que la dernière formation sociale considère les formes passées comme autant d'étapes vers elle-même et qu'elle conçoit toujours d'un point de vue partial. En effet, elle est rarement capable, *et seulement dans des conditions bien déterminées*, de faire sa propre critique [1].

La base première de la bonne conscience bourgeoise était là : avec la victoire bourgeoise, l'Histoire était finie. Les siècles avaient travaillé pour la bourgeoisie. On avait peiné. Il ne restait plus qu'à fonctionner. Il fallut l'apparition des premières difficultés pour que s'ébauche, en certaines zones moins favorisées, une critique de l'ensemble bourgeois. La levée des premières critiques socialistes marquera la fin de l'assimilation de la bourgeoisie à la nature, fera de la bourgeoisie un élément relatif, un moment de passage. On n'ira certes pas aussi loin, en France, à l'époque romantique, et les quelques rares analyses consacrées par *L'Organisateur*, par exemple, en 1829-1830, aux crises économiques et au problème ouvrier en Angleterre, ne toucheront qu'un infime public. Mais on n'aura pas besoin, au début, d'arguments aussi précis. Le nouveau mal du siècle qui va mettre en accusation la civilisation industrielle, les structures bourgeoises, va être la première forme, timide encore, incomplète, sentimentale, de la mise en accusation de la pourtant récente organisation de la vie par le capitalisme. *Ce sont les bourgeois non satisfaits par la bourgeoisie qui vont, avant les premiers théoriciens socialistes, soit par leurs révoltes, soit par leurs obscures tristesses, ouvrir le vrai procès du siècle.* Quel procès? Un grand texte le dit, dont chaque ligne, chaque expression peut trouver une preuve, une illustration, dans l'œuvre de Balzac :

> Lorsque la révolution française eut réalisé cet État de raison et cette société de raison, les institutions nouvelles, quelque rationnelles qu'elles fussent, en comparaison de l'état de

---

1. Karl Marx, *Œuvres*, I, p. 260. Nous aurons à reparler, en 1830-1831, de cette idée, chez Michelet, par exemple, d'une Histoire finie, d'une liberté enfin réalisée, alors qu'en fait, tout repart et que tous les problèmes, à nouveau, se posent. Un historien moderne écrit, en 1964 : « De nos jours, l'emphase est passée de mode, et aussi *l'illusion qu'une victoire définitive a été remportée par les Français de la Révolution* » (Préface à l'*Introduction à l'Histoire universelle* de Michelet, éd. Cluny, p. 7). Lorsque Charles Morazé écrit encore : « Le jeune XIXᵉ siècle était trop gonflé d'espérances et de projets pour avoir le goût sobre », il met précisément le doigt sur cette cause fondamentale du mal du siècle que nous examinons ici.

choses qu'elles remplaçaient, ne pouvaient, cependant, être considérées comme absolument rationnelles. L'État de raison s'écroula complètement. Le contrat social de Rousseau trouva sa réalisation dans la Terreur, d'où le bourgeois, doutant enfin de sa propre capacité politique, se réfugia d'abord dans la corruption du Directoire, et enfin sous la protection du despotisme de Napoléon. La paix éternelle annoncée avait abouti à une interminable guerre de conquêtes. Et la société instaurée par la raison ne se portait pas mieux : l'antagonisme des riches et des pauvres, au lieu de se résoudre dans la prospérité générale, s'aggrava par l'abolition des privilèges corporatifs et autres qui l'atténuaient, et des institutions écclésiastiques de charité qui l'adoucissaient. Le progrès de l'industrie capitaliste fit de la pauvreté et de la misère des classes laborieuses, une condition de vie pour la société; le nombre des crimes s'accrut de jour en jour, et si l'immoralité féodale, qui, autrefois, se montrait au jour sans pudeur, fut sinon détruite, du moins jetée au second plan, pour quelque temps, on vit apparaître d'autant plus abondamment la floraison des vices bourgeois jusque-là cachés; le commerce devint de plus en plus une escroquerie; la « Fraternité » de la devise révolutionnaire se manifesta dans les chicanes et la jalousie de la concurrence; la corruption prit la place de l'oppression violente; l'or remplaça l'épée comme principal levier de puissance sociale; le droit du seigneur passa du seigneur féodal au commerçant bourgeois; la prostitution prit des proportions jusqu'alors inouïes; le mariage même resta ce qu'il était auparavant, la forme légalement reconnue, le voile officiel de la prostitution, et se compléta par l'adultère largement pratiqué. *En un mot, comparées aux éblouissantes promesses des hommes du XVIIIᵉ siècle, les institutions sociales et politiques établies par la « victoire de la raison » se manifestèrent, à l'épreuve, comme des caricatures cruellement décevantes* [1].

Dira-t-on qu'il s'agit là d'une opinion tardive, opposant à bon compte un passé « philosophique » à un présent dégradé? Mais, dès 1814, Carnot, incarnation, à lui seul de la Révolution « pure » passée à la Révolution « installée », écrivait dans son fameux *Mémoire* :

> *La révolution fut préparée par une foule d'écrits purement philosophiques. Des âmes exaltées par l'espoir d'un bonheur inconnu, s'élancèrent tout à coup dans des régions imaginaires [...]. L'expérience nous a cruellement détrompés; que nous reste-t-il de tant de chimères vainement poursuivies? Des*

---

1. Engels, *Anti-Dühring*, traduction Laskine, Giard et Brière, 1911, p. 331-332.

regrets, des préventions contre la perfectibilité, le découragement d'une multitude de gens de bien qui ont reconnu
l'inutilité de leurs espoirs[1].

Ce n'est pas, seulement là, langage de dignitaire inquiet des
redistributions de places opérées par la Restauration. Oui, il
y a eu caricature. Carnot le savait bien, qui avait passé par
tant de choses. Il n'était pas question, certes, de caricature,
pour les profiteurs immédiats du triomphe de la « raison ».
Ils avaient gagné, eux, et pendant des années, ils allaient
répéter qu'il n'y avait pas de quoi faire « du drame » des
menues difficultés du monde nouveau, que la littérature devait
être souriante, optimiste, « progressive ». Quant aux « enfants
du siècle », que voulaient-ils? Comment l'auraient-ils su,
exactement? « Si, vers 1800, les conflits issus du nouvel
ordre social étaient à peine en train de naître, *cela est encore
bien plus vrai* des moyens de les résoudre[2] ». D'où, le « mal »,
c'est-à-dire, à la fois, la naissance de la conscience, et l'impuissance à tirer les conséquences droites, et surtout, à
entreprendre. Ni concrètement, ni même « abstraitement »,
idéologiquement, il n'existera avant longtemps d'alternative
un peu valable. La bourgeoisie, en naissant, porte en elle son
contraire, c'est vrai, et il n'y a pas de capitalisme sans sala-
riat, *mais c'est pour nous qu'il s'agit là d'une évidence.* Pour
les contemporains, il fallait encore la découvrir, avec ce qu'elle
comportait de libérateur, et ce, dans le dédale d'une
vie quotidienne empoisonnée, faussée, ambiguë. Les jeunes
générations continuaient à penser en termes d'universel et
d'absolu, mais dans leurs carrières, il leur fallait affronter
un réel infiniment plus nuancé. Et ce, sans aucune clef philosophique. Vite, certes, quelques hommes, comme Saint-
Simon, se mirent à formuler des objections fondamentales,
puis, Fourier, Cabet, Owen, amorcèrent l'élaboration de

---

1. Carnot, *Mémoire présenté au Roi en juillet 1814*, p. 7. Sur cette distorsion
entre la théorie philosophique bourgeoise et la praxis bourgeoise, cf. aussi ce
qu'écrit Michelet en 1827, à propos de Vico : « Alors (après la constitution de la
science nouvelle), on connaîtrait les moyens par lesquels une société peut s'élever
ou se ramener au plus haut degré de civilisation dont elle soit susceptible, *alors
seraient accordées la théorie et la pratique*, les savants et les sages, les philosophes et
les législateurs, la sagesse de réflexion avec la sagesse instinctive » (*Principes de
la philosophie de l'histoire*, éd. de Cluny, p. xii). La « théorie » bourgeoise et philosophique est incapable de rendre compte de *tous* les aspects du réel historique;
il faut la compléter par le recours à l'instinctif, à la poésie, au sens intuitif du
passé, etc... N'est-ce pas dire que cette *théorie* a nécessairement échoué dans la
pratique? Un succès dans ce domaine lui eût évité cette mutilation dans l'autre.
Ses certitudes ne concernent qu'une fraction du réel. Elles sont pourtant le maxi-
mun de certitude explicitée, discursive, alors disponible. D'où, la recherche d'autre
chose.
2. Engels, *Anti-Dühring, éd. cit.*, p. 333.

solutions de remplacement; on a insisté, avec raison, sur le caractère utopique de leurs constructions : à un « système » encore vigoureux, ayant pour lui la victoire sur un absurde passé, ils opposaient d'autres « systèmes », aisément désarçonnables. Mais, n'existe-t-il pas une autre forme de protestation et de recherche, moins systématique, plus « libre » d'allure, n'espérant pas de quelque réalisation une consécration quelconque, allant un peu au hasard, très insuffisante, certes, à nos yeux, mais pour l'époque, terriblement significative, en même temps qu'initiatrice, sans le savoir, souvent, à des vérités inattendues? Le mal du siècle, le *romantisme*, pour parler le langage, parfois insupportable, des classifications traditionnelles, cette conscience *et* cette expression d'un malaise, n'est-il pas le premier symptôme, avant, pendant, et même après, les tentatives de reconstruction systématiques, de la faillite de l'ordre post-révolutionnaire? Toute une jeunesse continuait à se penser en termes abstraits [1], en termes, obstinément, d'absolu, selon la dynamique qui continuait sur sa propre lancée, alors même qu'elle avait déjà cessé d'être exactement celle de la société constituée. « Les intellectuels, les jeunes gens, voulaient la philosophie avec toutes ses conséquences; le progrès, ils le voyaient comme la reconnaissance au talent, par la bourgeoisie, du rôle politique qu'il méritait [2] ». Mais la bourgeoisie allait bientôt commencer à froncer le sourcil en entendant parler de liberté, de développement, d'absolu. Toute vision totale, exigeante, du monde, mettait désormais en péril ses propres positions de classe :

> L'avènement de la bourgeoisie au pouvoir allait renverser la marche des rêves parce qu'il faisait de l'avenir la stabilisation du présent, la conservation de l'acquis contre la nouvelle force libérée, le prolétariat, porteur de la solution définitive des antagonismes de classe. *Le réel, le mouvement du réel n'étaient plus une espérance, mais une menace pour la bourgeoisie* [3].

1. L'abstrait, dans le phénomène « mal du siècle » ne désigne pas une catégorie *inférieure* à celle du « concret », mais, bien souvent, une catégorie *supérieure*, en ce sens qu'elle est *le prolongement*, par-delà la pratique bourgeoise, des exigences nées de la philosophie bourgeoise universaliste, alors que cette pratique a « décroché » de cet universalisme. L'abstrait, pour l'intellectuel bourgeois et petit-bourgeois moderne, ce sont les exigences que sa propre classe ne peut plus satisfaire, et qu'il refuse de voir comme pouvant être satisfaites par le prolétariat et le combat révolutionnaire. Dès lors, l'intellectuel bourgeois et petit-bourgeois perd pied d'avec le concret, aussi bien, le sien, décevant, que l'autre, prometteur. Il n'en va pas de même, de 1800 à 1830 : c'est le « concret », alors, qui « décroche » par rapport à un « abstrait » encore senti comme possible. Réaliste, alors, est l'équivalent de « cynique ». Significative évolution des valeurs.

2. Pierre Daix, *Balzac et le romantisme*, N. G., avril 1949.
3. Pierre Daix, *Balzac et le réalisme*, N. G., mai 1949.

Ce n'est d'ailleurs que sous la monarchie de Juillet, à partir de 1840, puis, surtout, sous la seconde République que cette notion de *mouvement* deviendra *menace*. En attendant que se précise le péril ouvrier, il s'agira plus simplement d'inquiétude, d'un vague sentiment, comme on disait alors, de quelque chose d'*incomplet*. Certaines impatiences libérales et jeunes-libérales, sous la Restauration, non seulement à l'encontre des ultras, mais aussi et surtout des Doctrinaires, la permanence de ferments républicains, la facilité avec laquelle se nouent émeutes ou conspirations, une certaine violence toujours à fleur, l'insurrection de 1830, le conflit entre le *Mouvement* et la *Résistance*, les graves difficultés de la monarchie citoyenne à ses débuts, avec la rue qui l'avait investie, tout suggérait que l'Histoire allait recommencer, qu'on était à une étape, non, comme on l'avait longtemps cru, au terme. Vers quoi allait-on ? On ne savait. Mais on était bien certain qu'il existait un au-delà du présent. « Est-ce qu'il y aurait quelque chose de plus grand que le libéralisme en avant ? » demandera Balzac en 1830, après Lamennais et les saint-simoniens. Les émeutes de Lyon, le premier soulèvement purement ouvrier, viendront renforcer encore cette idée née sous la Restauration et qui est l'une des idées-mères de l'analyse politique pendant vingt ans : nous sommes une époque de *transition*. Hier était, demain sera. Mais aujourd'hui, n'est qu'un pont fragile, incertain. Ouvrière de la mort d'hier, la bourgeoisie est introductrice d'un demain qui signifie sa propre disparition. Les fils des Conventionnels et des Sénateurs de l'Empire ont hérité d'une société-marais. Leurs pères étaient des hommes de certitude. Eux s'interrogent. Ce sera le romantisme, le second romantisme, qui verra contester le classicisme des hommes de l'Empire, non plus seulement par les poètes-troubadours, mais par de jeunes plébéiens inquiets. Le « Crève donc, animal ! » ne s'adressera plus seulement aux jeunes aristocrates distingués et souffrants, mais à Joseph Delorme. *Nous sommes une époque de transition :* façon cruelle de récuser l'assurance de ceux qui prétendaient avoir ancré le navire.

L'idée, l'expression, sont partout en ces années où se forme Balzac. Dans *Le Globe*, qui leur fait une fortune, dans les préfaces, dans les essais de philosophes. Il ne s'en dégage pas seulement, d'ailleurs, inconfort ou inquiétude, mais aussi, souvent, comme chez les jeunes gens du *Globe*, incitation à la recherche, ouverture à l'étranger au « moderne », reconnaissance des droits de la nouveauté. C'est ainsi que le romantisme deviendra le libéralisme dans la littérature. Mais, par

ailleurs, on finira par s'habituer à cette idée, par l'admettre :
manière de s'installer. On transformera l'inquiétude en satisfaction. Rassemblant, par exemple, en 1866, les lieux communs du siècle, les idées maîtresses devenues, à force d'ineffi-
cacité, banales et bavardes, Henri Monnier fera dire à son
Joseph Prudhomme :

> Vous n'avez que des idées, des opinions, des mœurs, une
> littérature, des instincts, des arts *de transition ;* saluez donc
> Joseph Prudhomme, *l'homme de la transition,* c'est-à-dire
> de la bourgeoisie [1].

Ainsi, cette classe qui, au XVIIIᵉ siècle, se pensait comme
aboutissement, dont les premiers théoriciens voyaient dans la
victoire de l' « industrie » sur la « propriété », le signe de la
fin de l'Histoire et de l'avènement de la Nature, s'est découverte peu à peu intermédiaire. Ici encore M. Prudhomme
témoigne et résume : « L'aristocratie n'existe plus, *la démocratie n'existe pas encore,* il n'y a que la bourgeoisie [2] ». Constatation capitale ; il existe, pensable sinon réalisable, un au-delà
de la victoire bourgeoise, quelque chose à perfectionner, à
achever. D'où, pour les bourgeois à part entière, l'impossibilité d'une totale bonne conscience, la nécessité du recours
aux doctrines de défense sociale, l'idée que si le présent n'est
pas parfait, l'avenir qu'on pourrait lui substituer risquerait
d'être pire encore, terrible. Impossible, en tout cas, non.
Quelque chose vacille, dès lors, à l'intérieur de la citadelle.
Et du côté de ceux que le système n'a pas encore nantis,
du côté de ceux qui, n'étant pas vraiment de la bourgeoisie,
jugent la bourgeoisie, c'est une vague insatisfaction, l'impossibilité d'*accepter* la bourgeoisie sans réticence. Nous sommes
en marche vers autre chose. L'actuel n'est qu'une étape.
Si tout n'est pas encore joué pour nous, comment miser sur
cette bourgeoisie qui n'est pas l'absolu ? Au fur et à mesure
qu'on avance dans le siècle, les temps sont de moins en moins
remis et assurés, le sol de moins en moins ferme. Pourquoi la
littérature bourgeoise, née sous le signe de la certitude et
de la fierté, en vient-elle aux thèmes connexes des illusions
perdues et de la résignation ? Pourquoi cette omniprésence
des thèmes de retraite et de repli, de faillite et de désenchan-

---

1. Henri Monnier, *Mémoires de Monsieur Joseph Prudhomme*, réédition du Club
français du livre, 1964, p. 2.
2. *Ibid.*, p. 2. Dans son grand article de *La Quotidienne* du 22 août 1833,
Balzac écrira : « Nous sommes dans un âge où toute forme est transitoire ; or,
aux époques de transition, espèce de *sauve-qui-peut* général, l'intérêt personnel
domine : l'intérêt personnel ne peint pas de fresques, n'élève ni cathédrales ni
monuments ». Cf. *Conclusion,* t. II.

tement? C'est que la terre promise recule toujours. A côté du jeune noble meurtri par les nouveautés, paraît, plus fraternel qu'on ne l'attendait, le jeune bourgeois qui débarque dans son propre monde et s'y fait voler sa jeunesse. Le roman d'éducation, celui de Calyste et de Victurnien n'ayant pu être inventé que parce qu'était pensable celui de David et de Lucien, correspond à une douloureuse expérience de cette « transition » qui dure, et vers rien encore, de cet aujourd'hui sans lendemains discernables, mais dans lequel il faut vivre, sans qu'on puisse, en aucune façon, l' « admettre ». Fondamentale est la contestation d'une société-étape, donnée comme arène aux enfants des aspirations bourgeoises. On avait été éduqué pour vivre dans le définitif, et l'on se voit offrir un monde impitoyable, où rien n'est certain que le pouvoir, et un pouvoir incapable de s'enraciner. On est bien loin, cette fois, des amertumes de nobliaux.

C'est à ce moment que, chez les intellectuels bourgeois en position de responsabilité, et qui entendent rendre compte de leur temps, l'*agacement* remplace l'*inquiétude*. Naguère, c'était la droite qui parlait de désordre, en rendait responsables les nouveautés, les hardiesses du siècle. Maintenant, les intellectuels bourgeois, lorsqu'ils ne sont plus directement victimes du désordre de leur propre classe, lorsque leur jeunesse ne les porte plus aux revendications, se mettent à accuser le vide, à s'en prendre à on ne sait quoi, à des abstractions. Sans le dire clairement, sans le savoir, même, ils adressent leurs reproches confus à une jeunesse trop exigeante, à un siècle dont on découvre la perversion à mesure qu'il se vérifie que le règne de la bourgeoisie n'est pas le règne de la raison. Avant tous les prophètes et dénonciateurs modernes, Philarète Chasles est un bon exemple de cette évolution capitale. Dans un texte brillant de 1836, il donne, à la fois une description très vraie de la société, de la vie françaises, mais aussi des semi-explications qui relèvent de la rogne plus que d'autre chose. Oui, la France va mal, mais on ne saurait plus accuser les ultras, le passé féodal. Chasles mêle, dans ses accusations, aussi bien la bourgeoisie satisfaite, pseudo-progressive, et certaines exigences du modernisme, certains impératifs sociaux. Il boude. Ce que le siècle *avait* de bon, de neuf, ce que, en puissance, il conserve de bon, de neuf, mais qui ne saurait, bien sûr, s'épanouir que dans un autre cadre que bourgeois, il ne le distingue pas de ses insuffisances, de ses fourvoiements, de ses trahisons. Un pessimisme global sert à ne pas aborder franchement le problème des responsabilités et contradictions bourgeoises :

Pour plaire à la France actuelle, il faut lui répéter que son avenir est arrivé, que rien ne lui manque, qu'elle marche fièrement dans une voie de progrès. Mais il faut surtout lui affirmer qu'elle entend les affaires, qu'elle est devenue industrieuse, commerçante et habile[1].

Or, poursuit Chasles, cette France industrielle ne réussit qu'à moitié, si on la compare à l'Angleterre, à la Hollande, aux U. S. A. Pourquoi? C'est que, d'abord, « le génie des affaires s'accommode de l'ignorance, jamais de la sottise et de la légèreté ». Création, organisation, conservation, nulle de ces vertus n'est française. Par ailleurs, une constante, une tradition étatiste (Colbert, Napoléon) a tout gâché, tout paralysé. Résultat : la France est plus tatillonne et prétentieuse que réellement créatrice. Sa révolution n'a accouché que de demi-réussites; elle s'est agitée, s'agite encore, mais pour des résultats discutables, incomplets. Chasles s'écrie, sur un ton qui ne peut laisser indifférent : « Où sont les entreprises? Où sont les grandes choses? ». Il insiste, important encore, dans un premier temps, l'adhésion : « Où sont les théories adoptées? » Toutes nos vitalités sont aussi fugitives que successives. Rien ne dure, rien n'unit; tout est à la fois vrai et faux. En ces lendemains de romantisme, ce bilan est impitoyable :

> On cherche à se reconnaître, et la fatigue est infinie. Fusion de tous les états, chaos de toutes les situations, amalgame de toutes les idées, destruction de tous les principes, anéantissement de toutes les bases sociales, mort des convictions, ennui profond, universel : *c'est la France*[2].

Au moment même où s'édifie la France moderne, le sentiment de son insuffisance est si fort que partout on ne parle que destruction, ruine, avilissement, décadence. Le thème est connu depuis la Restauration, depuis *La Peau de chagrin*, mais la réussite bourgeoise, loin de le faire reculer, le nourrit, le justifie, l'enfle :

> L'esprit critique est partout, la capacité d'union et de centralisation nulle part [...] l'acide qui dissout coule à torrent dans toutes les veines, dans tous les pores du corps social [...] grande négation, vaste suicide, mille volontés se tiraillent, se confondent, se combattent et s'annulent.

---

1. Philarète Chasles, *Essai sur la situation et la tendance de la société française,* extrait de la *Revue du XIXᵉ siècle,* 1836, p. 2.
2. *Ibid.*, p. 9.

Point de centre. Qui ne souscrirait? Mais qui, aussi, ne
dirait : pourquoi? Chasles semble accuser on ne sait quelle
maligne influence des idées, quel orgueil; dans le colbertisme,
dans l'Empire il semble détecter on ne sait quelle prétention
vaguement « sociale », organisatrice, qui serait seule responsable des ratés et des manques de la société bourgeoise et de
la libre entreprise. Il est exact, comme y insiste Chasles, qu'en
1836, à part l'argent, rien n'est solide ni sûr. Mais la faute
à quoi ou à qui? Les jeunes hommes de la génération de Balzac
avaient pu se lancer dans la vie appuyés sur les certitudes de
leurs pères. Pourquoi, en 1836, est-il aussi patent qu'à leur
tour ils débarquent dans un monde qui n'est pas fait pour
eux? Impuissance, indétermination, absence d'orientation,
ces vices aristocratiques de jadis sont devenus des vices bourgeois. Nulle révolution populaire ne peut, pourtant, à cette
date, être encore accusée. La bourgeoisie règne sans nuages.
Alors? La réaction de Chasles, esprit chagrin, est symptomatique du passage, dans la bourgeoisie, de l'épanouissement du
libéral Restauration à l'aigreur du bourgeois des époques suivantes. Devient chagrin qui commence à se sentir débordé par
la vie, qui n'a plus *toute* la vie pour soi. On verra, à propos
de Félix Davin, ami et modèle de Balzac, un homme éclairé
du Nord prendre la même attitude [1]. Il existe donc un au-delà
de nous-mêmes? On en revient toujours à la même découverte : la fin de l'Histoire est remise en cause, et avec elle la
valeur même de la victoire bourgeoise. Il est dès lors normal
qu'apparaisse le thème des « déceptions » du jeune homme.

Que signifie ce thème fameux? D'une part, qu'il y a retard
du subjectif sur l'objectif : le jeune homme a été formé selon
des *valeurs* qui ne correspondent plus à l'*état* de la société.
De la famille, il passe à la vie parisienne, où la vie familiale
est écartelée, dissoute; de la province, où tout est lent, il
passe à cette même vie parisienne, où tout a la fièvre. Mais il
signifie aussi que l'objectif demeure en retrait de certaines
attentes légitimes du subjectif, nourries à la fois de ce qu'avait
de plus pur et de plus valable les vieux héritages humains
détruits par le modernisme capitaliste, et de spéculations
abstraites autorisées par les promesses d'un monde neuf, par
sa culture, sa philosophie, etc... La triple expérience de Sautelet, Thomassy, Davin [2] sera particulièrement éclairante pour

1. Charles Daudville (négociant, membre résidant, Félix Davin et ses ouvrages) Mémoire de la Société des sciences, arts, beaux-arts et agriculture de la
ville de Saint-Quentin, 1841. Monument de bonne et mauvaise foi bourgeoise.
2. Cf. *infra*, pour le rôle d'informateurs ou de modèles que ces trois jeunes gens
ont joué pour Balzac peintre de la vie de province et de la découverte de Paris.

un Balzac, qui n'était pas tout à fait de cette race. Il faut tenir compte, certes, de tout l'individuel, dans ce genre d'aventure : ambitions exagérées, vanité, faiblesses de caractère; mais tout cet individuel ne peut vraiment jouer et faire problème que dans une situation d'ensemble, relative à un moment précis du devenir historique. Du jour au lendemain, une masse de jeunes gens, qui n'étaient pas tous, au départ, dégoûtés de la vie, exagérément ambitieux, se sont trouvés jetés sur le pavé de Paris, lieu symbolique de toute la vie moderne. Ces jeunes gens attendaient merveille de la vie. S'ils étaient marqués, c'est de ce qu'ils avaient lu dans les livres de leurs aînés, de ce qu'ils avaient cru entendre dans les premières leçons du siècle. Nulle hérédité ne les marquait comme de futures victimes. L'expérience de Dorante, dans *Le Menteur*, n'avait guère qu'un caractère isolé, relevant de l'étude psychologique, même si se profilait déjà cette réalité nouvelle de la découverte de Paris [1]. Le vouloir-vivre de Dorante ne mettait pas en cause l'ensemble de la société, son organisation. Il n'était pas une valeur-repère. Mais celui de Lucien Chardon? Mais celui de Lucien Leuwen? Car peu importe qu'on vienne de province ou de ses chères études : « *La société repousse vos qualités actuelles* », et, d'autre part, « *la république tarde trop à venir* ». Tel est l'entre-deux, la fameuse « transition ». « *Que faire de soi?* » : c'est la question fondamentale du romantisme. Faut-il y voir l'affolement pur et simple d'ambitions déraisonnables? On ne se demandait

Il conviendra de leur adjoindre l'exemple plus littéraire de l'*Ernest*, de Drouineau (1828). Il est important, pour le réalisme de Balzac qu'il ait créé et amplifié sur le jeune provincial (la province fournissant le recul nécessaire à la dramatisation), moins à partir de ses souvenirs que de l'observation et de l'interprétation du réel. Voici un mode d'expression radicalement différent du mode d'expression romantique.

1.				*Mais Paris, après tout, est bien loin de Poitiers.*
					Le climat différent veut une autre méthode.
					Ce qu'on admire ailleurs, ici est hors de mode,
					La diverse façon de parler et d'agir
					Donne au nouveau venu souvent de quoi rougir.
					Chez les provinciaux, on prend ce qu'on rencontre,
					Et, là, faute de mieux, un sot passe à la montre
					Mais il faut à Paris bien d'autres qualités.

					. . . .
					Paris est un grand lieu, plein de marchands mêlés.
					L'effet n'y répond pas toujours à l'apparence,
					On s'y laisse duper autant qu'en lieu de France,
					Et, parmi tant d'esprits, plus polis et meilleurs,
					Il y croît des badauds autant et plus qu'ailleurs
					Dans la confusion que ce grand monde apporte,
					Il y vient de tous lieux des gens de toute sorte,
					Et dans toute la France, il est fort peu d'endroits,
					Dont il n'ait le rebut aussi bien que le choix.

(Corneille, *Le Menteur*, I, 1). Le pittoresque l'emporte encore sur la mise en accusation.

pas, dans les sociétés classiques : « Que faire de soi? » On prenait sa place. On n'ambitionnait pas plus que de prendre sa place. Les ambitieux étaient des « monstres ». Les jeunes gens, au xixᵉ siècle, sont devenus exigeants. Vice, a-t-on dit... Seulement, cette question : « Que faire de soi ? », on ne la pose qu'alors que sont offertes à l'individu non tant plusieurs possibilités égales qu'une échelle ascendante de promesses, qui n'ont de proportionné à leur ampleur que leur incertitude. Dans une société où chacun a sa place marquée d'avance, où tout fonctionne sans que les *mouvements* puissent venir mettre en cause, qualitativement, l'*ensemble*, cette question n'a pas de sens. On n'engrange que ce qui pourra être, totalement, utilisé. Mais il faut que tout ait été ouvert, puis contesté, il faut l'écart entre le subjectif et l'objectif, c'est-à-dire entre le *nouvel* objectif, et les idées nées d'un objectif affaibli ou dégradé, il faut le décalage entre ce dont paraissait susceptible, à l'origine, un mouvement déclenché, et ce dont, en fait, il accouche, ce que (domaine du roman!), *il installe et maintient*, pour que la conscience d'être d'une génération devienne conscience d'une dissonance. « Que faire de soi? » suppose une certaine liberté, *une marge*, qui ne ressortit en rien à une expérience abstraite, mais bien à un certain *jeu*, concrètement définissable. Une société qui se développe au hasard, d'une part; un certain surplus de forces, d'autre part; du flottement dans l'*emploi* des énergies, à la fois parce que rien n'est vraiment *prévu*, parce que chacun cherche un peu sans guide, parce que rien n'est moins sûr qu'il y ait *rapport raisonnable* entre l'énergie offerte et ses possiblités réelles d'utilisation, telles sont les conditions d'apparition de cette première forme moderne du sentiment de l'absurde. On est bien loin, ici, de « tous ces poitrinaires qui se regardaient pâlir et vieillir dans leurs miroirs ternis et écaillés [1] ». Seule l'analyse sociale, seul l'intérêt porté à l'aspect social de l'histoire du romantisme permet de dépasser ce point de vue sottement polémique et individualiste. Le « Que faire de soi ?» n'est pas le fait de jeunes gens personnellement désaxés, mais bien de générations collectivement mises en face d'un réel sans queue ni tête, et qui devenait comme *un sous-réel*, du moment qu'on en avait aperçu les lois comme des lois restrictives, malthusiennes, du moment qu'il se trouvait *à l'intérieur* d'un réel plus vaste, pensable, remémoré, ou espéré. On avait taillé, pour mettre à la fenêtre, une vitre selon des dimensions qui se

1. Léon Daudet, *Le Stupide XIXᵉ siècle*, Nouvelle librairie nationale, 1922, p. 84.

révélaient tout d'un coup, au moment de la pose, légèrement
insuffisantes. La vitre passait à travers le châssis. Le réel
humain dépassait le réel bourgeois. Que faire?

La génération balzacienne pose la question en termes *politiques*. Monarchie ou république? Agriculture ou industrie?
Retraite ou acceptation des lois nouvelles? Retour à soi-
même, ou reprise et transformation de ce qu'ébauche le monde
informe dans lequel on vit? Les cénacles de 1860 poseront la
question en de tout autres termes. Littérature personnelle
ou littérature descriptive? Imagination ou précision?
Exotisme ou décor familier? Le Cénacle d'*Illusions perdues*
est *politique* (même en Louis Lambert qui le quittera),
parce que la politique est le langage et la technique naturelle
des sociétés où l'espoir n'est pas encore tout à fait mort, où
le mot de *régénération* conserve un sens. Le petit Cénacle, chez
Frédéric Moreau sera encore politique, mais la politique y
sera présentée d'une manière dérisoire, parodique : cancans,
médisances, mesquineries, manies du bon vieux temps ou
d'oisifs irresponsables. Michel Chrestien, Lambert et d'Arthez,
eux, refont le monde en idée, parce qu'ils pensent encore que,
si le monde est mal fait, on peut entreprendre de le refaire.
Balzac se souviendra sans doute, en peignant son Cénacle,
des jeunes gens qui, vers 1825, se réunissaient chez Delécluze [1], pour qui l'élaboration d'une nouvelle littérature était
inséparable de l'élaboration d'une nouvelle société, pour qui
art, religion, philosophie, économie politique, faisaient partie
d'un tout indissociable. Le Cénacle de la rue des Quatre-
Vents, d'ailleurs, est pris au sérieux, alors que qui se soucierait
de celui qui se réunit chez le fils Moreau? C'est que, si, au
temps de Balzac, la société bourgeoise manque à ses promesses en se révélant transition, elle est encore élan; c'est que,
nées du mouvement même de cette société, des forces nova-
trices poussent encore en avant, et n'ont pas encore été écra-
sées. Au temps de ce second roman d'éducation du siècle que
sera *L'Éducation sentimentale*, on aura cessé de croire, pour des
raisons bien précises, que le monde soit encore régénérable.
Une mesure de plus, et, après Juin, on ne discutera plus que
d'art. Un prisonnier, certes, peut faire une chanson, et la
poésie continuera, dans un autre registre, à se faire, comme le
dira Baudelaire, « négation de l'iniquité », mais l'art même,
en des temps de plébiscites et de coups d'État, peut devenir
la chose des truqueurs et des bavards. Il se coupe, en tout cas,
de ce dont nul n'aurait cru possible de le séparer vers 1825.

---

1. Sur le cénacle romantique de gauche, cf. *infra*, p. 329 sq. et 602.

Le « Que faire de soi? », en 1860, n'est plus une question directe, puisque la société bourgeoise a donné sa réponse : vous vivrez, *nolens volens*, dans le cadre que j'ai fixé. Il n'y a plus de lendemains. Au temps de Balzac, le mal du siècle est, à la fois, douloureuse prise de conscience des trahisons du monde libéral, et besoin non encore ridiculisé, foi non encore massacrée, en un avenir. La difficulté d'être est difficulté d'être dans le monde actuel, non dans le monde en soi [1]. Le thème central du mal du siècle est donc celui du vide, de l'absence à soi-même. Mais, d'apparence et d'expression psychologique ou morale, il a, en fait, des causes historiques précises :

> Cette mélancolie, qui, au siècle de Molière, était une maladie du foie que l'on traitait avec des rafraîchissements et de la diète absolue, la voilà maintenant saluée avec toute sorte d'honneurs, la voilà montée au rang de poésie. Du temps de notre jeune malade, elle avait encore quelque chose de sa niaiserie virginale; c'était, si vous voulez, comme la fiancée du village [...] Aujourd'hui, c'est une mère orgueilleuse et fière, car elle a donné naissance à Lamartine [2].

Pas seulement! Le mal du siècle résulte du conflit entre le vouloir-vivre, justifié par certaines promesses de la « civilisation », et les possibilités objectives, avec tous les retours sur soi que cela suppose. C'est le sentiment pénible de ne pouvoir s'accomplir en rejoignant les autres. Or, il est bien évident que cette maladie morale suppose la rencontre d'*exigences* et de *situations* qui ne sont pas tombées du ciel. Les critiques réactionnaires ont toujours voulu voir dans le mal du siècle l'effet de la paresse, de l'orgueil, des mauvaises lectures [3].

1. Capital est, à cet égard, le témoignage moral et littéraire des héros de Musset. Eux aussi parcourent le périple du désenchantement et de la désillusion. Que ce soit l'amour, que ce soit l'action politique, ils découvrent l'universel mensonge et l'universelle impossibilité. Mais, *in fine*, ils demeurent des êtres d'exigence, et Musset les conçoit, les fait vivre, en êtres d'exigence et d'absolu. L'arrangement est refusé à la fin des *Caprices de Marianne*, comme à la fin de *On ne badine pas avec l'amour*, comme à la fin de *Lorenzaccio*, comme à la fin même du *Chandelier*, à condition de tenir compte du second dénouement (Jacqueline refuse de devenir la maîtresse de Fortunio, et lui dit adieu, parce qu'elle l'aime, et parce qu'il est trop tard). Nul des héros de Musset ne devient, lui non plus, quelque Frédéric Moreau, constatant que ce qu'il a eu de meilleur, c'est encore les moments passés chez la Turque. Une fidélité habite les héros de Musset (du moins jusqu'en 1834; le Valentin d'*Il ne faut jurer de rien*, en 1836, n'est plus guère qu'un héros de vaudeville, à la rigueur de comédie traditionnelle), comme elle habite Lucien Leuwen et les héros de Balzac. Les démissionnaires (héros et créateurs) viendront plus tard.
2. *Revue européenne*, nº 69, 9 août 1833, compte rendu de la réimpression d'Oberman.
3. Cf., pour se borner, le livre de Maigron, *Le Romantisme et les mœurs*, ou celui de Seillères, sur *La Morale romantique*. Également *Le Romantisme français*, de Pierre Laserre, et *Une forme particulière du mal du siècle : Le sentiment de solitude morale* de René Canat.

Mais Sandeau, qui a écrit dans *Marianna*, d'admirables pages sur l'atmosphère parisienne au lendemain de la révolution de Juillet, Sandeau qui avait vingt ans au moment où le romantisme était déjà un passé, a dit, avec beaucoup de justesse la part des influences *littéraires* et celle des influences *sociales* dans cette crise de désadaptation :

> La jeunesse de notre époque a été misérablement perdue par ses flatteurs et ses poètes. Les uns lui ont offert le spectre du monde : à leurs enivrantes promesses, elle est partie, comme le peuple du désert, altérée, présomptueuse, avide, puis, lorsque le jour de la déception est venu et que le but, qu'elle avait entrevu à travers les songes riants de l'espérance, ne s'est plus montré que dans un avenir éloigné âpre et rude à conquérir, ses rêveurs lui ont enseigné le découragement et la plainte. Et la jeunesse, trouvant la plainte plus facile que le travail, s'est croisé les bras et s'est mise à accuser la vie qu'elle ignorait et à pleurer des maux qu'elle n'avait pas soufferts. Ces douleurs, fictives d'abord, prirent bientôt de la réalité, l'oisiveté engendra l'ennui et la vanité fit le reste. De longues lamentations s'élevèrent de toute part et tous essayèrent de se soustraire au positif de la vie pour se livrer à des rêveries inutiles. Ces dispositions *encouragées par le malaise social* le furent plus encore par des esprits maladifs qui s'en firent les éloquents interprètes; le mal gagna vite; les âmes faibles bien que généreuses y succombèrent, frappées d'inaction, leur énergie ne s'exhala plus qu'en soupirs stériles et chez les natures moins nobles, l'angoisse, la paresse, et l'oubli des devoirs se cachèrent l'expression de ces poétiques souffrances [1].

Il est vrai — Balzac le montrera — qu'une certaine complaisance peut intervenir, que des abandons, des attitudes spectaculaires, peuvent procéder, chez certains, du plaisir à cesser de se sentir responsable. L'ampleur du phénomène, toutefois, interdit d'adopter un ton moralisateur. Le mal du siècle est conscience d'une dissonance entre l'Homme et l'Histoire, alors que l'Histoire, mise en question, domaine de l'énergie, libérée des impératifs traditionnels, se dérobe et ment. A quoi bon avoir désamarré l'Homme, si ce n'est pour le lâcher dans un *no man's land* sans signification? Quelque chose d'important s'est passé, qui a mobilisé les esprits et les cœurs, donné un sens aux énergies. Et puis, sur le théâtre des anciens exploits, s'est installé un monde à demi fini. Des hommes se sont installés, satisfaits, régnants, sans problèmes. Mais la jeunesse, elle, a gardé le souvenir de quelque chose d'intense;

---

1. *Madame de Sommerville*, 1834, I, p. 67.

elle sent, en même temps que ce qui vit autour d'elle est susceptible de plus que lui font rendre les nouveaux princes. Il
y a vingt ans, cette grande secousse; aujourd'hui, des arran-
gements. La Restauration, après un moment d'illusion, a été
vécue *comme une retombée*. Mais les grandes catastrophes qui
l'avaient précédée n'auraient pas été ainsi valorisées si elle
avait offert à ceux qui débutaient dans la vie le spectacle
d'un régime fort, clair, jeune, sachant ce qu'il voulait. La
fameuse tristesse causée par la chute de l'Empire n'aurait
jamais ainsi rayonné, si la société sortie de la Révolution
avait pu satisfaire au besoin d'absolu, de totalité, qui travaillait une jeunesse constituée sinon en classe, du moins en force
autonome [1]. Beaucoup, parmi elle, avaient connu une enfance
meurtrie par la guerre. Non pas Balzac, certes, fils d'un fonctionnaire civil qui avait fort bien fait sa carrière [2], mais tant
d'autres, comme Nerval, comme ces jeunes gens évoqués par
Quinet.

> Les grandes invasions de 1814 et de 1815, avaient laissé
> dans ma mémoire un fond d'impressions, d'images, à travers
> lesquelles j'entrevoyais toutes choses. *L'écroulement d'un
> monde avait été ma première éducation* [...] De quelque côté
> que je voulusse tourner mes yeux, je trouvais à l'horizon
> un grand vide; je sentais ce vide dans la poésie, dans l'his-
> toire, dans la philosophie, dans toute chose; j'en souffrais
> parce que j'étais incapable de le combler, et je ne savais
> pas que d'autres esprits souffraient du même mal.

Et il ajoute cette précision capitale : « Mon âge, ma faiblesse,
mon isolement, étaient beaucoup dans cette douloureuse
perplexité. *La situation de la France y était aussi pour quelque
chose* [3]. » Tout y est : le malaise individuel, la part faite aux
facteurs personnels, la référence aux événements, la notion
de génération-victime, la vision non plus seulement qualitative, mais quantative, statistique. Les grandes pulsations de
l'Histoire comptent plus que le secret des cœurs. De même
la communauté des héritages et des expériences. L'Homme
seul d'avant 1789 ou 1814 voit s'accentuer sa solitude, et cette

1. Cf. *infra*, p. 237, pour la jeunesse des Écoles.
2. Balzac « découvrira » le bonapartisme, « contre », le Juste-Milieu. 1814 ne
fut pas pour lui le signe d'un écroulement, mais d'un nouveau départ... vers
Paris. Mais il rejoindra les inquiétudes contemporaines par des chemins qui font,
précisément, l'originalité de sa mise en cause de l'ordre restauré. Cf. *infra*, p. 217.
3. Edgar Quinet, *Histoire de mes idées*, p. 200, Maxime du Camp, dans ses
Forces perdues, écrira ce texte-bilan : « Horace Darglail, né pendant les années qui
suivirent immédiatement les grandes défaites de l'Empire. Tous les hommes de
cette génération ont porté, leur vie entière, quelque chose de triste et de pesant,
comme si leurs pères leur avaient légué les mélancolies et les humiliations que leur
imposait *la double ruine de leurs espérances et de leur patrie* (p. 3).

fois il peut mettre en cause des événements précis, palpables. Laissant métaphysique et poésie, renonçant aux charmes de l'indétermination, il s'engage nécessairement dans les chemins d'une ébauche de conscience révolutionnaire. Qui a vu une Restauration, dira Dumesnil, ne peut plus tout à fait croire à la vie comme avant. Qui a vu gaspiller le potentiel d'espoir et d'énergie de Juillet, dira Balzac, ne peut plus mettre les « étroits calculs de la personnalité » au compte des malformations fondamentales. La Palférine *s'explique* par un gouvernement qui *ne sait pas*, qui *ne peut pas*, utiliser la jeunesse. Ce n'est pas dans les limites d'une *nature*, mais bien d'une *condition* humaine que l'Homme se sent à l'étroit, qu'il devine, par-delà le présent, l'existence possible, nécessaire d'une vie « d'un autre ordre », ou, comme on disait vers 1830, « plus complète ». Ce n'est pas pour rien si tout un mal du siècle a cru trouver sa solution dans les barricades de Juillet. Moins que prostration, le mal du siècle, *après* le déclassement du romantisme distingué, *avant* la formation d'un néoromantisme fondamentalement pessimiste et nihiliste, est énergie qui se cherche. Que faire de soi? La question n'a de sens aussi que dans le cadre d'une société qui n'a pas encore totalement rompu avec l'espoir. Cette permanence, toutefois, est en perpétuel contrepoint avec un manque total de certitude concernant la nature des lendemains. Milieu entre rien et tout, circonférence partout, centre nulle part; que de métaphores prennent un sens neuf dans la perspective humanisée de l'exil humain! La jeunesse pensante, au temps de Balzac, n'a plus guère de vertige devant un infini, qui est l'infini politique. Comment ne pas admirer ceux qui n'entreraient pas en angoisse et ne se demanderaient pas la raison de cet univers où l'on ne trouve d'autre point fixe que celui du « divertissement » de l'intérêt personnel? On peut, certes, s'y jeter, tenter d'y croire : un ambitieux qui réussit demeure un citoyen malheureux [1]. Plus encore que les événements, compte pour comprendre le mal du siècle, leur principe, ou, si l'on veut, leur résultat : l'évacuation de la notion de pouvoir par la notion de sacré. Le mal du siècle est né de la

---

1. Ce sera l'un des grands thèmes romanesques de Balzac (le Rastignac qui joue, et ne croit pas à ce qu'il fait, dans *les Comédiens sans le savoir*), mais c'est chez Stendhal que l'*idée* est explicitée avec le plus de force : « Voilà donc, se disait la conscience de Julien, la sale fortune à laquelle tu parviendras, et tu n'en jouiras qu'à cette condition et en pareille compagnie! Tu auras peut-être une place de vingt mille francs, mais il faudra que, pendant que tu te gorges de viande, tu empêches de chanter le pauvre prisonnier... » (*Le Rouge et le Noir, Œuvres*, I, p. 348). Si Julien s'aperçoit, toutefois, que nul n'est ambitieux innocemment, il ne peut, non plus, s'empêcher d'être ambitieux. C'est le piège auquel se trouve prise la première jeunesse du siècle, en sa phase encore ascendante.

multiplication, et donc de la dévalorisation des légitimités. Il faut insister, en effet, sur ce fait capital : ce qui a été contesté, en France, sous la Restauration, puis sous la monarchie de Juillet, par des fractions plus ou moins considérables de l'opinion, ce n'est pas le gouvernement, mais le régime. Pour les libéraux, la Restauration était fille de l'étranger ; pour les carlistes, comme pour les républicains, le gouvernement de Louis-Philippe était né d'une forfaiture ou d'une escroquerie. Ce sont ainsi les bases mêmes de la vie sociale et politique française qui étaient mises en cause. Et ceci venait de loin : dès 1789, c'était la *légitimité* du pouvoir qui s'est toujours trouvée récusée par les partis d'opposition. D'où, à la fois, une *passion* et un *malaise*, un sentiment aigu du provisoire, l'absence de toute référence stable et indiscutée, qui maintienne la politique dans les limites raisonnables de discussion sur les *moyens*. Les oppositions « dynastiques » n'ont jamais trouvé grand crédit dans l'opinion, dans la mesure où, justement, elles ne s'exprimaient pas en termes d'absolu. Nous avons pris, de nos jours, l'habitude de vivre dans [cette atmosphère de contestation fondamentale ; nous avons vu se succéder des régimes à qui refusaient non seulement le droit à *administrer*, mais à *être* des oppositions tantôt unanimes, tantôt conjuguées. La France, tout au moins ses « intellectuels » et ses « jeunes », n'a jamais pris vraiment au sérieux, ceux qui entendaient mener le combat à *l'intérieur* du système établi. Cela a commencé en 1828 avec le ministère Martignac, et depuis, moral ou physique, le coup de torchon, le coup d'État, le putsch, l'épuration, l'appel au miracle, la notion de mutation totale et purificatrice font partie de notre système. La relative stabilité économique et sociale, il est vrai, a balancé, en général, ces ardeurs qui jouaient souvent au niveau passionnel plus qu'au niveau pratique. Il n'y a plus, à proprement parler, dans la France moderne, de mal du siècle politique, parce que la notion de critique politique absolue s'est en quelque sorte institutionnalisée. Mais il n'en allait pas de même au début du XIXe siècle. On avait alors encore le souvenir très proche d'un pouvoir incontesté : celui de la Monarchie d'ancien régime, doublé de celui de l'Église. Et voici que, brusquement, on se trouvait plongé dans un autre univers, profondément désacralisé. Il n'y avait plus d'unité dans le corps politique ; ce n'était plus au nom de mobiles personnels ou techniques qu'on s'en prenait au pouvoir : c'était au nom de *valeurs*. Le pouvoir n'était plus qu'un *fait*. Plus de continuité, plus de certitude, plus de cadre. D'où, non seulement des haines, des souvenirs

agressifs, des espoirs manichéens, mais aussi et surtout un
sentiment profond de déséquilibre et de porte-à-faux. La
politique mettait en jeu toute l'idée qu'on se faisait des choses.
Elle ne contestait plus l'accessoire mais l'essentiel. Difficile
passage! On sait combien l'Homme aura de mal à passer des
valeurs morales révélées aux valeurs inventées; de même, sur
le plan politique, ceux qui vivaient intensément par la pensée
souffrirent, très tôt, de ne se voir offrir, au lieu *de choix* raisonnables, que des *divisions* passionnées, au lieu d'*unité*,
que des *compromis* ou des *fusions* opportunistes. Le mépris
dans lequel tombèrent Decazes, Martignac, Odilon Barrot,
le Juste-Milieu, tous ceux qui se voulurent les hommes d'un
raccommodage, tient à cette intrusion violente d'innombrables
complexes de frustration (conséquence des révolutions
successives, conséquence aussi de la multiplication des victimes et des héritiers, conséquence enfin de la diversification
sociale de plus en plus poussée) dans un pays que tardait à
unifier une économie moderne. C'est sur ce terrain que naquit à
l'époque romantique, un mal du siècle politique qui explique,
malgré ses exagérations et ses erreurs, le succès momentané du saint-simonisme. Manteau d'Arlequin, la France
pensante rêve alors de la robe du prêtre, de la couronne du
roi, du pouvoir du mage. Le siècle est tout, mais le siècle
n'est rien, puisque sa diversité est juxtaposition d'impuissances, non convergence de volontés. La génération de Balzac
ne s'est pas encore accoutumée à l'atomisation du corps
social. Mal informée, au surplus, sur le plan de la technique,
terriblement littéraire et moraliste, bourrée de lectures,
sensible au décor fluctuant, elle souffre de ne découvrir dans
les jeux de la politique que rivalités d'ambitions, volontés
de puissance. Tout mal du siècle suppose une vacance de la
légitimité, un vide au milieu du corps social. En l'absence
de solides perspectives idéologiques et pratiques de retour
à l'unité, il est normal qu'on voie se développer parallèlement
des mélancolies inspirées par le désordre installé, et des
attirances pour tout ce qui ressemble, de près ou de loin,
à une fidélité, à une foi. Aucun des régimes issus des révolutions de 1789 à 1830 n'a réussi à fonder et à rallier; tous ont
laissé se stratifier derrière eux des clientèles et des mafias
rivales. Nous savons, certes, que, pendant ce temps, se formait
une France nouvelle; mais il s'agit là de l'objectif, non nécessairement du vécu, du ressenti. Le mal du siècle, en grande
partie, relève d'une certaine ignorance des réalités et d'une
importance exagérée donnée aux réactions émotives. Mais il
ne saurait échapper qu'au désordre des esprits doit corres-

pondre, *grosso modo*, un déséquilibre du développement, des saccades et des gaspillages dans le progrès, l'existence permanente et structurale d'un *déchet*. Le progrès n'est pas niable, mais il s'opère en consommant de l'homme. Dès lors, les institutions ne sont plus la chose de la communauté, mais celle d'une coterie, d'une bande, d'un parti. La notion de camarilla remplace celle de fonction, et le chef de l'État, plus que symbole d'unité nationale, apparaît de plus en plus comme le symbole de triomphes perpétuellement contestés. Sous la Restauration, la personne royale demeurait encore relativement à l'écart des polémiques, et le portrait de Charles X en Jésuite dans *La Silhouette* fit scandale ; mais sous Louis-Philippe, la poire de Philippon, aux dépens d'un roi non de la tradition, mais de l'occasion et de l'astuce, apparut comme l'expression définitive de la démythification du pouvoir. C'est dans cette perspective qu'il faut comprendre, inséparable de la poussée des mythes, comme le mythe napoléonien, le scepticisme d'une époque qui n'avait pas encore appris à voir les révolutions devenir des régimes. L'instabilité politique depuis plus d'un siècle, nous a mis en garde contre trop de confiance dans un changement « au sommet ». Nous savons que ce n'est que lentement, et compte tenu de réalités qui demeurent, que les équipes neuves réussissent à aménager le domaine commun. Il n'en allait pas de même au temps où la France faisait l'apprentissage des révolutions. Ce sentiment devait nécessairement s'aggraver sous la Monarchie de Juillet. Par la race, par la légende des souffrances, de l'exil, la Restauration avait encore un pied dans l'absolu. La Monarchie du mois d'août, elle patauge dans le relatif. Elle garde, comme stigmate originel, ces articles de Thiers, dans *Le National*, qui développaient le thème : les sociétés peuvent faire et défaire les Rois. Les émeutes continuelles, les attentats régicides devaient sans cesse remettre en cause *ce dont on avait vu la naissance*. Dans un très remarquable article de 1839, après les émeutes de mai, *La Presse* écrira :

> Et qui voulez-vous donc qui défende nos lois quand on les attaque ? Les jeunes gens ne les comprennent pas parce qu'ils ne les ont pas éprouvées ; les vieux ne les respectent pas parce qu'ils les ont faites. *Il est impossible qu'une génération qui s'est fabriqué de toutes pièces un gouvernement et ses lois aient pour eux une vénération bien profonde, parce qu'elle se dit qu'elle aurait pu et qu'elle pourrait en fabriquer d'autres*[1].

1. *La Presse*, 14 mai 1839.

Le « Qui t'a fait roi ? » avait pu jouer, jadis, au niveau du
dialogue féodaux-monarques; il jouait à présent au niveau
du dialogue pouvoir-opinion. Et ceci devait avoir d'immenses
conséquences. Les esprits, d'une part, ne pouvaient pas se
sentir vraiment *employés* par un pouvoir qui n'était que de
fait, non de droit. D'où l'exaspération de ce sentiment de
solitude et de sous-emploi de l'énergie laissée à elle-même :
nous retrouvons l'une des constantes du romantisme. D'autre
part, devait également s'exaspérer cette volonté de puissance,
ce sentiment de force illimitée, autre constante du romantisme,
face à un pouvoir qui ne pouvait être éternel. L'existence
d'une bande comme celle des *Treize* est un signe non équivoque de désacralisation du pouvoir. De Marsay est le type
de l'incroyant. Il n'a pas même la grâce romanesque des
aventuriers de Retz. Homme à cervelle de bronze : de Marsay
est fort, mais de Marsay est sec. Rastignac ne devient homme
d'État qu'en faisant taire en lui le jeune homme de la pension
Vauquer. Félix de Vandenesse ne fait son chemin qu'en
cessant d'être l'amoureux du *Lys dans la vallée;* le froid
stratège d'*Une fille d'Ève* a payé son tribut au siècle bourgeois. Et voici une autre charnière d'importance : la mort
du sacré, devenant déshumanisation, négation de la vie
même, entraîne dans les consciences un désir de renouveau du sacré qui, [au travers des pires erreurs, est désir de
retrouver un sens à la vie.

Entendons-nous bien, en effet : *c'est pour la bourgeoisie que
le sacré d'ancien régime avait cessé d'être le sacré.* Le nom de
Condé, le sang des rois, le curé de village, la culture chrétienne,
c'est aux yeux de cette classe utilitariste et matérialiste qu'ils
avaient cessé d'être chargés de sens. L'ode de Lamartine sur la
mort de Napoléon devait laisser froid un commerçant, et
c'est par là, certes, que le commerçant avait été révolutionnaire. Redevenant de simples hommes, et qu'il fallait juger
comme tels, rois, nobles et prêtres, qui avaient cessé de
conduire la société, devaient céder la place à d'autres hommes,
plus efficaces, plus universels. Seulement, la bourgeoisie
n'apportait avec elle aucun sacré de remplacement. Elle avait
eu la religion de l'humanité, mais, très vite, le spectacle des
enrichis rendit sceptique sur cette prétention de leurs « intellectuels ». Le banquier de la chaussée d'Antin, le négociant,
le propriétaire, deviennent vite, et dès les petits réalistes
Empire, des représentants d'espèces curieuses. Jamais ils ne
s'élèvent au statut du prêtre, de l'artiste, du poète. Ces
gens-là gagnent de l'argent, souhaitent de pouvoir continuer à
en gagner, *et c'est tout.* L'idéal organisateur de la bourgeoisie

a été beaucoup plus rapidement abandonné, dans les faits, que l'idéal héroïque de l'ancienne aristocratie : ainsi le voulait la rapidité de la révolution nouvelle, l'accélération du processus de transformation de la société. Le mal du siècle naîtra, souvent, de cette prise de conscience d'un appauvrissement culturel et moral inséparable de l'installation de la bourgeoisie au pouvoir. Toute une mystique était morte au profit d'une société sans mystique et condamnée à n'en pas avoir parce que l'Histoire allait vite. Il s'ensuivra immanquablement, des sympathies pour les croyances abattues, dont on oubliera le lien qui les unissait à des formes de vie dépassées. Mais ce ne seront pas ces croyances en elles-mêmes que l'on regrettera : ce sera le fait de croire en quelque chose. Les valeurs proprement prolétariennes ne sont pas encore nées qui permettront la relève, plus tard, et le peuple n'inspire encore aux intellectuels que de la pitié, de l'intérêt; il n'est pas encore pourvoyeur de certitudes. Lui aussi avait rejeté les rois, les nobles, les prêtres, mais il y avait en lui, de par sa situation dans la société, moins de danger à glisser à une philosophie égoïste et desséchée. Pour le peuple, désacraliser la société ne revenait pas à la déshumaniser. D'où le récit dans la grange, les paysans suspendus aux lèvres de Goguelat. On a le sacré qu'on peut : les souvenirs de la Révolution, de l'Empire, par exemple, qui sont là, à portée de la main. Le peuple suivra le convoi du vieux Hulot : « N'a pas qui veut le peuple à son enterrement », et seuls des croyants peuvent réellement suivre un enterrement. Le peuple cesse d'être peuple, porteur de croyance, lorsqu'il devient le peuple de la bourgeoisie [1], le peuple obligé, pour vivre, de suivre le mouvement. C'est celui de *La Fille aux yeux d'or*, happé dans la spirale infernale de la vie moderne, ou celui des *Paysans*, n'ayant d'autre moyen de survivre que de jouer le jeu des bourgeois et d'avoir des ambitions bourgeoises [2].

---

1. Puisqu'il est question de grange, rappelons la formule de Lamennais : « L'étable, où dorment et mangent les bêtes de service, n'est pas la patrie » *(Le Livre du Peuple)*. Les paysans du *Médecin de campagne*, rejetés par la patrie légale, se refont, comme ils peuvent, une patrie réelle.
2. La redécouverte du passé et du peuple s'est faite, dès la Restauration *contre* la bourgeoisie, qui, pour faire sa révolution, avait détruit ce passé, ses sources vives, non seulement dans les faits (en prolétarisant les paysans, en brisant les vieilles cellules de vie, etc.), mais aussi dans les principes, en divinisant le présent, *son* présent, et en condamnant sans appel tout passé, ramené dans l'impitoyable lumière du présent... « Tandis que tout le siècle, écrit Michelet en 1827, tournait des yeux avides vers l'avenir, et se précipitait dans les routes nouvelles que lui ouvrait la philosophie, Vico eut le courage de remonter vers cette antiquité si dédaignée, et de s'identifier avec elle » *(Principes..., éd. cit., p. xv)*. En Europe, les oppositions *nationales*, nécessairement nationales, à l'impérialisme de la bourgeoisie révolutionnaire française, étaient allées, spontanément, s'alimenter à cette source. En France, le problème fut un moment faussé par les implications

Cette prise de conscience s'accompagne alors nécessairement d'une volonté de reconstruction : toute l'époque romantique a appelé de ses vœux un ordre neuf. Mais on devine quels pièges guettaient cette ardeur restauratrice. En l'absence de possibilités objectives, le risque était grand de « monter » un système « complet » qui ne soit que pure construction intellectuelle, ou justification d'un présent considéré comme aboutissement, synthèse et conquête sur des antagonismes dépassés. C'est ainsi que se perdirent le saint-simonisme (dans l'extravagance et le verbalisme), l'éclectisme (dans sa volonté, sous Martignac, d'être la philosophie de la Charte). Dans le premier cas, on tournait le dos au réel. Dans le second on le justifiait en ce qu'il avait de moins justifiable, et alors même que, visiblement, existaient des perspectives plus vastes et plus exaltantes que celles offertes par le pouvoir. Il faut bien comprendre, toutefois, cette ardeur systématisatrice, dont on aurait trop facilement tendance à se railler aujourd'hui. Formés par un siècle et demi d'expériences, nous nous méfions des systèmes. L'époque romantique s'en est grisée, croyant aux idées et à leur formulation un extraordinaire pouvoir. Balzac n'y échappera pas. Comme tous ses contemporains, il échafaudera, exposera, annoncera. Son verbalisme, son aptitude à se griser de formules, il les partage avec une époque qui se souvenait d'avoir vu quelques mots nouveaux bouleverser le monde.

« L'esprit d'analyse a beaucoup détruit autour de nous, écrit Cousin. *Nés au milieu des ruines en tout genre*, nous sentons le besoin de reconstruire [1]. » Mais reconstruire à partir de quoi ? « Le xviiie siècle a tout mis en question ; le xixe siècle est chargé de conclure », dira Balzac. Mais quel remède ? Cousin, philosophe, proposera d'abord une solution purement philosophique : compléter la notion d'Homme que

réactionnaires du retour au passé opéré par les émigrés et leurs écrivains. La notion de passé fut alors compromise. Mais vite, les romantiques progressifs s'aperçurent que peuple et passé, démantelés, déshumanisés par la révolution bourgeoise, recélaient des trésors. Les « routes nouvelles », « ouvertes par la philosophie », n'étaient pas les routes de toute l'humanité, mais bien celles des intérêts concrets de la bourgeoisie. Routes fausses, donc, routes trompeuses, puisque conduisant au cul-de-sac du Juste-Milieu. Michelet, en historien libéral, a bien senti quel était le sens profond de cette attirance du passé national et populaire. Certaines confusions carlistes, après 1830, certains appels au peuple contre la Monarchie de Juillet doivent être expliqués dans cette perspective. Toute idée *claire*, dit encore Michelet après Vico, est une idée *finie*. Le *peuple* n'a pas encore d'idées *claires*, parce qu'il n'est pas encore *fini*, parce qu'il est ouverture, signe d'ouverture sur plus large que le *fini* bourgeois. Le fini bourgeois, sur le plan philosophique, correspond au blocage du processus révolutionnaire en faveur des intérêts finis de la bourgeoisie. Rien de moins *cartésien* que le récit de Goguelat.

1. Victor Cousin, préface de 1826 aux *Fragments philosophiques*, p. vi.

le xviiie siècle, polémique et combattant, nous a transmise forcément mutilée. La philosophie « expérimentale », née d'une lutte contre le passé, et devant servir elle-même à cette lutte », n'était « expérimentale » que « contre le passé ». Mais une nouvelle réalité, d'expérience elle aussi, s'imposait : l'exigence morale, aux contours mal définis, mais fait *réel* et *indécomposable*[1]. Cousin se défendait de vouloir *revenir aux théologies*, qu'il considérait comme justement condamnées, mais, il entendait dépasser une philosophie purement « pratique », « utilitaire », et qui négligeait certains appels, certains besoins affectifs, un certain « sens de l'autre chose » qui se manifestait dans les nouvelles générations. Comment ne pas voir dans l'affirmation cousinienne du caractère *réel* et *indécomposable* du fait de conscience, l'expression d'un désaccord profond entre les bénéficiaires de la Révolution, *qui n'avaient pas besoin d'une autre philosophie*, et leurs héritiers forcés de vivre dans le cadre matériel et moral forgé par eux ? Quelque chose demeure d'insatisfait, par-delà l'application du Code, quelque chose d'irréductible, nouvelle base de départ pour le vouloir vivre et pour la pensée.

Cette idée trouva son expression la plus forte dans le fameux article de Jouffroy, en 1825, *Comment les dogmes finissent*[2]. Les « hommes qui gouvernent au nom de la foi ancienne », ne sont pas seulement les hommes du passé théologique et féodal, ce sont aussi les « philosophes », « *maîtres de la puissance matérielle* ». Songeons au *Constitutionnel*, et au pouvoir politique dans le système Decazes. Une étape est désormais franchie : « jusque-là on n'a pas songé à l'établir, et pourtant il faut du positif au peuple et à la raison [...] Nous avons besoin de croire, parce que nous savons qu'il y a de la vérité ». Ici apparaît une notion capitale :

> Il faut que *la génération* de ceux qui ont ruiné l'ancienne foi passe ; son œuvre fut de détruire, *jamais il ne lui sera donné de rétablir*. C'est trop pour la faiblesse humaine de renverser le faux et de ressusciter le vrai. Leur vie s'est usée à combattre l'ancien dogme. Arrivés vieux à la fin, leur vigueur défaillante s'est endormie dans le scepticisme [...] *Une*

---

1. Voir toute la préface aux *Fragments* de 1826.
2. *Le Globe*, 24 mai 1825. Jouffroy avait déjà exposé des idées du même ordre dans *Le Globe* du 15 janvier (*De la Sorbonne et des philosophes*). Nous regardons, expliquait-il « les vieux débats » avec impartialité. « Assurément, nous ne nous flattons pas de représenter l'avenir, mais, si nous en jugeons par la paisible indifférence avec laquelle nous contemplons ce débat, au moins n'appartenons-nous plus au passé, ni à celui du xviie, ni à celui du xviiie siècle [...]. Malgré les excellents sermons qu'on nous prêche de part et d'autre, notre cœur n'est pas touché ». La Sorbonne désigne ici le parti religieux d'ancien régime, les philosophes le parti du xviiie siècle.

génération nouvelle s'élève, qui a pris naissance au sein du
scepticisme, dans le temps où les deux partis avaient la
parole. Elle a écouté et elle a compris : pour elle, le vieux
dogme est sans autorité; pour elle, le scepticisme a raison
contre lui, mais il a tort en lui-même. Quand il a détruit
il ne reste rien. Et déjà ces enfants ont dépassé leurs pères,
et senti le vide de leur doctrine. Une foi nouvelle s'est fait
pressentir à eux; ils s'attachent à cette perspective ravissante avec enthousiasme, avec conviction, avec résolution.
L'espérance des beaux jours est en eux; ils en sont les apôtres
prédestinés; et c'est dans leurs mains qu'est le salut du
monde.

Cette génération nouvelle, dont les intérêts et les exigences
sont nécessairement d'une autre nature, qualitativement
parlant, que ceux de la génération Empire, c'est celle de
Balzac. Ces jeunes gens, « ils jugent le passé, ils méprisent
l'incrédulité du présent, *ils abhorrent sa corruption ; ils ont
foi à la vérité et à la vertu* ». Ce sont les « jeunes gens sérieux »
de Stendhal. Ils ne rejettent pas l'héritage des « philosophes »,
et lancent aux tenants de l'ancien régime : « les sceptiques
avaient plus de foi que vous, *ils croyaient au mal de l'erreur* ».
Mais, ils entendent aller plus loin et trouver mieux. Seulement
ils ne savent pas encore quoi. C'est toujours le thème de
Lamennais sur l'avenir aussi inconnu qu'inévitable. Inévi-
tabilité non historique, non catastrophe inévitable, mais
besoin du cœur et de l'esprit. « *Tous ressentent une vague
inquiétude*, dont elle [la foi nouvelle] est *l'objet ignoré, et
qu'elle seule peut apaiser* ». Inquiétude ici n'est pas tant
souffrance que recherche. Avec, il est vrai, un peu d'inquiétude, comme si cette jeunesse intellectuelle bourgeoise sentait
obscurément que tout avenir risque d'impliquer une mise en
cause de ses propres certitudes de classe. Un vague au-delà
se dessine que l'on souhaite, mais dont on semble craindre
qu'il n'apporte des révélations inattendues. Mais, en l'absence de toute raison concrète de prendre peur, poussé par
le vieux dynamisme bourgeois, poussé par les exigences propres à la jeunesse, on parie pour l'avenir : « Deux choses sont
devenues inévitables : que la foi nouvelle soit publiée, et
qu'elle envahisse toute la société ». Comment ce grand phénomène se produira-t-il? On ne sait, mais la mort des dogmes
du passé ne saurait avoir d'autre aboutissement que la naissance de dogmes nouveaux. Comment cette génération,
qui n'avait pas encore fait l'expérience de l'échec et de la
prolifération des idéologies, ne se serait-elle pas si souvent
emballée pour le saint-simonisme?

C'est dans cette perspective qu'il faut entendre toutes les tentations sur-réelles, sur-rationnelles de l'époque, chez Ballanche, chez les saint-simoniens, *chez Balzac*. L'idée de sympathie, d'enthousiasme, d'amour, d'influx spirituel, doit nécessairement entrer dans la composition d'une philosophie qui se veut « complète ». On parle souvent, à cette époque, de la gravité des jeunes gens. Or, qu'est-ce que cette « gravité », sinon un refus de la facile et souriante bonne conscience des hommes de l'Empire ? Bonhomme et narquois, Malin de Gondreville, mais « grave » d'Arthez; grave, Marcas; grave, le cours de Cousin; graves, les écrits de Ballanche. Ce « sérieux » du siècle est celui de consciences qui sentent à la fois les possibilités et les difficultés de ce qui leur est offert. Aborder le monde avec la petite ironie tranquille de ceux qui précèdent, comment l'admettre, chez ces jeunes gens qui n'ont rien encore, mais qui se sentent capables de tout avoir ? Il faudra le choc de 1830 pour qu'apparaisse un cynisme désenchanté, une méfiance envers tout ce qui est impulsion, générosité. Le cousinisme, et les autres mouvements parallèles, en 1820, expriment une soif de totalité [1] qui n'a pas encore été déçue. Les fourvoiements ultérieurs sont à mettre au compte au moins autant du siècle que de la confusion des aspirations.

Une autre direction de reconstruction sera le grand effort de cette génération pour établir les bases d'une philosophie de l'Histoire. Balzac admirait Scott non tant pour son pittoresque que pour l'*explication* qu'il avait trouvée au chaos des conflits et des rivalités. Telle était également l'opinion d'Augustin Thierry. Ce sont les imitateurs superficiels de Scott qui provoqueront, en 1830, les colères de Balzac contre la « bricabracomanie ». Au départ, la recherche historique fut une tentative pour répondre à des incertitudes généralisées.

Cessant d'être chronique ou chronologie pour devenir Destin, imposant l'idée d'absurde, de temps morts et de temps perdu, l'Histoire exige qu'on réfléchisse à sa signification. Pourquoi les événements se produisent-ils ? Y a-t-il un *sens* à cette succession qui ne fait plus aussi aisément qu'on le pensait succéder à des siècles obscurs des siècles d'Auguste ou de Louis ? La philosophie de l'Histoire est née de cette interrogation de l'homme moderne sur son passé. Elle répond à une inquiétude sur son présent et sur son avenir. Cousin, dans ses premiers cours, a bien marqué l'importance de cette nouvelle discipline :

---

1. Sur cette ambition très précise de Cousin, au moment où Balzac suit ses cours, de formuler une philosophie d'aboutissement (non de compromis). Cf. *infra*, p. 241 sq.

Cette science historique et cette philosophie de l'histoire
fut ignorée des anciens et devait l'être; les anciens n'avaient
point assez pour être importunés de la fatigante mobilité
du spectacle, et de la stérile variété de ces fréquentes catastrophes, qui ne paraissent avoir d'autre résultat qu'un
changement inutile dans la face des choses humaines. Plus
jeunes, plus actifs, plus occupés à lutter contre les choses, plus
contents que les modernes de l'état social qu'ils avaient
fait, les anciens en général plus calmes, *se plaignaient peu
de la destinée*, parce que cette destinée ne les avait point
frappés par des coups aussi terribles et aussi multipliés.
Pour nous, qui avons vu passer cette noble antiquité, et
que la tempête perpétuelle des révolutions a précipités tour
à tour dans des situations si diverses; qui avons vu tomber
tant d'empires, tant de sectes, tant d'opinions, qui ne nous
sommes traînés que de ruines en ruines vers celles que nous
habitons aujourd'hui sans pouvoir nous y reposer, nous
sommes las, nous autres modernes, de cette face du monde
qui change sans cesse, et il était naturel que nous finissions
par nous demander ce que signifient ces jeux qui nous font
tant de mal, si la destinée humaine gagne ou perd, avance
ou recule au milieu des révolutions qui la bouleversent;
pourquoi il y a des révolutions, ce qu'elles enlèvent et ce
qu'elles apportent, si elles ont un but, s'il y a quelque chose
de sérieux dans toutes ces agitations et dans le sort général
de l'humanité [1].

Le saint-simonisme tout entier sera fondé sur une philosophie
de l'Histoire. Gerbet, dans son cours de 1832, proposera la
philosophie de l'Histoire comme seul moyen d'échapper au
découragement, au dégoût inspirés par le gouvernement de
Juste-Milieu [2]. Balzac ne cessera de raisonner, lui aussi, sur
les causes proches et lointaines, sur le sens des événements,
sur la signification des grandes pulsations. Comme tous ses
contemporains, il cherchera autant un moyen de conjurer la
notion d'absurde intégral qu'un moyen de fonder en raison
une politique scientifique. Devant une Histoire qui deviendrait aisément chaos, la recherche de clés (les rapports conquérants-conquis, par exemple, chez Augustin Thierry, ou, déjà,
les rapports de classe chez les saint-simoniens) [3] révèle un
réflexe de défense, un sursaut rationnel dans une humanité

1. *De la Philosophie de l'histoire* (1818), recueilli dans *Fragments philosophiques*, 1826, p. 202-203, et déjà publié (anonyme) par Buchon, en 1823, au
tome III de sa traduction de Dugald Steward.
2. Sur ce cours de Gerbet. Cf. t. II.
3. L'historien soviétique Reizov, dans son *Historiographie romantique française, 1815-1830*, a bien vu que la théorie de Thierry était le maximum de philosophie de l'Histoire que pouvait alors se permettre un historien bourgeois.
Après 1830, Thierry sera dérouté par l'apparition d'un conflit qu'il n'avait pas
prévu, celui qui opposera le peuple à la bourgeoisie, et pour l'explication duquel sa

qui a perdu l'habitude de s'en remettre à Dieu pour tout expliquer. Il va de soi, bien entendu, que l'élaboration d'une philosophie scientifique de l'Histoire n'est possible qu'à ceux qui ne peuvent se sentir bénéficiaires du mouvement dont ils dégagent les lois. Un paria définitif se contente de la fatalité, ou de l'explication par la méchanceté des hommes. Il n'existe de philosophie de l'Histoire que portée par un dynamisme social, et c'est nécessairement du côté des optimistes que se rencontrent désirs et aptitudes indispensables à l'élaboration d'une théorie d'ensemble. Nous trouverons sur cette route, avant Balzac, son propre père, homme de certitudes. *Le Dernier Chouan*, en 1829, tout pénétré, dans son *Introduction*, de thèmes saint-simoniens, marquera, par ses prises de position à la fois antilibérales (réhabilitation d'Aiguillon, représentant du pouvoir central) et antiroyalistes (éloge du rôle civilisateur de la Révolution) l'importance d'une forme de pensée soucieuse de *développement d'ensemble* plus que de « libertés » fractionnelles. C'était déjà le point de vue de del Ryès dans *Sténie*, en 1821. A René méditant sur la cendre des Empires, le romantisme bourgeois opposera une *scienza nuova* qui sera, bien évidemment, un effort à la fois lucide, rationnel et enthousiaste pour se rassurer sur la signification de l'Histoire qu'il a conscience de suivre plus que de faire.

Le mal du siècle, sous sa forme la plus voyante, s'est résorbé avec le Second Empire qui, d'une part, a définitivement tué les espoirs romantiques, et d'autre part, en lançant le grand mouvement de l'expansion capitaliste, a mis fin, relativement, à ce sous-emploi chronique qui avait été la plaie de la Restauration et de la Monarchie de Juillet. En 1856, Du Camp écrit, à propos de ses *Mémoires d'un suicidé :*

> C'est presque un livre d'archéologie, car, grâce à Dieu, elle s'éteint chaque jour davantage, cette race maladive et douloureuse qui a pris naissance sur les genoux de René, qui a pleuré avec les *Méditations* de Lamartine, qui s'est déchiré le cœur avec Oberman, qui a joui de la mort de Didier de *Marion Delorme*, et qui a craché au visage de la société par la bouche d'Antony [1].

Du Camp était assez intelligent pour rendre justice à la génération-victime :

---

théorie ne sera plus d'aucune utilité. Nous retrouverons cette idée : toute explication, toute idéologie, est élaborée *contre* quelque chose ou quelqu'un, comme arme.
1. *Mémoires d'un suicidé*, p. 22-23.

C'est à cette génération rongée par les ennuis sans remède, *repoussée par d'injustes déclassements*, attirée vers l'inconnu par tous les désirs des imaginations fécondes, que J. M. appartenait.

Il n'en entendait pas moins qu'*on* avait su mettre un terme au scandale. Le capitalisme avait enfin trouvé une sorte de vitesse de croisière. Les hommes étaient-ils pour autant réintégrés? Qui oserait le dire de la génération de Baudelaire et Flaubert? Delécluze écrit en 1862 :

> Il est certain que la génération qui atteint aujourd'hui la quarantaine, non seulement ne souffre plus de ce mal, mais, *dans sa passion effrénée pour les réalités de tout genre*, ne comprend même pas qu'on puisse en être atteint; aussi n'éprouve-t-elle plus aucune sympathie pour les malheurs de Werther et de René [1].

allant plus loin que Sainte-Beuve, qui écrivait, en 1861, dans son *Chateaubriand et son groupe littéraire*, à propos de René :

> Je crois la maladie un peu passée pour le moment : la jeunesse paraît plutôt disposée à se jeter *dans le positif de la vie*, et dans ses rêveries même, elle trouve encore moyen d'avoir pour objet le positif (fouriérisme, saint-simonisme, etc., etc. et les diverses écoles qui rêvent sur la terre le règne absolu du bien-être et le triomphe illimité de l'industrie [2]).

Et ceci permet, peut-être d'ébaucher, déjà, une conclusion : *le mal du siècle est l'un des symptômes les plus voyants des « maladies infantiles » du capitalisme aussi bien que de la poussée anticapitaliste.* Alors que l'ordre ancien n'est plus et que l'ordre nouveau ne parvient que très mal à se fonder en raison, les rapports sociaux ont quelque chose d'arbitraire, d'hésitant; lois et institutions, auxquelles manquent la consécration du temps, l'oubli des origines, ont une sorte de « transparence ». De plus, la pression démographique, l'insuffisance du développement, le caractère anarchique de la production, le déracinement consécutif au délabrement des anciennes unités de vie, tout concourt à établir un décalage entre les ambitions et les possibilités, pour le « plus grand nombre », d'accéder à des emplois (au sens le plus large du terme) en rapport avec la formation reçue et les désirs suggérés par le « rush » social. A tous les niveaux de l'activité, le déchet est important. D'où, un sentiment de gaspillage, de désordre. Mais, d'autre part, ce mal du siècle maintient ouvertes des perspectives;

1. *Souvenirs de soixante années*, p. 201-202.
2. Sainte-Beuve, *Chateaubriand et son groupe littéraire sous l'Empire*, Garnier, 1861, I, p. 334-335. Le cours avait été professé à Liège en 1849.

il est exigeant, confiant dans les droits de la jeunesse. A l'étape suivante, celle de l'installation solide de l'argent, alors que se sont effacés rêves et illusions, les âmes se renferment, se replient, cherchent dans l'art pour l'art ou dans la fuite vers l'intérieur un absolu de remplacement. Une certaine générosité disparaît. Le relais des exigences sociales, alors, peut être pris par de nouvelles idéologies, plus rigoureuses, mais qui trouvent moins facilement, et moins vite, le chemin des cœurs. Par souci de ne pas être dupes, les écrivains de ces époques sans lumière, s'en prennent à leurs devanciers, leur reprochent leur idéalisme. Ne tranchons pas. Le mal du siècle, Balzac nous le montrera avec force, caractérise la période ascendante du siècle, celle qui remet tout en question, fraie les voies nouvelles. *Impatience d'avenir* : oui, c'est bien là le fond du mal du siècle, et le jour où il n'y a plus d'avenir («le coup d'État métaphysiquement dépolitiqué, écrit Baudelaire; il n'y a plus d'idées générales »), il faut parler d'autre chose.

On voit l'ampleur du débat. Ce qui nous parvient, à travers l'œuvre de Balzac, reliée aux préoccupations de ses contemporains, c'est la voix même de son siècle, *déchiré, mais aussi poussé en avant* par ses contradictions. La clé du problème Balzac cynique — Balzac dénonceur du cynisme, est là. De même que la clé du problème Balzac bourgeois — Balzac antibourgeois. Ambiguë, la révolution bourgeoise avait lancé énergies et imagination à l'assaut du vieux monde théologique et féodal, en même temps qu'elle bloquait les élans vers l'achèvement du rêve universaliste qu'elle avait pu, un moment, caresser, sans craindre de le voir mettre en péril ses propres positions de classe. L'infâme Crevel proclame la fin des rois et l'avènement de la paix au moment où Hulot tripote en Algérie. Mais c'est Crevel qui avait mis fin, définitivement, au règne des hobereaux. « Qui arrête les révolutions à mi-côte? La bourgeoisie », écrit Hugo dans *Les Misérables*. Le mal du siècle est né de l'abâtardissement d'une révolution, alors que l'élan premier était encore assez fort pour faire croire qu'il demeurait à faire « en avant ». *Le mal du siècle correspond à une certaine jeunesse de la bourgeoisie*. Rancie, crispée, griffes dehors, celle-ci n'engendrera plus que pessimisme absolu, images de corridors bouchés, de couvercles qui pèsent. Le mal du siècle est celui d'une jeunesse qui n'avait pas encore définitivement désappris à croire. Jusqu'à quel fond de désespérance, à partir de quels espoirs entrevus, la seconde moitié du siècle devait conduire les successeurs de Balzac, c'est ce que *La Comédie humaine*, après les années de formation, nous aide à mesurer. Ce sont ces quatre-vingts romans, finalement, qui constituent, avec tout ce qui y conduit, un extraordinaire témoignage sur le mal d'un siècle littéralement volé. On ne comprend bien Frédéric Moreau que si on le met *après* Rastignac et Lucien. Voilà ce que la bourgeoisie fait de la jeunesse. De *sa* jeunesse.

Que l'on ait renâclé, longtemps, contre ce témoignage de *La Comédie humaine* et de l'aventure balzacienne, quoi d'étonnant ? Une société a la critique de ses intérêts. Peur ? Pas toujours, et pas seulement. Les bourgeois sont cruels, mais ils sont aussi malheureux, et leur réaction devant Balzac rejoint celle de la naïve Marie Pichon, chez Zola :

> Tenez, je vous rapporte votre Balzac ; je n'ai pu le finir... C'est trop triste. Il n'a que des choses désagréables à vous dire, ce monsieur-là... Non, reprenez-le. *Ça ressemble trop à la vie* [1].

D'où, les ruses, les conspirations du silence, certains textes jamais cités, certaines analyses et rapprochements jamais faits. On a pu, pour Dostoïevski, parler d'âme slave, et récupérer l'éternel humain. Mais on n'a pu sur Balzac se livrer à semblable psychologie « française », discrètement pessimiste et élégamment lucide. Qu'en faire ? Il ne restait qu'à exorciser, comme on pouvait, la pénible impression que laisse la lecture de ses romans (oui, André Wurmser !) inhumains. Mais une autre démarche devait naître des difficultés croissantes de la bourgeoisie, de son inaptitude culturelle fondamentale, même dans les périodes où, en apparence, elle semble avoir retrouvé une sorte d'efficacité technique. Grâce à Balzac, on peut mieux comprendre la nature des processus qui font de l'Homme un être solitaire et malheureux, agressif et déçu. Mal du siècle, fureur de vivre, romantisme : phénomènes dont on commence à se demander un peu plus fermement qu'autrefois s'ils ne naissent pas dans les lieux où se brasse l'Histoire. Nos sociétés de plein-emploi (?) et de re-démarrage (?) capitaliste ne connaissent pas moins ce problème du « déchet » des forces vives. Ainsi demeure le fait majeur de notre civilisation : même attelée à une œuvre d'expansion, les hommes ne se voient proposer, comme sens à donner à leur vie, que la poursuite de toujours décevantes chimères : succès personnel, satisfaction d'amour-propre, bien-être. Il fallait l'aveuglement et la mauvaise foi d'un Thureau-Dangin, portant au compte de Balzac ce qui était au compte de sa classe, pour voir en lui un professeur de

---

1. *Pot-Bouille.*

cynisme et d'ambition. Balzac a *dit* comment fonctionnait la société capitaliste, mais il a aussi montré comme des fruits tachés les seules réussites qu'elle autorise. A cet égard, nous ne nous sommes pas, qualitativement, éloignés de lui.

Le mal du siècle, en dernière analyse, est peut-être la manifestation la plus voyante de l'échec des morales de l'Homme seul[1], telles que la société occidentale les avait rêvées, soit contre l'État féodal, soit dans la coulée de la révolution bourgeoise. Le mal du siècle, c'est la prise de conscience de la mystification contenue dans le mythe de l'amour, dans le mythe de l'ambition, dans le mythe de la réussite individuelle. Et cette mystification revient à ceci : il est vain d'espérer un sentiment d'accomplissement total de soi *tant que l'ensemble du monde sera ce qu'il est*, c'est-à-dire soumis aux lois de l'aliénation. Croire que l'amour, que l'enrichissement, que l'efficacité technique, puissent renouveler la vie et fonder des valeurs nouvelles, rendre leur transparence aux rapports avec les autres, est mensonge ou duperie, tant que l'amour, l'enrichissement, l'efficacité, doivent retrouver au réveil, à la première occasion, dans les conditions même d'exercice de la vie de tous les jours, cette fatalité de l'exploitation de l'Homme par l'Homme, et donc de soi par soi. Si les aubes sont amères, si toute conquête est immédiatement suivie d'une prise de mesure du néant, si la seule sagesse est de savoir de mieux en mieux, de plus en plus impitoyablement, que rien n'a de valeur en soi et que tout le plaisir est dans la course, est-ce, comme on l'a longtemps pensé, que l'Homme est, par nature, par damnation, inapte au bonheur? S'il n'y a

---

1. L'humanisme, idéologie non des hommes, mais de l'Homme, universel, abstrait, susceptible de se retrouver partout, pourvu qu'on abolisse les antiques barrières qui en bloquaient le développement ou l'apparition, l'humanisme unitaire, avait eu pour base économique la société marchande, faisant suite à la société de consommation et de vie locale. L'idée d'échange, si importante pour les philosophes des lumières comme pour ceux du xvie siècle, correspondait, sur le plan intellectuel, au commerce et à l'ouverture des frontières sur le plan économique. L'Homme seul, qui devait passer de la fierté au vertige, était celui d'une humanité laïque, universalisante par ses méthodes et ses conquêtes, ne prenant que soi pour base et règle, liquidant les légendes, les croyances propres à la vie parcellaire de jadis. Les limites de l'humanisme furent atteintes le jour où apparurent les limites de la société marchande, incapable d'assurer le total développement des hommes, devenant visiblement exploiteuse et inhumaine, impérialiste, l'humanité sujet supposant, quelque part, une humanité objet. *L'humanisme ne pouvait continuer à se développer que sur la base d'une exploitation d' « autres » hommes.* Avant de se trouver ouvertement confronté, toutefois, avec ces « autres » hommes (de classe ou de race), il devait, déjà *de l'intérieur,* subir une crise qui s'exprime dans le romantisme dont nous nous occupons ici. Cf. Michel Verret, *Marxisme et humanisme, N. C.,* n° 168, juillet-août 1965.

pas d'amour heureux, si l'Homme finit par retomber du haut
de ce qu'il éprouve ou construit, cela ne tient-il pas à ce que
les rapports entre les hommes sont des rapports non d'association, mais de guerre et d'illusion? Il ne saurait y avoir de
morale définitive, on ne saurait proposer un art de vivre,
des recettes pour réussir sa vie, tant que l'on sera conduit à les
appliquer dans un univers faussé, dans un univers qui en
limite d'avance l'effet et les prive de leur valeur d'absolu.
Rastignac au sommet des honneurs accompagne au Père-
Lachaise Lucien de Rubempré, ou intervient en faveur de
Michel Chrestien, tué à Saint-Merry. Pourquoi? Parce que
Rastignac sait que sa réussite n'est que façade et comédie.
Il joue, pour les autres (mais en le sachant!), à celui qui a
réussi. Mais il n'est pas heureux. Il lui a fallu, pour parvenir,
mettre entre parenthèses les exigences de sa jeunesse. Michel
Chrestien n'a pas triché. Seulement, il est mort. *Nul ne
réussit innocemment.* Nul n'est pur, *et* continue à vivre. Le
monde des hommes est régi par des lois qui condamnent
les purs à l'exil, et font des heureux des complices. Le mal du
siècle est la découverte de cet écartèlement. On ne peut être
Claës sans ruiner les siens; on ne peut être l'homme des siens
sans renoncer à son génie ou à son invention. David Séchard
trouve un relatif bonheur en abandonnant ses grands projets.
Quiconque se lance, quiconque croit, soit s'arrête, soit cesse
de croire. On s'était lancé parce qu'on croyait. On croyait
parce qu'il y avait, apparemment, des raisons objectives de se
lancer. La morale de l'Homme seul avait été conquête et
affirmation face aux vieilles morales du clan, morales frei-
neuses et malthusiennes. La morale de l'Homme seul avait
été promesses d'épanouissement contre des structures vieillies,
mais encore en place. Très vite, elle était devenue retombée,
refuge, pis-aller, n'ayant plus pour la justifier ce vieux monde
définitivement aboli, incapable d'aboutir à plus qu'elle-
même, incapable de *fonder.* D'où, subterfuges, mise de tout
l'avoir sur ce qui ne devrait être, en un monde normal, que
l'une des composantes de la vie. Vivre un grand amour, faire
une belle carrière : dérivatifs de désirs prométhéens condamnés
à passer de l'universel au partiel. Mais, le temps d'apprendre
à vivre il est déjà trop tard :

L'amour passion, s'excuse à la rigueur dans l'esclave dont
la rébellion vient d'être châtiée, et qui n'a plus l'espoir
de modifier son sort; il fleurit au lendemain des révolutions vaincues; on ne le chanta jamais si bien que sous
Louis XVIII et Charles X. Mais nous vivons dans un siècle

où l'homme peut légitimement espérer changer la face du monde; *c'est dans le visage du réel que nous sculpterons désormais nos rêves* [1].

Dans quoi sculpter ses rêves? Dans le réel absolu, ou dans cette manière décevante et friable du relatif bourgeois? *La Comédie humaine* reprend bien souvent l'histoire du *Chef-d'œuvre inconnu* : l'artiste qui ne parvient pas à faire son œuvre, ces vies que l'on entreprend, mais qu'on ne peut réellement achever, toutes ces lignes brouillées. L'homme seul n'avait de sens que s'il était transition entre l'Homme d'une ancienne unité et l'Homme d'une nouvelle unité. On commença sérieusement à croire, vers 1832, que cette nouvelle unité n'était pas pour demain. Et, c'est pourquoi on ne saurait parler d' « échec » du romantisme, de « vanité » du mal du siècle, pour justifier on sait trop quelles « sagesses » et quelles acceptations. Comme de Maistre, on a souvent, de nouveau, parlé des barreaux de la cage. Échec du romantisme? Vaines aspirations? Les individus ont fait, comme toujours, ce qu'ils ont pu. Mais les temps n'étaient pas venus.

*

Il a manqué aux enfants du siècle que leurs révoltes, que leurs amertumes puissent déboucher dans une révolte, dans une amertume plus larges, *plus efficaces*. Enfants des classes aisées, ils sont restés isolés, incapables, le plus souvent, de rejoindre un peuple encore trop loin d'eux ou encore trop inconsistant. Bourgeois mal à l'aise dans l'ordre bourgeois, témoins contre leur propre classe, ils n'en sont, pourtant, jamais sortis. Ils ne le pouvaient pas. En un temps, où, cependant, les choses seront plus mûres, Michelet le dira aux étudiants frémissants de 1847 : « Le mal du monde est là : il y a un abîme entre vous et le peuple [2] ». Le peuple, c'est le concret. Et les jeunes gens vivent dans l'abstraction,

1. Roger Vailland, *Les Mauvais Coups*, réédition, 1959, p. 229. Que ce réel, que ce marbre pur, ait, depuis 1948, subi quelques mésaventures, prouve seulement — mais on l'oublie toujours — que rien n'est jamais acquis à l'Homme, que la loi de la vie est celle de l'invention et de la responsabilité, des redéparts continuels. Vailland pensait un peu, alors, avec tous les communistes, sinon qu'il n'y avait plus qu'à aller, du moins qu'on allait, qu'on irait, qu'on pouvait aller. La condamnation du stalinisme, la division du mouvement ouvrier international, la nécessité, évidente aujourd'hui, pour les pays avancés d'inventer et de mettre en place leur socialisme, tout ceci vide un peu la phrase de Vailland de son contenu, *mais seulement de ce qui pouvait être un contenu de patronage*, non d'un contenu valable à long terme.

2. Michelet, *L'Étudiant*, Calmann-Lévy, 1877, p. 29.

déracinés, jetés du jour au lendemain sur le pavé de Paris,
reliés ni à un passé, ni à un avenir. Balzac a bien senti le
lien invisible qui unissait ces jeunes gens, sinon au peuple, du
moins aux héros qui l'avaient choisi. Il a fait Rastignac et
Rubempré amis de Michel Chrestien. Mais, outre que dans le
roman même, ce lien a quelque chose d'épisodique, comment
ne pas voir qu'il est une compensation à l'absence de lien dans
la réalité? *Les enfants du siècle ont souffert et cherché seuls.*
En 1830, certains, comme Sainte-Beuve, ont bien cru que
tout allait changer. Ils n'ont pas tardé à retomber à eux-
mêmes. Il faudra attendre que les *révoltes* populaires aient
quelque chose de plus complet, de plus mûr, de plus structuré,
de plus positif; il faudra attendre, surtout, qu'aient réussi à
s'implanter certaines *révolutions*, pour que la jeunesse intellectuelle bourgeoise et petite-bourgeoise trouve *hors de sa classe*
des ébauches de réponses aux questions qu'elle se pose sur le
monde comme il va. Sur ce point comme sur tant d'autres,
l'époque romantique est bien celle d'hommes nés trop tôt.
La Grèce, les républiques sud-américaines, l'Espagne des
Cortès et de Mina, qu'était-ce, à côté de ce que seront, pour
les générations du xxe siècle, l'U. R. S. S., la Chine, l'Espagne
des brigades, les pays coloniaux en lutte pour leur indépendance, Cuba? La révolte romantique n'a jamais trouvé ses
terres de référence, là où la vie reprend signification dans des
entreprises d'un nouveau genre. Et, à l'intérieur même de la
France, où trouver l'équivalent, au xixe siècle commençant,
de la Résistance, de l'action politique et syndicale, de la
mobilisation des énergies, de la mobilisation *possible* des
énergies pour plus de démocratie, elle aussi *possible?* Si
d'autres aliénations guettent la jeunesse moderne, d'autres
difficultés (dépolitisation, fascination du confort, déclassement, parfois, des gauches de jadis), elle dispose de plus de
chances de ne pas s'enfermer dans ses rêves. Si l'humanisme
moderne a eu ses crises, ses catastrophes, même, il a eu aussi
ses relances, ses nouveaux départs, *ses nouvelles preuves.* Au
temps de Balzac, les jeunes provinciaux rêvaient de Paris, là
où la Révolution avait eu lieu, où la vie était plus vraie. Peu
de jours suffisaient à leur ouvrir les yeux. Quant aux Parisiens
de naissance ou d'éducation, il ne leur restait guère à rêver
que la vie du pirate, ou la somnolence du rustre. Quel
« ailleurs », que ce Champ d'Asile, inventé par le libéralisme
d'affaires! Les romantiques ont été condamnés à rester chez
eux. Là où se jouait *la Comédie inhumaine* [1]. Quelles que soient

1. Le livre d'André Wurmser a eu l'immense mérite d'attirer l'attention sur le
caractère frelaté de la vie dans les romans de Balzac. Il n'a pas suffisamment **vu**,

aujourd'hui, les complaisances possibles envers un « style » romantique, elles ne peuvent ignorer ce cran, cette butée de l'Histoire accomplie ou en train de s'accomplir, et des conquêtes idéologiques. Nous disposons de moyens d'analyse et de compréhension susceptibles de nous mieux faire supporter les ressucées de second Empire et les interminables ministères Guizot[1]. C'est pourquoi le mal du siècle est bien un phénomène relatif à un moment de l'histoire sociale, non la manifestation d'une inaptitude constitutive au bonheur. Son relatif vieillissement est la rançon (ou la récompense) de la maturation de l'Histoire.

★

Alors? Balzac enfant du siècle? Témoignage et confession d'un enfant du siècle, *La Comédie humaine?* Il faut s'entendre. Que Balzac ait éprouvé et vu ce qui constituait le siècle et son destin est chose acquise. Mais il est aussi — et peut-être d'abord — enfant du siècle, *homme* du siècle, en ce qu'il n'en transmet jamais l'image à travers ragots, petitesses, revanche ou aigreurs. Son témoignage est large, puissant, plein de bonne foi et de sympathie. Malgré tous les gauchissements personnels de la vision, malgré les inévitables rancœurs, et, surtout, vers la fin, quelques déviations d'homme qui perd le contact, Balzac est l'un des plus équitables, l'un des moins passionnés (l'un des moins *petitement*, l'un des moins bourgeoisement passionnés) de ses contemporains. On sait quelle était sa haine pour les « petits journaux », son respect pour tout ce qui était un peu fort et grand. Contre l'infâme *Corsaire*, il défendra Fourier. On chercherait en vain, chez lui, de ces poisons, de ces coups bas, de ces médisances, de ces propos scandaleux, qui sont le propre de ceux qui ne semblent pouvoir être ou se faire un nom qu'en parlant des grands hommes qu'ils ont connus. L'esprit de dénigrement est inconnu à Balzac. Venir après coup dire de petits secrets, jalouser, rabaisser — ce qui n'oblige pas à comprendre l'ensemble — ce n'est pas pour lui. Il faut le comparer à Sainte-Beuve, qui a si mal vu ce qui comptait en son siècle, à Philarète Chasles, aussi, son ami d'un moment, homme aux vengeances posthumes et aux *Mémoires* à retardement. Chasles avait

par contre, tout ce que cette inhumanité de la vie bourgeoise charriait d'humanité fourvoyée. Les bourgeois balzaciens y apparaissent comme pleinement responsables, alors qu'ils sont, aussi, victimes de l'évolution de leur propre classe.
1. Écrit en décembre 1968.

écrit, à propos de la France de 1825 à 1835 : « Fusion de tous les états, chaos de toutes les situations, amalgames de toutes les idées, destruction de tous les principes, anéantissement des bases sociales, mort des convictions, ennui profond et universel, telle était la France [1] ». Le diagnostic, la description étaient justes, mais pourquoi cette hargne, ce mépris ? C'est que Chasles se sentait fait pour mieux, c'est évident. Balzac, jamais. En ce sens, il fut pleinement « moderne ». « La société, continuait Chasles, manquait de centre et de tout point d'appui ; l'individualité régnait ; chacun se faisait centre, quand il pouvait et comme il pouvait. » Or, ce genre de remarque, parfaitement justifié, positif, lorsqu'il se réfère à des valeurs de remplacement, devient de la dénonciation gratuite, stérile, formaliste, lorsqu'il n'est nourri que de la satisfaction d'être soi-même dans le vrai, que du plaisir de dénoncer. Les menaisiens opposaient au désordre moderne une idée d'ordre ancien, socialement dépassé à nos yeux, mais moralement justifiable. Un Chasles, un Sainte-Beuve, n'opposent aux nouvelles « folies du siècle », que leur propre assurance, fondée sur une carrière temporellement réussie. Rien n'empêchait Chasles, par exemple, de nourrir sa critique d'idées républicaines ; il n'avait qu'à puiser. Mais non. Les faux grands esprits, les critiques d'attitude plus que d'aptitude, condamnent, fulminent, mais ne comprennent pas. Un Chasles ne voit pas, ne peut pas, ne veut pas voir, que le siècle est triste et déséquilibré *en ce que le siècle est bourgeois*. Mais quand on a fait sa carrière selon la bourgeoisie ? Il ne reste, alors, qu'à parler de l'exagération, du mauvais goût, de ceux qui ont montré, eux, ce qu'était la hideur bourgeoise.

> Le siècle et ses mœurs [dit Chasles à propos de Balzac] ne déteignait pas sur lui. C'est Balzac qui a déteint prodigieusement sur le siècle. Il a créé la femme sentimentale de quarante ans, l'usurier sentimental, le goguenard doctoral, la chlorotique mystique, l'escroc de bonne société. C'étaient des exceptions incomplètes. Il en fait des héros complets [2].

La société s'est mise à ressembler à Balzac ! Et c'est la faute à Balzac ! Car, il est bien évident que les mal mariées, les usuriers, les escrocs, c'est Balzac qui les a inventés. Quel besoin a-t-il eu de nous parler de ces choses ? On retrouve Marie Pichon. Les petits échos, les racontars, voilà qui ne met rien en cause, ni en mouvement. Mais pourquoi montrer les choses, les nommer ? Pour Chasles, comme souvent pour

---

1. Philarète Chasles, *Mémoires*, I, p. 72-73; cf. *supra*, p. 106.
2. *Ibid.*, I, p. 301.

Sainte-Beuve, *le siècle a tort.* Pour Balzac, le siècle a toujours raison. *Mais il montre ce qu'on en a fait.* Il n'a jamais été, lui, un de ces nouveaux exilés de l'intérieur, qui boudent le réel moderne, faute de pouvoir, en leur médiocrité, en leur bourgeoisisme honteux, dire quelles sont les vraies causes. Homme du siècle [1], donc, Balzac, et plutôt qu'enfant, en ce qu'il l'a assumé.

Par là s'explique sans doute une différence en ce qui concerne l'écho de son œuvre, sa popularité, son classement, ensuite. A la différence de René, d'Antony, de Joseph Delorme, d'Amaury, de Musset lui-même, ni Balzac, ni ses héros n'ont jamais été considérés comme frères ou prophètes par ce qu'il est convenu d'appeler la jeunesse romantique. Celles et ceux qui se sont reconnus en lui, ce furent d'abord les femmes (silencieuses), puis les jeunes gens d'après le romantisme, d'après l'expérience réaliste. Ainsi, chez Flaubert, alors qu'est déclassé tout un romantisme lyrique ou rêveur, Frédéric Moreau citera en exemple Rastignac, et ceci est un sûr repère. L'œuvre de Balzac, plus que poétique, fait « vieux », sent la poussière, le rance des études et des familles. Elle ne luit pas de cette lumière rutilante ou souffreteuse dont luit l'autre littérature romantique. Ni Raphaël, ni la Fosseuse, ni même Lambert, n'ont su prévaloir contre le Paris et la province de *La Comédie humaine*, qui n'a guère jamais été livre de découverte ou de référence pour jeunesse inquiète, mais bien livre de vérification pour connaisseurs de « la vie ». Balzac n'a jamais flatté certains besoins qui sont ceux de tout romantisme. Il n'a jamais rien embelli, n'a jamais favorisé nulle évasion, ouvert nulle échappée vers l'idéal. L'impression dominante de son œuvre est une impression de maturité :

> Il semblait [écrit Hippolyte Babou] *que Balzac fût né à trente ans* pour écrire, et qu'il n'eût jamais été jeune, inconscient et naïf. Aussi, la jeunesse, qui vole d'elle-même aux lyriques, aux poètes, aux romanciers aériens, regarda-t-elle longtemps avec une involontaire méfiance ce robuste voyageur littéraire qui dévorait si rapidement l'espace,

---

1. Musset tenait, et pas seulement dans *La Confession*, au mot *enfant*. Balzac ne l'emploiera guère, sinon pour décrire ou pour nommer (« l'enfant de la Charente », pour Lucien). C'est que Balzac, très tôt, sa mère ne l'ayant pas cajolé, n'ayant pas mis de fleurs ni essuyé la poussière dans son cabinet d'étude, a été *adulte* et *sevré*. D'où l'importance, chez lui, de l'image du père, en quoi il se projette. Il y a, dans *enfant du siècle*, et dans la récurrence du mot *enfant*, image, acceptation d'une image, installation dans une image : celle de l'enfant sans mère, ayant quitté sa mère, n'en ayant pas trouvé d'autre (ni femme aimée, ni Église, ni société), demeuré quelque peu féminin, et toujours *objet* pour les femmes rencontrées ou approchées. Ce stade, Balzac l'a dépassé, et il verra Félix de Vandenesse, dans un lointain de création, comme un moi archaïque, liquidé, même si toujours ressenti.

et qui s'avançait à la conquête des esprits sans lyre, sans
ballon et sans ailes [...] [1] Balzac n'avait pas d'enthousiasme
et pas d'imagination; on le croyait, du moins, avec la plus
entière bonne foi, à l'époque où l'enthousiasme se nommait
Victor Hugo et l'imagination Alfred de Musset [...]. La jeunesse resta fidèle aux poètes régnants, puis on a découvert
Balzac [2].

Pourquoi ce retard? Ne serait-ce pas qu'il existe un décalage
fondamental entre certaines exigences juvéniles et le message
de *La Comédie humaine?* Le réalisme critique de ces quatre-
vingts romans, c'est-à-dire l'expression, à l'intérieur de la
société bourgeoise, des inquiétudes et des insatisfactions qu'elle
engendre, mais sans débordements lyriques en direction d'un
avenir gratuit, imaginaire, littéraire, décoratif, l'expression,
au prix des pires contorsions et contradictions lorsqu'il fallait
en venir à formuler une idéologie de remplacement dans une
société qui ne recélait encore aucune authentique force de
relève, d'un absurde saisi au niveau le plus humble de la
pratique quotidienne, ne pouvait toucher le cœur d'une jeunesse formée par le romantisme utopique. Elle préférait les
visions spiritualistes ou messianiques d'un Lamartine, d'un
Hugo, qui leur promettaient un avenir, qui chantaient un
autre ordre de choses. Balzac, lui, restait dans le réel et ne
faisait pas rêver. La troisième République bourgeoise et radicale ne le comprit pas bien. Elle lui préféra Hugo, dont le
pinceau de lumière ne se promenait pas trop sur les compromissions politique-argent. *Plein Ciel* tant qu'on veut, mais
surtout, pas de révélation sur les rapports d'un ministre et
de la Banque! Peu à peu, toutefois, on mesura la faiblesse des
visions et des amplifications du romantisme, fût-il révolutionnaire. *Plein Ciel* se faisait attendre. La démocratie radicale se
faisait de défense sociale, militariste, nationaliste. Le romantisme révolutionnaire paya cher, trop cher, d'avoir figuré sur
les plaques des rues, au fronton des écoles, sur les places publiques. La réaction voulut jeter l'enfant avec le bain. Mais il
faut bien dire qu'on découvrit alors l'efficacité de Balzac.
Ce n'est pas lui qui pouvait être démenti par l'évolution
réactionnaire et affairiste du régime parlementaire bourgeois.
D'avance, il s'était placé au-delà des apparences, des faux-
semblants de la politique au jour le jour. Il avait porté un
diagnostic qui concernait non un *régime* politique, mais un
système social. Le système fondé sur l'argent. On commença
de voir qu'il avait vu pourquoi la vie éprouvait le sentiment

---

1. Hippolyte Babou, *Lettres satiriques et critiques*, 1860, p. 58-59.
2. *Ibid.*, p. 72.

de se gaspiller, pourquoi tout était truqué. *En situation*, il avait montré les jeunes gens pris, coincés, ne sachant où aller, incapables de trouver dans le ralliement à l'ordre établi une totale satisfaction. Leçons d'arrivisme, ses leçons à Derville, à Rastignac? Certes non! Il manquait, c'est entendu, le débouché sur autre chose, ce qu'Aragon, dans *La Semaine Sainte* a pu, parce qu'il vient cent ans plus tard, et après que se soient produits dans le monde un certain nombre d'événements, mettre dans le prolongement des inquiétudes de Géricault. Mais il y avait déjà, outre le refus d'accepter comme normale la distorsion imposée par la société capitaliste, outre le refus conceptuel, le refus vital, élémentaire, le refus que faisait vivre le roman en termes de chair et de sang. Chez Balzac, le mal du siècle n'était pas plainte et prédication; il était découverte lente, patiente, de la réalité capitaliste; il était formulation, par l'intermédiaire de personnages diversifiés, de schèmes narratifs et dramatiques, d'une condamnation, que l'histoire condamnait à ne pouvoir aller au bout d'elle-même. Aussi, à part de brèves séductions opérées sur l'adolescence, ce n'est pas Musset qui peut aujourd'hui éclairer qui que ce soit sur son propre cœur et sur les relations du cœur avec le monde. A qui cherche aujourd'hui la clé de cet obscur sentiment qu'il éprouve de quelque chose qui ne va pas dans la vie qui nous est faite, qui continue à nous être faite, c'est chez Balzac que se trouve un début de réponse. Balzac a beaucoup moins vieilli que les romantiques révolutionnaires, parce que, à la fois, le *contenu*, et les *indications* de sa *Comédie* demeurent plus vrais, plus susceptibles de prolongement, que les simplifications poétiques. Le grand devenir historique et humain de Hugo, de Michelet, ont, en eux-mêmes, quelque chose de rassurant, dans la mesure où ils n'imposent pas de réflexions trop précises sur la nature de notre société *actuelle*. On les « classe » assez vite. Il n'en va pas de même de Balzac. Les controverses autour de la signification de sa vision des choses sont bien la preuve qu'elle est génératrice d'interrogations. La Science l'emporte sur le Verbe [1].

---

1. Toute une étude serait à faire des raisons du succès persistant des romantiques révolutionnaires dans la société capitaliste, et surtout, dans les milieux petits-bourgeois qui lui ont toujours fourni ses cadres universitaires et intellectuels. Ne serait-ce pas que la hauteur des vues d'un Hugo, d'un Michelet, leur évite d'avoir à regarder de trop près la nature et le fonctionnement du réel immédiat, qui est celui d'une société régie par l'argent? Bourgeoisie et petite-bourgeoisie ont gardé au cœur la nostalgie du progressisme qui fut jadis le leur; elles aiment, dans les romantiques révolutionnaires, un langage qui, tout en satisfaisant ce vieil humanisme, ne les requiert pas d'une manière trop pressante de s'interroger sur le réel capitaliste. On saute l'étape, littéralement. Il n'y a pas là

A moins de se contenter d'un classement rhétorique des manifestations de l'inquiétude chez Balzac *(éprouvée* ou *décrite)*, il est indispensable, si l'on veut en comprendre les origines et la portée, d'en suivre patiemment la naissance, en étudiant les milieux, les rencontres, les amitiés, les lectures, les événements et leur retentissement. Les détours seront parfois longs, toujours nombreux. On ne saurait comprendre comment une conscience réagit à un univers sans multiplier les coups de sonde, au plus près de son expérience. A la limite, la notion d'*inquiétude* s'étend presque jusqu'à recouvrir la notion de *vie* [1]. Tenter de rendre compte, donc, de l'inquiétude balzacienne, des solutions ou tentatives de réponse balzaciennes, c'est s'obliger à refaire en sa compagnie le chemin qui fut le sien, et qui le conduisit de la présentation à son siècle à son œuvre. Idées politiques, idées littéraires, idées religieuses, idées philosophiques, tout est dans le mal du siècle. Il faut tenir ferme la barre, mais ne pas oublier non plus que les prédécesseurs, en s'en tenant à l'un des groupes d'idées ci-dessus, avaient été conduits, volontairement ou non, à mutiler l'expérience balzacienne. Nous ne referons pas

que mauvaise foi; souvent, au contraire, beaucoup de sincérité. Mais n'est-ce pas une raison supplémentaire pour attirer l'attention sur l'importance du réalisme critique, contemporain du romantisme? De nobles visions, d'éloquentes abstractions, sont devenues moyens d'entretenir la confusion, de ne pas parler de l'essentiel. La justification de la répression des journées de Juin, dans *Les Misérables*, n'est-elle pas significative des *limites* du romantisme social, sitôt qu'on en vient aux problèmes concrets du XIXᵉ siècle capitaliste? La pitié pour les victimes, les appels à la clémence, ne suffisent pas à faire oublier le point de départ. On veut bien parler de l'avenir de l'humanité, à condition de ne pas aborder le problème fondamental de la destruction, avant le remplacement, du système capitaliste. Balzac n'a certes pas parlé de cette destruction, mais ses analyses lui fournissent des justifications et des raisons. Il y a, chez les « poètes de l'humanité », ruse à l'égard de l'immédiat qui était le leur. Michelet, d'ailleurs, n'aimait pas Balzac; il lui reprochait d'avoir « exhibé » « un musée chirurgical de toutes les horreurs morales », et il lui préférait la belle et vaine lumière d'*Hernani*. (Cf. note inédite publiée par Paul Viallaneix, *op. cit.*, p. 474). Mais cette laideur, est-ce Balzac qui l'a inventée? N'est-elle pas dans le réel? Preuve que Balzac inquiéta de bonne heure, et que, de bonne heure, on s'en tira par des recettes qui n'ont pas, elles non plus, vieilli. Il n'est pas question de déclasser, *moralement*, des hommes qui sont, de plus, d'admirables écrivains et de nobles consciences. Mais enfin, Balzac, le bourgeois Balzac, l'homme d'argent Balzac, qui n'a cessé de parler de la bourgeoisie et de l'argent, de ce à quoi ils condamnent les hommes dès leur jeunesse, de la vieillesse qu'ils leur préparent, Balzac n'a-t-il pas, aujourd'hui que la pensée politique et sociale est majeure, de quoi nourrir une conscience plus substantiellement que les grands utopiques qui ont souvent parlé de l'avenir, eux, mais, n'ont guère parlé de la bourgeoisie et de l'argent? Pitié, sentiment? Certes. Mais surtout : connaissance. Un mal qui se connaît est déjà un peu moins un mal.

    1. Non, certes, au sens où André Suarès disait, à propos de Pascal, que la maladie de l'Homme, c'est la vie, mais au sens où, 1°) la vie est lutte et recherche pour s'assurer elle-même contre la nature, 2°) dans le cadre de l'exploitation de l'Homme par l'Homme, elle est inséparable du besoin d'une vie plus vraie. Dire que la vie a tort, en soi, implique une prise de position concrète face aux problèmes de l'organisation de la vie.

ce qu'ils ont bien fait, mais nous essaierons de saisir Balzac dans la totalité de ses réactions. Nous espérons qu'au terme de l'enquête, on verra mieux comment le mal du siècle est un phénomène inséparable d'une situation historique globale, qui engendre une réaction globale, à l'intérieur de laquelle se trouvent les œuvres, lesquelles « dépassent » pourtant cette situation et permettent de la comprendre. Toutes les pages consacrées aux amis de Balzac, à sa famille, aux controverses qu'il n'a pu ignorer, aux livres qu'il a lus, à ce qu'il a, à divers degrés de pertinence et d'élaboration, écrit, aux grands événements qui, en 1814, en 1815, en 1830, modifièrent l'idée qu'on se faisait des choses, montreront peut-être l'importance de ce soubassement, indispensable à la compréhension de ce réalisme, qui est critique, dans la mesure où, loin d'être simplement enregistreur, il met en cause et dresse, implicitement ou explicitement, face à une absurde réalité, une idée née des possibilités du réel. L'histoire de la prise de conscience et de l'expression balzacienne sont inséparables de l'étude exhaustive d'une production de textes. Textes nés de la réaction au réel. Textes qui jouent entre eux, se reprennent, se répondent, préparent et repartent, se constituent en profondeurs, tout venant toujours de loin, d'un lointain historique comme d'un lointain textuel, tout allant toujours à un devenir et à un avenir, historique et textuel. Pour le critique et pour l'historien s'impose cette intertextualité non pas tant anecdotique et ponctuelle que sérielle et dialectique. Pour le critique et pour l'historien, science, technique et patience, hypothèses, idées générales, instruments de lecture et d'appréciation, entreprises diverses de décentrage et de recentrement : tout s'épaule et tout se rejoint; tout est indispensable et tout se perfectionne et progresse dans l'utilisation même qui en est faite. Ainsi peut-être devient possible dans la pratique un dépassement, une liquidation de l'idéalisme et la mise au point, la production d'un discours critique qui serve lui-même à la prise de conscience et à l'expression, qui soit écriture et œuvre à partir de ce qui, jadis, fut produit dans des circonstances bien particulières et qui fut aussi, au sens le plus scientifique comme au sens le plus créateur, écriture et œuvre, c'est-à-dire, tant bien que mal, liberté.

CHAPITRE II

La formation d'un enfant du siècle

Ce siècle a reçu un baptême de gloire et de raison.

BALZAC, Wann-Chlore.

Je ne pouvais aimer, et la nature m'avait fait un cœur aimant.

BALZAC, Le Lys dans la vallée.

Il s'en fallut de quelques mois seulement que Balzac naquît avec le siècle. La vieille chronologie a repris ses droits, qui fait correspondre à un « siècle » nouveau chacun des grands moments de l'histoire de l'Occident : Balzac n'est pas né le 1er prairial an VII, mais le 20 mai 1799, quelques instants avant l'aube de ce XIXe siècle, qui marque, dans la suite des temps, une étape d'un cheminement à nouveau continu.

Si l'année 1800 a gardé ce rayonnement, si elle est restée l'an I véritable d'une génération, elle le doit plus à son auréole de vie intense qu'à la poésie des nombres qui mesurent le temps perdu. Comment toute une jeunesse n'aurait-elle pas été sensible à cette coïncidence de son arrivée sur terre avec l'un de ces moments si rares où le langage fait entrer dans le passé cent ans d'Histoire, mais aussi, avec l'un de ces moments où tout est, par suite des révolutions survenues, promesse ou menace, certitude, en tout cas, d'un destin hors série ? Mil huit cent : « notre grand XIXe siècle » commençait, « avec ses magnificences collectives, sa critique, ses efforts de régénération en tous genres, ses tentatives immenses [1] », espaces vierges d'années attendues, que les générations qui s'en allaient n'avaient pas encore comptées! Lorsque Rousseau écrivait de Mme de Warens : « Elle avait vingt-huit ans alors, étant née avec le siècle [2] », ni sur le moment, ni rétrospectivement, le mot *siècle* n'apportait ni n'avait apporté rien de qualitativement différent. Mil sept cent n'était qu'un repère chronologique. Mais mil huit cent, c'est le destin. Relisons : « J'abordais en France avec le siècle [3] », « J'appartiens à cette

1. *Béatrix*, C. H. II, p. 388.
2. Rousseau, *Rêveries du promeneur solitaire*, dixième promenade.
3. Chateaubriand, *M. O. T.*, I, p. 431.

génération née avec le siècle [1] », « Groupes dorés, resplendis-
sant matin du siècle [2] », « Ce siècle avait deux ans [3] », « Balzac
était plus âgé d'un an que le siècle [4] », et surtout : « Je com-
mençais ainsi avec le siècle, siècle d'orages et de chaos [5] ».
Balzac écrira à vingt-deux ans : « Nous jeunes gens, enfants
du siècle et de la liberté [6] ». Le siècle : pour deux générations,
ce mot sera chargé, bourré de significations tendues. Balzac
est d'eux tous celui qui est né le plus près de l'instant unique :
comment ne pas imaginer sa vie commandée par un thème
symbolique, qui serait celui même du XIXᵉ siècle, promesse
d'avenir, de grandeurs, d'efforts insoupçonnés? Car nulle
malédiction historique ne pèse sur l'enfant qui naît à Tours,
dans la maison d'un fonctionnaire des subsistances militaires,
le 20 mai 1799.

Chateaubriand était né sous le signe de la solitude [7]. Balzac,
lui, naît sous le signe de la confiance et de la joie. Rien de
plus significatif que la légèreté de ton avec laquelle tant de ses
biographes ont pu conter ses premières années. Il y aura,
bien sûr, l'autre face des choses, la nourrice, la mère insensible
et coquette, mais ce ne seront qu'accidents, qui pourront
troubler l'élan optimiste mais sans jamais le briser tout à fait.

Balzac est le fils d'une bourgeoisie *jeune*. On ne respire pas,
dans ses demeures, cette nostalgie du passé, cette odeur de
mort, qu'on respire à Combourg, et qu'on retrouve à Gué-
rande, chez les du Guénic, à Alençon, chez les d'Esgrignon, à Nemours, chez Mᵐᵉ de Portenduère. Faut-il évoquer

---

1. Vigny, *Souvenirs de servitude et de grandeur militaires*, *Œuvres*, II, p. 522.
2. Sainte-Beuve, *Volupté*, p. 85. Le siècle est lié, pour Sainte-Beuve, à celui
du soleil levant; c'est ainsi que, dans un article de 1826, il désignait le XVIIIᵉ siècle
de Parny et des érotiques comme « un siècle déjà sous l'horizon » (*Le Globe*,
4 mai 1826, *Œuvres*, I, p. 163). Mais il est bien entendu capital que ce soleil levant
levant appartienne de plus en plus au passé, et ce non pour de simples raisons
chronologiques.
3. Victor Hugo, *Les Feuilles d'automne*.
4. Théophile Gautier, *Écrivains et artistes romantiques*, p. 50.
5. Philarète Chasles, *Mémoires*.
6. *Sténie*, éd. Prioult, pp. 17-18.
7. On peut admettre, certes, que Combourg ait été « reconstruit » par Chateaubriand, toute une vie l'éclairant ou le rééclairant, les songes de plus tard s'épan-
chant dans l'image du passé. Il n'en demeure pas moins — et c'est tout le problème du relais des frustrations par les aliénations, de la vie privée par la vie
publique, des drames secrets du moi par les drames de l'Histoire — que Combourg ne pouvait accéder à ce qu'en ont fait les *Mémoires* qu'en vertu de ce que,
sans que le jeune René le sache encore, il annonçait et signifiait. Chateaubriand n'a
pu reconstruire Combourg et son moi d'alors qu'à partir d'expériences postérieures, découvrant à certaines solitudes de son entrée dans la vie une signification prophétique. S'il y a a « montage » dans l'évocation de Combourg, c'est que
Combourg avait, objectivement, rendu possible ce montage; mais c'est aussi, et
surtout, que la vie n'avait fait que développer les premiers signes de Combourg.
Les souvenirs d'enfance n'ont réelle valeur de *document* que repris et élaborés par
une conscience qui s'est mesurée avec l'Histoire.

une influence déterminante du climat, opposer aux tempêtes et aridités de la Bretagne, le soleil et la douceur de la Touraine? Mais, avec M. de Mortsauf, Balzac fera bien voir comment, même au cœur de la « chère vallée » une âme peut se refuser à la joie des choses. C'est que le comte appartient, et il le sait, à une race condamnée; c'est qu'il a gâché sa jeunesse au service d'une cause perdue; c'est qu'il lui est impossible d'attendre de l'avenir autre chose que les mesquines satisfactions du convalescent. Sa jalousie, ses sautes d'humeur, sa haine pour tout ce qui est joie et jeunesse, tout le montre du côté de la mort. Comme M. de Chateaubriand, M. de Mortsauf incarne une humanité frustrée de son pouvoir, arrêtée dans sa course par l'écroulement de ses maximes et de ses institutions [1]. Dans le jardin de la France, cet homme, porteparole à lui seul de tout un mal du siècle « émigré », offre le spectacle d'un être que seule peut encore faire battre l'idée de sa race. Nul doute que si Balzac avait vécu à l'ombre d'un tel père, dans cette atmosphère de déchéance et de négation de l'Histoire, son âme eût été façonnée bien autrement. Mais il n'est pas né sous le regard des souvenirs. Personne ne lui parla jamais de cet Albigeois que son père avait quitté pour monter à Paris. Enfant d'une classe conquérante, on lui *apprit*, dès le départ, à regarder vers l'avant. Mais il faut marquer aussi d'autres différences, *à l'intérieur* même de la bourgeoisie.

Bien que mal-aimé, Balzac ne connaîtra jamais certains reploiements qui marquèrent, par exemple, l'enfance du jeune Beyle. La famille Beyle-Gagnon était, elle aussi, une famille du Tiers, mais de bourgeoisie plus ancienne, plus installée dans l'argent et la respectabilité, d'un conservatisme déjà étroit. Chérubin Beyle avait des prétentions au gentilhomme tombé, et, tout comme la terrible tante Séraphie, haïssait la Révolution. Le petit Henry étouffait dans cette atmosphère :

> Autrefois, quand j'entendais parler des joies naïves de l'enfance, des étourderies de cet âge, du bonheur de la première jeunesse, le seul véritable de la vie, mon cœur se serrait. Je n'ai rien connu de tout cela; et, bien plus, cet âge a été pour moi une époque continue de malheurs, de haine et désirs de vengeance toujours impuissants [2].

---

1. « Âgé de seulement quarante-cinq ans, il paraissait approcher de la soixantaine, *tant il avait promptement vieilli dans le grand naufrage qui termina le XVIIIᵉ siècle* » (*Le Lys dans la vallée*, C. H. VII, p. 803).
2. *Œuvres*, III, p. 119.

Voici qui se rapproche assez des « élégies » du *Lys dans la
vallée*. Il n'avait qu'une idée : sortir de Grenoble, s'engager.

> Il me semble, ajoute-t-il, que je ne suis pas resté méchant,
> mais seulement dégoûté pour le reste de ma vie *des bour-
> geois*, des Jésuites, des hypocrites de toute espèce [1].

Balzac est né, lui, dans une bourgeoisie beaucoup plus proche
de ses origines, non encore vraiment nantie, non ennemie
de la jeunesse, quelque peu anarchiste et proliférante. Il
a connu, certes, les premiers drames de la « vie privée »,
mais l'essentiel est que sa famille, au départ, n'allait pas à
contre-courant de l'Histoire. Il n'a jamais, lui, été livré à un
abbé Raillane, mais à ces curieux Oratoriens de Vendôme,
si fort dans le siècle, et dont plusieurs se sécularisèrent.
Son père, d'autre part, lui a fait lire les auteurs « modernes »,
lui a ouvert toutes grandes les portes de la culture, lui a donné
le goût de la curiosité intellectuelle. Pensons à Chérubin
Beyle n'achetant pas le dictionnaire de son homonyme à
la vente du cousin Drier :

> pour ne pas compromettre ma religion [écrit le futur auteur
> du *Rouge*], *et il me le dit* [2].

Quoi d'étonnant que Balzac n'ait jamais vu dans sa famille
ses « ennemis naturels »? Balzac, lui, n'oubliera pas la
Touraine. Il n'éprouvera jamais de ces haines politiques
compensatrices qui viennent moins d'une réflexion solidement
structurée que de l'esprit d'opposition à une famille honnie.
Qu'on lise les pages d'*Henri Brulard* sur la mort de Louis XVI :

> Jamais *ils* n'oseront faire exécuter cet arrêt, s'écrie le père.
> Pourquoi pas, pensai-je, s'il a trahi [3]?

Et le lendemain, alors que le père se lamente, le jeune Henry
est saisi « d'un des plus vifs mouvements de joie » qu'il ait
éprouvés dans sa vie... Avant Jacques Thibault, avant Brasse-
Bouillon, avant les tentations « de gauche » de tous ces fils
de famille, Stendhal donne un bon exemple de ces politiques
qui sont plutôt, d'abord, des allergies. Balzac ignorera toujours la tentation du gauchisme sentimental; il sera un positif,
un constructif; l'irresponsabilité critique ne se parera jamais
chez lui d'enchanteresses couleurs : d'où son refus, toujours,
de céder aux facilités oppositionnelles de pure expression.

---

1. *Œuvres*, III, p. 120.
2. *Ibid.*, p. 292.
3. *Ibid.*, p. 127. Le sacrilège compensateur (ici la guillotinade de Louis XVI)
s'accomplira chez Balzac aux dépens de la *mère*, jamais du père. Cf. *infra*,
p. 197 sq. pour le thème de la femme punie par le père.

Ceci lui taillera une place à part dans ce siècle d'hommes de cœur plus que d'hommes de science. Ni dilettante, ni ange exilé : c'est ce qu'il doit à son appartenance à une bourgeoisie encore ouverte au lieu d'une bourgeoisie rancie, crispée. Contre les siens, Stendhal trouva spontanément l'éloquence que lui soufflait un siècle encore en sa jeunesse, fiévreux de transformations. Balzac, lui, n'eut guère à opérer ce rétablissement. A l'étape suivante, le bourgeois Flaubert pourra léguer à ses enfants une aisance sans problèmes, mais non le dynamisme de Bernard-François Balzac : le Rouennais sera d'une bourgeoisie déjà étale, au libéralisme de bonne compagnie et d'honnêteté plus que d'idéologie et de nécessité, d'une bourgeoisie qui n'a plus guère à découvrir et peut se satisfaire de « fonctionner ». D'une bourgeoisie pour qui, selon l'expression de J.-P. Sartre, l'expérience « a eu lieu [1] ». Dans un univers immobile, le jeune Gustave aura vite le sentiment de l'absurde universel, et ne trouvera même plus dans la situation d'ensemble de sa classe de quoi faire pièce au bourgeoisisme des siens. Balzac n'eut contre lui ni l'enfoncement prématuré d'une famille dans l'Ordre apeuré, ni la stérilisation philosophique qu'entraîne la réussite, ni l'arrivée sur la scène de l'Histoire à un moment où sa propre classe cessait d'être créatrice. Les Balzac, la « roulotte » Balzac, gens sans complexes, se définissent à l'intersection d'un vouloir-vivre individuel et d'un vouloir-vivre collectif. Le futur créateur de *La Comédie humaine* est né dans un milieu favorisé pour faire de lui le porte-parole d'un siècle en expansion. Dans ce registre, Stendhal se sentait freiné par ses souvenirs et Flaubert ne verra, déjà, que jobardise et difficultés.

Mais il est une autre forme de la vie bourgeoise que Balzac n'a pas non plus connue : celle d'êtres accrochés à leurs souvenirs, obstinément fidèles à un certain formalisme « républicain », campant sans vouloir, sans pouvoir, en comprendre la vraie nature, dans cet univers de l'argent qui était né de la Révolution, *et qu'ils ne voyaient pas*. Un douloureux et émouvant exemple lui en sera fourni par son amie Zulma Carraud, femme d'élite, femme de la race des fidèles, médiocrement heureuse dans sa vie privée, quelque peu amoureuse de cet Honoré prestigieux, et que ses déceptions personnelles conduisirent de bonne heure à se réfugier dans un attachement tout sentimental à son « idéal » politique. A l'écart du siècle, croyant ferme que seules les duchesses et les grands faisaient obstacle au bonheur des hommes, Zulma Carraud condamnera

---

1. Jean-Paul Sartre, *La conscience de classe chez Flaubert* (fin), *Les Temps modernes*, n° 241, juin 1966, p. 2151.

l'opportunisme d'Honoré, ne voyant pas toujours que, des deux, c'était lui le plus clairvoyant, le plus efficace aussi, dans le combat pour la justice. Zulma Carraud n'appartient plus à une bourgeoisie «en marche». Elle est aussi, à sa manière, une « émigrée de l'intérieur » : la fidélité idéologique à tout prix n'est-elle pas, à gauche, comme à droite, le propre de ceux qui ont perdu contact avec le réel? N'est-elle pas le refuge de ceux que la vie, publique ou privée, a mis à l'écart? Balzac connaissait aussi Dablin, Villers-la-Faye, hommes de 89, demeurés fidèles à un certain style de vie, dont il fera Pillerault et Niseron, hommes, notons-le, comme leurs modèles, *à la retraite*. La République, le peuple, pour ces gens, pour ces héros, tout ceci relève d'un certain romantisme politique, désormais sans prises sur le réel. Balzac dira à Zulma Carraud en 1830 : vous ne voulez pas voir les libéraux tels qu'ils sont; vous les voyez à travers vos propres exigen- ces [1]. Le monde évolue selon de nouvelles lignes de force, mais l'esprit se réfugie dans sa pureté. N'ayant jamais eu cette mentalité « ancien combattant », Balzac sera plus *scien- tifique*, dans la mesure où il ne cherchera dans la politique ni revanches ni satisfactions affectives. Il se fera le romancier de ceux qui transforment en idéologies des rancœurs (ou des intérêts); il les montrera à leur place, émouvants, souvent, « capables », jamais. Plus souplement liée au mouvement du siècle, sa famille ne devait faire de lui un fidèle de qui ou de quoi que ce fût. Autre raison d'ouverture à la vie [2]. Balzac ne fut ni un paria noble, comme René, ni un paria plébéien comme Julien Sorel. Ni nostalgies, ni haines : c'est ce qui fait que sa jeunesse est si peu « romantique ». Balzac a été formé dans un milieu peu propre à donner des réfractaires ou des révoltés. Mais, par ailleurs, parce qu'il appartient à une bourgeoisie ascendante, pragmatique, confiante en ses droits, il a échappé aux platitudes comme aux incertitudes des satisfaits. Ses découvertes pourront mettre en cause les fonde- ments de la bonne conscience bourgeoise : il conservera toujours cette disponibilité d'esprit qui le gardera de trop

1. Cf. t. II.
2. Le cas Stendhal peut être également évoqué ici. Chez lui aussi, on trouve une « fidélité » de gauche (par exemple, au moment du procès des inculpés d'avril), et il s'agit, en l'espèce, d'une fidélité à sa révolte antifamiliale. Comme chez Zulma Carraud, fidèle à ses origines « populaires », il y a là continuation d'un conflit premier qui est à l'origine des premières affirmations de la personnalité. Toute politique résulte, certes, d'un accord dynamique entre les pulsations du monde et certaines réactions de l'individu : mais on voit combien fut grand, dans le cas Zulma Carraud, comme dans le cas Stendhal, le rôle des facteurs affec- tifs. Balzac sera, lui, un homme d'*analyse* et de *description*, un réaliste, non un sentimental. Zulma Carraud et Stendhal *touchent* plus notre sentimentalisme démocratique. Balzac nous *instruit* et nous fait *comprendre*.

accorder au décor, aux superstructures, à tout ce qu'il y a d'opéra dans l'Histoire. Les querelles formalistes entre libéraux et ultras, romantiques et classiques, le laisseront froid. Pour lui, l'essentiel sera toujours ailleurs, dans ce qui tisse le quotidien, dans ce qu'il appellera les « combinaisons » sociales [1], et que nous appelons les rapports sociaux. Un mal du siècle des *formes* lui sera toujours étranger, parce que, pour lui, seul compte, dès l'origine, l'*élan*, la courbe d'ensemble, le processus. Républicaine, Zulma Carraud ne voyait pas que ses grands hommes de la « gauche » étaient des banquiers exploiteurs. Même faisant le joli cœur avec la marquise de Castries, Balzac verra clair dans le jeu de la Bourse. Ce sera là, chez lui, l'héritage d'un vieux positivisme bourgeois, au temps où cette notion recouvrait celle de positivisme universel. La prise de conscience de ce qu'*est* le monde bourgeois pourra s'aider d'exemples pris au passé (l'héroïsme des grognards, l'héroïsme de certaines victimes de la Terreur), le passé ne sera jamais chez lui un point de départ. Comme sa famille, Balzac est un homme de l'immédiat.

Balzac est le fils d'une bourgeoisie qui, si elle ne connaît pas de richesse sans problème, a eu de l'argent. Son milieu est très différent, toutefois, de celui d'un Barante, d'un Rémusat, d'un Guizot, gens d'antique et presque noble bourgeoisie, pouvant se consacrer sans souci à des activités « désintéressées ». Nous aurons plus d'une occasion de mesurer ce qui le sépare, intellectuellement, moralement, au niveau des réactions élémentaires, de ces doctrinaires distingués, cultivés, héritiers de traditions élaborées. La bourgeoisie de Balzac a quelque chose d'encore un peu peuple ; son aisance est précaire ; elle n'est pas toujours « bien élevée » ; elle a recours à l'« industrie », aux expédients, ce qui l'ouvre aux audaces, d'ailleurs, et la met plus dans le courant du siècle. Les prudences doctrinaires s'expliqueront souvent par une certaine absence d'inquiétude, par des arrières plus assurés, un avenir mieux inscrit dans la moderne nature des choses. Bourgeois, Balzac n'a rien d'un fils de famille. C'est ce qui le mettra à même de comprendre un Girardin, par exemple, tous les corsaires du monde moderne, gens non admis dans la société bourgeoise déjà rentée. Les Popinot, les du Tillet, les Nathan, ce sera lui, ce sera les siens, avec de bons crocs, et sachant bien qui leur barre le chemin. Leur « progressisme » ne sera pas éclairé ; il sera quelque chose de vital, d'un peu rauque. Balzac ne comprendra jamais, en 1830, les raisons profondes des prudences guizotines ;

1. Cf. t. II.

d'instinct, il se sentira en accord avec *La Caricature*, avec *Le Figaro*, alors que jamais il n'avait aimé le *Globe*, avant sa transformation en organe saint-simonien. *La Peau de chagrin* naîtra de là : d'exigences d'avenir, indéfinissables, mais qui ne sauraient en aucune manière s'inscrire dans le cercle des certitudes modérées. Si Balzac, sans toujours l'avoir voulu, est demeuré en communication avec les générations qui l'ont suivi, alors que les Guizot, Rémusat, Barante, Jouffroy, Cousin, appartiennent désormais à un âge que nous ne comprenons plus, c'est à cause de cette « ouverture » de *sa* bourgeoisie, bourgeoisie de demi-monde, comme dira un jour Lamartine [1], mais bourgeoisie qui se démarquait avec autant de netteté de la bourgeoisie doctrinaire que de l'aristocratie paralysée. Balzac témoin de son temps, de ses problèmes, de ses inquiétudes, Balzac est né dans une zone sociale qui n'est guère une zone de culture, au sens où la culture vous garde de trop de sensibilité à l'immédiat, parce qu'elle n'est pas une zone de fortunes enracinées.

Mais la bourgeoisie de Balzac est quand même une bourgeoisie qui a connu certaines splendeurs. Si la fortune n'y a jamais été sûre, si Bernard-François a introduit, dans le milieu Sallambier, un peu d'incertain, on n'en a pas moins, longtemps, joui de confortables revenus. A Tours, on a été influent, et l'on a mené grand train. Il faudra la mise à la retraite du chef de famille, en 1819, pour que les problèmes apparaissent vraiment, mais à ce moment l'essentiel psychologique sera acquis, et l'on vivra de souvenirs, tout en conservant un « style », un dynamisme conquérants. On continuera, comme toujours, à se sentir plus ou moins « porté ». Depuis les origines, la montée à Paris d'un paysan de l'Aveyron, depuis les premiers écus accumulés par les Sallambier, depuis l'achat des premières fermes, on avait regardé en avant, et l'on avait avancé. Même aux temps difficiles de Villeparisis, on aura toujours de quoi, sinon se soutenir, du moins se souvenir. On aura des prétentions. On continuera de s'affirmer. Quelle différence, par exemple, avec le milieu familial du jeune Sainte-Beuve, dans ce pluvieux Boulogne, lieu de naissance prédestiné pour toute cette grisaille. La mesquinerie d'une enfance sans joie, sans fortune, un tempérament souffreteux, le tête-à-tête, avec une mère triste, *pas de père*, tout explique, de bonne heure, chez le jeune Augustin, la fascination exercée par ce qui ne touchera *jamais* Balzac :

---

1. Lamartine, *Balzac et ses œuvres*, Michel Lévy, 1866; cf. *Aux sources de Balzac*, p. 70 et 417-418.

J'ai lu René et j'ai frémi. Je ne sais si tout le monde a reconnu dans ce personnage quelques-uns de ses traits, pour moi, *je m'y suis reconnu tout entier.* Et ce souvenir, lorsque j'y pense seul à la clarté de la lune, ou dans les ombres de la nuit, me jette dans une mélancolie profonde, à laquelle je ne tarderais pas à succomber, si elle était continuelle et si quelque importun ne venait fort à propos m'arracher à *ces sombres et funestes délices que je savoure* [1].

Ceci est écrit par un adolescent de quinze ans, en 1820. Et il ne s'agit pas d'une « erreur de jeunesse », d'une tentation vite dépassée. Dix ans plus tard, rien n'aura changé pour Sainte-Beuve, toujours seul, toujours creusant en lui-même :

23 janvier 1830. Je viens de relire ces lignes après avoir relu *René*. Que de choses se sont passées pour moi entre ces deux lectures! J'ai vingt-cinq ans. *Que j'ai deviné juste à seize!* Malheureux! Moins d'amour que jamais! [2]...

On est ici aux antipodes de Balzac. A-t-il lu *René* à Vendôme? Il écrira, en 1832, dans son premier manuscrit : « les soupirs de Lambert m'ont appris des pages bien plus éloquentes que celles de René [3] »; ce qui semble signifier, à la fois, que, le jour où il découvrit René, il en savait déjà beaucoup plus qu'il ne pouvait lui en apprendre, et que, comme il est dit encore dans le même passage, « les soupirs factices du génie » ne sont que peu de chose comparés aux problèmes du réel. En ce temps encore, le mot de *génie* conservera pour Balzac une consonance vaguement aristocratique et prétentieuse, comme hors du monde [4]. N'avait-il pas, d'ailleurs, écrit, dès 1820, dans son *Falthurne*, le raillant à la manière dont les burlesques du xviie siècle raillaient les romans de chevalerie : « Mange-t-on dans *René* [5]? » Aussi, ce ne sera qu'au prix d'un fort peu convaincant effort politicien, partisan (et momentané, sans lendemain, sans rayonnement), que, en 1832, à propos de la duchesse d'Angoulême, il fera l'éloge du « chantre de *René* [6] ». Mais n'est-ce pas qu'il n'eut jamais, lui, *besoin*, de *René?* L'aristocratique mélancolie du jeune Breton, ses rages, ses impuissances, trouvaient aisément des correspondances dans la conscience du jeune plébéien sans avenir. L'accusation contre le siècle apparaîtra très tôt, chez Sainte-Beuve,

---

1. *Lov.* D. 568 *bis*, f⁰ 40 (calepin de 1820; contenant surtout des notes de lecture). Cf. M.-L. Pailleron, *Sainte-Beuve à seize ans.*
2. *Lov.* D. 568 *bis*, f⁰ 39, v⁰.
3. *Louis Lambert*, éd. Pommier, p. 62. Dans le texte imprimé, *Werther* a pris la place de *René*.
4. Sur le problème du *génie*, cf. *infra*, p. 239 sq.
5. *Falthurne*, éd. Castex, p. 34.
6. Cf. t. II.

avec cette conscience aiguë de soi, de sa valeur, de l'injustice qui vous est faite, de la vanité des choses, aussi, comme revanche et consolation. Balzac, lui, *ne partira pas* de cette idée vécue d'une dissonance au cœur des choses. Il n'a pas jeté sur sa propre adolescence ce regard à la fois lucide et souffrant :

> Il n'est rien de plus terrible, je pense, pour l'âme douée d'une imagination vive, qui se sent même embrasée d'une étincelle de génie, que cet âge qui sépare l'enfance de la virilité, je veux dire l'adolescence, et même une partie de la jeunesse. Cette âme, sensible à toutes les beautés, qui l'environnent, brûle de les reproduire au-dehors. Mais le terme de l'enfantement n'est pas venu, et elle ressent déjà toutes les douleurs. De là ces mélancolies, fréquentes et profondes, *ce vague de pensée*, qui, ne sachant où se poser, s'envole au pays des chimères. De là, cette inquiétude jalouse à la vue des œuvres sublimes, les nobles larmes d'envie et d'émulation. Ainsi pleurait Thémistocle à la vue des trophées de Miltiade, et César au nom d'Alexandre. C'est le travail du génie, prêt à faire éclore des merveilles [1].

Balzac n'aura jamais exactement de ces soifs meurtries, comme à la porte d'un sanctuaire. Il ne se sentira jamais vraiment exilé par sa jeunesse [2]. *Qu'est-ce qui, au début, le séparait de quoi? La prise de conscience de l'absurdité moderne sera plus longue chez lui, parce qu'il se trouvait de plain-pied avec plus de choses.* Elle sera plus efficace, aussi, plus profonde ; elle ira bien au-delà du politique et de l'apparent. Mais elle n'engendrera pas de prostration, de dégoût profond. Il y aura toujours cette reprise de contact avec la terre nourricière, cette relance des races fortes. Parce qu'il fut, dès l'origine, d'une bourgeoisie appelée aux fêtes du siècle, non confinée dans ses faubourgs, parce que, littéralement, sa classe le *portait*, Balzac ne sera pas Joseph Delorme. Pas d'élégie au départ : ses conditions ne sont pas réunies. Une énergie un peu brouillonne, au contraire, pas de refuge dans le travail, dans le « sérieux », dans les bonnes notes ; un « culot » un peu

---

1. *Lov.* D. 568 *bis*, f⁰ 9.
2. « C'est le lot de tous les adolescents », écrit André Billy (*Sainte-Beuve, sa vie et son temps*, I, p. 47). Erreur typiquement bourgeoise d'aujourd'hui. Les impatiences et mélancolies de la jeunesse « passent », comme le reste, et, avec elles, la mise en cause des valeurs fondamentales du monde bourgeois, qu'elles impliquent souvent... Mais, 1⁰, certaines *impatiences* juvéniles ne prennent pas nécessairement une forme mélancolique, et, 2⁰ ces impatiences ne prennent toute leur signification que dans un contexte social bien précis, de brimade des aspirations les plus légitimes de la jeunesse. Chérubin tourne court, lui. Mais pas les « enfants du siècle ». Le mal du siècle est le produit, des produits, de la civilisation capitaliste à ses débuts. N'y vouloir voir qu'un phénomène psychologique, comme André Billy, c'est refuser d'aborder la critique de la vie en système capitaliste.

vulgaire, mais terriblement « non-complexé ». Balzac semble être, au départ, comme par-delà certaines difficultés de la vie bourgeoise. Il jugera le siècle par référence aux promesses du berceau. Son propre romantisme, nous le verrons se dégager sans rien devoir aux distingués poètes français, pour qui il n'aura jamais que railleries [1]. Significative réaction *de classe* : Balzac n'était pas d'une famille, d'une bourgeoisie telles qu'il pût, contre sa propre classe, au nom d'une certaine conception désespérée de l'Homme, se trouver des frères en solitude et en misère chez les alanguis de l'aristocratie traumatisée.

Cette famille, ce n'est pas de traditions qu'elle tirait son art de vivre, mais bien de la soif de réussite et de la croyance au succès. Non que ce fût une famille d'ambitieux forcenés : la concurrence n'était pas assez rude, encore, le rush universel pas encore assez fort, la machine de l'économie capitaliste pas encore suffisamment lancée, pour qu'on vît s'affoler les consciences. C'était une famille de « bons bourgeois », comme dira Laurence [2], ouverte à tout. Même sous la Restauration, même au temps de la mise à la retraite de Bernard-François et des revers de fortune, Villeparisis sera un havre de bonne humeur, de pittoresque, et les querelles s'y feront souterraines. Que devait-ce être à Tours, au moment de la splendeur des Balzac! Les aristocrates sont loin, la France est prospère, les places sont à prendre et les affaires marchent : où trouver les raisons, le temps de la mélancolie? Jamais le jeune Balzac ne se sentit, *en tant qu'homme d'une classe*, rejeté par le monde. Jamais personne ne vint le mettre en garde contre « la vie », réservoir d'arguments pessimistes depuis que la bourgeoisie a dû apprendre la résignation et retrouvé le sens de la fatalité. Peut-on imaginer une humanité moins romantique? La malheureuse Laurence, elle-même, comme elle est différente de Lucile de Chateaubriand! Lorsque son frère songera à l'utiliser, en faisant d'elle la jeune sœur de Rastignac, ce n'est pas l'être souffrant, la victime, qu'il retiendra, mais l'alerte chroniqueuse de la « belle saison » de Villeparisis, en 1819 [3], comme si le mariage avec le triste Montzaigle, comme si la misère, l'abandon, la mort n'avaient été que de terribles erreurs dans cette destinée appelée, *par nature*, à autre chose...

1. Cf. *infra*, chap. iv, dans les romans de jeunesse, les parodies de Lamartine et Chateaubriand, mis dans le même sac que d'Arlincourt. Balzac se moquera allègrement de Lamartine dans une lettre à sa sœur de juin 1821 (*Corr.*, I, p. 102-103). Il n'écrira jamais, aux alentours de sa vingtième année, comme Michelet : « *Le Lac* de M. de Lamartine m'a fait pleurer » (7 mai 1820, *Écrits de jeunesse*, p. 76).
2. *Lov.* A 378, f° 216.
3. La lettre de Laure de Rastignac est directement inspirée d'une lettre de Laurence du 22 oct. 1819. Cf. éd. Castex du *Père Goriot*, p. 22-23.

Qu'on ajoute un père original et bon vivant, une mère tracas-
sière, mais vive, une sœur aînée si bonne et si heureusement
mariée [1], un beau-frère sorti de la première école spéciale du
royaume, ayant devant lui — du moins pouvait-on l'espérer
— une magnifique carrière : il n'y a pas de cour verte là-
dedans, pas de corridors mugissants, pas de Sylphide. Les
troubles mêmes de la puberté, les premières amours y prennent des allures de fraîcheur un peu sommaire, mais saine.

Il lui manque, également à cette famille, il lui manquera
toujours, cette autre dimension de tout romantisme qu'est
l'attachement passionnel à un sol, à une patrie. Perpétuellement errante, la famille Balzac, parce qu'elle n'a jamais été
enracinée, n'a jamais non plus été déracinée. Le crime de
l'oncle, guillotiné à Albi en 1819, coupera peut-être définitivement les ponts avec la terre des ancêtres, mais jamais, avant
cette date, le père du romancier n'avait éprouvé le besoin
d'aller faire hommage de sa résussite parisienne à son pays
d'origine [2]. Son « lieu », à lui, c'était le monde moderne des
carrières, des promotions, le monde dynamique unifié par
la Révolution. L'Albigeois, ce devait être quelque chose
d'obscur, de bien dépassé. C'est la noblesse arrachée à ses
manoirs, c'est la petite bourgeoisie prolétarisée par l'évolu-

---

1. Les difficultés du ménage Surville n'apparaîtront que peu à peu, et seront
pour le romancier une source féconde d'inspiration. Longtemps, Balzac croira
en son beau-frère et au génie de « femme supérieure » de sa sœur Laure, faite pour
conduire à la réussite un homme qui le méritait. Ce n'est que peu à peu qu'il
ouvrit les yeux sur la médiocrité personnelle de ses héros. Cf. A.-M. Meininger,
Surville, modèle reparaissant de La Comédie humaine, L'Année balzacienne 1963.
Moins encore que Laurence, Laure ne doit quoi que ce soit à Ossian. Elle inspirera
à son frère le personnage de Mme Camusot.
2. Albert Béguin (préface au *Curé de village,* B.D., VII) a suggéré que le roman
de 1839-1841 pourrait devoir quelque chose, en sa section Tascheron, au souvenir
de l'oncle guillotiné. De fait, il semble qu'on ait attaché, dans la famille, une certaine importance à une brochure de Robespierre, couronnée, en 1785 par l'Académie de Metz en même temps qu'une autre de Lacretelle sur le même sujet :
*Quelle est l'origine de l'opinion qui étend sur une même famille une partie de la
honte attachée aux peines infamantes que subit un coupable? Cette opinion est-elle
plus nuisible qu'utile? et dans le cas où l'on se déciderait pour l'affirmative, quels
seraient les moyens de parer aux inconvénients qui en résultent* (Cf. *Ursule Mirouet,*
C.H. III, p. 280). Comme nous le verrons, Bernard-François put trouver, dans
cette brochure, plus d'une idée qui allait dans le sens des siennes, concernant
l'efficacité des peines et des mesures répressives. Mais on peut aussi aisément
imaginer qu'en 1819 le texte de Robespierre ait retrouvé pour lui une actualité
toute personnelle. Que le fils en ait fait mention dans *Ursule Mirouet,* qu'il ait
parlé, dans ce même roman, d'une amitié entre Robespierre et le vieux docteur
Minoret, qui doit à Villers-la-Faye, ami de la famille et vieux républicain, vieux
philosophe, mais aussi à Bernard-François Balzac, ne suggère-t-il pas, sur ce point
comme sur tant d'autres, des échanges de vues entre père et fils? Il est impensable
qu'on n'ait pas évoqué la mort de l'oncle Louis chez les Balzac. Mais ce qui compte,
c'est qu'on ne semble pas en avoir éprouvé la moindre mauvaise conscience.
André Wurmser s'en scandalise (*La Comédie inhumaine,* p. 59-60) : mais comment ne
pas voir qu'une véritable *mutation* séparait Bernard-François de Louis? Ceci
peut, moralement, nous choquer. Mais retenons l'absence de tout regard en arrière.

tion économique, obligée d'aller chercher à la ville ce qu'elle
ne pouvait plus trouver à la campagne, qui ont idéalisé « le
pays », perdu et regretté, terre de pureté, d'enfance, par
opposition aux cités, devenues le Destin. Lucien quittera
Angoulême sans regarder derrière lui. Le romancier condamnera certes vigoureusement l'escroquerie morale dont sont
victimes les jeunes provinciaux montés à Paris; mais il ne
condamnera jamais le désir d'échapper au sous-développement provincial, pour accéder à la culture, à la vie. D'où
vient Birotteau? Peu importe. Ce qui compte, c'est où il va,
et le désir d'y aller. Balzac sera le romancier de la province,
mais jamais un romancier régionaliste. Sa chère Touraine,
même, relève non d'une fidélité, mais bien d'une redécouverte :
c'est à vingt-deux ans qu'il l'a revue pour la première fois
depuis sept grandes années; il y a retrouvé, certes, des souvenirs, mais ce sont les séjours à Vouvray, à Saché, qui ont
formé le peintre de *La Grenadière* et du *Lys*. Saint-Gatien,
le Cloître, la levée du Cher : autant d'impressions anciennes,
et qui fourniront des sujets, des décors, mais ne serviront
jamais d'auxiliaires à l'exaltation du *moi*, encore moins à la
déduction de théories politiques. A la différence de la Bretagne, pour Chateaubriand, de la Lorraine, pour Barrès, de
l'Orléanais, dans un autre registre, pour Péguy, la Touraine,
pour Balzac, n'aura jamais rien d'héroïque : ses morts n'y
reposent pas, tenaces aïeux, paysans, vignerons, à qui l'on a
été plus ou moins traître, et que l'on aime, que l'on a besoin
d'aimer, contre le monde moderne. Balzac pourra toujours
vivre n'importe où, en emportant tout Balzac avec soi. Ici
encore se retrouvent, au départ, l'élan, la lancée, un sevrage
bien fait.

Les coordonnées économico-politico-sociales sont faciles à
définir. Le père, obéissant à cet appel d'air défini par Mercier,
avait quitté son Albigeois natal pour faire carrière à Paris.
Vantard? « Rastignac plus vulgaire [1]? » Peu importe, si l'on
se soucie non de juger, mais de comprendre. Ce qui importe,
c'est que la France de la fin du xviiie siècle ait rendu possible,
nécessaire, la montée à Paris des mieux doués, des plus avides.
Pour Bernard-François Balzac, déjà, l'univers a cessé d'être
un univers stable. Mais il s'agit d'une instabilité exaltante :
les barrières sautent.

On connaît sa carrière au Conseil du Roi [2]. On sait, surtout,

---

1. André Wurmser, *La Comédie inhumaine*, p. 48.
2. Cf. les travaux de Marcel Bouteron.

que la Révolution fut l'occasion pour cet homme d'un extraordinaire bond en avant, dans l'administration des subsistances
militaires. Écoutons-le, en 1792, l'an I de la République.
Il vient de s'installer à Verdun. Le ton ne trompe pas :

> Je suis ici, mon frère, depuis le 27 du mois dernier, et j'ai
> établi ma trésorerie de la citadelle *dans le logement du ci-
> devant commandant, le plus beau de la ville.* Mille ouvriers
> travaillent à réparer les anciennes fortifications et à en
> bâtir de nouvelles. Cette ville est un modèle de sagesse.
> On y bénit le nouveau régime, la constitution. Les prêtres
> qui ont prêté le serment exigé par nos lois sont les seuls qui
> disent la messe [...] les autres se cachent comme le hibou.

On sent l'homme assuré, et l'on comprend les raisons de son
assurance. Mais voici l'amplification attendue, qui fait passer
de l'immédiat aux principes, à la vision d'ensemble :

> Il n'y a plus de ces fainéants qui vivaient des abus de l'ancien
> régime [...] Les magistrats du peuple veillent, et leur œil
> seul ôte l'envie à ces coquins, à ces loups déguisés, à égarer
> la multitude [...] Sache et dis que la France payait à l'ancien
> régime un milliard par an, et que jusqu'ici on a arrêté à
> cinq cents millions, à la moitié, les contributions [...] Enfin,
> *les bons citoyens considèrent l'avenir avec plaisir,* puisque,
> dans trente années au plus, nous aurons gagné sans rien
> faire 150 millions de rente, savoir, 50 non payés par an
> aux prêtres réfractaires, oisifs et conspirateurs, et qui, à
> cause de leur âge, doivent mourir successivement d'ici
> trente ans [...].

De même, les rentes viagères doivent venir à expiration, et
ne seront pas renouvelées. Etc., etc. La France va de l'avant.
Tout a gagné au nouveau régime, à la Constitution, et l'ancien
petit berger de l'Albigeois est là, dans le logis du ci-devant
commandant. Pensons à Combourg. Pensons au salon Vigny-
Baraudin. Et, afin que le tableau soit complet, méditons cet
extraordinaire passage de cette lettre d'un fonctionnaire
modèle de la Révolution à un frère qui, paraît-il, a sur les
bras, au pays, bon nombre de réactionnaires et de braves
gens abusés :

> De nombreux, grands et superbes ornements ont été vendus
> pour soulager le peuple, ainsi que ces branlantes cloches,
> qui, en cassant la tête aux vivants sans rien faire pour les
> morts, attirent presque toujours les orages et la grêle, en
> frappant d'abord par leur mouvement la colonne d'air qui
> les touche et puis au loin, par le corps du son, et l'atmosphère
> se trouvant ainsi ébranlée dans tout l'arrondissement de
> pays qui se trouve affaibli par le mouvement ou le son

des cloches, ces nuages, qui contiennent l'orage ne se trouvent plus soutenus; ils se divisent à l'instant où la chute commence et forment de la pluie très froide ou de la grêle plus ou moins forte, et, à moins d'accidents favorables, les pays où il y a le plus de cloches qui les font le plus sonner doit être le plus ravagé par la grêle...

Aussi, la municipalité de Paris a-t-elle été sage de prescrire qu'il n'y aurait plus que deux cloches par paroisse, et que les autres seraient fondues. Car ces cloches, dis-je... On imagine Homais, bien entendu. Sachons, toutefois, lire avec les yeux d'alors, sans trop tenir compte de ce que sont *devenus*, « la révolution aidant », comme Grandet, ces gens-là. Rien n'est impossible! Et d'où serait venue à Bernard-François Balzac, ici entrevu en ses augustes fonctions, cette idée de l'impossible? Trois ans plus tard, on le retrouve à Soissons, passant sa comptabilité à son successeur, au moment où il vient d'être nommé à Tours : la lettre est gonflée d'allégresse. Tours est l'antichambre de Paris[1]. Quelle étape étonnante! Sur la ruine de l'ancien monde naissent des carrières, et tout un *style* prend une signification neuve. Confiance, énergie, entreprise, avec leurs mobiles économiques et de classe : tout est dans ces quelques lignes du père d'Honoré Balzac, pédantisme ou truculence devenant des aspects particuliers de l'ardeur et de l'aptitude à vivre. C'est bien l'envers du « naufrage » de M. de Mortsauf.

L'étape suivante, c'est le « travail » avec la compagnie Doumerc, l'accélération par les affaires de ce qu'avait commencé la carrière administrative. Les détails manquent, mais il semble peu contestable que la fortune de Bernard-François, sous l'Empire, ait eu d'autres sources que ses traitements. Le mariage avec la fille Sallambier (les fournitures, de ce côté encore, et le négoce), nantie d'une belle dot[2], fut un coup de maître. C'est alors Tours, la grande vie, les enfants mis en nourrice pour qu'ils ne gênent pas. L'expansion continue, non pas directement créatrice, certes, mais profitant de l'expansion, créatrice, elle, de la France capitaliste, qui a besoin d'une administration moderne et multiplie les marchés. Que Bernard-François ait tripoté à Tours, où il dirigeait l'Hôpital, semble certain. Le sénateur Clément de Ris (futur héros d'*Une ténébreuse affaire*), dans le cadre d'une enquête ordonnée par le pouvoir central après rapport du préfet Lam-

1. Ces lettres proviennent de dossiers constitués par Louis Lumet et donnés par lui à Marcel Bouteron (*Lov.* 525).
2. Il faut faire état ici d'une intéressante suggestion d'Anne-Marie Meininger, qui voit dans ce mariage un arrangement franc-maçon.

bert, crut devoir rassurer le ministre : M. Balzac jouit de la
considération générale, et on cherche à le calomnier [1]. Quelles
raisons avait le sénateur, homme enrichi par la Révolution,
lui aussi, pour se montrer aussi accommodant? Que de compli-
cités, que d'ententes se devinent! Et, pour colorer le tout, l'ami
Pommereul, préfet avant Lambert, à couteaux tirés avec
l'archevêque, la vieille lutte contre l'infâme, venant assai-
sonner le déroulement d'une belle carrière des satisfactions de
la bonne conscience intellectuelle! Insistons-y : l'historien
n'a pas à être moraliste, ou, du moins, il n'a pas à l'être *à ce
niveau*. Il doit adopter, vis-à-vis des réalités sociales, une
attitude scientifique et descriptive. Il en viendra, nécessairement, à partir d'un certain moment, à constater que telle
classe « trahit » les valeurs qu'elle avait prétendu servir,
qu'elle cesse de *croire*, et, par conséquent, *joue*. Mais, contant
l'histoire des individus, il évitera de les juger comme s'ils
avaient pu, individuellement, faire autrement. Seul compte
l'élan, le mouvement d'ensemble. « Combien de fois, écrivait
Bernard-François à son frère, dans la lettre de 1792, n'ai-je
pas risqué ma vie en allant par dévotion me pendre aux
cloches de Canezac, croyant invoquer le ciel tandis que je le
tourmentais! » : l'essentiel, c'est cette mesure prise du chemin
parcouru. Et cette mesure, comment se teinterait-elle du
moindre scrupule, de la moindre mauvaise conscience? Par
référence à quoi? Il faudra que la crise de la civilisation bourgeoise ait déjà commencé, qu'on en ait déjà pris conscience,
pour que des *valeurs* nouvelles prennent consistance, que l'on
opposera au *fait* bourgeois; on pourra commencer, alors, à
parler de « trahison », à la rigueur, simplement, d'impuissance ou d'échec. Mais, en 1800, il n'y a rien, absolument
rien à la « gauche » de Bernard-François Balzac et de ses semblables, pas même de persistance un peu sérieuse d'une
idéologie républicaine [2] que nulle force (ou esquisse de force)
sociale neuve n'a commencé de faire vieillir robins et spécula-
teurs : où pourraient être, dès lors, les racines d'un malaise
quelconque? Crevel aura besoin de *se faire* cynique, de se
draper dans une morale de défi : c'est qu'il n'aura plus
seulement à *répondre* aux critiques de l'ancien monde, mais,
déjà, à celles, implicites, murmurées, d'un monde nouveau,
d'un monde qui pousse, et de sa morale, plus largement
humaine que celle de la pièce de cent sous. Mais au temps de

---

1. Cette lettre, conservée aux Archives nationales, a été publiée par Suzanne
Bérard, à la fin de son édition d'*Une ténébreuse affaire* (p. 283 sq.).
2. Cf. *supra*, p. 70, pour l'absence d'un réel mal du siècle républicain, et pour
l'absorption, par l'Empire, des forces vives de la société.

Bernard-François Balzac? Pas de terres inconnues, pas de terres qui échappent : d'où, cette totale bonne conscience, qui nous choque aujourd'hui, mais qu'il faut comprendre à partir des données concrètes d'alors. Jamais ces gens-là ne se sentirent en porte-à-faux. Si le père de Balzac et ses amis sont des êtres aussi ouverts, c'est à la fois parce que l'état de la société française leur a ouvert d'extraordinaires possibilités d'expansion, et parce que nul ne saurait encore imaginer un autre type de rapports sociaux que ceux dont ils bénéficient. Le reploiement, l'amertume, la rogne, viendront, le jour où l'on ne sera plus aussi fortement persuadé de la validité des entreprises. Alors, on essaiera de se rassurer mutuellement, dans le salon Dambreuse. C'est que non seulement des *idées*, mais des *forces* seront entrées en scène, qu'on aurait bien eu de la peine à se figurer en 1810. L'avant-garde, en 1810, la partie proliférante de la société, objectivement, et surtout subjectivement, c'est la bourgeoisie. En même temps, à l'avant-garde de la famille, exemple et symbole pour tous, initiateur et guide, alors que d'autres géniteurs, dans la suite, seront des professeurs de méfiance, des dénonciateurs de ce qui, à l'extérieur des familles, appelle la jeunesse, Bernard-François Balzac, individu et produit, exemple unique et reflet, s'impose comme une solide et rayonnante figure d'avenir. Il faut, toutefois faire une réserve et prendre une précaution, marquer une rupture, une dissonance objective, entre la vie intellectuelle, l'idéologie, la théorie, d'une part, et la pratique, la manière d'être de cette bourgeoisie, d'autre part. En effet, nombre de ces du Bousquier que le jeune Honoré vit graviter autour de la maison paternelle, avaient leurs conquêtes déjà *derrière eux :* ce milieu de fournisseurs, de trafiquants, d'acheteurs de biens nationaux, de prébendiers administratifs, jouit, désormais, de son acquis, plus qu'il n'entreprend. Balzac n'a pas grandi au milieu d' « industriels » qui, sautant sur les possibilités d'expansion offertes par la paix, sont en train de créer une France nouvelle, celle sur laquelle raisonneront les saint-simoniens et Charles Dupin. Ceci est important pour deux raisons : d'abord parce que ces gens, s'ils sont optimistes et ouverts, sont déjà plus installés, avec, à l'occasion, quelque peu de bourgonnerie; la « vie privée », chez eux, sera déjà écrasée, meurtrie, à tout le moins. *Balzac a fait là une expérience de grande portée : celle du vieillissement prématuré d'une certaine bourgeoisie,* figure du vieillissement qui attend toute la bourgeoisie. La jeunesse devait peut-être se sentir moins barrée, au départ, dans des milieux économiquement plus ouverts que celui de Bernard-François Balzac. On saisit là une des premières ambiguïtés de l'expérience (et donc, de l'œuvre) balzacienne : élan avec ses importantes séquelles psycho-morales, mais, dans les faits, déjà quelque peu de freinage. Nous retrouverons tout ceci se précisant au fil des années, figure du mouvement même du siècle. La seconde conséquence porte sur les *sujets* balzaciens : point de capitaines d'industrie, point de capitalistes en activité, mais la France thésaurisatrice, boutiquière, procédurière, investissant dans la rente ce qu'elle a lentement accumulé, colonisant l'administration, etc. Ceci correspond à la *nature* de l'expérience balzacienne, et pourrait rendre compte des limites de l'œuvre, de ses manques. Toutefois, il se trouve que cette vision partielle correspond à l'essentiel du devenir capitaliste et bourgeois français : par une « chance » étonnante, Balzac eut connaissance de la couche bourgeoise qui, pour longtemps, sera qualitativement la plus représentative de la Bourgeoisie française et de ses aptitudes historiques. Il y a ainsi deux *vécus* différents : l'un, plus immédiat, celui du type de pensée et de sensibilité; l'autre, plus en profondeur, et qui ressurgira, celui d'une étape précise de la vie bourgeoise. Ni le vécu immédiat n'annule la force, l'importance du vécu profond, ni le vécu profond n'empêche le vécu immédiat d'être porteur et nourricier. C'est ainsi que, sans schématisme, sans faciles lendemains qui chantent, on peut envisager cette figure du commencement que fut, pour Balzac, la figure du père.

Oui, au commencement, et conduisant à tout ce qui était alors imaginable, était le père : homme fort, s'étant taillé seul sa position, et à qui une famille de bourgeois établis avait consenti à donner dot et fille, grand liseur, compilateur, rédacteur de brochures, annotateur infatigable. Ce « philosophe » avait été littéralement projeté en avant par 89, de la position qu'il occupait déjà au conseil du Roi à l'hôpital de Tours et aux subsistances militaires. Le fils prétendra, plus tard, donner à son père des lettres de royalisme; il en fera un compagnon de Lepître pour l'équipée qui devait enlever au Temple Marie-Antoinette [1]. Félix de Vandenesse, également, parlera de l'attachement « fanatique » de son père aux Bourbons. Il faut s'entendre : Bernard-François n'était pas un jacobin, un démocrate de système. Sa propre promotion supposait l'abolition d'antiques barrières. C'est par là qu'il est un homme de la Révolution *telle qu'elle fut*, non telle que l'ont refaite les républicains sentimentaux du xixᵉ siècle. Bernard-

1. *Le Lys dans la vallée, Historique...*, C.H. XI, p. 290.

François Balzac est un « vieux quatre-vingt-treize », comme dirait Mme de Beauséant, parce qu'il est un bénéficiaire de la grande mutation sociale qui devait jeter Chateaubriand aux rivages du Nouveau-Monde. D'où, nécessairement, un immense amour de la vie, que l'on ne saurait contracter dans les catacombes de l'Histoire.

Comment ne l'aurait-il pas aimée, cette vie, puisqu'il en avait tant obtenu? Et pas seulement des places, mais surtout cette chose que rien ne vous retire, et qui est le sentiment d'avoir été efficace, dans le droit-fil des choses?

> J'ai commencé mon avenir par mes grands travaux, il y a quarante ans, [écrit-il à sa fille Laure] et il y aura bientôt trente ans que je leur ai donné toute l'étendue que je désirais [1].

Ceci est écrit en 1819. Trente ans : ceci nous ramène en 1789, année du tournant, année où les énergies individuelles des plébéiens intelligents ont brusquement engrené sur le réel avec plus de netteté. Année où, pour eux, la vie a pris un sens nouveau. Pivot d'une existence qui ne saurait laisser de regrets. Plein emploi de soi-même; un avenir qui, même lorsqu'on mesure le chemin parcouru, demeure un avenir : comment Bernard-François Balzac aurait-il pu concevoir des orages désirés pour l'emporter dans les espaces d'une autre vie? Comment n'aurait-il pas vu dans la santé le premier des biens? Ses théories hygiénistes, son culte de la longévité [2], ses spéculations sur la tontine Lafarge [3], autant de manifestations d'un vitalisme « privé » inséparable d'un autre vitalisme, historique et de classe. Sur son exemplaire personnel de l'*Histoire de la Rage*, il a rajouté de sa propre main ce distique de Piron en guise d'épigraphe :

> *La santé dans le monde est le premier bonheur,*
> *La gloire même n'est que sa dame d'honneur* [4].

et il se scandalisera de voir son fils Honoré, qui avait sans doute déjà ses raisons de n'être plus aussi assuré, négliger ce « service » [5]. Manie de vieillard? Vers de mirliton? Vers d'hommes satisfaits, surtout, imperméables à certaines inquié-

---

1. *Lov.* A 381, f° 69.
2. Avec des origines livresques, certes (Fontenelle), mais les lectures peuvent-elles suffire à expliquer une attitude *d'ensemble* envers la vie?
3. « Moins il y aura d'extinctions, moins il y aura de bénéfices, et plus la jouissance sera reculée; mais cette jouissance ne peut échapper : pour en attendre le maximum, *il ne faut que vivre* » (*Lov.* A 279, f° 262). C'est exactement, il n'y a pas, une fois de plus, d'autre mot, le « culot » du fils.
4. Additions manuscrites sur son exemplaire conservé à la B.N.
5. « Il n'acquiert rien, ou presque pour le premier des articles — sa santé. Il n'a pas su organiser ce service » (18 mai 1822, *Lov.* A 279, f° 27).

tudes. Malgré des accrocs personnels, malgré le surmenage,
le fils, sur ce point, continuera le père. Le Jeune Malade,
René, les Méditations, « l'infirmerie littéraire »[1], cela ne les
concernera jamais. Il faudra que bien de l'eau ait coulé sous
les ponts, que bien des secrets aient cessé d'en être, pour que
certains jeunes bourgeois se mettent à donner dans le genre
poitrinaire. Leurs pères, compagnons de Sterne et de Rabelais, sont de solides « classiques ». Le joyeux homme qui, dans
les annuaires, faisait fièrement suivre son nom, à soixante-
dix ans, de *Directeur des vivres*, *électeur*, ne pouvait nourrir
un fils dans la mélancolie. Toutes les santés se tiennent.

Bernard-François Balzac ne s'est pas contenté des exemples
vivants. Autodidacte, grand liseur, il a éprouvé le besoin de
mettre noir sur blanc ses pensées, D'aucuns traduisent Horace.
Lui se préoccupait de politique et de sociologie. Administrateur, il a suggéré des réformes. Il est l'auteur de cinq mémoires[2], parus de 1807 à 1814, et dont la lecture est capitale
pour comprendre dans quelle atmosphère intellectuelle grandit
le fils. On y décèle aisément toute une vision des choses, toute
une structure de pensée, caractéristiques des humanités en
expansion. Il y a de quoi faire, avec le père de Balzac, une
solennelle figure de ganache, à la fois Diafoirus et Homais‘
engrosseur, en son âge mûr, d'une jouvencelle, après avoir
écrit une brochure sur le scandale des filles séduites[3]. Mais ne
vaut-il pas mieux aborder sa prose avec le désir de comprendre
et de dégager le positif qu'elle exprime? Naïveté, cuistrerie[4]?

---

1. Préface de l'édition originale de *La Peau de chagrin* (Pl. XI, p. 176).
2. Pour les titres et dates des *Mémoires*, cf. *Bibliographie*.
3. Autre comparaison à faire avec M. de Mortsauf, quasi impuissant, dégradé
par les « passions », mais si attaché à l'idée de descendance et de race. Que, toutefois, dans la « vie privée », dans le secret de la vie conjugale, Bernard-François
n'ait pas été « meilleur » que M. de Mortsauf, que l'aliénation de la femme soit
la même dans la noblesse et dans la bourgeoisie, c'est un autre aspect de l'ambiguïté bourgeoise que nous retrouverons.
4. Exemple : « Les peuples éprouvent une véritable satisfaction ; les découvertes
en tout genre, l'agrandissement des sciences, le perfectionnement des arts, ont
multiplié les jouissances particulières, à chacun, et la nouveauté qui frappa
extraordinairement, il y a deux cents ans, un des plus grands rois qui en usa le
premier, n'est plus remarquée par personne ». Ici, le lecteur est renvoyé à cette
note : « Le roi Henri II, en 1559, fut le premier qui mit la première paire de bas
de soie. Par cette magnificence (dit le Dictionnaire Historique des Français,
tome L, p. 237) ce monarque voulut honorer les noces de sa sœur avec le duc de
Savoie. Aujourd'hui, tout le monde porte des bas de soie (*Mémoire sur les moyens
de prévenir les vols et les assassinats*, p. 1). On peut penser que ce n'était pas pour
réserver aux hommes d'État une aussi forte nourriture, que la page de titre
portait : « Ce mémoire est uniquement pour le gouvernement, il ne sera adressé
à aucun journal ou feuille périodique »... Autre exemple : après s'être indigné
de ce qu'on ne donne pas toute l'attention nécessaire aux vrais problèmes,
l'auteur confie à une autre note : « On propose cette année un prix pour le meilleur moyen de cultiver le navet de Suède » (*ibid.*, p. 3). Voilà qui vaut bien l'autre,
et n'est pas indigne de la fleur nommée héliotrope. Mais l'éclairage, on le verra,
n'est pas celui de *Bouvard et Pécuchet*.

Oui, certes. Le père, non plus que le fils, n'est un délicat. Mais ce style épanoui, quel symbole de solide optimisme! Bernard-François Balzac croit à la raison, au progrès, aux lumières. Il exècre le fanatisme, mais aussi le désordre. Et le fanatisme est un désordre. Chassés les imposteurs et les féodaux, jetées les bases d'une législation rationnelle, rien ne s'oppose plus au bonheur des hommes. *Il n'y a pas pour lui de problème métaphysique du mal.* Il écrit textuellement : « Les progrès de la civilisation diminuent chaque jour le mal qui, successivement, sera réduit à peu de choses. » Il suffit de savoir s'y prendre, et tout est question d'organisation. D'où les nombreux *plans* qu'il propose. Dans leur lignée seront les non moins nombreux *plans* du fils : celui de Bennassis, celui de Rabourdin, celui qu'il proposera en 1830 pour la réorganisation de l'armée. Le vieil esprit bourgeois d'initiative et d'entreprise se retrouvera là, supposant un sens aux longs espoirs et aux vastes pensées. Les échecs pourront bien venir d'analyses insuffisantes, du mauvais choix des moyens, jamais d'un désespoir originellement paralysant. Les hommes des classes déchues ne font pas de plans : ils conspirent, trafiquent ou se désolent. Lorsque Bernard-François Balzac amplifie sur « les moyens d'utiliser une portion de population perdue pour l'État et très funeste à l'ordre social », il pense encore comme Voltaire et déjà comme Fourier. Réintégrer : nous sommes à la charnière de la « philosophie » et du « progressisme » modernes.

Rêveries d'un fonctionnaire de province? Mais il ne s'agit nullement des réformes d'un Zadig dans une Babylone idéale. Un empereur-philosophe est au pouvoir;

en moins de six ans, le monde politique a changé de face, et les grandes merveilles qui se sont opérées dans ce court espace ont su faire tout ce que les anciens et les modernes avaient rêvé de plus grand et de plus admirable : on croirait que la divinité a un instant laissé pénétrer ses secrets à un génie qui brise les entraves des peuples, les rend aux idées libérales et leur montre les routes de la félicité commune [1].

Il n'y a pas là *que* flagornerie. En 1807, Napoléon est bien, pour cette bourgeoisie, l'homme qui vient d'enter la Révolution sur les faits. Il n'est pas encore l'homme fatal du romantisme, l'homme des voûtes éternelles. *Il est l'organisateur.* Bernard-François ne parle jamais de l'épopée militaire : ce sera gibier de poètes ou de nostalgiques. L'Empire fournit à

1. *Mémoire sur les moyens de prévenir les vols et les assassinats...*, p. 3-4.

Bernard-François Balzac toutes les justifications objectives à son optimisme politique, *et donc moral*. Le mal du siècle naîtra de l'affaiblissement de ces certitudes. Pour le moment, le réel n'est pas ce qui fuit des mains, ce qui déçoit l'idée qu'on s'en était faite, ce n'est pas la difficulté d'être. C'est une société qui se fait. C'est tout ce que recèle cette société de pouvoir encore inutilisée pour améliorer et promouvoir.

> Ce qu'il y a de plus admirable dans les institutions humaines, c'est leur tendance à rendre les hommes meilleurs, et à prévenir le crime pour n'avoir pas à le punir [1].

Chez les penseurs pessimistes, les institutions ont pour objet de contenir et de réprimer. Chez les poètes irresponsables, elles sont destin, cadre fatal. Chez le père de Balzac, elles doivent canaliser, intégrer. D'où, dans le premier *Mémoire*, des propositions réalistes pour remédier aux imperfections du régime pénitentiaire. Se fondant sur des statistiques (instrument de ceux qui ont les chiffres pour eux !), notre homme montre le coût de la récidive. Et il propose la création d'ateliers régionaux de rééducation, qui reviendraient moins cher à la nation que les actuels frais de justice et de police. « L'ordre social, dégagé de ces bandes perverties, marchera vers *son but de perfection naturelle* » [2]. Négligeons l'accélération rhétorique et retenons ceci : les hommes sont ce que font les lois. Le Code Napoléon a détruit « la source des trois quarts des procès » [3] en simplifiant la législation. Il y a là tout un matérialisme en marche. Il faudra garder en mémoire ces pages lorsque nous lirons celles où Lambert juge les civilisations-fourmilières. Comment le thème de la cendre des empires pourra-t-il bien pénétrer dans l'esprit du fils d'un tel homme ?

N'allons pas imaginer, toutefois, qu'il se fasse une idée trop rose, irréaliste de l'humanité. Ni qu'il n'y ait, à son « utilitarisme » que mobiles moraux abstraits. D'une part, Bernard-François *sait* que l'Homme, même en société renouvelée, conserve des passions, mais il n'adopte pas, face à ce problème une attitude moraliste. Le Code a mis fin au chantage en interdisant la recherche en paternité, mais « la juste sévérité de cette loi [...] *n'a rien changé au charme dominateur de la reproduction* » [4]. La formule est jolie, mais surtout, elle s'intègre dans une vision naturaliste d'ensemble. Pas de tabous : il y a, et il y aura des filles séduites. Au lieu de les rejeter, ouvrons

1. *Mémoire sur les moyens de prévenir les vols et les assassinats*, p. 7.
2. *Ibid.*, p. 15.
3. *Ibid.*, p. 18.
4. *Mémoire sur le scandaleux désordre causé par les filles séduites*, p. 64.

des hospices, regardons le problème en face. Bernard-François cite son expérience de Tours, donne des chiffres. Il manque peut-être un peu de chaleur humaine dans tout ceci, mais la génération humanitariste et sentimentale qui suivra n'aura que trop tendance à oublier ce qu'avait de réaliste cette « technocratie ».

D'autre part, il faut bien voir que l'utilitarisme de Bernard-François a des bases de classe précises. Il avait approuvé, dans les brochures de Robespierre et de Lacretelle sur les peines infamantes [1], une condamnation du *gaspillage* social, qui est la conséquence de lois héritées des temps barbares. Pourquoi des hommes et des femmes *qui peuvent travailler*, sont-ils ainsi perdus? Pensée d'une bourgeoisie qui n'a pas trop d'ouvriers, alors que la noblesse pouvait se satisfaire d'une population active moindre. L'argument sera repris en 1814 contre l'Empire mangeur d'hommes [2]. Mais n'allons pas trop loin en ce sens. C'est nous, aujourd'hui, qui cherchons, sous les pensées, les explications concrètes. A l'utilitarisme de cette époque, nous en opposons un autre, plus large, plus humain, plus vrai. Nous savons que, le moment venu, cette bourgeoisie, qui cherchait d'abord le maximum de bras et prêchait pour le plein emploi, n'hésitera pas à constituer une armée de réserve de chômeurs, qu'elle gaspillera, à son tour, qu'elle sous-emploiera les énergies disponibles. Ce sera l'une des causes du mal du siècle. Mais, subjectivement, sur le moment, alors qu'aucun autre mode d'exploitation de la nature et d'utilisation des forces humaines n'est même concevable, elle éprouve, cette bourgeoisie, une exaltante bonne conscience; elle n'hésite pas à demander du travail pour tous et, portée par son élan, à formuler une idéologie universaliste de mise en valeur. Les mesures philanthropiques suggérées par Bernard-François ne sont pas encore des mesures de défense sociale; il n'est pas question, ici, de faire la part du feu, mais bien d'entraîner, à la suite de la fraction la plus ouverte, la plus dynamique de la bourgeoisie, le plus grand nombre possible d'hommes. Balzac verra ce qui se cache derrière la philanthropie, derrière le Champ d'Asile : la bourgeoisie, alors, aura appris à se méfier de l'universel, à manipuler, dans son intérêt, les victimes de « l'ordre des choses ». L'attitude du bourgeois, en butte aux attaques, aux critiques, même encore obscurément et confusément « démocratique » [3], impliquera toujours quelque repli, quelque réti-

---

1. Cf. *supra*, p. 154.
2. Cf. *infra*, p. 222.
3. Cf. en 1830, la réaction libérale à *Joseph Delorme*.

cence devant une morale plus large, plus compréhensive que
la sienne. Il ne serait pas venu à l'esprit de Bernard-François
Balzac de formuler quelque proposition que ce soit qui tînt
de près ou de loin au scepticisme. *Vanitas vanitatum :* il ne
sait pas encore que le destin de sa propre classe est, un jour,
bientôt, de reprendre à son compte cette formule d'un passé
qu'elle avait vaincu. Si même donc, *à nos yeux*, les propositions
de Bernard-François apparaissent comme dévalorisées par ce
qu'est *devenue* la bourgeoisie, il faut comprendre qu'en leur
temps, elles constituaient l'avancée maxima de la pensée
d'une classe par-delà laquelle il n'y avait absolument rien.
Or, l'absence, l'inexistence de tout au-delà discernable est la
négation même du romantisme.

Tels sont les fondements. On peut voir avec plus de détails
comment pense l'initiateur d'Honoré de Balzac dans son
Mémoire sur deux grandes obligations, véritable manifeste,
véritable signe d'une vision des choses. On a voulu y voir
uniquement l'acte d'un fonctionnaire servile. Mais n'y aurait-il
de non ridicules que les servilités de haute tenue? Veut-on
que Bernard-François ait été, sous l'Empire, d'un courage
que l'on n'exige pas de certains autres? Il était homme du
système, et il faut le prendre ainsi. Or, que trouve-t-on dans
cet opuscule, qui demande l'érection, en faveur de l'Empereur,
d'une nouvelle pyramide? D'abord, le goût du monumental.
Pour Bernard-François, la pierre est la pierre. Ses monuments,
à lui, ce n'est pas la solitude, le vent du désert, les susurrements
des herbes. Pas de poésie des ruines, ici, mais bien des considérations précises, professionnelles, techniques. Une statue
de bronze au sommet d'une construction de pierre, avec des
bas-reliefs (autant que de départements) sur le pourtour, en
bas. Tout est prévu, même les pentes pour l'écoulement de
l'eau. On recommencerait le Colosse de Rhodes! Mais ceci
n'est rien, en comparaison des analyses consacrées à la politique impériale.

Il y a déjà eu des grands hommes, mais, « *jusqu'à la fin de
1799* », les services qu'ils ont rendus à l'humanité ont été
épisodiques, inégaux. Comparons avec ce qui a été fait « dans
l'espace d'environ dix ans » [1]. L'histoire universelle est une
suite de révolutions, de meurtres, « où la différence des
cultes a eu la plus grande part » [2]; le progrès n'est ni fatal
ni linéaire. Mais grâce à des grands organisateurs, à des despotes éclairés, il arrive que tout s'ordonne, que tout prenne un

---

1. *Mémoire sur deux grandes obligations...*, p. 13.
2. *Ibid.*, p. 15.

sens. Bernard-François ne croit pas aux vertus de la démocratie. Il constate :

> Tous les gouvernements populaires ont successivement disparu, et l'observation en chercherait en vain un seul existant depuis plusieurs siècles, sans que des révolutions n'aient tout changé [1].

Les instruments du destin, ce sont « Sésostris, Moïse, Cyrus, Jason, Alexandre, Annibal, César, Charlemagne, Gengis Khan, Mahomet, Tamerlan, Pierre le Grand, Louis XIV, Jamas Kouli-Khan, Henri IV » [2]. Les fortunes sont diverses, la politique est la même : entreprendre, avancer. La démocratie, au sens athénien du terme, ne sait que durer pour jouir, pour fleurir. Elle est aboutissement. Comment tirerait-elle un pays de l'ornière? La démocratie, c'est l'absence d'unité, la critique ;

> Comment sauver un pays (Athènes) où quiconque était parvenu au grade de sophiste, avait acquis le privilège de l'insolence et de l'erreur [3].

> Les sages de la Grèce n'ont jamais pu éteindre les dissensions politiques, et pour cause de religion, pour laquelle on comptait trente-cinq mille divinités. La destruction de leurs gouvernements, l'anéantissement absolu des peuples de Tyr et de Carthage, en sont les preuves évidentes [4].

L'État doit être créateur et organisateur. Bernard-François n'envisage ni ne souhaite son dépérissement. Et comment s'en étonner? Toute conception « citoyenne », toute conception « culturelle », toute conception *littéraire*, idéaliste de la démocratie est étrangère à cet homme qui pense avoir prouvé la démocratie, une certaine démocratie, en avançant. Il est absurde de dire que cette condamnation de la démocratie du désordre ait été uniquement dictée à Bernard-François Balzac par le désir de plaire à l'Empereur. Sa sympathie va aux systèmes sociaux dynamiques. Toute révolution, si légitime soit-elle, risque d'aller se perdre dans l'anarchie, si rien ni personne ne vient la *fixer*. La révolution, ce n'est pas pour lui, un état d'esprit; ce sont des institutions :

1. *Mémoire sur deux grandes obligations*, p. 16.
2. *Ibid.*, p. 16.
3. *Ibid.*, p. 19.
4. *Ibid.*, p. 18-19. « Le gouvernement de tous n'a jamais pu vivre », dira Lambert (C.H. X, p. 414), mais il intégrera cette constatation dans un ensemble sceptique autrement vaste et significatif. On y décèlera, de plus, quelque chose d'amer, comme un regret.

> Une révolution politique, ayant pour objet de réformer des
> abus qui aggravaient chaque jour des maux que le peuple
> ne pouvait plus supporter, a renversé le trône ; et, des tyrans
> s'étant emparés du pouvoir, tous les maux que les dissensions,
> la discorde peuvent produire, ont accablé la France. [...]
> Il fallait arrêter ce déluge de maux et faire le bien. [...]

Ainsi, « tout aboutit au chef de la dynastie actuelle »[1].
Aujourd'hui est un accomplissement. Bernard-François le
dit, mais aussi le *pense*. Il ne porte en lui nulle image d'un âge
d'or quelconque. Il n'oppose nulle Salente à l'univers dans
lequel il lui faut vivre. Le fils, également, condamnera les
visions purement « critiques » des « littéraires » de la politique.
Il conservera cette grande idée d'une pratique du contenu, non
des formes, cet amour des organisateurs, cette conception
dynamique et institutionnelle de la liberté. Par réaction
contre — une fois de plus — ce que sera devenue l'idéologie,
il reviendra, parfois, à Robespierre et à la Convention. Mais
nul entraînement sentimental, alors, ne le guidera. Robespierre lui apparaîtra non comme une glorieuse et fugitive
figure, mais comme un praticien, *Una fides, unus dominus :*
Balzac, comme son père, pensera toujours, d'abord, *à l'État.*
Comme son père, il pensera *responsable*, non vaguement et
vainement libertaire. Sa race n'est pas de celles des songe-creux
de la politique.

Le *Tableau de ce qui a été fait depuis 1799, pendant environ
dix ans, époque où commence le règne de la dynastie actuelle*,
expose toutes les raisons de l'adhésion : « un système de finance
juste et égal pour tous »[2], la restauration des cultes de « l'état
d'abjection où une idiote politique et la dépravation religieuse les avaient plongés »[3], « un enseignement public
uniforme »[4], la simplification du Code, la création de la
Légion d'honneur, les nouvelles écoles, l'encouragement
donné aux travaux, à l'industrie, au commerce, « *tout a pris
une forme nouvelle favorisant la prospérité générale* ». Se
relisant, Bernard-François a encore ajouté cette considération
typiquement « Tiers-État » :

> La plus grande de toutes les iniquités se propageant dans
> l'inégale répartition de l'impôt sur la glèbe, disparaît pour
> toujours devant la confection du cadastre, pour laquelle
> il fallait des ressources qu'aucun gouvernement ni aucun

1. *Mémoire sur deux grandes obligations*, p. 28-29.
2. *Ibid.*, p. 31.
3. *Ibid.*, p. 31-32.
4. *Ibid.*, p. 32.

peuple n'ont pu trouver; et le monde entier reçoit de l'Empereur des Français ce sublime exemple de Bien public [1].

Voilà pour l'intérieur.

A l'extérieur, plus de « secret du Roi », plus de traités négociés entre une maîtresse et un abbé dans quelque château de babiole [2]. Mais une politique claire et définie :

> Les entraves des peuples sont brisées, la féodalité est abolie, tous les hommes deviennent égaux devant la loi, ils sont délivrés de la dévorante inquisition [3].

Comment la France nouvelle n'aurait-elle pas été conduite à soutenir une diplomatie... énergique?

Comment, au milieu de tant de nations agitées par le génie du mal, soutenir *de jeunes institutions*, n'occupant qu'un point dans l'immensité de ce monde si opposé à la réformation générale [4]?

Voit-on bien quelle dynamique encore révolutionnaire porte, en 1807, ce panégyriste de la politique impériale? Aucune « poésie », ici, de la vie militaire, des conquêtes, de l'héroïsme. L'armée n'est qu'un instrument de la vie nouvelle. Pas de rêve qui passe, mais quelque chose de plus complet, de plus vrai, qui s'impose à la vieille Europe. Bernard-François cite avec admiration un discours de l'Empereur s'adressant aux savants, et dans lequel le maître de la France s'en prend à ceux « qui, cherchant à faire rétrograder l'esprit humain, paraissent avoir pour but de l'éteindre [5] ». Avec Charlemagne, avec Louis XIV, avec Henri IV (cité en dernier, malgré la chronologie, mais ainsi tombe sur lui plus de lumière), Napoléon est l'un de ces hommes qui ont mis la France dans la voie d'un progrès fécond, qui ont conduit leur époque en l'exprimant et en la servant. Qu'importe le silence imposé à Chateaubriand? Ce n'est pas Néron qui prospère. C'est la classe de Bernard-François Balzac.

L'*Histoire de la rage* est probablement le plus curieux de ses ouvrages. L'érudition y est ahurissante, les amplifications quasi ubuesques :

> Voudrait-on consulter l'antiquité en faveur de la race canine? On n'y gagnerait rien.
> Si les Égyptiens ont vénéré le chien jusqu'au temps où il se

---

1. Addition manuscrite sur son exemplaire personnel, p. 40.
2. *Ibid.*, p. 42.
3. *Ibid.*, p. 43.
4. *Ibid.*, p. 34.
5. *Ibid.*, p. 45. En tête de la *Physiologie du mariage* figurera également une citation d'un discours « progressif » de Napoléon.

jeta sur le cadavre d'Apis tué par Cambyse. [...]
Si on fit un héros du chien de Xantippe . [...]
Si Xénophon. [...]
Si les mahométans. [...]
Si on a vu un chien qui parlait [1] [...]

Si « Charles IX, qui laissa couler des torrents de sang humain,
composa pour la santé, la conservation et la prospérité de ses
chiens, la mieux pensée et la plus entendue des ordonnances [2] », si..., si..., si..., ce n'est pas une raison pour ne pas
voir la gravité du problème : un million de morts de la rage
en deux mille ans. On fait beaucoup de livres depuis Homère,
mais on a laissé périr un million d'hommes de cette horrible
maladie. Remède : on ne saurait tuer tous les chiens, ni faire
perdre d'un coup aux hommes l'habitude d'en avoir à leurs
côtés ; il suffit d'établir une taxe progressive, qui frappe les
chiens de luxe plus que les chiens de travail. En annexe est
donné un projet détaillé de taxe canine, avec les « observations sur le mode d'exécution ». Chiens de berger, trois francs ;
chiens de garde, six francs ; chiens de chasse, neuf francs ;
chiens de luxe ou d'agrément, cinquante francs.

Ce grand dessein ne mérite-t-il que sourires ou sarcasmes ?
Non, parce que, d'abord, proposant une réforme, Bernard-
François Balzac affirme qu'elle serait digne d'un régime
qui a déjà tant fait pour le bien commun :

> après d'innombrables siècles, *le vrai régénérateur a paru ;*
> déjà, il a brisé le sceptre du mauvais génie ; les maux dont
> le genre humain était abîmé se changent en bien, et, dans
> ces moments de lumière, je puis espérer de détruire les erreurs
> qui ont donné la rage [3].

Selon un antique préjugé, on abandonnait les enragés
(comme les filles séduites) : le moment n'est-il pas venu de
changer cela ? La rage, alors, était effectivement un terrible
fléau, et ce n'est pas parce que nous venons après Pasteur
que nous ne devons pas comprendre. Bernard-François dirigeait un hôpital. On se serait passé de ses fleurs de rhétorique, mais ce mémoire d'administrateur, réservé, dit une
note en tête, pour le gouvernement, cet appel au pouvoir pour
tenter d'enrayer une maladie que les habitudes « gothiques »
rendaient plus terrible encore, est un acte d'intelligence et de
courage. *Un Chateaubriand se souciait-il, alors, de la rage ?*
Se moquerait-on de quelqu'un qui, aujourd'hui, lancerait un

---

1. *Histoire de la rage* (1re éd.), p. 33-34.
2. *Ibid.*, p. 41.
3. *Ibid.*, p. 1.

appel à la lutte contre le cancer ou la tuberculose? Les moyens, les expressions ne sont plus les mêmes, mais, comme tout esprit authentiquement ouvert et moderne, Bernard-François Balzac pense que, la vie étant faite de détails, non de rêves, il est du ressort de tout gouvernement qui se veut, et qui est, efficace, d'entreprendre, au niveau le plus humble, le plus pratique, une lutte éclairée contre ce qui menace la vie. Une fois encore, ses prises de position supposent une valeur accordée à la vie, une philosophie pratique, technicienne. Les draperies érudites importent peu : toute idée un peu intelligente, alors, et pour longtemps encore, se croit obligée de faire des ronds de jambe [1].

Bernard-François Balzac n'a pas tout livré de sa pensée à ses brochures publiées : preuve que, par-delà les impératifs opportunistes, en persistaient d'autres, plus intimes, plus vécus. Cet homme tenait à certaines choses, à une vision du monde, à une interprétation de l'Histoire. Il en reste plus d'un brouillon, passionnément et soigneusement calligraphié : Bernard-François croit à l'ordre, à la lumière, et d'abord dans l'écriture. Tout un *Traité* historique ne nous est parvenu que sous forme de demi-feuilles utilisées pour aligner des notations chronologiques concernant les cérémonies chrétiennes. Objet de la démonstration : le christianisme a mis près de dix siècles à se former sous la figure que nous lui connaissons. En 190, on ne baptisait que ceux qui pouvaient rendre raison de leur foi, et l'évêque de Césarée fut élu, bien que non baptisé; les orientaux, d'ailleurs, ne baptisaient leurs évêques qu'après les avoir élus. L'extrême-onction fut « inventée » par l'empereur Aurélien, sans avoir valeur de sacrement. L'adoration des images commença sous Étienne III, par l'ordre du concile de Nicée. Charlemagne défendit l'adoration des images. En 1263, la transsubstantiation commence d'être crue et enseignée par l'ordre du concile de Latran. Arrivé là, Bernard-François s'arrête et fait le point :

> Tels sont les travaux incroyables qu'il a fallu faire pendant plus de mille ans pour établir une religion, qui, par sa durée pendant plus de 1 800 ans, à ne la considérer que sous le rapport politique, n'a pas d'exemple, ni par la durée de plus

---

1. Exactement comme les manuels de physique et de chimie, pendant longtemps, se croiront obligés de *justifier*, pour un public littéraire et mondain, et qui venait tout récemment d'accéder à la pratique des sciences, leurs croquis et figures, en les enjolivant, en les décorant, en les rendant conformes à une « réalité », dont la science n'a que faire (la main qui tient l'éprouvette, le cristallisoir non pas schématisé, mais représenté, etc.). Toute réalité nouvelle, toute problématique nouvelle passe par la période des périphrases.

de 1 800 ans, ni par le bien qu'elle a généralement fait pour avancer la civilisation, par sa douceur, et l'union générale par une égale justice due à tous les hommes [1].

Athée, cet homme-là, comme le dit l'abbé Bertault? Certes non. Seulement, pour lui, la religion chrétienne est comme toutes les institutions; humaine, elle témoigne des efforts des hommes pour mettre sur pied quelque chose de vivable. Son influence a été finalement bénéfique, mais au prix de quelles incertitudes! Le vieux sens bourgeois de l'effort, des servitudes administratives, des difficultés à aménager le réel, se retrouve dans cette vision qui ne doit absolument rien au révélé. Le fils n'oubliera pas la leçon. A telle enseigne que, en 1834, faisant à Mᵐᵉ Hanska étalage de sentiments religieux, il expliquera froidement :

> Tels sont les travaux incroyables qu'il a fallu, pendant plus de mille ans pour établir une religion qui, par sa durée pendant plus de mille ans, à ne la considérer que sur le plan politique, n'a pas d'exemple, ni pour la durée de plus de 1 800 ans, ni pour le bien qu'elle a généralement fait, pour avancer la civilisation, par sa douceur, et l'union générale, par une égale justice due à tous les hommes [2].

N'accablons pas l'homme de trente-trois ans, un peu ridicule en voulant « faire croire ». Mais retenons ces papiers conservés, relus, utilisés. Balzac jeune a baigné là-dedans, dans cet historicisme d'une bourgeoisie qui n'avait pas encore à avoir peur de l'Histoire. Son père ne lui fut jamais un professeur de critique, d'analyse et de négation. Cet homme raisonnait en termes de synthèse et de progrès. La liberté bourgeoise ne se dresse pas encore contre l'État, incarnation de quelque vague menace « sociale », puisque l'État, c'est elle. Puisque l'aboutissement de l'Histoire, c'est elle. Partant, elle voit les événements du passé comme formant la trame patiente d'une « organicité », pour employer un langage qui sera celui des saint-simoniens, dont la logique est sa logique propre, à elle. Les organicités précédentes n'étaient que des approches : la preuve, les « erreurs des Pères de l'Église », 28 antipapes de 23 à 1439 », « 99 hérésies, de 50 à 1540 ». Comme lui, Bernard-François Balzac, qui ne se sent pas hérétique, mais, au plein sens du mot, orthodoxe, dans la ligne, triomphe! Variations des Églises! Mais variations qui ont un sens, une orientation, non absurdité. Le passé était incomplet. *Nous*

1. *Lov.* A 279, fᵒ 155.
2. *Étr.*, I, p. 327.

sommes complets. Le fils, plus tard, avec les saint-simoniens, redécouvrira, après l'anticléricalisme inévitable suscité par la politique Villèle, le sens positif du passé, en particulier de l'histoire religieuse. Alors, nous le verrons échapper au négativisme des libéraux déjà sur la défensive, pressés par les « enfants du siècle », trouver dans la doctrine de Saint-Simon de quoi nourrir toute une vision constructive du monde. Les leçons de son père, les leçons de la jeunesse de la bourgeoisie, resourdront alors. Pas de révélation, mais une Histoire faite par les hommes : « les hommes font les rois et les religions [1] », écrira-t-il à vingt ans. Et ce sera encore le refrain de Thiers, en 1830, dans *Le National*. Non tant métaphysicienne que pratique, cette bourgeoisie n'a contre les religions positives que des objections d'ordre pratique et moral, sa pratique étant sa morale. La religion est facteur d'ordre et d'unité, non expression d'une dimension transcendante de l'Homme. Christ avait été, déjà, un homme admirable, mais

> le règne des successeurs de saint Pierre se juge par la prédominance des vices qui ont dénaturé *les plus saints des principes*, et par les maux incalculables que des factions toujours renaissantes et l'injuste prétention au droit de déposer les souverains ont donnés pendant plus de quatorze siècles [2].

Ce sera le thème, en 1830, repris par le fils dans son petit conte fantastique, *Zéro* [3]. Mais que l'Église historique se soit compromise n'entraîne pas qu'il ne faille pas d'Église, ou, mieux, qu'il ne faille pas de « religion dans l'État [4] ». Le gallicanisme de Bernard-François (traditionnel dans la bourgeoisie française de gouvernement), est exigence d'une religion adaptée aux besoins d'une société de plus en plus dominée par les classes intelligentes, susceptibles d'organiser elles-mêmes le pouvoir. Le Pape soumis à l'Empereur : victoire de la philosophie, victoire de la bourgeoisie. Non les successeurs de Pierre asservis, mais la plus importante organisation religieuse entrant dans le jeu du bien public, de l'ordre neuf. Nulle « permanence » religieuse implicitement opposée au régime, comme chez les premiers romantiques, mais bien l'absorption, l'intégration de l'Église. Les messes solennelles de Tours, en présence du général et du préfet durent être, très tôt, pour Honoré Balzac, la manifestation d'une victorieuse synthèse.

1. *Lov.* A 157, fº 88 (*Notes philosophiques;* cf. *infra*).
2. *Mémoire sur deux grandes obligations...* p. 19.
3. Cf. t. II.
4. *La Maison Nucingen*, C. H. V, p., 636.

Il a semblé nécessaire de rendre justice à Bernard-François
Balzac, non en termes de morale, mais en termes d'Histoire.
Regardons-le : il incarne à lui seul tout un *style*, dont héritera,
et que dépassera son fils. Regardons son portrait [1] : sa grosse
tête est celle des conventionnels de David. Sa trogne est un
peu à la Danton. Mais l'aspect général n'est plus farouche.
Aux rondeurs du visage, à l'empâtement général, on devine
les révolutionnaires enfoncés dans une certaine douceur de
vivre. Ce qui n'empêche pas le personnage de continuer à
baigner dans une sorte de splendeur fruste qu'on retrouve
dans les bulletins du *Moniteur* et dans les portraits de Murat.
Orgueil, épicurisme, ouverture aussi, bonté, même; du Malin
de Gondreville, du Goriot, du Crevel. Manque de profondeur?
Et ce Turelure fait comprendre les Cygne de Coufontaine?
Mais qu'est-ce que la profondeur? Nous revoyons Bernard-
François Balzac à la lumière de sa descendance. Mais à son
époque? L'historien des mentalités, l'historien du subjectif,
doit bien se garder de gauchir le vécu immédiat par ce à quoi
devait l'appeler l'avenir. Homme de progrès, en plein régime
militaire, Bernard-François Balzac a nécessairement irradié
une imperturbable confiance en l'homme, en ses œuvres,
en ses capacités. Son optimisme, comme celui de son fils,
ne s'explique pas seulement par des accidents psychologiques;
il s'explique par l'appartenance à une classe qui monte. Il
participe de l'élan spirituel d'un monde en transformation.
Son père n'a jamais été, pour Balzac, cet être à demi fantastique que l'art de Chateaubriand dispute aux ténèbres de
Combourg pour le restituer à la vie. Parce qu'il était un homme
de la société nouvelle.

Mais il y a mieux : homme de l'Empire, gardant indemne
son fils des héritages des victimes, Bernard-François est *un
civil*. Il relève non de l'épopée, apte à nourrir, après la retombée, bien des nostalgies, mais du grand rush des bourgeois
capables et ambitieux vers les places. Pensons à Nerval, fils
d'un officier. Pensons à cette mère morte en Allemagne, à
ces lettres, à ces bijoux perdus dans les flots de la Berezina,
à ce soldat inconnu qui embrasse l'enfant de sept ans. Jamais
Balzac n'écrira : « *Premières années*. Une heure fatale sonne
pour la France [2]... » Balzac n'a pas été affecté par la débâcle
des légendes et des drapeaux. Son père ne lui a enseigné, ni
par l'exemple, ni par ses paroles, de ces fidélités qui firent
des enfants de la Grande Armée d'autres émigrés de l'intérieur. A-t-on assez remarqué que Bernard-François, dans ses

---

1. Ce portrait se trouve au château de Saché.
2. Nerval, *Promenades et souvenirs, Œuvres*, I, p. 155.

brochures, ne parle jamais des victoires militaires de l'Empereur? Cela ne l'intéresse pas. Cela ne le concerne pas. Il faudra, pour que naissent Goguelat et le récit dans la grange, la rencontre avec le groupe de Saint-Cyr, et surtout, l'élaboration, contre tous les Juste-Milieu, d'une idéologie de remplacement. Mais ce seront là, toujours, chez Balzac, thèmes objectifs, descriptifs, ou véhicules d'objection, jamais motifs mettant en branle de vieilles douleurs. Des rêves de guerre en cette âme inquiète? Balzac est un laïc, en cette génération de cléricature napoléonienne. Qu'on relise la fameuse description de la dernière revue aux Tuileries dans *La Femme de trente ans :* contrairement à Hugo, à Sainte-Beuve, Balzac ne relie pas ce magnifique spectacle au souvenir d'émois personnels. Il a sans doute réellement assisté à cette revue, en février 1814[1], mais il découvrait trop tard l'Empire. Il y eut, au début du XIXᵉ siècle, des demi-soldes de la pensée à droite comme à gauche, mais Balzac ne devait jamais traîner avec lui certains complexes ni certains fantômes. Son père et lui furent de l'Empire, mais de ce que l'Empire devait avoir de moins périssable, de moins vulnérable : la continuité, immorale souvent, mais incontestablement créatrice, des thermidoriens, des dynastes de Brumaire, la continuité bourgeoise. Ici, il nous faut lever une dernière hypothèque.

Le « progressisme » de Bernard-François fait sourire aujourd'hui, parce que Bernard-François était riche (ou avait poursuivi la richesse), parce que c'était un homme de places et d'argent. Mais c'est que *notre* idée du progrès, de la liberté humaine, s'est faite *contre l'argent.* Toute conception optimiste de l'Homme, de la société, de l'Histoire, implique, depuis la naissance de la critique socialiste, une mise en cause des droits de la richesse, et non plus seulement, comme à la fin du XVIIIᵉ siècle, une mise en cause des droits de la naissance. Contre la race et le sang, la richesse avait été, longtemps, *preuve* de dignité, de capacité. Il n'en va plus de même, depuis que cette richesse, devenue malthusienne, a engendré, à son tour des privilèges. La notion d' « aristocratie du coffre-fort[2] » n'apparaîtra qu'avec la concentration, de plus en plus évidente, des capitaux en un petit nombre de mains, avec la découverte, aussi, des premières contradictions et difficultés de l'univers capitaliste. C'est pourquoi, si l'on veut mesurer la véritable portée des idées de Bernard-François

1. Cf. Moïse le Yaouanc, *art. cit.,* A. B., 1964.
2. *Complaintes satiriques sur les mœurs du temps présent.* O. D. 1⁰, p. 131-132.

Balzac, il nous faut faire un sérieux effort d'accommodation en ce qui concerne les *valeurs* et les *rapports sociaux* qui les définissent. Il n'y a pas de contradiction, pour Bernard-François, entre le fait d'être riche, de vouloir l'être plus encore, et le fait d'être, de se sentir et de se vouloir être, un homme de l'avenir. Fait significatif : en 1822, dans *Le Centenaire*, le jeune Balzac mettra en scène un vertueux républicain, Véryno, qui désapprouve la transformation de l'Empire en monarchie absolue. *Mais il fera Veryno riche.* Or Veryno est évidemment l'ancêtre (romanesque) de Pillerault, et surtout du Niseron des *Paysans*. Mais le grand Balzac fera Niseron *pauvre*. Signe d'une capitale prise de conscience. En 1840, le romancier sent l'inconvenance, l'invraisemblance qu'il y aurait, à faire riche, riche comme Rigou, riche comme Nucingen, un homme qu'il charge d'exprimer un peu de pureté dans un écœurant univers de gros sous. *En 1840, un républicain est nécessairement pauvre.* En 1840, l'argent est *devenu* signe indubitable d'indignité et de « louche domination ». Il n'en allait pas de même en 1822, et, à plus forte raison, dix ou douze ans auparavant. L'argent, alors, accompagnait une carrière, une destinée complète, et la bourgeoisie riche ne se hérissait pas lorsqu'on parlait avenir de l'humanité, amélioration de la vie. Elle était persuadée que tout ceci allait dans son sens. Il faudra attendre, pour la voir tiquer, que ces notions aient commencé à impliquer une mise en question de ses propres positions de classe. Alors... Alors, elle retrouvera le vieux sens de la désespérance métaphysique. On n'en est pas là, à Tours, pendant les belles années de l'Empire.

Reste — et c'est l'essentiel — à marquer sur quels points le fils se séparera du père. Bernard-François, en effet, déplaçait avec lui nombre de certitudes. Nul nuage à l'horizon, sinon ceux qui naissent des caractères et des personnalités. Mais comme vite il devient, sous la Restauration, cet homme du présent impérial, un homme du passé ! Les carrières administratives, notariales ? Mais la jeunesse « moderne » se voit offrir d'autres débouchés, des raccourcis surtout. En 1780, l'entrée dans les bureaux était à elle seule un raccourci. En 1820, on s'y fait doubler par un La Barbeautière [1]. Il y a mieux : le journalisme, par exemple, la politique. En 1790,

---

1. Dans *Annette et le criminel*, en 1823, le père de l'héroïne est mis à la retraite, et sa place offerte à M. de la Barbeautière. Or, en 1819, Bernard-François avait été, lui aussi, mis à la retraite, ce qui occasionna, dans la famille, des remous et difficultés semblables à ceux que connaît, dans le roman de 1823, la famille Gérard. Et, dans *Les Employés*, Rabourdin se verra préférer M. de la Billardière.

on en faisait sans le savoir, en jouant la carte de l'administration nouvelle. Mais, en 1820, sous la monarchie constitutionnelle! Ceci, c'est le dépassement négatif, si l'on ose dire, du positivisme de Bernard-François. Les enfants des pères qui avaient fait l'Empire se trouvent avoir devant eux un monde encore élargi, un monde à vertiges. Lenteur et sûreté : bien qu'ayant pris, par rapport au monde pré-révolutionnaire, une allure accélérée, Bernard-François était un homme de patience. Quel Finot pourra calligraphier des états de service comme les siens? La halte impériale, puis le lâchez-tout de la Restauration : première raison du mal du siècle. Mais il y a plus profond, et qui implique mise en cause même de l'ordre bourgeois, quel que soit son rythme.

C'est d'abord le problème de la laïcisation de l'État. Bernard-François voit dans la séparation des religions et du pouvoir civil un progrès décisif. Il a fallu trois mille ans pour que soit réalisé ce grand progrès de « la sagesse humaine en matière de gouvernement [1] ». Mais les saint-simoniens, les menaisiens, l'auteur de *La Peau de chagrin* et de *La Maison Nucingen*, constateront qu'il n'y a plus de religion dans l'État, et que la conséquence est la grande permission donnée aux intérêts. D'aucuns en tireront argument soit pour un retour à une religion dépassée, soit pour l'invention d'une religion nouvelle. D'autres se contenteront de *faire voir*, en écrivant des romans, que la rupture des croyances, que la libération par rapport aux liens religieux de la théologie, ont laissé les hommes sans valeurs de remplacement. Séparation : signe, pour Bernard-François, de progrès; il en profitait. Séparation : signe, pour son fils et sa génération, de marche à la dissolution générale. On appellera alors une reconstitution de l'unité perdue. *Parce qu'il faut une unité.* Le mal du siècle, ce sera la conscience de la nécessité d'une nouvelle unité, alors que l'unité ancienne est morte, alors qu'on ne *peut* plus y revenir, alors que les hommes se retrouvent face à ces forces brutes, qui avaient naguère jeté bas l'édifice ancien, mais qui se déchaînent, à présent, dans le vide libéral. Consommées les ruptures nécessaires, apparaîtront aussi nécessaires la création, l'affermissement de « nouveaux liens ». Ce *besoin*, Bernard-François l'ignorait. Sur ce point, il y aura nécessairement, de la part de la jeune génération bourgeoise, novation, quête critique. En l'absence temporaire de valeurs de remplacement, ce sera un sens aigu de l'absurde, de l'inexpliqué, du gaspillage.

1. *Lov.* A 279, f⁰ 131, v⁰.

Second point, et qui tient non tant à l'organisation d'ensemble qu'à la pratique quotidienne : quelle est la valeur du commerce, du libéralisme économique? Fidèle à toute une tradition, Bernard-François n'avait guère de doutes :

> Le commerce a considérablement affaibli les anciennes haines entre les nations qui en avaient fait des ennemis irréconciliables. A ce titre le commerce mérite un hommage d'autant plus grand que se rapportant non à des individus ou à certaines familles, mais à la société. Il ne peut faire aucun ombrage, *cet esprit commercial et universel*, dont la ramification [1] [...]

Leçon de Montesquieu, leçon de Voltaire, qui se prolonge jusque chez Benjamin Constant [2]. Mais leçon que dépassera nécessairement l'expérience. Le commerce est facteur d'unité (ou d'unification) en ceci qu'il a brisé les barrières féodales. Mais ce même commerce sera vu bientôt comme facteur de division, d'aliénation. L'hymne au négoce apparaîtra comme singulièrement vieilli aux lecteurs des aventures de Nucingen, même si celles de Popinot, en certaines de leurs sections, retiennent l'essentiel de ce qu'avait d'ouvert, de conquérant, d'exaltant, l'aventure des premiers pionniers, sur fond d'aristocratisme ou de pré-bourgeoisie. *Une liberté devenue ennemie de la liberté :* qui, dans la génération de Bernard-François aurait soupçonné vérité aussi déroutante, aussi scandaleuse, en songeant aux développements du commerce? Mais qui dit mise en question de la validité du commerce ne dit-il pas mise en question de la validité de toutes les valeurs bourgeoises? Le mal du siècle, décidément, va plus loin que les difformités psycho-morales.

Il semble donc que bien des germes, déposés dans la conscience du jeune Balzac par son père aient été des germes *humanistes*. Il n'est pas jusqu'à une certaine faconde, elle aussi d'une incontestable ouverture, qui ne se retrouve chez le romancier. Sens de l'histoire, confiance dans les institutions, positivisme de la méthode, dynamisme de la pensée, refus des complaisances sentimentales : il y a là toute une continuité. Il n'en demeure pas moins que, sur plusieurs points, Balzac, en accord avec ses contemporains, mais en ajoutant tout ce qu'avait de fort et de révélateur sa propre vision, aux prises avec une réalité nouvelle qui aura révélé tout ce qu'elle portait en elle d'encore caché aux « progressifs » de l'Empire, élaborera une idéologie sans ancêtres. Bernard-François

---

1. *Lov.* A 279, f⁰ 129, la suite manque.
2. *De l'esprit de conquête et d'usurpation* (1806-1813).

exprimait l'idéal d'une société libérée qui n'avait pas encore pris conscience des problèmes que posait la victoire de sa propre liberté. Il écrivait au lendemain de la liquidation des absurdités féodales, mais aussi avant que la société post-féodale ait commencé d'expliciter ses propres difficultés. *Le mal du siècle, ce sera la réappréciation des certitudes de la génération précédente.*

*

Une telle formation eût pu donner un être sain, carré, un bel exemplaire d'humanité compacte. Honoré eût pu continuer les écrivains classiques de l'Empire. Et pourtant, il n'en fut rien. D'abord, parce que, comme nous l'allons voir, il devait nécessairement se produire une dissonance entre les deux générations : celle qui avait constitué ses carrières sous l'Empire, et celle qui arrivait à l'âge d'homme avec la Restauration. L'Histoire allait vite. Des conséquences apparaissent, que n'auraient pas soupçonnées les pères, qu'ils refusèrent de voir lorsqu'on leur mit le nez dessus. Ensuite parce que, de bonne heure, comme nous l'allons voir également, l'inquiétude se glissa dans cette certitude, obligeant à la défense et à la réflexion. A long terme, enfin, il faut voir quels étaient les risques impliqués après l'héritage d'hommes persuadés qu'il n'était plus de problèmes que de développement de l'acquis.

L'optimisme hérité du père peut, chez un enfant ou un adolescent, conduire à un idéalisme assez vulnérable. Pour l'homme qui s'est *fait* son optimisme, par la lecture des philosophes et la participation à l'Histoire, il n'y a guère de risque, et, au moindre conflit, le bon sens et l'expérience sont là pour empêcher que le sentiment d'échec ne prenne des dimensions dramatiques. Toute sa vie lui dit que, cet avenir, il ne suffit pas d'y *croire*, qu'il faut aussi le *faire*. Cette vieille hostilité du réel, Bernard-François Balzac la connaissait bien. Il n'avait pas à la *découvrir*. Sans compter que ses responsabilités, la nécessité de continuer, devaient le garantir contre toute forme de tristesse, de dégoût, fruit des exigences d'absolu et de l'inexpérience de la jeunesse. Malheureusement, s'il pouvait léguer à son fils sa confiance et son dynamisme, il ne pouvait lui léguer sa *sagesse*, et cette connaissance des choses qui garde l'âme d'en attendre trop. De là, chez le jeune Balzac, comme chez tant d'autres de sa génération, une sympathie vague pour ses semblables, un désir général de

bien et de succès, qui sont comme des fleurs sans racines.
Abel, Dreville, Rastignac, Lucien, Calyste, seront de ces
êtres *bons*, qui ne demandent qu'à prendre leur place en un
monde qu'ils imaginent accueillant et facile. En eux, Balzac
s'est peint tel qu'il était, comme bien d'autres, au sortir de
l'adolescence.

Tel est le danger d'une telle confiance dans la bonté de
l'univers, lorsqu'elle ne s'appuie pas sur une connaissance
profonde de l'univers. Famille, province, école, lieux d'innocence, dont on projette l'idée sur le monde où l'on entre.
Les hommes du xviiie siècle avaient été des hommes de
pratique. Leurs enfants sont devenus des rêveurs parce que
les fulgurations proches de 89 et de l'Empire, les illusions
universalistes de la révolution bourgeoise, leur ont laissé
au cœur l'idée d'un monde intense et magnifique dont on ne
serait séparé que par un bond. Cette impuissance à penser
le monde autrement qu'en termes de splendeurs, cette insouciance et cette ignorance des difficultés à vaincre, il faut
certes y reconnaître une certaine « éternité » de la jeunesse,
mais il est bien certain, aussi, que les événements donnent,
au début du xixe siècle, une force singulière à cette tendance.
Balzac, ne l'oublions jamais, naît dans un monde *libéré*,
en même temps qu'il commence à se *tasser*. Rien n'apparaît
comme impossible. Mais, si Bernard-François ne séparait
pas la conquête des efforts qu'elle avait nécessités, son fils
risquait bien, un moment, d'accepter les « félicités communes »
comme aussi naturelles que l'air des bords de Loire. On
devine déjà quelles désillusions se préparaient. Tout un
pénible apprentissage sera nécessaire pour corriger cet
optimisme irréfléchi. Il est caractéristique que les héros
balzaciens reçoivent tous, au moment de leur entrée dans la
vie *une leçon*. La Fée, Gobseck, Vautrin, Lousteau, se dres-
sent devant eux pour leur dire ce qu'est le monde [1]. Il y a
là comme une seconde éducation qui vient compléter la première. René, lui, n'eut jamais besoin qu'un de ces prophètes
vînt lui dire : « Prends garde, le monde est mauvais, dur ;

1. Cette initiation prendra, selon les cas, des formes variées. La plus directement instructive sera celle du type Vautrin ou Gobseck, d'allure aisément mythique. Une autre sera celle du type Mme de Mortsauf : donner à un être jeune non
des leçons de puissance et se servir de lui, mais faire l'impossible pour le préserver
de ce dont a soi-même souffert. Enfin, Calyste, Victurnien et Savinien recevront
leur éducation à la fois de l'expérience parisienne et d'un groupe de viveurs.
Dans les trois cas, il y aura découverte douloureuse. Mais il convient d'ajouter
un quatrième type de révélation : celle de d'Arthez à Lucien. Si l'on veut réussir,
il faut oublier ce qu'on voulait au départ. De toutes ces initiations des héros
résulte une initiation supérieure du lecteur, qui les compose et les reprend, en
les portant à un plus large et plus haut degré de signification.

on n'en vient à bout que par la force, en renonçant un peu
à soi-même », parce que René, dès son enfance, s'était senti
rejeté par le monde, et parce qu'il n'était nullement question,
pour lui, d'y rentrer. Fils d'une race proscrite, il avait fait
de bonne heure connaissance avec la solitude et le désespoir.
Ce qu'il fallait à René, c'était *un consolateur*, c'est-à-dire
quelqu'un, en somme, qui le préparât à bien mourir. Les
jeunes bourgeois, au contraire, ont besoin d'un de ces hommes
d'expérience qui vienne les mettre en garde contre les dangers
d'un optimisme trop abstrait, c'est-à-dire quelqu'un qui les
prépare, en somme, à bien vivre. Cet *initiateur*, inventé par
Balzac répondait sans doute à un besoin profond de sa sensibilité. Il apporte le témoignage du romancier sur l'un des
aspects essentiels du mal du siècle bourgeois : une confiance
illimitée mais dangereuse dans la bonté des êtres et des choses.
L'initiateur est celui qui vient dire que la bourgeoisie et
sa révolution n'ont pas tenu toutes leurs promesses.

*

Balzac, cependant, ne devait pas attendre le moment où
le jeune homme se lance dans la vie pour faire connaissance
avec l'hostilité du réel. Avant de buter sur le social, il avait
vécu une autre expérience qui lui avait appris la solitude.
Chacun sait qu'il a été mal aimé par sa mère, qu'il a passé
en pension les années les plus douces de l'enfance, que, par
la suite, sa mère fut toujours pour lui un censeur aigre, hostile.
Cette femme, visiblement, n'a pas aimé ses enfants, cadeaux
qu'elle n'avait pas voulus d'un époux de trente ans son aîné.
À dix-huit ans, la jolie Laure Sallambier, nantie d'une belle
dot, avait été donnée à un quinquagénaire sans fortune, mais
qui appartenait à cette nouvelle noblesse qu'était l'administration impériale. De même, dans *Wann-Chlore*, roman de
1822, la fille Guérin, riche, dont le père était fermier général,
épousera-t-elle M. d'Arneuse, homme sans fortune, lui aussi,
mais en vue par sa position sociale; de ce mariage, vite
regretté, naîtra Eugénie, enfant haïe. Eugénie, c'est Laurence,
mais c'est aussi Honoré, et Mme d'Arneuse, avec son insupportable et cruel caractère, c'est évidemment Mme Balzac.
Elle aima toujours mieux sa première fille, Laure, qui, de
plus, semble avoir toujours su la prendre, entrer dans ses
vues. Mais elle ne fut jamais mère que pour marquer son autorité, ses droits. Elle mit ses enfants en nourrice, en pension.
Elle leur reprocha d'être, et de vouloir être selon leur idée,

autrement qu'elle ne l'entendait. La jeune Mme Balzac voulait vivre sa vie, et, de fait, à Tours, pendant les belles années, sous l'Empire, elle fut courtisée, admirée. Elle brilla. Elle fit plus. Lorsque Balzac, en 1822, écrira ces premiers chapitres de *Wann-Chlore*, qui sont une vivante chronique de la roulotte Balzac, il lâchera, de premier jet, à propos de Mme d'Arneuse : « il n'entra dans l'esprit de personne, pas même dans celui de M. d'Arneuse, *qu'elle n'eût favorisé la hardiesse d'aucun amant* » [1]. Il a barré, ensuite, reculant devant son premier mouvement, et il a mis simplement, pour l'impression : «... qu'elle n'eût rencontré aucun amant » [2]. Incontestablement, il fut, de bonne heure, au courant. L'un de ces amants s'appelait Ferdinand Heredia. En 1818, il écrivait encore à celle qu'il n'avait pas oubliée : « J'ose me flatter que l'aimable voyageuse ne croit pas qu'on puisse l'oublier, pas même depuis 1805 jusqu'à 1818 » [3]. Il fait allusion à une rencontre à Maintenon, à une autre, mystérieuse, sur la route de Boulogne. La destinataire devait savoir de quoi il s'agissait. Le fils aussi : lorsqu'il écrira, en 1832, la terrible histoire de *La Grande Bretèche*, il partira directement sur des souvenirs précis, et il dira de l'amant de Mme de Merret :

C'était un grand diable d'Espagnol; il portait un nom en *os* ou en *ia*, comme Bajos de Here...

Mais, cette fois, il n'osera aller jusqu'au bout. Il barrera les deux fatales syllabes, et il mettra à la place *Feredia* [4]. Aucun doute n'est donc permis. De même pour l'aventure, plus connue, avec M. de Margonne, châtelain de Saché, père d'Henry, qu'il avantagera sur son testament. Dès 1832, une lettre d'Honoré à sa mère prouve qu'il ne se faisait aucune illusion, qu'il mettait presque un malin plaisir à lui faire comprendre qu'il comprenait [5], et en 1848, dans une lettre à Mme Hanska, la confidence sera directe, brutale [6].

Il faut peser, dans cette perspective, les passages du *Lys dans la vallée*, où Félix de Vandenesse parle de son frère aîné, Charles, « bel enfant », « bel homme », « espoir de la famille » [7], pré-

---

1. *Lov*, A 244, f° 2, v^o.
2. *Wann-Chlore*, I, p. 15.
3. *Lov*. A 381, f° 326.
4. *Lov*. A 90, f° 9. Signalé par Madeleine Fargeaud et Roger Pierrot, *Henry le trop aimé*, A. B., 1962.
5. *Corr.*, II, p. 30.
6. Lettre publiée par Roger Pierrot, *Revue de Paris*, août 1957, p. 23.
7. *Le Lys dans la vallée*, C. H. VIII, p. 773-774.

féré de ses parents. Les enfants « du devoir et du hasard »[1], rejetés, mis de côté, font ainsi l'apprentissage de la vie. Balzac ne fut pas élevé par sa mère : il fut mis d'abord en nourrice à Saint-Cyr-sur-Loire, avec Laure, sa sœur cadette. Puis, après un bref intermède à la pension Leguay, à Tours, ce sera le collège de Vendôme, où il restera enfermé six ans, et, le jour où il fallut bien le retirer, on le mettra à nouveau en pension, à Paris, chez Ganzer et Beuzelin[2]. C'est pourquoi, très tôt, dans l'œuvre du romancier, apparaît la figure de « l'enfant maudit ». En 1821, dans *Sténie*, évoquant un pèlerinage du héros, del Ryès, à Saint-Cyr, où il a été élevé par une paysanne, Balzac parlera de ces bords de Loire où il restait « des journées entières à bâtir avec des cailloux et de la boue des Louvres en miniature »[3]. « Rien ne m'a souri, ajoutera-t-il, *pas même le visage adoré d'une mère* »[4]. L'année suivante, dans *Wann-Chlore*, ce sera le martyre d'Eugénie-Laurence, la jalousie féroce de la mère pour la fille, qu'elle précipite dans l'Oise[5]. Ceci ne sera jamais oublié :

> Mis en nourrice à la campagne, oublié pendant trois ans par ma famille, quand je revins à la maison paternelle, j'y comptais pour si peu que j'y subissais la compassion des gens[6].

racontera Félix de Vandenesse. S'il s'était agi là d'accidents, d'erreurs ou d'aveuglements passagers, les traces n'auraient pas été aussi profondes. Mais la mondaine qui abandonne son fils en 1807 se retrouve dans la mère acariâtre et dominatrice de 1821-1822[7]. Jamais aucun des moments de solitude que connut Balzac ne fut annulé par une authentique reprise à la suite. Aussi, le naïf tourment d'Oscar Husson, morigéné en public par sa mère devant l'Hôtel du Lion d'Or, dans *Un début dans la vie*, rejoint-il les mélancolies de del Ryès. Aussi la triste histoire des petites Granville, de leur insupportable mère, « pénétrée de ses devoirs », de leur amitié pour le vieux maître de musique, dans *Une double famille* et *Une fille d'Ève*, rejoint-elle le lamentable roman de la petite d'Arneuse à Chambly. Et dans *Le Doigt de Dieu*, surtout, ce frère aîné qui jette à l'eau son frère adultérin, prénommé

1. *Le Lys dans la vallée*, p. 771.
2. Cf. Moïse le Yaouanc, *Précision sur Ganzer et Beuzelin*, A. B., 1964.
3. *Sténie*, éd. Prioult, p. 27.
4. *Ibid.*, p. 109.
5. *Wann-Chlore*, II, p. 9 sq.
6. *Le Lys dans la vallée*, C. H. VIII, p. 771.
7. Cf. *infra*, p. 281. Il semble qu'à partir de ces années, Mme Balzac, naguère brillante, recluse à Villeparisis depuis la mise à la retraite de son mari, voyant avec peine fuir les années, grandir ses filles, etc..., ait quelque peu tourné à l'Arsinoé. C'est ainsi que Balzac la peindra dans *Wann-Chlore*.

Charles, lui aussi, comme dans *Le Lys* [1], la fuite d'Hélène,
ensuite, de la clairvoyante Hélène, à bord de ce beau vaisseau
corsaire, symbole de plus d'une évasion rêvée, que de souvenirs, que de confidences directes, avant les nécessaires auto-
censures et transpositions! On a parlé de mélodrame, à propos
de toutes ces situations, croyant que Balzac les avait inventées
« à froid »; mais nous savons aujourd'hui, tout ce qu'elles doivent
au vécu le plus brûlant. Autant de situations-choc, autant
d'accusations. On n'a plus le droit de dire qu'il s'agit là de
« littérature ». Lorsque Balzac crée Félix de Vandenesse,
il ne fait absolument aucun doute qu'il pense à lui-même,
à sa propre enfance. Le manuscrit le prouve, où on lit :
« Je me trouvais à Tours, en 1814, au moment où le duc
d'Angoulême y passa en se rendant de Bordeaux à Paris.
J'avais quinze ans » [2]. Premier mouvement, première sincérité.
Balzac, en 1814, avait vraiment quinze ans. Il a beau tout
faire, ensuite, pour repousser Félix de Vandenesse, pour en
faire un héros de roman; il n'effacera jamais tout à fait cette
impression première. « Que d'explications sur ma vie antérieure ne faudrait-il pas donner pour expliquer les sentiments
qui ruisselèrent dans mon âme? » [3] s'écrie-t-il, avant d'en
venir au récit de la rencontre avec Mme de Mortsauf. Et,
relisant ses épreuves, cette expression, promise à une si belle
fortune, de *vie antérieure*, le fait littéralement exploser.
Il ajoute, alors, tout le récit de l'enfance de Félix de Vandenesse, parle de sa mère, de son abandon. Le récit devient
brûlant, les souvenirs affluent :

> Qui nous représentera la jeunesse opprimée dans le déve-
> loppement de sa sensibilité par les êtres auxquels la nature
> les invitait à s'adresser? L'enfant dont les lèvres sucent un
> sein amer, et qui réprime ses sourires sous le feu dévorant
> d'un œil sévère? [4]

1. C'est dans la première version de ce récit, qui devait plus tard entrer dans
La Femme de trente ans, qu'apparaît cette indication capitale. Le narrateur
(c'est-à-dire Balzac) aperçoit, au bord de la Bièvre, un couple donnant la main
à un charmant enfant; quelques pas en arrière marche « *un autre enfant, mécontent,
boudeur, et qui leur tournait le dos* (...) Ses yeux vifs, dénués de cette humide vapeur
qui donne tant de charme aux regards des enfants, semblaient avoir été, comme
ceux des courtisans, séchés par un feu intérieur ». Profitant d'un moment d'inatten-
tion de ses parents, il pousse de la berge le frère préféré. Celui-ci s'enfonce dans la
boue. Il faut bien peser les dernières lignes : « *Francisque avait peut-être vengé
son père*. Sa jalousie était peut-être le glaive de Dieu », et le conte se termine sur
l'évocation de la mère rentrant au logis, avec son terrible secret (*Revue de Paris*,
25 mars 1831, t. XXIV, pp. 234-236). Par la suite, Balzac a substitué Hélène
au frère aîné. Saisissant exemple de ce qu'est, et livre, toujours chez lui, le premier
jet.
2. *Lov*. A 116, f° 2.
3. *Lov*. A 116, f° 3.
4. *Lov*. A 117, f° 8.

Le collège ? Ce ne sera Pont-de-Voy que sur les secondes
épreuves. Lisons ce premier développement :

> Les sept premières années de mon enfance s'étaient écoulées
> à Tours même, où, dans mes promenades, je n'avais pas été
> à plus d'une lieue hors de la ville. Puis sept autres années
> s'étaient passées entre les murs d'un collège de province.
> De ce collège, j'avais été transporté dans Paris, où je venais
> de pâtir pendant deux ans, occupé d'études plus fortes que
> ne l'étaient les précédentes, dans une institution située au
> Marais. Ni mes promenades aux environs de Vendôme,
> ni celles que je venais de faire à Paris, ne m'avaient gâté
> sur la nature champêtre [1].

Tous les indices trop précis seront biffés [2], mais d'autres
s'ajouteront que nous devons, à présent, prendre argent
comptant. Ces confidences, par exemple, sur la gloire, qui
sont, déjà, d'un enfant coupé, en de profondes zones de son
être, de toute communauté, d'un enfant qui a appris à regarder, dans une certaine distance : « Chacun ne pensait qu'à soi,
c'était une débâcle d'enthousiasme, un égoïsme de légitimité,
un féroce empressement d'aller au soleil levant » [3]. Balzac
dit avoir été, alors, écœuré par la « niaise envie du Tourangeau », et en 1836 encore, écrivain officiellement royaliste,
il proclamera que cet « égoïsme de parti » le laissa « froid » [4].
A la ligne suivante, il ajoute toutefois que, un an plus tard,
le spectacle de l'accueil reçu aux Tuileries par Napoléon revenu
de l'île d'Elbe, acheva de cristalliser en lui des idées de gloire.
Ambiguïté ? Contradiction ? Le rush des Tourangeaux vers
le duc d'Angoulême est un rush bourgeois, opportuniste.
L'accueil de Paris est l'accueil de l'Histoire et du Siècle. A
Tours, parmi ceux et celles qui ont sorti leurs beaux habits,
qui en ont fait faire à leurs enfants, il y a Mme Balzac, et la
mère de Félix de Vandenesse. Le soleil levant s'ombre ainsi
de tout un opportunisme honni, un triomphe de la Droite se

---

1. *Lov.* A 116, f⁰ 5.
2. Vendôme deviendra Pont-de-Voy. Balzac n'est resté que six ans à Vendôme,
mais le « sept ans » de premier jet se dramatisera en « huit ans ». De même, les
deux ans à Paris en deviendront trois. La première rédaction est toujours plus
proche de la réalité vécue que la seconde, nettement plus soulignée et romancée.
De même, Vandenesse, qui avait d'abord quinze ans, en aura dix-sept, puis
dix-neuf. A noter que, quatre ans avant *Le Lys dans la vallée*, la *Confession du
médecin de campagne* utilisait déjà les souvenirs de Vendôme : « A l'âge de huit ans,
je fus mis au collège de Sorrèze, et n'en sortis que pour aller achever mes études
à Paris. » Puis : « De Sorrèze, où j'étais resté pendant dix ans sous la discipline
à demi conventuelle des Oratoriens, et plongé dans la solitude d'un collège de
province, je fus sans aucune transition, transporté dans la capitale » (*Le Médecin
de campagne*, éd. Allem. p. 195-196).
3. *Lov.* A 118, f⁰ 17.
4. *Le Lys dans la vallée*, C. H. VIII, p. 784.

trouvant, comme par hasard, relié à tout un univers inhumain que domine l'image de la mère.

Sur ce fond de confidence et de sincérité, documentaire aussi bien que psychologique, les propos de Vandenesse prennent tout leur sens :

> Pour décider mes parents à venir au collège, je leur écrivais des épîtres pleines de sentiment, peut-être emphatiquement exprimés, mais ces lettres auraient-elles dû m'attirer *les reproches de ma mère*, qui me réprimandait avec ironie sur mon style [1]?

C'est *le père*, nous y reviendrons, qui retirera son fils de Vendôme-Pont-de-Voy : n'est-ce pas éclairant? Laure essaiera, plus tard, gardienne de l'honneur familial, de réhabiliter sa mère; elle prétendra que « son amour pour ses enfants planait sans cesse sur eux », mais qu' « elle l'exprimait plutôt par des actions que par des paroles ». Quelles actions?

> Quoique délaissé par ma mère, explique Félix, j'étais parfois l'objet de ses scrupules, parfois elle parlait de mon instruction et manifestait le désir de s'en occuper.

Mais il ajoute aussitôt :

> Il me passait alors des frissons d'horreur en songeant aux déchirements que me causerait un contact journalier; je bénissais mon abandon et me trouvais heureux de pouvoir rester dans le jardin à jouer avec des cailloux, à observer des insectes, à regarder le bleu du firmament [2].

La faille est là; ce à quoi pense le jeune pensionnaire de Vendôme, dans ses moments de dépression, ce n'est pas au foyer familial. L'évasion qu'il cherche dans la lecture, la polarisation de son être sur les questions métaphysiques et mystiques, tout montre une conscience désaxée. Illusions et fantasmagories se précipitent dans la brèche, et cette fuite vers l'intérieur qui s'amorce, cette « expérience » d'outre-sens, est bien le fruit d'une éducation sans amour. Positif, l'héritage de Bernard-François est ici contrebalancé par les souffrances d'un cœur d'enfant. Tout ce qui pouvait « arrondir » le caractère de Balzac a été réacéré par le conflit qui l'a constamment opposé à sa mère. En 1849, il écrira à celle qui est alors une vieille femme :

---

1. *Le Lys dans la vallée*, C. H. VIII p. 776.
2. *Op. cit.*, C. H. VIII, p. 772.

Je ne te demande pas de feindre des sensations que tu
n'aurais pas, car, Dieu et toi savez bien que vous ne m'avez
pas abreuvé de caresses depuis que je suis au monde [1].

et Fessard, son homme d'affaires, qui le connaissait bien,
précisera qu'il

n'avait jamais pu entendre parler de sa mère sans éprouver
un certain tremblement qui lui ôtait toutes ses facultés
lorsqu'il était en sa présence [2].

Il ajoutera même : « elle était, pour lui, une gale » [3]. Il n'est
pas besoin d'aller jusqu'à évoquer Néron devant Agrippine,
mais si quelque chose a *retenu* Balzac, l'a orienté vers les
troubles régions où l'on goûte la sensation de la perte en soi-
même, de l'identification avec les choses [4], c'est bien à sa
mère qu'il le doit. Et si l'on ajoute qu'à partir de 1828,
Balzac *devra* à cette mère, qui ne l'aimait pas, qu'elle lui
rendra des services, fera ses commissions, arrangera ses
affaires, qu'il ne tiendra pas les promesses faites touchant les
intérêts de sa dette, touchant le minimum décent, même, pour
vivre, qu'il lui en voudra de surcroît d'avoir à s'en vouloir
à lui-même, de dépenser, de gaspiller, alors qu'il n'est pas
même humain, parfois, avec cette femme vieillissante, on
comprendra tout ce qui, au départ et en avançant, a été,
pour lui, stérilisé et perverti. En 1849, année, décidément,
de confidences et d'explosions, le romancier vieillissant écrira
à ses nièces Surville, après leur avoir recommandé d'être
bonnes et respectueuses envers leurs parents :

Ne prenez pas ceci, pour une leçon, chères nièces, car je
connais votre affection pour vos parents, qui vous ont donné
*ce beau poème de l'enfance que ni moi ni votre mère n'ont
connu* [5].

Jamais l'absence ou l'incompréhension du père ne laissent
de telles traces : un Marius redécouvre toujours à temps ce
qu'était le général Pontmercy. L'impression de totale solitude que donne si souvent la vie de Balzac, ce qu'il a cherché
auprès de Mme de Berny, le mythe compensateur de la femme
aimante et mère à la fois [6], le culte de l'énergie, la continuelle

---

1. L. F., p. 339, 22 mars 1849.
2. Note manuscrite en marge du livre de Laure sur son frère, Lovenjoul,
Une page perdue..., p. 118.
3. *Ibid.*, p. 128.
4. Cf. également dans *L'Enfant maudit* : « Il admirait souvent sans but, et
sans vouloir s'expliquer son plaisir les filets délicats imprimés sur les pétales en
couleurs foncées (C. H. IV, p. 964-65).
5. L. F., pp. 483-484.
6. Cf. *infra*, *La Dernière fée*, pour le thème de l'amante-mère, p. 545 sq.

re-création par soi-même, autant de signes constants et prolongés d'une formation douloureusement solitaire. Bourgeoise, en un sens différent de Bernard-François, ne respirant que conseils et respectabilité après avoir été une mère démissionnaire, Mme Balzac a trouvé dans la pratique et l'enseignement des vertus bourgeoises une sorte de revanche : dans ce monde-là, on ne peut posséder et dominer que selon les lois par lesquelles on a soi-même été possédé et dominé. Mais, pour son fils, aucun doute n'est possible : c'est bien à sa mère, qu'il doit d'avoir eu, de bonne heure, « une pensée de vieillard sur un front d'enfant »[1]. Avant même un vieillissement de l'univers bourgeois mesurable en termes économiques et politiques, l'expérience précoce de l'enfance est figure (pas plus, mais pas moins) du destin de la vie, la plus tendre, la plus innocente, dans ce qui, naguère encore, semblait devoir être chance d'universelle jeunesse.

Mais alors, pour comprendre le « romantisme » de Balzac, les orientations dramatiques de sa vie, de son œuvre, n'est-ce pas la psychanalyse qui s'impose? Quiconque a suivi la formation de l'écrivain ne peut éviter de poser, fût-ce de la manière la plus sommaire, la question dans les termes, et avec les moyens, mis à notre disposition par Freud. Tout traumatisme du côté maternel, n'engendre-t-il pas des inhibitions, des névroses, des conduites aberrantes? Enfant d'un père vieux, d'une mère adultère, et qui prenait conscience de son originalité *après* le mariage et la maternité, mal aimé, ayant pris rapidement conscience, lui aussi, d'une originalité tournée contre sa mère, exilé, Balzac s'est enfoncé, de bonne heure, dans l'imaginaire, dans le surréel. Il a vécu éveillé. Il a cherché, de plus, très vite, dans l'autre femme, la mère qu'il n'avait pas eue. Fils et amant : c'est le thème de la liaison avec Laure de Berny, et ce sera aussi le thème des premiers romans inspirés par cette liaison : *Le Vicaire des Ardennes* (1822), *La Dernière Fée* (1823). Que de dissociations, que de reconstitutions, aussi, s'expliquent par la perte première d'une unité! Et ensuite, ces échecs accumulés, comme recherchés, cette *situation* d'échec dans laquelle Balzac semble se saisir le mieux, se constituer (« Je suis en ce moment dans cette petite chambre de Saché où j'ai tant travaillé! Je revois tous les beaux arbres que j'ai tant vus en cherchant mes idées. *Je ne suis pas plus avancé en 1836 qu'en 1829* »[2]), cette fièvre de toujours saper d'avance tout avenir possible,

---

1. *Le doigt de Dieu, Revue de Paris*, 1831, XXIV, p. 235.
2. *Étr.*, I, p. 337 (juin 1836).

toute certitude ou tranquillité possible, tout cet argent
aussitôt touché, aussitôt dépensé, dépensé d'avance, même,
ces œuvres écrites pour rembourser les revues, c'est-à-dire
venant, à leur naissance, comme en creux, comme quelque
chose qui a cessé d'être positif, et qui n'appartient plus réellement, à leur auteur, tous ces efforts faits, semble-t-il, pour
détruire l'effet bénéfique du travail, pour se retrouver, vite,
dans la situation du paria, de l'endetté ? Les fameuses difficultés d'argent, Balzac ne les a-t-il pas créées, entretenues,
aggravées, par sa faute, souvent ? Ne trouve-t-on pas chez lui,
comme chez d'autres (Baudelaire, Verlaine, Proust), « le
même mécanisme [...] l'inconsciente recherche de l'échec ? »[1]
Et l'analyse peut être poussée plus loin encore : lorsque, en
1832, Balzac quittera Zulma Carraud, qui vient de se refuser
à lui, pour se rendre auprès de Mme de Castries, à Aix, dont
il sait, au fond, qu'elle ne voudra pas de lui, qu'elle l'humi-
liera, et que, pour cette coquette, il s'est fâché avec une amie
sûre, pourquoi Balzac fait-il une chute de voiture[2] ? Que veut-
il mettre, comme obstacle, entre la duchesse de Langeais
et lui-même ? On pourrait allonger la liste. Mais il faut se
garder d'annexer Balzac à un univers purement psycho-
affectif. S'il fut un enfant mal aimé, il fut aussi celui d'une
certaine bourgeoisie. Quelle qu'ait pu être, à un moment,
la valeur novatrice des explications psychanalytiques, sur
le fond, alors admis, des explications psychologiques traditionnelles, quelle qu'ait été leur portée, objectivement, et
surtout, quant à ceux qui l'employaient, subjectivement
révolutionnaire, alors que l'histoire littéraire pataugeait
encore dans le lansonnisme et dans l'histoire *extérieure* des
œuvres, il ne faut pas oublier que la critique moderne, si
elle a découvert l'importance du conditionnement psychologique inconscient, a aussi, en d'autres zones, découvert
l'importance du conditionnement social inconscient. Les
deux se tiennent, et, à s'en tenir aux explications freudiennes,
on sous-entendrait nécessairement, aujourd'hui, un refus
d'accorder toute leur importance aux facteurs historico-
sociaux du développement de la personnalité. Avant d'aller

1. Antoine Adam, *Le Vrai Verlaine, essai psychanalytique*, p. 9-10. A cet
auteur revient le grand mérite d'avoir, le premier, dans cette note brève mais
éclairante, posé le problème d'une interprétation psychanalytique de la conduite
balzacienne.
2. Question posée par Annie Ubersfeld dans sa communication au Colloque
Balzac de novembre 1964 à la Mutualité *(La crise de 1831-1832)*. Voir, dans
Europe. janvier 1965, le texte de cette communication et celui de notre réponse,
ici reprise en substance.

plus loin, une autre question se pose, qu'il convient de ne pas esquiver [1].

Une perturbation plus profonde encore fut-elle, en effet, le résultat de ce manque d'affection, de cette pression constante, de cette constante dévalorisation? Il faut poser la question en toute franchise : *Balzac fut-il homosexuel?* Fut-il de cette errante Sodome que la littérature de la seconde moitié du siècle et celle du nôtre ont magnifiée? La présence, dans son œuvre, du cycle Vautrin, a-t-elle une autre signification que romanesque et symbolique? Les confidences de Vidocq et de M. de Berny sur les milieux du bagne n'expliquent pas tout. Balzac avait besoin de pétrir, de façonner. Du côté des femmes, il cherchait soit la protection, l'amour profond, le refuge, soit les satisfactions de la vanité. Mme de Berny, Mme Carraud, à des degrés et titres divers, lui ont donné ce que, du côté de sa mère, il n'avait pas eu. Il a échoué avec Mme de Castries, mais d'autres conquêtes, d'Olympe Pélissier à Mme Guidoboni-Visconti, ont satisfait en lui l'homme à femmes qu'il était incontestablement. D'autre part, le témoignage de Mme de Berny, aujourd'hui publié sans coupures [2], permet d'assurer que Balzac était un amoureux qui, loin de là, ne décevait pas et laissait de grands souvenirs. Il n'est donc pas question de faire état de perversions ou malformations précoces. Le jeune Balzac des lettres à Laure, d'ailleurs, est un jeune homme amateur de bonnes fortunes, comme tous les autres, et la fameuse scène de la rencontre avec Mme de Mortsauf, dans *Le Lys* est sans équivoque [3]. Mais il y a aussi le témoignage formel de Philarète Chasles, longtemps demeuré inconnu :

1. C'est en ordre dispersé, voire en se combattant, que les méthodes inspirées de la psychanalyse et celles inspirées de la sociologie et du marxisme sont souvent montées à l'assaut de la citadelle de la critique traditionnelle. Pourquoi cette erreur et ce gaspillage? Le problème de Balzac et de sa mère est l'un de ces problèmes privilégiés qui permettent d'entrevoir ce que peut avoir d'éclairant et de fructueux une conjonction de *toutes* les méthodes scientifiques d'explication et de compte rendu du réel brut.

2. « Le lit est si large qu'hier au soir et ce matin, il m'a suggéré des pensées *méchantes*; il y avait pour toi une si belle place et nous y serions si bien ô mon chéri » (juin 1832, *Corr.*, II, p. 20). « Il se pourrait bien que le pauvre Ma...r fît des siennes car nous lui faisons subir un bien long jeûne, et ventre affamé... tu sais, s'il est encore sage, je lui prodigue toutes les gentillesses passées et futures, s'il ne l'est pas, je lui tourne le dos, je veux dire que je n'ai rien à lui dire, car cette phrase... suffit » (*Ibid.*, p. 59, juillet 1832). et surtout : « ah! chéri, te voir, te presser, me sentir étouffée dans tes bras caressants, te baiser, te manger, te..., te..., te... Didi, tu m'as donné de ta nature [...] Oh! *grâce à toi de m'avoir fait femme* [etc...] » (*Ibid.*, p. 304, mai 1833), Phrases censurées par Hanotaux et Vicaire.

3. Dans le manuscrit de premier jet, Balzac fait dire à Félix qu'il se jeta sur les épaules de la belle inconnue « avec une ardeur qui dut laisser des traces ». (*Lov.* A 116, f° 3). Il a fait sauter cette précision sur les premières épreuves. On comprend mieux, si l'on se reporte à cette première version, que Mme de Mortsauf

Il n'avait pas le goût des femmes. [...] Les penchants de Tibère au bain et les petits Gitons cunilinges lui étaient imputés, peut-être injustement [1].

Il y a aussi, cette amitié avec Latouche, si orageuse, ces lettres fâchées qui rendent un son si étrange, en 1828-1829 [2], puis cette autre amitié avec Eugène Sue, en 1832-1833, ces autres lettres au vocabulaire non moins étrange [3]. Enfin, et surtout, il y a, en 1835 — aucun autre mot ne s'impose — cette liaison avec Jules Sandeau, avant Belloy, avant Grammont, avant tous ces jeunes gens empressés et admiratifs, avant tout ce harem de secrétaires. Sandeau, d'ailleurs, dans son roman autobiographique, *Marianna*, en 1839, se peignant sous les traits d'Henry, et recourant à des souvenirs de Balzac pour peindre Georges, l'homme fort et dominateur, aura des pages qui peuvent difficilement tromper, du moins en ce qui concerne *une atmosphère* :

> Georges était dans sa chambre, occupé à écrire. Près de lui, couché sur un divan, un blond et frêle jeune homme le contemplait en silence, d'un air mélancolique et doux. A le voir, à la lueur des bougies, dans une attitude brisée, pâle, et le front appuyé sur une main blanche et féminine, un poète l'eût pris pour un beau lys penché sur sa tige [4].

Regards, soupirs, serrements de main, et tout le sous-entendu : c'est pour une femme qu'on est au bord de la catastrophe (un duel); puis, cette autre coulée :

> Sans laisser à Henry le temps de s'expliquer, il lui passa son bras autour du col, et le contemplant avec une ineffable expression de tendresse : Je t'aime, lui dit-il d'une voix caressante. Il y a autour de toi un charme que je ne saurais exprimer, un parfum du sol natal qui réveille en moi toutes les sensations du jeune âge. [...] Et il le pressait doucement sur son sein. A les voir tous deux ainsi, l'un dans les fleurs de ses grâces natives, adolescent au front virginal, au regard limpide, à la taille mince et flexible, heureux enfant pour qui l'enfance n'avait encore que des sourires; l'autre, éprouvé par la douleur, au visage déjà sillonné, on eût dit un jeune bouleau près d'un chêne frappé par la foudre.

---

avoue, plus tard à Félix, que ses premiers baisers avaient allumé son sang et éveillé en elle le désir... Félix, d'ailleurs, dans l'autre face du roman (ses amours avec Arabelle), n'a rien d'un éthéré.
1. Claude Pichois, *Les Vrais Mémoires de Philarète Chasles*, R. S. H., janvier-mars 1956 (texte inédit du manuscrit, jusqu'alors arrangé par les héritiers).
2. *Corr.* I, p. 328 sq.
3. *Corr.* II, p. 207.
4. Jules Sandeau, *Marianna*, éd. orig., I, p. 255.

De tels textes se passent de commentaire, même si l'on y fait la part du « chic » littéraire. N'est-il pas, d'ailleurs, curieux de constater que, lorsque Sandeau réédita son roman pour la Bibliothèque Charpentier, il adoucit ces pages, supprimant, en particulier la phrase « A le voir à la lueur des bougies [...] un beau lys penché sur sa tige »[1]? Le début des *Deux Poètes* semble, en tout cas, avoir ici sa source toute trouvée, et il est certain qu'on est en présence d'un élément authentiquement balzacien. Imagine-t-on l'équivalent chez Stendhal?

Ce n'est qu'à propos de l'ensemble de l'œuvre, et sur un large front romanesque, à propos de l'amitié et de sa signification dans l'univers nécessairement aliénant de l'amour soumis au conditionnement de la vie moderne, que cette question pourrait être traitée à fond. Mais il faut insister dès à présent sur l'un des thèmes fondamentaux du romanesque balzacien : la femme, c'est le lien, la nécessité; l'ami, c'est la créature et le choix. L'homme se choisit, s'exprime et s'affirme mieux dans l'amitié que dans l'amour, bon, le plus souvent, pour les « crapoussins ». En tout cas, pour les pauvres êtres, pour ceux qui apparaissent comme incapables de dépasser les limites et les normes qu'impose une vie truquée. C'est de l'amour, souvent, que partent, dans *La Comédie humaine*, les erreurs, ou de toute manière, les trahisons, qui détruisent l'amitié en rendant vaines les entreprises, *et ramènent au marécage du monde moderne*. On repère aisément nombre de personnages pour qui la femme, l'amour pour une femme, signifient rupture et dégradation par rapport soit à l'univers *premier*, soit à l'univers *conquis*, de l'amitié. L'amour, dans le cas David-Lucien, comme dans le cas Vautrin-Lucien, est menace pour l'unité, œuvre de l'amitié, œuvre des hommes. Aimer, c'est toujours un peu tomber dans ce piège de l'illusion et du faux que nous tend le monde extérieur, le monde d'*après* quelque chose, et dont l'inventaire et la découverte sont l'objet du roman d'éducation. La femme, c'est (comme dans l'affaire Georges-Henry, de *Marianna*) ce pour quoi l'on quitte et l'on se risque. Dans cette société, sans doute, le jeune homme commençait en amour soit par des « créatures » qui faisaient le tourment des mères, soit par des femmes mariées qui pouvaient être, soit des femmes sans cœur, soit de dangereux êtres de fixation. Mais la jeune

---

1. *Marianna*, éd. Charpentier (1851), p. 154. Si Georges est Balzac, il est aussi, en tant que compatriote et ami d'enfance d'Henry, Émile Regnault. Ceci apparaît nettement à la fin de la citation précédente. On notera la relation spontanée entre l'univers maternel et l'amitié masculine. La femme (ici Marianna) est bien celle qui nous prend et pour qui on trahit. Sandeau reprend déjà exactement le même thème, en 1836, dans la *Notice* consacrée à Horace de Saint-Aubin.

fille elle-même, impliquée, malgré elle, dans l'ensemble de l'univers aliénant, peut être, à l'occasion, fatale et coupable. Qu'eût gagné Rastignac à aimer Victorine? La jeune fille devient femme, possessive, elle prend, elle aussi, et pas seulement à la mère nominale, mais à celle qu'on porte en soi, et dont on a du mal à se séparer. A-t-on suffisamment remarqué que les anges-femmes (comme la Pauline de *La Peau de chagrin*) n'interviennent valablement et positivement que dans la vie de héros *qui n'ont plus leur mère?* En fait, Balzac, bien avant Fustel de Coulanges, a vu que le mariage et l'amour sont, fondamentalement et douloureusement changement de dieux. Pour l'homme, pour le jeune homme mal sevré (mal aimé, ce qui revient au même), pour l'homme et pour le jeune homme symboliquement asexué, refusant son sexe, en ce qu'il implique la rupture avec l'univers maternel, le passage à d'autres dieux, l'acceptation de soi comme responsable, sans plus d'autorités de recours au-dessus, il en va de même que pour la jeune vierge de *La Cité antique*, et, plus tard, sauf dans la situation d'exception de l'amour pour un ange-femme, l'amour, l'aventure d'amour, ce sera toujours, peu ou prou, le danger inconnu. Mais l'amitié, mais la camaraderie, ce sera toujours le moyen de s'exprimer, d'exercer ses forces, dans un cercle connu, dans un univers familier. Pourquoi, chez Sandeau, pourquoi, au début des *Deux Poètes*, ce lien si fermement établi entre l'amitié et l'enfance, entre l'amitié et le décor des premières années, le décor de l'éveil du *moi?* N'est-ce pas dans la mesure où l'univers externe, ou l'univers social n'est pas réellement enrichissant, accueillant, que l'univers de l'enfance et de la mère continue ainsi de retenir et de se valoriser? Même lorsque Lucien sadise sa mère et sa sœur en allant chez les Bargeton, en dépensant de l'argent, etc..., c'est encore un moyen, pour lui, non de s'accomplir en passant à un air plus large et plus vivifiant, mais de faire sentir sa présence et son prix. Verlaine aimera les putains et les garçons pour ne pas profaner l'image de sa mère. Balzac aimera l'amitié pour y retrouver, ou pour y inventer un type de relations qui soit indemne des salissures qu'on ne peut ne pas découvrir dans le monde moderne. Rien, toutefois, dans l'univers psycho-littéraire, ne parvient jamais seul à l'expression, et, de bonne heure, un grand texte est venu aider en Balzac, la cristallisation de ces divers « choix » et préférences; il y fera de fréquentes allusions [1], et nul doute que cette lecture ne l'aurait pas tant marqué si elle n'avait

---

1. Notamment dans *Le Père Goriot* (C. H. IV, p. 982), dans *La Peau de chagrin* (C. H. IX, p. 67), et dans la *Physiologie du mariage* (C. H. X, p. 761).

correspondu à des impulsions et « classements » profonds.
C'est l'amour, en effet, de Jaffier pour Belvidera qui, dans la
Venise Sauvée, d'Ottway [1] le rend traître à son ami Pierre.
Vautrin fera d'admiratives allusions au couple Pierre-Jaffier,
et il voudra empêcher Rastignac, aussi bien que Lucien,
d'aimer, au moins, de tout donner à l'amour. Ajoutons,
dans cette même pièce d'Ottway, que Balzac découvrira en
1822, le sinistre avilissement du sénateur Antonio par la
courtisane Aquilina, cette scène, surtout, dans laquelle on
le voit se traîner, faire le chien, demander coups de pied et
coups de fouet, en criant : « Nicky! Nicky! », qui provoque
un insupportable malaise, et qui en annonce d'autres, évidemment, dans *La Rabouilleuse*, comme elle annonce Suzanne et
du Bousquier, comme elle annonce Esther et Nucingen ;
il n'y a guère là de quoi rehausser l'amour, menace et tombeau,
l'amour, ruine de l'être, alors que l'amitié est signe de la
possibilité d'un monde plus fort et plus vrai. Oh! certes,
Venise sauvée n'est en rien une pièce sur l'homosexualité :
Pierre et Jaffier, comme Balzac, sont des hommes à femmes,
des amoureux ardents : mais toutes les scènes de femmes
sont des scènes de faiblesse et de dégradation, et, finalement,
les deux amis se retrouveront, dans la mort, au-delà de cet
univers dans lequel la femme avilit tout. Ainsi, ce que suggère
Ottway, ce que reprend Balzac, face à l'univers décevant ou
hideux de l'amour, ce n'est nullement une homosexualité
de fait, ce n'est nullement une anomalie, une névrose ayant
été jusqu'au bout d'elle-même : c'est seulement — mais c'est
beaucoup — tout un type de relations humaines qui, pour
accéder à une certaine vérité, se doit d'exclure la femme et
l'amour. Balzac a-t-il pratiqué l'homosexualité? Ce n'est
pas, finalement, très important. Nous nous attachons surtout
aux mobiles profonds, aux courants d'énergie. Or, il faut
constater que, si l'amitié, dans la vie de Balzac comme dans
son œuvre, déclasse singulièrement l'amour, par ailleurs,
il ne semble pas que l'homosexualité balzacienne, expression
d'évidents et profonds besoins psychologiques, ait été pour
Balzac un *destin*, une croix à porter. Elle ne l'a exilé de rien,
et d'abord pas de la normalité amoureuse. Elle n'a pas fait
de lui un paria. Elle ne l'empêcha jamais de pourchasser
la femme, de donner tous ses soins au mariage, d'être le
premier romancier, surtout, du secret des couples. Cette

---

1. Publiée en 1822, dans la grande collection des *Chefs-d'œuvre du théâtre
étranger*, publiée chez Lodvocat. Cf. *infra*, pour cette lecture de Balzac.

homosexualité, Balzac semble l'avoir sans mal intégrée à son univers de puissance et de domination. Disons le mot : à son univers de *liberté*. Ce qui *séparera* Proust a aidé Balzac, en un siècle d'universelle séparation, à *rejoindre*. Au prix, certes, d'une mutilation, au prix d'un gauchissement de son être et de sa nature : mais il en va ainsi de toutes les « solutions » inventées par l'Homme en l'absence de la seule qui règle l'ensemble des problèmes.

A partir de ses grandes années de maturité, appuyé sur une riche expérience, au fait de tant de choses, d'une personnalité puissante dès l'origine, mais renforcée, enrichie, par des années de lutte et de réflexion, par la mise en place, aussi, de son grand dessein, Balzac va peu à peu trouver une maîtrise partiellement compensatrice, mais l'adulte qu'il sera alors, et qu'il a été très tôt (à la différence de Musset, de Baudelaire, de Proust), en avant de tous comme de soi-même, sans plus d'instances de recours, créateur père, et devant l'être, vu ainsi, constitué ainsi, par les autres, et par lui-même, ne pouvant plus qu'être père et créateur, cet adulte, mais ayant dû s'y résoudre, pour n'avoir pu réellement être enfant, et devant continuellement se porter lui-même, se soutenir vers cet avant, qui lui-même, on a vu pourquoi, sans cesse détruit et compromet sans cesse, ne sera jamais vraiment heureux. Il y aura toujours en lui trop de nerfs, trop de volonté en jeu, dont les maux de tête (dans la réalité, comme chez le père Goriot) sont le signe. Alors, l'amour, les femmes, ce sera, soit la halte, soit le partage, impossibles, impensables, dans ce destin toujours à faire, soit les périls de la méchanceté, de l'égoïsme, de la trahison. L'amitié, ou le règne, ce sera, au contraire, dans un mouvement semblable et de même nature, l'aventure et l'exception, la vie et l'exercice de soi selon une loi autre que celle du monde « réaliste » et commun. Le plus vif du romantisme balzacien est sans doute là : dans cette coupure entre la mère universelle et le moi, dans cette exténuante liberté d'un prométhéisme orphelin [1].

C'est ici que se rencontrent de sérieuses, et les plus fortifiantes, difficultés. Il y a toujours eu, en effet, des enfants mal-aimés, mais on n'en avait jamais fait, avant le romantisme, de la littérature. Pour que les premières expériences de solitude prennent une valeur de *signe*, pour qu'elles cessent de

---

1. Balzac, qui fut si mal éduqué, rêvera d'écrire une *Analyse des corps enseignants*, consacrée non seulement à l'école, mais d'abord à la famille. Dans les notes qui restent, on lit cette phrase étonnante et révélatrice : « Le père et la société sont les continuateurs *de la mère* » (souligné dans le texte, *Pensées, sujets, fragments*, H. H. XXVIII, p. 722). Lui, n'a pas *commencé* par *la mère*.

n'être que des éléments de biographies particulières, il a
bien fallu que se produise quelque chose *à l'extérieur des
familles*, dans le monde social. Il serait certes absurde de voir
dans la famille un milieu différent, par nature, du milieu
social : Bernard-François, par exemple, est un solide gaillard,
mais c'est aussi et surtout un bourgeois dynamique, un
homme dont la classe favorise, encourage le dynamisme
« privé ». Laure Sallambier, de son côté, est une nerveuse,
mais c'est surtout une mal-mariée, une jeune femme que la
société a contrainte, littéralement, à se replier sur des positions
d'orgueil, de respectabilité, d'exaltation de soi. Appropriée à
un homme de trente ans plus âgé qu'elle, elle a voulu, à son
tour, s'approprier des enfants qu'elle n'aimait pas et qu'elle
n'avait pas souhaités. Elle leur en a voulu, surtout à Honoré,
de chercher à *être* selon d'autres voies que les siennes. Si
donc Balzac, dès le début, a été marqué par sa famille, il a
reçu, au travers de ce milieu premier, les influences d'un monde
qui, en même temps qu'il lançait les hommes en avant
et brisait d'antiques barrières, maintenait, renforçait, ou
créait de terribles aliénations. La famille n'est pas un milieu
de gratuite affectivité; elle est le premier enclos où l'enfant se
trouve aux prises avec un monde qu'il n'a pas choisi. Seulement, pour que les traumatismes familiaux prennent tout leur
sens, pour qu'on ne les oublie pas rapidement, il faut qu'au
sortir de la famille l'adolescent retrouve, sur un plan supérieur,
aggravées par leur socialisation et leur historisation, les expériences de solitude, d'incompréhension, qui avaient marqué
ses premiers pas. Les souvenirs de misère enfantine n'acquièrent toute leur virulence que dans un contexte social de frustration, d'aliénation, et ce sont les premiers heurts à un monde
hostile, les premiers engagements dans l'engrenage, qui
ramènent à la conscience, en leur conférant une signification
qu'ils n'auraient jamais eue dans un monde heureux, les
images du passé. Le libéralisme devenu La Fayette fera
ressouvenir Raphaël (ou plus exactement conduira Balzac
à faire se souvenir Raphaël) [1] de son enfance meurtrie :
tout se tient dans une expérience, et si les malheurs de
l'enfance n'avaient pas, dans la littérature pré-romantique,
trouvé la place qu'ils devaient trouver au xixe et au xxe siècle,
c'est que, dans l'univers pré-révolutionnaire, le monde extérieur avait cette « stabilité » dont nous avons parlé; il ne
mentait à nulle promesse. Dès lors, on se mettait à la tâche
sans plus trop penser à ce qu'on avait d'abord pu souffrir.

---

1. Cf. t. II.

Indiscuté, le monde social ne permettait pas aux drames de l'enfance de devenir des instruments de sa propre discussion. C'est donc dire qu'il serait insuffisant et faux de vouloir expliquer les actes d'accusation des romans autobiographiques du xixe siècle uniquement par ce qui est *personnellement* arrivé à leurs auteurs. *Aucune enfance ne débouche dans une critique d'ensemble s'il n'y a pas relais de l'expérience de la famille à l'expérience plus large de l'entrée dans le monde.* Marqué par sa mère, Balzac le fut, certes, profondément, mais la cicatrice n'aurait pas été aussi sensible, ne le serait pas demeurée, ne se serait pas approfondie, si, au sortir de la famille, il avait été pris en main par un univers dont la loi eût été celle du plein emploi des êtres. Très tôt, équilibrant les images, les concepts venus du père et de ce que la Bourgeoisie avait d'élan, l'expérience maternelle dit que tout n'était pas clair. Mais elle n'était pas satanisme, inexplicable catastrophe. Elle était la première forme de ténèbres qui n'avaient pas encore de claire signification politique et sociale.

De là vient, très tôt, la portée critique des thèmes de la « vie privée » dans l'œuvre balzacienne. Le mythe de l'enfant maudit, le mythe du père bafoué, le thème des drames cachés et des existences lentement détruites par les conflits invisibles, tout ceci va infiniment plus loin que de simples découvertes psychologiques, ou que des anecdotes. Ses contemporains salueront dans l'analyste des familles et des femmes un découvreur de terres inconnues : n'est-ce pas que les problèmes de la famille et de la femme acquéraient, dans le monde moderne, une *dimension* nouvelle? Les familles bourgeoises, les familles libérées, étaient *aussi*, étaient *encore* des lieux où l'on écrasait l'Homme. Au xviie siècle, avec les affaires de famille commence d'apparaître comme un microcosme où joue *déjà*, à mort, la loi sauvage des intérêts, que l'on retrouve à la ville, à la Cour, dans l'univers des partisans. Une vision complète, profonde, de l'absurde et de l'incomplet moderne se devait d'englober la famille, conquête, certes, de la vie bourgeoise, mais aussi, lieu de certaines de ses pires efficiences. La famille, chez Balzac, sera tout autre chose qu'un thème intimiste ou « domestique » (ce qu'a pu, en 1822-1823, on le verra, lui suggérer le roman anglais à la manière de Jane Austen) : c'est par elle que le romancier a commencé à prendre la mesure de l'inhumain. Mais cette prise de mesure, si elle inclut la confidence et l'élégie, ne s'y limite pas. L'enfant maudit est encore et se veut encore Prométhée.

D'où, ce thème de la femme coupable et punie, ce thème de la revanche de l'homme (père ou fils, père et fils, fils par l'intermédiaire du père) qui est l'un des thèmes majeurs de la dramaturgie balzacienne. Les significations ne sont que trop claires. En 1823, c'est Horace Landon qui foudroie Mme d'Arneuse, bourreau de sa fille dans *Wann-Chlore*. En 1830, c'est M. de Restaud qui écrase sa femme sous sa colère et son mépris, dans *Les Dangers de l'inconduite*. En 1832, c'est M. de Merret qui fait murer l'amant de sa femme dans le cabinet, après avoir fait jurer à la malheureuse qu'il ne s'y trouvait personne, dans *La Grande Bretèche*. En 1834, c'est à nouveau M. de Restaud, repris et perfectionné, dans *Le Père Goriot*, et, cette fois, c'est Anastasie qui raconte elle-même la terrible scène. En 1836, c'est M. d'Espard, passionné de la Chine et des Chinois, comme Bernard-François, que le romancier sauve des manœuvres de sa femme, qui voulait faire prononcer contre lui une mesure d'interdiction. Amplifications révélatrices! Bernard-François n'a sans doute jamais fait à sa femme la scène de M. de Restaud, mais l'accélération dramatique, c'est la revanche du fils, l'exorcisme de ce qui a pu menacer tout ce qui était paix, honnêteté, science, courage, espoir. L'exorcisme de la mère coupable. Exagération, dira-t-on peut-être? Et Balzac a-t-il été « juste » avec sa mère? Selon une tendance salubre et naturelle qui pousse à reprendre les questions et à revenir sur les affirmations établies, sur les légendes, on essaie, périodiquement, de « réhabiliter » Mme Balzac. Les faits, les textes cités, ceux qui le seront, rendent difficile cette entreprise. On peut, toutefois, toujours discuter des mobiles profonds, des intentions d'un être, et il n'est pas impensable, peut-être, de « comprendre » autrement la mère du romancier. Mais ce qui est absolument indiscutable, ce sont ses réactions *à lui*, la manière dont il a vécu les relations avec sa mère, les traces qu'il en a gardées. On ne saurait en aucune manière récuser le témoignage de tant de premiers jets, dans les manuscrits, de tant d'auto-censures. S'agit-il d'évoquer les premières meurtrissures? C'est la mère qui paraît. L'exemple le plus frappant est, sans doute, en 1829, celui du *Rendez-vous*, premier récit de *La Femme de trente ans* : la future Julie d'Aiglemont, celle que l'on aperçoit aux Tuileries pendant la revue, n'a pas de mère; elle n'a qu'un père; et pourtant, lorsque Balzac lui fait écrire à son amie de pension Louisa pour lui raconter ses malheurs de jeune mariée, lorsqu'il lui fait évoquer la journée de ses noces, il lui donne, au mépris de tout ce qui précède du récit, une mère, et quelle mère! Celle de Laurence, n'en doutons pas, dont la joie et les folies sont ici clairement évoquées :

Ma mère me dit plus d'une fois qu'une mariée ne devait pas être aussi gaie que je l'étais. Je témoignais des joies qu'elle trouvait inconvenantes. [...] Quand j'entrai dans cette chambre parée qui ressemblait à un boudoir, *au lieu d'écouter ma mère,* je regardai ces draperies ravissantes, etc. [...] [1].

Julie, qui va être déçue, meurtrie, par son mari, *l'est d'abord par sa mère!* Pour l'impression, bien entendu, Balzac a corrigé, et c'est le père qui reproche à sa fille son trop de gaieté, mais comme est significatif ce lapsus, dans lequel le fabricant d'histoires a complètement disparu, un moment, au profit de l'homme qui se raconte et qui se venge! Plus que comme création, sereine et puissante, *La Comédie humaine* peut ainsi, souvent, être lue comme une transcription directe et spontanée d'angoisses, de regrets, de souffrances, dont le sens ne souffre aucune équivoque, inséparables d'une volonté de revanche et d'affirmation. On pourrait presque dire que, cherchant à venger son père de sa mère, Balzac cherche désespérément dans la Bourgeoisie telle qu'elle pouvait être de quoi réfuter la Bourgeoisie telle qu'elle est devenue, et telle qu'elle était condamnée à être. Elle peut être de bonne foi, mais faible et même ridicule, comme la mère de Joseph Bridau. Le père, c'est l'autre possibilité, l'autre face, à la fois une sorte d'*avant*, et aussi comme la promesse d'un *après*. Au centre de l'univers romanesque balzacien, il y aura le Père (ou Dieu), garant d'unité, de progrès, de développement, non la mère, image, chez ses poètes, du refuge, de sein et de la vraie vie retrouvée, de la réintégration, non de la marche, de la conquête et de la création. Mᵐᵉ de Staël, pour Lambert, ne sera ni mère ni femme, mais seulement être supérieur et météorique, et l'on pourrait à peu près affirmer qu'il n'est, dans *La Comédie humaine*, aucune vraie grande figure de mère, Mᵐᵉ de Mortsauf et Adeline Hulot étant infiniment plus femmes que génitrices. C'est donc par un choix, *par un acte* du créateur que se fait, essentiellement, la confidence, finalement plus importante que celle, directe et explicite, des récits autobiographiques. D'émotions, de réactions du tout premier âge, nous voici donc au cœur et au sommet de l'œuvre, au moins sur le chemin qui y conduit. Mais c'est que tout se tient et que tout est logique, dans une « histoire intellectuelle », dans celle d'un héros composé à plaisir comme dans celle

---

1. *Lov.* A 77, f° 15. On peut imaginer que, dans les premières pages (la revue, les conseils donnés à une jeune fille qui risque gros à écouter à la légère ses passions), Balzac a voulu *valoriser* la personne qui donne les conseils. D'où, le père. Puis au moment du mariage, sous l'afflux des souvenirs (le mariage de Laurence), en dépit de toute vraisemblance, la mère.

de Balzac. Pour lui, l'élément fort, le point de référence, restera son père, avec tout ce qu'il représente d'optimisme et de force, d'ouverture au monde. Sa mère, elle, représente l'élément perturbateur. L'expérience de ses sœurs, la découverte de la vie parisienne, plus de compréhension, peut-être pour cette mère, mariée si jeune et sans son avis, feront mettre en face de la femme coupable la femme-victime, la femme de trente ans. Mais ce sera découverte postérieure. Au départ, il y a cette hostilité, ce rejet. Est-ce à dire qu'il faille ici, comme on l'a fait parfois, évoquer Baudelaire? Non pas : Baudelaire n'avait pas de père, et il reprocha à Aupik de lui avoir *pris* sa mère. Balzac, lui, écrira sans ambages à Mᵐᵉ Hanska : « Je n'ai *jamais eu* de mère [1] », ce qui est bien différent. Balzac, dans la vie, sera un être seul, dominateur; il aura des camarades, des secrétaires, des mignons, peut-être, jamais des amis. Il inspirera des admirations où la curiosité époustouflée l'emportera de beaucoup sur l'échange et l'affection. Mais cette solitude, rude, n'aura jamais quoi que ce soit de désespéré, de paralysé, de lymphatique. Elle sera, au contraire, tendue, exaltante. Balzac ne retombera jamais réellement. Il repartira toujours. L'hostilité maternelle ne fut jamais suffisante pour annihiler l'essentiel, qui était l'héritage paternel et l'influx de classe. Mais, au cœur d'un univers de confiance, l'expérience maternelle devait prendre valeur de signe et de préfiguration. Chaque fois que Balzac trouvera, dans sa vie d'adulte, les données du réel moderne en contradiction avec les promesses de ses origines, il retrouvera sa mère.

Maintenant, Mᵐᵉ Balzac a-t-elle exercé, comme on l'a dit longtemps, une influence d'un autre ordre sur son fils [2]? Est-ce elle qui l'a initié à une littérature qui, rencontrant des courants profonds de la conscience et de la sensibilité du jeune garçon ou du jeune homme, aurait fourni vocabulaire et références aux désirs de *plus*, aux besoins d'absolu qui, de toute évidence, cessèrent vite de satisfaire les affirmations et certitudes paternelles? Il existe et sévit sur ce point une légende dont il a été fait récemment bonne justice. Si Laure Surville, en effet, en des pages fameuses, a parlé des cent volumes de littérature mystique de sa mère, s'il est vrai que c'est elle qui a pu fournir à son fils, pour *Seraphita*, Swedenborg et Saint-Martin, ces épisodes fameux ne remontent

1. *Étr.*, III, p. 176, 2 février 1846.
2. Madeleine Fargeaud, *Madame Balzac, son mysticisme et ses enfants*, A. B., 1965. De nombreux documents inédits produits par cette étude prouvent que la conversion de Mᵐᵉ Balzac date de 1820, pour les écrivains mystiques, et de 1831 pour le magnétisme. Cf. également la citation, note suivante.

nullement à l'enfance, et Laure, en contant ses souvenirs, ne se réfère, de manière très explicite, qu'à la période beaucoup plus tardive de 1835 [1]. Mme Balzac, frivole et mondaine, n'avait rien, du temps de Tours ni de Vendôme, d'une croyante, encore moins d'une mystique. Elle se montrait même fort agressive envers les « cafards » qui tourmentaient son pauvre Henry, et une chose est certaine, c'est qu'elle aimait la lecture de Dupuis et de ses *Origines de tous les cultes*, qu'un abrégé avait répandu dans le grand public. En 1836, c'est encore au philosophe des mythes solaires [2] qu'elle se référera, dans la grande lettre par laquelle elle explique à sa fille les raisons de sa « conversion [3] », le signalant comme l'un de ceux qui lui ont appris à « discuter à part [soi] et à [se] rendre raison de bien des choses ». Or, Dupuis n'est nullement un maître à fuir le réel et l'humain, un guide vers l'invisible ou l'inconnu. Tout l'effort, au contraire, des *Origines*, consiste à rendre compte par la pratique humaine, par la technique et tout ce qui en naît, des croyances, et de toutes les transcendances inventées. L'objet premier était, certes, de détruire certaines prétentions du christianisme, de tout replacer dans une saine perspective relativiste et historiciste. Mais loin d'être un simple ouvrage de dénigrement, les *Origines*, au contraire, exaltent l'Homme, lui conseillant de se voir tel qu'il est, et d'agir, de vivre, en conséquence.

> Si l'homme se fût mis à sa vraie place [...] il n'eût jamais cherché dans les êtres invisibles un appui *qu'il ne devrait trouver qu'en lui-même, que dans l'exercice de ses facultés intellectuelles et dans l'aide de ses semblables* [4].

Voici un philosophisme de fière allure intellectuelle, et, surtout peut-être, de fière allure morale. « C'est sa faiblesse, ajoute Dupuis, *et l'ignorance de ses véritables ressources*, qui l'ont livré à l'imposture qui lui a promis des secours dont il n'a eu pour garant que la plus honteuse crédulité. » Ceci, au départ, mettait-il Mme Balzac très loin de son époux? Et ceci encore :

> Je sais que les chrétiens, profondément ignorants sur l'origine de leur religion, repoussent tous le *matérialisme* de

---

1. Laure Surville, *op. cit.*, p. 106 : « Ma mère lisait *alors* les mystiques... »
2. Pour Dupuis, toutes les religions ont une origine agraire et solaire. Le Christ, c'est Osiris et Adonis (incarnation, mort, résurrection), etc.
3. Madeleine Fargeaud, *art. cit.*, p. 4-8.
4. Dupuis, *Abrégé de l'origine de tous les cultes*, Bibliothèque nationale, 1881, III, p. 13. Cette édition populaire est la preuve de l'influence que conservaient les *Origines* à la fin du XIXe siècle.

cette théorie [1], et qu'ils ont, comme les platoniciens, spiritualisé toutes les idées de l'ancienne théologie [2].

« Une heureuse révolution [3] », fort heureusement, a mis fin au règne des fausses explications, et, désormais, tout est remis à l'endroit. « Jamais les hommes ne sont plus pieux que lorsqu'ils sont pauvres, malades ou malheureux » pauvreté, maladie, malheur, appartiennent au passé, et l'on conçoit comment la mondaine Mme Balzac a pu, sans doute, éprouver toutes ces libérations, comme en tirer les réflexions et la « philosophie » qui convenaient. Le caractère dynamique, conquérant, universaliste, de l'ouvrage de Dupuis a pu aller dans le sens de sa propre affirmation, de sa liberté de jeune bourgeois lancé. Il est possible, par ailleurs, que l'intérêt qu'elle semble avoir porté à la philosophie d'Azaïs, dynamique, elle aussi, unitaire, ait eu les mêmes causes [4]. Cette foi laïque met encore bien loin du « chemin pour aller à Dieu » que découvrira plus tard Mme Balzac [5]. On peut seulement se poser deux questions : d'une part, toute cette « philosophie » n'avait-elle pas quelque chose d'un peu desséchant, et, d'autre part, comment expliquer une évolution qui, de Dupuis, conduira la mère du romancier à Saint-Martin, à Swedenborg et au magnétisme? La libre pensée convenait trop bien, sans doute, au tempérament de cette jeune femme à la mode, mais, précisément, son manque de chaleur humaine n'est-il pas comme un signe de la nature profonde, à terme, de cette libre pensée? Raisonneuse, cette fille de bourgeois passe à côté de tant de choses! Et, d'autre part, bien vite, on la voit, sitôt Laure mariée, lui donner d'étranges conseils. Il faut être respectée, avoir bonne réputation, ne pas donner prise à la médisance, et l'un des premiers moyens, c'est d'être inattaquable en ce qui concerne la religion. Laure, un peu vive, ne manquait pas, sans doute, de faire montre de trop d'indépendance et d'originalité sur ce point. Erreur! Sans apparences, une femme est perdue, et cette morale aura assez de prises

1. Celle qui assimile le culte du Christ à celui du soleil ou de Mithra.
2. *Ibid.*, II, p. 143.
3. *Ibid.*, III, p. 9. Affirmation typiquement bourgeoise et libérale à mettre en parallèle avec celle de Sade sur la révolution qui n'est pas faite au-dedans de nous (« Français, encore un effort, si vous voulez être républicains », *Philosophie dans le boudoir*, p. 190).
4. Une lettre d'Azaïs à Mme Balzac, en 1829 (*Lov.* A 379, f° 169-170) prouve, à cette date, des relations assez étroites. Mme Balzac assistait sans doute aux leçons données dans le célèbre jardin. Il n'est pas possible de dater avec plus de précision la date des premiers contacts, mais il est très vraisemblable que le grand *Traité* d'Azaïs figurait dans la bibliothèque de Bernard-François.
5. Madeleine Fargeaud, *art. cit.*, p. 4. L'expression est prise à un titre de chapitre de *Séraphita*.

sur Laure pour qu'elle-même, à son tour, après le mariage de Laurence, se mette, bourgeoise, à prêcher de même la petite sœur.

Elle me disait dans cette dernière qu'ayant trouvé deux fois dans ma lettre le mot Dieu, elle avait furieusement peur que je devienne bigote (le tout en plaisantant) mais j'ai repris ceci doucement malgré que ce ne fût qu'une plaisanterie. *Je lui ai recommandé de se souvenir de tes conseils sur cet article* « qu'une femme qui affecte le mépris de la religion est surtout attaquée ». Je lui ai dit que la force d'esprit que demande l'athéisme est en opposition avec le caractère faible des femmes [1].

Étrange lettre, et qui mélange étrangement d'étranges arguments! Mais comme on devine, aussi, les mobiles profonds! Le philosophisme, pour Bernard-François, était inséparable de son insouciance. L'expérience de sa femme, nécessairement plus décevante, plus pénible, dans laquelle devaient plus vite apparaître les facteurs d'aliénation, qui devait plus vite faire plus de place à la nécessité, impérieuse du point de vue pratique comme du point de vue théorique, au « senti », devait, assez vite, aboutir d'une part à une technique de défense et de « signification » vis-à-vis du monde extérieur, d'autre part, à des curiosités, à des recherches auxquelles n'avait guère à songer Bernard-François. M\ :sup:me Balzac *devait*, pour les autres, et pour elle-même, s'installer dans la respectabilité. Mais elle le *devait* aussi, le mot prenant alors un autre sens, s'inventer des fondements nouveaux. La littérature mystique fournissait d'autres exaltations, d'autres adhésions que le catholicisme impérial, ou simplement social, et elle n'impliquait pas des impératifs moraux par trop catégoriques. Effusion n'est pas nécessairement pratique, et Philippe Bertault, en catholique, a pu souligner tout ce qui sépare cette foi de remplacement de l'évangélisme. Chez les mystiques, le prochain n'existe guère, et le *moi* occupe toute la place. S'il fallait des justifications externes, Dupuis, relu dans un autre éclairage, ne pouvait-il suggérer l'universel besoin de croire et d'adorer? M\ :sup:me Balzac le dira à Laure dans sa lettre bilan de 1836 : « La grande diversité et le nombre des religions prouve le besoin que les hommes ont toujours ressenti d'en avoir une [2]. » On trouve toujours, en ce domaine, de quoi

1. Lov. A 378, fo 37. Il est probable que Laure ait, de bonne heure, obtempéré dans la pratique extérieure. Mais en ce qui concerne les sentiments profonds, en 1836, encore, en tout cas, la « femme supérieure » était encore bien loin de croire, comme le montre la lettre citée par Madeleine Fargeaud.
2. Cité par Madeleine Fargeaud, *art. cit.*, p. 5.

épauler les poussées et les besoins, voire les attitudes. Dupuis première manière, c'était encore, pour Mme Balzac, la jeunesse, le temps où l'on ne voit pas tout, où l'on est porté. Les messes de Saint-Gatien, le registre de chaises, c'était déjà le second personnage, le rôle. Les mystiques et le chemin de Dieu, c'était une authenticité retrouvée. Le fils l'a-t-il compris? On verra, en son temps, ce à quoi parlaient, en lui, ces textes et révélations. On verra aussi que, créant Mme de Granville, femme « attachée à ses devoirs », ou Mme Toutendieu, il retiendra, sans doute, le personnage, le rôle de sa mère, alors qu'il préservera l'image du père demeuré fidèle [1]. Il y a là, dans un registre plus feutré, un dispositif parallèle à celui décrit plus haut de la femme infidèle, du fils puni et du mari bafoué. Mais est-ce là tout? Sur le moment, répétons-le, il est hors de question d'envisager une quelconque influence « mystique » de Mme Balzac sur son fils. Mais, à terme, n'a-t-il pas compris, avec ses moyens et ses besoins propres, la signification de cette recherche mystique? Les livres mystiques lui révéleront, sinon exactement un monde inconnu, du moins la manière d'en parler. L'ésotérisme, par réaction contre certaines platitudes bourgeoises, contre certains étranglements, pourra fournir un style au besoin d'amour et de communion, une explication aux tumultes intérieurs, mobiliser des énergies qui se cherchent. Pourquoi, comment, Balzac, jeune et moins jeune, a-t-il pu être fasciné par toute une littérature qui nous semble aujourd'hui si creuse, et dont Albert Béguin lui-même relève qu'elle n'échappe pas au « didactisme le plus ingénu [2] »? Pourquoi et comment, a-t-il trouvé, ou cru trouver, fraternels, des théories et des livres, un langage aussi fondamentalement opposé à son matérialisme foncier? Très vite, l'univers bourgeois devait n'avoir plus besoin du dynamique, avoir peur, même, du dynamique. On a toujours un peu le dynamique que l'on peut avoir. Mme Balzac, dans sa solitude de femme, devait, à sa manière, protester contre son entourage, contre la vie qui lui avait été faite, en cherchant le sens et la raison des choses par-delà les apparences d'un quotidien sinistre. Ces lectures, Bernard-François n'en aura jamais besoin, mais sa femme, elle, que ne concernait que bien épisodiquement la révolution de son mari, put y trouver un peu de ce qui lui manquait. *De bonne heure,*

---

1. Mme de Granville dans *La Femme vertueuse (Une double famille) des Scènes de la vie privée,* en 1830. Mme Toutendieu dans un texte portant ce nom comme titre, paru dans *La Silhouette* du 13 mai 1830 (O. D. II, p. 30-32). Le père, en 1836, sous les traits du marquis d'Espard, dans *L'Interdiction.*
2. Albert Béguin, préface à *Louis Lambert* (B. D. I, p. 13).

Mme Balzac apparaîtra comme ayant plus d'intériorité que Bernard-François. Qu'on se soit assez vite remis, dans certaines zones de la vie bourgeoise, à la métaphysique, en dit assez long sur l'insuffisance de la pratique bourgeoise à satisfaire tout l'Homme. Le jeune Honoré a-t-il senti, déjà, quelque chose de tout ceci, avant comme après Vendôme, lorsqu'il voyait sa mère aller à la messe? Tout ceci est bien difficile à recomposer avec exactitude. Mais, à revoir les choses aujourd'hui, il semble qu'il y ait, dans tout ceci, une certaine *logique.* Tout se tenait assez bien, et les leçons, la présence, l'exemple, du père cohabitaient d'une manière certes *contradictoire,* mais non pas *absurde,* avec les leçons, la présence, l'exemple de cette mère lucide et volontaire, jamais abandonnée, dont la volonté et la lucidité, aiguisées, tendues, déjà bloquées par la vie telle que la faisait le monde moderne, par les revanches auxquelles il condamnait, un peu comme plus tard celle du fils, crevait la toile molle des tranquillités bourgeoises. Qu'il y ait eu, dans tout ceci, du faux, du méchant, il est vrai, mais quelles tentatives individuelles ne sont pas exposées à ces périls? Mme Balzac évoluant à partir de sa philosophie première, bien avant la fameuse centaine de volumes, bien avant les séances de magnétisation, sous d'invisibles pressions que verra le romancier, c'est, sans doute, dans les profondeurs, et avec tout un avenir, un élément capital dont il faut tenir compte pour comprendre les premiers émois religieux du jeune Honoré [1].

Certaines exaltations sont inséparables du décor familier de l'enfance : la cathédrale Saint-Gatien, aux jours de fête [2],

1. Il est tout à fait caractéristique que Mme Balzac, passant à Dieu, éprouve, à partir de sa première philosophie, non un sentiment de rupture ou de vide, mais comme un sentiment de conquête et de progrès. Dans sa grande lettre de 1836, elle explique à Laure que ses lectures de Dupuis, qui lui ont appris la pensée libre, ont, finalement, préparé sa non moins libre conversion. Elle n'a pas été illuminée : elle a réfléchi, et elle a compris. En d'autres termes, le passage au poétique, au surrationnel, au plus complet que l'intellectuel simpliste, ne s'accompagne d'aucun renoncement à ce qu'avait, et à ce que conserve d'utile et de fort, l'acquis rationnel et philosophique antérieur. Ce sera exactement ce qui se passera chez Honoré lors de son passage du style voltairien au style poétique, romantique, ou religieux, en 1822, 1823. Cf. *infra,* p. 490 sq. Il ne s'agit nullement là de religion, de poésie, ou simplement d'affectivité liquidatrices de l'aventure prométhéenne antérieure, mais bien de couronnement, d'un essai de couronnement, de cette aventure, que la bourgeoisie bloquait et stérilisait sur des positions de défense d'intérêts.

2. Laure, dans son livre, dit que Mme Balzac conduisait ses enfants à Saint-Gatien *les jours de fête* (p. 4), ce qui ne signifie pas nécessairement tous les dimanches. Ce qui, aussi, renforce le lien entre les cérémonies du culte et les cérémonies sociales. On sait, par ailleurs, que Mme Balzac avait sa chaise à la cathédrale, ce qui était sans doute une obligation pour l'épouse d'un haut fonctionnaire, surtout dans le contexte d'une revanche de l'évêché sur le préfet anticlérical Lambert, protecteur de Bernard-François (Cf. Préteseille, *Le compte de chaise de Mme Balzac, Le Courrier balzacien,* 4-5 mai 1950).

le Cloître, sombre et mystérieux, cette partie de la ville où la vie semblait s'arrêter, où le pas d'un passant résonnait dans le silence, où l'on avait le sentiment de quelque chose de plus « dense » qu'ailleurs. Les notations de *Sténie*, en 1821, de la dernière partie de *Wann-Chlore*, en 1823, ne trompent pas. La cathédrale et le Cloître, insolites, mystérieux, ont été pour le petit Honoré, la première attestation d'un « plus » que la simple santé paternelle. Wann-Chlore, héroïne de l'amour total, se réfugiera dans le Cloître ; elle y entretiendra le culte de la fidélité et le jeune romancier opposera cet îlot d'absolu à l'univers tragi-comique de la vie bourgeoise et privée, chez Mᵐᵉ d'Arneuse. Plus tard, la maison de Wann deviendra celle du *Curé de Tours* : sinistre et significative mutation, d'une vision *encore* susceptible d'idéal, à une vision d'un impitoyable réalisme. L'ombre de Wann ayant quitté le Cloître, les plates érinnyes de la vie de province et de la vie privée prendront sa place. Pensable en 1823, comme héroïne de roman, Wann deviendra impossible pour un romancier qui aura pris meilleure mesure de la réalité moderne. La succession Gamard sera à elle seule un jugement, et le Cloître ne sera plus que décor vide. Non plus le pas léger du mélancolique Landon, mais les godillots de l'abbé Birotteau : que de fantômes en allés !

Il y eut aussi, certainement, les exaltations des messes, entre la mère et les sœurs, en présence des corps constitués. Comme tant d'autres, alors, Balzac dut être sensible à la « beauté » externe d'une religion qui venait de se retremper dans la prose de Chateaubriand et dans les articles du Concordat. Mais ne nous faisons surtout pas illusion : aucun sens vrai du surnaturel, aucun sentiment authentique du transcendant, n'est décelable dans ces émotions esthétiques :

> Là, il pouvait songer à loisir, et aucune des poésies et des splendeurs de cette belle église n'étaient perdues pour lui. Il remarquait tout, depuis les merveilleux effets de lumière qu'y produisaient les vieux vitraux, les nuages d'encens qui enveloppaient comme d'un voile les officiants, jusqu'aux pompes du service divin, rendues plus sensibles encore par la présence du cardinal-archevêque [1].

Credo social d'un régime vigoureux et ensoleillé, le néochristianisme impérial retrouvait un prestige depuis longtemps perdu. On peut ainsi ranger les messes de Saint-Gatien parmi les innombrables revues, *Te Deum*, cérémonies, qui restèrent dans la mémoire des enfants du siècle, inséparables

---

1. Laure Surville, *op. cit.*, p. 24.

de leurs premières années. Quelle différence avec les méditations religieuses des victimes de la Terreur! La messe, à Tours, pour le jeune Balzac, c'était encore l'agrandissement du moi, la beauté des choses, la vie bourgeoise en somme. La poésie des vitraux établit le lien, toutefois, entre l'exaltation, l'admiration positive, et cette intuition du mystère qui impliquait la mise en cause des « lumières ». La « danse des pierres », le monument qui vacille, comme le peuple de statues mêlées aux choucas [1], c'était, toujours, cet « en avant » qui devait engendrer le romantisme. Tout se mêle, ici : héritage du passé, continuité d'une religion, grandeur du spectacle, reprise par les exigences intérieures de ce que fournit l'univers des autres, addition au lot commun de ce qu'on est. La religion catholique ne s'oppose pas au régime de la France, elle l'accompagne et le consacre; le régime, lui, l'enracine et lui restitue sa valeur d'institution. Mais aussi, cette religion, par ses formes, par ce qu'elle a toujours exprimé du sentiment que l'Homme a de l'incomplet de sa destinée, se prête à accueillir les sourdes rumeurs de l'être blessé. Seul avec lui-même, le jeune Balzac trouve dans le décor religieux un aliment à ce qui ne saurait être encore révolte ou critique. *La messe, la cathédrale, les chants, ce n'est que l'occasion. L'essentiel, c'est le besoin.* Et ce besoin, il a des racines sociales. A l'extérieur de l'Église, Mme Balzac s'en allait rejoindre son mari, ses admirateurs, la vie. Or, c'est cette vie, telle que la lui faisaient sa famille et sa classe, que le jeune Balzac voyait autrement, dont il attendait autre chose. Le retour à la maison, c'était un repli, non un prolongement. Quoi d'étonnant que le jeune garçon ait été attiré par des mirages?

Plus tard, selon Félix de Vandenesse, et Louis Lambert, il y eut une autre exaltation : celle de la première communion. Mais Balzac était alors enfermé à Vendôme, dans cet immense collège, plus couvent que caserne. Sans doute, Vendôme était-il un établissement « moderne », ou modernisé. Tous ses Oratoriens avaient accepté le serment, et plusieurs s'étaient sécularisés. Philippe Bertault a montré leur parenté avec les idéologues [2]. Pourtant, Vendôme n'avait que bien peu de rapports avec ces séminaires laïcs que furent les lycées de l'Université Fontanes. On y enseignait, bien sûr, un catéchisme qui faisait de l'amour pour l'Empereur et roi un devoir d'État, mais aussi, Vendôme était resté, par ses murs, par sa

1. Pour *La Danse des pierres*, texte de 1830, cf. *infra*, p. 690. Pour les descriptions pré-hugoliennes de Saint-Gatien, dans *Wann-Chlore*, cf. *infra*. p. 622.
2. *Op. cit.*, p. 25. Cf. également Martin-Dumézil, *Balzac à Vendôme*, qui apporte quelques corrections importantes.

clôture, la vieille maison un peu à l'écart du monde. L'éloignement ne permettait guère aux parents de venir y voir leurs enfants [1], et tous les établissements nécessaires à une institution de ce genre (chapelle, théâtre, infirmerie, boulangerie, jardins, cours d'eau [2]) se trouvaient renfermés dans son enceinte. Évoquant ses souvenirs, Balzac insistera sur l'aspect conventuel de Vendôme, et il précisera que

> son ancienne règle, ses habitudes, ses usages et ses mœurs [...] lui prêtaient une physionomie à laquelle je n'ai rien pu comparer *dans aucun des lycées où je suis allé après ma sortie de Vendôme* [3].

Allusion à Charlemagne, *avant* la chute de l'Empereur, en 1814 [4]. Le collège avait bien, jadis, formé des cadets destinés à servir dans l'armée, mais l'Empire avait tout changé. Au lieu du tambour, dont a parlé Vigny, c'est la cloche qui réglait les moments de la vie des pensionnaires, et *nulle part Balzac n'a dit qu'il avait alors rêvé d'être soldat*. Les échos du dehors devaient arriver bien assourdis entre ces vieux murs, et le jeune garçon dut être sensible à tout ce passé encore debout. L'atmosphère portait à la méditation, à la réflexion, plus qu'à l'exaltation. Lut-il, alors, les bulletins du *Moniteur?* sur ce point encore, il a été muet. On peut donc comprendre comment, abandonné, seul, il put rêver de s'élancer non vers l'extérieur, mais vers un espace du dedans. Comment son naïf prométhéisme put prendre une direction plus intellectuelle que « pratique».

Ceci aide à comprendre la fameuse première communion. Il n'y a aucune raison de douter de sa sincérité, mais, comme le dit justement Philippe Bertault, « le contact avec l'idée divine plutôt qu'une foi profonde, paraît avoir frappé sa sensibilité [5] ». Et, de fait, le récit du *Lys*, bien plus qu'une foi réelle montre une rêverie exaltée pour laquelle formes et rites ne sont que prétextes :

> Lors de ma première communion, je me jetai dans les mystérieuses profondeurs de la prière, séduit par les idées reli-

---

1. *Louis Lambert*, éd. Pommier, p. 27.

2. *Ibid.*, p. 26. Aucun de ces détails ne figure dans le premier jet manuscrit. Balzac les a ajoutés sur épreuve. Comme dans *Le Lys*, il y a a, à la relecture, explosion d'un premier texte assez linéairement narratif. Les souvenirs s'éveillent, affluent, font éclater le récit. Balzac ne tire pas à la ligne, il s'écoute. *D'abord* romancier, raconteur d'histoire significative, et qui permet, une fois de plus, de faire confiance au texte définitif. Pour *Le Lys*, cf. *supra*, p. 184.

3. *Ibid.*, p. 26.

4. Cf. Moïse le Yaouanc, *Balzac au lycée Charlemagne*, A. B., 1962, C. H. VIII, p. 777.

5. *Op. cit.*, p. 37.

gieuses dont les *féeries morales enchantent les jeunes esprits.*
Animé d'une foi ardente, je priais Dieu de renouveler en ma
faveur, les miracles fascinateurs du martyrologe. A cinq ans,
je m'envolais dans une étoile; à douze ans j'allais frapper
aux portes du sanctuaire. *Mon extase fit éclore en moi des
songes inénarrables qui meublèrent mon imagination*[1].

De même, Swedenborg et le philosophe inconnu prêteront
un langage à cette ivresse du *moi* qui ne connaît que bien peu
le prochain et la charité.

Sur Balzac à Vendôme, comme on ne disposait guère que des
récits de *Louis Lambert* et du livre de Laure, on a voulu, à
juste titre, sans doute, se méfier. Balzac a-t-il, alors, vraiment connu, vraiment vécu, ces moments d'une si extraordinaire richesse qu'il retracera dans son œuvre de 1832? Fut-il
cet enfant génial? Passa-t-il par ces affres de la solitude et de
l'incompréhension? Eut-il, d'aussi bonne heure, une vocation
philosophique. Commença-t-il à écrire? On pouvait, à bon
droit, soupçonner, dans *Louis Lambert*, tout un arrangement,
d'ailleurs parfaitement légitime; on pouvait, dans le livre
de Laure, soupçonner la volonté de conformer à tout prix,
après coup, la vérité à la fiction glorieuse. Et pourtant, Balzac
n'avait-il pas écrit, dans *La Peau de chagrin* :

> La curiosité philosophique, les travaux excessifs, l'amour
> de la lecture qui, *depuis l'âge de sept ans,* jusqu'à mon entrée
> dans le monde, ont constamment occupé ma vie, ne m'au-
> raient-ils pas doué de la facile puissance [N. B. : il ne dit pas,
> comme tout le monde aurait dit alors : de la *fatale* puissance]
> avec laquelle [...] je sais rendre mes idées et aller en avant
> dans le vaste champ des connaissances humaines? L'aban-
> don auquel j'étais condamné, l'habitude de refouler mes
> sentiments et de vivre dans mon cœur, ne m'ont-ils pas comme
> investi du pouvoir de comparer, de méditer [2] ?

Depuis l'âge de sept ans : on aimerait avoir le manuscrit, le
premier jet. Mais comment récuser totalement un texte?
De quel droit? En bien d'autres cas, on a constaté que Balzac
disait plus vrai qu'on ne le croyait, ou était disposé à le croire.
La véritable signification de l'expérience de Vendôme ne
peut être dégagée que sur la base d'une connaissance aussi
exacte que possible des faits. Si les textes balzaciens ne suffisent pas, faut-il les écarter? D'autant plus que, s'il est permis
d'affirmer que Balzac, à Vendôme, fut un élève médiocre,
endormi[3], on peut affirmer, sur la base de documents à valeur

1. *Le Lys dans la vallée,* C. H. VIII, p. 777 (texte non modifié du manuscrit).
2. *La Peau de chagrin,* éd. Allem, p. 94.
3. Cf. divers documents reproduits dans le *Calendrier de la vie de Balzac,*
de Jean-A. Ducourneau et Roger Pierrot.

objective, qu'il ne fut pas uniquement *cela*. L'un de ses anciens condisciples, en effet, Adrien Brun, qui deviendra avocat sous la Restauration, lui écrira, au printemps de l'année 1831, pour se rappeler à celui qui était devenu une figure parisienne, et pour lui proposer ses menus services dans ce Bordeaux où il avait son cabinet. Et il sera très précis :

> Mon cher camarade, je ne sais si tu te rappelles un jeune condisciple d'un physique assez frêle et délicat, d'un caractère un peu timide et réservé ; réfléchi, pour son âge, et dédaignant les jeux bruyants des écoliers, pour se livrer de préférence à des occupations tranquilles et douces, le dessin, la peinture, par exemple. Ce philosophe en herbe sympathisait, si je me souviens bien, avec tes penchants. Tu lui communiquais quelquefois les essais littéraires qui dès lors occupaient profondément ta jeune imagination. Tu lui faisais admirer tes horloges improvisées et construites dans la solitude de la prison, ou de *l'alcôve* [souligné dans le texte], etc. [1].

On voit naître ici Louis Lambert, à partir, sans doute, à la fois, d'Adrien Brun, méditatif et délaissé, et d'Honoré Balzac lui-même, avec l'alcôve, avec ses ambitions naissantes, ses premiers essais littéraires, dont l'existence, *dès Vendôme*, se trouve ainsi attestée sans conteste. Lorsqu'on songe, par ailleurs, que « littéraire », alors, renvoie, comme en témoigne la Presse, à des œuvres non de banale, mais de haute littérature (histoire, philosophie) [2], lorsqu'on prend garde, aussi, que Brun, dans sa lettre de 1831, se réfère uniquement au temps de Vendôme, qu'il ne fait nulle allusion à des retrouvailles à Paris, au moment des études de droit, comment ne pas commencer à prendre beaucoup plus au sérieux les indications de 1832 ? Il semble bien, désormais, peu contestable que Balzac, à Vendôme, ait été, au moins en grande partie, le Louis Lambert de 1832. Mais voici une autre indication décisive, encore fournie par Brun lui-même. En septembre 1831, il publiera, en effet, dans *L'Indicateur*, de Bordeaux, un article consacré à *La Peau de chagrin*, dans lequel il affirmera expressément que la *Théorie de la volonté* (première forme,

---

1. *Corr.*, I, p. 509. Lettre inédite publiée pour la première fois par Roger Pierrot.
2. Sous la rubrique *Littérature*, les journaux rendent compte, essentiellement, de ces deux genres de travaux, théâtre et romans faisant l'objet de rubriques spéciales. Il semble que ce soit par le biais de l'expression ironique de *littérature marchande* (la vraie, la grande, la haute littérature, étant, bien entendu, une œuvre libre, désintéressée) que le roman, en particulier, ait commencé à faire une entrée contestée dans la noble catégorie, et Balzac sera l'un de ceux pour qui (ou par qui) sera inventée l'expression, à propos du *Vicaire des Ardennes*, en 1822.

dans le conte fantastique de 1831, du *Traité de la volonté*, dans le roman de 1832) a bel et bien existé [1]. Rapproché de la lettre à laquelle il est fait allusion précédemment, et compte tenu de ce que Brun ignore visiblement tout du Balzac philosophe-étudiant de 1818, ce texte emporte définitivement la conviction : Balzac, à Vendôme, n'a pas seulement commencé un poème à la gloire d'Inca, roi infortuné et malheureux ; il a bel et bien *au moins* entrepris cette œuvre ambitieuse, au titre significatif, à la fois des naïves ambitions encyclopédiques et systématiques du collégien, et de l'orientation de ses curiosités.

Il faut, en effet, ne pas séparer les effusions de la première communion de cette ambition positive et constructive. Tout s'éclairera dans *Louis Lambert*, mais on peut déjà deviner que volonté ne signifie pas abstraction sèche et moraliste, tout comme les effusions ne sont pas perte, et perte enivrante de l'être, renoncement, évasion. Dans les deux cas, il y a agrandissement, extension du *moi*. Si Balzac a commencé un *Traité de la volonté* vers sa quatorzième année [2], après avoir « frappé aux portes du Sanctuaire » [3], il n'y a sans doute là ni rupture ni contradiction, la volonté balzacienne, plus qu'aux stoïciens et aux prêcheurs, devant beaucoup à une énergétique, à une dynamique, qui incluent davantage les éléments affectifs. La volonté de Lambert ne sera pas séparatrice et analytique, mais bien, au contraire, unificatrice et synthétique, à la fois du *moi* et du monde. Si l'on va au fond du problème, on s'aperçoit que *volonté* égale *désir*, et l'on voit tomber bien des cloisons illusoires. Il n'y aura jamais un Balzac intellectualiste *et* un Balzac affectiviste. Très naturellement, sur ce point, il a retenu et maintenu les leçons de Victor Cousin. Il n'est de sentiment qui ne soit intelligent. Il n'est d'intelligence qui n'ait sa force et son mystère. Il faut voir le dynamisme unificateur de la conscience, non l'atomiser en attitudes.

Beaucoup plus, en effet, que leur *forme*, ce qui compte, dans ces enthousiasmes, c'est leur *ardeur*. Balzac, séparé de sa famille, isolé au milieu de ses condisciples, influencé par l'atmosphère monacale du collège, jette dans une réflexion éperdue toutes ses facultés de sentir et de penser. Extérieure-

---

1. Cet article de Brun est important pour d'autres raisons, qui seront examinées au moment de *La Peau de chagrin*. Cf. t. II.
2. Balzac a quitté Vendôme en avril 1813. On peut admettre qu'il ait commencé la rédaction de son *Traité* assez tard, alors que ses immenses lectures portaient leur fruit.
3. *Le Lys dans la vallée*, C. H. VIII, p. 777.

ment, c'est un gros garçon, à bas bleus, à culotte vert pomme [1]. Intérieurement, c'est le refus du faux « réel » des autres, le mépris du corps, que le romancier incarnera plus tard dans le personnage souffreteux, mais intense de Louis Lambert [2]. D'un côté, la « vie » qui continue, en apparence, l'échange des portions de pois rouges au réfectoire contre du dessert [3], mais, de l'autre, l'immensité des désirs, lorsque s'ouvrait, le dimanche, la « boutique », et pas un sou en poche. Volé, frustré : tel est le Balzac de Vendôme, qui crut, un moment, parce qu'on le volait, parce qu'on ne l'aimait pas, trouver la vérité dans un ailleurs purement cérébral. Combien symbolique est cette « alcôve », où il se laissait enfermer pour pouvoir lire à son aise [4]. C'est dans cette solitude qu'il partait à la recherche de ce qui lui manquait de toute part. Les livres qu'un répétiteur complaisant laissait à sa disposition, lui ouvrirent tout grand l'immense univers de la pensée. Tullius, dans *Le Centenaire*, en 1822, *Louis Lambert*, *L'Enfant maudit*, évoqueront cette découverte du plus large que tout. Au temps de la civilisation de salons, les livres n'étaient que divertissement. Les voici devenus *signes*, non seulement parce que l'intelligence a agrandi son royaume, mais aussi et surtout parce que les perspectives qu'ils ouvrent sont plus vastes que tout ce que la plus vaste révolution avait pu promettre, et surtout réaliser. « La lecture était devenue, chez Louis, une faim que rien ne pouvait assouvir [5] »; les dictionnaires même offrent à cet encyclopédisme irréductible à celui de la bourgeoisie marchande, une nourriture insoupçonnée. Retenons bien cette formation : la voix des livres n'a jamais parlé à Balzac collégien « un langage froid et pédantesque », comme à Vigny. Il est vrai que ce n'était pas « Tacite et Platon », qu'ils ne lui étaient pas imposés par des pions, qu'il allait lui-même les chercher au rayon, et que la grande aventure qu'ils lui faisaient entrevoir était d'une autre conséquence que l'aventure militaire! Le combat spirituel est aussi brutal que la bataille d'homme. Non, « l'étoile de la légion d'honneur » n'était pas pour lui « la plus belle étoile des cieux pour enfants [6] ». Qu'était-ce qu'une ambition vulgaire pour cet être qui (écoutons-le) :

---

1. Cf. Georges Guénot, dans un article du *Journal des femmes* paru au lendemain de la mort de Balzac (Lovenjoul, *Une page perdue* [...] p. 262).
2. Sur la séparation de Balzac et de Louis Lambert, cf. *infra*, *La mort de Louis Lambert*.
3. Le détail figure, avant Louis Lambert, dans *La Peau de chagrin*; cf. t. II.
4. Adrien Brun parle de cette alcôve, dans sa lettre de 1831; cf. *supra*, p. 210.
5. *Louis Lambert*, éd. Pommier, p. 13 (modifications stylistiques du manuscrit).
6. Vigny, *Souvenirs de servitude...*, *Œuvres*, I, p. 210.

s'était créé la vie la plus exigeante et, de toutes, la plus avidement insatiable. Pour exister, ne lui fallait-il pas jeter sans cesse une pâture à l'abîme qu'il avait ouvert en lui [1].

La lecture de *Louis Lambert* donne l'impression, souvent, non d'une simple soif de connaissances positives, mais du jeu à vide d'une faculté qui aurait annihilé toutes les autres. Le célèbre passage où Louis raconte l'ivresse que lui causait un mot pris isolément et indéfiniment répété, l'espèce d'audition colorée que provoquait en lui le véritable rite magique accompli sur le langage [2], nous montre le dangereux vertige que dut plus d'une fois côtoyer cet enfant. Quelle que soit l'importance des « reprises » de l'homme mûr et cultivé, il n'a pu partir que de souvenirs vécus, et même si les « transes » de Louis Lambert n'ont été, sans doute, que le résultat d'un abrutissement causé par trop de lectures, il n'empêche que cet engourdissement de la raison pratique, cet avènement d'une conscience maladive de soi, cette morbidité même, cette véritable intoxication de l'esprit, sont la preuve d'une véritable *initiation* à un mode d'existence et de pensée dont tout séparait initialement Balzac. *Il n'est pas normal que le fils de Bernard-François en soit venu là.* Il a fallu que se passe quelque chose, plus qu'un hasard, plus qu'un accident. Il a fallu que quelque chose se faille dans le mur des certitudes. Mais cette abîmée, il serait faux de vouloir y voir quelque chose de même nature que chez les pessimistes, de même nature que chez ceux qui, dès l'origine, avaient appris à désespérer de l'Homme. C'est bien en vain que toutes les critiques réactionnaires modernes ont tenté d'annexer *Louis Lambert* : le premier geste du héros n'était pas un geste de fuite, un geste d'évasion; c'était un geste prométhéen. « Il laissait, suivant son expression, *l'espace derrière lui* [3]. » Mais Balzac avait d'abord écrit : « faisant, suivant son admirable expression, *reculer l'espace devant lui* ». Voici qui est aveuglant. Louis-Balzac est d'abord celui qui chasse les monstres, qui repousse le réel hostile, qui écarte les murs. *C'est l'anti-Kafka,* comme le premier Saint-Aubin sera l'anti-René. Il ne saurait être question, ici, de nuit obscure ou de voyage au bout des choses. Louis avait été « découvert » par Mme de

---

1. *Louis Lambert, éd. cit.*, p. 118. Le texte ne figure pas dans le manuscrit.
2. « N'existe-t-il pas dans le mot vrai une sorte de rectitude fantastique? » (*éd. cit.*, p. 15; ne figure pas dans le manuscrit).
3. *Éd. cit.*, p. 19. Balzac a souligné, dans les deux cas les mots que nous soulignons.

Staël, femme du réel, femme des carrières temporelles; Louis s'était trouvé fourvoyé dans ce Vendôme qui ne le comprenait pas. Que cherchait-il? L'issue. Et l'issue « en avant ». Le mal de Lambert-Balzac, ce n'est pas la vie, c'est la fausse vie de la bourgeoisie utilitariste, pionne et flicarde. Le père Haugoult, les régents : demi-figures de la liberté, plus haineuses, à la fin, que ses ennemis traditionnels. Le geste de Lambert-Samson, crevant la toile qui lui bouche l'horizon est celui même de toute humanité momentanément condamnée aux subterfuges. Se relisant, Balzac a substitué à sa première image, une autre, plus « mal du siècle », plus « René ». On était en 1832, et plus sombres étaient alors les perspectives. Cette transformation, alors, de Lambert en un héros de l'évasion, sera une prise de position plus forte sans doute, par rapport à l'idéologie juste-milieu, que toute protestation étroitement polémique. Lambert n'a rien à faire avec ces gens. Mais, à l'origine, dans le flux des souvenirs, il était, lui aussi, cet Hercule au berceau que ressuscitera la réédition de 1835, avec la visite de Louis à Paris. Les premiers gestes de Lambert sont des gestes de conquête et d'appropriation : il ne laisse rien, lui, ni foyer, ni mère, ni livres trop lus, ni cabinet d'études; on chercherait en vain en lui de ces lassitudes, de ces pertes de saveur, de cet abâtardissement de la vie qui définissent univers et personnalité chez un René, chez un Lorenzo : nécessairement, les réactions du Balzac écrivant et vivant en 1832 partent de ces lointaines structures, de ces lointaines poussées de l'écolier de Vendôme. Et, ce que l'on imagine et comprend bien, gestes, énergies, poussées, solitaires, retombent et creusent. A Vendôme, Balzac-Lambert n'a pas trouvé le relais qu'il cherchait.

Le résultat fut que, vers la quatorzième année, l'organisation corporelle et mentale du jeune rêveur fut gravement perturbée. Il tomba dans une sorte de « coma[1] », dû, selon ses propres paroles, à une « congestion d'idées ». Le fil allait se rompre. On le ramena chez lui avant la fin de l'année scolaire (avril 1813), et toute la famille fut frappée de son allure. Il ne savait, paraît-il, que répondre, lorsqu'on lui demandait : « A quoi pensez-vous? Où êtes-vous[2]? » Mais n'aurait-il pu répondre, sur le moment, à sa mère, plus tard à sa sœur Laure, si aisément alignée sur les positions de la

---

1. Selon une expression devenue fameuse, et qui figure déjà dans le premier manuscrit (*éd. cit.*, p. 107).
2. Laure Surville, *op. cit.*, p. 21.

respectabilité familiale, qui lui demandaient : « Où êtes-vous allé? », « Pourquoi m'y avez-vous envoyé? » Les mois terribles de Vendôme ne sont, en effet, qu'une parenthèse, qu'une diversion. Balzac s'est alors jeté sur la première pâture offerte à son avidité comme il se jettera plus tard, comme tout son siècle, se jettera plus tard, sur bien d'autres. On retrouvera plus d'une fois ce besoin d'absolu, cette impossibilité d'embrasser une idée autrement qu'avec passion, qu'*en la vivant*. Balzac a vraiment été Lambert, mais Lambert ne pouvait vivre, parce que rien ne pouvait alimenter, parce que rien ne venait donner un corps, une existence objective, à tant de vouloir, à tant d'ardeurs. Cette pensée qui vit d'elle-même, qui se consume comme le Phénix, parce qu'elle n'a pas encore trouvé ses références objectives, cette pensée doit finir par tuer le penseur. Balzac a frôlé à Vendôme l'un de ces dangers majeurs dont la dénonciation sera l'un des thèmes majeurs de *La Comédie humaine :* le formalisme de l'esprit et de l'action. Raphaël est en germe dans Lambert, même si c'est, pour l'apparente chronologie, Raphaël qui annonce Lambert. Penser pour penser : tel est le drame de Vendôme. Il était temps que les formes du monde matériel, concret, vinssent redonner à cette énergie une direction moins aride et provoquer de moins exténuants désirs. Il est capital, à cet égard, que, selon toute vraisemblance, ce fut *le père* qui vînt retirer le fils de Vendôme. Les hésitations, sur ce point, sont caractéristiques : dans le manuscrit de *Louis Lambert*, ce sont « les parents » qui sont inquiets, et c'est la « mère » qui vient chercher l'enfant [1]. Dans l'édition originale, c'est la mère qui, « alarmée » d'une fièvre qui ne le quitte plus, l'enlève du collège. Dans le manuscrit du *Lys*, c'est, de premier jet, *le père* qui décide de retirer l'enfant de Pont-de-Voy [2]. Or, en 1832, Bernard-François étant mort, Balzac ayant besoin de sa mère, on peut aisément penser qu'il l'ait ménagée. En 1836, il n'en va plus de même, ou bien les images fondamentales ont pris encore plus de force [3]. Et, d'ailleurs, ce qui importe et signifie, ce n'est pas tant que Bernard-François ait réellement

---

1. *Louis Lambert*, éd. cit., p. 107. On remarque que, dans l'édition, l'auteur donne plus à la mère que dans le manuscrit. Significatif repentir!
2. A noter que, cette fois, dans l'édition, la mère n'a pas eu droit à la même restitution que dans *Louis Lambert*, et on lit bien : « Mon père conçut quelques doutes sur la portée de l'enseignement oratorien, et vint m'enlever de Pont-de-Voy (C. H. VIII, p. 777).
3. C'est cette année-là que Balzac écrit *L'Interdiction*, récit dans lequel le marquis d'Espard, par opposition à sa femme, incarne toutes les valeurs vraies, et doit directement plusieurs éléments de son être romanesque à Bernard-François (notamment son amour de la Chine et des Chinois). Le passage en question du *Lys* pourrait faire partie d'un règlement de compte d'ensemble avec la mère.

retiré, voulu retirer lui-même son fils de Vendôme, c'est que
le romancier, dans son univers de compensation et de vérité
supérieure, ait voulu que ce fût là le rôle du père. C'est par le
père, toujours, que, chez Balzac, on échappe à la nuit.
Les semaines qui suivent la rentrée au bercail marquent un
retour — aisé et significatif — à la santé. Les promenades
aux bords de la Loire, la famille : il n'en fallait pas plus pour
dissiper le mauvais rêve. On peut admettre, avec Laure, que
tout, alors, s'arrangera. Mais, en octobre, il fallut à nouveau
penser aux choses sérieuses : la santé meilleure, il fallait
reprendre les études. Pourquoi envoya-t-on Honoré à Paris ?
On ne sait, mais de nombreux indices permettent d'affirmer
qu'il sera pensionnaire chez Ganzer et Beuzelin, d'octobre 1813
à mars 1814, qu'il suivra les cours du lycée Charlemagne,
et fera ainsi, une première mais sommaire connaissance avec
Paris [1]. Les récits du *Lys* qui concernent cette période portent
la trace d'autres émois que ceux de *Lambert*. La puberté,
les désirs qui s'éveillent, tout un vouloir vivre mal prévus,
viennent apporter de nouveaux éléments de perturbation
dans l' « ordre » bourgeois. Il est à noter que les confidences
concernant Vendôme ne disent rien des émois ni des tourments de sens; ceci a été réservé pour Paris. Répartition du
romancier ? « Charges » différentes des héros ? Mais aussi vraisemblance ? Si l'on ajoute que c'est pendant ce séjour que
Balzac dut assister à « la dernière revue de Napoléon [2] », si
l'on se souvient comment, dans *Le Lys*, il oppose le royalisme
bourgeois de Tours à l'enthousiasme bonapartiste plus
authentique de Paris, on peut, au lendemain d'un retour au
calme, voir se dessiner les nouveaux éléments d'une révolte
et d'une échappée. On le ramena, d'ailleurs, à Tours, par suite,
sans doute, des craintes qu'inspirait un siège éventuel
de Paris [3], et c'est dans sa ville natale qu'il finit l'année scolaire, au collège municipal. Il y obtint, pour des raisons qui
ont été clairement démêlées [4] la décoration du Lys. Mais à
Tours, l'essentiel était joué. On voit assez bien aujourd'hui
quelle pulsation nouvelle allait porter en avant ce garçon
de quinze ans.

1. Cf. Moïse le Yaouanc, *art. cit.*, A. B., 1962.
2. Répétons que Balzac était à Paris lors de cette revue. Le texte fameux qui
ouvre *La Femme de trente ans* peut devoir à Mme d'Abrantès : les découvertes
biographiques lui donnent quand même une autre dimension.
3. C'est l'explication donnée dans le manuscrit du *Lys dans la vallée*.
4. Le nouveau régime cherchait à se rallier les notables.

une chance que lui refusait l'Empire. Il faut méditer cette
description de la France en 1814 parue en 1820 dans une revue
libérale :

*

Des événements de première importance, en effet, s'étaient
produits. Le 12 mars, Louis XVIII avait été proclamé roi,
et le 2 avril Napoléon déchu. Le 25 avril, la famille Balzac
assista à l'entrée du duc d'Angoulême en sa bonne ville de
Tours : entrée triomphale. Il semble, d'ailleurs, qu'il n'y ait
pas eu grand problème dans la capitale de la Touraine. « A
Tours, explique le préfet d'Angers à Barante, préfet en Loire-
Inférieure, le général divisionnaire, les généraux sous ses
ordres, le préfet et les services publics, ont assisté solennellement au *Te Deum* chanté par l'archevêque dans l'église
métropolitaine »; le préfet de l'Indre-et-Loire avait proclamé
la nouvelle constitution à la mairie [1]. Comme à Angers, sans
doute, quelques fidèles avaient hésité, mais, comme l'explique
son collègue à Barante, comment rester fidèle à un gouvernement dont on ne sait où il est, ce qu'il ordonne, quels sont ses
moyens, etc.? La cocarde blanche semblait s'imposer d'elle-
même. D'autant plus que, en réfléchissant bien, de quoi
s'agissait-il exactement? De Paris, où l'on voit plus clair, son
ami Mounier écrit à Barante :

> Aussitôt que, par l'entrée des armées alliées à Paris, la force
> répressive qui nous retenait a été détruite, l'opinion publique
> a repris son empire, et, en quelques heures, l'édifice du despo-
> tisme a été détruit. *Nous allons avoir une constitution libre
> avec un Bourbon pour roi* [2].

Comment hésiter? Quelles pourraient être, *à ce moment*, pour
les bourgeois, les racines d'un « romantisme Empire »? Pour
toute une « classe politique », le constitutionnalisme offrait

---

1. Barante, *Souvenirs*, II, p. 23.
2. *Ibid.*, p. 25. Voici un excellent exemple de la manière dont la bourgeoisie
sut assurer la continuité, neutraliser les excessifs, les passionnés de décor. Barante
n'avait pas un moment songé à s'attacher à l'Empire, mais, lorsque le duc d'Angoulême vint à Nantes, avec l'intention, semble-t-il, d'organiser une manifestation de la « fidélité », il sut, fermement, lui faire entendre raison. Barante
obtint qu'il ne vît que les autorités locales *régulières et constituées*. Ensuite, on le
laissa, dit-il excellemment, aller dans le Bocage faire « des gracieusetés » aux Vendéens (p. 74 sq.). C'est ainsi que l'on canalise, lorsqu'on est un bon administrateur, le folklore politique. C'est l'ancien préfet de l'Empire, avec à ses côtés
le commandant des troupes, homme de l'Empire, lui aussi, qui dicte la loi de
raison à l'homme des Lys. D'intéressantes précisions, d'ailleurs, sur les contacts
du duc avec la nouvelle réalité politique, éclairent ce que fut la Restauration
naissante : « Ne se souvenant pas de l'ancien régime, il en avait peu de regrets.
Cette égalité d'obéissance, cette suppr.ssion de l'aristocratie, la régularité de
l'administration, et du commandement, tout cela lui souriait assez. Une sorte
d'instinct ou de réflexion confuse l'avertissait que c'était une base commode pour
le pouvoir absolu ». Comment, pour Barante, homme de la société nouvelle, n'y
aurait-il pas eu la raison de voir les choses avec sérénité?

une chance que lui refusait l'Empire. Il faut méditer cette
description de la France en 1814 parue en 1820 dans une revue
libérale :

> Les intérêts matériels créés par la Révolution étaient effi-
> cacement protégés, et les partisans de la liberté publique
> attendaient en silence *le résultat nécessaire du progrès de la
> civilisation* [1].

Quant à la « classe administrative », qui pourrait se passer
d'elle dans un État moderne ? Bernard-François Balzac qui,
depuis le 11 février n'est plus administrateur de l'Hôpital,
amorce une manœuvre pour se rapprocher du nouveau pouvoir. En juillet-août, il fait imprimer chez Mame une nouvelle
édition de son *Histoire de la rage*. Il fait sauter le paragraphe
initial sur Napoléon (« le vrai régénérateur a paru »), ainsi
que l'allusion à Charles IX, « qui laissa couler tant de sang
humain ». Le temps de Chénier (Marie-Joseph) n'est plus.
D'autre part, l'auteur ne s'intitule plus « ex-adjoint du maire
de Tours » (il avait été nommé à cette fonction par le Premier
Consul), mais « membre du collège électoral de l'Indre-et-
Loire » : coup de chapeau à la déclaration de Saint-Ouen, mais
aussi précision. D'une dignité à l'autre. D'un pouvoir à un
droit. Un gouvernement constitutionnel ne doit-il pas compter
avec les électeurs ? Bien entendu, certaines habiletés sont bien
nécessaires à qui a chanté, naguère le « tyran ». Bernard-
François ajoute un chapitre, *Économie générale, augmentation
des subsistances pour l'État, et nouvelles recettes pour le Trésor
Royal.* Revenant à ses chères statistiques, il montre que la
diminution du nombre des chiens entraînerait une économie
sur le froment et le seigle d'un milliard tous les vingt ans. Plus
de blé pour la consommation intérieure, donc diminution
des risques de disette et de troubles. Et d'évoquer Louis XVI
« descendant en personne sur le marché de Versailles pour
calmer les esprits exaspérés pour le même défaut dans les
premiers moments de son règne [2] ». La taxe canine, enfin,
augmenterait les rentrées budgétaires. Pour conclure, l'auteur
donne en référence des mesures similaires prises par les gouvernements... de Prusse et d'Angleterre.

En même temps, il prépare sa « montée » à Paris. Or, le
18 avril, le Conseil général de la Seine avait formulé le vœu que
fût érigée une statue à Henri IV, avec souscription publique,
« afin que ce monument devienne mieux la propriété de chaque

---

1. *Lettres normandes*, 20 juin 1820.
2. *Histoire de la rage*, 2e éd., p. 45.

Français [1] ». Bernard-François compose alors un *Opuscule sur la statue équestre que les Français doivent faire ériger pour perpétuer la mémoire de Henri IV.* On s'est, à ce sujet, beaucoup moqué de lui et, de fait, certaines formules sur « la suite ininterrompue de quarante rois », sur les « heureuses circonstances de la Restauration des Bourbons », sentent leur homme qui s'applique à plaire. Mais qu'on y prenne garde : Henri IV, roi de la « fusion », lui aussi, non de quelque revanche, il en avait déjà fait l'éloge dans un mémoire publié sous l'Empire. Quant à la proposition, il faut voir en quels termes elle est formulée : rien sur Louis XVI, rien sur quelque « vœu national », rien pour condamner le régime révolutionnaire ou impérial. L'érudition n'a pas changé, toujours pesante, mais pas la moindre trace de plainte pour les « nobles malheurs », pas la moindre trace de romantisme politique. Capitales, dans cette perspective, apparaissent les lignes consacrées au financement ; elles reprennent exactement le vœu du Conseil général :

> La dépense ne sera rien, comparée aux moyens de la nation. On doit éviter que le monument soit fait avec le seul produit des offrandes d'une classe de citoyens ; il doit être également cher à tous les Français, et ce sentiment serait blessé si tous n'avaient pas concouru aux dépenses qu'il exige [2].

Est-ce clair ? *Pas de monument expiatoire*, qui serait un défi à une partie de l'opinion. Pas de souscription aristocratique qui prendrait allure de provocation. Autour de la statue du Béarnais se retrouveraient toutes les gloires nationales. De même, lorsque Bernard-François Balzac parle du « bien-être des sujets », lorsqu'il en salue l'habile conjonction, grâce à la Charte, avec « les droits du Trône », on peut certes penser que « bien-être » est une prudence pour « libertés » : il n'en demeure pas moins qu'il y a là un éloge du constitutionnalisme, une condamnation sans équivoque des aventures ultra. Il faut avoir à l'esprit, dès cette époque, ce que notre homme écrira lorsqu'il lira une brochure en faveur du droit d'aînesse dont il ignorait que son fils fût l'auteur : « elle va au *désordre* public, et je me dois, *comme bon citoyen*, d'y répondre [3] ». Qu'est-ce que le désordre public, sinon une menace contre les conquêtes bourgeoises de la Révolution et de l'Empire ? Rien n'empêchait Bernard-François Balzac de vaticiner sur le roi-martyr. Il ne le fit pas. Parce qu'il ne

---

1. *Archives nationales*, F 21, 582. Les travaux, commencés sous la première Restauration, continuèrent, imperturbablement, pendant les Cent-Jours. Bel exemple de continuité administrative, sous les variations de surface.
2. *Opuscule...*, p. 15.
3. *Lov.* A 378 *bis*, f° 28 sq. ; déjà cité par Bernard Guyon, *op. cit.*, p. 732-734.

le pensait pas. Parce qu'il n'en éprouvait pas le besoin. Ni
Henri IV, ni Louis XVIII ne sont les oints du seigneur, les
rois d'un sang mystique. La Restauration ne s'ouvrait pas sur
un retour en arrière, mais sur une confirmation. La preuve :
Bernard-François Balzac obtient une promotion. Il pouvait,
sans réserves, donner son accord à un régime qui consacrait les
victoires qu'il avait jadis aidées et approuvées. Moyennant
quoi, Honoré put continuer à vivre aux côtés d'un père qui,
à la fois, avait une belle situation, et, on le verra, demeurait
intégralement fidèle à sa « philosophie ». Lys, képi, petit
chapeau : qui passe, et qui continue ?

Le 7 septembre, Honoré reçoit du Recteur de l'Académie
royale d'Orléans la décoration du Lys : le gouvernement
lui aussi manœuvrait et cherchait à plaire. Pour l'écolier,
en tout cas, la Restauration ne s'ouvrait pas par des regrets
ou des proscriptions. Et puis, ce lys ne bénéficiait-il pas d'une
certaine « jeunesse » ? Qui se souvenait alors de Versailles ?
Il y faudra Villèle.

Le 13 septembre, Montesquiou, ministre de l'Intérieur,
accuse réception à Bernard-François de son *Histoire de la
rage* et le félicite de son « zèle éclairé ». Eau bénite de ministère ? Sans doute, mais c'est toujours cette impression de
portes qui s'ouvrent. D'autres ne garderont que la manœuvre,
le regret d'avoir dû y consentir, la haine de ceux qui les ont vus
manœuvrer, d'un siècle qui les a forcés à manœuvrer.

Le 1er novembre, Bernard-François Balzac est nommé,
sur la recommandation de son patron Doumerc, directeur
des vivres de cette entreprise pour la Première Région. Il
touche 7 500 francs de traitement. A noter que son futur
gendre Surville, polytechnicien, ne touchera, à Bayeux, et sans
grandes perspectives d'avancement, qu'à peu près la moitié.

Courant novembre, la famille s'installe au Marais. Promotion, ici encore. Quartier respectable. Dès 1814, Bernard-
François Balzac figure à l'*Almanach des vingt-cinq mille
adresses*, avec son titre de « Directeur des vivres de la première région ». Il fait parvenir ses brochures (les deux dernières), au duc de Berry, qui le félicite de son attachement
à la chose publique et « aux légitimes souverains ». Encouragé,
en décembre, il entreprend des démarches pour obtenir la
Légion d'honneur, et sa demande n'est pas mal accueillie.
Pendant ce temps, Honoré est mis à la pension Lepître, qui a
la réputation d'être un établissement royaliste [1]. Est-il sûr
que seuls avaient été pris en considération les critères péda-

1. Pour tout ceci, cf. *Calendrier de la vie de Balzac*, par J.-A. Ducourneau et
Roger Pierrot, dans *Études balzaciennes*.

gogiques? Les éloges que fera Balzac du royaliste Lepître dans *Le Lys dans la vallée* interdisent, évidemment, de le penser. Mais, de plus, l'appréciation portée en 1819, lors de la demande de liquidation de retraite, par l'Intendant militaire de la première région, ne fait pas mystère, en tout état de cause, de certaines raisons de satisfaction qui viennent en renforcer d'autres plus normales et traditionnelles. M. Balzac a « déployé les talents les plus utiles depuis qu'il est directeur des vivres de la première région, dont l'administration n'a pas été exempte, *en 1815 et ultérieurement*, de grandes difficultés ». « Je pense, ajoute le haut fonctionnaire, que M. Balzac, en parcourant aussi dignement une longue carrière dans la direction des subsistances militaires, a droit, dans sa position, à tout l'intérêt que le gouvernement accorde à ses plus fidèles serviteurs [1]. » C'est bien, en un sens, l'État, continu et omniprésent qui parle ici, mais est-il un État qui n'ait tenu compte, dans ses satisfecit, de ses couleurs temporaires et successives? Un fait s'impose : Bernard-François n'a pas été un adversaire de la Restauration [2].

Mais *quelle* Restauration? Et que recouvrent ces mots protéiformes? Il faut faire un sérieux effort pour comprendre ce que fut la Restauration à son aurore. Comme la plupart de ceux qui ont raconté leurs souvenirs plusieurs années plus tard, nous jugeons à travers Polignac, la Congrégation, la Terreur blanche. En fait, 1814, et même 1815, mais cette fois avec, en plus, le traumatisme de Waterloo, ce fut d'abord la paix, la décompression, le sentiment, même, d'un essor. Paroles de partisan que l'hommage de 1831? « Qui a tort? La France ou les Bourbons? Je ne sais, mais quand ils revinrent, ils apportèrent les olives de la paix, la prospérité, et sauvèrent la France [3]. » Paroles de partisan que cet autre hommage de 1837?

Ce fut du château de Saint-Ouen que fut datée la déclaration royale qui consacrait la Restauration par le rétablissement de toutes les libertés qu'avait détruites le gouvernement impérial [4].

La nation française, dans ses besoins de paix et de liberté, ne pouvait rester attachée à un homme tout despotique et guerrier [5].

1. *Lov.* A 279, fᵒ 64.
2. Ce qui, toutefois, est assez différent, on le verra, d'avoir été, comme on se plaît si souvent à le dire, un servile courtisan *des Bourbons*.
3. *Le Départ*, O. D. II, p. 467.
4. Notice sur Louis XVIII dans le *Dictionnaire de la conversation et de la lecture*, O. D. III, p. 172.
5. *Ibid.*, p. 174.

Les néo-légitimistes, et Balzac lui-même, essaieront de faire
porter au crédit de la monarchie des Ordonnances, la paix
et les libertés de 1814, mais il est certain que, sur le moment,
celles-ci furent senties comme une conquête. Oui, cela fut
vrai, et surtout chez les bourgeois qui devaient, plus tard,
se déchaîner. Il n'est que de lire, par exemple, les premiers
numéros de *La Quotidienne*. Le numéro du 6 juin 1814 reproduit le discours du Roi au Corps législatif :

> Des routes du commerce, si longtemps fermées, vont être
> libres. Nos manufactures vont refleurir...

Qui eût dit non? L'article IX de la Charte précise, d'ailleurs :

> Toutes les propriétés sont inviolables, sans aucune exception
> de celles qu'on appelle nationales, la loi ne mettant aucune
> différence entre elles.

On comprend que, dans ces conditions, le Conseil général
de la Seine s'adresse en ces termes à Louis XVIII :

> Vous nous avez donné la paix, Sire; vous nous avez aussi
> donné, et nous vous en bénissons, une Charte protectrice
> impartiale des droits du monarque *et de ceux des sujets*
> [...]. Vous avez rouvert à notre commerce les routes presque
> oubliées des deux mondes, rendu leurs enfants aux mères,
> aux femmes leurs époux, à la terre *et aux manufactures*
> les bras qu'elles réclamaient [1].

Voilà qui se passe de commentaires. Il faut, pour s'indigner
de tels arguments, pour ne voir dans la Restauration, comme
Stendhal, « qu'une chute dans la boue [2] », être déjà animé de
sentiments non seulement vivement anti-aristocratiques,

---

1. *La Quotidienne*, 16 juin 1814. Voici le témoignage *a posteriori* de Villemain.
Pour lui, la Charte est une « concession royale aux opinions du siècle ». Lorsqu'en
1814, après cet abîme de maux et d'esclavage, le roi, rentré dans ses états, répondit à l'amour de son peuple en lui donnant la Charte, si la France applaudit avec
enthousiasme, ce n'était pas parce qu'on était charmé de voir l'établissement
d'un système appelé *représentatif, c'était parce que ce système garantissait l'égalité
sociale* [...] La Charte, c'est à la fois l'établissement d'un système et *la garantie
d'une foule de droits et d'intérêts* ». (*Le Roi, la Charte et la monarchie*, p. 8 et 9;
cette brochure parut en novembre 1816, après la dissolution de la Chambre
introuvable.)
    En ce qui concerne la prospérité et les perspectives économiques, un homme
aussi peu sensibilisé à ces problèmes que Chateaubriand, dans une brochure de
1814, souligne les bienfaits de la paix : « le commerce renaît, les manufactures
refleurissent, les impôts se paient... » (*Réflexions politiques* [...] p. 31), et, pour
lui, le bilan positif des années de Révolution, conjuguées avec celui de la Restauration, ce sont « les sciences exactes », c'est « l'agriculture et les manufactures
[qui] ont fait d'immenses progrès » (*ibid.*, p. 104).
2. *Souvenirs d'égotisme*, III, p. 1428. Pour Stendhal, la Restauration, c'était
bien entendu, la revanche sur l'abbé Raillane et sur la tante Séraphie. Pour cette
raison, il formulera très tôt, contre le régime, une théorie du « romanticisme » de
gauche.

mais encore et surtout anti-bourgeois. Seuls contesteront
valablement la Restauration ceux qui contesteront *aussi* les
prétentions des « industriels [1] ». Pour qui est à l'intérieur, est
encore à l'intérieur de l'univers bourgeois, des intérêts bourgeois, de la vision bourgeoise du monde, la Restauration
n'est pas, initialement, un scandale.

Est-ce à dire — car il faut ici marquer toutes les nuances —
que le thrène des lys va monter du chœur des classes
moyennes? Non pas, et, dès le premier jour, on tint à ce que
certaines choses fussent bien entendues. Dans son second
numéro, par exemple, *La Quotidienne* publiait une lettre d'un
lecteur :

> J'entends partout célébrer l'origine du monarque qui nous
> gouverne; on évoque les mânes de ses ancêtres; on rappelle
> les noms de ses aïeux [...]. Pourquoi chercher l'honneur
> ailleurs qu'en lui? *Interrogez l'honnête bourgeois*, consultez
> la masse du peuple, tous vous diront qu'ils ne le connaissent
> que depuis un mois, qu'ils ont apprécié sa belle déclaration du
> 3 mai, qu'ils ont applaudi à tous ses actes. L'énergie qu'il a
> montrée en traitant la paix leur est connue, et tous sans
> exception le chérissent comme un bon père. *Dans la lignée,
> tous ne distinguent aujourd'hui que Louis XVIII*, c'est lui
> qu'ils aiment et qu'ils révèrent. *On sait qu'il a oublié le
> passé, qu'il rétablit l'ordre, qu'il accueille* les individus, et
> on est convaincu qu'il s'occupe du bien de la nation [2].

N'est-ce pas clair? les justifications ne sont pas dans le sang
des rois, mais bien dans les nécessités présentes. Toutes ces
longues années « pendant lesquelles il avait bien fallu vivre [3] »
n'empêchent rien. La France bourgeoise redémarre. On sent
bien frémir certaines impatiences contre les hommes d'antichambre. Mais qu'on se le dise : ni la Restauration, ni le Roi
ne *leur* appartiennent. Qu'ils ne s'avisent pas de l'oublier.
C'est pourquoi on verra Bernard-François Balzac prendre
feu et flamme à l'idée d'un rétablissement, sous Villèle, du
droit d'aînesse [4]. C'est pourquoi, aussi, on le conçoit, la fameuse
expression de Louis XVIII, « l'abîme des révolutions », ne fut
pas immédiatement jugée comme une hypocrisie conservatrice.
On crut un moment au roi-législateur [5], et Saint-Simon bénit

---

1. Cf. le pamphlet de Stendhal, *Un nouveau complot contre les industriels.*
2. *La Quotidienne*, 2 juin 1814.
3. Aragon, *La Semaine sainte.*
4. Cf. *infra.*, p. 651.
5. L'expression sera utilisée dans *Les Employés*, mais de manière significative :
par Baudoyer qui veut flatter son ministre. Il y a donc ironie, et cruelle, puisque
précisément, le « législateur » Rabourdin vient d'être chassé; on mesure mieux
ainsi la chute d'une illusion.

la Charte comme « l'aurore d'un beau jour ». La remise
en marche d'une nation, la relance d'une société, tout cela
vit dans les nouveaux « politiques » de *La Comédie humaine*,
Félix de Vandenesse, Octave de Bauvan, le comte de Sérizy,
qui mettent leur jeunesse, leur ardeur ou leur expérience,
joyeusement, au service de toute une œuvre à accomplir.
Et cette exaltation n'est pas qu'anti-philippisme et reconstruction idéologique. Le Balzac mûr n'a pu idéaliser la Restauration que sur un fond de souvenirs précis. A Soulanges, le
Café de la Paix a été ainsi appelé « en l'honneur des Bourbons [1] », ce qui s'explique chez ces paysans qui voyaient
finir la conscription [2]. Mais ce *Café de la Paix* ne serait-il pas
une vieille chose vue, quelque part, comme ce cabaret du
Grand I Vert, qui se trouve déjà dans *Le Vicaire des Ardennes*,
en 1822? N'en doutons pas : le duc d'Angoulême entrant à
Tours dut être sincèrement applaudi, il n'était pas encore
compromis par la propagande Trône et Autel; il n'était pas
encore ce « héros du Trocadéro », qui devait scier les omoplates
à la gauche libérale quelques années plus tard [3], et le jeune
Honoré Balzac n'eut aucune raison de croire, en le voyant
passer, que la nuit s'abattait sur le monde.

Oui, l'Empire était à bout, ayant apporté depuis longtemps
tout ce qu'il pouvait apporter. Ses dernières années avaient
eu quelque chose de sinistre, même. Pensons au témoignage
de Michelet :

> *Dies irae, dies illa...* Rien ne m'a plus aidé à comprendre la
> sombre monotonie du Moyen Age, l'attente sans espoir, sans
> désir, sinon celui de la mort, enfin l'abandon facile que
> l'homme faisait de soi, que d'avoir langui, enfant, dans les
> dernières années de l'Empire. *Aujourd'hui, cette épopée, où
> les années sont marquées par des victoires, semble toute lumi-
> neuse. Mais alors, tout était sombre.* Sombre était la France;
> la lumière ne brillait que sur l'armée, hors la France, sur tel
> ou tel nom barbare. Le principe de la Révolution, qui avait
> donné l'essor à ces grandes guerres, était parfaitement
> oublié [...]. Personne, il faut le dire, alors, ne prenait la vie
> au sérieux. *Tout de qui supposait un avenir*, une vie un peu
> longue, était négligé. A quoi bon?

---

1. *Les Paysans.*
2. Cf. pour une affaire de résistance paysanne à la conscription, Butifer, dans
Le Curé de village.
3. Cf. la revue d'E. Arago, *Cagotisme et liberté* (31 déc. 1830) : « et puis [sous
l'Empire], il y avait plus de variété dans les batailles, au lieu qu'aujourd'hui,
toujours le Trocadéro, toujours le Trocadéro... ». Cf. également les railleries contre
le duc d'Angoulême dans *Bouvard et Pécuchet.*

D'où la facilité, la joie, presque, de l'installation du nouveau régime. D'où, ce que Vandenesse appelle « le coup de baguette de la Restauration [...] qui stupéfia « les enfants élevés sous le régime impérial [1] ». Balzac a souvent raconté de ces jeunesses d'alors, quand on recommençait à pouvoir « supposer un avenir », et toujours, il a établi un lien entre les premiers émois du jeune homme ou de l'adolescent et les infinies possibilités qui semblaient alors s'ouvrir. C'est à cette époque que David et Lucien lisent ensemble les traductions de Schiller, de Byron, de Gœthe, de Scott, de Jean-Paul [2], les œuvres de Cuvier, de Lamartine. C'est à cette époque que Mme de Bargeton découvre la poésie moderne, et que se déclasse d'un coup Châtelet, qui tient, lui, pour la chanson Empire. C'est de cette époque que parlera encore Balzac, dans *Pierre Grassou*, lorsqu'il opposera l'art embourgeoisé de la monarchie de Juillet, de ces temps extraordinaires où « un seul tableau produit dans [le] salon pouvait faire une révolution [3] ». Ingres, Géricault, Delacroix, Dévéria : quels souvenirs! Quelle poussée de sève! Rapprochons tout ceci du printemps de Clochegourde, de cette vie qui commence à fleurir, de cette carrière qui s'ouvre devant Félix de Vandenesse, de cette femme qui s'éveille, comme au sortir d'un long hiver, et nous comprendrons ce que dut être, très tôt, ce second matin du siècle. « La Révolution, écrira Victor Hugo, avait eu la parole sous Robespierre, le canon avait eu la parole sous Bonaparte; c'est sous Louis XVIII et sous Charles X que vint le tour de la parole et de l'intelligence », et, en 1840, Lamartine, dans son discours sur le retour des cendres, s'écriera : « J'ai compris pour la première fois ce que valaient la pensée libre et la parole libre, en vivant sous ce régime de silence et de volonté unique dont les hommes d'aujourd'hui ne voient que l'éclat,

---

1. *Le Lys dans la vallée*, C. H. VIII, p. 847. Le témoignage de Rémusat, qui avait dix-sept ans au moment de la chute de Napoléon et se trouvait au Lycée, va dans le même sens. Le « passage » lui apparaissait comme une chose normale : « l'idée, très confuse, d'une sorte de victoire de la civilisation générale, me courait à travers l'esprit. Pacification, délivrance, modération, ces mots me touchaient. Cela me rendait assez accessible à l'idée de la Restauration. C'était, d'ailleurs, un ensemble de noms, de choses, de pensées, que j'acceptais sur parole, à peu près comme on accepte la religion dans l'enfance, quand on est ni dévot, ni crédule » (*Correspondance*, I, p. 2-3). Sont en germe dans cette notation, à la fois l'adhésion à une Restauration « moderne », et l'opposition à une Restauration réactionnaire.

2. C'est, incontestablement, la paix qui a favorisé le découverte des littératures étrangères, et favorisé ce grand appel d'air. « La paix, écrira en 1828 *Le Progresseur*, dans un article-bilan sur la Restauration, expose chaque jour à nos yeux des trésors littéraires que nous connaissions à peine » (I, p. 62-63).

3. *Lov.* A 190, fo 2. (Phrase supprimée dans le texte imprimé. Comme tableaux susceptibles de provoquer une révolution, Balzac cite : *La Courtisane*, le *Radeau de la Méduse*, les *Massacres de Scio*, le *Baptême d'Henri IV*.

mais dont *le peuple et nous* sentions la pesanteur. Et c'est ce qui explique comment *un autre gouvernement* fut accueilli par les hommes de mon âge. Bonaparte et la gloire, d'un côté, la liberté et les institutions de l'autre. Nous fîmes comme nos pères : nous embrassâmes la liberté [1] ». Il ajoutera d'ailleurs encore plus clairement : « Vous êtes comme moi des hommes nourris des idées de 89, formés de la substance de ces idées de régénération libérale éclose à la fin du siècle dernier, reparues en 1814, inaugurées plus puissamment en 1830 par vos mains. » Paroles intéressées ? Mais écoutons, sur le moment, des hommes de gauche, peu suspects. « Dans l'année 1814, écrit Augustin Thierry en *1820, se réveilla tout à coup la Révolution française.* Sortie du bourbier de l'Empire, la France libérale reparut aux yeux brillante et jeune, comme ces villes que nous retrouvons intactes après des siècles, quand nous avons brisé la couche de lave qui les recouvrait [2]. » « La Révolution, longtemps comprimée par le despotisme militaire, écrit en 1825 *Le Producteur*, saint-simonien, *a repris sa marche en avant.* » Sans doute Thierry aussi bien que les saints-simoniens entendent-ils que les Bourbons ont été obligés de jouer la carte du libéralisme politique, mais ce qui compte, pour l'histoire des mentalités, c'est que la Restauration fut, largement, vécue comme un éveil, non comme une descente au tombeau. On comprend que Nodier, toute considération partisane mise à part, ait pu écrire en 1830 : « Une société jeune et forte naissait à l'abri d'une jeune et forte institution, propice à toutes les idées nobles et généreuses [3] ». C'est en cette même année 1830 que Balzac écrira que la jeunesse attend « une jeune organisation [4] » : mais c'est que quinze ans, alors, auront passé, c'est que seront apparus des besoins, des problèmes nouveaux, c'est que l'alliance des dynastes thermidoriens avec les émigrés budgétivores aura lassé toute une génération. On n'en est pas là en 1814, ni même encore en 1820. C'est alors, il faut y insister, le degré zéro absolu du romantisme, du mal du siècle. Écoutons encore Mme Ancelot : « Louis XVIII rentra en France avec des institutions nouvelles et d'anciennes habitudes, et il donna la liberté d'écrire et de parler. *Alors, les jeunes imaginations purent s'élancer sur toutes les routes.* On voyait les tristes vestiges de la Révolution, mais la Charte en assurait les bons principes. On souffrait

1. Lamartine, *Œuvres choisies*, éd. Levaillant, p. 823.
2. *Le Censeur européen*, 1er mai 1820.
3. *La Quotidienne*, 10 juillet 1830 (compte rendu des *Harmonies*).
4. Cf. *infra*.

des défaites de l'Empire, mais on héritait de sa gloire, et la majesté de la nouvelle monarchie avait une grandeur qui ne pesait pas sur la pensée, car elle amenait naturellement cette liberté de la conversation, et cette puissance des idées dont le XVIIIe siècle avait offert l'exemple [1]. » Si la Restauration avait su gouverner, poursuit l'aimable dame, avec Thiers, Guizot, Villemain, Juillet n'aurait pas eu lieu : on voit percer ici l'idéologie propre à un groupe d'hommes à demi nantis qui ne pardonnèrent pas à Charles X de les arrêter en chemin. Si leur point de vue, toutefois, ne devait pas tarder à se trouver en retrait sur celui des plus jeunes, il n'en demeure pas moins qu'au départ, ces enfants de l'Université impériale devenus maîtres s'attendaient, en 1814, à ce que tout leur fût ouvert. Comment ceux qui étaient alors leurs disciples ne les auraient-ils pas suivis? Les réserves d'Hubert dans *La Quotidienne* n'étaient qu'ombres légères, impatiences, peut-être, d'homme encore assez éloigné du soleil. Mais les autres, les managers de la haute bourgeoisie? « C'est au changement de gouvernement qui en est résulté [de la Restauration] que nous devons l'établissement, si longtemps désiré, en France, de la liberté politique sur des bases solides » explique en 1822 Bertin à Delécluze [2]. *A cette date,* l'approbation était assortie d'importantes réserves : la cocarde blanche, la condamnation, par de nombreux responsables, du proche passé. *Mais à cette date seulement.*

Que le jeune Balzac ait, lui aussi, réagi et pensé de la sorte, condamnant sans réserve les excités de l'extrême-droite, mais soucieux de comprendre et de distinguer les conquêtes libérales, authentiquement libérales du régime, on en trouve un curieux témoignage, et particulièrement intéressant par sa date, dans le premier jet, spontané, du manuscrit de l'*Introduction* au *Dernier Chouan,* en 1829. Après avoir dit qu'il n'invente rien, et que ce qu'il va rapporter n'a été démenti « ni par les *Mémoires* publiés aux diverses époques de la Restauration, ni par la République Française », il ajoute en effet : « L'Empire seul les a ensevelis dans les ténèbres de la censure, et dire que cet ouvrage n'a pas vu le jour sous le règne de Napoléon, *c'est honorer le gouvernement actuel* [3]. » Sur épreuves, il a corrigé, et mis à la place : « *c'est honorer l'opinion publique qui nous a conquis la liberté* [4] ». On était alors sous Martignac. Le romancier a-t-il craint qu'on n'inter-

1. Mme Ancelot, *Un salon de Paris,* p. 60.
2. Delécluze, *Souvenirs de soixante années,* p. 151.
3. Éd., Regard, p. 546.
4. *Ibid.,* p. 426.

prétât sa phrase comme un acte d'allégeance à ce tiède système de juste-milieu? D'une manière plus large encore, n'a-t-il pas craint qu'on ne vît en lui un admirateur des Bourbons, c'est-à-dire de Charles X? Il est certain, en tout cas, que, pour lui, en 1829, les notions d'opinion publique, de liberté, ne recouvrent plus exactement celle de Restauration. Mais qu'il n'en avait pas toujours été de même. Le « gouvernement actuel », dans le premier mouvement de sa pensée, c'est le gouvernement constitutionnel, les principes libéraux de 1814. En y réfléchissant, « actuel » devient « de fait », et l'on saisit ici sur le vif le glissement romantique par excellence : du droit confondu avec le fait, et du fait qui est le droit, au fait qui n'est plus le droit. Le non-romantisme bourgeois de 1814 vient de cette parfaite adéquation, alors, du fait avec le droit. Le stigmate que porte en son cœur la Restauration, dès 1814, bien plus que le fameux retour dans les fourgons de l'étranger, c'est cela, et, dès 1814, des consciences sont alertées.

Plus au fond encore, cependant, la Restauration portait un autre stigmate que celui des contestations à venir, un stigmate moral, auquel ne pouvaient manquer d'être sensibles les jeunes générations. Très tôt, elles entendirent des protestations contre l'ordre nouveau, émanant des hommes de la Révolution et de l'Empire. Très tôt, elles entendirent opposer à l'idéalisme bourbonien un idéalisme républicain. L'avenir était menacé, la réaction l'emportait, la civilisation reculait. Mais *qui* tenait ce langage? *Quels hommes?* Et représentant quoi? Quelle pureté s'opposait à quelle impureté?

Dans le conflit qui allait opposer des royalistes qu'ils n'avaient jamais vus, et leurs pères, dont ils avaient appris les leçons, dont ils avaient vu se dérouler, se continuer la carrière, les jeunes gens de la bourgeoisie allaient-ils pouvoir reconnaître quelques-unes de leurs exigences spontanées de justice, d'honnêteté? Au mois de juin, Carnot avait remis son fameux *Mémoire*. C'était l'œuvre d'un homme personnellement digne et estimable. Mais derrière sa protestation [1] s'en profilaient d'autres, que la jeunesse bourgeoise pouvait moins aisément prendre en compte contre le scandale d'une Restauration. Que de masques, dans le cortège actuel ou à venir, de ceux qui se préparaient à crier à l'égorgement de la

---

1. Carnot, dont le républicanisme s'était bien comporté sous l'Empire, avait été irrité par certaines maladresses et revanches, dont il n'était pas d'ailleurs personnellement victime. Il n'avait pas complètement tort, mais son manifeste servit de drapeau de ralliement aux vieilles bandes opportunistes.

liberté! Quelqu'un le dit, et avec une belle force, en novembre : « Tout homme qui suit sans varier une opinion est excusable, du moins à ses propres yeux; un républicain de bonne foi, qui ne cède ni au temps, ni à la fortune, qui, quoique ennemi des Rois, a en horreur les tyrans, mérite d'être estimé quand d'ailleurs on ne peut lui reprocher aucun crime. — Mais, *si des fortunes immenses ont été faites;* si, après avoir égorgé l'agneau, on a caressé le tigre; *si Brutus a reçu des pensions de César*, il fera mieux de garder le silence : l'accent de la fierté et de la menace ne lui convient plus [1] ». Qui, d'ailleurs, était en place? Chouans, Vendéens, Cosaques, émigrés? Ou « des hommes qui servaient l'autre ordre de choses [2]? » Allons! Qu'on ne parle pas d'*idées*. Des régicides touchent une pension de 36 000 francs par an, et vivent dans leurs châteaux. Comment la jeunesse les en croirait-elle, lorsqu'ils embouchent la trompette de la liberté? Comment ces hommes du relatif parleraient-ils au nom de l'absolu? Truquage! Si l'on tient compte, d'autre part, comme le fait remarquer Chateaubriand, qu'il n'y a pratiquement pas d'émigrés « purs », que beaucoup sont rentrés, il y a quinze ans, que leurs enfants, par la force des choses, ont servi l'Empereur, que « la grande, la véritable émigration », « a pris *des intérêts communs avec le reste des Français*, par des alliances, des places, des liens de reconnaissance, et des habitudes de société [3] », où trouver, dans le réel social, de ces couleurs tranchées qui plaisent à l'esprit, et qui viennent de la philosophie révolutionnaire? Vie privée, vie politique, tout est brassé, au nom des intérêts, et par les intérêts. Carnot parle *en même temps*, et qu'il le veuille ou non, pour le père Grandet et pour Niseron, pour la gauche lafittienne et pour Michel Chrestien, pour les Minoret et pour Zéphirin Marcas. Comment suivre sans réserve? Balzac a grandi, comme tant d'autres, dans cette atmosphère, mais seul il a réellement vu tous les aspects du problème et exprimé les contradictions qui pesaient sur l'époque. Les défenseurs de principes, défenseurs de places. Les tenants de la pureté monarchique participant à une « fusion » de fait, opportuniste, et suivant le poids de l'argent, non dynamique et créatrice : sources d'une inquiétude, d'une critique, qui trouvera son expression totale dans *La Comédie humaine*, et que l'on découvre déjà dans certains des romans de jeunesse. *Fusion n'est pas confusion*, proclamera Lour-

---

1. *Réflexions politiques sur quelques écrits du jour et sur les intérêts de tous les Français*, Lenormand, 1814, p. 10-11.
2. *Ibid.*, p. 25.
3. *Ibid.*, p. 28-29.

doueix en 1817 [1], mais la fatalité même d'une civilisation à vocation jadis universaliste, aujourd'hui civilisation de classe, fragmentatrice de l'humain, poussait à cette confusion ou trouvaient leur compte, et les anciens révolutionnaires nantis, et les royalistes attablés au constitutionnalisme et à l'affairisme moderne [2]. Que vont *devenir*, bientôt, ces grandes théories auxquelles plus d'un jeune esprit dut souscrire avec enthousiasme, en 1814 : « les idées nouvelles donneront aux anciennes idées cette dignité qui naît de la raison, et les idées anciennes prêteront aux nouvelles idées cette majesté qui vient du temps [3]? » Poser cette question, c'est déjà poser la question du romantisme.

*

Au moment où la famille Balzac, joyeuse, s'ébranle vers Paris, l'Empire est tombé, mais l'atmosphère familiale ne s'est pas assombrie pour autant. A cette aube de la Restauration Honoré et les siens vont franchir une étape nouvelle. L'ascension continue, avec, pour couronnement, ce Paris, objet de toutes les convoitises de la France centralisée. Sans doute, pour le jeune garçon, les années parisiennes ne différeront-elles pas beaucoup de celles qui viennent de s'écouler. Les pensions parisiennes dont il sera l'élève, verront encore un Balzac distrait, souffrant de son isolement et de son manque d'argent. Pourtant, les pages du *Lys* qui racontent cette période, sont d'un ton déjà plus mâle. Le gamin a grandi, et c'est loin de sa province, de cette province endormante et (encore) sereine, qu'il va commencer sa vie de jeune homme. C'est Paris, avec son genre de vie plus âpre, plus dur, plus viril, qui va servir de cadre à ces années pendant lesquelles l'enfant achève de devenir homme. C'est dans ce milieu, si propre à favoriser le développement d'une personnalité, que nous voyons Balzac conquérir son indépendance et commencer à exercer son esprit sur des expériences qui sont d'une autre portée que les « souffrances d'un cœur d'enfant ».

1. Dans ses *Folies du siècle.*
2. Cf., entre autres, le comte de Fontaine pénétrant, grâce à Louis XVIII, dans les conseils d'administration *(Le Bal de Sceaux)*, et, surtout, Félix de Vandenesse, pur amant, nommé, lui aussi, par le roi, à de lucratives sinécures dans des sociétés capitalistes *(Le Lys dans la vallée).*
3. Chateaubriand, *Réflexions...*, p. 61.

*

Faisons le point.

Au sortir de l'adolescence, Honoré Balzac est en pleine confusion. Né dans une famille qui ne lui a pas désappris à tout attendre de la vie, il a déjà proclamé qu'il serait un jour un grand homme. On s'est un peu moqué de lui, mais on n'a pas opposé à sa « vocation » un rang à tenir, des traditions à respecter, une place à prendre dans son ordre indiscuté. Nulle présentation ne l'attend, à Versailles, et nulle garnison à Cambrai. Il n'est pas nécessairement question, pour lui, de « prendre la suite ». On pourra discuter des moyens : on est d'accord sur le fond. Un Balzac est fait pour percer.

Mais, déçu, par ailleurs, dans son besoin de tendresse et d'affection, ayant goûté les joies dangereuses de l'extase et de la méditation, ayant pris la mesure d'une certaine inhumanité, qui n'est plus seulement l'apanage de l'ordre noble, n'ayant pas trouvé — et pour cause — quoi que ce soit d'autre à opposer à sa propre classe que de périlleuses abstractions, il sait aussi que rien n'est aussi simple que le croit son père. Aucune expérience métaphysique authentique ici; pas de nuit sanglante; pas de mémorial. Seulement un dur affrontement à de repérables réalités, qui sont *du siècle*, non de la *nature*. Le passage au métaphysique a pu, un moment, s'opérer, par suite de l'absence de solution de rechange, mais il a suffi d'un signe, si fugitif soit-il, pour que s'estompe le cauchemar. Il en est demeuré, seulement, une inquiétude. De Vendôme à l'institution Ganzer, puis à celle de Lepître, le héros sans cause continue à contester, par ses secrètes souffrances, par ses révoltes inédites, la tranquille assurance de son monde. Il semble alors se mouvoir dans une zone moyenne où se mêlent tendances paresseuses et exaltations sans lendemain avec un vouloir-vivre promis à mieux que ce gaspillage. Dans cette pâte lourde, des levains sont à l'œuvre. Sous des dehors peut-être indifférents, ce gros garçon est sensibilisé à l'extrême. Le sentiment est là, non pas maladif et tourné vers l'élégie, mais robuste, exigeant. Lors des premiers échecs, il a pu se décomposer en élans mystiques, et se risquer par-delà l'épaisseur des choses, en des régions où il finit par se perdre lui-même. Mais, après le retour au réel quotidien, le sentiment rêve d'imposer sa loi à ce réel qu'il ne peut nier, et qui revient sur lui. Ce *Traité de la volonté*, que Balzac écrivit peut-être à Vendôme, et qu'il rêva longtemps de terminer, montre l'ambition du cœur à régir et expliquer l'univers. Les rêves mystiques du pensionnaire n'ont jamais été des langueurs ou des abandons; ceux de Vandenesse n'en seront pas non plus. On sent toujours, au contraire, une recherche ardente de forces nouvelles qui donneraient la clé du monde. Il n'y a, dans l'histoire de Balzac à Vendôme, ni rossignol, ni clair de lune, et l'anecdote de l'étoile, dans *Le Lys*, est impossible à tirer au style lamartinien. Le jeune Balzac ne s'est jamais assis en pleurant aux portes interdites. Le monde, pour lui, est à découvrir et à comprendre. Il y a, dans cet Hercule au berceau, d'une part, la confiance déjà signalée en la puissance et le destin de l'homme, d'autre part l'intuition de forces morales, qui mènent le monde. Optimisme bourgeois, indifférence maternelle, ont concouru à former une aspiration confuse à la royauté du cœur. Les chocs subis n'ont pas vraiment oblitéré cette orientation; tout au plus, et ceci est capital, ont-ils contribué à l'*épaissir*, à lui donner la consistance des aspirations physiques et des générosités charnelles. Né du côté du jour, Balzac a frôlé la nuit, mais, de l'aventure, il a rapporté un amour plus lucide, moins naïf, de cette lumière qui a failli lui manquer. Il a gardé son *espoir*. Il y mêle désormais une dose de *volonté*. Ce n'est ni idéalisme bleuâtre, ni rage nerveuse de l'esprit. C'est une exigence de l'Homme total à vivre une vie totale. Si l'ensemble est encore chaotique, c'est que la réflexion, la mise en œuvre littéraire, n'ont pas encore commencé à mettre Balzac en face de lui-même et de ses problèmes. Mais, tout chair et tout esprit, le « petit brisquet » présente à la vie ses beaux yeux et son beau front sur lesquels brille un optimisme déjà plus aguerri. Ce fils d'un fonctionnaire solidement arrimé au nouveau régime, ce fils de bourgeois qui a déjà souffert, intimement, de la vie bourgeoise, est suffisamment conscient pour comprendre, suffisamment naïf pour vraiment sentir.

CHAPITRE III

Paris : ambitions, passions, réflexions

Il lisait d'ailleurs beaucoup, il se donnait cette profonde et sérieuse ins- truction que l'on ne tient que de soi-même, et à laquelle tous les gens de talent se sont livrés entre vingt et trente ans.

BALZAC, La Rabouilleuse.

A Paris, Balzac achève d'acquérir l'instruction indispensable. Quel est alors son style de pensée? Nous avons, sur sa rhétorique, deux témoignages. L'un est un *Discours sur les enfants de Brutus*, très davidien de forme :

> Tout couvert du sang de tes enfants, tu oses paraître devant leur mère épouvantée! Veux-tu mettre le comble à ta cruauté en offrant à leurs yeux leur juge et leur bourreau, ou viens-tu jouir de ma douleur et voir expirer la mère après avoir assassiné les fils? Ta fermeté barbare ne se dément point. L'orgueil et l'ambition la soutiennent. Plus féroce, plus habile que Tarquin, tu te dis : « Rome me contemple, m'applaudira mon dévouement », et cette pensée seule te suffit pour te rendre l'assassin de tes propres enfants [...]. Je remets à ton cœur le soin de ma vengeance : que le sang de tes enfants y retombe goutte à goutte et le pénètre tout entier de la même horreur que celle que je ressens pour toi et l'étouffe! En ce moment, je puis former ces vœux : la hache sacrilège des licteurs vient de trancher les nœuds qui m'attachaient à toi! Règne sur Rome. Moi, je fuis, et cours mettre entre elle, toi et moi, l'immensité des mers [1].

Tout ceci est bien loin encore des *Scènes de la vie privée...*, bien conformiste, dans la mesure où le drame ne s'y conçoit que dans l'Histoire. L'autre est la conclusion d'une dissertation sur le XVIIᵉ siècle. Cette amplification oratoire est très révélatrice d'une profonde inspiration voltairienne et classique :

---

1. *Lov.* A 166, fᵒ 2.

[Ce siècle qui], à Condé oppose un Turenne, un Racine, à Corneille, Massillon à Bossuet. O siècle heureux, où les Luxembourg, les Condé, les Turenne... gagnaient les batailles que devaient célébrer les Boileau et les Racine! Où Vauban prenait les villes plus vite qu'on ne faisait les vers, où les Massillon, les Fléchier, faisaient trembler les guerriers couverts de lauriers, et anéantissaient leurs gloires, leurs victoires, leurs lauriers, les vaincus, les vainqueurs, au pied de l'éternel, où un Bossuet, placé entre la terre et le ciel, entre le ciel et les Roys, élevait une barrière d'airain entre les soupirs d'une La Vallière mourante au monde et les regrets de Louis XIV. C'est le génie qui conduisait la plume d'un Molière, qui peignit tout, qui semble tout surpasser. France, tu as un La Fontaine, le modèle et le désespoir des fabulistes! Lulli, Quinault, que vos noms aillent à la postérité sur les ailes des amours, et Racine vous accompagne! Rousseau, Pascal, Corneille, La Bruyère, que de souvenirs vous éveillez! Tout renaît. La scène, jusqu'alors barbare, se renouvelle. La poésie harmonieuse charme les oreilles. Lebrun peint, Perrault élève le Louvre... *L'ignorance, chassée de toute part par le génie, expire*[1].

Le style est encore loin d'être sûr, mais remarquons surtout l'idée : le grand siècle exalté non comme siècle monarchiste, mais comme siècle de culture, non comme siècle catholique, mais comme siècle de civilisation. Pascal, Bossuet, ne sont pas évoqués comme semeurs d'inquiétudes, mais comme « orateurs français ». Quant à Rousseau (Jean-Baptiste, bien entendu), il incarne à lui seul toute une poésie du bien-dire, rhétorique, plus qu'évocatrice des mystères de l'âme. C'est, en général, au lendemain de semblables exercices, que les jeunes gens connaissent des crises de révolte ou de découragement. Mais Balzac, solidement arrimé à l'héritage conjugué du classicisme, de la philosophie, de l'Université impériale, culturellement « intégré », se développe selon les lignes de force d'un univers qu'il ne met pas en discussion. Toutes les conquêtes du siècle monarchiste par excellence sont des conquêtes, en fait, de la « philosophie » et des lumières. Il n'y a quoi que ce soit à renier de tout cela. Alors que d'autres, à cette époque, traînent regrets et difficultés, le rhétoricien Balzac, du moins en ce qu'il exprime de plus simple, de plus apparent, participe à un épanouissement classique bourgeois que ne vient encore, toujours apparemment, bouleverser aucun romantisme[2].

---

1. *Lov.* A 166, f° 2. Le début du texte est mutilé; nous restituons au mieux.
2. Il convient certes d'être prudent dans l'interprétation de cette littérature de potache. Une comparaison, toutefois, avec les devoirs de Sainte-Beuve qui ont été conservés est assez instructive (Pierrot, *Recueil de discours, narrations,*

*

Bachelier, Balzac s'inscrit à la Faculté de droit et suit les cours de Sorbonne. Pendant trois ans (1816-1819), il va connaître l'ardente disponibilité intellectuelle du jeune homme partagé entre sa famille et l'Université. Sans doute, il est tenu serré. On l'oblige à entrer comme petit clerc chez Guyonnet-Merville, pour y apprendre la procédure. Cet exercice d'un métier, très tôt, aura pour effet de maintenir Balzac au contact du réel quotidien et de ménager une ligne de repli à ses enthousiasmes plus abstraits. Cependant, son peu d'application à l'étude montre qu'il est loin d'accorder aux choses « sérieuses » toute son attention. C'est à cette époque qu'il fait connaissance avec la jeunesse des Écoles, houleuse, enthousiaste, qu'un rien soulève.

Or, cette jeunesse des Écoles est un fait nouveau. Le xviiie siècle n'avait pas connu cette masse turbulente. Ce sont les salons et les milieux petits-bourgeois que faisaient vibrer les philosophes, non un « Quartier latin » inexistant, et contre lequel le pouvoir n'eut jamais à sévir. Rappelons-nous des Grieux : ce garçon, brûlant, par ailleurs, d'une passion aussi « révolutionnaire », est on ne peut plus docile sur le plan intellectuel. C'est la Révolution et l'Empire qui, en créant l'Université et les Écoles spéciales, en libérant la jeunesse bourgeoise des impératifs scolastiques, en lui faisant donner un enseignement scientifique et rationaliste, en lui communiquant le goût de la recherche, de la curiosité intellectuelle, ont aidé cette jeunesse à se constituer en force autonome. Par ailleurs, dans la société nouvelle, les jeunes gens voient leur entrée dans la vie retardée par des études plus longues, jusqu'aux environs, parfois, de vingt-cinq ans. Le jeune aristocrate, lui, se formait de très bonne heure, au service, au contact du réel. « Ce n'est pas dans les maisons publiques où l'on instruit l'enfance que l'on reçoit dans les monarchies la principale éducation, écrivait Montesquieu; c'est lorsqu'on entre dans le monde que l'éducation en quelque façon commence [1] », et Michel Bréal précisera que, pour les

---

lettres, etc., composés par des élèves de l'Université). Dans l'*Entretien d'Arminius et de Flavius* (reproduit par Victor Giraud, Sainte-Beuve, *Œuvres choisies*, p. 23), la sympathie du jeune auteur va évidemment au libre Germain, à la patrie, par-dessus la Justice, aux forêts, par-dessus les institutions, etc. Au travers de la rhétorique, on sent percer le romantisme, le « nordisme » de l'inadapté. On peut dire, sans grand risque d'erreur, que la réaction du jeune Balzac est plus césarienne, plus organisatrice.

1. *Esprit des lois*, IV, 2.

jeunes bourgeois, « l'âge de raison a été retardé [...] de cinq ou six ans[1] ». Or, pendant ces années l'esprit critique, la liberté de jugement, fortifiés et encouragés par les études, concourent à former une mentalité exigeante, idéaliste, que ne vient encore tempérer aucune responsabilité. L'étudiant, qui apparaît au xixe siècle comme type social nouveau, est frondeur et frémissant, prompt, ambitieux, mais aussi facile à décourager. Il vit nécessairement d'une vie purement intellectuelle et affective à un âge où ses forces vives restent sans emploi. Lorettes et tavernes occupent certes une place importante dans sa vie, mais des jeux l'attirent qui sont quand même d'une autre portée. La notion de jeunesse, comme catégorie sociale, apparaît ainsi, avec les problèmes qui lui sont propres, comme conséquence d'un changement dans la préparation des hommes à la vie active, lié lui-même à un changement dans la structure de la société. Et si l'on ajoute que les étudiants, appelés à former un jour les cadres du pays, sont plus nombreux qu'autrefois, moins dispersés, constitués en corps, animés d'un esprit commun, qu'ils apportent souvent avec eux, de leur province, d'infinis désirs et de solides illusions, on comprendra quel « bouillon de culture » constitue le milieu universitaire.

Il est important que Balzac, à ses débuts, soit venu, ne fût-ce que de biais, prendre sa place dans cette communauté un peu artificielle, mais profondément sensible au juste et à l'injuste, peu soucieuse de sagesse bien-pensante, impitoyable pour les hommes en place. Séminaire de rigueurs et d'espérances, la jeunesse étudiante, en ces années où tout éclôt, va infiniment plus loin que Faublas et Chérubin. Celui qui sera le premier romancier du problème de la jeunesse a vécu ses premières années studieuses dans le cadre des universités de 1817. Sa famille le reprenait chaque soir, l'étude le requérait plusieurs heures par jour; aussi peindra-t-il l'étudiant chez lui, dans sa mansarde ou dans sa pension, non dans le brouhaha des salles de cours, dans les manifestations. Mais peu importe. Mêlées aux impatiences « naturelles » de la vingtième année, les exigences nouvelles de la jeunesse d'un siècle neuf concourent à former cette volonté de vivre vite et d'aller loin qui caractérise toute une génération. Dès

1. Cité par Taine, *Les Origines de la France contemporaine*. Reprenant la même idée, Daniel Guérin a souligné aujourd'hui que la jeunesse bourgeoise, longtemps maintenue à l'écart des responsabilités, contracte des habitudes idéalistes, ce qui n'est pas le cas de la jeunesse ouvrière; d'où la prise qu'offre cette jeunesse bourgeoise aux diverses idéologies pseudo-révolutionnaires (*Fascisme et grand capital*).

1814, la jeunesse est conviée aux grandes tâches de l'intelligence et du savoir. Elle y est conviée *en corps*, contrairement
à ce qu'ont pu faire croire les amplifications des poètes
du « génie ».

Car le génie a cessé d'être solitaire. C'est toute une humanité
qui semble avoir, d'un coup, accédé à un stade supérieur
de la connaissance et de la culture. « L'Empire, écrira plus
tard Pierre Leroux, avait favorisé la spécialisation à outrance ;
il avait fragmenté les hommes pour en faire des instruments [1] » ; il s'était méfié de l'esprit de système, des spéculations portant sur l'ensemble. 1815, sur ce point encore, marquait une libération. Balzac écrira en 1829 :

> A aucune époque du monde, il n'y a eu si brûlante soif
> d'instruction. *Aujourd'hui, ce n'est plus l'esprit qui court
> les rues, c'est le talent.* Par toutes les crevasses de notre
> état social sortent de brillantes fleurs comme le printemps
> en fait éclore sur les murs des ruines ; dans les caveaux
> même, il s'échappe d'entre les voûtes des touffes à demi
> colorées, qui verdiront pour peu que le soleil de l'instruction
> y pénètre. Depuis cet immense développement de la pensée,
> depuis *cette égale et féconde dispersion des lumières*, nous
> n'avons presque plus de supériorités, parce que chaque
> homme représente la masse d'instruction de son siècle [2].

Texte postérieur, certes, mais qu'inspire quelque chose de
plus large que l'actualité immédiate. Paris est une ruche
immense où se cherche et s'élabore la pensée moderne. Toute
une jeunesse collabore avec ses maîtres pour découvrir de
nouvelles explications de l'Homme et de son histoire. A
certaines haines de Balzac, par la suite, on peut mesurer
l'importance de ses premières admirations d'alors. Tout le
grand élan de la philosophie bourgeoise ira s'enliser, sous

---

1. Pierre Leroux, *Réfutation de l'éclectisme*.
2. *Physiologie du mariage*, C. H. X, p. 628. La différence est nette avec la
conception aristocratique du génie, isolé, malheureux. Le génie, le talent, ne
sont plus des marques fatales, mais le résultat du développement d'ensemble
de la science et des connaissances. Le génie est un produit de la civilisation,
donc de l'Homme. Au XVIIIe siècle, avec Diderot, et même avec l'abbé Dubos,
était apparue une première conception du génie, force irrationnelle, force de vie,
bousculant les formes sclérosées pour créer des formes neuves. C'est cette conception du génie qui avait trouvé ses expressions les plus fortes chez Rousseau,
chez Gœthe. Elle était inséparable d'une vision libératrice de l'Homme et d'un
message révolutionnaire. C'est ce génie qui, selon les célèbres paroles de Robespierre, remplace en Europe le bel esprit. Avec la Révolution française et ses conquêtes intellectuelles, il s'élargit en science sociale, et trouve ses plus hautes
expressions dans le saint-simonisme, par exemple, et dans *La Comédie humaine*.
Il n'a rien à voir avec la hautaine conscience d'un isolement qui marche devant tous,
seul dans sa gloire. Ce génie-là est fait, dès l'origine, pour rencontrer les autres,
non pour en séparer. Comment et pourquoi la bourgeoisie en reviendra à une
conception catastrophique et fatale du génie, est l'un des grands problèmes,
et des plus instructifs, de son « histoire intellectuelle ».

Louis-Philippe, dans l'opportunisme et la défense sociale.
Il n'en va pas de même en 1815.

Dans cette manne que déverse un corps exceptionnellement
brillant de professeurs, chacun trouve sa provende. Les dieux
sont Cousin, Villemain, Guizot, Cuvier, Geoffroy Saint-Hilaire.
On s'exalte à leurs exposés comme jadis aux bulletins de
l'Empereur. « Je me souviens encore, écrit la sœur de Balzac
en une page fameuse, de l'enthousiasme que lui causaient les
éloquentes improvisations des Villemain, des Cousin, des
Guizot. C'était la tête en feu qu'il nous les redisait pour nous
associer à ses joies et nous les faire comprendre. Il courait
travailler dans les bibliothèques publiques afin de mieux
profiter de l'enseignement de ses illustres professeurs [1] ».
Lui-même se souviendra de cette époque, lorsqu'il évoquera,
dans l'un de ses premiers romans, *Le Vicaire des Ardennes*, la
découverte de Paris, par Joseph : « Alors, pendant quatre
années, je ne connus d'autre chemin que celui qu'il y a entre
la bibliothèque du Panthéon et la rue de la Santé. J'appris
tout ce qu'il convient à un homme de savoir, pendant ce
temps, et je l'appris tout seul, sans maître, par la seule force
de mon imagination et aidé par la puissante énergie d'un
caractère ardent [2] ». La date de ce texte (1822) permet d'éli-
miner tout risque de surimpression des expériences postérieures, et de donner, en conséquence, toute sa valeur à telle
autre évocation, dans des romans de la maturité : « Je suivis
d'abord courageusement les cours avec assiduité, je me jetai
à corps perdu, sans prendre divertissement, tant les trésors
dont abonde la capitale émerveillèrent mon imagination [3] ».
Ou bien : « Il lisait d'ailleurs beaucoup, il se donnait cette
profonde et sérieuse instruction que l'on ne tient que de soi-
même, et à laquelle tous les jeunes gens de talent se sont
livrés entre vingt et trente ans [4] ».

De quoi a-t-on soif, à cet âge, et dans cette situation historique ? De connaissances positives ET d'un système d'explication, d'exactitude ET d'ampleur. On ne sépare pas les
faits de leur enchaînement, non plus, surtout peut-être, que
d'une morale, qui découlerait de cette philosophie. Or, ces
multiples exigences de la jeunesse, d'une jeunesse qui n'hérite
pas de croyances et de connaissances indiscutées, se trouvaient
renforcées, en 1814-1815, par la situation faite à l'ensemble

---

1. Laure Surville, *op. cit.*, p. 28.
2. *Le Vicaire des Ardennes*, II, p. 89.
3. *Le Médecin de campagne*, C. H. VIII, p. 474.
4. *La Rabouilleuse*, C. H. III, p. 901. On remarquera que *Joseph* Bridau porte
le même nom que le héros du *Vicaire des Ardennes*.

de la pensée française. Alors que le matérialisme idéologue continue sa carrière, alors que les sciences naturelles vont connaître un prodigieux développement, la pause politique, le changement de régime et de rythme invitent aux inventaires et aux réflexions. Qu'est-ce que l'Homme? Que signifie cette Histoire chaotique et sanglante, dont on vient de vivre quelques épisodes particulièrement intenses? Quel est le sens de l'univers physique? Comment vivre, surtout? La génération romantique a posé, par nécessité, toutes les questions. Et elle a eu, pour y répondre, Gall, Cuvier, Geoffroy Saint-Hilaire, Cousin, qui se présente alors comme le porte-parole d'une philosophie de la totalité. Cousin nous semble aujourd'hui parfaitement démodé; il a contre lui sa longue carrière officielle, ses prises de position gouvernementales sous la monarchie de Juillet, et plus tard. Mais il faut essayer de le juger (comme Guizot), avec l'esprit de ceux qui l'entendirent aux premiers temps de la Restauration, alors qu'il apportait vraiment quelque chose, et qu'il parlait un langage qu'on attendait, dont on avait besoin.

Le 13 décembre 1815, Cousin ouvre à la Sorbonne son cours d'histoire de la philosophie. Il annonce qu'il ne suivra pas la méthode chronologique, mais qu'il groupera les grands systèmes par affinités. A l'exposé du type défilé, il oppose celui du type bilan. Où en est-on? Un profond besoin de mise au point se fait sentir. D'une manière plus ou moins précise, on *sait* que la philosophie des lumières, désormais un peu simple, a fait son temps. Descartes, trop systématique, trop ambitieux, ne suffit plus, explique le jeune professeur. Il nous faut une philosophie plus réaliste. Quant aux sensualistes, ils sont également dépassés. Les idées innées, comme la statue de Condillac, ont été d'importants moments de la philosophie, mais seule une philosophie du type de celle de l'Écossais Reid, qui distingue perception et sensation, qui dépasse les vieilles antinomies, est susceptible de rendre compte de tout l'Homme. Seule, également, cette philosophie est susceptible de nourrir une morale valable. Et c'est ce point qui apparaît à Cousin comme le plus important. A la recherche d'une règle de vie nouvelle, la génération post-impériale se veut de la terre, mais libre; elle garde un sens des valeurs exigeant, mais elle entend se garder des emballements d'un idéalisme et d'un verbalisme dont on a pu mesurer les ravages. La péroraison s'adresse directement à la jeunesse :

C'est à ceux de vous dont l'âge se rapproche du mien que j'ose m'adresser en ce moment; vous qui formerez la génération qui s'avance; à vous, l'unique soutien et le dernier espoir de notre cher et malheureux pays. Or, si vous aimez ardemment la patrie, si vous voulez la sauver, embrassez nos belles doctrines. Voici à peu près quarante ans qu'un esprit de vertige nous précipite comme des furieux à la poursuite de la liberté à travers toutes les voies de la servitude et de la bassesse. Nous voulions être libres avec la morale des esclaves. Non, *la statue de la liberté n'a point l'intérêt pour base*, et ce n'est pas à la philosophie de la sensation et à ses *petites maximes* qu'il appartient de faire les grands peuples. Qu'ont produit nos agitations insensées? Vous le savez : notre ruine, et celle de l'Europe. L'abîme est fermé, je le crois [1]; la tempête est calmée; le ciel propice nous a donné le gouvernement qui nous convient. Mais, ne le forçons pas à retirer ses bienfaits en en étant indignes. Soutenons *la liberté française, encore mal assurée et chancelante, au milieu des tombeaux et des débris qui nous environnent*, par une morale qui l'affermisse à jamais [2].

Négligeons tout ce que cet appel contient d'idéalisme naïf, mais ne faisons pas de contresens sur sa signification « gouvernementale ». Les Cent-Jours et Waterloo ont fait mesurer tout ce qu'avait de précaire la tranquille certitude de 1814. L'année précédente, c'était le coup de baguette dont parle Vandenesse, le sentiment d'un nouveau départ. Cette année, la conscience française est beaucoup plus profondément traumatisée. La Restauration repart, mais avec moins d'innocence. Raison de plus pour trouver des voies originales. Comment ne pas se sentir *responsables*, alors que tout recommence, et sur des bases fragiles? Alors qu'il faut *inventer?* S'adressant directement aux jeunes gens, Cousin savait ce qu'il faisait. Il leur fallait tout reprendre.

Ses cours, de 1816 à 1819, ceux que suivit Balzac, sont, la plupart, des analyses patientes. Mais les éléments d'une nouvelle synthèse s'y dessinent aisément, ainsi que dans les articles du *Journal des savants* et des *Archives philosophiques* [3]. Point n'est besoin d'attendre la formulation exacte d'une nouvelle proposition d'ensemble pour juger de sa force d'attraction. Et, ce qui fait le succès de Cousin, dès 1816,

---

1. Reprise volontaire, bien entendu, de la formule fameuse de Louis XVIII.
2. Victor Cousin, *Discours prononcé à l'ouverture du cours de l'histoire de la philosophie le 13 décembre 1815*, p. 52-53. Balzac, bien entendu, n'a pas assisté à ce cours, mais l'influence d'un philosophe est chose diffuse, omniprésente, continue. Nous cherchons ici à définir une atmosphère.
3. Réunis en 1826 dans les *Fragments philosophiques*, édités par Sautelet, l'ami de Balzac.

c'est son dessein de dépassement, d'intégration des pensées antérieures en une pensée plus large, qui tienne compte de tout. « Le développement régulier des différents éléments dont se compose la vie intérieure d'un peuple, conclura-t-il en 1828, savoir, l'industrie, l'État, l'art, la religion, la philosophie est le dernier mot, le résumé du développement harmonique des éléments antérieurs [1] ». Cette philosophie se veut philosophie de l'aboutissement. Qu'elle ait vu, voulu voir, dans La Charte le correspondant et le garant politique, la référence extérieure indispensable à son enracinement, à sa justification, peut nous agacer aujourd'hui, *nous*, pour qui la Charte est replâtrage, mais les contemporains, sur le moment [2]? Ce qui devait les toucher, c'était ce souci constant de tenir liées la philosophie abstraite et la morale pratique, la spéculation et l'action. Ses jeunes auditeurs eux aussi, étaient à la recherche d'un art de vivre qui unît de manière dynamique les divers éléments constitutifs de leur jeune culture et leur fournît des maximes d'action. Il n'y a pas eu de vaincus à Waterloo ; les seuls vainqueurs ont été la civilisation européenne et la Charte : on ne demandait d'abord qu'à le croire.

Cet effort de *compréhension* du passé est l'un de ceux qui distinguent le plus nettement la génération nouvelle de la génération impériale. Les combattants avaient simplifié. La Restauration, d'autre part, et certaines imprudences de ses représentants, avaient souvent justifié des simplifications nouvelles : l'infâme, la féodalité, la barbarie. Assez clairement, ceux que travaille le besoin de construction, sentent qu'il y a mutilation du réel dans une vision polémique des choses. L'histoire de l'Homme est une. Guizot, ouvrant en 1820 son cours d'histoire moderne, explique qu'il rejette *à la fois* les idéalisations réactionnaires des tenants de l'ancien régime, et les caricatures des épigones du XVIIIe siècle. Il entend retrouver le sens des siècles passés :

> Il n'en est aucun qui n'ait fait son effort dans la grande lutte du bien contre le mal, de la vérité contre l'erreur, de la liberté contre l'oppression. Et non seulement chaque siècle a soutenu pour son propre compte cette lutte labo-

1. *Cours de 1828*, p. 29.
2. Rappelons que la Charte, *en 1815* et années suivantes, pouvait apparaître comme un texte libéral, et que, *en 1828*, lorsque Cousin, grâce à Martignac, retrouvera sa chaire de Sorbonne, elle aura repris, après six ans de ministère Villèle, alors qu'on redoute un coup de force ultra, un peu de sa valeur de jadis. Le premier jour de la révolution de Juillet se fera aux cris de « Vive la Charte ». Le Cousin opportuniste, bassement opportuniste et bourgeois, est pour plus tard. En 1828 encore, il n'y a aucune raison qu'il n'ait pas pour lui la jeunesse. Deux ans plus tard, il se séparera de son élève Farcy. Cf. t. II.

rieuse, mais ce qu'il a pu gagner, il l'a transmis à ses successeurs [...]. La vérité, la justice, le droit, ont aussi de vieux
titres à faire valoir : en aucun temps l'homme ne les a laissé
prescrire [1].

Il s'agit de « reprendre, avec des libertés nouvelles », « le
respect de tous [nos] souvenirs ». Les idées progressives n'ont
rien à craindre de l'étude du passé : « le progrès est la loi
de la nature, l'espérance et non le regret le principe de son mouvement [2] ». Et qu'on n'aille pas voir, surtout, dans cet « éclectisme » quelque philosophie de Juste-Milieu : au moment où
Guizot fait son cours, en 1820, il entend bien, comme Cousin,
opérer une fusion dynamique, un dépassement, et lorsqu'il
se proclame impartial, il tient à bien préciser que son impartialité est « *non cette impartialité froide et stérile qui naît de
l'indifférence, mais cette impartialité énergique et féconde,
qu'inspirent l'amour et la vue de la vérité* [3] ». Qu'on est loin,
alors, de l' « apolitisme » tant prôné par les générations bourgeoises suivantes! Balzac, Baudelaire, s'exprimeront en termes semblables, mais contre l'éclectisme devenu philosophie
défensive de la bourgeoisie installée. En 1820, Guizot, trouvant dans l'amorce de réaction royaliste, une justification à
son « bourgeoisisme », n'a pas à craindre de s'exprimer en
termes de science combattante. Ayant rejeté le schématisme
des hommes du xviiie siècle, il ne s'en trouve que plus à
l'aise pour choisir une méthode résolument dynamique,
dialectique. S'il emprunte, pour son travail, « les lumières
que nous fournit notre siècle », écrit-il, il entend n'y porter
« aucune des passions qui le divisent [4] ». Ce n'est pas là diplomatie. Ce qui caractérise ce cours de Guizot, comme tout
l'enseignement universitaire d'alors, c'est l'ouverture, le
dynamisme. On va de l'avant. On n'en est pas à enseigner
prudence ou scepticisme, à décourager les impétuosités juvéniles. Spontanément, Guizot, comme Cousin, parle le langage
de la jeunesse, l'entraîne, au lieu de la retenir. Lors que
même les deux professeurs suggèrent de revoir l'enseignement
du xviiie siècle, c'est au nom d'une vision plus large des
choses, *et qui peut se permettre* cet acte d'indépendance parce
qu'elle se sent de quoi aller infiniment plus loin. Objectivement, le temps le montrera, il s'agit là de replâtrages. Mais
subjectivement, il s'agit d'un effort légitime, valable, vécu

1. Guizot, *Discours prononcé pour l'ouverture du cours d'histoire moderne*,
p. 9.
2. *Ibid.*, p. 16.
3. *Ibid.*, p. 18.
4. *Ibid.*, p. 21.

comme un progrès. Même les jeunes gens de l'école « troubadour », lorsqu'ils demanderont que le cœur, la poésie,
l'imaginaire, le religieux, remplacent la sécheresse philosophique, iront dans le même sens. « Il s'élève de toute part,
écrira Victor Hugo, une génération sérieuse et douce, pleine
de souvenirs et d'espérance. Elle redemande son avenir aux
prétendus philosophes du siècle dernier, *qui voudraient lui
faire recommencer leur passé* [1] ». Là est le vif de la contestation : les refrains du xviiie siècle sont sans cesse repris par
des hommes pourvus, que la génération montante a conscience d'être des témoins aussi intéressés que dépassés.

Et nous voici au cœur du problème intellectuel de cette
génération, aspect le plus visible d'un conflit de forces concrètes : le besoin de certitudes neuves, renforcées, plus com-
préhensives que celles, purement critiques, du xviiie siècle.
A la base, demeurent les conquêtes du matérialisme mécaniste et déterministe bourgeois. Les religions sont des produits sociaux. La psychologie relève d'abord d'une rigoureuse
étude physiologique. Gall et Lavater jouent alors un rôle
assez comparable à celui de Marx et de Freud plus tard :
liquidateurs de transcendances, introducteurs à des méthodes de connaissance et d'explication, voire d'action, qui ne
doivent rien au mystère ni à l'inconnaissable. Tout part de
la nature : ceci ne sera pas remis en cause [2]. Seulement, cette
nature est peut-être plus riche, plus complexe, plus contradictoire, qu'on ne le soupçonnait, exactement comme l'Histoire vécue, ou à vivre. Cousin injecte à la philosophie ce
qui lui avait peut-être le plus manqué chez les « philosophes »,
et surtout chez leurs disciples attardés : la générosité, le
mouvement. Il n'est pas question de revenir en arrière, ni
dans la philosophie, ni dans les sciences, ni dans l'histoire :
il s'agit d'aller plus avant, d'inventer, portés par un mouvement social encore à décrire et à mesurer (on a vu [3] que ce
sera l'œuvre, en 1827, de Charles Dupin), mais qui n'en
existe pas moins.

Pour le jeune Balzac, il y avait là tout un humanisme
moderne qui prolongeait, enrichissait, celui hérité de son

---

1. *La Muse française*, juillet 1823 (compte rendu de l'*Essai sur l'indifférence*
de Lamennais). L'avenir ici demandé par Hugo est certes encore un avenir
troubadour et néo-catholique, mais il faut retenir cette exigence, profondément
anti-bourgeoise, de plus que le présent ; à partir de là s'opéreront les mutations
politiques et sociales.
2. Pas plus que Balzac ne remettra en cause la Révolution de 1789, lorsqu'il
parlera de la fortune de Grandet, constituée, « la révolution aidant ». C'est que la
Révolution sera pour lui non une valeur, mais un fait.
3. Cf. *supra*, p. 77 sq.

père, de son milieu, d'hommes comme Nacquart [1]. Il ne
s'agissait pas de révélations brutales mettant en péril de
chères et vieilles idées : *Balzac ne sera jamais Jean Barois.*
Une autre découverte de Paris suivra, démoralisatrice. Pour
le moment, on en est encore à celle de la science et du savoir.
A la Faculté des Lettres, au Muséum, Honoré retrouve partout ce goût de la recherche et de la pensée libre, ce scientisme,
cet historicisme, seulement enseignés par de jeunes maîtres
« plus complets », comme on disait alors. Il passe naturellement, sans heurt, de l'univers familial à un certain univers
parisien. Une fois de plus, constatons-le, il s'épanouit avec
son siècle. Plus tard, il adressera à l'enseignement universitaire de sanglantes critiques [2]. Il s'acharnera sur Cousin,
sur Guizot, sur Villemain [3], hommes non plus du dépassement, mais du compromis : signes éloquents d'une prise de
mesure des idoles de la jeunesse. Des « éloquentes improvisations » de 1818, aux discours de la Chambre des Pairs, des
maîtres qui ouvraient les esprits aux hommes chargés d'honneurs qui veulent retenir la société, ce sera une expérience
de quinze années seulement, la crispation succédant à l'ouverture. Moment presque unique dans l'histoire du xixe siècle :
la jeunesse suit avec enthousiasme un enseignement d'avant-
garde.

*

Très vite, cet enseignement, ces lectures, Balzac en nourrit
diverses ébauches qui sont les témoignages les plus anciens
que nous ayons sur sa naissante vision du monde. Scolaires,
pédantes, ces *Notes philosophiques* constituent un premier
corpus de doctrine qui permet de situer le jeune homme
par rapport au romantisme. On y trouve un optimisme
volontaire, un intellectualisme dynamique, qui le montrent
infiniment éloigné de tout pessimisme philosophique. Balzac,
alors, loin de gémir, affirme et croit, en termes humains et
rien qu'humains. Moins que leur valeur intrinsèque, ce qui

---

1. Médecin, ami de la famille, auteur, en 1808, d'un *Traité de la nouvelle physiologie du cerveau*, qui vulgarisait les idées de Gall.
2. *Lettre à l'Oncle*, dans la réédition de *Louis Lambert*, en 1835, et, dès 1832,
Théorie de la démarche. Cf. t. II.
3. Cousin, dans la réédition de ses *Fragments philosophiques*, en 1833, expliquera que le Juste-Milieu était le digne et naturel successeur de Decaze et Martignac...

doit retenir dans ces notes écrites de 1818 à 1820 [1], c'est leur *orientation*.

On y trouve d'abord des remarques qui viennent tout droit de Bernard-François :

> L'épouvantable fleuve de la superstition humaine, qui a tant ravagé la terre, causé tant de maux, produit tant de beaux ouvrages, dont tant d'hommes se sont abreuvés, s'achemine lentement chaque jour vers le grand gouffre de l'éternité qui doit l'engloutir [2].
>
> L'Égypte, la Grèce, Rome et la France, sont les trois colonnes qui soutiennent la réputation du monde [3].

Si l'on songe combien il est fréquent, dans ce genre de recueil, de voir le fils récuser le legs paternel, on mesurera l'importance de l'imprégnation « philosophique » chez ce jeune homme qui ne voit pas encore pourquoi il irait chercher ailleurs sa nourriture. Le xviiie siècle continue de le porter.

Mais voici qui est plus personnel; la réflexion se fait plus abstraite, moins étroitement historique :

> Il est aussi impossible à l'âme de produire une idée sans le corps qu'à celui-ci de faire un mouvement sans la volonté [4].
>
> On a dit que Montesquieu avait trouvé les titres du genre humain; je défie bien les philosophes de trouver celui de l'immortalité de l'âme; chaque fois ils trouveront des preuves de la vanité de l'homme [5].

Le fils semble plus porté que le père vers les concepts, vers les discussions abstraites. Par rapport à la génération de praticiens qu'était celle de Bernard-François, celle d'Honoré sera beaucoup plus assoiffée d'idées générales. Elle voudra plus fortement exprimer sous forme de système une certaine

---

1. Les *Notes sur l'immortalité de l'âme* sont de la période Guyonnet-Merville (l'une est écrite au dos d'un acte notarié rédigé par Balzac lui-même, *Lov.* A 157, f⁰ 896). Les *Notes sur Descartes et Malebranche* sont de la période de la rue Lesdiguières (deux notes sont rédigées sur des fragments qui portent, de la main de Laure l'adresse de Balzac et la date « ce 9 décembre 1819 », *Lov.* A 157, f⁰ 126). Certains textes de *Falthurne* sont de 1820, et la *Dissertation sur la nature, l'Homme et ses facultés* (tous ces titres sont de Lovenjoul) doit être contemporaine des premières *Notes*. Pour la clarté de l'exposé, nous groupons les écrits philosophiques de 1817-1818 à 1820-1821, passant par-dessus l'installation dans la mansarde de la rue Lesdiguières. Ces diverses *Notes* et *Traités*, en effet, ne relèvent pas des ambitions littéraires qui conduiront à la réclusion de 1819. Elles font encore partie de la jeunesse antérieure à la découverte de la « vie parisienne ». Il faut seulement tenir compte de ce que la solitude dans la mansarde a dû donner un caractère plus passionné, plus ardent à la réflexion philosophique.

2. *Lov.* A 157, f⁰ 17, v⁰.
3. *Ibid.*, f⁰ 89, v⁰.
4. *Ibid.*, f⁰ 54.
5. *Ibid.*, f⁰ 65.

royauté de l'Homme. Elle sera, par là, plus vulnérable.
Non qu'elle ignore les problèmes concrets :
« L'homme a toujours deux religions, la sienne et celle de
l'État [1] » et Balzac projette d'écrire un *Traité* qui s'appellerait :
« Qu'on a le droit de se choisir un culte [2] », mais l'agilité
d'esprit est plus grande que chez Bernard-François, les ambitions plus vastes, plus intenses. L'esprit de système plonge
de moins profondes racines dans l'expérience, qui est encore
à venir. Balzac est, visiblement, bourré de lectures, qui lui
ont apporté un exaltant message humaniste : sa jeunesse
trouve, aisément, la longueur d'onde correspondante, mais
il ne sait pas que, dans son désir d'universel et d'absolu,
sur cette lancée de la philosophie des lumières, il est déjà en
contradiction avec la *pratique* bourgeoise du blocage d'un
processus d'expansion aux fins de préserver des intérêts de
classe. En tête à tête avec des livres, il va au bout de ce qu'il
a lu, plus loin, même. Il est par là fidèle à la bourgeoisie tel
qu'elle l'avait formé; il prend déjà position, à son insu,
contre la bourgeoisie qui gouverne. Lambert aussi pensera
en termes d'absolu; on ne peut vivre ainsi, dans un univers
du relatif, et, afin que nul n'en ignore, Balzac le fera débarquer
dans Paris, lui fera prendre la mesure de la société bourgeoise [3];
mais ce dialogue entre Lambert et la Babylone moderne
suppose des découvertes qui ne sont pas encore faites en
1820. Pour le moment, Balzac n'est qu'ardeur et système.

C'est dans cette perspective qu'il faut comprendre le matérialisme et le sensualisme des *Notes philosophiques*. Bernard-
François ne se risquait pas au-delà d'une théorie recouvrant
et justifiant sa pratique. Son fils n'est pas retenu par une vie
en train de se construire. Tout lui paraît simple. Ce qui
compte, dans les *Notes*, c'est, au moins autant que le contenu,
la *forme*. « Une des grandes preuves que l'âme dépend du
cerveau est la différence extrême qu'il y a entre les Lapons,
les Nègres et les Européens [4] » : raisonnement rapide, mais il
y a joie, pour l'esprit, à voir s'ordonner en un réseau de
propositions rigoureuses ce qui semblait diffus et contradictoire. Le *Cahier de morale* est rédigé sous forme de raisonne-
ments géométriques, comme chez Spinoza. Il est soigneuse-

---

1. *Lov.* A 157, f⁰ 66.
2. *Ibid.*, f⁰ 75.
3. Toujours dans la *Lettre à l'Oncle*.
4. *Lov.* A 157, f⁰ 3. Le même matérialisme se retrouve dans *Une heure de ma
vie*, récit à la manière de Sterne, rédigé vers la fin de 1820, et qui rapporte les
promenades nocturnes du jeune solitaire. « Nous avons des organes, des fibres,
du sang, des humeurs, des nerfs, des sens différents, *et par conséquent, des sensations, et des idées, et des âmes différentes* » (*Lov.* A 234, f⁰ 71).

ment calligraphié, divisé, souligné. Balzac a éprouvé, en couvrant ces grandes pages de son écriture soignée cette sorte d'ivresse, que donne le sentiment d'être maître de sa pensée. C'est pourquoi, il faut bien se garder de voir dans ce Balzac un agnostique à la dérive. Tout au contraire, il s'agit d'un esprit aux arrrières assurés, et qui va de l'avant. Que lui importe que Dieu soit mort, puisque le monde possède sa justification et son unité? On ne gémira vraiment de la mort de Dieu que le jour où la société, où l'Histoire, où la philosophie, n'auront plus, précisément, par suite de la dégradation de la civilisation bourgeoise, leur unité, leurs justifications. Voyons Balzac condamner les tentatives de replâtrage de Malebranche :

> Il ne fallait pas admettre le christianisme qui regarde toute vérité inutile à rechercher, puisque tout y est croyance, révélation, mystère, etc... dans un ouvrage de métaphysique où toute considération étrangère doit être interdite, et où l'on doit raisonner, s'il est permis de raisonner ainsi en l'absence de tout dogme révélé [1].

Voyons-le, surtout, chercher à tirer de Descartes plus que Descartes n'a voulu — ou osé — tirer. Le style lui-même est révélateur :

> *Je suis d'avis avec Descartes* que nous expérimentons en nous-mêmes que tout ce que nous sentons vient de quelque autre chose que de notre pensée, parce qu'il n'est pas en notre pouvoir de faire que nous ayons un sentiment plutôt qu'un autre, et que cela dépend de cette chose selon qu'elle touche nos sens. Descartes emploie ce raisonnement pour prouver l'existence de la matière; mais il prouve que l'âme ne peut rien, pas même penser, si le corps ne lui transmet pas de sensations, *ce qui détruit bien des choses.*
> Il prétend qu'on peut avoir des idées distinctes de Dieu. *Je soutiens le contraire* [...].
> *Je trouve qu'il établit faiblement l'esprit humain.* Il prétend établir [Balzac avait d'abord écrit : Il établit] qu'on connaît mieux l'esprit que le corps. Voir ce que Locke prétend là-dessus [2].

Le maître est nommé, qui a permis à Balzac de se passer de l'inexplicable. Un moderne se référerait à Freud, à Marx. Avec Locke, Balzac trouve son chemin :

> Locke a prouvé d'une manière irréfutable qu'il n'y a aucun principe inné, donc l'idée de Dieu n'est point innée [...] [3].

---

1. *Lov.* A 157, fo 26.
2. *Ibid.*, fo 98.
3. *Ibid.*, fo 63.

L'infini est une abstraction; nous avons deux sortes d'idées, les réelles, qui viennent d'une expérience concrète et y renvoient, les abstraites qui expriment des rapports entre les idées réelles. L'idée d'abstraction est elle-même une abstraction.

Il est évident que l'homme commence par n'avoir que des idées réelles, mais montrer par quel chemin l'homme est arrivé à doubler ses idées est une tâche déjà remplie. Il n'y a pas de vide à cet égard dans la métaphysique. Locke l'a comblé, et ce n'est pas sur cette partie que l'on peut le contredire [1].

Outrecuidance? L'important est qu'elle ait été possible, que le jeune Balzac n'ait pas vu en Locke un marchand d'illusions. C'est que Locke apportait une explication d'ensemble, et une explication qui n'exigeait de la raison aucun reniement.

Est-ce à dire que cette solide philosophie systématique ne comporte aucun « creux »? N'est-elle qu'affirmations, sans la moindre conscience de difficultés? Est-elle à ce point sommaire qu'elle ne voie dans l'aventure humaine que simple mécanisme? Tout l'apport de Cousin avait été, précisément, d'humaniser l'héritage sensualiste, de réintroduire un certain sens du complexe. Il ne s'agit pas ici de « redécouvrir » le mystère ou le religieux par un retour en arrière. Il s'agit, tout simplement, d'accéder à une vision aussi complète que possible des contradictions de la vie. Or, le jeune Balzac écrit : « Le jugement va au pas, l'esprit cabriole, l'imagination trotte, et le génie va au galop [2]. » Éloge du génie? Remise à leur place de catégories xviiie siècle? Mais voici ce qui suit immédiatement : « Le premier mène toujours bien son maître, le second lui casse quelquefois le cou, l'autre va trop de côté pour le mener à la fortune, *et le dernier le conduit au tombeau.* » Pourquoi, déjà, cette idée d'une pensée tuant le penseur? Pourquoi cette idée d'un génie fatal à l'homme, et contraire à la vie? La pensée s'inscrit dans une suite de remarques sceptiques qui contrebalancent les remarques sur Locke. Est-ce méfiance envers le génie? Est-ce seulement constatation? Et en quel sens? Balzac découvre-t-il, et pourquoi, la contradiction sagesse-progrès? Pourquoi l'esprit, si sûr, est-il stérile? Que signifie exactement « mener à la fortune »? *Quelle* fortune? Est-ce la contradiction entre imagination, génie, et carrières bourgeoises? Faut-il n'avoir qu'esprit pour « réussir »? On

1. *Lov.* A 157, f° 79.
2. *Lov.* A 160.

ne saurait avancer que des demi-réponses. Mais la faille est
nette. Il y a là un au-delà de Locke, un au-delà du matérialisme
utilitaire. Il y a là, peut-être, le premier dialogue entre
le narrateur et Louis Lambert, entre le matérialiste
et le « spiritualiste » à la recherche de ses définitions. La
« passionnalisation » de la philosophie semble bien s'amorcer
dans ces *Notes*. Encore une fois, sur quelles bases ? Le lien
apparaît assez bien dans un autre fragment, entre réflexion
abstraite, sur des problèmes spécifiquement philosophiques,
et réflexion déjà axée sur les problèmes les plus brûlants de la
vie sociale.

Seul dans sa mansarde, il écoute et médite. En bas ronfle
le tour du porcelainier[1]. Qu'est-ce qui meut l'humanité ?
Pourquoi la vie ?

> L'intérêt, devenu maintenant le véritable axe des deux
> mondes, a donné naissance aux arts, aux sciences intellec-
> tuelles ou mécaniques, et le motif qui fait agir la roue du
> marchand de porcelaine a créé le dogme de l'immortalité de
> l'âme[2].

Est-ce à Augustin Thierry que s'adresse l'objection qui suit ?
Il est probable :

> *Victoires et conquêtes*, voilà, a-t-on dit, l'histoire de tous les
> peuples. Mais je dirais : barbarie, civilisation et luxe[3].

Mais retenons surtout la préférence accordée à une explication *économique* de l'Histoire. Ce qui explique tout, c'est ce
qu'on appelait sous l'ancien régime les « subsistances ». De la
barbarie on passe à la civilisation, qui engendre son excès,
le luxe, facteur de démesure et de ruine. Tout se tient, du
geste de l'artisan aux plus subtiles superstructures idéologiques. L'explication de la croyance en l'immortalité de l'âme
est un peu courte, mais Balzac sent bien que cette croyance
tend à pallier un sentiment d'aliénation. Si je fournis au

---

1. Chez qui l'on adressait les lettres destinées au jeune reclus.
2. H.H. XXV, p. 537.
3. Augustin Thierry, dans ses articles du *Censeur européen*, venait de commencer à élaborer sa théorie des races et des rapports conquérants-conquis
dans l'histoire d'Angleterre. Il reprenait, mais en sens inverse, non pour justifier
la domination des conquérants et de leurs descendants nobles, mais pour justifier
l'émancipation des conquis et de leurs descendants, le Tiers état, les théories
rendues fameuses au XVIIIᵉ siècle par Boulainvilliers, et qui seront reprises, dans
Le Cabinet des antiques par le vieux marquis d'Esgrignon. Balzac s'affirmera,
plus tard, dans sa fameuse préface du *Lys dans la vallée*, de la noblesse des conquis
(C. H. XI, p. 290). Mais il faut signaler, d'autre part, que *Victoires et conquêtes
des Français* est le titre d'un recueil alors célèbre, consacré à l'épopée napoléonienne, et qui était fort répandu dans les bibliothèques libérales et bourgeoises.
Balzac y fera de fréquentes allusions (par exemple, dans *Le Colonel Chabert*,
C. H. II, p. 1098). L'ouvrage avait commencé à paraître par livraisons en 1817 ;
la dernière livraison devait paraître en 1821.

marché, je mangerai. Si je me conduis bien, je vivrai éternellement. Grâce à la croyance en l'immortalité de l'âme, les roues de porcelainier continueront de tourner, mais aussi, tant que les roues de porcelainier continueront de tourner pour les raisons qui les font actuellement tourner, l'homme croira à cette immortalité de l'âme dont il a besoin. Toute conquête technique (toute « civilisation ») entraîne l'établissement du luxe, c'est-à-dire la consécration de nouveaux privilèges, l'intronisation de nouvelles classes dirigeantes. La division de l'humanité n'a pas disparu pour autant. Comment Balzac aurait-il pu penser autrement ? Tout progrès, jusqu'alors, s'était accompli au prix du sacre de nouveaux maîtres. Nul ne soupçonnait alors que pourrait s'accomplir du moins à long terme, et conceptuellement parlant, une ultime révolution qui, assurant le triomphe d'une classe, mettrait par là même fin à la lutte des classes. D'où le coup d'œil un peu scolairement apitoyé, sur l'humanité. Vanité du progrès : est-on sûr que ce ne soit ici qu'un lieu commun ? De sa mansarde, Balzac voyait Paris, *passé* de la barbarie à la civilisation, mais aussi *livré* au luxe. Comment savoir ? Et fallait-il, au nom du progrès (le passage), ne pas voir son autre face immédiatement saisissable (le nouveau destin des sociétés livrées au luxe) ? *Civilisation*, dans cette note, prend une consonance tout à fait neuve par rapport au registre des lumières : il ne s'agit plus d'une valeur absolue, se réalisant, s'étant réalisée dans un fait, par là même, lumineux; il s'agit d'un fait qui n'est plus qu'en partie valeur. Thierry, avec la dialectique conquérants-conquis, avait, comme Walter Scott, découvert le rationnel d'une dynamique qui structurait une Histoire d'apparence purement pittoresque et décorative [1]; il avait retrouvé la signification profonde de multiples événements et conflits : par là, les masses faisaient leur entrée dans l'Histoire des Héros, et l'on était plus libre, puisque l'on avançait, et puisque l'on comprenait mieux. Mais Thierry était-il allé assez loin ? Et, sous le problème conquérants-conquis, n'en était-il pas un autre, plus fondamental, plus universel ? Victoires et conquêtes n'étaient-elles pas le résultat du jeu de forces plus profondes ? C'est ici que la récusation de Thierry peut rejoindre celle du best-seller libéral : depuis 1815, la Gauche politique et intellectuelle

---

1. Le grand article de Thierry sur Ivanhoé (*Le Censeur européen*, 27 mai 1820) tire toute sa force de la rencontre entre l'idée de l'historien et la mise en forme romanesque, qu'il vient de découvrir. Thierry n'a pas découvert, dans *Ivanhoé*, un banal « intérêt » romanesque, mais une philosophie qui avançait sous forme de roman.

voyait, voulait voir l'Histoire, uniquement sous l'angle militaire et napoléonien. Mais était-ce justice? Et que devenait, dans cette optique, le problème du luxe, *ou celui, plus généralement, de la civilisation?* Les pulsations de l'Histoire, Balzac semble vouloir les chercher ailleurs que dans celles des masses vues uniquement sous l'angle des affrontements spectaculaires. Une conquête est certes chose importante, et qui laisse pendant longtemps traces et souvenirs. Mais l'industrialisation, mais le développement de la société marchande? On sent où va la pensée : même victoires et conquêtes jouent dans le contexte général de l'évolution de la civilisation, de l'évolution économique. Et c'est ce que montrera *La Comédie humaine*, Francs et Gaulois, nécessairement, s'affrontant dans le cadre de l'évolution capitaliste [1]. Voilà qui est, dès la vingtième année, avancer de manière conquérante et décisive. La découverte peut désenchanter une vision relativement sereine, et surtout pourvoyeuse de bonne conscience et d'agréables perspectives pour les descendants des Gaulois conquis. Elle peut voir — elle a, même, nécessairement — une portée antilibérale : de toute façon, elle fait avancer. Il peut y avoir un peu d'amertume, voire de dérision dans la première formulation de la découverte : elle n'en nourrit pas moins une assurance.

Ainsi, une chose est sûre : le jeune rédacteur des *Notes* est bien loin de se morfondre et de douter de la vie. Il n'est, pour le bien voir, que de songer aux tout premiers essais du jeune Flaubert, au même âge, qui n'aura que raillerie pour tout, qui ne fera rien avancer que sa prise de conscience d'un néant. Son docteur Maturin lâchera, avant de mourir, contre toutes les croyances, contre toutes les certitudes, contre toutes les institutions, des imprécations bien plus terribles et fortes, même, que celles de *La Peau de chagrin* : « Élevez-moi une pyramide de têtes de mort, et vantez-moi la vie! Chantez la beauté des fleurs, assis sur du fumier! Le calme et le murmure des ondes quand l'eau salée entre par les sabords et

---

1. En 1842, dans un projet inédit de dédicace des *Deux Frères (La Rabouilleuse)* à M. de Margonne, Balzac, après avoir raillé la vanité des historiens qui se querellent pour reconstituer l'itinéraire d'Hannibal à travers les Alpes, écrira : « Ou l'humanité se recommence, ou elle diffère d'elle-même; il n'y a pas un troisième état possible. Si elle se recommençait, avouons-le, que ce serait une bien mauvaise plaisanterie, et si elle diffère, à quoi bon la nomenclature historique? Mais quelle autre importance offre au regard du penseur la collection des faits constants qui se produisent au sein des familles, et qui, en définitif, font mouvoir la société même ...» (cité par Pierre Citron dans son édition de *La Rabouilleuse*, Garnier, p. 420). C'est, évidemment, à plus de vingt ans de distance, le meilleur commentaire qu'on puisse imaginer à cette note sur la civilisation. Quant au jeu conquérants-conquis dans le cadre de la société capitaliste, on en trouvera un éloquent exemple dans *Le Bal de Sceaux*.

quand le navire sombre, ce que l'œil peut saisir, c'est un horrible fracas d'une agonie éternelle [1]. » Mais il faudra que bien des choses se soient passées, pour que Balzac en vienne à approcher ce ton, dans le festin Taillefer. On chercherait en vain dans ses brouillons juvéniles des notations de ce genre : « Pourquoi tout m'ennuie-t-il sur cette terre? Pourquoi le jour, la nuit, la pluie, le beau temps, tout cela me semble-t-il toujours un crépuscule triste où un soleil rouge se couche derrière un océan sans limite [2]. » On ne saurait s'en tenir aux explications par la physiologique. Il a fallu que quelque chose, *au-dehors*, vienne relayer, chez Flaubert, les violences intimes, il a fallu que certaines faillites se soient produites, qu'elles aient acquis un tel caractère d'évidence qu'il n'y a plus qu'à désespérer de tout, pour que prenne corps cette vision forcenée. Plus de féodaux, pour le jeune Rouennais, plus de théologiens, mais une bourgeoisie qui organise le monde selon ses normes. *Et c'est ce monde qui est insupportable.* Il n'y a plus rien qui pousse en avant. Il n'y a qu'un vague et écœurant marais. D'où ces pages effrayantes sur le néant universel, sur l'indétermination totale. Tout tourne, absurdement. Tout finira. L'image du fleuve est là, comme chez Balzac, mais combien différente : « Vers quel océan ce torrent d'iniquité coule-t-il? *Où allons-nous, dans une nuit si profonde* [3]? » C'est l'âge suivant de la bourgeoisie. Mais, pour Balzac, en 1818, il y a encore des monstres à terrasser, des mondes à conquérir. Il y a même encore un Dieu, C'EST-A-DIRE UN SENS AUX CHOSES. « Si par athée, on entend qui rejetant tous les cultes croit fermement à un principe éternel, auteur de tout ce que l'homme peut voir, lequel principe, Dieu tout-puissant, grand être, comme on voudra l'appeler, est tellement immense qu'il peut résider partout, être par-delà les cimes et sur notre terre [...] [4]. » On devine la suite : dans ce cas, oui, je suis athée! Et voici de quoi, peut-être, très tôt, comprendre tout un aspect de la pensée de Balzac. Il y avait chez lui aptitude à la religion, entendue non comme adhésion à une foi formelle, mais comme à une vision unitaire et unificatrice du monde. Il y avait, chez ce fort, chez cet optimiste, aptitude à penser que tout se tenait, qu'il existait des valeurs, une hiérarchie, un ordre, des correspondances, que l'univers avait, ou pouvait avoir, la grâce. Le thème de la mort de Dieu sera absent de son

---

1. *Funérailles du docteur Maturin, Œuvres de jeunesse inédites*, II, p. 135.
2. *Agonies, ibid.*, I, p. 403.
3. *Mémoires d'un fou, ibid.*, I, p. 498.
4. *Lov.* A 157, f⁰ 82; texte interrompu.

œuvre; ce sera le thème des hommes qui auront vu tout se
défaire autour d'eux et qui ne disposeront de rien pour
amorcer une reconstruction. Au centre de la philosophie
balzacienne, et de la création romanesque qu'elle irrigue,
se trouve le thème du père et du créateur. Athée de « ce vieux
bon dieu-là », comme dira le vieil Hugo [1], athée du curé qui
prêche contre Benassis [2], oui, mais Balzac restera toujours
l'homme d'un Dieu qui est projection du sens de la vie. Dieu
non consolateur, non refuge, mais garant. L'univers de
Flaubert sera effrayant de solitude et de vide. Dieu n'y sera
pas, le Père n'y sera pas, parce que l'Homme l'aura évacué.

Cet humanisme s'exprime d'une manière plus systématique
dans des textes plus suivis qui sont contemporains des *Notes
philosophiques*. Et d'abord dans cette *Dissertation sur la nature,
l'homme, ses facultés*. L'amplification demeure certes formelle
et rhétorique, mais le contenu n'en classe pas moins Balzac
par rapport au romantisme démissionnaire ou souffrant :

> En jetant un coup d'œil sur les travaux de l'homme, un
> sentiment d'admiration profond nous saisit en faveur de
> nous-même et grandit le dernier individu de notre espèce.
> La terre a été labourée presque tout entière, et nous avons
> forcé les moindres substances d'obéir à nos besoins comme à
> nos caprices les plus désordonnés; nous l'avons embellie
> d'une foule de cités, où brillent des chefs-d'œuvre rivaux
> de ceux de la nature, et chacun nécessite plusieurs sciences
> et la collaboration du monde. L'intérêt a fait éclore la civili-
> sation, les lois et la guerre, qui comprennent toutes les
> sciences, et le luxe qui renferme tous les arts. Aussitôt la
> mer aperçue, elle est traversée; son indomptable mobilité,
> loin d'être un obstacle, devient un nouveau lien de notre
> univers; la science de la marine transporte des villes, et le
> commerce, autre science, réunit les deux bouts du globe
> étonné. Les cieux même, que la nature dérobait à nos
> dévorantes mains, sont mesurés, leurs feux sont comptés, et
> le géomètre semble parcourir leur étendue et deviner leurs
> lois. Après toutes ces merveilles, l'homme a fait plus; il
> les a célébrées, et, *semblable à Dieu s'est donné l'immor-
> talité*. Les accents du poète retentissent alors, et à l'admira-
> tion que l'on éprouve se mêle une invincible curiosité.
> On veut surprendre les secrets de la nature et savoir les
> causes de ces créations et de tous ces efforts successifs, par
> lesquels l'Homme est parvenu à ce faîte de grandeur. Mais
> le savant interrogé répond que cette cause est le génie et
> paye notre curiosité par un mot [3].

1. *A l'évêque qui m'appelle athée*, dans *L'Année terrible*.
2. « Le curé prêcha contre moi » (*Le Médecin de campagne*, C. H. VIII, p. 336).
3. *Lov.* A. 166, f⁰ 7.

Texte juvénile, bien représentatif de tout ce que la pensée bourgeoise, non seulement spontanée, mais systématisée, peut avoir encore de conquérant. Bernard-François est toujours là, avec ses idées sur l'élargissement du monde, sur les nouveaux liens, sur le commerce, sur la science. Mais le fils ajoute sa note propre, plus abstraite, plus « littéraire », plus « poétique ». L'homme s'est fait Dieu : Bernard-François n'avait pas besoin de cela. De telles formules sous-entendent des exigences plus hautes, comme une systématisation théorique de la pratique des devanciers, un passage du tous les jours à l'éternel. D'inévitables découvertes feront ressortir tout ce qu'avait de périlleux cette montée. Au niveau du politique et du social, la liberté s'accommode et s'arrange. Au niveau de cette espèce de magisme philosophique, il n'en va pas de même. Les jeunes bourgeois ne parviendront pas à retrouver un absolu ; ce sera la rançon de la prise de conscience de ce qu'est devenue la société « totale » que leur avait promise leur classe.

De telles proclamations, ne font pas toutefois de Balzac un « progressif » naïf. Il sait que le progrès ne s'accomplit pas de manière linéaire, qu'alternent périodes de conquêtes et périodes de recul. Exactement comme Saint-Simon, et bientôt les saint-simoniens, il déplore le caractère anarchique de la recherche et de la science :

> Certes, si les sciences humaines avaient eu, dès l'origine, l'unité et la progression toujours croissante de force et de rapidité que l'on observe dans les fleuves qui courent vers la mer, nous serions plus avancés dans la vaste route entreprise depuis des siècles, mais il semble, en étudiant l'histoire de la science, apercevoir au bout de la carrière une puissance jalouse de leur accroissement. A des torrents de lumière, elle oppose un ou deux siècles de barbarie pendant lesquels tout se perd insensiblement, et c'est ainsi qu'elle préserve les mystères dont elle paraît inquiète, tandis que l'Homme étonné se voit sans cesse obligé de reconstruire le palais des sciences avec ses propres ruines, jusqu'à ce que le génie ayant thésaurisé les inventions ait, pu pénétrer le sanctuaire universel, l'objet de ses efforts [1].

Il échappe par là au messianisme simpliste qui sera souvent celui des philosophes bourgeois du siècle. Comme pour victoires, conquêtes et civilisation, il a conscience d'une plus grande complexité, de plus grandes difficultés que ne le laisserait soupçonner la lecture de la littérature officielle du siècle. Mais cette conscience, cette lucidité sont richesses. Cette

1. *Lov*. A 166, f⁰ 8.

lucidité, cette conscience, n'oblitèrent en rien la volonté,
l'ardeur, le désir, surtout la foi en la validité profonde des
efforts. A la différence de ce qui se passera chez un Flaubert,
conscience ni lucidité ne conduisent à nihilisme ou désespoir.
Balzac voit clair, mais il va, et ce sillon une fois commencé,
il ne le lâchera pas de sitôt. En 1820, dans son premier *Falthurne*, il proclame :

> Celui-là qui lève le voile de plomb dont une puissance
> jalouse enveloppa le sanctuaire des causes premières, celui-là
> a dompté la terre; il est le lion pour la force, le cerf pour la
> vitesse, la mine d'or elle-même pour la richesse, le maître
> des rois, dont il dédaigne les sceptres, *et marche égal au destin.*
> *Que n'est-il immortel, il serait Dieu!* [...].

> Il est fou, celui qui croit à l'impossible et qui dit à l'Hom-
> me : Tu n'iras pas plus loin... le courroux de la mer expire à
> l'endroit indiqué par un doigt céleste, ta science meurt à
> tel rivage, c'est sous ce rocher escarpé qu'échoue ton audace,
> ci-gît ton pouvoir. — Mais ce sont les cris de la foule igno-
> rante qui prédit la tempête à Christophe Colomb courant
> en Amérique, à l'immortalité. *Oui, la science humaine n'a
> point de bornes; excepté l'avenir et peut-être la mort, tout est
> son domaine,* et tant que l'homme, en ajoutant une unité,
> empêchera la fin des nombres qu'il inventa, de même il pourra
> reculer la frontière de sa science infinie. Il est dans la nature
> des forces inconnues, des rapports entre les substances
> mouvantes que peu d'hommes ont devinés; il est de même,
> dans l'homme, des sens, des accidents, des puissances,
> qui seront longtemps ignorés. Du dernier des insectes
> invisibles à ceux que nous ne voyons pas, jusqu'à la force
> immense qui fait mouvoir le monde, *il est une chaîne de
> rapports nécessaires, que l'on peut manier en la connaissant* [1].

et, deux ans plus tard, dans *Le Centenaire*, faisant évoquer
par le grand vieillard celui qui aurait découvert le « fluide
vital », il tracera le tableau de ce que serait la vie de celui qui
aurait trouvé le secret de la longévité, qui aurait mis fin à la
malédiction de la vie : « Un tel homme remplace le destin;
il est presque Dieu [2] ». On comprend que ce Balzac-là ait un
jour écrit qu'il préférait à Faust Prométhée [3]. Ce qui l'attire,
ce n'est pas tant la joie de connaître, c'est l'entreprise, le
monde à changer, la nature à vaincre. Il est encore assez
métaphysicien pour se soucier des « causes premières », et
ses « savants » ont encore du sorcier, mais ce que nous consi-

1. *Falthurne*, éd. Castex, p. 31-32.
2. *Le Centenaire*, IV, p. 78. Cf. *infra*, p. 540 sq. pour les rapports entre *science*
et *super-science* dans ce roman.
3. *Lov.* A 180, f° 43 (*Pensées* de Balzac).

dérerions volontiers, aujourd'hui, après Auguste Comte,
comme un vestige, un malheureux héritage de la préhistoire
des sciences, ne serait-ce pas plutôt l'amorce (maladroite,
littéraire, mais qu'importe au niveau qui est le nôtre; celui
de l'étude des mentalités) d'un *dépassement* de la science
étroitement utilitariste et mécaniste du XVIIIe siècle et des
idéologues? Ce souci, chez Balzac, d'une explication d'ensemble,
ne serait-ce pas, avec les instruments légués par la tradition, l'intention de parfaire la science, d'aller plus loin que
des explications fragmentaires, qui avaient eu le plus souvent
pour mérite premier de démystifier, mais sans apporter d'explication positive? Cette dimension « mystique » du scientisme
balzacien aux alentours de 1820, n'est-elle pas le signe d'ambitions beaucoup plus hautes que celles de la science de papa?
   Oui, nous sommes ici au-delà d'un conformisme, fût-il
encore dynamique. Balzac reste ancré, profondément, dans
un milieu qui lui est nourricier, dans le siècle. Contre l'Église,
remise en selle en 1815, son « philosophisme », Locke, lui
fournissent la bonne conscience des justes combats. Mais ses
exigences ne vont-elles pas quelque peu au-delà de celles des
libéraux? Cette royauté de l'Homme, si fermement proclamée, est-elle « raisonnable »? Ne peut-on deviner, outre les
traditionnelles accusations d'impiété des tenants de la tradition théologique et féodale, les sarcasmes des hommes de la
vie à la petite semaine? Pourquoi tant en demander? C'était
Joseph de Maistre qui s'était dressé, naguère, contre certaines
prétentions prométhéennes. Mais, celles-ci, reprises par des
jeunes gens exigeants (avant de l'être par le socialisme), ne
vont-elles pas fatalement rencontrer le scepticisme des nantis?
Le monde nouveau, avec désormais ses notables, ses installés,
s'oppose, lui aussi, à de si hautes aspirations, que la révolution bourgeoise ne semble avoir rendues possibles que pour
aussitôt les décevoir. Les « ventrus », que pourra dans leur
monde un Louis Lambert? L'appel à l'absolu, dans une société
devenue nécessairement malthusienne, ne rencontrera qu'indifférence et hostilité. D'où la portée du « mysticisme » balzacien, la portée de *Lambert*, de *Séraphita*, après le *Traité de
la prière*, en 1823. Œuvres non de nostalgies, de retour aux
formes religieuses mortes, mais bien œuvres qui exprimeront
ce besoin de totalité condamné à l'évasion, à la contrebande,
à la folie. L'aventure poétique, plus tard, fournira, un temps,
un semblant de solution, mais à l'époque de Balzac, encore
profondément « mondaine », entreprenante, ayant encore à
la mémoire de grands souvenirs, n'ayant pas encore fait les
décisives expériences de juin 48, du Deux-Décembre, de la

Commune, cette voie de garage n'était pas même concevable. Libéré des liens théologiques, l'Homme moderne avait cru pouvoir aller au bout de ce qu'il sentait en lui. Butant sur l'opportunisme parlementaire, sur la puissance de Nucingen, sur l'imbécile administrativisme du Conseil supérieur des Travaux publics [1], refusant d'être Pierre Grassou, il dévie. Tout un vocabulaire est là, qui l'attend, toute une thématique. Les lectures mystiques pourront aisément nourrir cette découverte. Faute de disposer de clairs moyens de dépassement du présent, l'Homme moderne, parfois, retrouvera du charme à des symboles de jadis. Le jeune Balzac, avec son prométhéisme, un peu scolaire, mais vécu, s'inscrit dans la lignée du siècle contre les friperies d'ancien régime. Mais aussi, déjà, *contre* son siècle, dont il ne sait pas encore à quel point il est éloigné de lui préparer la carrière dont il rêve. Vouloir un Homme égal à Dieu, en 1820, c'est, consciemment, prendre parti contre les philosophies réactionnaires que tout avait préparé Balzac à combattre. Mais c'est *aussi*, sans le savoir, prendre parti, déjà, contre la philosophie d'une bourgeoisie qui semble bien avoir désormais donné tout ce dont elle était capable aux révolutions humaines et aux ambitions infinies.

Ce prométhéisme, d'origine rationaliste, et qui prend si vite, et si aisément une coloration sur-rationnelle, s'il est d'abord affirmation et exaltation, trouve assez tôt, comme toutes les tentatives de l'homme seul, ses limites et son point de rupture. A s'avancer ainsi, l'individu, d'abord heureux de sa liberté, finit par vaciller, comme au bord d'un gouffre. Décisive expérience existentielle avant la lettre que ce vertige d'une liberté qui ne trouve d'autre emploi que sa propre et perpétuelle proclamation. C'est Vendôme et ses visions, transposés au niveau d'une expérience plus large. Le héros de pensée, de volonté, débarrassé d'impératifs morts, se retrouve face à de nouvelles exigences : rejoindre, participer. Mais rejoindre quoi ? Mais participer à quoi ? Avec qui ? Une philosophie libératrice ne suffit pas à assurer l'accomplissement de l'Homme. D'où, très tôt, chez le jeune Balzac, un *dialogue*, très révélateur des insuffisances du prométhéisme individualiste, annonciateur des faillites du prométhéisme dans le cadre libéral bourgeois, entre la « philosophie » et son contraire, entre la *méthode* et les *valeurs*. La méthode, c'est le refus du piège traditionaliste. Les valeurs, c'est la pitié, la bonté, l'amour, le sens des autres. La philosophie finit par déshu-

1. Cf *infra* pour l'importance du cas Surville, p. 318 sq.

maniser, alors que les valeurs demeurent, comme une fin toujours à atteindre, par-delà les décapages nécessaires. Fait significatif, ce dialogue, c'est dans un cadre *romanesque* que Balzac envisage, dès sa vingtième année, de le mettre en œuvre. Dans les notes philosophiques, il avait noté que le génie risquait de conduire à la tombe : on meurt de s'avancer seul trop loin [1]. Ce n'était que notation fugitive. Il fallait la faire vivre. Le roman, lieu des contradictions de la vie, s'imposait. Balzac entreprit d'écrire *Corsino* [2].

Au centre de ce récit inachevé devait se trouver un être de puissance et de savoir, une sorte de hors-la-loi échappé de *Notes philosophiques*. Ce jeune Italien, qui vit en Écosse, riche, instruit, ayant consumé sa jeunesse dans l'étude des sciences, a pris la mesure des contradictions qui séparent religions et philosophies; il a rejeté le dogme de l'immortalité de l'âme et ne croit à rien. Il a remplacé les anciennes croyances — et, ici, s'amorce le renversement par rapport aux *Notes* — par « un incroyable égoïsme », qui est « son seul gouvernail et le mobile de toutes ses actions »; sa conduite « change à chaque instant [3] ». Il n'a que lui-même pour règle. Mythe limpide! Le jeune Balzac, à vingt ans, n'a certes pas eu l'intention de se lancer dans un roman moralisateur et antibyronien. Mais, abolis les anciens liens, l'individu devenant à lui seul sa propre mesure, il en résulte nécessairement une immense volonté de puissance. Corsino est le symbole d'une humanité qui n'a encore rien trouvé à mettre à la place de l'ancienne morale. Corsino ne songe qu'à savourer son existence, à se sentir vivre : « *en proie au délice d'exister* », il « frémit de joie », lorsqu'il aborde au rivage, et voit se noyer ses malheureux compagnons qui n'ont pas su quitter à temps

---

1. Comme toute notion balzacienne, celle de génie est à double face. Nous avons vu, à propos de l'essor intellectuel sous la Restauration, comment, dans la *Physiologie du mariage*, en 1829, Balzac avait fait l'éloge du génie, forme moderne de l'intelligence, alors que, pour les romantiques, il était signe de malheur et d'isolement. Il y a là un bel exemple, à la fois, d'*adhésion* à la bourgeoisie en ce qu'elle a de progressif, et de *récusation* de la bourgeoisie, en ce qu'elle a, déjà, de périmé, de périlleux.

2. *Corsino* (*Lov.* A 46) a été publié par M. Bardèche au tome XXV des *Œuvres complètes* du *Club de l'honnête homme*. M. Bardèche date ce texte de 1822-1823. Mais le style, scolaire et maladroit, en même temps que par trop « léché », le caractère philosophique du développement, la présentation matérielle du manuscrit (grandes marges, écriture appliquée, etc.), qui en font le frère, très exactement, de la *Dissertation sur l'Homme*...), tout suggère assez fermement une date antérieure, contemporaine de la rédaction du premier *Falthurne* et des dernières *Notes philosophiques*, soit au plus tard la seconde moitié de 1820. Nous allons voir, d'autre part, qu'il existe un lien avec *Sténie*, en tant que roman philosophique, dont la première idée est de cette époque. Nous citerons d'après l'édition procurée par M. Bardèche.

3. H. H. XXV, p. 378.

la barque [1]. Balzac entreprend, alors, de le faire convertir par un Français au grand cœur, Nehoro, qui incarne, lui, les « vertus » contraires aux siennes; il est doux, aimant, et Balzac le compare à Abel, à Fénelon, à Massillon; il est l'homme de bien non compromis dans l'ordre établi. Corsino l'accueille, comme un complément à lui-même : « s'ils avaient eu la même âme, ils n'auraient pas été amis [2] ». Le fragment, malheureusement, s'arrête ici, mais ce couple symbolique est à lui seul, déjà, une précieuse indication. Corsino est allé au bout de lui-même, mais il fait peur par son inhumanité. Balzac a hésité à faire de lui un monstre ou un surhomme. Mais le surhomme devient monstre, à ne pas trouver à ses forces de point d'application. Corsino a passé ce point de merveilleux équilibre où l'Homme, affranchi du passé, ne souffre pas encore de ne pas s'être trouvé un avenir. Échappé aux déterminations mortes, Corsino tombe dans l'indéterminé. « Le dogme de la non-immortalité de l'âme rend la vie de l'homme plus précieuse, son attachement à la vertu est plus beau [3] ». Certes, mais Balzac n'en parle pas moins de l' « *erreur* » de Corsino, pyrrhonien absolu, sectateur — quitte à en corriger les erreurs — du fatalisme de Spinoza. *Dans la vie*, Corsino fait le malheur des autres, et est malheureux lui-même. Ce premier dandy balzacien, qui « n'espérant rien du ciel, voulait se faire un paradis sur la terre [4] », ce don Juan, qui séduit les femmes en flattant leur amour-propre, qui les conduit « par mille ressorts secrets » et « s'en joue avec une surprenante facilité », s'est fait la liberté qu'il a pu se faire, et cette liberté n'est que désert. On dirait que Balzac mesure déjà l'insuffisance du dandysme, de la révolte, s'ils ne débouchent pas dans un positif nouveau. Bientôt, il va faire dialoguer, dans *Sténie*, roman rédigé pendant l'été 1821, mais dont certains matériaux appartiennent aux *Notes philosophiques* de 1820, un « philosophe » cynique et un « cœur sensible »; bientôt, il va donner le beau rôle à l'homme capable d'aimer, et qui trouve un sens à sa vie, sinon dans la communion, du moins dans la recherche des autres. Il semble que, sous la croûte défensive des *Notes*, perce une ardente volonté de trouver, de rejoindre, que la lucidité soit orientée et nourrie autant, au moins, par le cœur que par l'intelligence. Le romantisme de *Corsino*, à double face, révolté, mais cher-

---

1. H. H. XXV, p. 580.
2. *Ibid.*, p. 580.
3. *Notes philosophiques.*
4. H. H. XXV, p. 579.

chant le complément, l'au-delà de la révolte, semble être
l'aboutissement dramatisé, le premier, d'une expérience
philosophique à la fois prométhéenne et comme rendue
méfiante à l'égard du seul prométhéisme possible. Plus on
regarde de près le premier Balzac, plus on se persuade que le
dialogue de *Lambert* remonte à loin : le romancier est sans
doute né de ce clivage dans la philosophie, clivage dû aussi
bien aux premières insuffisances découvertes de la pratique
libérale et bourgeoise, qu'aux ardeurs d'un jeune esprit qui
le portaient, en un sens dangereusement, puisque sans point
sérieux d'accrochage, en avant de tout le possible et de tout
le pensable offerts.

*

S'il a rallié les troupes de l'intelligence en marche, le jeune
Balzac a-t-il rallié celles du libéralisme militant? Lors des
Cent-Jours, on ne saurait dire s'il fit partie de la bande qui
« prit le pouvoir » chez Lepitre [1], et courut se joindre aux
troupes impériales. Vandenesse parle de son attachement
fanatique pour Napoléon tombé, et il est probable qu'il y ait
là un souvenir. Mais ce qui est certain, c'est que le Balzac
des années suivantes ne porte pas dans son cœur « notre
coquin de gouvernement ». En septembre 1819, il est tout
excité par l'élection du régicide Grégoire [2]. En juin 1821, il
envoie à sa sœur un allègre compte rendu de la manifestation
qui eut lieu lors de l'anniversaire de la mort de l'étudiant
Lallemand, au cours de laquelle des soldats refusèrent de faire
leur devoir [3]. En mars 1822, il fait allusion à la tentative
du général Berton, à l'agitation dans les Écoles [4], à l'enthousiasme pour nommer des députés libéraux [5]. Ce sont là
des signes peu équivoques d'orientation politique, et l'amitié
qu'il noue alors avec Dablin, vieux républicain, qui servira
de modèle à Pillerault, avec qui il échange nouvelles et impressions, ne peut que confirmer l'impression. Athanase Granson,
républicain par anticonformisme juvénile, ne sera pas une
création *ex nihilo*. De même, il est certain que l'Aquilina de
La Peau de chagrin, amante de l'un des sergents de la

---

1. Cf. Moïse le Yaouanc, *Balzac au lycée Charlemagne*, A. B., 1962.
2. *Ibid.*, p. 43.
3. *Ibid.*, p. 99-100.
4. Preuve que Balzac restait en contact avec le milieu étudiant.
5. Cf. Moïse le Yaouanc, *art. cit.*, p. 138.

Rochelle, incarnation d'une humanité condamnée à l'absurde, et qui cherche dans la grimace à remplacer la foi perdue, témoigne de l'effet que dut produire sur le jeune homme la quadruple exécution de septembre 1822. Ce coup de hache devait, comme en témoigne la *Confession d'un enfant du siècle*, faire accéder les protestations libérales à un peu plus qu'au statut d'impertinences sans portée. Aquilina et ses souvenirs, c'est la nouvelle Dame blanche, ce sont les nouveaux spectres d'un nouveau romantisme. Le choix politique de Balzac après 1830 l'empêchera de donner, dans son œuvre de romancier, toute leur importance aux martyrs du carbonarisme. Son réalisme, aussi, le diagnostic porté sur la vraie nature du libéralisme, en tant que force politique et sociale, lui feront donner plus de poids à Keller. Mais, que, dans sa jeunesse, spontanément, il ait été pour cette gauche qui mobilisait alors toutes les énergies et toutes les intelligences, est un point de départ essentiel pour une œuvre critique. Épanouissement, sur ce point encore Balzac continuait son père, comme frondeur libéral en même temps que comme philosophe rationaliste.

Il va même plus loin, parfois, que les indignations ayant cours dans les milieux libéraux. Ne lui arrive-t-il pas, contre certaines satisfactions bourgeoises qui le hérissent, contre ce pouvoir de l'argent qu'il découvre, de trouver aux grands ancêtres des vertus qui sont autant de revanches? Il faut l'entendre, en novembre 1819, pester contre l'odieux Vomorel, un voisin du Marais!

> Dame, il est encore temps de faire partie nulle, et d'être un Vomorel, buvant de la bière, *et jurant après les Jacobins sans savoir ce que c'est*, et soufflant sur tout comme dans ses doigts, gagnant à l'écarté en écartant les atouts. Oh! l'homme sublime, le Laffitte du Café Montmorency. Il est capable d'être un jour député, comme l'âne par les animaux au grand Alexandre [1].

Réaction d'agressivité facile à comprendre! L'âge pouvait permettre à Vomorel de « savoir ce que c'était » que les Jacobins, mieux qu'au jeune Honoré. Mais comme « savoir », ici, a une autre résonance que chez les gens raisonnables! Balzac n'est certes pas idéologiquement républicain, mais, déjà, il amorce ce « dépassement » du libéralisme qui sera l'élément majeur de sa politique. Il *sait*, lui, ce que c'est que les Jacobins, porte-parole de ses indignations, de ses amertumes. Les raisonnables, comme

---

1. *Corr.*, I, p. 61.

Bernard-François, avaient été pour la révolution modérée, comme ils étaient à présent pour la Charte. Vomorel aussi, sans doute. Une imprescriptible dynamique sentimentale, presque idéologique, entraîne les insatisfaits vers plus loin que ne l'admettrait une réflexion calme, une analyse réaliste. De même, en 1830, bien qu'en train de virer au carlisme, Balzac fera le libéral chez M. de Berny [1]. Il existe une séduction gauchiste permanente qui guette toutes les jeunesses brimées. Balzac n'y succomba que très rarement, d'une manière très épisodique. Qu'on en trouve, toutefois, des traces, dans l'histoire de sa « réaction » personnelle, est un témoignage suffisant du pouvoir mobilisateur des valeurs et attitudes de gauche pour toute humanité éprouvant un sentiment de blocage. D'ailleurs, en ces années où l'ultracisme relève nerveusement la tête, après l'assassinat du duc de Berry, surtout, cette tendance à aller assez loin dans la critique *d'ensemble*, contrepartie désenchantée aux enthousiasmes de 1814, est un trait essentiel de la vie intellectuelle française.

Tout ce bouillonnement « libéral » ne peut se comprendre, en effet, que sur un fond de désenchantement politique commun à toute une classe d'hommes aux alentours de 1820. Les illusions de 1814 n'avaient pas tardé à se dissiper. Les Cent-Jours, déjà, Waterloo, l'exécution de Ney, le zèle policier d'un Bellart, des idées de revanche plus affirmées, à droite, l'empirisme et le Juste-Milieu avant la lettre de Decazes, tout avait marqué la Restauration des stigmates auxquels on n'aurait pas songé au printemps de 1814. Le retour de l'île d'Elbe avait donné plus de consistance aux craintes des monarchistes. L'ultra-royalisme s'était avivé, trouvant dans l'affairisme et la petitesse politicienne de Decazes une cible de choix, mais aussi une justification. Chateaubriand devenait un hérault de la liberté. Chacun redoutait vaguement quelque chose. On ne savait plus très bien où l'on en était. La Charte commençait d'apparaître comme un raccommodage, non comme un texte fondateur. « J'aimerais au moins penser, écrit en 1817 Montlosier, que nous sommes sur un superbe vaisseau, sous l'influence de vents stables et établis; *je crains que nous ne soyons sur une simple nacelle poussée par les vents de l'automne* [2] ». Images fatiguées, mais significatives. La Restauration semblait avoir perdu toutes

---

1. *Corr.*, I, p. 507.
2. Montlosier, *De la monarchie française depuis le retour de la maison de Bourbon jusqu'au premier avril 1815*, p. 74. On appréciera que ce soit un regard rétrospectif sur la *première* Restauration qui dicte à Montlosier ces constatations désenchantées.

ses chances de redonner un sens indiscuté aux choses. Certains ralliés de 1814 se demandaient s'ils n'avaient pas fait un marché de dupes [1]. Les attitudes d'opposition, avec tout ce qu'elles peuvent encourager de négativisme, d'anarchisme même, retrouvaient des chances neuves. L'inquiétude redevenait un thème majeur de la vie intellectuelle et politique.

Mais tout ceci devait s'aggraver, bien entendu, avec le ministère Villèle. Les hommes les plus graves, les plus rassis, les plus installés, même, dans la bourgeoisie de gouvernement, parce qu'ils se sentent rejetés, en viennent à voir les choses sous un angle inattendu. Frustrés, ils découvrent, dans ce siècle qui est le leur, et qui leur apparaissait naguère si fermement orienté vers le vrai, le beau, le bien, des facteurs de frustration qui tiennent non à des accidents, mais à la nature des choses. Barante, par exemple, est l'un de ces hommes pour qui le « passage » de 1814 n'avait posé aucun problème. L'Empire ne lui avait causé aucun regret, et, préfet à Nantes, il avait, par ailleurs, réussi à faire entendre raison au duc d'Angoulême venu faire visite aux Chouans [2]. Rejetant tout romantisme politique, il avait vu dans la Restauration une chance donnée à la raison et à la liberté. Or, voici ce qu'il écrit dans la préface de son grand ouvrage, entrepris pendant la retraite forcée qui suivit l'éviction de Decazes :

> *Nous vivons dans un temps de doute ;* les opinions absolues ont été ébranlées; elles s'agitent encore, plus par souvenir que par valeur réelle, mais au fond personne ne les croit plus assez pour leur faire des sacrifices, et *le besoin de se composer des convictions nouvelles est plus grand que celui de défendre celles qu'on a l'air de conserver.* D'ailleurs, les mouvements qui agitent les races civilisées ont été soumis à une telle publicité de révélation et d'examen, tout est si bien avoué ou dévoilé, les questions sont si nettement posées, qu'on ne peut espérer détacher personne de professions de foi adoptées volontairement et en connaissance de cause. Ce n'est point par la raison qu'on y tient; on les conserve en

---

1. Un exemple : celui d'Andrieux, qui avait été le professeur de Surville à Polytechnique, et que les Balzac consultèrent pour le *Cromwell*. Titulaire depuis 1802, il avait été destitué en 1816 à la suite de la parution d'une brochure intitulée *Quelques réflexions sur l'École Polytechnique,* anonyme. L'École était dénoncée comme un dangereux foyer de républicanisme et d'irréligion. « Tout m'a paru croyable, ajoutait l'auteur, de la part de malheureux jeunes gens endoctrinés par un philosophe aussi décidé dans ses principes que l'est M. A[ndrieux] » (p. 5). Et on l'accusait de citer souvent Voltaire, Rousseau, Montesquieu, de mépriser Bossuet, d'avoir dit qu'au Moyen Age l'histoire n'avait été écrite que par les moines, etc. Cet homme doux ainsi sottement pris à partie : comment la Restauration n'en aurait-elle pas souffert chez les modérés, mais aussi dans la jeunesse?
2. Cf. *supra,* p. 217.

sachant bien les côtés faibles, et l'habitude, les affections, l'amour-propre, l'intérêt, servent de lien au défaut de persuasion [1].

Réaction d'homme condamné, avec ses amis, à la solitude, et qui se trouve, ainsi, mis d'un coup en communication avec l'un des sentiments à la fois les plus diffus et les plus tenaces du siècle.

Pour d'autres, comme Guizot, à qui la chaire universitaire conservait une tribune, un moyen d'action, les choses apparaissaient sous un autre jour. Cet homme, dont la « réussite » fut si précoce, qui fut si tôt dans les conseils du gouvernement, qui se voulut de si bonne heure *responsable*, la cure d'opposition était un véritable bain de jouvence intellectuel. Lui aussi, mais sur un autre ton que Barante, se trouve brusquement en correspondance avec les forces vives, avec ce qui monte, avec ce qui exige. Nous avons souligné tout ce qu'avait déjà de retenu, sans le savoir exactement, peut-être, sa philosophie politique, comment elle était une idéologie de candidat à la succession immédiate dans le cadre de la société bourgeoise; mais certaines de ses analyses, en 1820, soutenues par l'esprit critique qu'engendre le passage de l'autre côté de la barricade, sont d'un modernisme, d'une ouverture surprenante. Ce que nous saisissons ici, et que Balzac fera vivre dans ses romans, c'est bien cette ambiguïté fondamentale de la Bourgeoisie, à la fois critique d'elle-même lorsqu'elle obéit à son impulsion initiale, et freineuse d'elle-même lorsqu'elle obéit à ses intérêts.

En 1820, après l'éviction des doctrinaires, Guizot est dans l'opposition. Il fait à la Sorbonne un cours d'histoire moderne qui sera interdit par Frayssinous deux ans plus tard. Ses analyses du passé nourrissent ses prises de positions militantes, qui les renforcent en retour. Rien de morose en lui, alors, mais, bien au contraire, la bonne conscience et l'ouverture d'esprit de ceux qui mènent un bon combat. Voici ce qu'il écrit de la jeunesse, que le pouvoir s'inquiète de voir aussi perméable à l'idéologie libérale :

> Je passe aux jeunes gens. C'est une grande source d'effroi que l'ardeur avec laquelle la génération qui s'avance embrasse la cause de la Charte, accueille tout ce qui semble la servir, et ouvre ses poumons à l'air de la liberté. La fougue de l'âge, l'inexpérience, l'étourderie, tout est, selon certains esprits, sédition, complot, projet de bouleversement [...]

---

1. *Histoire des ducs de Bourgogne*, I, p. XXXIV.

Et de prendre la défense de l'École de Droit. Il faut voir plus loin que les turbulences et les manifestations :

> Il y a un grand malheur pour la génération qui va paraître. Elle n'hérite des temps qui l'ont précédée que des *besoins* et des *instincts*. Elle n'est pas seulement appelée à *continuer* la société ; il faut qu'elle la *reconstruise* ; elle assiste maintenant aux premiers travaux. Nul principe fixe, nulle nécessité reconnue, nulle habitude réglée ne lui ont été transmis. Le passé qui est derrière elle ne lui a rien légué, rien du moins qui soit déjà clair, puissant, capable de la satisfaire et de la contenir. A la fois, lois, opinions, sentiments, situations même, tout a été obscur et incertain autour de son berceau. Elle ne peut vivre sur un fonds venu de ses pères ; elle cherche sa nourriture morale ; elle a reçu une impulsion, et voilà tout.
>
> *C'est là son mal, mais non sa faute* [1].

Et le jeune professeur précise sa pensée dans sa leçon inaugurale en Sorbonne :

> Nous n'avons pas vécu dans ce repos où les objets se montrent toujours à peu près sous les mêmes faces, où le présent, stable et régulier, soutient l'homme dans un horizon qui varie peu, où des conventions anciennes et puissantes gouvernent sa pensée comme sa vie, où les opinions ne sont plus que des habitudes et deviennent bientôt des préjugés. Nous avons été jetés non seulement dans des voies nouvelles, mais dans des voies sans cesse rompues et diverses [2].

La jeunesse est donc *à la fois* ardente, impatiente, et désorientée. Elle cherche une règle de vie, d'action. Elle peut aussi bien, selon les circonstances, se soulever ou retomber. Et il ne s'agit nullement de psychologie, de pure morale. Il s'agit de politique. Il s'agit de rapports sociaux. Erreur, dit Guizot, ne voir dans toute cette agitation que travers et mauvais gré : « *Les besoins de notre jeunesse sont sérieux*, et ses agitations ont le même caractère que ses besoins [3] », rejoint ainsi Stendhal [4]. Le pouvoir craignait cette jeunesse studieuse qui prenait tout gravement, et Guizot ne lui mâchait pas les mots : si la jeunesse aime l'étude et le travail, ce n'est pas pour revenir en arrière ! Le pouvoir a contre lui l'intelligence et la recherche, et il ne s'agit pas là de fronde : il s'agit d'une opposition fondamentale entre ceux qui *devraient* gouverner et

---

1. Guizot, *Du gouvernement de la France depuis la Restauration et du ministère actuel*, p. 150-152.
2. Guizot, *Discours prononcé pour l'ouverture du cours d'histoire moderne*, p. 18-19.
3. *Du gouvernement de la France...*, p. 154.
4. Ce seront là, en effet, thèmes pour *Racine et Shakespeare*.

ceux qui, pour des raisons de fait, gouvernent. Ce qui caractérise la jeunesse des Écoles, c'est sa *dignité*, conséquence de sa
capacité [1]. Qu'on relise la lettre célèbre dans laquelle Balzac
raconte à sa sœur les manifestations qui marquèrent l'anniversaire de la mort du jeune Lallemand : sous la demi-gouaille
(il y a un *ton* pour écrire à Laure) on sent passer de la gravité.
Sottise, dès lors, de ne vouloir voir dans de tels mouvements
que « mauvais gré ». Les jeunes gens et ceux qui, pour des
raisons tactiques se trouvent alors avec eux, entendent qu'on
les considère comme des êtres majeurs. Tissot écrit dans *Le
Pilote* du 3 juin 1822 dont il prend la direction : « Dans la
génération qui les suit [les hommes de la Révolution et de
l'Empire], une foule d'hommes, *qu'une éducation généreuse a
préparés à tout*, sur la foi de promesses qui ouvraient la plus noble
carrière à leurs talents, se voient frappés d'une sorte d'interdiction, suspendue comme une menace sur la tête de leurs
enfants. » Professeur de latin au Collège de France, Tissot
n'avait rien, lui non plus, d'un boutefeu, et sa protestation
n'en a que plus de force. Le lendemain même, d'ailleurs, son
journal faisait paraître un nouvel article indigné. A l'occasion d'une manifestation estudiantine pour l'anniversaire de
la mort du jeune Lallemand, le pouvoir avait réagi avec
sécheresse, parlé de « conspiration » : « La France ne croira
pas que l'élite de sa jeunesse, agitée par un comité directeur,
se soit laissé guider par un esprit de désordre, lorsqu'elle
allait porter sur la tombe d'un malheureux condisciple le
tribut d'une pacifique douleur. » Jamais, peut-être, l'équation
libéralisme = Jeunesse, n'eut tant de signification.

Et pourtant, c'est dès cette époque que le clivage s'amorce
entre Guizot et la génération suivante. « Tout a été détruit,
ce qui a été semé commence seulement à poindre [2] » : seul un
bourgeois ayant déjà de solides espoirs de participer au partage
des bénéfices pouvait s'exprimer ainsi. Le constitutionnalisme,
l'industrialisme, apportaient déjà, malgré les menaces *provi-
soires* de Villèle, la promesse d'un accomplissement aux enfants
de l'Université impériale. Mais qu'est-ce qui pouvait bien
« commencer à poindre » en 1820 pour un Balzac, pour un
Sainte-Beuve ? Devant eux se dressait déjà la barrière non
tant des amis de Villèle que des « ventrus », de ceux qui
tenaient le commerce de la librairie, de toutes les choses de

---

1. Mais capacité *bloquée*, par suite de la surcharge du secteur tertiaire et de la
précipitation vers les carrières « honorables » (essentiellement le barreau).
2. *Du gouvernement de la France depuis la Restauration et du ministère actuel*,
p. 153.

l'esprit. Dans cette brochure où Guizot analyse aussi perti-
nemment les difficultés intellectuelles et morales des enfants
du siècle, il montre aussi clairement que, pour les plus âgés,
la solution est en vue. Guizot sera député en 1830. Sainte-
Beuve et Balzac, alors, en seront encore à se chercher. La Révolution de Juillet sera pour Guizot le signal du passage définitif
de l'autre côté de la barricade. Mais Sainte-Beuve, mais Balzac,
mais tant d'autres resteront dans l'attente, s'interrogeant sur
l'avenir. La bourgeoisie ne progresse qu'en frustrant du bourgeois. L'attitude critique de Balzac en 1820 est, à cet égard,
d'une grande lucidité. La Révolution de 1789 avait été
un moment « populaire », et ses souvenirs conservaient un
incontestable pouvoir mobilisateur, aussi bien contre les
aristocrates que contre certaines formes de vie bourgeoise.
Il n'empêche qu'à s'en tenir à l'essentiel, c'est-à-dire au durable,
à l'implanté, non au sentimental, la Révolution, en 1820,
pour les doctrinaires exilés du pouvoir, c'est ce qui leur est dû.
« En donnant la Charte à la France, le Roi adopta la Révolution », proclame Guizot [1], mais qu'entend-il d'autre que l'abolition de tout ce qui gênait les « classes industrielles », le contrôle
des finances par ceux qui paient les impôts, l'administration
dans les mains de ceux qui font aller le pays ? Guizot ne pense
en aucune manière à une révolution de portée universaliste.
D'autre part, même si Barante se laisse aller à des considérations désenchantées, sur les confusions du siècle, même si
ce milieu a su, un moment, trouver l'oreille de la jeunesse, ses
raisons d'être inquiet, ou simplement déconcerté par une
péripétie politique, n'étaient pas suffisamment profondes,
ne mettaient pas en doute assez de choses, pour que ses
inquiétudes aillent bien loin et prennent une dimension métaphysique. Rien de plus étranger au mal du siècle, en ce qu'il a
de fondamentalement anti-bourgeois, que ces bourgeois :
Broglie, Rémusat, Talleyrand, Guizot, tous hommes de
mesure et de continuité, hommes, au fond, de certitudes, qui ne
comprennent ni Lamartine, ni Byron [2]. Leurs auditeurs et
applaudisseurs, en 1820-1822, ont d'autres exigences.

Voici donc une autre ambiguïté, une autre contradiction :
celles d'un libéralisme intellectuel à la fois consonant avec
la jeunesse, et, déjà, la laissant derrière lui, à la fois exprimant,
par suite de la situation faite à ses porte-parole, les multiples
et diverses aliénations du siècle, ce qu'on pourrait appeler sa

1. *Du gouvernement de la France depuis la Restauration et du ministère
actuel*, p. 1.
2. On relève de nombreux jugements très sévères de Rémusat ou de ses relations sur le romantisme 1820 (Byron, en particulier) dans les *Mémoires de ma vie*.
De même dans les *Mémoires* de Barante.

dynamique aliénatrice, son potentiel aliénateur, à la fois exprimant l'aptitude à se ranger, à devenir ordre établi, de cette bourgeoisie dont les audaces et le courage ont pour limites les conditions même de son épanouissement et de sa sauvegarde. Ce libéralisme, Balzac, à la fois, *en est*, donc, *et le juge*. Dans la mesure où il en est, il en partage des illusions. Dans la mesure où il le juge, il le dépasse ou le dépassionne. Ce dont on est, est totalité, fût-elle passagère, Ce qu'on juge perd quelques nuances épiques. C'est ce qui permet de mettre à leur vraie place les poussées libérales du jeune Balzac : ni ferme lucidité révolutionnaire, telle qu'on la concevrait aujourd'hui, ni inconséquences juvéniles, sans portée. La mise au point déjà faite pour le père doit être faite à nouveau, compte tenu des différences de contexte, pour le fils. Et s'impose une première remarque, stupéfiante, si l'on songe à tout ce que mobilisait et drainait encore le progressisme de Bernard-François : c'est souvent dans la mesure où le jeune Balzac n'est encore *que* libéral qu'il apparaît comme relativement sommaire, comme s'étant appauvri, alors qu'on le verra si souvent, et bientôt, devancer le temps, s'enrichir à mesure que se passera ce qu'il avait comme pressenti en l'exprimant.

Oui, comme il semble encore sans grands problèmes, et, finalement, peu intéressant, ce jeune Balzac, tout à sa hargne ironique et simple, *simplificatrice*, contre ce gouvernement que le Ciel semble avoir envoyé aux bourgeois comme pour que soit retardé le moment où il leur faudra bien se regarder en face. Écoutons-le brocarder Saint-Louis :

> *De ce patron chéri dévoilant les faiblesses,*
> *Ses vertus, ses revers et ses tendres amours,*
> *Sans respect pour vos lys, souffrez que je m'adresse*
> *Au Français enchaîné, qui, soumis tous les jours,*
> *Peut bien siffler ses rois. Ils sont à lui, je pense.*
> *Il les paya si cher qu'ils n'ont pas de valeur.*
> *Hélas, au Capitole, on raillait le vainqueur.*
> *C'est un droit fort ancien, servant votre puissance,*
> *Si nous cessions de rire, on forgerait la France.*
> *Apollon, taisez-vous ! n'insultez pas les rois,*
> *Le malheur est sacré ! Si vous avez les lois*
> *D'un terrible avenir ignoré du vulgaire,*
> *Ne troublez pas, au Louvre, où vivent ces Bourbons,*
> *Le peu de grands festins qu'ils ont encore à faire.*
> *J'entends crier Bellart [1], entr'ouvrir les prisons,*
> *Et dire en son discours qu'en vers nous conspirons.*

1. Procureur général, héros du procès Ney, grand pourchasseur de factieux et spécialiste des lois d'exception.

> Exposez *mon sujet. L'ami Boileau murmure*
> *De ces vers superflus consacrés à l'injure.*
> Clio, soyez ultra, remontez *les vieux temps,*
> *Et du bon Saint-Louis, cherchons les jeunes gens* [1].

Et ses tendres amours ne nous fera pas regretter, sans doute, que cette nouvelle *Pucelle* ait été abandonnée, mais l'on retiendra surtout la raillerie adressée à l'un des motifs majeurs du romantisme aristocratique : *le malheur est sacré.* Les « augustes victimes » n'ont pas leur place chez cet Honoré Balzac-là, ni certains attendrissements. Même le « Fils de Saint-Louis, montez au ciel! » ne sort pas indemne de l'opération, non plus que l'Ordre, bien sûr, qu'on essayait de mettre en parallèle à celui de la Légion d'honneur. Comme tout ceci est infiniment plus agréable et réconfortant que ne le seront les scènes de la vie privée, vécues ou écrites, et comme il faudra du temps avant que ne vole en éclats, que ne se dissocie, avec les forces qui le portaient, cet anticonformisme qui ne nourrit plus que des révoltes sans avenir! Spirituel, mais non pathétique, rhétorique mais non poétique, son expression littéraire même traduit son insuffisance à dire le réel et ses tensions objectives. Ce n'est qu'avec l'exactitude et la vérité dans le repérage des problèmes que la littérature retrouve le sens de l'humain. La pauvreté pseudo-classique de ces vers de potache, surtout comparée à d'autres tentatives, maladroites, certes, mais déjà plus riches, plus révélatrices d'émotions, de recherches, qui paraissent dès le manuscrit de *Cromwell*, et qui vont surtout fleurir après la rencontre avec Mme de Berny, apparaît comme le plus sûr témoignage de l'insuffisance du classicisme et des lumières à exprimer ce que le jeune Balzac, qu'il le sache ou non, a à exprimer. Delille, ici, ou Boileau, mais pas encore André Chénier : la chanson même de Béranger a plus de souplesse et plus de pouvoir suggestif. Balzac s'enferme dans le ghetto libéral, et son « art » s'en ressent. On aime, certes, qu'il ait eu de ces verdeurs de réaction à l'encontre de ce que le régime avait de plus absurde et de plus odieux, mais les vraies voies de l'opposition, il a encore à les découvrir.

D'autre part, malgré les prises de position formelles, malgré ce que peuvent avoir de trompeurs et le vocabulaire, et ce qui demeure d'illusionnisme dans le « style » de la gauche libé-

---

1. *Saint-Louis*, *Lov.* A 84, f⁰ 4. Manuscrit impossible à dater avec précision, mais l'application de l'écriture le fait cousin des divers *Traités* et *Dissertations*, nettement différent, en tout cas, des nombreux essais poétiques des années 1822-1823 dont on aura à reparler. Il semble raisonnable de dater de 1818-1819, au plus tard du séjour rue Lesdiguières.

rale, il faut bien se garder d'exagérer : le jeune Balzac n'est
nullement « démocrate », au sens moderne du mot, ou, s'il
l'est, en profondeur, avec quelque avenir, c'est à la manière
de son temps, de la démocratie alors en mouvement et en
action : c'est en étant un admirateur de la science, c'est en
aimant Napoléon, c'est en ne se scandalisant pas de voir les
étudiants conspuer le gouvernement de Louis XVIII. C'est
aussi, tout simplement, en étant ambitieux, en ne voyant dans
l'ambition que chose naturelle. Tout ceci bousculait les positions conservatrices. Pas toutes, *encore*, il est vrai, pas celle
de Ternaux, par exemple, manufacturier, député libéral du
département de l'Eure, dont Balzac salue la triomphale
réélection en 1822 [1]. Pour voir clair dans le jeu de du Bousquier, il faudra que se soit jouée la comédie de 1830. En 1822,
Ternaux, que Balzac retrouvera au *Temps*, avant Juillet [2],
est encore, contre un gouvernement honni, et malgré son
argent, un grand homme. Comme tous ses contemporains,
Balzac est ici entraîné par le poids du combat politique, dont
il ne décèle pas toujours très bien les composantes sociales.
Le jeune correspondant du « petit père Dablin », formellement « de gauche », même s'il a dénoncé Vomorel à sa sœur,
se mobilise encore partiellement pour ces bourgeois contre
lesquels il écrira son œuvre. « Démocrate » désigne aujour-
d'hui non seulement un partisan des libertés individuelles,
mais encore quelqu'un de profondément persuadé de la
nécessité, et de la possibilité de changer l'ensemble de la vie.
Le « démocratisme » du jeune Balzac s'intègre encore dans une
vision ouverte, certes, subjectivement exaltante, mais objectivement limitée des problèmes d'une société. C'est ce qui
réserve au débutant des découvertes, des étonnements, que
Derville exprimera le premier en termes de roman. C'est
ce qui fait que nous considérons avec une certaine condescendance ce libéral qui ne sait pas encore tout ce qu'est le libéralisme. Mais, *sur le moment*, dans les conditions précises d'exercice de cette pensée, elle a tous les caractères de l'anti-
romantisme le plus net. Lamartine vient de publier ses *Méditations*, et René vieilli, projette sur tout le désespoir de sa
vie gâchée. Alors que le noble vicomte promène son ennui
dans les ministères, hésitant entre ses nostalgies et son goût
pour la liberté, Honoré Balzac, en politique, prolonge contre
les survivances du passé, la bonne humeur de ses ascendants.
Ces gens nous font rire, qui agissent et parlent comme s'il n'y

---

1. Ternaux est un filateur, comme du Bousquier. L'Orne et l'Eure sont départements voisins. Mais ce n'est peut-être que simple hasard.
2. Cf. *infra*, t. II.

avait pas eu de révolution. Ce sont eux, les crispés, les tristes.
A gauche, on est épanoui [1]. On est sûr de l'emporter. D'où,
sans doute, l'absence de « drame », dans les lettres « libérales »
d'Honoré à sa sœur ou à Dablin. Il fallait, alors, le coup
d'œil d'un Stendhal, plus acéré, plus expérimenté, pour voir
les choses d'une manière plus tendue, ou celui, plus souffrant,
d'un Michelet, pour s'emballer au spectacle des troubles de
1820. Stendhal avait derrière lui toute une lignée bourgeoise
qui l'aidait à comprendre quel était le jeu mené par les
« industriels », qu'il fustigera dans son pamphlet de 1825,
et Michelet, moins bien pourvu, d'une petite bourgeoisie
aux plus profonds besoins de revanche, se sentira, lui, plus
directement concerné et mobilisé. « Admirable jeunesse, a dit
M. Benjamin Constant, qui prépare à la France une génération qui vaudra mieux que toutes les générations passées.
En effet, le dévouement d'une masse d'hommes qui, tous
les jours, vient, sans armes, sous le sabre des gendarmes, rendre
hommage à la liberté, tout inutile que soit leur effort, ravit,
enlève. Cet état d'attente, cependant, ne vaut rien à l'âme.
Quels sont les devoirs des jeunes gens [2]? » Seules certaines
expériences, non oubliées du malheur ou des difficultés de la
vie, peuvent inspirer de semblables vibrations. Seule une vie
plus introvertie peut engendrer semblables exaltations.
Honoré Balzac, ni ne met encore en cause, réellement, Ternaux et ses amis, ni ne donne à ses convictions cette touche
para-républicaine. Il faut bien peser l'espèce de détachement
de la lettre de juin 1821 :

> Quand les jeunes gens vinrent à Saint-Eustache, tout
> était fermé, et une bande collée, comme quand le spectacle
> manque, annonçait que le service n'aurait pas lieu, par
> ordre supérieur. Les jeunes gens mirent au crayon que, vu
> l'extrême liberté des cultes, ils invitaient les amis du défunt
> à se rendre au boulevard Bonne-Nouvelle et qu'on irait au
> Père-Lachaise. Quelques-uns y vinrent, et l'on se trouva,

---

1. Voici en quels termes, la spirituelle publication libérale, *Le Nouvel Homme
gris*, successeur de *L'Homme gris*, interdit l'année précédente, s'exprimait, en
1818, au sujet des rapports classes éclairées-ultra : « Le commerçant veut le
repos et l'ordre. C'est au sein de la paix, c'est sous l'égide d'une loi commune
à tous, qu'il peut travailler avec confiance, élever ses enfants, pour l'état qu'il
s'est créé, ou pour toute autre carrière, suivant leurs genres de talents ». Pas de
fièvre, dans tout ceci! Et encore moins dans cette conclusion : « Ne leur pardonnez
pas, seigneur, ils savent bien ce qu'ils font! » (n° 1, p. 15). Le n° 5 de *L'Homme
gris* (1817, tome I, p. 169) contient un curieux texte : « *Ce qu'il en coûte pour
connaître l'absolu* », récit des malheureuses aventures d'un homme qui a cru aux
promesses d'un savant qui prétendait pouvoir accéder à l'absolu. Balzac trans-
mutera en vision dramatique et pathétique, ce que le libéral de 1817 contait sur
un ton badin.
2. Michelet, *Écrits de jeunesse, Journal*, 8 juin 1820, p. 84.

par le plus grand hasard, 7 000 en noir. Mais la garnison
de Paris, mais les gendarmes, gardaient les approches du
cimetière!... Les jeunes gens voulurent entrer. Une estafette
en forme d'espion vint apporter l'ordre de faire feu. On
commanda. Les gendarmes refusèrent d'obéir, et un jeune
homme, au préalable, un enragé disent les ultras, se fit porter
de bras en bras jusqu'à l'officier qui dit : « En joue, feu! »,
et, découvrant sa poitrine, il lui répondit : « Si vous voulez
une autre victime, frappez, je suis prêt, sûr que ma mort
donnera la liberté à mon pays! ». « Bravo! Bravo! », cria la
foule. Vivent les soldats! Vivent les gendarmes! Et l'on va
dans un champ voisin, et l'on se met en rond, un jeune homme
s'avance au milieu du silence le plus respectueux, et prononce
un discours!... On se recueille de nouveau, et l'on prie
l'Éternel, et l'on jure mutuellement de revenir l'année prochaine en portant le deuil de nos libertés. Quand ils se
retirèrent, ils se mirent deux par deux et saluèrent la porte
de M. Camille Jordan, qui était mort la veille, et celle du
jeune Lallemand. Cette cérémonie a fait une grande sensation sur nos badauds de Parisiens [1].

Balzac y était-il? En juin 1821, il était lié, déjà, avec Lepoitevin, fort libéral. La description sent, d'autre part, le vécu.
Mais qui ne verrait la demi-ironie? Sans doute, est-ce le ton
des « lettres à Laure ». Mais n'est-il pas significatif que le
frère, au lieu de communiquer à sa sœur de brûlantes impressions, ne lui transmette qu'une sorte de reportage enjoué?
Ses sympathies ne sont pas douteuses, certes, mais *participe-t-il*
vraiment? N'y a-t-il pas dans ces événements du Père-
Lachaise un peu de spectacle? Comme quelque chose qui ne
concerne pas *totalement* le jeune spectateur? L'année précédente, au moment des premiers troubles, Michelet notait :

Au milieu de ces convulsions politiques, elle serait bien
forte, l'âme qui conserverait la paix, qui vivrait au-dedans de
soi. On est sans cesse arraché à la réflexion par des spectacles
bruyants et menaçants pour l'avenir. Le sort de la France
ne peut que s'améliorer, mais la guerre civile est le passage...
Quand il n'y aurait point de crainte, l'indignation, la pitié
troubleraient sans cesse. On se sent fort, mais dispersé; et
le peuple est un terrible auxiliaire. Quelle gloire, pour la jeunesse française, si, seule, elle faisait cette sublime révolution!
J'enferme dans ces mots tous les soldats de la ligne. Tout se
ferait sans intérêt privé, par enthousiasme. Personne ne
périrait que sur le champ de bataille, et à jamais heureux
ceux qui périraient [2]!

1. *Corr.*, I, p. 99-100.
2. Michelet, *Écrits de jeunesse, Journal*, 5, 6, 7 juin 1820, p. 83-84.

Aussi bien que l'admiration pour René ou pour le Lac, ce langage sera toujours étranger à Balzac. Dans *La Comédie humaine*, il lui apparaîtra comme jobardise, niaiserie; dès 1820, il n'avait, tout simplement, aucun sens pour lui. Avec l'approbation de Ternaux — qu'il partage, il est vrai avec tous ses contemporains — c'est l'autre limite de son libéralisme en ses années de formation. Ternaux sera vite démasqué, et bientôt s'amorcera le procès des hommes d'argent qui parlent de liberté, en même temps que celui des « ventrus » qui ne prennent même pas cette précaution. Mais, au départ, Balzac était trop engagé dans la vie bourgeoise pour voir le siècle selon une pureté quelconque. L'ultracisme était quelque chose, au fond, d'un peu ridicule. Lutte-t-on contre quelque chose d'un peu ridicule comme on lutte contre un ennemi fatal, immense? Il n'est de pathétique que dans une lutte contre l'absolu. Allons, semble dire un peu Balzac en 1820, ne forçons pas la note! Ne sent-il pas comme obscurément que ceux qui forcent la note, plus qu'aux adversaires ultras de *la* liberté pensent à *leur* liberté? Ce n'est pas simple opportunisme de sa part, refus des idées générales. Face aux sottises du pouvoir, il dit spontanément : Grégoire! Mais il ne « marche » pas aussi fort que d'autres dans l'aventure de la gauche étudiante.

Comme chez tout le monde alors, donc, tendance à pousser assez loin tout ce qui est mise en cause du réel restauré. Comme chez tout le monde, sentiment de quelque chose qui grippe. Comme tout le monde, alignement sur certaines positions bourgeoises, revalorisées par l'offensive ultra. Comme tout le monde, illusions sur les véritables mobiles des industriels libéraux. Mais aussi, et c'est la note propre de la *génération* de Balzac, et c'est la note propre de Balzac lui-même, exigences plus larges que celles des doctrinaires momentanément éloignés du pouvoir, discret scepticisme, « distance », par rapport aux manifestations extérieures d'un libéralisme qui, si combatif et justifié soit-il, n'en semble pas moins ne pas recouvrir *toute* la surface des problèmes. *Balzac engagé demeure disponible pour plus et mieux que le libéralisme.* Une critique romantique et sentimentale pourra toujours regretter de le voir moins fermement enrôlé dans les troupes de la « gauche » formelle. En fait, et les années 1820 et suivantes le prouvent, il est à la fois en deçà et au-delà de cette gauche « fermée ». Les questions qu'il se pose, sur lui-même, sur le monde, sur la place faite au talent, à la jeunesse, il ne trouve pas *toutes* les réponses qu'elles attendent dans les rangs où prospèrent les Vomorel. Les premiers romans vont bientôt montrer avec force que si Balzac demeure fidèle au *dynamisme* libéral, il ne saurait admettre comme sien le *personnel* du parlementarisme des notables. Son libéralisme, en 1820, fait de lui, incontestablement, l'homme d'une mystique, non l'homme d'un parti. C'est ce qui explique que, en 1826, M. de Castelbajac, député, conseiller d'État, directeur général des Douanes, pourra, déférant à une recommandation de M. de Berny, recommander à son tour Honoré Balzac au ministre de l'Intérieur pour lui faire obtenir un brevet d'imprimeur. Le préfet de police renseignera son ministre, non seulement sur la « conduite régulière » de l'intéressé, mais aussi sur ses « bons principes », sur sa « moralité » et ses « dispositions politiques [1] ». N'abandonnait-il pas l'impression du *Constitutionnel*, qu'assurait son prédécesseur [2]? Mais que pensait Balzac, depuis longtemps, du *Constitutionnel?* Il ne faut accorder à ce libéralisme de 1820, ni plus ni moins que ce qu'il peut signifier.

*

Cependant, il avait fallu en venir à ce point crucial des existences bourgeoises : le choix d'un état. Reculé de plusieurs années, par rapport aux normes d'ancien régime, ce choix, auquel étaient offertes des options plus nombreuses, plus larges, se faisait nécessairement sous le signe d'une plus exaltante indétermination. Quoi prendre, dans ce qu'offre le siècle? Pour Bernard-François et sa femme, les choses étaient simples : une situation dans l'administration, dans la chicane. On prêterait de l'argent au petit. Mais pour celui-ci, il devait y avoir nécessairement des nuances. Il avait pris du goût, de Vendôme à la Sorbonne, pour la vie des idées; il avait beaucoup lu; il avait pris la mesure des pouvoirs de l'esprit. Comment n'aurait-il pas souhaité plus qu'une tâche d'intermédiaire ou d'exécutant? Comment n'aurait-il pas songé à être, de quelque manière, maître, créateur, guide? Et de quelle carrière pouvait alors rêver un jeune « intellectuel »? Être Chateaubriand ou rien fut le cri de cette génération. Non, surtout, par refus de la vie; non pour trouver dans l'acte solitaire d'écrire un refuge contre un réel infâme, mais bien pour accéder à une forme plus large de vie. Parce que

---

1. Hanotaux et Vicaire, *La Jeunesse de Balzac...*, nouvelle édition, p. 345-347.
2. *Ibid.*, p. 350-351.

l'écrivain avait pris place parmi les « charges » nouvelles du siècle. Quand a-t-on commencé à rêver aux écrivains dans les collèges ? Quand la littérature, de délassement, est-elle devenue objet d'aussi haute volée que le courage militaire ou les vertus de l'homme d'État ? Pour Saint-Simon (le duc), l'écrivain n'était qu'un amuseur, un fournisseur. Mais l'écrivain s'était fait homme d'action. Pionnier d'un monde nouveau, il avait acquis, souvent, plus d'indépendance matérielle. Balzac le dira clairement en 1830 : « depuis cinquante à soixante ans, les écrivains ont secoué le joug des cours, des pensions, des logements au Louvre et des éducations de grands seigneurs [1] ». C'est par les écrivains, par *ses* écrivains, que la bourgeoisie, qui venait tout juste de s'arracher aux tâches serviles, avait accédé au monde supérieur de la morale et de la culture. On est loin, alors, du style « gendelettre », de la littérature pour la littérature. Relisons ce que Robespierre avait écrit dans cette brochure que Balzac connaissait :

> C'est à vous de rendre ce service à l'humanité, illustres écrivains à qui des talents supérieurs imposent le noble désir d'éclairer vos semblables. C'est à vous qu'il est donné de commander à l'opinion. Et quand votre pouvoir fut-il plus étendu que dans ce siècle avide de jouissances de l'esprit, où vos ouvrages, devenus l'occupation et le délice d'une foule innombrable de citoyens, vous donnent une si prodigieuse influence sur les mœurs et sur les idées des peuples ? Combien de coutumes barbares, combien de préjugés aussi funestes que respectés, avez-vous détruits, malgré les profondes racines qui semblaient devoir ôter l'espoir de les ébranler [2] ?

Poètes et philosophes formaient une nouvelle aristocratie, et Balzac mettra dans la bouche de Mme de Bargeton, une aristocrate gagnée aux « idées nouvelles », cette belle défense de la noblesse de plume : « elle dit que, si les gentilshommes ne pouvaient être ni Molière, ni Racine, ni Rousseau, ni Voltaire, ni Massillon, ni Beaumarchais, ni Diderot, il fallait bien accepter les tapissiers, les horlogers, les couteliers, dont les enfants devenaient de grands hommes [...] *Elle dit que le génie était toujours gentilhomme* [3] ». Son créateur, de bonne heure, voulut signer *de* Balzac, et seule la littérature devait consacrer cet anoblissement du vieux patronyme albigeois [4]. On s'en est

---

1. *Feuilleton des journaux politiques*, O.D. I⁰, p. 362.
2. *Discours couronné* [...], p. 57-58.
3. *Illusions perdues*, C.H. IV, p. 511.
4. Bernard-François, lors du mariage de Laurence, en 1821, fit imprimer certains faire-part au nom de M. *de* Balzac. On épousait un *de* Montzaigle. Mais

copieusement moqué, mais, à cette époque, la particule était
un signe d'accession sinon à plus, du moins à autre chose
que la bourgeoisie. Qui, même, ne disait M. de Sainte-Beuve,
comme on avait dit M. de Voltaire? Ce *de* était comme une
sanction, pour de nouveaux princes reconnus. Ni les aristocrates, à la recherche de certitudes nouvelles, ni les jeunes
bourgeois ne s'y sont trompés : la littérature était bien l'une
de ces splendeurs nouvelles que leur offrait le siècle. La littérature devenait un moyen d'affirmation de soi. Même passé
le temps des grands combats, même remportés les grands
succès, Chateaubriand avait montré tout ce qu'une gloire
littéraire apportait à une gloire d'un type plus traditionnel :
qu'avait perdu le vicomte à ne pas faire carrière dans la
diplomatie impériale? Qu'avait perdu René à ne pas être un
Chateaubriand comme les autres? Qu'avait perdu Corinne
à être autre chose que la fille de Necker? Corinne et René
firent naître des rêves dont l'écho se retrouve dans toutes les
« confessions » de cette époque. Décrivant en romancier la
jeunesse du siècle, Balzac mêlera plus tard d'autres images à
celle des deux grands aînés, et il constituera le personnage
mythique du grand écrivain de *La Comédie humaine*. « Si,
dans ces temps-là, on m'eût dit : Vous allez voir Canalis ou
Camille Maupin, j'aurais eu des brasiers dans la tête et dans
les entrailles. Les gens célèbres [N.B. il ne cite que des gens
de lettres!] étaient pour moi comme des dieux, qui ne parlaient pas, qui ne mangeaient pas comme les autres hommes [1] ».
Et il dira d'une de ses ambitieuses « qu'elle désirait voir le
grand Rabourdin comme un jeune homme peut *souhaiter de
voir* M. de Chateaubriand [2]». La littérature donnait pouvoir,
gloire, richesse, honneur. Contre l'ancien régime, elle avait
été arme. Contre l'Empire, elle avait été liberté. Elle mettait
en jeu tout ce qu'il y avait de plus grand et de plus consciemment créateur dans l'Homme.

Mais là, peut-être, était le danger. Car la carrière littéraire
ne souffre pas la demi-mesure. La stagnation dans une étude
peut donner de la rancœur, aiguiser l'ambition d'un Fraisier,
mais elle ne peut donner le sentiment profond de ruine et de
fatalité que donne l'échec littéraire. Aucune ambition avortée
ne produit de tels ravages dans l'âme que l'ambition poétique.
Aucune ne propose à l'imagination de semblables merveilles.

la consonance n'est pas du tout la même que dans le cas de son fils. Pour le
vieux philosophe-administrateur, la particule avait une valeur purement *sociale*.
Pour Honoré, il s'agira, semble-t-il, d'une affaire de « style ».
   1. *Honorine*, C.H. II, p. 225.
   2. *Les Employés*, C.H. VI, p. 935. Balzac est alors furieusement anti-Chateau-
briand en politique, et donc la remarque n'en va que plus loin.

Aucune n'alimente mieux le désespoir en images, en exemples, qui le font indéfiniment renaître de ses cendres. Nul plus que le raté littéraire, que ce soit Nathan, Lousteau, Lucien, n'atteint ces profondeurs de mélancolie, de dégoût, où l'Homme, sentant qu'il a gaspillé son plus précieux trésor, qu'il s'est donné des désirs que rien ne peut satisfaire, maudit son existence et sombre dans une bohème morale dont il ne peut, ni même ne veut sortir. On renonce au notariat, et l'on refait sa vie; on repart; on se remet d'une faillite; on se relève, comme Cérizet, d'une première tentative malheureuse, et même d'une condamnation en correctionnelle. On se guérit mal de la littérature, lorsqu'on avait décidé d'en faire non un passe-temps, mais l'essentiel. Le XIXᵉ siècle connaîtra trop de ces jeunes gens qui, s'étant coupé de leurs origines et des carrières « raisonnables », ayant tout misé sur des livres à écrire, n'ayant pas réussi, n'auront plus devant eux que folie, misère, fol orgueil et solitude. Un Lassailly, que Balzac connaîtra bien, sera, dans la vie réelle, la douloureuse illustration de ce péril qui guettait les enfants du siècle. Émoussement des exigences morales, tendance à la paresse, à la facilité, trop d'importance donnée à l'imagination : si la carrière littéraire était la plus séduisante, elle était aussi la plus dangereuse, celle où les risques, parce qu'ils n'étaient pas seulement matériels, mais moraux, étaient les plus grands. Toute une « physiologie » de l'ambitieux littéraire naîtra, chez Balzac, de son expérience propre et de ce qu'il verra. Mal du siècle vécu, mal du siècle observé, se rejoindront. Il n'est de voie royale, au XIXᵉ siècle (et encore!) que celle de l'argent. A voir les choses de haut, l'argent joue et gagne. Mais l'esprit, mais la pensée se voient condamnés à parier, à se lancer au risque de voir se retourner contre soi les forces et l'intense qu'ils mettaient en jeu pour s'accomplir [1].

Honoré décida donc de se faire écrivain. On lui proposait une étude à bon compte, un mariage. Ce qui eût fait la joie de Derville ne lui causa que dégoût. « La fortune était alors le moindre de ses soucis. *Une vie tranquille lui souriait médiocrement* [2]. » L'antiquaire aura son mot à dire, ici, et Gobseck. Certaines réflexions, transmises par le père, et qui trouveront leur place dans *Clotilde de Lusignan*, deux ans plus tard, sur

1. C'est aussi, en un sens, le sort des forces et du génie économique, avec d'importantes différences, de Gaudissart à David Séchard. Il n'est de mésaventures de la pensée que sous-tendues par des mésaventures de l'organisation sociale.

2. Addition manuscrite de Laure Surville en marge d'un exemplaire personnel de son livre (*Lov.* A 355, fᵒ 17).

les conditions nécessaires de la durée [1], sont encore du domaine de l'abstrait, non du vécu. A vingt ans, Balzac ne voit pas encore de contradiction entre l'intense et le possible. Pourquoi renoncer à soi? Aussitôt, ce fut le choc : Bernard-François surpris, et, semble-t-il, de la meilleure foi du monde, Mme Balzac indignée. Pour le père, grand liseur, écrivain amateur, l'absurde, c'est de vouloir être écrivain, et n'être que cela. « Mon père, racontera Laure, en est resté avec les écrivains au temps où ils vivotaient chez les grands seigneurs. Il ne comprend pas l'avenir de la carrière littéraire. Il dit qu'il faut, dans cet état, être empereur ou goujat. Honoré, entraîné par une irrésistible vocation, répond qu'il sera empereur [2]. » L'important, ici, n'est certes pas le mot historique pour enfants des écoles, mais la référence, dont Laure mesure mal toute la portée, au changement survenu dans la civilisation et dans les conditions matérielles de la culture. A la Sorbonne, avec ses amis, Balzac avait entendu parler d'un type d'écrivain que n'avait pas connu Bernard-François. La Presse, les moyens nouveaux de l'édition, un plus vaste public : avant Ladvocat, avant le feuilleton, avant les éditions Charpentier à bon marché, Balzac sait qu'être écrivain *ne peut plus* être ce qu'imaginait son père. Mais comment se faire entendre? Et ne sera-ce pas encore à son père que répondra le Balzac de 1830, lorsqu'il expliquera que les écrivains n'ont plus besoin des pensions de grands seigneurs? Être écrivain, en 1819, ce n'est pas chercher à briller « à la suite », ou « dans le monde ». C'est exercer, c'est pouvoir exercer, un réel pouvoir. On mesure, dans cette anecdote ce qui sépare deux générations, deux expériences, ou, plus exactement une expérience désormais dépassée, et l'*idée* d'une carrière possible, rendue possible, mais que va bientôt démentir, en avançant, l'expérience réelle. Ainsi, l'*idée* va se trouver prise en fourchette : d'une part, comme on en reste à la littérature d'autrefois, aux académies, Balzac va faire... une tragédie, entreprise évidemment dérisoire par rapport à ses propres perspectives et à ce qu'il croit pouvoir discerner autour de lui. D'autre part, la carrière littéraire rêvée, idéalisée, à partir de promesses, à partir d'extrapolations intellectuelles, maintenue par force dans un peu d'irréel par le culte des genres morts, par le mirage classique, va se dégrader, se faire autre, subir

---

1. Cf. *infra*, p. 486 sq.
2. Lettre de Laure Surville à Armand Baschet, en juillet 1855 (*Lov.* A 370, f⁰ 228, v⁰). Il s'agit d'une réponse à une demande de renseignements en vue d'un article biographique.

toute une pénible mutation qui certes, au travers de longues
années, conduira Balzac de *Cromwell* à *La Comédie humaine*,
mais sans qu'en aucune façon il le sache ou s'en doute.
Balzac fera son œuvre sans le savoir, hors, à la fois, des chemins
de son père et de ceux de ses vingt ans. Aussi, plus qu'elle
ne le libérera et l'accomplira lui-même, c'est les autres, c'est
le siècle, c'est la postérité, qu'elle fera accéder à un niveau
supérieur d'être et de conscience. *Jamais l'œuvre de Balzac
ne lui apportera ce qu'il en attendait le jour où il a déclaré à sa
famille l'intention de « réussir » par la littérature.*
Du côté de la mère, l'affrontement est, et sera longtemps,
d'une tout autre nature. Il ne s'agit pas, cette fois, d'un porte-
à-faux de bonne volonté. Il s'agit, visiblement, de quelqu'un
que l'on guettait. « Depuis quand s'est déclarée cette belle
vocation dont tu n'as jamais parlé? lui demanda encore
sa mère. *Dès Vendôme*, reprit Honoré [1]. » Or, Laure n'a pu
inventer tout ceci, que vérifient trop de faits déjà allégués [2],
et il faut retenir cette idée d'un Balzac *appelé*, aussi bien au
sens lambertien (le pivotement mystico-religieux du vocabulaire et des images se conçoit parfaitement, dans ce contexte
de solitude et d'écrasement) qu'au sens physique : objet
d'un appel d'air. Mais ici, surtout, se situe l'autre nœud.
D'avance, sa mère lui a fixé sa place. Mais Balzac a la foi, et,
contre vents et marées, ne conçoit pas la vie selon d'autres
normes que celles de ses désirs. L'une des composantes du
nouveau romantisme et du mal du siècle, c'est cette idée,
inconcevable dans les sociétés stables, qu'il n'est d'accomplissement réel que selon des voies nouvelles, ouvertes, qu'il
faut se faire plus à partir de soi qu'à partir des héritages,
déjà contestés. Tout un monde neuf est là, qui déclasse la vie
telle que l'avaient vécue les parents, et fait des désirs du jeune
homme l'unique mesure des choses. « Il s'agit d'avoir du talent,
mon père, tout est là. La Presse est en train de gouverner le
monde, et ceux qui, d'une façon ou d'une autre, en feront
partie, seront des gens importants, tu sais cela aussi bien
que moi [3]. » Il ne s'agit pas, on le voit, de *prendre sa place*
dans une série constituée. Il s'agit d'inventer. Et l'on n'invente
que dans les sociétés elles-mêmes inventrices; on ne rêve
d'ajouter que dans les sociétés qui, elles-mêmes, ajoutent.
Il faut noter, d'ailleurs, que Balzac ne songe nullement, alors,
à se faire *romancier*. Il songe à une carrière de journaliste.
C'est la nécessité qui fera de lui un conteur d'histoires, un

1. *Lov.* A 355, f⁰ 17.
2. Cf. *supra*, p. 209, pour Balzac à Vendôme.
3. *Lov.* A 355, f⁰ 17.

fournisseur pour cabinets de lecture. Mais, jusqu'en ses années de maîtrise, il sera toujours prêt à renoncer à sa réputation de conteur ou de « plus fécond des romanciers », pour devenir, enfin, maître à penser, philosophe, directeur d'opinion. Dès 1819, la littérature ne lui apparait que comme un *moyen* pour forcer les portes du journal : « Et comment arriveras-tu dans ce monde de la Presse, toi qui n'as aucune relation ni aucun appui? — J'aurai beaucoup à faire, je le sais, mais j'ai de la volonté, de l'énergie et du courage. » Il y a là toute une conception volontariste de l'acte littéraire. Le jeune homme ne songe pas tant à s'exprimer qu'à s'affirmer. Écrire, se faire homme de plume, n'est pas pour lui refuge, repli sur des positions moins faisandées que celles de la participation à un siècle que l'on condamne. Écrire est un métier, plus beau sans doute que les autres, et qui met plus en jeu, mais enfin c'est un métier.

Or, des deux univers, paternel et maternel, lequel des deux devait évidemment être celui de la plus grande incompréhension? Bernard-François, bien que retardant, désormais, sur le nouveau monde moderne, demeure *disponible*, la faconde et l'illusionnisme tenant lieu, éventuellement, de l'assurance et de l'accord d'autrefois avec le déroulement de l'Histoire. Mais Mme Balzac a choisi son *rôle*. L'idée qu'elle se fait du monde et des choses est arrêtée. Là, sera la barrière, la vraie, le refus de considérer comme valable l'idée du fils. Le père est décontenancé, la mère ironique. Tout se joue, et se vérifie.

Le père, qu'on vient de mettre à la retraite d'office, et qui voit ses revenus passer du simple au quart[1], mais qui n'en continue pas moins à représenter l'élément ouvert de la famille, réagit assez bien. « Mon père, raconte Laure, s'aperçut que son fils avait beaucoup lu, et il fut si joyeux de trouver un homme quand il croyait n'avoir encore affaire qu'à un grand enfant, qu'Honoré gagna sa cause et obtint deux années[2]. » Mme Balzac, appuyée par des amis, blâma fort « une telle condescendance[2] », mais, rétorqua Bernard-François, « on ne dispose pas d'un homme malgré lui; si la vocation de notre fils est réelle, nous n'avons pas le droit de changer sa destinée[2] ». Symbolique dialogue! Joseph Bridau, lui aussi, verra sa mère s'opposer à sa vocation d'artiste, et la mère d'Oscar Husson rêvera de faire de son fils un garçon rangé, bien vu. Dans la bourgeoisie, la mère, tenue en tutelle, vouée aux calculs, à la prudence, voulant éviter à ses enfants

---

1. Selon des documents produits par J.-A. Ducourneau et Roger Pierrot (*Calendrier de la vie de Balzac, Études balzaciennes*, oct. 1959, et *Corr.*, I, p. 27).
2. *Lov.* A 355, f° 17-18.

certains déboires qu'elle a elle-même connus, rêvant de revanches dans l'ordre, est volontiers professeur de respectabilité, de sagesse. Elle sait le prix des aventures. Frustrée, plus durement que le père, elle trouve une compensation dans l'imposition aux autres de ce qu'elle a elle-même subi, dans la transformation en lois absolues de tout le contingent dont elle a souffert. Pour Mme Balzac, l'aventure, jadis, avait été son mariage avec cet homme non stabilisé qu'était Bernard-François, alors qu'elle appartenait, elle, à une bourgeoisie plus solidement assise. Ces gens toujours prêts à se lancer ne lui revenaient pas. On comprend donc son hostilité au projet d'Honoré, sorte de soufflet à ses projets, à elle, de respectabilité, d'établissement. D'où, le nécessaire prolongement de ce conflit, ses retentissements, dans la conscience du jeune homme. Ce qui tentait de contrer ses hautes ambitions, c'était ce qu'il y avait, dans sa propre classe, de moins généreux. La bourgeoisie restrictive s'opposait à la bourgeoisie ouverte. Mais, la bourgeoisie ouverte l'emporta.

Et c'est ce qu'il faut retenir. Imaginons Calyste, séduit par la gloire et le génie de Camille Maupin, venant déclarer aux siens : « Je veux être écrivain. » Comme Mme de Portenduère, après l'escapade de Savinien, on l'eût sans doute conduit devant les reliques de famille, et on l'eût fait jurer de renoncer à un projet indigne. Le nom d'un du Guénic, dont les ancêtres avaient commandé les armées du Roy, ne pouvait figurer à la devanture d'un libraire. Le nom d'un Balzac le pouvait, et avec gloire [1]. On ne lui imposa, pour commencer, qu'un peu de vache enragée. C'était à la fois nécessité et prudence envers une carrière seulement plus chanceuse qu'une autre. C'est parce qu'il appartenait à une famille bourgeoise qu'Honoré Balzac put, sans rupture majeure et sans drame, se lancer dans une carrière prestigieuse. Le métier d'écrivain fut pour lui, dès le début, non

---

1. Sans doute, se pose ici le problème Chateaubriand, aristocrate qui avait trouvé dans la littérature assurance et gloire. Mais qui ne verrait que pour lui la littérature est activité de remplacement? René écrit faute de pouvoir agir. Ses œuvres, plus que des créations, sont des plaintes. La littérature est pour lui non pas *promotion*, mais refuge. Aux yeux de Balzac, la création littéraire n'aura jamais cette allure à la fois tendre et suspecte qu'avaient aux yeux de René ses propres songes.

Quant à Vigny, poète aristocrate, lui aussi, il savait bien que le choix auquel l'Histoire, et rien d'autre, l'avait forcé, le conduisait du même coup à renier des valeurs périmées et à en inventer de nouvelles :

J'ai mis sur le cimier doré du gentilhomme
Une plume de fer qui n'est pas sans beauté [...]
C'est en vain que d'eux tous le ciel m'a fait descendre,
Si j'écris leur histoire, ils descendront de moi.

(L'Esprit pur)

un pis-aller, non une évasion, mais *la* chance de sa vie, ce qu'il pouvait imaginer de plus haut. « Songe à mon bonheur, *si j'illustrais le nom Balzac!* Quel avantage de vaincre l'oubli ! Aussi, lorsque ayant attrapé une belle pensée, je la rends en un vers sonore, je crois entendre ta voix qui me dit : allons, courage [1]. » Balzac n'a pas pris la plume pour se plaindre ou pour trouver consolation à quelque faillite. Balzac a pris la plume, parce qu'il avait conscience de faire ainsi le choix le plus beau, le plus noble, que pouvait faire un enfant du siècle [2].

Ce premier choix, toutefois, n'allons pas croire, à la suite de l'acceptation de Bernard-François, qu'il fût *tout à fait* dans le courant. Bernard-François, malgré son amour pour les mots et les idées, était, au fond, pour la sécurité. Il était fier de sa réussite, mais songeait aussi à établir ses enfants et à les établir bourgeoisement. Le 18 avril 1819, quelque temps seulement avant le grand affrontement, il écrivait à son neveu, le notaire de Montirat : « Mon seul unique bien est une bonne santé et une charmante famille réussissant bien à tout. Mon fils travaille dans une des plus fortes études de procureur à Paris. Depuis bientôt un an, il est troisième clerc, et il fait en même temps son droit pour devenir avocat... [3]. » On comprend qu'un changement de front ne l'ait nullement enchanté. Bernard-François était pour l'entreprise, mais aussi pour la sagesse. Des voies étaient aujourd'hui mieux frayées qu'en 1780. Pourquoi n'en pas user, au lieu d'en essayer de nouvelles? Bernard-François pourra bien, à des amis, se vanter des « succès » de son fils : lorsqu'il se confiera, à sa fille Laure, par exemple, il parlera un autre langage. Le 4 décembre 1819, peu de temps seulement après l'emménagement rue Lesdiguières, alors qu'on ne peut encore valablement demander au jeune reclus des « résultats », il se plaint à la jeune pensionnaire :

---

1. *Corr.*, I, p. 36 (6 sept. 1819).

2. Balzac a transposé dans *La Rabouilleuse* le conflit familial de 1819. Voyons-le répartir ses souvenirs. Agathe Bridau, femme pure et honnête, mais d'un esprit étroit, se fait rembarrer par le sculpteur Chaudet : « Si j'avais un fils semblable, je serais aussi heureux que l'Empereur de s'être donné le roi de Rome » (C.H. III, p. 870). La vocation de Joseph est également défendue par la veuve Descoings (transposition probable de la grand-mère Sallambier) et par Desroches père (transposition de Bernard-François) : « Si votre fils veut manger de la vache enragée, laissez-le faire, il deviendra quelque chose (*ibid.*, p. 871). Desroches fils, tenu à l'étude où on l'a placé, c'est Honoré Balzac avant la rue Lesdiguières. Joseph, c'est Honoré Balzac demandant de tenter sa chance selon d'autres voies, et son père lui donnant cette chance. Joseph, malgré les craintes et prédictions pessimistes, deviendra célèbre, riche, *fera la fortune de sa mère*, etc.

3. *Lov.* 525 (dossier Louis Lumet).

J'ai commencé mon avenir par mes grands travaux, il y a quarante ans [...] Celui sur qui je comptais le plus pour ma famille a perdu en quelques années la majeure partie des trésors que la nature lui avait prodigués. Il a préféré les agréments, alors qu'il devait marcher sur la route épineuse et fatigante menant au succès. Au lieu de percer et de devenir maître-clerc le travail s'est trouvé dur, difficile, rien ne lui a convenu, si ce n'est le nom des pièces de théâtre, des acteurs et des actrices [...] et j'ai la mortification de voir que le fils d'un de mes meilleurs camarades est, à dix-sept ans, maître-clerc d'une grande étude [1].

Ce jeune homme de vingt ans fait brèche, et Bernard-François, qui avait fait brèche, jadis, dans la vie d'ancienne France, mais qui est aujourd'hui, avec sa classe et sa conception du monde, l'homme d'une *unité* nouvelle, ne comprend pas. Il aura toujours assez d'allant pour s'adapter, malgré tout. Il n'opposera jamais à son fils récriminations et demandes de reconnaissance. Il n'empêche que la vocation littéraire d'Honoré le déroutait.

L'attitude de la mère, elle, sera toujours dépourvue de toute équivoque. Honoré a commis *une faute;* il n'a pas joué le jeu, accepté les règles; mais il finira par comprendre. Pendant des années, le même thème reviendra : l'attente à résipiscence du fils qui reconnaîtra ses torts. Dès le 10 août 1819, Laure transmet les premiers reproches : Honoré dépense trop [2]! Mme Balzac va-t-elle, par dépit, attendre la fin? Non pas! Il faut qu'elle « s'occupe » de *Cromwell.* Elle trouve qu'Honoré a tort d'attacher tant d'importance aux détails, etc. [3]. Et ceci ne fera que s'accentuer avec les mois, avec les années. Honoré n'a pas voulu *nous* écouter, n'a pas voulu *m'*écouter. Il a voulu faire de la littérature? Que n'en fait-il sérieusement? Mme Balzac écrira contre *Clotilde de Lusignan* un véritable réquisitoire [4], avec cette antienne : il n'écrit pas comme *on* doit écrire : il se moque de l'avis des gens compétents; il n'en fait qu'à sa tête. Pour bien faire comprendre que peut lui en chaut, Honoré, alors, partira tranquillement pour Cherbourg, laissant sa sœur Laure, de Bayeux, s'arranger avec sa mère et prendre sa défense [5]. Mais il faudra rentrer. Ce sera Villeparisis, les tiraillements, les allusions aigres-douces, certainement, aux demi-succès près des libraires, les « je l'avais bien dit ». La liaison avec Mme de Berny n'arran-

---

1. *Lov.* A 381, f° 69 et 70.
2. *Lov.* A 378 *bis*, f° 3.
3. *Ibid.*, f° 7 (24 janv. 1820).
4. *Lov.* A 381, f° 115-118.
5. *Lov.* A 378, f° 130.

gera rien, bien entendu. « Honoré revient tard, malgré la
maladie d'Édouard ; il va deux fois par jour dans cette maison [...] Il ne voit pas qu'on veut le faire [1]. » Toujours la
même blessure : il n'a pas besoin de moi ; il va seul ; Honoré
se trompe, Honoré se perd. Quelle différence avec Surville, le
plat Surville ! « Eugène est le fils de mon cœur [2] ! » Il a bien
profité, celui-là, avec sa femme, des rancœurs accumulées
par Honoré !

Il ne fait aucun doute, par ailleurs, qu'Honoré « en rajou-
tait ». Quoi d'étonnant ? Agressivité contre agressivité ! A la
fin de cet été 1822, alors que tout va si mal à Villeparisis, alors
que *Clotilde* a raté, alors que les romans Pollet ont du mal à
sortir, alors que les visites chez Mme de Berny se font provo-
cantes, ostentatoires, la bonne grand-mère Sallambier écrit
à Laure :

> Ton frère ne se conduit pas comme il le devrait pour une
> si bonne mère qui a tant fait de sacrifices et même plus
> qu'elle ne le pouvait. Il manque aux égards. Voilà trois
> jours qu'il boude et qu'il ne dit pas un mot parce qu'elle
> lui a fait des observations très justes. Elle n'a mis aucune
> aigreur, pas même la moindre humeur, pour un sujet très
> frivole. Je puis te répondre que ta mère n'est pas égoïste.
> En général, j'ai toujours vu qu'elle a eu beaucoup de condes-
> cendance pour son fils, et qu'il en mesure trop souvent une
> dose qui blesse sensiblement le cœur de ta bonne mère.
> C'est que, *depuis qu'il croit se suffire*, il prend très peu de
> ménagements. Je veux persuader à ma fille qu'elle se trompe,
> mais la vérité est qu'il se donne des torts qui ôtent la bonne
> harmonie dans notre intérieur. Quand on a un malade aussi
> en danger, il ne convient guère de rentrer trop tard, et mille
> autres choses qu'il ne fait pas, et qu'il prodigue si ouverte-
> ment pour d'autres. Ta mère le laisse libre comme l'air,
> mais il y a des circonstances où on peut commander à ses
> plaisirs. Enfin, tout cela s'arrangera mieux quand nous
> serons réunis à Paris [3].

Vrai texte de guerre chaude ! Balzac, malgré tout, continue à
dépendre des siens, de sa mère, surtout, qui le lui dit le plus
nettement, et il leur en veut. Et il *lui* en veut. D'où ces attitudes. On a la liberté qu'on peut. « Je souffrais en silence,
racontera le médecin de campagne, et j'admirais en moi ce
dont je me moquais avec les autres, imitant les autres, et
blessant peut-être des âmes vierges et fraîches par les mêmes

1. *Lov.* A 381, f° 83-84, 12 octobre 1822.
2. *Lov.* A 381, f° 118, 5 août 1822.
3. *Lov.* A 378, f° 136 (27 sept. 1822).

coups qui me meurtrissaient si fortement [1]. » On saisit sur le
vif l'une des lois psychologiques de cet univers fondé sur la
division et les rivalités : tout coup porté aux autres, s'il est
vengeance, n'en est pas moins un coup porté contre soi-
même. On n'écrase que parce qu'on est écrasé. Face à Lovelace, les Harlowe faisaient bloc, *étaient vus* comme bloc.
Voici que les familles bourgeoises commencent à se différen-
cier. Plus de Lovelaces, mais de nouveaux monstres, nés,
eux, de l'intérieur même de la vie bourgeoise. Monstres
feutrés, d'ailleurs, monstres que n'atteindraient pas le lyrisme,
réservés à l'analyse psychologique, au tableau selon des
moyens nouveaux. Lovelace nécessitait encore cette catastrophe finale, ce duel, et cette extermination de la bête. Mais
les morts silencieuses ?

On reste confondu devant tant de pharisaïsme laïc, devant
ce manque d'humilité, ce refus qu'Honoré puisse exister
selon d'autres voies que celles prévues par sa mère. Mais l'on
n'est pas surpris que ceci conduise à la rupture de 1824,
Honoré refusant de retourner s'installer avec tout le monde à
Villeparisis, prenant un logement, seul, rue de Tournon. Le
4 septembre de cette année-là, trois ans après l'installation
rue Lesdiguières, Mme Balzac écrira à Laure : « Honoré m'a
enfin écrit hier un mot qui aurait dû être tout autre qu'il est,
il faut tout passer par sa tête, et faire le possible pour croire
qu'il reste encore quelque chose dans son cœur [2]. » Aussi,
quel triomphe ce sera, lorsque l'enfant prodigue, épuisé,
malade de la poitrine, reviendra, au début de 1825, passer
quelque temps à Villeparisis! [3] Et pendant toutes ces terribles
années, où Balzac lutte pour survivre, le dialogue va continuer,
serein, entre la mère et la fille selon le vocabulaire, dans le
code bourgeois. Chez Laure, là est la vraie vie! De temps à
autre, une allusion à Honoré, toujours pour déplorer. Jamais
le moindre doute sur le bon droit d'une mère, sur la valeur
de ses prévisions, de ses jugements. La redoutable assurance,
au contraire, de celle qui se pense tout, et pour qui le fils
n'est rien, tant qu'il ne sera pas *revenu*. « Nos bras restent
ouverts, notre bourse à son service [4]. » *Lui*, c'est l'occasion
de dire *nous, moi*. Lorsqu'il est au plus bas, fin 1825, alors que
l'échec de *Wann-Chlore* aura sonné le glas des espérances de

---

1. *Confession inédite du médecin de campagne*, cité par Bernard Guyon, *La
Création littéraire chez Balzac*, p. 239.
2. *Lov.* A 381, f⁰ 143.
3. *Lov.* A 381, f⁰ 162.
4. *Lov.* A 381, f⁰ 142 (au moment de la « désertion » d'Honoré, qui s'installe
rue de Tournon).

1819, et qu'il va falloir prendre ailleurs du service, voici ce que Mme Balzac écrit à Laure :

> Honoré, le pauvre Honoré, est arrivé dans un état de souffrances que l'on peut dire horrible. Sans exagérer, depuis plusieurs mois, je vois avec anxiété les ravages que le chagrin fait sur sa santé. Chez les hommes, c'est souvent bien dangereux. Mon cœur saigne, et je souffre tous les tourments d'une mère malheureuse [1].

Pourquoi parler de soi, si l'on souffre sincèrement *pour* l'autre ? En fait, une « mère malheureuse », voilà ce qu'*il* a fait de *moi*. Il n'est pas impossible, il est humainement vraisemblable qu'il y ait, quand même dans cette lettre, de la pitié. Mais elle n'est pas de premier rang. Plus qu'accueilli, Balzac a toujours été vu venir, sa misère toujours comme une sorte de vérification du bien-fondé de ce qu'on avait dit.

On peut essayer de tirer la leçon.

N'y a-t-il là qu'un « cas », et l'histoire des rapports de Balzac et de sa mère ne relèverait-elle que de l'anecdote, ou n'aurait-elle d'autre signification qu'individuelle, et individualisante ? Nous avons déjà partiellement répondu plus haut. La période 1819-1825 permet de préciser. Cette véritable néantisation d'Honoré par sa mère, ce refus de l'accepter tel qu'il se voulut très jeune, écrivain, intellectuel, autre chose que simple bourgeois rangé, cette perpétuelle attente d'une abdication, d'une venue à résipiscence, d'une reconnaissance de ses torts, allait à contre-courant du prométhéisme et du progressisme hérités du père et de la classe sociale, qui avaient orienté les premières réflexions du jeune homme, et qui se trouvaient relayées, à Paris, par la découverte de la civilisation libérée, de possibilités, aussi, qu'ignoraient même les hommes de la génération précédente. Ce n'est certes pas sans raison si, dès le premier *Wann-Chlore*, en 1822, Balzac montrera en Mme d'Arneuse (portrait direct de sa mère) *une femme qui regrette l'ancien régime*, une bourgeoise tournée vers le passé. Ce n'est pas pour rien non plus qu'il dressera, face à elle, Horace Landon, enfant du siècle, porte-parole de toutes les fiertés du siècle. Honoré, lui, ne s'était jamais voulu l'être d'une tradition ou d'une continuité, mais bien d'une création, d'un risque, d'une invention de soi. Il fallait, pour ce faire, couper le cordon ombilical. Or, ce lien, Mme Balzac y tenait, et le renforçait. Ce contre quoi elle ne pouvait plus rien, elle tentait de le réannexer, de le réintégrer, à son propre univers de respectabilité. D'où les injonctions à l'apprenti :

---

1. *Lov.* A 378, f° 157.

qu'il écrive (qu'il se conduise) comme *on* écrit (comme *on* se conduit). Cette liberté, conquise rue Lesdiguières, la voici qui s'en empare et qui en fait une nécessité, rappelant sans cesse son fils à ses devoirs. D'où, certainement, avec, dans les profondeurs, toutes les motivations sacrilèges possibles, l'achat de la glace, d'où le voyage à Cherbourg. Si, du côté du père, la réserve, lors de l'aveu du grand dessein, n'avait été que de tactique et d'opportunité, dictée, aussi, sans doute, par un désir de tranquillité, du côté de la mère, elle portait, et portera longtemps, sur le droit à être. Plus étroitement bourgeoise que le père, la mère présentait au fils, à ce moment décisif du choix d'un métier, pendant les années capitales de formation, le visage que, de plus en plus ouvertement, de plus en plus universellement, allait lui présenter cette bourgeoisie dont il sortait.

Les conditions furent posées, et d'abord financières. Contrairement à une légende, on ne fit jamais à Balzac une pension de 1 500 francs par an [1], ce qui eût été fort considérable. Comment l'aurait-on pu, d'ailleurs, au moment où Bernard-François voyait ses revenus passer, par suite de sa mise à la retraite, de 7 800 francs à 1 695 [2]? Il est certain que Balzac eut à sa disposition plus que le Raphaël de *La Peau de chagrin*, qui racontera avoir vécu avec vingt sous par jour. Une addition, qui figure dans les papiers de son créateur, montre un total bien supérieur, même si les victuailles qu'elle comptabilise couvrent la nourriture de plus d'une journée :

pain	20
pâté	150
macédoine	75
pomme	50
	293 [3]

Mais, entre la dramatisation de *La Peau de chagrin* et les mythiques 1500 francs, il doit y avoir un milieu. On blanchissait le jeune homme, on lui faisait parvenir des « suppléments », la « mère Commin » se chargeait de plus d'une commis-

---

1. Bouvier et Maynial, *Les Comptes dramatiques d'Honoré de Balzac*, (sans référence ni document). Précisons que 1500 francs était le traitement d'un fonctionnaire à ses débuts. La légende est reprise par Maurois et Wurmser.
2. Et encore, cette pension ne fut-elle liquidée que le 14 novembre 1820. (Archives du ministère de la guerre, cité dans *Calendrier...*, *Études balzaciennes*, octobre 1959, p. 354).
3. *Lov.* A 158, f° 66, v°. Sur ce même fragment, une anecdote sur Mme du Cayla et Mme de Serre, qui sera utilisée dans *Un grand homme de province à Paris*. L'épouse de l'ancien garde des Sceaux protestera, et Balzac lui donnera satisfaction en modifiant le passage (*Corr.*, III, p. 717-718). Autre preuve (nous en trouverons bien d'autres) que tout vient de très loin chez Balzac, et qu'il a puisé à pleines mains dans ses souvenirs.

sion, mais il n'en demeure pas moins que, paraît-il, Mme Balzac, à l'idée que son fils a dépensé huit francs sur ce que « dans un moment de gêne », elle a pu lui donner, se demande ce qu'il va lui rester pour vivre [1]. On devait donc l'alimenter à la petite semaine, et chichement, de plus lui demander des comptes, lui faire sentir sa dépendance. Laure elle-même n'écrit-elle pas, bien longtemps après, que sa mère avait pensé « qu'un peu de misère ramènerait promptement Honoré à la soumission [2] », ce qui permet d'ajouter quelque foi aux dires de Fessart, l'homme d'affaires des années quarante, qui reçut plus d'une confidence. Commentant la phrase précédente de Laure, il ajoute : « Beaucoup trop. M. de Balzac avait les larmes aux yeux lorsqu'il parlait de ce qu'il avait souffert »; il dit encore : « Il fallait entendre M. de Balzac parler de sa position d'alors, et de la dureté de ses parents à son égard [3] »; à propos des appels lancés à la famille, enfin, il précise : « Et sa mère ne lui répondait pas, elle le laissait mourir de faim; *il me l'a dit plusieurs fois* [4]. » On n'invente pas complètement ces choses. Non plus que celles-ci : Balzac avait écrit à sa sœur : « Les travaux nuisent à la propreté. Ce coquin de moi-même se néglige de plus en plus. » « C'est-à-dire qu'alors, explique Fessart, il était couvert de vermine, et descendait le soir acheter une chandelle, qu'il plaçait dans une bouteille vide, faute de chandelier [5]. » Il riait, paraît-il, en 1845, en racontant cela. Mais comme il riait, sans doute, en écrivant à Laure. La chambre lépreuse si souvent décrite dans *La Comédie humaine*, Balzac ne l'a pas inventée non plus, et l'on aurait bien tort de suivre André Wurmser, qui ne veut voir, dans cette réclusion, qu'une bohème bourgeoise, qu'une misère dorée. Balzac, rue Lesdiguières, a réellement été malheureux. Il a eu froid. Il a eu faim. Il s'est senti, surtout peut-être, très seul. Il a commencé l'apprentissage de la vie responsable, l'apprentissage du siècle, par cette « vache enragée » qu'on avait tenu à lui faire manger pour lui faire « comprendre » qu'il était des choses avec lesquelles on ne jouait pas. Certes, lorsque tout ira trop mal, il pourra aller se refaire à Villeparisis, mais on devine, alors, les airs de triomphe! Le père a accepté une solution moyenne, heureux

1. *Corr.*, I, p. 27-28.
2. Laure Surville, *op. cit.*, p. 36.
3. Cité par Lovenjoul, *Une page perdue...*, p. 125 (additions manuscrites de Fessart en marge de son exemplaire du livre de Laure : donc, impressions toutes fraîches, et *pour soi*).
4. *Ibid.*, p. 126.
5. *Ibid.*, p. 127.

de pouvoir avoir la paix, et de ne pas trop trahir, sans doute,
son vieux goût pour les aventures et les idées. Mais Laure
elle-même, docile, fait la leçon, explique que l'on doit *bien*
employer son argent. Chœur de la vie bourgeoise. Chœur
auquel on ne peut, d'ailleurs, « donner tort », en un sens. Qui
pouvait savoir? Rien n'est plus faux, plus abusif que les
homélies *morales* sur les grands hommes, sur ceux qui devan-
cent leur temps : il y a là, à la fois, de quoi nourrir un aveugle
respect pour un Panthéon toujours paralysant, et un aventu-
risme qui ne tente que trop les émancipations bourgeoises.
En fait, Balzac, en 1819, ne savait nullement où il allait. Mais
il savait ce qui l'intéressait, ce qui est bien différent. Laure,
sa mère, parlaient un langage clos; lui, tout simplement, un
langage ouvert.

Voici, maintenant, des conditions d'un autre ordre :
le nom des Balzac doit rester en dehors de tout. Pour tout le
monde, le petit sera à Albi, dans la famille. Même le vieil ami
Villers-la-Faye, de l'Isle-Adam, sera tenu dans l'ignorance. Il
ne fait aucun doute, selon nous, que c'est Mme Balzac qui a
exigé cette mise en scène. En 1824, après plusieurs échecs
littéraires d'Honoré, elle expliquera à Laure que, pourtant, on
était toujours prêt à l'aider, « pour lui faire produire quelque
chose que l'*on* pût avouer [1] ». Il fallait marier Laure, le tour
de Laurence viendrait. Que répondre sur le frère? Lorsque
l'académicien Andrieux aura condamné *Cromwell*, lorsque
Honoré se lancera dans la littérature romanesque, ce n'est,
sûrement, pas *seulement* lui qui tiendra à publier sous divers
pseudonymes. En 1829 encore, il hésitera à signer *Le Dernier
Chouan*, et pensera un moment à un autre pseudonyme
encore : Victor Morillon. La pratique était certes courante des
noms de guerre, et depuis longtemps, mais on sent bien, chez
les Balzac, le réflexe de gens qui ont eu un passé, qui tiennent
à leur standing, qui n'ont ni assez de surface pour se permettre
un écrivain, ni assez d'audace pour en être fiers. Après tout,
malgré les brochures de Bernard-François, que savait-on
chez les Balzac de plus sur les artistes que chez les Guillaume?
Ah! Sallambiers! Ah! rue Saint-Denis! Un pseudonyme peut
être une stylisation. Il peut être aussi un masque. Lorsque Honoré s'attribuera la particule, lorsqu'il clamera « le
nom Balzac », lui cherchera racines et justifications, ancêtres
et raisons de fierté, ne tentera-t-il pas tout pour se retrouver,
pour être, enfin, pleinement soi? Nous verrons bientôt Balzac
cheminer à travers Savonati, Matricante, R'Hoone, Saint-
Aubin, Morillon, *se chercher à travers des créations.* Lucien

1. *Lov.* A 381, f° 138.

Chardon mourra de n'avoir pu être, vraiment, Rubempré.
Encore autant de symboles, de confessions. A la recherche de
soi-même : la bourgeoisie le permettait de moins en moins, à
suivre ses carrières et ses chemins.

Balzac s'installa donc dans la fameuse mansarde. Cette
claustration joyeusement acceptée, cette pièce qu'il meuble
à sa guise, ces dépenses « déraisonnables », pour un miroir,
pour une gravure [1], cette table sur laquelle il dispose ses
papiers dans l'allégresse des grands départs, quels symboles!
Balzac sait qu'il lui faudra peiner, mais il ne va pas bâillant sa
vie. Il a gagné sa liberté sur ce que la bourgeoisie a d'étroit.
Mais, s'il s'est enfermé, c'est pour se mettre à l'œuvre.

A *quelle* œuvre? Lui songeait sans doute à ses chères idées,
à sa chère philosophie. Mais l'on avait dit : littérature! et cela
voulait dire quelque chose de précis. Une confidence ne trompe
pas, dans *Une heure de ma vie*, texte évidemment écrit sous
la dictée des souvenirs de la mansarde : « la bouteille d'encre
où je devais puiser le génie moyennant 75 centimes [2] ».
Dure ironie! N'est-ce pas, dans l'univers bourgeois — apte
cependant, on l'a vu, à secréter, à favoriser le génie moderne
sur fond d'ancienne France — l'entrée en scène d'une autre
forme de génie, malheureux, incompris, condamné à la solitude, ouvert à tous les romantismes? Le génie, Balzac le
sait, n'est pas « de service »; il ne se plie pas à l' « utile ».
Balzac a accepté d'écrire une tragédie; un rien, soyons-en
sûr, suffisait à l'en détourner : une rencontre, comme dans
Une heure de ma vie, une idée, vite recueillie en contrebande
dans un cahier. *Cromwell* était loin d'être l'essentiel.

Donc, il faut tenir compte, dans la joie de l'installation, de
quelque chose d'un peu fébrile que ne pourront recueillir les
alexandrins. La mansarde, ce sera un peu Vendôme et
l'alcôve qui recommencent. Ce garçon qui vient d'arracher
à sa famille le droit de faire ce qui lui plaît n'est pas homme à
se contenter d'une liberté bohème. Il a déjà beaucoup lu,
beaucoup réfléchi. Ce qu'il voit d'abord, dans le consentement
de ses parents, c'est le droit de se livrer en toute liberté aux
jeux de l'esprit qui le fascinent depuis longtemps. Comme à
Vendôme, il faudra, d'ailleurs, qu'on vienne le chercher,
qu'on l'emmène se refaire à Villeparisis. A nouveau, on
essaiera de l'intégrer; le docteur Nacquart lui cherchera
une place [3]. Ce sera, alors, « à coup de romans [4] », un nouvel

1. Laure les lui reproche au nom de sa mère dans une lettre du 10 août 1819
(*Corr.*, I, p. 27).
2. H.H., 25, p. 574.
3. *Ibid.*, p. 112.
4. *Ibid.*, p. 112.

effort pour échapper. La mansarde est, à la fois, dans le fil de l'optimisme bourgeois, et assez nettement de biais par rapport à une vie vécue selon les normes de la bourgeoisie de fait.

Pour savoir quelle fut sa vie, alors, nous disposons de sa correspondance et de ce qu'il a raconté dans *La Peau de chagrin*. Comme pour *Le Lys dans la vallée*, il ne semble pas nécessaire de mettre en doute le témoignage du roman de 1831. Balzac l'avait commencé comme un simple conte fantastique, et c'est vraisemblablement à la relecture des épreuves que, selon une méthode qui lui deviendra chère, il a fait éclater son récit pour y insérer le grand retour en arrière de la confession de Raphaël [1], l'afflux des souvenirs prenant le relais de l'inspiration philosophique. Il est donc loisible, avec toute la prudence nécessaire, de se fonder sur *La Peau de chagrin* pour « retrouver » le Balzac de 1819-1820. Seulement, dans ces conditions, se pose un autre problème ; celui du contraste entre le ton sombre de l'œuvre littéraire, et le ton plutôt enjoué des lettres à Laure. Comment un Raphaël a-t-il pu naître du jeune homme primesautier, un peu pédant, bon enfant, de la *Correspondance* ? Ne serait-ce pas, d'abord, que Balzac, pour écrire à sa sœur, adopte ce ton, qui ne traduit pas nécessairement *tout* ce qu'il ressent ? Ne serait-ce pas surtout que bien des choses, vécues sur un mode supportable et mi-plaisant, se sont révélées, les années passées, comme des signes prémonitoires des terribles découvertes qui interviendront postérieurement ? Comme Combourg, la mansarde préfigure. Elle n'est jamais *redevenue* inoffensive. Tout ce que Balzac a vécu, découvert, par la suite, l'expérience de la mansarde le contenait en puissance, et c'est tout naturellement qu'il donnera pour cadre à des réflexions de l'âge mûr cet asile de sa vingtième année. Jamais Balzac ne reparlera de sa mansarde avec le petit sourire attendri des bourgeois qui aiment à se souvenir de leurs années de « vache enragée ». Bien au contraire, il y verra toujours un symbole de disonance fondamenle. La mansarde fera toujours penser le romancier d'expérience à la loi fondamentale du monde moderne.

Je vécus dans ce sépulcre aérien pendant près de trois ans, travaillant jour et nuit sans relâche, avec tant de plaisir que l'étude me semblait être le plus beau

---

1. Pour la genèse de *La Peau de chagrin*, cf. t. II. Quatre témoignages sur la véracité du récit de Raphaël : Gautier, *op. cit.*, p. 73, Brun (article sur *La Peau de chagrin*, sept. 1831), Balzac lui-même à Mme Hanska (*Étr.*, III, p. 176), et Jules Pétigny, *M. de Balzac*, article paru dans *La France centrale*, du 4 mars 1855, reproduit par Lovenjoul (H. O., p. 377 sq.).

thème, la plus heureuse solution de la vie humaine. Le calme et le silence nécessaires au savant ont je ne sais quoi de doux, d'enivrant comme l'amour. L'exercice de la pensée, la recherche des idées, les contemplations tranquilles de l'esprit donnent d'ineffables délices [...] le plaisir de nager dans un lac d'eau pure, au milieu des rochers, des bois et des fleurs, seul et caressé par une brise tiède, donnerait aux ignorants une bien faible image du bonheur que j'éprouvais quand mon âme se baignait dans les lueurs de je ne sais quelle lumière, quand j'écoutais les voix terribles et confuses de l'inspiration, quand, d'une source inconnue, les images ruisselaient dans mon cerveau palpitant. Oh! voir une idée pointant dans le vide des abstractions humaines comme le soleil au matin, s'élevant comme lui, jetant des rayons, ou mieux encore, enfant, adulte, homme et bien exprimée, bien vivante, est une joie égale aux autres joies terrestres, ou plutôt un divin plaisir. Puis, l'étude revêt de sa magie tout ce qui nous environne [1].

Ce n'est pas là découverte angoissée d'une solitude, mais bien retrouvailles avec de vieux démons. Créer, dire, tirer de soi quelque chose, aller plus loin que les mots de la tribu, plus loin que tout ce langage moyen, bon pour les lettres à la famille! C'est bien Vendôme ici encore :

La curiosité philosophique, les travaux excessifs, l'amour de la lecture, qui *depuis l'âge de sept ans* jusqu'à mon entrée dans le monde, ont constamment occupé ma vie, ne m'auraient-ils pas doué de la facile puissance avec laquelle [...] je sais rendre mes idées et aller en avant dans le vaste champ des connaissances humaines? L'abandon auquel j'étais condamné, l'habitude de refouler mes sentiments et de vivre dans mon cœur, *ne m'ont-ils pas comme investi du pouvoir de comparer, de méditer* [2]?

Certes, en ces lignes fameuses, c'est l'homme, c'est le romancier aguerris qui organisent et utilisent des souvenirs qui *ont pris* un sens, mais comment ne pas discerner la trace des premiers élans et des premiers bonheurs? Il y a même, semble-t-il, dans ce style, une conquête sur ceux concernant Lambert et Vendôme : *comparer* s'y compose avec *méditer*, et *comparer*, pour Balzac, ce n'est pas juxtaposer avec ironie des contraires ou des incompatibles, *c'est trouver le lien*, c'est, du moins, le

1. *La Peau de chagrin*, texte de l'éd. originale, éd. Allem., p. 102-103 et 370-371.
2. *La Peau de chagrin*, éd. cit., p. 94 et 366.
La même idée se trouve dans *L'enfant maudit:* « La studieuse poésie dont les riches méditations nous font parcourir en botanistes les vastes champs de la pensée, *la féconde comparaison des idées humaines*, l'exaltation que nous donne la parfaite intelligence des œuvres du génie, étaient devenues les inépuisables et tranquilles félicités de sa vie rêveuse et solitaire » (C.H. IX, p. 694).

chercher, comme si l'on était sûr de son existence, comme si elle ne pouvait être mise en doute. D'une introspection souvent aride et désenchantée, manquant encore de matériaux et de points d'accrochage, on semble passer à quelque chose de plus positif, de plus créateur ; la machine ne tourne plus aussi à vide, et l'esprit amorce nettement ce retour vers les choses que symbolise l'eau pure au milieu des rochers. Malgré les difficultés de chronologie, les risques de surimpression, ces pages si denses de *La Peau de chagrin* sont chargées de souvenirs précis : le salut par la création, il est sans doute encore trop tôt pour en parler, mais voici une joie, *voici une liberté*, qui sont récompenses et justification. Si la mansarde recommence Vendôme et l'alcôve, elle leur ajoute, aussi. La comparaison reviendra, mais l'on peut déjà dire que les vingt ans de Balzac, sa mansarde, sa solitude, ses réflexions, ses premiers essais, sont d'une tout autre portée que les fameux vingt ans de Béranger dans le fameux grenier. On y sent plus d'exigences, et plus d'aptitudes : Balzac, sans le savoir, dépasse les amabilités libérales et bourgeoises.

Ceci n'est qu'une face des choses. Car Balzac, trouvant, parfois, la voie royale, demeure seul, avec un besoin d'être, de s'affirmer, de donner ou de prendre, qui a, certes, d'abord, des bases physiques, mais qui, aussi, est signe du besoin plus général, plus vrai, de vivre une vie complète. Le sang qui bat, bien sûr, mais aussi tout ce dont il est la figure.

C'est pourquoi sans doute, la volupté qui hanta les rêves de René et d'Amaury hante aussi ceux de Raphaël, de Félix de Vendenesse, de Benassis, plus tard de Maurice de l'Hostal. A la fois la nostalgie de l'amour « social », avec ses splendeurs, et la morsure plus profonde du désir :

> Les tourments d'une imagination sans cesse agitée de désirs réprimés, les ennuis d'une vie attristée par de constantes privations, m'avaient contraint à me jeter dans l'étude, comme les hommes lassés de leur sort se confinaient autrefois dans un cloître. Chez moi, l'étude était devenue une passion qui pouvait m'être fatale en m'emprisonnant *à l'époque où les jeunes gens doivent se livrer aux activités enchanteresses de leur nature* printanière [1].

Ah ! qu'en termes galants... La surveillance de ses parents, peu soucieux de lui voir gaspiller son temps en bagatelles et qui ne lui laissaient pas une minute libre, avait déjà contribué à ce refoulement ; l'imagination s'était aussitôt emparée du jardin défendu :

---

1. *Le Lys dans la vallée*, C.H. VIII, p. 781.

Monsieur Lepitre me faisait accompagner à l'École de
Droit par un gâcheux qui me remettait aux mains du
professeur et venait me reprendre. Une jeune fille aurait
été gardée avec moins de précautions que les craintes de ma
mère n'en inspirèrent pour conserver ma personne. Paris
effrayait à bon droit mes parents. Les écoliers sont secrètement occupés de ce qui préoccupe aussi les demoiselles
dans leurs pensionnats; quoi qu'on fasse, celles-ci parleront toujours de l'amant, et ceux-là de la femme. Mais à
Paris, et dans ce temps-là, les conversations entre camarades étaient dominées par le monde oriental et sultanesque
du Palais Royal[1]...

Le corps cependant restait pur, faute d'occasions. En une
bien jolie page, Félix nous raconte « le jour où, se trouvant
à vingt ans honteux de son ignorance [il résolut] d'affronter
tous les périls pour en finir[2] ». Las! sa mère arrive au moment
où il va s'échapper de chez sa tante pour courir au Palais-
Royal. Ainsi, dit-il :

> des hasards inouïs m'avaient laissé dans cette délicieuse
> période où surgissent les premiers troubles de l'âme, où
> elle s'éveille aux voluptés, où pour elle tout est sapide
> et frais. J'étais entre la puberté prolongée par mes travaux,
> et ma virilité qui poussait tardivement ses rameaux verts
> (sic!). *Nul jeune homme ne fut, plus que je ne l'étais, préparé
> à sentir, à aimer*[3].

Alors, dans la solitude de la mansarde, la femme va venir
hanter les nuits du jeune homme. Sans doute, il est libre
maintenant, mais il ne peut sortir[4], et lorsque même il le
pourra, une timidité paralysante le retiendra, le rendra comme
stupide. « J'avais de la hardiesse, mais dans l'âme seulement
et non dans les manières. J'ai su plus tard que les femmes ne
voulaient pas être mendiées[5] ». Les confidences qui suivent
ne se rapportent pas seulement à l'époque de la rue Lesdiguières, mais à toutes les années pauvres et secrètes qui précédent la gloire, celles de la rue de Tournon en particulier. Et
même encore pendant ses années triomphales, Balzac restera
marqué par cette jeunesse timide. L'amour physique ne sera
jamais pour lui cette chose simple et accessoire qu'il est et

---

1. *Le Lys dans la vallée*, C.H. VIII, p. 779. Pour l'opinion de Balzac sur
les pensionnats cf. *Physiologie du mariage*, C.H. X, p. 657, et les *Mémoires de
deux jeunes mariées.*
2. *Ibid.*, C.H. VIII, p. 780.
3. *Ibid.*, p. 781.
4. En vertu du pacte conclu avec sa famille. Cf. *supra*, p. 291.
5. *La Peau de chagrin*, éd. cit., p. 92. Souvenir sans doute de la cruelle expérience faite avec Mme de Castries. Montriveau roucoulant aux pieds de la duchesse
de Langeais sera la transposition de cette « erreur » de Balzac. Il eût fallu attaquer.

restera pour Stendhal. Pour celui-ci, seule compte vraiment la conquête de l'âme; le reste n'est que formalité. Quelques mots suffisent pour indiquer au lecteur la victoire physique de Julien ou de Fabrice; rien de moins sensuel que les romans de Beyle : la sensualité est à ses yeux une chose amusante, mais limitée, et qui peut (qui doit, même) être aisément satisfaite en dehors de l'amour [1]. Ainsi s'exprime l'expérience et le tempérament d'un homme qui n'eut jamais à souffrir de continence forcée, et qui trouve piquant, émouvant, de découvrir au-delà des satisfactions faciles un domaine plein de surprises. Pour Balzac, amant, pourtant, nous le savons, suffisant, la conquête du corps ne va pas de soi, et c'est d'abord de *cela* que rêvent ses amoureux, aussi bien Raphaël caché dans la chambre de Fœdora, que Montriveau dans le boudoir de son Antoinette. Ils gardent tous quelque chose de l'élan naïf et un peu fruste du jeune amant de Mᵐᵉ de Berny :

> J'ai dormi sur mon grabat solitaire comme un religieux de l'ordre de Saint-Benoît, et *la femme était cependant ma seule chimère*, une chimère que je caressais, et qui me fuyait toujours [2].

Comme on comprend la valeur autobiographique du geste de Félix de Vandenesse se précipitant sur les épaules nues de Mᵐᵉ de Mortsauf!

> Combien de fois, muet, immobile, n'ai-je pas admiré la femme de mes rêves, surgissant dans un bal; dévouant alors en pensées mon existence à des caresses éternelles, j'imprimais toutes mes espérances en un regard... En certains moments, j'aurais donné ma vie pour une seule nuit. Eh! bien, n'ayant jamais trouvé d'oreilles où jeter mes propos passionnés, de regards où reposer les miens, de cœur pour mon cœur, *j'ai vécu tous les tourments d'une impuissante énergie qui se dévorait elle-même* [3]...

Et en 1843, Balzac reviendra encore sur cette période de sa vie en racontant la jeunesse de Maurice de l'Hostal :

> Je suis quelquefois sorti le cœur bouillant, emmené par un désir de faire une battue dans Paris, de m'y attacher à une belle femme que je rencontrerais, de la suivre jusqu'à sa porte, de l'espionner, de lui écrire, et de me confier à elle tout entier, et de la vaincre à force d'amour [4].

---

1. Cf. *De l'amour* « A la chasse, trouver une belle et fraîche paysanne » (1, p. 40).
2. *La Peau de chagrin*, p. 93.
3. *Ibid.*, p. 83.
4. *Honorine*, C.H. II, p. 256.

Il y a du Rousseau là-dedans; du Rousseau d'après le romantisme.

Quoi d'étonnant dès lors que cette « sylphide », il l'ait parée de toutes les splendeurs, qu'il l'ait voulue riche, titrée, glorieuse? Il faudrait citer ici des pages entières. Bals, voitures, toilettes, enlèvements, rendez-vous, « échelles de soie escaladées en silence pendant une nuit d'hiver », etc... [1]. Toutes ces irréalisables folies forment un véritable mirage qui consume cette jeunesse inemployée. Tous les désirs de puissance et de domination viennent se fondre dans l'image de la femme inconnue, Muse, Amante et Protectrice. « Toutes les femmes se résumaient en une seule. » Pauvreté, humiliation, isolement, trouvent leur expression la plus poignante dans ce désir qui porte à l'état le plus pur et le plus sauvage la volonté de maîtrise qui sourd des profondeurs. Comme toujours en semblable crise, Balzac touche au fond. Félix peut, aussi bien que se jeter sur Mme de Mortsauf, assassiner un chef d'État ou courir aux barricades...

Pour la première fois en effet, nous voyons paraître la révolte, une révolte au souffle court, vitale, élémentaire comme un spasme. Un désir brusque de tout casser et de se perdre à force de violence. Le jeune homme s'est monté la tête, il s'est fait une vie ardue, solitaire, rigoureuse. Dans son besoin d'héroïsme, il a choisi l'épreuve la plus dure, celle qui brillait à la fois de toutes les promesses d'avenir et en même temps de toutes les séductions morales. Mais voici que tout craque.

> Parfois, mes goûts naturels se réveillaient comme un incendie longtemps couvé... J'imagine que les femmes dites vertueuses doivent être souvent la proie de ce tourbillon de folie, de désirs et de passions qui s'élèvent en nous, malgré nous [2].

C'est sans doute après une de ces soirées hantées de visions que, tel saint Antoine à qui il se compare, il sentait chanceler autour de lui toutes les barrières, et qu'il partait pour une de ces courses folles décrites dans *Honorine*. Comme Amaury et René alors, il se sentait devenir un véritable sauvage, un hors-la-loi dans les rues de cette cité hostile et fermée. Le lendemain matin, sans doute, il se retrouvait au travail l'esprit plus calme, mais de tels moments dégradent l'âme, lui communiquent une inquiétude qui déflore. Tous les autres

---

1. *La Peau de chagrin*, éd. cit., p. 108.
2. *Ibid.*, p. 105.

désirs, toutes les ambitions ne sont, semble-t-il, que la sublimation de ce grand désir fondamental, et l'échec devant un monde qui se dérobe à l'étreinte est symbolisé par les bras du jeune homme enlaçant ses propres rêves. Le vide est total. Il n'y a plus que soi... Derville n'aura pas de ces tempêtes intérieures, Derville le sage, Derville le bien-pensant. Balzac avait souhaité la gloire et l'amour, refusé les facilités communes. Où en était-il maintenant ? Le tourment amoureux se transpose et s'agrandit en une nostalgie délirante qui établit comme un bilan d'ensemble. L'imagination retombe encore une fois sur elle-même avec un amer sentiment d'impuissance. Ici prend place un texte fameux.

En septembre 1819, Balzac écrit à sa sœur :

> Tu sais si les richesses me tentent, je ne les aime que comme moyens de gloire de plus, celles qu'on a en faisant le bien en rendant tout ce qui nous entoure heureux. *Rien, rien que l'amour et la gloire ne peut remplir la vaste place qu'offre mon cœur* et dans lequel tu es logée convenablement [1].

Au mois d'août 1821, alors qu'il est réinstallé à Villeparisis, il écrit à nouveau :

> Encore si quelqu'un jetait sur cette froide existence un charme quelconque. Je n'ai point encore eu les fleurs de la vie, je suis dans la seule saison où elles s'épanouissent. Qu'ai-je besoin de la fortune et des jouissances quand j'aurai soixante ans ? Est-ce, quand on ne fait plus rien que d'assister à la vie des autres, et que l'on a plus que sa place à payer, qu'il est nécessaire d'avoir les habits des acteurs ? Un vieillard est un homme qui a dîné, et qui regarde ceux qui arrivent en faire autant. Or, *mon assiette est vide*, elle n'est pas dorée, la lampe est terne, les mets insipides. *J'ai faim, et rien ne s'offre à mon avidité !* Que me faut-il ? Des ortolans, car *je n'ai que deux passions : l'amour et la gloire !* Outre cela, je suis coudoyé, enchaîné, pas libre [2] !

Cette lettre a été refaite par Laure Surville qui en a donné une version devenue célèbre et dont, il faut bien dire que, si elle est plus « littéraire » que l'original, elle le dépasse et le reprend admirablement. Balzac n'a jamais écrit exactement ces mots qui sont dans toutes les mémoires, mais comme ils traduisent bien son état d'esprit ! Avec en moins, toutefois, un côté rocailleux, « paysan », qui ne se retrouve guère dans la prose lisse de Laure :

1. *Corr.*, I, p. 42.
2. *Corr.*, I, p. 112.

Encore si quelqu'un jetait un charme quelconque sur ma froide existence. Je n'ai pas les fleurs de la vie et je suis pourtant à l'âge où elles s'épanouissent! A quoi bon la fortune et la puissance quand ma jeunesse sera usée? Qu'importent les habits d'acteur si on ne joue plus le rôle? Le vieillard est un homme qui a dîné et qui regarde les autres manger et moi, jeune, mon assiette est vide et j'ai faim. Laure! Laure! *Mes chers et merveilleux désirs : être célèbre et être aimé seront-ils jamais satisfaits* [1]?

Acceptons la légende. Del Ryès, Albert Savarus, Michel Chrestien, Marcas, Raphaël, ne parleront pas autrement. Ce naïf appétit de gloire et d'amour chez ce jeune homme qui devait attendre l'un et l'autre si longtemps, cet ardent désir de participer à la grande fête du siècle, nous y retrouvons toute la vitalité de Balzac avec aussi, sur le moment, un sentiment très aigu de manque et de vide. *Etre célèbre et être aimé :* tout le romantisme est dans ces mots. Remercions Laure, cette fois, de nous avoir donné cette formule, à la fois plus belle et plus vraie que la réalité.

La vie, ainsi, en attendant, s'épuise en vain, et l'on retombe dans une mélancolie sans objet. Aucune connaissance directe des choses, aucun travail qui vienne donner à la pensée un objet et un sens. « Lorsque la vie est inoccupée, elle pèse plus à cet âge qu'à un autre, car elle est alors pleine de sève perdue et de mouvement sans résultat [2] ». L'être tout entier paraît figé dans une immobilité mortelle. Au milieu d'un monde insaisissable et multiple, le jeune homme qui avait imaginé l'existence dans l'unité radieuse du sentiment et de l'amour, hésite et s'arrête, tiraillé par des tendances contradictoires :

Le jeune homme est comme un soldat qui marche contre des canons et recule contre des fantômes. Il hésite entre les maximes du monde, il ne sait ni donner ni accepter, ni se défendre, ni attaquer... Ce fut mon histoire. Je devins le jouet de deux causes contraires. Je fus à la fois poussé par les désirs du jeune homme et toujours retenu par sa niaiserie sentimentale. Les émotions de Paris sont cruelles pour les âmes douées d'une vive sensibilité : les avantages dont y jouissent les gens supérieurs ou les gens riches irritent les passions; dans ce monde de grandeur et de petitesse, *la jalousie sert plus souvent de poignard que d'aiguillon* [3].

Et nous allons retrouver ce fameux vague des passions, cette impuissance à sortir du cercle de ses propres rêves, avec cette

1. Laure Surville, *op. cit.*, p. 68.
2. *Le Médecin de campagne*, C.H. VIII, p. 476.
3. *Ibid.*, C.H. VIII, p. 477.

différence toutefois que l'obstacle a changé de nature. Il ne
s'agit plus d'un ennui congénital, lié à la notion même d'existence ; d'un ennui contre lequel rien ne saurait prévaloir
puisqu'il est le fruit de l'appartenance à une classe morte ;
d'un ennui qui résulte du divorce entre un *moi* mourant et
un *monde* en progrès. Il s'agit d'un ennui à valeur critique et
révolutionnaire, puisqu'il naît du conflit entre les aspirations
légitimes du cœur et de la raison et l'égoïsme conservateur de
la société restaurée. René gémissait de se sentir rejeté par une
société nouvelle, lui, l'enfant des siècles et de la tradition.
Balzac gémit de se sentir rejeté par la stabilisation bourgeoise. Les tristesses de René ne trouvaient guère d'échos
que dans les salons aristocratiques ; de même celles de Lamartine. Celles de Balzac ont une autre résonance... On y retrouve
certaines données psychologiques « éternelles », comme les
tourments de la puberté, mais elles prennent un sens accusa-
teur nouveau. La vie proteste contre les brimades de l'argent
et des intérêts. A moins d'accepter et de se plier, il n'est pas
possible de rester fidèle à soi-même. L'obstacle donc n'est
plus absolu, métaphysique ; la satisfaction du cœur ne dépend
plus d'un impossible retour en arrière, elle dépend d'une
possible amélioration sociale. Cette société pourrait être plus
humaine ; il ne faudrait que laisser se développer toutes les
promesses qu'elle portait en elle. L'obstacle n'est plus une
fatalité, il est devenu clairement *social*. Et c'est pourquoi il ne
se traduit pas en images poétiques, mais en notations réalistes.
Benassis n'est pas né ennuyé. Sa mélancolie ne va pas se
perdre dans l'immensité de la savane. Comme celle d'Amaury,
elle circule dans les rues tortueuses d'un Paris grisâtre. Elle
s'accroche aux bornes et aux boutiques ; elle suit des chemins
sans grandeur entre les hôtels illuminés du Faubourg Saint-
Germain et les prostituées. Elle ne s'adresse pas à la nature
et à ses mystères, à l'infini, à l'inconnaissable. Soyons-en sûr,
lorsque Balzac en ces années d'apprentissage, se plaint de son
néant, ce n'est pas l'imperfection de sa nature qu'il accuse, ce
n'est pas à un envol vers d'autres cieux qu'il rêve, et s'il a
suffisamment aimé les pages où René nous dit son mal pour
lui emprunter parfois son style, c'est qu'entre victimes s'établit
aisément une correspondance secrète :

> Vivement stimulé par la vigueur de mes passions et ne leur
> trouvant pas d'issues, arrêté par manque d'argent à chaque
> pas, à chaque désir, regardant l'étude et la gloire comme une
> voie trop tardive pour procurer les plaisirs qui me tentaient,
> entre mes pudeurs secrètes et les mauvais exemples, rencon-
> trant toutes les facilités pour les désordres en bas lieu, ne

> *voyant que difficulté pour arriver à la bonne compagnie,*
> *je passais de tristes jours en proie au vague des passions, au*
> *désœuvrement qui tue, à des découragements mêlés de soudaines*
> *exaltations* [1].

Tout ceci a un sens, tout ceci est « impatience d'avenir »
comme le dira « bientôt » Balzac, en 1830.

Mais si le mal a cessé d'être une sorte de damnation surna-
turelle, si l'on devine une possible guérison, il laisse dans l'âme
des traces durables. De toute cette agitation, il ne reste au bout
du compte qu'une grande fatigue spirituelle, une épuisante
« intensité » de pensée, et une ignorance totale de la réalité.

> Enfant de corps et vieux par la pensée, j'avais tant lu,
> tant médité, que je connaissais métaphysiquement la vie
> dans ses hauteurs au moment où j'allais apercevoir les diffi-
> cultés tortueuses de ses défilés et les chemins sablonneux de
> ses plaines [2].

Certes, ils ne connaissaient pas ces tourments, les « fanfa-
rons qui allaient tête levée, disant des riens, s'asseyant auprès
des femmes..., mâchant le bout de leur canne [3]... ». Ils étaient
bien *dans la vie*, eux. Balzac en était-il complètement en
dehors ?

*

Non, car il existe une autre face de cette existence qui nous
le montre au milieu des hommes et des choses, non pas ange
exilé rêvant à l'impossible royaume, mais un jeune étudiant
pauvre descendant chercher son lait le matin, allant puiser
à la fontaine pour n'avoir pas à payer le porteur d'eau, faisant
lui-même sa chambre, et vivant de « trois sous de pain,
deux sous de lait, trois sous de charcuterie [4] ». Les lettres à sa
sœur sont pleines alors de comptes rendus de cet ordre :
« après avoir pourfendu ton pot de groseilles, j'ai escoffié
le reste d'un pot de confiture d'abricots [5]... ».

> Comme vous ravigotez des fruits !... Vous nagez sur les
> poires, etc... et quand je me couche, mon saucisson et ma
> poire dans le bec, le ventre d'Henri fait bron, bron, bron;

---

1. *Le Médecin de campagne*, C.H. VIII, p. 478.
2. *Le Lys dans la vallée*, C.H, VIII, p. 781.
3. *La Peau de chagrin*, éd. cit., p. 91-92.
4. *Ibid.*, p. 87-88. Il faut se rappeler, aussi, la boutique du porcelainier, symbole, à elle seule, de tout le petit peuple réel de Paris.
5. *Corr.*, I, p. 58.

indigestion de fruits. A propos, maman m'a apporté du cochon! c'était du nectar, de l'ambroisie [1]. J'ai mangé deux melons... Je vis un peu comme Curius-noix-poire-pain, je suis un petit saint [2].

Sous la plume de sa sœur, cette dernière phrase est devenue : « J'ai mangé deux melons... il faudra les payer à force de noix et de pain sec [3]. » Cette dramatisation suggère que la claustration de la rue Lesdiguières n'était pas toujours si terrible... On ne trouve d'ailleurs dans la correspondance ni noirceur réelle, ni acrimonie. Misère, solitude, mais aussi poésie... Celle que l'on perçoit vraiment, comme celle que polit le souvenir. Dans les nombreuses jeunesses de *La Comédie humaine*, le romancier évoquera avec sympathie le décor familier de la chambre d'étudiant, dans « un de ces hôtels où l'escalier s'ouvre au fond, éclairé d'abord par la rue, puis par des jours de souffrance, enfin par un châssis [4] ». Avec Derville, avec Desplein, avec Juste et son ami, mais surtout avec Raphaël et le narrateur lui-même, dans *Facino Cane*, nous retrouvons la poésie de la petite table et des années héroïques [5] :

> Je me souviens d'avoir quelquefois trempé mon pain dans mon lait assis auprès de ma fenêtre en respirant l'air du ciel, en laissant planer mes yeux sur un paysage de toits bruns, grisâtres, rouges, en ardoises, en tuiles, couverts de mousses jaunes ou vertes... [6].

Balzac nous donne alors de bien jolis tableaux parisiens, pleins de tendresse et de compréhension. Il évoque « les cours des maisons voisines par les fenêtres desquelles pendaient de longues perches chargées de linge »; les jeux de lumière sur « les ondulations de ces toits pressés, océan de vagues immobiles », « le soleil couchant par-dessus les toits, quelque lueur furtive à travers l'étroite fenêtre »; les gouttières, avec « leur végétation éphémère bientôt emportée par un orage »; « les mousses aux couleurs ravivées par la pluie »; puis, « quelques rares figures apparaissant au milieu de ce morne désert » :

> parmi les fleurs de quelque jardin aérien, le profil anguleux et crochu d'une vieille femme arrosant ses capucines, ou, dans le cadre de quelque lucarne pourrie, quelque jeune fille

---

1. *Corr.*, p. 37.
2. *Ibid.*, p. 38. Cf. également la lettre facétieuse où il parle du domestique qu'il vient d'engager (L.F., p. 30 sq.) et qui n'est autre que « moi-même ».
3. *Op. cit.*, p. 52.
4. *Zéphirin Marcas*, C.H. VII, p. 737.
5. Cf. *Gobseck*, *La Messe de l'athée*, et *Z. Marcas*.
6. *La Peau de chagrin*, C.H. IX, p. 89, éd. cit., p. 98 et 369.

faisant sa toilette, se croyant seule et dont je n'apercevais
que la jolie tête et les longs cheveux élevés en l'air par un
bras éblouissant de blancheur [1].

Littérature? Il est bien entendu absolument impossible de
savoir dans quelle mesure ces « souvenirs » se réfèrent exacte-
à la jeunesse de Balzac. Il est des rapprochements troublants.
On trouve par exemple dans *L'Ane mort et la femme guillo-
tinée* de Jules Janin, que Balzac admirait fort, et qu'il cite à
plusieurs reprises, une description toute semblable et qui se
termine par cette phrase : « Plus haut, c'était une jeune fille,
une grisette à sa mansarde, occupée à sa simple toilette du
matin [2]. » Réminiscence? Sujet à la mode? Simple addition d'un
détail emprunté sur un fond de vérité? On ne sait exactement.
Le texte du roman donne la sensation du vécu. On pense à
Rousseau croquant des cerises avec Thérèse au bord de leur
fenêtre. D'ailleurs, Gautier, qui connaissait bien Balzac,
affirmait que *La Peau de chagrin* retraçait fidèlement les
années de la rue Lesdiguières [3]. Surtout, nous avons le témoignage formel de Balzac lui-même écrivant à Mme Hanska le
2 janvier 1846 :

> A dix-huit ans, en 1817, je quittais la maison paternelle,
> et j'étais dans un grenier rue Lesdiguières, y menant la vie
> que *j'ai décrite dans La Peau de chagrin* [4].

Il y a là, sans nul doute, un arrangement de la réalité, mais les
sentiments, et sans doute bien des détails sont vrais. Bien
souvent Balzac dut jeter sur les toits de Paris le regard de
Rastignac, mais un regard où il devait y avoir, cependant, plus
d'amitié que de défi.

Et c'est par là qu'il n'a pas succombé aux atteintes du vague
des passions. Sa royauté du sentiment, sa gloire littéraire, il
ne les a pas rêvées dans la paix et l'oisiveté de la famille —
comme Musset par exemple — mais dans la solitude d'une
mansarde du quartier Saint-Antoine, en contact permanent
avec la vie, avec les concierges, avec les commerçants, avec
les voisins, avec la femme de ménage. Il n'a pas vécu dans un
univers purement affectif où la rêverie ne trouve d'autre

---

1. *La Peau de chagrin*, p. 100 et 369.
2. *L'Ane mort...*, pp. 38-39. Le livre de Janin est de la fin de 1829. Que Balzac
« fasse » de la littérature, imite, etc., ne l'empêche jamais, nécessairement, d'être
lui-même. On en trouvera de multiples exemples, dès les romans de jeunesse.
3. *Op. cit.*, p. 73.
4. *Étr.*, III, p. 176. Affirmation inexacte, et dramatisée, de deux années.

point d'appui qu'elle-même [1] : il fallait bien revenir à ces
petites gens, à ces petites choses et à leur rafraîchissante
simplicité. Et puis, tel était le choix de Balzac? Ce n'était
pas une pesante et cruelle réalité qui tombait sur lui, mais tout
un univers qu'il avait appelé à lui par le souhait tout-puissant
de son imagination. La découverte du réel fut au début une
véritable aventure, aussi merveilleuse en un sens que la découverte de l'Amérique pour Chateaubriand, ou celle des paradis
artificiels pour Baudelaire. « Je me réjouissais en pensant que
j'allais vivre de pain et de lait comme un solitaire de la Thébaïde [2] ». Balzac a aimé cette vie parce qu'il l'avait ardemment souhaitée, et parce qu'elle lui a fait connaître une
dimension du monde qu'il ignorait encore. Au niveau de
l'expérience quotidienne, il a aimé ce petit peuple de Paris et
ces « objets inanimés » dont il a vite saisi la poésie. Nous
comprenons qu'il ne se soit pas senti complètement perdu
dans le monde parisien. Nous comprenons que ses randon-
nées dans les rues de la grande cité n'aient pas été seulement
des courses de pirate affamé qu'il évoque dans *Honorine*
mais aussi des flâneries d'un charme bien différent qu'il nous
décrit dans ce passage célèbre de *Facino Cane* :

> Lorsque entre onze heures et minuit je rencontrais un ouvrier
> et sa femme revenant ensemble de l'Ambigu Comique, je
> m'amusais à les suivre depuis le boulevard du Mont-aux-
> Choux jusqu'au boulevard Beaumarchais... C'était alors
> des détails de ménage, des doléances sur le prix excessif des
> pommes de terre ou sur la longueur de l'hiver et le renchéris-
> sement des mottes... En entendant ces gens, je pouvais
> épouser leur vie, je me sentais leurs guenilles sur le dos, je
> marchais les pieds dans leurs souliers percés; *leurs désirs,
> leurs besoins, tout passait dans mon âme, ou mon âme passait
> dans la leur* [3].

---

1. Balzac dira de manière très pénétrante à Mme Hanska le lien qui existe,
pour lui, entre solitude et souffrance, d'une part, observation, de l'autre : « il
n'y a que les âmes inconnues et les pauvres qui sachent observer, parce que tout
les froisse et que *l'observation résulte d'une souffrance* » (*Étr.*, I, IV). Ce texte
permet de tracer fermement la ligne qui sépare l'observation balzacienne de
celle des divers Hermites.
2. *La Peau de chagrin*, p. 97. *Id.*, plus loin : « Je diogénisais avec une incroyable
fierté » (p. 105), et la lettre à sa mère : « Après le laborieux hiver que je viens de
passer, quelques jours de campagne me seraient nécessaires. Non maman, ce
n'est pas pour fuir ma bonne vache enragée. *J'aime ma vache*, mais quelqu'un près
de vous vous dira que l'exercice et le grand air sont bien utiles à la santé de
l'homme. » De même fin septembre, il reproche amicalement à Dablin de rester
un mois « sans venir Lesdiguériser » (*Corr.*, I, p. 44.).
3. C.H. VI, p. 66-67. Ces lignes fameuses ont été remarquées pour la première
fois, sans doute, par Gautier (*op. cit.*, p. 70) qui devance Baudelaire dans l'idée
d'un Balzac visionnaire : l'article de Gautier est de 1858, celui de Baudelaire
de 1859, tous deux parus dans *L'Artiste*.

On a beaucoup admiré ce texte, sans prendre suffisamment garde peut-être que ce peuple dont parle ici Balzac, il ne lui a guère fait place dans sa *Comédie humaine*, dont les ouvriers en sont totalement absents; il ne semble pas avoir tiré grand-chose sur le plan romanesque de cette sympathie dont il parle ici. Mais contentons-nous de voir dans ces lignes l'attrait exercé sur Balzac par la réalité, par la *vie*. Là où nul n'aurait soupçonné quoi que ce soit d'intéressant, il découvre des raisons de se passionner, de prendre parti. Qui donc fut jamais moins séparé du monde que lui, sinon par cette extraordinaire puissance de vision et de pénétration? Dès ses débuts, alors que, sous l'influence de la lecture et de la méditation, certaines parties de son âme souffrent un dur martyre, il entrevoit un véritable *bonheur* dans la compréhension et l'interprétation de l'humanité qui vit autour de lui.

Cette communication qui s'établit entre lui et la masse humaine, c'était sûrement le meilleur moyen d'échapper à l'épuisant dialogue, même si parfois séduisant, avec soi-même. En accord profond avec les hommes au milieu desquels il vit, Balzac retrouve le vieil élan de l'optimisme bourgeois. Nous voyons s'ébaucher en ce moment le personnage du flâneur à qui on sera redevable des innombrables reportages des *Œuvres diverses*. Laure nous a parlé des interminables promenades de son frère sur les quais de la Seine [1], et lui-même nous dit : « Oh! errer dans Paris! adorable et délicieuse existence! Flâner est une science, c'est la gastronomie de l'œil. Se promener, c'est végéter, flâner, c'est vivre [2] ». René, Amaury se promènent. Ils dérobent en voleurs quelques impressions fugitives à la cité qu'ils traversent sans l'aimer. Le flâneur, lui, rapporte de ses pérégrinations une ample moisson de croquis et d'images; son œil éveillé accueille avec une joie toujours nouvelle les spectacles changeants d'un monde inépuisable. Appuyé aux parapets de la Seine, sur les hauteurs du Père-Lachaise [3], dans le tourbillon du boulevard de Gand, sa curiosité tourne aisément à la badauderie, mais même alors, elle révèle une sorte d'ingénuité qui en dit long sur sa jeunesse de cœur. Le flâneur n'a pas fait le tour des connaissances humaines; il n'a pas pesé la cendre des empires; il n'a pas lu tous les livres, ni épuisé les sensations; il ne

---

1. *Op. cit.*, p. 28.
2. *Physiologie du mariage*, C.H. X, p. 620.
3. Avoir [...] « *La Nouvelle Héloïse* pour maîtresse, La Fontaine pour ami, Boileau pour juge, Racine pour exemple, et le Père-Lachaise pour me promener. Ah! Si cela pouvait durer toujours! » (*Corr.*, I, p. 60, nov. 1819) .« Je te quitte pour aller au Père-Lachaise faire des études de douleur [...] Me voilà revenu du Père-Lachaise où j'ai piffé de bonnes grosses réflexions. (*Ibid.*, p. 62.)

s'est jamais élevé à ces hauteurs métaphysiques d'où l'on juge les hommes et leur histoire. Il y a là une attitude on ne peut plus éloignée du vague à l'âme et de la mélancolie, à plus forte raison du désespoir, une attitude d'acceptation et d'amitié pour le réel. Le « sépulcre aérien » de la rue Lesdiguières n'est pas le château de Manfred, le nid d'aigle au milieu des glaciers d'où l'orgueilleux solitaire mesure l'universel néant. C'est la retraite studieuse d'où le jeune homme descend parfois se mêler à la foule avec un sentiment profond de bien-être et d'intérêt. Sans doute, garde-t-il d'autres ambitions, et Raphaël se détourne de l'humble Pauline pour courtiser l'inaccessible comtesse Fœdora; sa conception triomphale de l'univers le garde de se fondre totalement à la réalité populaire, et ses expéditions chez les prolétaires seront souvent des héroïsmes de fils de famille qui va voir les fauves. Pourtant, cette vérité, cette solidité qu'il cherche de toute son âme, il les découvre en partie autour de lui, dans le monde du faubourg et de la boutique. Loin des splendeurs desséchantes qu'il n'atteint que par un effort épuisant de son imagination, il trouve à portée de la main une humanité qui vit intensément, avec ses passions, ses inquiétudes et sa poésie. Balzac devine la dynamique profonde de cet univers : les marchés que l'on discute, la petite guerre entre fournisseurs et pratiques, la lutte avec les chefs d'atelier et les employeurs. Prenant le corps et l'âme de ces hommes, il exerce à fond ses facultés de sentir et de penser, non plus à vide, mais selon un mécanisme vivant qui lui fait ressentir dans la vie sociale une direction, un sens. Le monde est autre chose qu'une machine patraque; des lignes de force se dessinent, un édifice semble s'élever. Le monde n'est pas qu'un vaste décor pour les tragédies personnelles; il a ses lois propres, il est indépendant; il *existe*. Mais cette indépendance n'écrase pas l'homme, puisqu'il peut la comprendre et la revivre en lui-même, puisqu'il peut la recréer. Werther se désolait de ne voir aucune unité dans le dessein de l'univers. Balzac commence à en entrevoir une. Sans porter encore de jugements de valeur, il adhère avec joie à ce *positif* qu'il découvre. Par là il sort de soi, il approfondit et fortifie ce goût inné pour la vie, cette « cordialité pour le réel [1] » qu'il avait hérités de son milieu et de son éducation. En même temps, une inquiétude intellectuelle et sentimentale permanente le préserve de s'engourdir au contact d'une réalité trop aisément acceptée. Ainsi s'établit entre réalisme et révolte un équilibre vivant. Les plats

---

1. L'expression est d'André Bellessort.

« réalistes » bourgeois comme les Hermites ne sont *que* des flâneurs; trop peu d'exigences, en eux, dans les profondeurs, guident leurs regards et leurs réflexions; ils ne verront donc pas les drames, ce qui emporte, ce qui grandit, ce qui ronge, ou ce qui tue, ce réel, pour eux uniquement agréable. Mais les purs révoltés, les purs inadaptés, ou les insoumis, les hommes coupés du siècle et réduits à eux-mêmes, ne seront *que* révolte et solitude, ne verront pas le sens, les valeurs, de ce réel qui leur est étranger. Les autobiographies balzaciennes ne seront jamais de purs documents psychologiques; elles s'inséreront toujours dans un tableau social, historique, qui ne leur sera pas simple toile de fond, mais bien consubstantiel milieu. La période de la rue Lesdiguières, jusqu'au travers de ses diverses évocations romanesques, apparaît ainsi comme le point de départ de la vision balzacienne en ce qu'elle a de spécifique : vision d'un réel vu, d'un réel accepté, et d'un réel compris.

Une nouvelle période commence après le retour à Villeparisis. Pendant trois ans, Balzac va, de nouveau, vivre en famille. Il va faire la connaissance de son beau-frère Surville, polytechnicien, ingénieur des travaux publics, qui emmènera à Bayeux sa jeune épouse, en attendant mieux. En même temps, il va pénétrer dans certains milieux littéraires et journalistiques, parfaire sa connaissance de Paris. Il va se lier, enfin, avec Mme de Berny. C'est dire que les découvertes personnelles vont désormais l'emporter largement sur l'héritage de la culture. Il n'en demeure pas moins un « homme de famille [1] », et c'est sur ce fond familial qu'il faut comprendre l'étape de sa formation, de sa découverte du monde.

Son père, d'abord, est toujours là, solide au poste, chef de famille à éclipses, et qui laisse souvent la place à son insupportable épouse, mais présence toujours vive. Sa « philosophie » avait largement survécu à la chute de l'Empire, et la Restauration n'empêchait pas ce fonctionnaire retraité de continuer à voir l'Histoire selon Voltaire. De Villeparisis, en juillet 1821, à Laure, qui lui avait posé des questions sur Moïse et Jésus (Bayeux n'endormait pas toutes les facultés de la jeune mariée!), il répond par une longue épître qui en dit long sur tout ce dont, visiblement, il déborde. On peut aisément penser que les loisirs de la retraite étaient généreusement consacrés aux bonnes lectures :

---

1. Cf. Suzanne Jean-Bérard, *La Genèse d'Illusions perdues.*

Premier point. Les uns ont cherché tant qu'ils ont pu l'origine de ce monde et sont montés aussi haut qu'ils ont pu, les autres se sont peu souciés de ces recherches ; quelques-uns par friponnerie se sont efforcés de le faire plus jeune qu'il n'est, comme ces vieux et vieilles qui veulent attraper quelqu'un peu instruit. Tel est le concile de Trente. Ces bons chrétiens après avoir tenu des assemblées pendant quarante ans ont donné 1836 ans de moins au monde qu'il n'a pour mieux le gouverner à leur profit, les souverains les ont crus et les peuples ont dit amen et le disent encore malgré les vérités des monuments découverts prouvant le contraire. Tel est le point de chronologie générale.

Deuxième point. On ne peut savoir combien de millions d'années le genre humain a existé divisé en trois mondes, chacun d'eux se croyant seul sur la terre : le monde que j'appelle européen comprenant l'Afrique, l'Égypte, une grande partie de l'Asie qualifiait sa grande prison d'univers, la Chine, le Thibet, le Japon et cette extrémité de l'Asie orientale se qualifiant aussi d'univers et toutes les régions de ce que nous appelons l'Amérique croyaient aussi que le soleil et le ciel étaient faits pour elles seules.

Le pauvre genre humain ainsi parqué a patraqué, savoir l'Europe et la région chinoise jusqu'au règne de Saint-Louis qu'un capucin de Vatan, près Paris, a pédestrement pénétré en Chine, puis est retourné l'apprendre à toute l'Europe. On ne l'a pas cru, et s'il n'eût été mendiant et trop misérable, il aurait été sinon brûlé, du moins persécuté. On le laissa pourrir sous sa besace [1]... »

Et l'on continue avec l'évocation de Christophe Colomb, « fils d'un cardeur de laine » et de ses mésaventures, puis avec celle de la découverte des almanachs chinois et des objections qu'elle a fait naître contre la chronologie biblique et la thèse du déluge. Et voici la conclusion : « Tu vois donc à quel point le genre humain a été borné, puisque depuis sa primitive existence il a vécu sur la terre séparé en trois mondes sans que l'un connût l'autre, jusqu'au commencement du xve siècle que TOUTE LA GRANDE FAMILLE A FAIT CONNAISSANCE ». Les artisans de ce progrès décisif, c'est Colomb, le capucin, les savants, les historiens, non les rois, les prêtres, les philosophes (au sens, bien entendu des métaphysiciens). Et ce progrès s'il a pu se faire, ce fut bien malgré les éternels adversaires des « lumières » : « Si un certain parti avait pu réduire en cendres les annales des Chinois dans lesquelles on ne peut faire aucun changement à peine de mort, il aurait sacrifié

1. *Lov.* A 379, f° 12, sq.

tous les trésors du monde. » Et ce même parti, il aurait sans
doute, s'il l'avait pu, escamoté l'Amérique, où l'on a découvert des civilisations qui s'étaient constituées sans avoir eu
aucun point de contact avec le berceau traditionnel de l'humanité! « Alors tu jugeras le conte qu'on nous a fait sur mille et
mille choses. »

Oui, Bernard-François déborde; il a besoin de dire ces
choses; elles sont tout son passé, tout lui. Quel ancrage dans
la certitude! La réunion de la « grande famille », vision encou-
rageante d'homme du xviiie siècle, a survécu aux récentes
expériences de séparation. Est-ce que, pour Bernard-François,
la chute de l'Empire, l'occupation, la Sainte-Alliance, ne
seraient que des accidents, non susceptibles de remettre en
cause la marche en avant? Une telle interprétation ne serait
pas impossible pour un homme doué d'une grande hauteur
de vues. Mais, pour Bernard-François, il s'agit bien un peu
de « dadas », c'est-à-dire d'idées qui ont pu, jadis, donner
un sens à une vie, à une pensée, mais qui se sont légèrement
sclérosées, indifférentes aux leçons d'un réel qui a singulièrement évolué. Honoré pourra garder *l'élan*, non *la forme* de cet
élan. On a l'impression, à la lecture de cette lettre, que la
question de Laure avait été diablement bien venue! Mais que
pouvait, réellement, signifier pareille réponse pour la jeune
exilée aux prises avec les difficultés de son ménage? C'est ici
que la faille commence à se dessiner avec netteté : *la vie privée
sera un argument contre l'optimisme de la philosophie.* Rien,
pratiquement, des développements de Bernard-François,
n'engrène sur le réel que Laure et d'autres sont en train de
découvrir et de vivre. Les problèmes de chronologie, et leurs
conséquences : vieux épisodes de la lutte de jadis contre les
forces qui garrottaient les énergies nouvelles de la bourgeoisie.
Mais, en 1822? L'expérience de Laure, comme celle d'Honoré,
n'est pas l'expérience d'êtres qui rejoignent, progressivement,
le gros d'une humanité jusqu'alors artificiellement divisée par
ceux qui y avaient intérêt; c'est, au contraire, l'expérience
d'êtres qui se séparent peu à peu, impitoyablement, d'une
humanité que leur jeunesse, leur formation, leur avait fait
attendre plus unie et marchant en avant. Ce double schéma
est à la base du malentendu des deux générations : Bernard-
François, parti seul, s'était intégré à une communauté qu'il
avait renforcée, et qui l'avait renforcé. Ses enfants, partis
avec tout le monde, se sont trouvés de plus en plus seuls, de
plus en plus condamnés à faire leur trou selon des lois non
d'association, mais d'impitoyable lutte. Si Bernard-François,
parfois, radote, si « papa n'est plus dans le coup », gardons-

nous bien de ne voir que l'aspect personnel et psychologique de la situation. Il demeure quelque chose de formellement émouvant dans cet optimisme historique, et s'il apparaît comme singulièrement déphasé, c'est que l'Histoire a quelque peu changé de cours. On donnera toute son importance au fait que Balzac, parmi les revenants et vétérans qu'il peindra dans sa *Comédie humaine*, s'il ridiculisera Châtelet, vieux coureur impérial d'antichambres, gardera toujours beaucoup de respect pour les vieux philosophes de la race du docteur Minoret, et il s'agira là, sans doute, d'autre chose que de simple piété filiale : salut du romancier à des hommes, à un type de pensée qui, pour avoir été mis dans leur tort par l'évolution de la société qu'ils avaient lancée, n'en gardent pas moins, en droit, à ses yeux, leur grandeur. Comme toujours, ni caricature, ni splendides visions : Bernard-François faisant l'école à Laure n'est dans l'erreur que d'une manière presque pathétique. Lui, ne se voyait pas être ainsi à côté. Mais Honoré ?

D'autant plus que c'est avec lui que Bernard-François se plaisait le plus à discuter, à échanger des idées, à prêcher. Mme Balzac dira plus tard à son fils : « Tu ressembles à ton père pour l'esprit et pour le moral[1] », et Laure écrira : « Les graves entretiens du père avancèrent le fils dans la science de la vie[2]. » Ces « graves entretiens », on ne saurait les dater d'avant les années parisiennes, et probablement de celles qui suivirent la retraite rue Lesdiguières. La preuve s'en trouve, par exemple, dans une *Note sur le projet de réunir en deux volumes le texte de toute la législation qu'il est possible de connaître depuis l'établissement de la royauté en France*. Bernard-François y examine rapidement les divers recueils existants (Marcusse, Rebuffe, Fontanon, Baluze, Domat), et conclut à leur insuffisance. Il serait donc nécessaire d' « offrir la juste collection entière de notre législation sous quelque domination qu'elle ait existé, telle que celle de capitulaires, chartes, règlements, ordonnances, édits, déclarations, lettres patentes, etc.[3] ». On reconnaît le vieil esprit encyclopédique, avec, immédiatement, l'intention combative qui anime cette demande de compilation :

> Cette besogne est d'autant plus nécessaire, que le pouvoir, le crédit, de certains corps ont fait écarter de ces collections certaines lois qu'on a de la peine à trouver. Je n'en citerai qu'un seul exemple. Vers 1740, le feu était près d'embraser

1. L. F., p. 417 (lettre du 6 juillet 1849).
2. Laure Surville, *op. cit.*, p. 15.
3. *Lov.* A 379, f° 161.

la France et le diocèse de Paris, parce qu'on refusait à volonté la communion publiquement dans les églises à quiconque ne plaisait pas. Louis XV adressa au Parlement de Paris une déclaration qui fut enregistrée purement et simplement; elle ordonne qu'il sera procédé extraordinaire- ment contre tout prêtre qui refusera publiquement l'hostie à tout individu qui se présentera à la Sainte Table, et qu'il sera condamné à peine afflictive comme perturbateur de la tranquillité publique. Je n'ai trouvé cette loi dans aucun recueil. Je ne l'ai vue que dans les registres du parlement, et n'en ai trouvé le texte imprimé mot à mot que dans l'*Encyclopédie*. Elle est tellement ignorée, que, depuis la fermentation nouvelle qu'ont occasionnée les missions jésuitiques [1], elle n'a été citée par aucune brochure ni par aucune feuille publique [2]. Cette loi déclarative n'a pourtant jamais été révoquée [3].

A qui était destinée cette notule, *in fine:* « Lis comme tu voudras, car je n'ai pas eu la patience de relire »? [4] A Honoré, bien sûr, que ses connaissances juridiques désignaient comme assistant, et c'est probablement lui qui a entouré de sa plume, sur une feuille de librairie qui figure dans le dossier, cette annonce : « Répertoire alphabétique et chronologique par ordre de matières des lois tant anciennes que nouvelles, imprimées et manuscrites, depuis 1840 jusques et y compris 1815, ouvrage utile aux administrateurs, jurisconsultes, avoués, etc., par J. Grouvel, employé au ministère de l'inté- rieur. Un fort volume, très grand in-8°, imprimé sur deux colonnes, 9 francs [5]. » Cet « échange » a eu lieu, entre père et fils, au moment où celui-ci commence à écrire. Il ne dut être qu'un parmi bien d'autres, et le secrétaire d'occasion (il faut bien se rendre utile en famille, lorsqu'on ne gagne pas sa vie), dégrossi par Guyonnet-Merville, dut se muer plus d'une fois, en auditeur à qui l'on était tout heureux de développer de chères idées. Remarquons bien que la référence aux missions, la leçon faite en passant aux journaux de l'opposition cepen- dant qui font mal leur travail, montrent un Bernard-Fran- çois toujours sur la brèche, retrouvant grâce à Villèle une agressivité, une virulence, une justification dynamique de ses fidélités, qu'aurait risqué de lui faire perdre une Restauration

---

1. Ces missions, qui furent prêchées à Paris en 1821, seront mises en scène par Honoré en 1823, dans *Anette et le criminel*. L'allusion de Bernard-François à un fait qui ne semble pas tout récent, permet de dater sa note de 1822 au plus tôt.

2. Notons l'archaïsme. C'est le langage d'un « classique ».

3. *Lov.* A 379, f° 161.

4. *Lov.* A 379, f° 162.

5. *Lov.* A 156, f° 45.

plus constitutionnelle, héritière sans tant rechigner, de la Révolution et de l'Empire. On retrouve cette combativité, en 1824, au moment de la parution d'une brochure sur le droit d'aînesse [1] : Bernard-François fourbit ses armes, rassemble idées et documents, rajeuni, prêt à repartir. Quelle santé! Et, précisément, cette santé, la voici qui reparaît, avec tout son cortège, réconfortant, époustouflant. Au moment où Honoré est à Bayeux, chez Laure, en juin 1822, le chef de famille, dans un post-scriptum, s'adresse à son fils, parti assez mal en point :

> Prends garde de bien consulter tes forces physiques pour ne jamais les excéder, sans quoi tout croulera, puis prends garde à tes édifices, les matériaux pour les fonder sont si innombrables, les bons à choisir si difficiles à démêler dans cet océan qu'on ne saurait trop se hâter lentement : tous les philosophes se sont trompés malgré leur effrayante science, qui se réduit à rien, tandis que les abus ont toujours gouverné et maîtrisent encore le monde, chose encore plus effrayante, et quelqu'un qui veut cocasser cette vermine doit avoir un tact fin, un jugement exquis et un style pur et proportionné au genre *qu'il traite*, rien n'est plus difficile parce que le grand théâtre du monde doit remuer de toutes les manières de spectateurs blasés rassasiés de tout ce qu'on a pu inventer au point que pour les réveiller Volange leur a présenté le plus commun et le plus fort de tous les ambres pour les réveiller et je les ai vus aller à la pièce cent vingt fois de suite : il faut tout saisir, juger profondément, mettre en œuvre sans se décourager. Je t'embrasse [2].

Saluons, une fois encore, bien entendu, le style. Remarquons ensuite la tendance à « philosopher », fût-ce pour récuser les philosophes, l'allusion aux « abus », vieux mot du siècle précédent, les conseils de patience et d'application, le goût des aphorismes. Mais surtout, notons, au travers de ce pathos, l'allant d'un homme qui n'est jamais battu, qui a toujours quelque chose à dire, d'une inépuisable et infatigable confiance en soi. Bernard-François n'est jamais en retrait. Il parle, il « pense », il conseille. Incontinence? Oui, mais ce qui nous importe, outre tout ce qu'en a pu garder Honoré par les voies de l'hérédité, c'est la nature de l'influence exercée. Rien de triste là-dedans, bien au contraire, rien de reployé ni d'amer, une ouverture un peu hâbleuse, de l'assurance faite d'instincts, de souvenirs de lectures, de réussites personnelles, d'ambitions. Tout ceci a quelque chose de très Gaudissart.

---

1. Cf. *infra*, p. 651.
2. *Corr.*, I, p. 186-187.

Une lettre du 28 juillet suivant est encore plus significative.
On y retrouve le même style souvent fleuri et qui ne s'embarrasse pas de clarté :

> Tes deux bouquets m'ont fait grand plaisir, ils sont
> composés des plus belles fleurs que la nature puisse produire,
> elles ne me coûteront aucun soin pour conserver leur beauté
> par des arrosages, leurs racines sont dans des sentiments que
> rien ne peut altérer et leur fraîcheur sera éternelle malgré
> le prochain changement de logement et bien d'autres que la
> marche du temps nous donnera [1].

Mais surtout, Bernard-François nous y livre l'essentiel de sa
pensée : optimisme inaltérable, goût de l'Histoire et de la
réflexion sur l'univers, bavardage, aussi, il faut bien le dire,
d'autodidacte quelque peu brouillon :

> Sans nous inquiéter trop du mobilier, des teignes et de la
> poussière, tâchons de jouir gaiement, de faire sans cesse la
> chasse à l'ignorance pour dérober quelque secret au grand
> faiseur et endormir le plus longtemps possible l'une de ses
> trois servantes, assez d'autres sans nous grossissent et
> encombrent leur empire inconnu et doivent les tracasser pour
> obtenir des places, des conditions, des distinctions et des
> jouissances; quel sabbat que tout cela depuis environ
> deux mille trois cents ans qu'on a découvert que chacun a
> une âme impérissable pour nous consoler en nous égalant aux
> innombrables masses roulant sans nulle altération dans
> l'espace incompréhensible de l'univers. C'est beau, mais quel
> fracas ne font pas toutes ces âmes d'autant plus qu'il n'y a
> ni haut ni bas? et que peut-être un jour elles se mettront
> en révolution et nous viendront piquer partout comme les
> invisibles *rougets*, pour le coup les femmes seront bien forcées
> de quitter leurs jupes si elles ne veulent être obligées de se
> gratter sans cesse devant tout Israël [2].

Comprenne qui voudra ou qui pourra. Y a-t-il dans cette suite
de propos ébouriffants une fantaisie à la manière de Rabelais?
On distingue toutefois des lambeaux de signification : appel à
la jouissance, chasse à l'ignorance, allusion au « sabbat »
des ambitions, à la découverte (par Pythagore? Bernard-
François dit « environ » deux mille trois cents ans), tout
humaine, de l'immortalité de l'âme (on a vu ce thème dans les
Notes philosophiques); on perçoit surtout que le langage, loin
d'être mis en cause, loin d'être illusoire ou mystificateur,

---

1. Honoré venait de souhaiter l'anniversaire à son père, et c'est à quoi se
réfèrent, sans doute les « deux bouquets ». Bernard-François rappelle, aux premières lignes de sa lettre qu'il y a « soixante-seize ans et quelques jours », il commençait « à faire quelque bruit dans ce monde à quatre heures du matin ».
2. *Lov.*, A 379, f⁰ 31 et 32. *Corr.*, I, p. 191-192.

apparaît comme un extraordinaire moyen d'affirmation et de communication. On ne s'acharne sur les mots qu'à partir d'un moment bien précis de l'expérience bourgeoise, lorsque les choses et les événements ont commencé à se dérober. On est babillard, chez les Balzac, et les mots y ont, tout naturellement, sans besoin de nul détour par la poésie, par un anoblissement quelconque, leur dignité, leur utilité. Bernard-François, alors que règne dans les arts, dans la culture, dans le style général, ce qu'il faut bien appeler noblesse, distinction, est une figure de la Nature. Comment cette Nature, appuyant certains de ses traits, échappera au vulgaire et au plat, ce sera l'affaire du fils, qui verra, et dira, mais n'inventera pas à partir de rien. Bernard-François n'est pas réductible à son seul pittoresque, à sa seule originalité. S'il rayonne sur les siens, il consonne, aussi, avec eux, avec leur style, avec leurs aptitudes et leurs destinations. Il faut toujours songer pour comprendre Villeparisis, à Combourg, à cette grande salle, à cette cheminée, à ce père qui marche, à ce frère et à cette sœur parlant bas. Stylisation contre stylisation? Mais ici encore, pas à partir de rien. Les substances ne sont pas les mêmes. Les albums de famille traduisent des univers.

Quoi de plus éloigné des figures de rêve ou de fuite, quoi de moins « burgrave » que le père, quoi de moins « sylphide » que la fille, quoi de moins fantastique que les personnes évoquées dans cette lettre de Bernard-François à Laure du 23 mars 1822, au moment même où Honoré se lance dans la romantique aventure Berny?

Comme Diogène, ma bonne Laurette, je cherche depuis longtemps sans lanterne un homme plein de lumière donnant des leçons de sagesse, sans despotisme, découvrant sans prétention les routes où peuvent s'égarer les pauvres humains, montrant sans influencer leurs penchants naturels ce qu'ils devraient faire pour éviter d'éternels regrets, remuant avec douceur leur âme pour la dégager sans secousse de la matière, élevant insensiblement leurs sentiments vers les hautes régions et leur montrant ce qu'il faut faire, leur assurant les éminents avantages dont jouissent les hommes les plus honorés. Je n'ai trouvé tout cela que dans une lettre d'une cauchoise de circonstance à son jeune frère, une de mes espérances. Tu diras à cette Minerve que je l'embrasse de tout mon cœur pour cette douce et salutaire leçon [1].

N'est-on pas chez les gens les mieux équilibrés? Leçons en tout genre, ce qui sous-entend que l'on possède la vérité! Est-ce aveuglement, vanité, de la part du vieux Bernard-

1. *Lov.* A 379, f° 24.

François Balzac? Ou *ne veut-il pas voir* tout ce que, réellement, les entreprises de ce « jeune frère », signifient de mise
en cause des valeurs familiales les mieux établies ? Il est curieux
de voir, souvent, le père, dans des lettres à des tiers, vanter
les « succès » du fils, lesquels, alors, ne sont rien moins que
convaincants [1]. Pourquoi? Cet homme, lui aussi, ne se raccro-
chait-il pas aux branches? Tout va bien! Comme jadis je n'ai
pas voulu voir les « inconséquences » de ma femme (pour
employer le vocabulaire de la *Physiologie du mariage*), je ne
veux pas voir celles d'un fils qui s'est refusé à faire comme tout
le monde. La permission accordée pour la rue Lesdiguières
était un maximum, mais, fin 1821, on avait cherché une place
au jeune homme. Est-ce à dire qu'on tournait à l'aigre, au
tragique? Non pas! La solution Bernard-François, comme la
solution Laure, est que tout s'arrangera, que tout s'arrange.
Honoré a de l'esprit. Il fera une belle carrière. Comment *lui*
donner tort sans *se* donner tort? La famille Balzac, les Balzac
ne pouvaient-ils aisément « digérer » Honoré? N'est-il pas
tellement drôle, d'ailleurs? Pour Pâques 1822, Bernard-
François raconte à Laure les joyeuses soirées de Villeparisis.
On a voulu voir dans ce récit un premier témoignage sur on ne
sait quelles facultés hors série d'Honoré Balzac, sur sa puissance à « faire croire ». Il n'est pas question de nier celles-ci,
en puissance dans l'illusionnisme de 1822. Mais, sur le moment,
de quoi d'autre s'agit-il, exactement, que du contraire, toujours,
de ce qui régnait à Combourg, et sans doute à Saint-Point?

> Honoré, qui n'a rien à faire, nous élève dans les plus
> hautes régions. Ce sont les dieux, les héros, d'Homère,
> assistant au conseil de Jupiter, qu'Honoré met en action;
> une autre fois, ce sont les fureurs de Médée; tantôt, ce sont
> les charmes de Virgile, une autre fois, Roland furieux neutra-
> lise le désagrément d'avoir manqué le roi; quelquefois, en
> écoutant les plus intéressants morceaux du *Misanthrope*
> de Molière, battant en ruine les fadaises, la flatterie, l'hypo-
> crisie, nous ne prenons pas garde qu'il est minuit [2].

Songeons, toujours, aux promenades de M. de Chateaubriand,
aux « Qu'est-ce que vous dites? », au frère et à la sœur terro-
risés... D'autre part, cette admiration pour Alceste, pourfen-

---

1. Exemple, cette lettre du 18 mars 1822 au neveu, notaire de Montirat :
« [Honoré] a développé, depuis environ un an, les grands moyens en littérature.
Il a déjà vendu pour plus de 10 000 francs des ouvrages dont le premier est déjà
imprimé, et les autres sous presse. Si sa santé répond à ses vœux, il fera parler de
lui avantageusement » (*Lov.* 525). Et encore, le 31 décembre 1823 : « Honoré
s'occupe très utilement à de grandes choses » (*ibid.*). A ce moment, Honoré en
sera à son sixième roman tué sous lui, et il tentera une seconde chance en compagnie d'Horace Raisson.
2. *Lov.* A 379, f° 25.

deur d'hypocrisies et de vices, alors que la famille Balzac avait à dire sur ce sujet, quel reste ferme et dru de bonne conscience! Alceste ne trouble pas ces gens, et le bien-dire de Molière couvre la virulence de ses analyses. Les attaques des philosophes et des hommes vertueux, il y a bien longtemps qu'on est habitué à les voir porter sur les autres. Qui se doute, alors, à Villeparisis, que le jeune Honoré, bientôt, va être un dénonciateur, lui aussi, un leveur de voiles? Enrobés de littérature, les grands mythes ne menacent pas les bourgeois. Il faudra enlever les bandelettes.

A la suite, les lettres de Bernard-François sont toujours du même ton allant, plaisant, facile à vivre, *d'un homme qui, certes, n'empêche pas de vivre* des destinataires toujours aptes à les recevoir. Le 18 mai 1822, envoyant Honoré à Bayeux, il recommande bien à Laure : Honoré néglige sa santé, qu'on la lui rende, et qu'il revienne « en forme » : preuve que la vie vaut la peine qu'on y soit. En janvier 1823, répondant à Surville, qui lui avait envoyé ses vœux, il se montre galant homme : qu'Eugène continue à rendre Laure heureuse [1]. Le 21 avril 1824, arrivé à Paris, le bonhomme a cassé ses lunettes : « vous me lirez si vous pouvez [2] ». Le 10 novembre de la même année, alors que tout va si mal pour Honoré [3], Laure reçoit ces nouvelles : « Je ne suis pas étonné que depuis huit jours tu n'aies plus vu Honoré qui a disparu comme un éclair. Si j'étais Hercule, j'hésiterais beaucoup à entreprendre les travaux dont il s'est chargé. Dieu me préserve toujours de le décourager [4]. » Dans la même lettre, Laure se voit communiquer quatre vers de Voltaire qui peuvent toujours, paraît-il, servir en société et faire bon effet :

> *Au-delà du soleil, et loin de cet espace,*
> *Où la matière nage, et que Dieu seul embrasse,*
> *Sous des soleils sans nombre et des mondes sans fin,*
> *Dans cet abîme immense, il leur ouvre un chemin*

Les intentions et implications du troisième *Falthurne*, ébauche de *Séraphita*, les méditations de *Wann-Chlore*, étaient quand même, nous le verrons, d'un autre ordre, en 1823.

Enfin, cette correspondance est semée de confidences sur les espérances touchant la tontine Lafarge. Le 6 septembre 1822, par exemple, Bernard-François explique que l'on

1. *Lov.* A 379, fᵒ 27.
2. *Lov.* A 379, fᵒ 36.
3. Cf. *infra*. C'est le moment où Honoré semble avoir rompu avec ses amis libéraux et ne sait où se prendre.
4. *Lov.* A 379, fᵒ 48.

comptait 11 000 souscripteurs en 1816, qu'il n'y en a plus que 4 000 en 1822; à raison de mille décès par an, « dans cette progression de la mortalité, dans quatre ans, il ne devrait plus rester personne et dans trois ans, je dois jouir d'une augmentation énorme [1] ». Être celui-là le jour où il n'en restera qu'un : double figure de l'optimisme de Bernard-François, et d'un système qui suppose, quand même, éliminations, bénéfices, etc. Mais cette double figure n'est pas encore douloureuse, n'est pas même encore tension, problème. Nous avons repéré plus d'une faille en formation, plus d'une question qui lève, plus d'une dissonance. Sans cesse, par la pensée, nous devançons Bernard-François vers l'avenir qui attend son univers, tenant compte de ce que nous avons, depuis, expérimenté et appris, de ce qu'a exprimé, et donc, en un sens, révélé, *La Comédie humaine*, tenant compte, aussi, de la proche expérience des enfants. Mais s'il est nécessaire et s'il est sain de savoir où l'on va pour comprendre ce qu'est, objectivement, un point de départ, il faut aussi garder à l'esprit que, pour ceux qui vécurent l'aventure, le potentiel et l'avenir ne tranchaient pas alors sur l'immédiat. Bernard-François Balzac, en ces années de Villeparisis, maintient comme en une enclave ce qu'avait de moins romantique, de moins exposé au romantisme, la vie bourgeoise.

Le ménage Surville fournit un autre exemple de vie bourgeoise, prosaïque, dans laquelle une ironie légère et bon enfant joue à peu près le rôle de l'esprit dans les sphères supérieures. « Ma bonne Laurette, lui écrit la grand-mère Sallambier, je te vois dans une jolie position, un charmant appartement, je te vois arrangée comme un bijou [...]. Nous vivons dans l'espérance d'aller te voir dans ton joli ménage [2] », et celle qu'elle appelle la « jolie ménagère de Bayeux [3] », répond par des lettres vives, mais pleines des petits soucis d'une vie sans héroïsme, ignorant l'exceptionnel :

> Veux-tu, à présent, un état de notre situation politique dans le département ? Nous faisons sensation. Mon mari est très aimé et a très bien pris. Nos appointements n'ont pas augmenté et sont toujours de deux cent soixante francs par mois, mais, en ce moment, il y a quelques affaires d'usine que le prédécesseur par paresse a bien voulu laisser dans les cartons, si bien que l'eau viendra au moulin. Ce sont des meuniers en dispute, et l'ingénieur est juge de ces querelles.

1. *Lov.* A 379, f⁰ 35.
2. *Lov.* A 378, f⁰ 113 v⁰ (9 juin 1821).
3. *Lov.* A 378, f⁰ 118 (19 oct. 1821).

Il faut qu'il aille lever les plans des deux moulins, puis calculer qui a tort et qui a raison; chaque journée passée à ces sortes d'affaires lui sont [*sic*] payées vingt-quatre francs, de sorte que chaque querelle rapporte ou peut rapporter cent cinquante francs, mais il faut des meuniers querelleurs [1].

Un peu plus loin, l'on apprend que Surville, pour se faire des suppléments, va s'inquiéter d'avoir des délégations de tribunaux, ce qui rapporte joliment. Il est encore question d'une affaire de monument romain, de fouilles, et c'est pour ces hautes raisons que Surville dîne avec l'évêque, le sous-préfet, etc. Que dire, enfin, de cet autre morceau de bravoure, que Laure elle-même place sous le plus illustre patronage :

> Venons-en à la chose la plus étonnante, la plus ravissante, la plus honorable, comme disait feu Madame de Sévigné, et je pourrais bien ajouter comme elle, je vous en donne en cent, je vous le donne en mille, mais vous ne devineriez pas. Donc, M. Surville est membre de l'Académie de Caen. Que de gloire! Que d'honneur!... Nous avons bien ri, je ne sais pourquoi, car au total, son mémoire était très bien, ces Messieurs de l'Académie n'ont fait que ce qu'ils ont dû, et cela ne lui donne pas une once, cela ne lui ôte pas une demi-once de talent. Je ne sais donc pas pourquoi nous avons ri à nous tenir les côtes, disant qu'il était dans les dignités qu'il allait devenir fier, et d'autres plaisanteries si drôles qu'Honoré sait si bien ajuster sur un sujet. Eugène a soutenu toutes les attaques avec fermeté, méditant peut-être un discours sur les inconvénients des grandeurs. Amen [2].

Comme on comprend que le frère ait envoyé à sa sœur, un mois auparavant, cette irrespectueuse missive sur Lamartine et son Anglaise! Où trouver, dans tout cela, place pour le moindre romantisme?

Est-ce à dire que le ménage Surville, que l'atmosphère Surville, aient été totalement indemnes d'inquiétude? Non pas! L'ingénieur ni sa femme n'étaient guère satisfaits de leur médiocrité. Mais ce qui compte, dans les lettres où Laure récrimine, c'est *le ton*. Cette Camusot du Bessin veut améliorer son sort, mais son énergie, son ambition ne sont rien moins que mélancoliques. Laure ne s'ennuie pas. Elle fonce, un peu

---

1. *Lov.* A 378 *bis*, f° 21 (4 juill. 1821).
2. *Lov.* A 378 *bis*, f° 24 (non datée, entre janv. et août 1822). Le mémoire de Surville, très précis, soigneusement illustré, se trouve à la Bibliothèque nationale. (*Mémoire sur les vestiges des thermes de Bayeux, découverts en 1760 et recherchés en 1821 par ordre de M. le comte de Montlivault, préfet du Calvados, communiqué à l'Académie de Caen et lu dans la séance du 24 mai 1822, par M. Surville*, Caen, imprimerie de Chalopin fils, 1822).

rageuse, un peu courte, même, en ses désirs bourgeois, mais terriblement « efficace » d'intentions. Sylphide moins que jamais, la sœur du futur créateur de *La Comédie humaine* est définitivement dépourvue de dimension métaphysique. Écoutons-la, cette « femme supérieure » :

> Je verrai donc enfin des profits à venir, que je désirais avec ardeur, car, depuis que je vois que l'argent est la meilleure denrée de ce monde, je suis devenue un peu Babonnette de mon métier, honnête s'entend. Quant aux 600 francs reçus, les 250 francs de loyer, les 100 francs d'épicier, 60 francs de boulanger, les 95 francs de taies d'oreillers et de nappes, l'oreiller et le traversin d'ami, la table d'acajou raccommodée, en ont tellement fait justice que nous sommes gros Jean comme devant. O saintes usines, quand viendrez-vous améliorer l'état des recettes! Saints Plans! saints Profits! saint Paris! sainte Fortune! encore est-il que si nous vivons un peu au jour le jour, nous ne devons rien que neuf douzaines de torchons, et c'est bien heureux [...]. Surtout, guettez toujours la résidence de Paris. Je me soumets encore à huit mois d'habitation à Bayeux, après cela, je fais le Diable, je prends le spleen, je fais enrager père, mère, amis, connaissances, je crie après les Ponts et Chaussées [1]...

N'est-on pas, ici, tourné vers l'avenir, vers l'action? N'est-on pas déterminé, confiant, aussi bien en soi-même qu'en la validité des mobiles qui font agir? Laure peut être âpre. Elle n'est jamais plaignarde. Au début de 1823, alors que tout se mettra à aller mal dans la famille Balzac (difficultés avec Henri, inquiétudes à propos du ménage de Laurence, déceptions de carrière pour Surville), elle écrira à sa mère : «Avant de juger le ménage M[ontzaigle], attends 18 mois; avant de te désespérer sur Henri, attends quelques années; avant de gémir sur les enfants Surville, connais leur résignation [2]. » Celle qui écrit ceci n'a que vingt-deux ans, et les points les plus sombres des affaires de sa famille ne réussissaient pas à la faire se complaire dans la tristesse. Comment s'étonner, dès lors, qu'elle ait toujours eu confiance dans son frère? *Clotilde de Lusignan* la décevra, mais, ferme et lucide, elle défendra le jeune romancier contre sa mère, affirmant qu'il s'améliorerait, se corrigerait, réussirait [3]. Au printemps 1822, alors qu'il sera auprès d'elle, ce sont encore des proclamations de confiance qu'elle enverra à Villeparisis : « Nous sommes bien

1. *Lov.* A 378 *bis*, f⁰ 24-25.
2. *Ibid.*, f⁰ 37.
3. *Études balzaciennes*, n⁰ 7, nouvelle série, avril 1959, p. 255 sq.

contents d'Honoré, et trouvons un aussi grand changement en bien dans sa santé comme dans son moral. Je crois qu'Honoré, avec son imagination *et son énergie*, fera sa fortune, et parviendra haut [1]. » C'est alors que Laure, gaiement, se lancera, avec son frère, dans la rédaction d'un roman : *Le Vicaire des Ardennes.* Pour ajouter quelques écus au maigre traitement de l'ingénieur? Certes, mais pas seulement. Ces retrouvailles, d'ailleurs, comme elles durent être gaies! Que de choses à se dire, de souvenirs à évoquer, de projets à caresser! L'ambition se fait bon enfant, et, malgré les courants profonds, la tonalité se maintient au détendu.

Imagine-t-on Molière à Combourg ou à Saint-Point? On l'imagine très bien, en tout cas, à Villeparisis ou rue du Bois-Doré, et c'est quelqu'un qui s'y connaît qui le dit : « Dans notre famille, note Honoré, nous sommes très exagérés. Mon père, qui se prétend le moins exagéré, racontait un jour qu'en écrivant à ma mère, il lui disait que, malgré son absence, on se couchait encore quelquefois à minuit, tant on s'amusait. Oh! minuit, dit ma grand-mère, qui se couchait avant dix heures! Eh bien, reprit mon père, ne faut-il pas forcer un peu? [...] Il [mon père] était âgé de soixante-dix-huit ans et ne voulait pas aller au théâtre, parce que, disait-il, il voulait avoir ses aises. Je lui représentai que les grands acteurs finissaient, et qu'il fallait des vingt ans pour en avoir d'autres. — Eh bien, j'attendrai. Ce mot trace son caractère. [...] Ma grand-mère disait qu'il n'y avait pas de bonheur en ce bas-monde. C'est que vous en voulez trop, répondit-il. *Si Molière avait vécu, ces trois saillies n'auraient pas été dites devant lui impunément* [2]. » On connaît assez les nœuds de vipère de *La comédie humaine*, on en parle assez, pour insister sur ces textes et sur cette innocence. Bien vite, elle deviendra nostalgique, et ne paraîtra plus que dans les souvenirs de Rastignac exilé à Paris, dans les charmantes lettres de ses sœurs. L'innocence sera derrière soi; c'est cela le romantisme, plus tard, mais maintenant?

Le romantisme? Ce romantisme qui aurait pu parler à un cœur de vingt-deux ans, qu'en pense Balzac, en cette « belle saison » de Villeparisis? A Laure qui s'ennuie à Bayeux, il fait la leçon : « Comment, sœur, ignores-tu que le chagrin ne prouve rien, n'avance à rien et ne sert de rien? *Si le chagrin était un plaisir, encore passe...* [3] ». On ne saurait mieux récuser

1. *Lov.* A 378 *bis*, f° 25, v°.
2. *Lov.* A 158, f° 80. *Caractères, anecdotes, mots de société,* etc. Ce recueil fait par Balzac contient des textes de dates variées.
3. *Corr.*, I, p. 97.

l'un des thèmes majeurs du romantisme depuis Rousseau :
le goût pris à sa propre tristesse. La nouvelle mariée n'était
tenue ni de connaître Beaumarchais ni d'en apprécier, dans sa
situation, les vertus curatives. Mais elle-même donnait-elle
dans la mélancolie? Certes non, nous l'avons lu. Et puis,
quel exemple lui était donné! Vingt-deux ans, ni indépendance,
ni place, ni sort, avalant goujons et bouillons [1]. Mais quoi!
Quelques romans, et il s'assurera cent mille écus sur le public!
Suivent quelques cancans sur les connaissances, le fameux
récit de la manifestation pour Lallemand, la non moins
célèbre demande concernant une veuve à marier, avec promesse d'épingles de 5 % sur la dot. Quant à Villeparisis, les
choses vont plutôt mal, ces dames ont leurs nerfs, et l'on
s'y observe « comme Turenne et Montecucculi ». Ah! pourquoi
tout le monde ne prend-il pas la vie comme Laure; comme
Honoré, « *à la bonne franquette* [2] »? Aux sombres ardeurs
gothiques de Combourg, René n'oppose que ses passions,
son ardeur un peu fatale solitude à autre solitude, *jamais la
joie, la gaieté*. Des premières lettres de Laure à Honoré,
au temps de la mansarde, aux lettres de 1822, le courant
est le même, de partage, de bonne humeur, d'entreprise. Il
n'est jamais question de livres à lire ou à méditer, mais de
livres à faire. Il n'est jamais question d'une vie qui soit
derrière, mais uniquement d'une vie qui est en avant. Répétons-le : tout ceci datera, vite; mais, quand même, comme
les familles bourgeoises entrent dans le XIXᵉ siècle!

Si bien qu'on en vient à se poser la question : comment
de la poésie, comment « du drame », comment un authentique
sens des problèmes, des êtres, des choses, ont-ils bien pu
naître dans un tel milieu? Comment autre chose que les platitudes du réalisme familier ou les irrévérences de la tradition gauloise a-t-il bien pu sourdre de cet immense pot-au-
feu? Comment s'est faite la transmutation? La part du génie
est certes incontestable, mais il a bien fallu qu'il y ait eu,
dans les matériaux utilisés, un potentiel de pathétique pour
que le génie ait eu quoi que ce soit à *voir* et à *interpréter*.

Il y a d'abord, le grand élan optimiste des familles bourgeoises, avec leurs carrières à faire, leurs fortunes à fonder,
leurs réputations à construire, et pour quoi on ne saurait
compter sur rien d'autre que soi-même, tout ce « romantisme »
sans le savoir du grand lâchage des énergies. Surville, obscur
débutant dans les Ponts et Chaussées, Balzac, obscur débu-

1. *Corr.*, p. 98
2. *Ibid.*, p. 101.

tant dans les lettres, comme jadis Bernard-François arrivant
à Paris, ce sont là les premiers éléments d'exigences, de
dynamisme, de désillusions aussi, face à certaines découvertes,
une fois explorées certaines difficultés. La vie, chez ces gens,
est ouverte, mais elle est aussi inquiète. On veut de plus en
plus, mais le monde est de moins en moins facile.

Il y a ensuite les drames de la « vie privée ». Outre, en
effet, les bouillonnements de l'ambition, il faut tenir compte,
derrière la façade de bonne humeur, de drames et de souffrances réels. Les budgets pénibles, les malentendus qui
séparent et aigrissent, les déchirements conjugaux, les rapports parfois difficiles entre enfants et parents, belle-mère
et gendre, voilà, en puissance, toute une « poétique » nouvelle.
« Bons bourgeois », certes, mais qui vivent, éprouvent, souffrent parfois. Tout ceci, littérairement parlant, ne demande
qu'à *devenir*. La réussite individuelle étant le règne absolu,
le but unique, l' « établissement », la mesure de toute chose,
comment les familles demeureraient-elles unies? Laure, à
Bayeux, va à peu près. Mais Laurence ne va pas du tout.
Quant à Honoré... On vit peut-être plus selon des critères
de puissance que d'amour. Faire de la littérature avec tout
ceci sera faire acte d'accusation contre la vie bourgeoise,
familiale, d'abord, sociale, ensuite. L'atmosphère du ménage
Surville est certes absolument différente de celle où grandirent
un Chateaubriand, un Vigny, un Lamartine, un Hugo
même, quoique bourgeois. Mais il faut savoir ne pas se laisser
abuser par les comptes rendus de Laure. Derrière la bonne
humeur et la vivacité, se profilent des amertumes, des désillusions d'un nouveau genre. Et il ne s'agit pas *que* d'argent.
Ce Surville, par exemple, polytechnicien qui s'occupe de
procès entre meuniers, ce petit fonctionnaire perdu dans une
petite ville, avec pour carrière offerte à sa science des chicanes de villages et des vacations de tribunal, de fastidieux
travaux d'entretien : quel sujet, pour qui saura en comprendre
la grandeur! « Mais il faut des meuniers querelleurs! », s'écrie
Laure. Faute de quoi, on végète, à deux cent soixante francs
par mois. Les problèmes de la vie privée rejoignent ceux
du sous-développement provincial, le mal du siècle des
techniciens. *La Femme abandonnée* peindra Bayeux, ses
façades silencieuses, vues en 1822, ses affaires de clan, ses
faux problèmes, alors que continue la vie, un peu pour rien,
incomprise. Les débuts de Mme Camusot, à Alençon, seront
présentés, dans *La Comédie humaine*, de manière assez aigre,
mais c'est que Balzac, alors, aura pris mesure de ce qu'avait
d'un peu illusoire le « mérite » des Surville. L'histoire, par

contre, de Mme Rabourdin, doublée d'un mari de génie, sera,
dans une période antérieure, la vengeance du romancier
contre l'enlisement, dans une réalité française qui se médio-
cratise, de tout ce qui était légitime ambition. La vie privée,
à la fois tensions intra-familiales et drames consécutifs à la
difficulté de percer, ce n'est pas la réalité, statique, éternelle,
c'est la découverte de la bourgeoisie. On la voit prendre de
l'importance, à mesure qu'on parcourt les liasses de lettres
de la famille Balzac, de la famille Surville, Mme Balzac, elle,
semblant se trouver significativement plus chez elle dans
cet univers de contestations et de difficultés que dans celui
de la bonne humeur ou de la philosophie, Bernard-François,
lui, de plus en plus en retrait, à l'écart, dépassé. Tant qu'on
en reste, toutefois, aux Surville, aux conflits qui opposent
Honoré à sa mère, ce ne sont encore que tiraillements, avec
quelques poussées et à-coups. Mais toute situation, tout
ensemble, a son point de symbolisation, de densification,
tout groupe son personnage qui devance les temps. Si Villeparisis, c'est la belle saison, traversée, déjà, d'inquiétudes,
Villeparisis, ç'a été, aussi, le drame, qu'on n'a pu tout à
fait tenir secret.

Dans ce petit monde, en effet, une figure, très vite, va
assumer une signification qui fera voler en éclats les prétentions bourgeoises à la vie sans histoire : Laurence. On sait
le destin douloureux de cette cadette, mal aimée par sa mère,
en butte aux tracasseries après le mariage de Laure, sorte
de souffre-douleur, mariée au triste Montzaigle, morte en
1825, à vingt-trois ans, tuée par les difficultés d'argent et la
tuberculose. Laurence était vive, romanesque. Elle s'amoura-
chera de Lepoitevin, venu en visite à Villeparisis. Elle avait
aussi une personnalité beaucoup plus marquée que Laure.
Écoutons cette dernière conter à sa mère un débat avec sa
jeune sœur :

> Elle me disait dans sa dernière lettre qu'ayant trouvé
> deux fois dans ma lettre le mot Dieu, elle avait furieusement
> peur que je devienne bigote (le tout en plaisantant), mais
> j'ai repris ceci doucement malgré que ce ne fût qu'une plai-
> santerie, je lui ai recommandé de se souvenir de tes conseils
> sur cet article, qu'une femme qui affecte le mépris de la reli-
> gion est souvent attaquée, je lui ai dit que la force d'esprit
> que demande l'athéisme est en opposition avec le caractère
> faible des femmes [1].

---

1. *Lov.* A 378 *bis*, f° 37.

Laure, non plus que sa mère, n'était confite en dévotion, mais elle avait cette amitié pour le juste-milieu, pour la respectabilité, qui faisait d'elle une typique bourgeoise. Raisonneuse, on la voit faire la leçon à sa mère, prêcher la modération, défendre et « comprendre » Laurence [1]. Celle-ci, par sa conduite, « échappe » littéralement à la famille Balzac. A l'insu de sa mère, elle fait signer à son père une garantie concernant les dettes de son mari. La bonne grand-mère Sallambier elle-même, qui aime beaucoup sa fille, il est vrai, s'en indigne [2]. Montzaigle est un gredin [3], mais Laurence joue trop fidèlement son jeu. L'aimait-elle ? Il est probable [4]. Elle montra, en tout cas, une détermination fort peu diplomatique. Il faut voir en quels termes elle défend son mari [5] ! Avait-elle tort ou raison ? Peu importe. Laurence, obstinée, fière, est de la race des Eugénie Grandet. On ne peut s'empêcher d'avoir le cœur serré lorsqu'on la voit continuer à s'exercer, elle aussi, à ce style « bonne franquette », qu'elle avait toujours un peu affecté, pour faire « comme tout le monde », par fidélité, aussi, à un goût pour l'existence, vivace en elle. « Maintenant, à force de bévues, je me tire à merveille d'un roux, d'une blanquette, même d'une fricassée de poulet [6]. » « Nous faisons un petit ménage à la Surville du côté des sentiments, car l'argent ?... ah, l'argent [7] ! » On la sent beaucoup plus « chez elle » lorsqu'à ce style « bon bourgeois », elle mêle des accents qu'on chercherait en vain chez Laure :

Tu me parles des jolies roses qui entourent l'enfance et dont on se défait en avançant en âge. *Je sais depuis longtemps que les nuages qui nous entourent se dissipent ou changent de couleur*, selon le temps et les circonstances et certaines époques de la vie. C'est fort juste. J'ajouterai que c'est vrai, j'oserai même dire excessivement positif, et, en définitive, sans réplique. *Mais ne perdons pas de vue ces nuages et cette belle phrase très romantique.* D'ailleurs, on ne m'empêchera pas de préférer les nuages qui entourent la jeunesse à ceux qui entourent l'enfance, et dans la rose desquels on distingue caca, pipi... comme tu me le dis élégamment, et comme tu es à même de le sentir [8].

1. *Lov.* A 378 bis., f° 23.
2. *Lov.* A 378, f° 123, 124, 127.
3. « Je signerai de mon sang que celui auquel le sort de Laurence est lié, est un gredin et un franc polisson », écrit la grand-mère, le 9 août 1822 (*Lov.* A 378, f° 135).
4. Cf. Marie-Jeanne Durry, *Un début dans la vie*, C. D. U.
5. *Lov.* A 378, f° 257, lettre de Laurence à son père du 12 juin 1822.
6. *Lov.* A 378, f° 236 (15 juin 1822).
7. *Ibid.*, f° 242 (juillet 1822).
8. *Ibid.*, f° 246.

« *Vive le style chateaubrillanté !* », s'écrie-t-elle en post-scriptum.
Cette gaieté grinçante, cette parodie, que c'est loin des assurances un peu rapaces de Laure! Mais, c'est qu'on n'était
guère bon avec elle. « Si je suis grand-mère de fait, écrit à
Laure Mme Balzac, je ne le suis pas de cœur, c'est toi et c'est
vous qui, un jour, me feront connaître un sentiment que mon
cœur réclame et désire[1]. » Aider Laurence? Oui, tout m'y
oblige. Mais l'aimer? Rien ne m'y saurait forcer!... Et l'antienne continuera, jusqu'à la fin. Même si l'on ne sait pas tout,
même si des lettres ne nous sont pas parvenues, la courbe est
aisée à reconstituer. Eugénie d'Arneuse, dans *Wann-Chlore*,
sera créée par le frère d'après Laurence. Or, Eugénie d'Arneuse, née, dans l'esprit de son créateur au début de l'été
1822, avant la Mme de Rosann, du *Vicaire des Ardennes*
sera *la première figure de femme-victime dans son univers
romanesque*, la première figure vraie aussi, après les fabri-
cations strictement littéraires ou intellectuelles des romans
précédents. L'accession du jeune romancier à l'émotion et
à la vérité dans son œuvre est donc inséparable de l'apparition du malheur dans son univers familial. Si *Cromwell*
et les premiers romans avaient été — on le verra — des œuvres
écrites, à froid, dans un mouvement d'ambition mesuré, les
premières mesures de *Wann-Chlore* sont le premier acte
véritable de Balzac-écrivain-pour-dire-quelque-chose. Laurence, ainsi, est l'introductrice à deux univers parfaitement
inséparables : celui de l'art, celui de l'au-delà de la bourgeoisie.

Il faut le dire avec force : dans cet univers, nul n'est pur
et nul n'est impur. Rien de plus facile que d'y chercher les
éléments de condamnations, de réhabilitations ou d'apologies.
Bernard-François Balzac est, au choix, pour les schématiques,
un bourgeois progressif ou un carriériste sans horizon, un
philosophe conscient et organisé ou un radoteur, sa femme,
une lamentable victime ou un bourreau, Laure, une sotte
et prétentieuse « femme supérieure » de province, ou *l'alma
soror*. Seule Laurence, parce qu'elle n'a pas eu le temps de
vivre, peut échapper aux chasseurs de sorcières. Quant à
Honoré, faut-il insister? On peut voir en lui soit le grossier
ambitieux d'André Wurmser, soit le souffrant et malheureux
jeune homme voué à la littérature de la tradition romantique. Stefan Zweig l'a accusé, sans nuance (et sans avoir
lu les romans incriminés, visiblement) de s'être vendu.

---

1. *Lov.* A 381, f° 119 v° (12 août 1822).

D'autres (comme Gaëtan Picon) n'ont vu que le héros de l'absolu aux prises avec les horreurs du relatif. Mais — devrait-il être besoin de le dire — toutes ces simplifications répondent à des présuppositions, à des refus d'envisager *un* aspect du réel aux dépens des autres. L'enfance, la jeunesse de Balzac n'est ni l'attente romantique et dramatique du génie, ni l'aimable et rassurante comédie d'un être réductible à son seul pittoresque. La famille Balzac n'a ni la hauteur colorée, pathétique, des familles nobles et marquées, ni la platitude, la banalité des familles de vaudeville. Il en sortira, dès 1822-23, avec *Wann-Chlore*, les premiers éléments d'un tragique nouveau. Elle demeurera tonique, animée, avec les coups de joie, sa vivacité. Les hésitations du roman balzacien entre Pigault-Lebrun et Anne Radcliffe, dès sa première manifestation sérieuse est très significative : la bourgeoisie balzacienne admettait Pigault-Lebrun (chose impensable chez Lamartine ou Chateaubriand, même chez Sainte-Beuve ou Hugo); elle n'excluait pas Anne Radcliffe et tout ce que le roman noir servait à exprimer ou à transposer. Lorsque Balzac a retrouvé sa famille, en 1820, il a retrouvé du pittoresque en état et du dramatique en puissance. Peu à peu, le dramatique va prendre le pas sur le pittoresque, sans jamais cesser pour autant d'être réel, de tenir au réel le plus moyen, le plus statistiquement valable. Cette différenciation, cette accentuation de certains traits, correspondent à l'évolution même du siècle, à la prise de conscience du siècle. Seul l'idéalisme est manichéen. Le réalisme est toujours à double orientation, à double prise. La famille Balzac, à Villeparisis, après cette mise à la retraite symbolique de 1819, au moment de ces nouveaux engagements que sont les mariages, les choix de carrières, etc., c'est comme la halte avant que le siècle et son humanité ne s'engagent dans la seconde moitié de leur aventure.

Après la vie privée, la seconde rencontre fondamentale, en ces années, est sans doute la rencontre avec la jeunesse et les jeunes gens. Nous avons déjà parlé de la jeunesse des Écoles. Mais il y a plus direct, plus personnel et plus important. A partir de 1820, et dans les années qui suivent, Balzac a été lié avec des jeunes gens de son âge, ou de peu ses aînés, qui tous, à leur manière, par leur expérience, par leurs réflexions, lui furent des introducteurs au monde moderne et à ses problèmes. Il serait absurde d'interpréter ces rencontres d'un point de vue uniquement anecdotique. Il serait absurde de ne pas tenir compte de leur force d'impact, de leur pouvoir de stylisation, des souvenirs qu'elles ont laissés.

Il faut mettre à part, tout de suite Lepoitevin de l'Egreville et Horace Raisson, le premier compagnon des tentatives en littérature marchande de 1820 à 1822, le second de
1823 à 1825, avec, sans doute, plus d'un contact gardé dans
les années qui suivent. En 1825 interviendra Latouche :
mais, cette fois, Balzac aura mûri, et il se libérera plus vite
et plus sèchement. Mais Lepoitevin et Raisson, tous deux
courtiers littéraires, placiers en manuscrits, polygraphes et
amis des grossistes, ont d'abord été, pour le jeune débutant,
sinon des modèles, du moins des repères. Chacun sait quels
médiocres personnages ils furent, incapables d'écrire jamais
la moindre ligne valable, sans la moindre conscience. Lepoitevin aura assez de brillant pour tourner un moment la tête à
Laurence, à Villeparisis, et Raisson sera l'ami des mauvais
jours, parfois, quoique, probablement, non sans « intérêts ».
Mais Balzac ne dramatisera jamais vraiment à leur sujet,
ne soupçonnera même pas en eux du Lousteau. Ni Lepoitevin ni Raisson n'ont d'idées, ou d'idéal. Ce sont des commerçants. Après la mort de Balzac, Lepoitevin poursuivra sa
veuve pour obtenir quelque argent de la réédition de malheureux romans qu'il avait *signés*, en 1822, avec Honoré, mais
dont il n'avait pas écrit une ligne. En 1836, déjà, il avait fait
une tentative semblable auprès de Souverain, qui l'avait
rembarré [1]. On voit le genre, et ses limites.

Mais, si Lepoitevin et Raisson ne sont que des plumitifs
sans style et sans portée, tout autres sont ceux qui encadrent
les années de jeunesse de Balzac comme d'Arthez et Michel
Chrestien Rubempré. Thomassy le monarchiste, Sautelet
le libéral, l'homme de droite et l'homme de gauche, tous deux
se définissant mieux encore aujourd'hui par rapport à ce
petit arriviste et opportuniste d'Adrien Brun, qu'attendait
le Juste-Milieu, sont là, dès les premières années vingt, comme
pour conduire Balzac par-delà les idées relativement simples
héritées de son père. Pour lui faire découvrir aussi, chez les
autres (donc avec un autre regard que dans son propre cas,
d'ailleurs différent) le sort fait à la jeunesse par le siècle en
développement. Thomassy sera, de bonne heure, la preuve
qu'on peut être catholique et de droite pour des mobiles qui
n'ont rien de réactionnaire ni de bas. Sautelet, éditeur, en
1825, du *Producteur* saint-simonien, gérant en 1830 du *National*,
ami de Mignet, de Carrel, dont les obsèques, en 1830, seront

---

1. Cf. *Aux sources de Balzac*, et les documents figurant dans le compte rendu
de Roger Pierrot, A. B., 1966.

l'occasion d'une manifestation de fidélité quasi républicaine, sera la preuve que la gauche, ce n'était pas seulement celle des députés du côté portant le même nom, celle de la chaussée d'Antin. Tous deux, d'ailleurs, se connaissaient et s'estimaient [1], avaient en commun quelque chose à définir. Quoi? Sans doute un peu plus que d'être les communs amis d'Honoré Balzac?

On ne sait que peu de choses sur les débuts de Sautelet. Ce n'est que lorsqu'il deviendra un homme public que l'on pourra un peu mieux cerner sa figure. On sait qu'il est né à Lancié, dans le Rhône, le 7 pluviôse an VIII (il était donc plus jeune que Balzac de plusieurs mois). Ses parents, propriétaires, n'y étaient pas nés, et n'y mourront pas. Une sœur, Antoinette Adèle, y naîtra le 25 pluviôse an IX, mais ne s'y mariera pas, et n'y sera pas enterrée. Famille errante, donc, probablement, déracinée [2]. Assez aisée, sans doute, toutefois au départ, puisque le jeune Auguste sera envoyé au lycée Charlemagne. Il y aura pour condisciple Honoré Balzac, qui écrira plus tard à Mᵐᵉ Hanska : « un de mes camarades de classe, Sautelet, le gérant du *National* [3] ». Ils se retrouveront ensuite à la Faculté de Droit. Puis, Sautelet deviendra avocat. Mais, dès 1823, on le verra suffisamment introduit dans les milieux littéraires et dans la Presse pour servir d'intermédiaire à Balzac; c'est lui qui arrangera l'affaire de *La Dernière Fée*, s'efforcera d'obtenir des articles, etc. [4]. Puis, ayant été, en ses années de jeunesse, le compagnon d'Albéric Stapfer, peut-être par son intermédiaire, il deviendra l'ami de Mérimée, de Beyle, de Jules Bastide, de Jean-Jacques Ampère, de tous ceux qui se réuniront, à partir de 1825 dans le salon de Delécluze. Ce Cénacle était « de gauche »; le saint-simonien Cerclet, rédacteur au *Producteur*, y était écouté. Balzac a certainement fréquenté chez Delécluze, à une date difficile à préciser. Dans le plan d'une pièce de théâtre qui n'alla pas plus loin, *Catilina*, figurent Alberic Stapfre, « républicain suisse voyageant pour son plaisir », Julius Bastidius, Augustus Saltaillus, Prosperus Mérimée, et... Honoratus [5] », ce qui établit un lien certain entre Balzac et une jeune *intelligentsia* de gauche.

1. *Corr.*, I, p. 220 et 246.
2. Ces renseignements sont dus à M. Roche, secrétaire de mairie à Lancié.
3. *Étr.*, I, v.
4. *Corr.*, I, p. 220.
5. Texte publié par Milatchich, *Théâtre inédit de Balzac*, p. III. La liste comprend encore Magnus Staubeus (le tailleur Staub), Godofridus (Geoffroy Saint-Hilaire), et Germanus Rotschild. Le manuscrit est impossible à dater avec précision. Sur le groupe Delécluze, cf. Delécluze, *Souvenirs de soixante années*, et *Journal*.

Par les habitués de chez Delécluze, le voici qui touche,
directement ou indirectement, aux saints-simoniens, à certains qui entreront au *Globe*, à Georges Farcy, qui sera tué
pendant les Trois Glorieuses. On aimerait certes plus de
précision : la correspondance, les correspondances, pour cette
époque, sont pleines de trous, mais les contacts sont sûrs,
les convergences de préoccupations, même, incontestables [1].
C'est peut-être chez Delécluze que Balzac a rencontré Beyle
pour la première fois [2]. On devine, parallèlement à l'expérience Lepoitevin-Raisson, l'expérience de ces jeunes gens
graves, sérieux, croyant en des choses, se faisant de la littérature, et des idées une conception haute, exigeante, agitant
les problèmes, les vrais : économie, politique, renouvellement
de la littérature, de la critique, etc. D'un côté, Finot, les
petites feuilles à chantage, les réclames, la librairie industria-
lisée. De l'autre, le Cénacle, la librairie d'avant-garde, l'idée
d'un « journal vrai », etc. Ajoutons, pour ces jeunes gens, les
difficultés à vivre. Sautelet ne semble guère avoir été aidé
par sa famille, qui le laissera complètement tomber lors de
son naufrage de 1830. Il avait, dira Rémusat, « un fond
d'ennui [3] », et ses amis, lors de son suicide en 1830, parleront
autant de ses difficultés d'alors que de ses tendances au spleen.

Si l'on regarde Jean-Jacques Ampère, on trouve un autre
enfant du siècle, fils d'un savant de renommée européenne,
formé par l'Université impériale, qui renonce à une carrière
scientifique pour se jeter, lui aussi, dans la littérature. Libéral,
tout acquis aux idées modernes, un amour douloureux pour
Mme Récamier devait apporter à sa jeunesse cette touche
d'ardeur et de solitude qui est celle de toute une époque.
Avant de devenir un professeur et un historien réputé,
Jean-Jacques Ampère a été l'un de ces jeunes gens-rois,
« capables » et frémissants, avec qui le fils de Bernard-François Balzac, auteur d'un mémoire sur l'*Histoire de la rage*,
dut se sentir, réellement, changer d'univers. Nous avons
dit que, aux cours de Victor Cousin, Balzac ne dut éprouver
aucun sentiment de rupture, qu'il dut se sentir dans la ligne
de l'humanisme paternel : mais les histoires vivantes, les
aventures personnelles, sont d'un autre pouvoir. On ne
saura jamais, sans doute, si Balzac a connu directement

---

1. Cf. *infra*, p. 603 sq., en 1823, pour les projets concernant une poésie romantique de gauche.
2. Balzac a prétendu, dans son fameux article sur *La Chartreuse de Parme*, en
1840, que la première rencontre remontait à 1829. Cette affirmation nous semble
hautement sujette à caution. Cf. *infra*, pour des contacts curieux d'*Annette et le
criminel* à *Armance* et au *Rouge et Noir*.
3. Rémusat, *Mémoires*, p. 286. Rémusat a connu Sautelet au *Globe*.

Georges Farcy, mais il a connu ce style, même s'il n'a jamais réellement été le sien. Il avait, lui, plus de vigueur, et plus de pratique, mais il pouvait comprendre les autres, en ce qu'ils exprimaient partie de lui-même. Art, beauté, liberté, tout ce qui fait vivre, tout ce qui, nous le verrons de près, met au-delà du simple libéralisme : Balzac n'avait peut-être pas la sensibilité tournée exactement de la même manière, mais ses créations romanesques prouvent, oui, qu'il comprenait ceux qui, de manière un peu incomplète, voyaient, et sentaient ainsi le monde, la vie. A ces jeunes gens, il manquait obscurément quelque chose. Farcy, par exemple, jeune philosophe brillant, disciple chéri de Cousin : quel avenir pouvait s'ouvrir à lui, en apparence! Mais, de Naples, où il était allé chercher des raisons de mieux aimer la vie, il écrivait à son ami Mollière :

> J'ai voulu travailler, j'ai commencé; mais la maudite paresse m'a traîné cet hiver à Naples, vivant avec de petits sujets, Anglais, ou Français, tous de la même trempe, et colportant mon ennui; j'y ai reperdu mes forces, que le travail et quelques mois d'une vie sage et réglée m'avaient pleinement rendues. Je rentre tel que j'étais parti, avec l'idée vraiment accablante pour moi de n'être qu'une espèce d'homme manqué, trop pauvre, trop plébéien, trop fantasque, pour pouvoir vivre dans le monde, et sans assez de courage et de talent pour faire estimer mon nom, quand je ne puis espérer de place de personne [1].

Rentré en France, il s'était fait professeur de philosophie à Fontenay-aux-Roses, mais ses fantômes ne le lâchaient pas : « Je fais de la philosophie au rabais. Dis-moi ce que tu penses de la vie. Je voudrais m'appeler *de*, avoir des forces, de la beauté, et seulement deux mille livres de rente. Je crois que le problème s'éclairerait pour moi. O amour, ô chevaux fougueux, ô Italie [2]! » Qu'était-ce donc, sitôt entrés dans la carrière, chez ces jeunes gens promis à tout, que ces bouillonnements? Balzac n'a pu ne pas remarquer le lien très fort qui unit, chez eux, l'inquiétude, les exigences personnelles, à une sensibilité, à une idéologie de gauche. Il montrera plus tard, avec Athanase Granson, dans *La Vieille Fille*, comment un jeune homme qui se cherche est aisément républicain, alors que le romantisme est encore si souvent de droite, exprimant impuissances et nostalgies de vaincus, un autre est en formation dans ces groupes bourgeois et petit-bourgeois qui déclas-

---

1. Jules Claretie, *Elisa Mercœur, Georges Farcy, Charles Dovalle, Alphonse Rabbe*, p. 51-52.
2. *Ibid.*, p. 58.

sent sans trop le calculer les cercles doctrinaires et les lecteurs
du *Constitutionnel*. Il manque peut-être un peu, de ce côté,
le souci du positif, le souci de l'unité, une vision responsable
des choses. Mais Balzac avait Thomassy [1].

On ne sait exactement à quelle date Balzac fit la connaissance de Thomassy. La première lettre qu'il lui ait adressée,
et qui nous soit parvenue, est d'octobre-novembre 1822 [2].
Étant donné qu'il s'agit d'une invitation à venir à Villeparisis à la date qui lui conviendra, ce qui suppose déjà une
certaine intimité, l'on peut penser que la première rencontre
remonte au moins à plusieurs mois. Balzac aurait donc
rencontré Thomassy en pleine période Lepoitevin. Significatif équilibre! La jeunesse du siècle *accepté*, d'une part,
la jeunesse du siècle *anticipé*, critiqué, exigé, de l'autre...
Que pouvait apprendre Thomassy à ce Balzac qui avait
« accepté », lui aussi, de jouer la carte commerciale?

Pendant l'été 1821, Thomassy avait publié une brochure
dans laquelle Honoré avait pu lire ces lignes : « Lorsque le
pouvoir est concentré entre les mains d'un seul, et que l'État
repose sur cet axiome, *Una fides, unus dominus*, les problèmes
sont censés résolus, et la vérité politique trouvée; le souverain
impose des doctrines, comme il impose des lois : il ne reste
aux peuples qu'à croire, vivre tranquilles et heureux, s'ils
le peuvent [3]. » En fait, il s'agissait d'une critique de l'autoritarisme impérial, d'une exaltation des « libertés » apportées par
la monarchie. Mais, fût-ce par antiphrase, la formule prise à
Saint-Paul allait sans doute laisser des traces : Balzac la
mettra en épigraphe à *Wann-Chlore*, dans un sens amoureux,
et l'utilisera à nouveau dans sa brochure sur les Jésuites, en
1824, et dans *Les Deux Rêves*, en 1828, en lui donnant cette

1. La tonalité des lettres d'Ampère, Bastide, etc., est plus nettement « romantique », élégiaque, souvent, que celle des lettres de Balzac, aisément irrévérencieux pour ce style. Cf., par exemple une lettre très lamartinienne de Bastide à
Ampère. Cf. également cette lettre du 30 décembre 1824 d'Ampère à Mᵐᵉ Récamier : « L'année va finir. Malheureusement, je n'ai aucune parole douce pour
saluer celle qui commence; ma mélancolie habituelle, qui jusqu'ici était tolérable,
s'est changée aujourd'hui en accès de rage. Aussi vous m'avez trop abandonné.
Que voulez-vous que je devienne, avec des facultés que je sens en moi, le besoin
d'activité, cette puissance d'agir et ce je ne sais quoi au fond de l'âme qui éteint
tout, qui me tue sourdement. Oh! je sais bien ce que c'est, c'est une vie mal
prise, c'est une jeunesse manquée! » (*Ibid.*, p. 317.)
2. *Corr.*, I, p. 209.
3. *De la sensation qu'a faite en France la mort de Buonaparte, et des écrits publiés
à ce sujet, par M. Thomassy*, Hubert, Egron, Dentu, Pillet, 1821 (B. F., 18 août),
p. 5. Thomassy ne comprenait pas que les « intellectuels » de gauche aient saisi
l'occasion pour vanter un régime si ennemi des libertés. Son diagnostic était à la
fois juste et faux : juste en ce que les « libéraux » se mettaient en contradiction
avec la doctrine de la liberté, faux, en ce qu'il ne tenait pas compte du pouvoir
« mobilisateur » du mythe napoléonien contre les Bourbons et la grisaille constitutionnelle.

fois, son sens politique, avant de la rendre finalement à
l'amour, dans les lettres à Mme Hanska. *Una fides,
unus dominus :* alors que la France connaissait les lendemains de dissolution, que tout s'éparpillait, il s'agissait
là de l'un des problèmes les plus ardemment discutés
par les intellectuels. Lamennais, nous le savons, et nous y
reviendrons, en faisait l'un de ses chevaux de bataille. Quels
autres maîtres, quelle autre foi que l'argent, l'ambition,
étaient proposés à la génération nouvelle? Les idées « recons-
tructives » de Thomassy sont dans le droit-fil des préoccupations du siècle.

Il avait publié en 1820 une brochure dans laquelle il plaidait
en faveur de l'abolition de la loi salique. Au lendemain de
l'assassinat du duc de Berry, en attendant la naissance de cet
« enfant du miracle », que portait la duchesse, pourquoi ne
pas déclarer habiles au trône les Filles de France? Le jeune
juriste accumulait les preuves : Louvel, en particulier, n'aurait pas songé à frapper, s'il eût su qu'avec le duc ne s'éteignait
pas la succession. Il y a là des préoccupations, certes étrangères
à Balzac, un style surtout : « Dans ma douleur, je me disais :
le noble sang de nos Rois est donc tari jusque dans sa
source [1]... » Thomassy parle en partisan, au moment même
où il reconnaît que « l'esprit de la jeunesse actuelle est républicain », et « qu'il y a dans la génération qui s'élève une
tendance évidente, palpable, vers la démocratie [2] ». Dix ans
plus tard, Cottu notera à son tour que les libéraux exploi-
taient « les préventions d'une jeunesse adverse, il est vrai,
à la royauté [3] ». Mais, ce qu'il voulait, au fond, beaucoup
plus que le triomphe d'une fidélité quelconque, d'intérêts
réactionnaires, c'était, honnêtement, celui d'une certaine
liberté, d'une certaine continuité. Ne demande-t-il pas à la
monarchie, avec la loi salique, de renoncer au nom de l'efficacité, à l'une de ses plus anciennes traditions? La dynastie
des Bourbons doit se considérer, en France, comme une
« dynastie naissante [4] »; elle doit chercher à s'implanter, à se
consolider. Peu importent les hyperboles, le « miraculeux
enfant sur qui reposent nos destinées [5] ». La Restauration
se justifie par la défense des libertés; elle doit se fonder,
littéralement, dans le sens de cette défense : « Il est nécessaire

1. *De la nécessité d'appeler au trône les filles de France, ouvrage précédé d'un
examen de la loi salique, par M. Thomassy, bachelier ès-droit* [sic!] *de la Faculté
de Paris.* (B. F. du 23 sept. 1820), p. 1-11.
2. *Ibid.*, p. 126.
3. Cottu, *De la nécessité d'une dictature*, p. 122.
4. Thomassy, *De la nécessité d'appeler...*, p. 127.
5. *De la sensation...*, p. 113.

d'appeler au trône les filles de France dans l'intérêt des Bourbons *et de nos libertés* [1] ». Ce langage est plus *politique* que *poétique*. Ce sera celui de Balzac en 1832. Ce néo-légitimisme organisateur semble s'être surtout développé *dans les milieux non-nobles* du parti, là où le royalisme intellectuel était moyen de répondre aux questions posées par le siècle, non simple moyen de défendre des créances. Fiévée n'avait-il pas vu saisir le onzième numéro de sa *Correspondance administrative,* dans lequel il avait écrit : « Quand même l'amour des peuples serait sincère, le sort des rois en serait-il plus assuré, *s'il n'avait pour garantie que des affections* ? » Et il avait ajouté : « Il ne peut y avoir d'autre garantie de la stabilité d'un peuple *que dans son organisation intérieure* [2]. » Le peu de goût, chez certains royalistes, pour la personne de Louis XVIII explique en partie sans doute des prises de position de ce genre. Il n'en demeure pas moins que l'on pouvait apercevoir dans ces lignes l'amorce d'une idéologie monarchiste moins intimement liée au sentiment, plus politique, plus positive. Et ceci est très important pour comprendre le ralliement ultérieur de Balzac : le légitimisme, dès les années de la Restauration, n'a pas toujours été uniquement rêve et revanche; il a essayé, parfois, et ce sous la plume des plus intelligents, des moins « intéressés » de ses défenseurs, d'être une politique, avec ses normes et ses principes, avec sa sociologie, avec ses méthodes. Il a essayé d'être une réflexion plus qu'un réflexe. Or, cette ferme idéologie monarchiste, chez Thomassy, à la fois reprenait, renforçait, certaines idées déjà vivantes en Balzac, et l'introduisait à une problématique neuve. Lorsque Thomassy écrit, citant Lamennais : « régner, c'est vouloir [3] », on sent bien ce qui, de l'héritage de Bernard-François, pouvait adhérer chez le fils. Mais, aussi, cette formule de Lamennais ne tirait sa force immédiate que des désordres ou corruptions consécutives à l'appropriation par la Bourgeoisie du système constitutionnel. Lamennais ne pousse pas au coup d'État; il ne souligne pas l'article 14, comme pourrait le croire une pensée moderne « de gauche » quelque peu schématique. Thomassy, d'ailleurs, s'il savait puiser chez Lamennais, savait aussi puiser chez quelqu'un que nul, alors, n'aurait osé récuser au nom de la liberté. Dans sa brochure sur la mort de Napoléon, il cite Mme de Staël : « Ce qui caractérise le gouvernement de Buonaparte, c'est un mépris profond pour toutes les richesses intellectuelles

1. *De la nécessité d'appeler...*, p. 113.
2. Hatin, *Histoire de la presse en France*, VIII, p. 294-295.
3. *De la nécessité...*, p. 93.

de la nature humaine : vertu, dignité de l'âme, religion, enthousiasme, voilà quels sont à ses yeux *les éternels ennemis de la France*, pour me servir de son expression favorite [1]. » Et de souligner l'absurdité de la position libérale : « est-ce bien sérieusement que ces généreux défenseurs de la liberté décorent du titre de héros, du titre de grand homme le destructeur de toute liberté [2]? » Épanouissement et liberté. Ordre. La dictature formelle aussi bien que l'anarchisme des intérêts briment et dénaturent la vie. Balzac pouvait être guetté, en ces années, par la facilité gauchiste, par tout un style qui aurait pu l'empêcher de bien voir quelles étaient les bases du libéralisme de fait. Son expérience, certes, ses rencontres, sont l'essentiel, dans l'histoire de sa prise de conscience et de la constitution de sa réaction, mais il est sans doute important que Thomassy, dès 1822, ait pu soit fixer, soit structurer en lui quelques réflexes. D'autre part, Thomassy, qui n'avait alors que vingt-sept ans, put lui prouver (ce que ne pouvait guère son propre milieu, libéral et anticlérical) que la jeunesse, que la capacité, n'impliquaient pas nécessairement l'insurrectionnisme littéraire, l'anticonformisme ou la révolte irresponsables, qu'on pouvait être jeune et digne et tenir à certaine cohérence idéologique, à l'ordre, à la raison, à l'unité morale et sociale, bref, à tout ce qui manquait au libéralisme constitutionnel installé, à tout ce que n'incarnait que par réaction le légitimisme du jeune magistrat. Sur ce point encore, Honoré apprenait à dépasser son père, homme d'une autre époque. Comment faire cadrer l'image de Thomassy avec les caricatures qui avaient cours chez les bourgeois libéraux? L'expérience Sautelet, l'expérience Thomassy, se rejoignent, la poésie et l'entreprise, l'authenticité et la responsabilité, la liberté et l'organisation définissant, par-delà les conquêtes de naguère, un monde en avant qui avait les mêmes ennemis : les profiteurs, nobles ou non, du monde moderne. Mais il y a encore, et qui achève d'incarner, de rendre sensible, cette convergence.

Sautelet et Thomassy sont tous deux des provinciaux montés à Paris, avec de grandes ambitions, des illusions à perdre, sans doute. Sautelet venait de Lancié, Thomassy, lui, venait de Montpellier. Sautelet s'est suicidé en 1830, broyé par la machine. Thomassy a fait carrière dans la magistrature et a pris sa retraite comme conseiller à la Cour d'Appel de Paris. Peu après le temps où Balzac a fait sa con-

1. *De la sensation...*, p. 28.
2. *Ibid.*, p. 27.

naissance, il devenait secrétaire du préfet du Cher. Question de caractère et d'aptitudes, en grande partie, certes. Mais, au départ, l'expérience est la même. C'est Thomassy que Balzac interrogera, en 1833, pour lui demander quelles sont les réactions et les expériences d'un jeune provincial lors de son arrivée à Paris. Thomassy lui répondra par une lettre admirable qui sera certainement utilisée dans la *Confession du médecin de campagne* : « A peine a-t-il franchi la barrière, le malheureux sent avec un sentiment de peine et de plaisir insaisissable à la parole, sent, dis-je, s'évanouir l'atmosphère de vertu qui faisait son bonheur et sa moralité [1]. » Il y a donc eu, dans la vie de cet homme qui a « réussi », une faille, et c'est lui-même qui le dit. Balzac, — qui n'était pas provincial, puisque, s'il était tourangeau c'était de pur hasard, et puisque son arrivée à Paris, encore jeune, *avec sa famille*, ne signifia pas rupture et démoralisation brutale — a fait connaissance, en Thomassy comme en Sautelet, avec un type humain propre à la civilisation nouvelle : celui du jeune homme, né avec un beau naturel, fortifié par une belle éducation, qui fait la double expérience du désenchantement et de l'adaptation au monde moderne. Que l'on vienne de sa province, de sa famille, ou d'une opinion à contre-courant, Paris, symbole seulement poussé de la vie telle que l'ignorait l'âge classique, est là comme un prolongement, comme un achèvement de l'enfance et de soi, mais comme inévitable et fatal point d'échouement, au mieux de difficile découverte. Ceci confirme d'ailleurs que Thomassy, s'il est *venu*, formellement, à l'Ordre, n'en venait pas, qu'il a passé, lui aussi, par cette zone, qui deviendra balzacienne, des illusions perdues. Malgré les « choix » ultérieurs, telle est sans doute l'explication de l'amitié qui lia Thomassy et Sautelet, comme d'Arthez et Michel Chrestien. Royalistes ou démocrates, pourvu qu'ils fussent pour des raisons honorables, pour des raisons antibourgeoises, pourvu qu'ils partageassent cette profonde parenté d'une expérience de rupture ou de déphasage, pouvaient parfaitement se comprendre et se retrouver, par-delà des séparations apparentes qui ne les concernaient pas vraiment. Dans une lettre de l'été 1823, c'est Sautelet qui parle de Thomassy, « prêt à retourner chez lui, contraint de quitter Paris par l'ingratitude de son parti » [2]. L'été

---

1. Lettre inédite révélée par Roger Pierrot (*Corr.*, I, p. 254-255).
2. *Corr.*, I, p. 220. On ne sait à quoi Sautelet fait allusion. Sans doute Thomassy attendait-il mieux que la place de secrétaire à Bourges qu'il allait obtenir à la fin de l'année. Avait-il escompté que ses brochures lui vaudraient un peu plus? A noter que le thème de l'ingratitude du gouvernement des Bourbons est un

suivant, c'est Thomassy qui écrit : « Sautelet engraisse de jour en jour ; lui du moins sait employer son temps et tirer quelque profit de tant de douces heures de paresse dont vous me parlez et que je ne connais plus [1]. » On sent cette amitié, cette proximité des trois hommes, le « parti » de l'autre lui étant extérieur, ne suffisant pas à le définir et à le situer. Thomassy-d'Arthez, Sautelet (et plus d'un autre) — Michel Chrestien, Honoratus en spectateur, en témoin : avec pour facteur commun leur jeunesse et leurs besoins : ces êtres affirmaient et proclamaient des valeurs d'un tout autre ordre que celles de la France restaurée. L'extrême valorisation du jeune homme à l'époque romantique se saisit ici en ses causes mêmes : mieux formé appelé à plus, que les jeunes gens de l'âge classique, affronté à une réalité sociale plus hostile aussi (hostilité d'autant plus ressentie, d'ailleurs, que possibilités et promesses étaient plus fortes), les hommes mûrs, les maîtres du système apparaissant non comme la future image de ce qu'on serait, mais comme des obstacles, des ennemis, qui refusent de comprendre, ces aînés n'étant pas la continuation de soi, mais les figures d'un univers dont on était exclu, le jeune homme n'est pas *moment* de la vie, mais *valeur*. Plus exploité, plus barré, moins compris que tout autre, c'est sur sa tête que semble se cristalliser l'inharmonie moderne. Le jeune homme devient représentatif d'une couche sociale, presque d'une force. Ce n'est pas liquider les différences politiques que dire cette parenté de refus [2]. Sautelet se brisera. Thomassy s'en tirera. En 1825, il sera nommé Procureur du Roi à Bourges. Mais sa lettre de 1833 dit bien que sa réussite ne fut pas lumineuse et sans problème, qu'elle n'est pas allée sans interrogations, sans dessillement d'yeux. Ce défenseur de l'Ordre, dans cette lettre qu'utilisera le romancier, porte contre l'Ordre la plus dure et la plus valable des accusations, la même que Marx dans le *Manifeste*. *Qui* brise la jeunesse, qui démoralise, qui annule la valeur humaine des liens familiaux, qui dégrade le mariage ?

thème courant à l'époque romantique. Balzac lui-même en parlera. Il y a là un aspect particulier de cette frustration de la jeunesse par la gérontocratie, qui est à la base du romantisme et du mal du siècle Restauration.

1. *Corr.*, I, p. 246.
2. Un exemple frappant. En octobre 1818, *en plein règne non pas ultra, mais doctrinaire*, Jules Bastide écrit à Jean-Jacques Ampère son dégoût après les élections qui viennent d'avoir lieu à Melun. Le préfet connaissait les votes (secrets) ; des voix avaient été achetées. Conclusion : « Mon ami, restons les uns auprès des autres, c'est par là que nous pourrons trouver le désintéressement, l'amour de la patrie, le dévouement que nous n'avons encore vu que dans nos livres de classe » (*Correspondance et Souvenirs*, I, p. 152). Un peu plus loin, c'est Ampère lui-même qui raconte à Jussieu comment on a fait voter pour Ternaux : « M. Ternaux a été nommé librement député de la libre France » (*ibid.*, p. 1, 55).

Certes pas les révolutions imaginables, mais bien le réel,
mais bien le quotidien bourgeois, mais bien la pratique bourgeoise. Tout ceci, par d'autres voies, avec d'autres moyens
d'appréhension, Balzac allait le découvrir, avait commencé
à le découvrir. Qu'il semble comme « coiffer » Thomassy et
Sautelet, ne tient pas seulement à son génie littéraire, et à
l'œuvre qu'il a depuis écrite et qu'ils n'ont pas, eux, écrite.
La raison en est, sans doute, à sa manière de voir, plus
complète. N'être que Thomassy pouvait conduire à des ralliements de fait. N'être que Sautelet pouvait conduire au naufrage, sans avoir évité pour autant, on le verra, au passage,
de jouer le jeu, l'impitoyable jeu de la société du profit [1].
N'être que d'Arthez pouvait conduire à l'impasse de l'Ordre.
N'être que Michel Chrestien pouvait conduire à l'impasse
de Saint-Merry. Balzac, bien vite, dépassera Sautelet, verra
plus clair que lui dans le jeu libéral, dans le problème romantique. Il ne cédera pas, non plus, aux conseils de Thomassy,
qui voulait lui voir « prendre une direction utile », et quitter
la littérature [2]. Contre Sautelet, il sera raison, et raison critique
allant plus loin que le libéralisme devenu sommaire. Contre
Thomassy, il maintiendra les droits de l'art, de la fantaisie,
de la liberté un peu bohème. Tout ceci n'a de sens, n'a tout
son sens, bien entendu, qu'une fois le chemin parcouru.
Mais il faut l'avoir à l'esprit si l'on veut bien comprendre
ce qui va suivre.

---

1. Cf. t. II, pour l'affaire du *Feuilleton des journaux politiques*, en 1830.
2. En 1824, quand Balzac sera au plus bas, après l'échec d'*Annette et le criminel.* Cf. *infra*, p. 666 sq.

CHAPITRE IV

Un début dans la vie (1)

> *M. le contre-amiral, songez-vous qu'on ne pend pas un homme qui a cinq millions?*
>
> HORACE DE SAINT-AUBIN,
> Le Vicaire des Ardennes.

> *Quel fatal emploi de l'esprit!*
>
> BALZAC, Illusions perdues.

Un monument, non seulement du *credo* formel classique, mais surtout de la *vision* classique des choses se trouve dans le *Tableau historique de l'état et des progrès de la littérature française depuis 1789*, demandé à Marie-Joseph Chénier par l'Institut. Le chapitre VI, *Les romans*, qui nous intéresse ici au premier chef, fait un éloge dithyrambique de Bernardin de Saint-Pierre (et surtout de *La Chaumière indienne*), éreinte *Atala* à coup de citations destinées à en ridiculiser le style, analyse longuement les romans de Mme de Genlis, de Souza et Cottin, salue (mais avec réserves) ceux de Mme de Staël. Morel de Vindé, Pigault-Lebrun, Montjoye, Fiévée, ont leur place ainsi que, il est vrai, au chapitre des traductions, *Caleb Williams* (incompris), les romans de Miss Radcliffe (dont le talent n'est pas « employé » mais « perdu »), *Werther* et Auguste Lafontaine. Ce dernier, qui ne pose pas de problèmes, se voit attribuer deux fois plus de place que Gœthe, et Mme de Genlis mobilise autant qu'*Atala*. A propos de ce dernier roman, Chénier conclut : « Un jour, sans doute, on pourra juger ses compositions et son style d'après les principes de cette poétique nouvelle, qui ne saurait manquer d'être adoptée en France du moment qu'on y sera convenu d'oublier complètement la langue et les ouvrages des classiques [1]. » Mieux vaut ne pas trop insister sur toutes les gloires mortes montées en épingle dans les autres chapitres.

---

1. Le *Tableau* parut en 1818. Il fut réédité fréquemment. Ici, édition de 1835, p. 192. L'exemplaire que nous avons sous les yeux appartenait à la bibliothèque du Collège Royal d'Amiens. Le *Tableau* de Chénier, longtemps après la découverte des œuvres de son frère, fit donc figure d'ouvrage et de référence. La révolution romantique ne touchait pas les profondeurs (pratiques), et l'enseignement demeura longtemps pénétré d'esthétique classique.

Cette nécropole n'est pas de complaisance. Pour Chénier, les hommes qu'il cite constituent réellement *l'apport* d'une époque. Même en faisant la part, comme dans tous les *États* de ce genre, du manque de recul, il faut bien constater que, pour l'auteur, la philosophie et le genre classique, clos sur eux-mêmes, ayant achevé toutes les révolutions possibles, libéré tout ce qu'il y avait à libérer, aboutissent à une littérature *qui n'a plus à poser de problèmes de fond.* Tout écart, fût-il de langage, et ne dit-on de lui autre chose qu'il est une menace pour le langage, est, en fait, menace pour l'ordre bourgeois. L'Institut, avec ses diverses classes, ses concours, ses prix, ses publications, orchestre et canalise tout ce que l'époque peut produire de meilleur. A l'extérieur, ténèbres et barbarie. Le seul *mouvement* vient des écrivains de droite : Bonald par exemple, aisément renvoyé à ses exagérations, et par trop ancien régime, n'incluant rien, dans ses critiques, que puisse adopter une jeunesse quelconque. Bonald, d'ailleurs, écrit mal, et c'est un signe... Il prétend interrompre la lignée, mais, sait-il, le malheureux, qu'il existe une « gloire poétique », garante d'une certaine vision du monde, « léguée par Malherbe à ses successeurs, et qui de classique en classique, s'est conservée chez les Français, durant deux siècles, toujours fidèlement recueillie, toujours enrichie de nouveaux trésors [1] »? Fontanes ne prépare-t-il pas une *Grèce sauvée?* Le bien-dire, la pensée claire, qui correspondent à un monde où circule l'oxygène de la liberté bourgeoise, sont au pouvoir. D'où pourraient venir des révolutions, sinon des barbares? Cette littérature classique, dont était nourri Bernard-François Balzac, est une littérature d'hommes en pleine possession de tout. Les premières interrogations mettant en cause cet équilibre viendront nécessairement de la religion et de la monarchie, puis des incompréhensibles « libertés » étrangères, où iront bientôt s'abreuver ceux, qui, en France, éprouvent un obscur besoin d'autre chose. C'est par un contresens momentané que le romantisme sera d'abord une littérature de droite : non de la droite salonnarde, mais de la droite traditionaliste, provinciale, écrasée de toujours, refuge des vertus et des puretés. Les premières insuffisances de l'ordre bourgeois lui prêteront quelque charme, quelque allure de vérité. Mais bientôt, c'est du sein même du monde bourgeois, en vertu, d'abord, du conflit des générations, des nantis et des déçus, en vertu, ensuite, et plus profondément, du conflit qui opposera l'antique élan révolutionnaire, maintenu dans

---

1. *Tableau...* p. 230-231.

sa pureté, à la révolution installée, la révolution avec toutes ses conséquences à la révolution féodalisante, que s'élèveront les voix les plus efficacement critiques. Marie-Joseph Chénier n'a pas d'enfants terribles à fouailler à sa gauche : ils sont encore au collège, et, pour sa totale bonne conscience, il n'a que ce Bonald, dont les critiques unitaristes n'ont pu encore acquérir le retentissement que lui conféreront les premières difficultés du libéralisme tournant à l'autoritarisme impérial ou à l'anarchie parlementaire. Mal du siècle : il y faudra la conjonction de prises de conscience encore impensables ou par trop incapables de se connecter sur un avenir quelconque. L'avenir, pour le moment, est aux membres de l'Institut. Ossian n'est que bizarre et n'*exprime* rien. Arnault peut bien composer une *Mort d'Abel*, Caïn y sera d'un sombre de bonne compagnie, peu apte à drainer les révoltes éparses; le plan, surtout, sera simple, la diction élégante et pure [1]. La tragédie, paraît-il, doit avoir pour fondement « l'amour de la vérité » : amour de tout repos, du moment que la vérité est aux mains des hommes en place. L'idée que la littérature puisse être l'expression d'une recherche, d'une inquiétude, ne saurait effleurer des bourgeois pour qui elle est essentiellement application de règles lentement dégagées du fatras « gothique ». Toute rupture avec cette conception divisée, hiérarchisée, codifiée, sera signe d'incompatibilités portant sur le fond. Pour Chénier, la littérature « fonctionne » à l'intérieur d'un réseau qui garantit l'épanouissement sans exposer aux effusions perturbatrices. Loin d'être une œuvre de « camarade », son livre est l'expression lucide et ferme d'une morale correspondant à des intérêts en équilibre. Toute autre manière de dire et de sentir sera, dès lors, jugée comme menace à l'encontre d'une conquête de l'esprit humain. On trouve ici, déjà, inscrit en filigrane dans l'Histoire, le mot d'ordre de toutes les révolutions à venir : aux armes citoyens, il n'y a plus de raison. C'est par Radcliffe, par exemple, que l'insolite avait pénétré la citadelle. Chénier ne se doutait pas de l'exacte portée de l'événement. Jusqu'en 1830, nous allons suivre, en compagnie d'un débutant, ce démembrement progressif de la forteresse rationnelle, non par de simples et gratuites intentions littéraires, mais bien par des poussées vitales qui finissent toujours par trouver leur expression appropriée. Si la révolution bourgeoise s'était montrée capable d'organiser la vie, d'en assurer tous les développements, de satisfaire au besoin d'universel

1. *Tableau...*, p. 281.

et d'absolu qui avait présidé à son propre départ, elle ne se serait jamais vu menacée de débordement. L'architecture classique, les genres, les styles, le goût, qu'une critique moderne avait cru un peu vite relever uniquement de l'aristocratie et de son ordre, ne relevaient, en fait, que d'un conservatisme seulement un peu plus visible aujourd'hui qu'alors, et qui ne devait pas mieux tenir devant les poussées que tous les conservatismes du monde. A Angoulême, on parlera d'André Chénier comme d' « un frère royaliste du révolutionnaire Marie-Joseph Chénier [1] », mais cette phrase ne prend-elle pas un goût de délicieux archaïsme? *Car qui est le révolutionnaire?* Toute la révolution que nous allons vivre va se faire contre, non seulement les *formes* consacrées par Marie-Joseph Chénier, mais surtout contre ce qu'elles recouvrent, défendent, interprètent, et justifient. On peut être *parti* de Marie-Joseph Chénier, *contre* l'ancien régime : la révolution victorieuse de l'ancien régime se montrant enfin sous ses vraies couleurs (et, curieusement, son conservatisme artistique apparaissant avant son conservatisme social, mais les insurrections d'artistes ne précèdent-elles pas toujours les insurrections politiques?), comment la littérature, avant-garde de toujours, n'aurait-elle pas porté les premiers coups? Un problème précis, concret, de la vie dans le monde moderne, devait, il faut le dire, Balzac surtout aidant, Balzac surtout osant, lui faire trouver l'angle d'attaque correct.

Les drames de l'humanité classique et post-classique sont des drames purement psychologiques ou moraux. Les seuls grands conflits, générateurs de pathétique ou d'émotion, sont des conflits intérieurs. Réalité sociale, fortune, métier, tout ce qui rattache l'homme à la terre, rien de ceci n'est matière à littérature. Jusqu'à Balzac, écrit Gautier, les héros de roman se mouvaient « dans un milieu abstrait comme celui de la tragédie [2] ». Mais le jeune Balzac avait, dès 1821, posé dans la question de fond : « Mange-t-on dans *René* [3]? ». De fait, Amélie entrant au couvent faisait don de ses biens à son frère en un post-scriptum rapide, et celui-ci, partant pour l'Amérique, les cédait à son tour à son cadet en deux phrases... Le roman réaliste bourgeois avait eu beau attirer l'attention sur les héros qui ont besoin de manger, les orages majeurs demeuraient ceux du cœur. A Clarens la qualité de bonne administratrice ne faisait qu'ajouter une auréole

---

1. *Illusions perdues*, C.H. IV, p. 540.
2. *Op. cit.*, p. 84.
3. *Falthurne*, éd. Castex, p. 34.

à la tête de Julie; quant à Saint-Preux, on sait qu'il refusait de se laisser payer ses leçons. La fortune d'ancien régime avait quelque chose de stable, de « naturel »; dans toutes les villes hautes de *La Comédie humaine*, dans les provinces, les fortunes ancestrales n'auront jamais sur les jeunes gens l'effet corrupteur des fortunes parisiennes, récentes, fragiles, voire scandaleuses, mais par là d'un autre brillant et d'un autre attrait. Seule la disparition du caractère transcendant des « situations », seule la naissante fluidité, la naissante ouverture du champ d'action sociale, seul l'affolement vers le haut des courbes de production, vont faire de la fortune un élément nouveau du destin. L'argent, désormais, ne sera plus quelque chose d'aussi éternel que les pierres des vieilles façades; il sera, comme jadis l'amour, la nouvelle inconnue des vies qui commencent. Il n'est plus certain qu'on finira sa vie là où on l'a commencée. Il serait même absurde de la finir là où on l'a commencée : ce serait demeurer à l'écart du mouvement du siècle. La littérature ne traite jamais que de ce qui inclut une part de mystère, que de ce qui est découverte, ou implique, pour une zone suffisamment large d'humanité, inquiétude, exaltation, souffrance. Ce n'était pas vice ou aveuglement, chez les auteurs pré-balzaciens, s'ils négligeaient la question d'argent : le monde pour lequel ils écrivaient et dont ils exprimaient les problèmes, était un monde où les questions d'intérêt étaient réglées une fois pour toutes. Ruines, progrès, « réussites », relevaient de l'exception, et l'affaire Law scandalisait. Reste que Balzac, en faisant le premier du problème de l'argent l'une des dimensions du monde moderne, opérera un de ces « efforcements », comme disait Péguy, l'une de ces mutations qui laissent pantois. On *savait* que les fluctuations, les incertitudes des fortunes commandaient en fait la vie, depuis la Révolution et l'Empire, plus que l'amour et ses peines. Mais on le savait sans le savoir, puisqu'on ne l'avait jamais vu écrit dans un livre. L'expression littéraire confère toujours à un problème une virulence neuve. Passant de l'expérience diffuse au concept cerné par le style, on avance sur le chemin de la prise de conscience. L'écrivain, ici, fait plus qu'enregistrer ou refléter. Il devance. Mais il devance parce que, s'il a *vécu* comme les autres, il a mieux *compris* que les autres le sort qui leur est fait. L'œuvre naît de cette rencontre entre une puissance d'évocation particulière et une réalité qui courait encore après son peintre. Après l'œuvre, les choses ne vont plus exactement comme avant. La preuve : on cherche, lorsqu'elle gêne, à la nier, à l'amoindrir. On reprochera à Balzac, dans la

critique bourgeoise ou spiritualiste, d'avoir trop accordé à
la question d'argent. Pourquoi? Parce que Balzac avait
révélé un secret, formulé une recette. Le sentiment de misère,
de solitude, d'insuffisance dans l'accomplissement de soi,
avait eu, un temps, pour bases les aliénations post-révolutionnaires dans les milieux aristocratiques. Balzac vient et
dit : il y a *aussi*, et pour une humanité numériquement plus
importante, une autre cause à cette idée vague que la vie
est mal faite; cette autre cause, c'est l'argent, facteur d'expansion, mais aussi facteur d'étranglement, pourvoyeur de
réussites frelatées. Le levier nouveau offert à l'ambition
prométhéenne est un levier de triche.

Les capitaux, en effet, pour la bourgeoisie « philosophe »
étaient signe de puissance, mais *aussi* de dignité. Récompense
du labeur et de la capacité, ils étaient encore moyen d'entreprendre. Armes d'une classe conquérante, ils s'opposaient
aux revenus féodaux, aux pensions [1], *à l'argent non mérité*.
Longtemps encore, le « capitaliste » fera figure d'organisateur
et de pionnier, face au noble parasite qui ne cherche qu'à
profiter des hasards et revanches que lui ménage l'Histoire [2]. Mais cette vision ne demeure possible que pour qui
se situe dans la perspective d'une lutte qui n'aurait pas cessé
entre l'aristocratie et la classe « industrielle », qui demeurerait
l'essentiel. La Restauration a pu favoriser un temps cette
illusion, mais, vite, l'aristocratie devait quitter la scène :
soit qu'elle s'enfermât dans ses bouderies, soit qu'elle se
ralliât et jouât le jeu de l'affairisme bourgeois. Les du Guénic
ne comptent plus, et le comte de Fontaine est passé dans le
camp de la finance. Laffitte, contre Villèle, pouvait faire
figure de héros national, et Saint-Simon pouvait en toute
bonne conscience faire financer ses publications par le grand
banquier libéral [3]. Mais Villèle disparu (ou, visiblement,

1. Cf. La Bruyère, *Discours sur Théophraste :* l'homme de jadis, l'homme de la
nature, « n'était point riche *par des charges ou des pensions*, mais par son champ,
par ses troupeaux, par ses enfants et ses serviteurs » (éd. Garnier des *Caractères*,
p. 12). Cet homme de la nature, qu'on oppose à l'homme « moderne », scandaleu-
sement « moderne » des cours, c'est avec lui que renouera le commerçant de
Voltaire, Sedaine, Beaumarchais. Mais, la société ayant marché, les philosophes
n'auront plus à aller puiser, pour combattre ceux qui savent à quelle heure le roi
se lève, dans la tradition patriarcale. Ils exalteront un nouveau « modernisme »,
mais « sain », celui-là, moralement exaltant. Pensions et charges, en tout cas,
aussi bien chez le moraliste que chez le philosophe, apparaissent comme profondément antinaturelles. C'est la notion bourgeoise de *nature* qui se cherche, tout
simplement.
2. Cf. t. II, à propos du roman de Victor Ducange, *Isaurine*, paru en 1830,
et éreinté par Balzac dans le *Feuilleton des journaux politiques.*
3. Laffitte fut le bailleur de fonds de *L'Industrie* (1819), puis du *Producteur*
(1825).

pesant de moins en moins ?) *sous* le combat libéraux bourgeois
contre aristocrate, commence à se dessiner un autre combat.
La richesse commence d'apparaître comme oppressive, et
plus seulement comme libératrice. L'argent n'est plus moyen,
mais fin. Il n'est plus signe de valeur, mais de fatalité. Per-
dant la justification que lui fournissait la lutte contre la société
féodale, bénéficiant de moins en moins d'une mobilisation
universelle des esprits contre les Lys, la bourgeoisie se révèle
à tous ce qu'elle est en sa nature : accapareuse, confiscatrice,
du grand élan des sociétés renouvelées. L'argent est règle
universelle. Sous l'ancien régime, l'argent, l'argent bourgeois
n'était pas tout, parce que l'argent bourgeois n'était pas
totalement libre. Des institutions, des traditions, certes de
plus en plus bouleversées par l'évolution économique, mais
retardant, quand même sur elle, faisaient frein. D'autres
barrières existaient que celles de la pauvreté. Les chantres
réactionnaires du passé insistèrent sur la scandaleuse libération de l'argent par la Révoluion et l'Empire. Mais de
jeunes bourgeois, malheureux, ne participant pas au partage
des bénéfices, idéalisèrent, à leur tour, cet état social dans
lequel l'argent était de plus en plus quelque chose, mais,
toutefois, n'était pas encore tout.

Sur la lancée pseudo-classique, la littérature avait renoué
avec le style distingué. Une atmosphère exaltée par la grandeur et la fragilité du triomphe, la nostalgie d'une certaine
liberté, avaient créé dans le roman un nouvel idéalisme bien
représenté par la génération des romancières féminines. Le
style aristocratique et désintéressé, après s'être retrempé
dans le grand bouleversement européen, trouvant dans les
nouvelles noblesses (impériale, bourgeoise, intellectuelle)
des modèles et des lecteurs, renouait avec ses constantes.
Une inquiétude toute moderne pouvait bien animer *Corinne*,
les œuvres de Mme Cottin étaient rééditées, à l'infini, dans la
Bibliothèque d'une maison de campagne: littérature du cœur,
littérature sensible, mais qui, sous ses formes les plus humbles,
ne poussait pas trop loin la mise en cause du monde établi.
Les belles attitudes, même, du fameux tableau de Gérard,
étaient d'une Corinne hors du temps, hors de l'espace. Le
poncif guettait cette humanité sublimée. La lyre de la poé-
tesse symbolisait l'alliance, par-dessus les années, entre
l'idéalisme du vieux Parnasse et celui des révolutionnaires
assagis ou désenchantés. Mais il manquait, à Mme de Staël,
comme à Mme Cottin, ce sentiment profond d'une fragilité,
d'une instabilité, *liées au changement des rapports sociaux.*
Dans les profondeurs, les bases de la vie même avaient vacillé,

mais la littérature en était encore à n'exprimer, à n'enregistrer, que les vagues et frémissantes exigences de la surface des choses. Toute une société se reclassait, mais le roman sentimental parlait comme si les fortunes étaient stables, éternelles, naturelles.

Dans la vie, toutefois, les questions d'argent avaient passé au rang de préoccupation majeure. La Révolution secoua la politique, la morale, mais aussi les situations de famille. Les quelques nobles, même, qui se rallièrent, éprouvèrent, en 1814, de cruels déboires, tel M. de Valentin. On sait combien cette sombre histoire a pu peser sur l'enfance et la jeunesse de Raphaël. « *Le jour où mon père parut m'avoir émancipé, je tombai sous le joug le plus odieux* [1] » : secret surpris à l'étude, probablement, par le clerc Honoré Balzac. Quant à ceux qui avaient résisté, ruinés par les confiscations, les années d'exil ou la guerre de Vendée, ils rentrèrent sans un sou, dépendant du roi pour une problématique indemnité. Alors, Mme de Granlieu se demande comment elle va y arriver, et prend des renseignements sur le fils de la fille Goriot, ou Moriot. Alors, M. de Fontaine commence à courir les antichambres. Les plus grands, comme le duc de Navareins, qui ont pu se faire avancer des fonds et jouissent de hautes protections, s'en tirent par l'ingratitude et l'escroquerie. On joue, avec le petit la Baudraye, la scène de M. Dimanche. On n'y ajoute que la Légion d'honneur. Mais les petits sont frappés au cœur. Obstinément fidèles, dans leur province, ils végètent d'une vie diminuée, effrayés par cette puissance nouvelle. « Aujourd'hui, il ne s'agit plus que d'avoir de l'argent. *C'est tout ce que je vois de clair dans les bienfaits de la révolution* [2] ». Le Roi lui-même semble d'accord, et ne se soucie plus que de savoir ce qu'on paie de tailles. Les marchands d'imagerie tricolore et démocratique, les écrivains de ceux qu'avait enrichis la Révolution, n'ont guère retenu cet aspect de l'analyse balzacienne. Le mal du siècle des émigrés, des aristocrates, le roturier Balzac est le premier à l'avoir vu avec autant de netteté, à l'avoir mis en correspondance avec celui des jeunes plébéiens pauvres. Sans « maximes d'action », comme René, ou, trouvant « dans le trouble de leur cœur », « leurs sentiments », « leurs cultes », en désaccord avec les « maximes de la société », comme le héros de *La Peau de chagrin* [3], ils apparaissent comme des êtres de qualité condamnés

1. *La Peau de chagrin*, C.H. IX, p. 80.
2. *Le Cabinet des antiques*, C.H. IV, p. 459.
3. Raphaël, comme le Rastignac du *Père Goriot*, n'est que formellement un aristocrate, et ce, afin d'acquérir, face aux bourgeois Juste-Milieu, un style et une

à l'ilotisme par la subite dévaluation, en même temps, de leurs revenus, et de leurs raisons de vivre. Peu importe que leur « déphasage » par rapport au réel moderne, dont ils ne voient pas ce qu'il a de créateur, les porte aux pires erreurs, à accuser, par exemple, Louis XVIII d'être un jacobin, à espérer, follement, que tout irait mieux si Monsieur prenait le pouvoir : lorsque Balzac rapporte de tels propos[1] il est visible qu'ils font partie, à ses yeux, d'un folklore Restauration à la signification sans équivoque. Ces *victimes* ne *comprennent* pas. On peut souffrir et ne pas voir clair. C'est la base même du sentiment de l'absurde.

Pour réparer le mal, d'humbles serviteurs travaillent en silence. Chesnel et Derville, le vieux fidèle et le jeune efficace, reconstituent peu à peu le patrimoine, exigent des économies, obtiennent des restitutions, négocient des mariages réparateurs. Les d'Esgrignon se rebiffent, mais Mme de Granlieu s'enquiert. La fortune du fils ayant échappé aux dissipations de la mère, on ne retiendra que le nom qu'il porte. Un Restaud! Le pavillon couvre la marchandise[2]. Quant à Diane de Maufrigneuse, rescapée de Victurnien, elle conseillera au vieux marquis un arrangement raisonnable avec une héritière. Comme Mme de Granlieu, Diane est une parisienne qui a « compris », et dont le ralliement marque mieux encore l'isolement de ceux qui restent purs. Le rien de mépris qui subsiste pour ces bourgeois nécessaires, marque bien, par ailleurs, l'impossibilité, pour qui demeure soucieux d'un peu de « style » et de liberté intérieure, d'une totale valorisation du fait bourgeois. Fumer ses terres est devenu une nécessité autrement d'importance, statistiquement parlant, qu'au temps des Grignan, mais la contrainte extérieure est telle, liée à une mutation d'ensemble de la société si brutale[3], que certaines insolences allègres ne sont plus de mise. On pouvait, au XVIIe siècle, en faire des bons mots : la classe

dignité. Raphaël est, pour l'essentiel, un jeune homme *supérieur*, mais *pauvre*. Sa noblesse n'est qu'instrument de dramatisation, non élément constitutif du personnage.

1. Dans l'édition originale du *Bal de Sceaux*, en 1830, la noblesse s'exprime aussi vigoureusement, sur ce point, que dans *La Comédie humaine*, Il ne s'agit donc pas d'une réfection, mais bien d'une « chose entendue », et de bonne heure.

2. Ce n'est qu'en 1835, dans la réédition des *Dangers de l'inconduite* sous le titre *Le Papa Gobseck*, que Balzac ajoute la question : pourra-t-on recevoir une fille Goriot? Il songe alors à lier plus fortement entre elles ses diverses *Scènes*, mais aussi, il renforce l'impression première de démoralisation. Non seulement Mme de Restaud convoite l'argent bourgeois, mais, de plus, elle refuse même de se rallier à ce que la bourgeoisie pouvait avoir de neuf et de fort. Elle s'accuse comme individu pur. Épouser et mépriser : sur deux flancs, l'aristocratie se déshumanise. Il ne reste que le masque.

3. Il y avait bien mutation, au XVIIe siècle, et bien vue par Saint-Simon, mais progressive, comme une maladie qui ronge, non comme une catastrophe.

noble se croyait peut-être encore assez d'avenir pour digérer ses financiers. Il n'en va plus de même sous la Restauration. Les sourires de la duchesse rejoignent les répugnances du vieux chouan : révérence au nouveau maître! Un petit pincement, mais il faut avaler. Seuls les fils de famille ne comprendront jamais vraiment, eux, enfants du monde moderne et que portent les besoins de leur jeunesse. Mais Mme de Portenduère, forcée d'avoir recours au docteur Minoret? Oui, et aux yeux de tous, le drame de l'argent a pénétré l'Aristocratie, citadelle littéraire, jusqu'alors, de la vie désintéressée. Nul, plus que les bourgeois chargés de payer les indemnités d'émigrés[1], ne devait être plus sensible à ce premier inventaire des secrets de la princesse de Cadignan. Tous les efforts faits postérieurement par le monarchiste Balzac pour reconstruire une aristocratie en disent long sur l'importance des découvertes du jeune homme. Le mouvement n'était pas né d'hier, certes, mais il venait d'acquérir une tragique *universalité* en même temps qu'il subissait une universelle *accélération*. Le relatif pénétrait définitivement l'absolu et, par-delà l'anecdote ou le cas particulier, c'était tout un monde, tout un système de références, qui s'écroulait de l'intérieur.

Mais les familles bourgeoises avaient, elles aussi, leurs secrets. Mariages, héritages, vie de famille, relations entre parents et enfants, entre frères et sœurs, tout portait la marque de l'argent, et la portait de plus en plus. Des fractions de plus en plus larges de la bourgeoisie, passant du développement sûr et lent au développement accéléré, voyaient des tensions anciennes prendre un rythme nouveau, une force obsessionnelle nouvelle. De l'accumulation patiente, du travail et de l'épargne, on passait à des ambitions brusquement rendues possibles. On spéculait, aussi. On tentait de brûler des étapes. Mais, comme en ce monde de l'impitoyable libéralisme rien n'est sûr, on se retrouvait aussi, souvent, dans des embarras d'autant plus cruels qu'on avait mieux espéré, ou, pendant un temps, obtenu. La Révolution et l'Empire avaient ouvert des portes à d'antiques patiences : d'où, exaltations, triomphes, conquêtes. Mais rien n'était jamais garanti. Au niveau le plus humble des budgets de ménage, on faisait l'expérience, chez les bourgeois les plus « accrocheurs », d'une instabilité exténuante. Une erreur de calcul, une mise à la retraite inattendue, un prêt difficile à rembourser, et ce pouvait être la guerre entre gens faits pour vivre

1. Cf. une allusion précise dans le *Code des gens honnêtes*, en 1825 (O.D. I°, p. 138).

ensemble, mais qui s'en prennent l'un à l'autre, faute de pouvoir même concevoir qu'il est, par-delà leurs cas personnels, une responsabilité majeure : celle d'un système qui se joue d'eux, qui les joue les uns contre les autres, qui les divise à l'intérieur d'eux-mêmes, les voue à l'inquiétude solitaire, à la rancœur et à la méchanceté. Ne sachant quoi mettre en cause, on songe à « la vie », « aux autres », surtout. La loi d'argent isolant les hommes, les femmes, érodant les rapports humains : c'est l'autre face de la poussée bourgeoise.

Honoré Balzac eut de bonne heure sous les yeux ce spectacle : une famille dynamique, reprise en détail par les problèmes d'argent. Son père, fonctionnaire de la nouvelle vague impériale, avait épousé une fille riche. Il avait dilapidé quarante mille francs que lui avait confiés sa belle-mère. Il lui servait en compensation une rente de deux mille francs, qu'elle reversait à sa fille pour sa pension chez elle. Quant à celle-ci, elle avait volatilisé trente-cinq mille francs à la Bourse. Il lui faudra doter ses filles, plus tard, venir au secours d'Honoré. Et son époux avait placé tout son avoir en viager. La fameuse lettre de 1847 dans laquelle la mère du romancier, sans le sou, fait à son fils le bilan de sa vie, est assez aigre, dans son souci de justification, mais comment ne pas y sentir remonter de vieilles et légitimes amertumes? Comment ne pas, au moins, lui « comprendre » son Espagnol ou son châtelain de Saché, à cette victime d'un mariage de convenance? Tout être volé cherche ailleurs la vraie vie. Mais, à l'intérieur de l'univers bourgeois, il n'est de « vraie vie » que dans des « ailleurs » perpétuellement trompeurs. Mme Balzac n'est pas *que* la mère indifférente déjà rencontrée. Elle, comme tous les autres, dans *La Comédie humaine*, n'a été bourreau que parce qu'elle était aussi et d'abord victime : « Comme je ne veux pas que ma mémoire reste entachée de mauvaise gestion de ma fortune, je vais faire un résumé exact de tout ce que j'ai reçu, de mes parents, comment ma fortune a disparu, et je ferai aussi une confession de ma conduite. Je déposerai chez deux ou trois amis ce papier cacheté pour qu'à ma mort on sache toute la vérité et ce que j'ai souffert depuis dix ans [1] ». Lettre — mémorandum, et Honoré savait tout cela. Il faisait payer, sans doute, à sa mère, ce qu'il avait jadis souffert, et la mort de Laurence. Mais comprenait-il vraiment *tout?* Dans son désir d'affirmation, de revanche, d'expression, même, tout simplement, de soi, rendait-il justice? Ce qui est sûr, c'est

1. L. F., p. 262.

qu'un homme né dans une telle famille, sensibilisée de bonne
heure aux conflits sourds de l'argent, aux pénibles dissonances, aux préoccupations, aux amertumes engendrées
par l'argent, ne pouvait écrire une œuvre dans laquelle on
ne mange pas. Laure jeune mariée? Ce sont des problèmes
de fin de mois. Laurence promise? Il s'agit de savoir si le
futur a des dettes. Laurence mariée, à son tour? C'est l'embarras vis-à-vis du mari, à qui l'on n'a pas versé la dot, et qui
demande les intérêts, des avances. C'est ensuite la découverte
de ce qu'il avait caché : des dettes, terribles, et dont Laurence
mourra [1]. Et la pauvre grand-mère Sallambier, la personne
de sa famille que Balzac a le plus aimée sans doute, supportée
à cause de la dette contractée envers elle par Bernard-François. Oui, très tôt, Balzac dut comprendre que l'or, c'était
autre chose que les bourses jetées aux hôteliers et aux valets
dans les romans et comédies de la tradition. Toute une idée
absurdiste de l'Homme, de la civilisation, passait nécessairement par la question d'argent. Lorsque le jeune homme
déclara son intention de se faire écrivain, c'était au moment
où son père venait de perdre sa place. Les rêves butaient
sur une liquidation de pension. Comment, « au-dehors »,
voyait-on la chose?

Comment se posait le problème de l'argent dans le monde
libéral? Du côté gauche, on en avait fini avec les prêtres et
les nobles; on avait jeté les fondations du régime constitutionnel. Liberté était donnée aux hommes capables et entreprenants de développer industrie et commerce. On en avait
fini avec les raisons d'être triste ou colère. Si les émigrés
relevaient par trop la tête, on le leur ferait payer. Rien ne
saurait désormais arrêter la nation dans le cours de sa marche
« progressive ». On voit mal un romantisme quelconque
s'insérer dans tout ceci. « Crève donc, animal! » est une
réaction de bourgeois qui a pour lui l'Histoire.

Est-ce à dire qu'ait disparu l'un des plus vieux problèmes,
celui des riches et des pauvres? Certes non, mais il se posait,
semble-t-il, en termes neufs. Jadis le riche était l'oisif inutile
et parasite, l'homme des droits seigneuriaux ou des pensions.
Aujourd'hui, le riche est le manufacturier qui fournit du
travail et, qui plus est, défend la mémoire de l'Empereur
et lutte contre la congrégation. Il y a, pour tout travailleur,
place au soleil. Le règne de l'argent est le règne de la liberté
puisqu'il est celui de la capacité. La misère peut même être

---

1. Cf. Philippe Havard de la Montagne, *Un beau-frère de Balzac, A.-D. Michaud
de Montzaigle*, A. B., 1964.

une école féconde, un noviciat avant les responsabilités.

Caricature, ou monstrueux montage de la bonne conscience bourgeoise? N'allons pas trop vite, et essayons de juger avec les yeux des hommes de la Restauration. Le Peuple, alors, n'était, par lui-même, strictement *rien*. Au pouvoir, une réaction imbécile faisait tout pour justifier les banquiers-députés. Le vrai combat, peut-être illusoire en fait, mais *senti*, *vécu*, comme premier, c'était, incontestablement, le combat droite-gauche dans les termes où l'avait posé 1815, puis, surtout, le ministère Villèle. Par conséquent, cet autre combat, premier depuis l'élimination définitive de la noblesse, premier depuis la naissance de la lutte socialiste dans la seconde moitié du XIXe siècle, n'était encore que bien secondaire, voire inexistant. L'humanité ne peut se disperser, et à chaque jour suffit sa peine. Toutes les forces vont nécessairement selon la pente qu'offre l'Histoire. Or, en 1820-1825, la notion de *misère* ne mobilise pas encore les esprits disponibles parce qu'une autre aliénation les requiert tout entiers. Seuls de rares hommes qui voyaient déjà plus avant et considéraient *Le Corsaire* comme un journal d'arrière-garde, qui définissaient l'inquiétude moderne en termes autres que ceux de Benjamin Constant, pouvaient tirer de leur expérience des intuitions pour après-demain. Mais, en 1822, il n'y avait encore ni Balzac ni saint-simoniens. Un exemple suffit à montrer le chemin qui demeurait à parcourir avant d'en venir à ce qui nous apparaît comme l'évidence.

> *Je viens de revoir l'asile où ma jeunesse*
> *De la misère a connu les leçons*
> *J'avais vingt ans, une folle maîtresse,*
> *De francs amis et l'amour des chansons* [1]

Le fameux *Grenier* de Béranger, qu'elles en sont loin les mansardes balzaciennes, celle de Rapahël, celle de Z. Marcas, celle de Lucien, la « pension bourgeoise de Benassis [2] »! Pourquoi, chez le chansonnier, cette bonne humeur, ce thème du bon vieux temps et de la vache enragée? Pourquoi, chez Balzac, ces sombres couleurs, cette récusation de la vie de bohème et de la jeunesse coureuse de jupons? La figure féminine qui visite la mansarde, ce n'est plus Lisette, bonne fille :

---

1. *Le Grenier, Chansons inédites de M. P. J. de Béranger*, Baudouin frères, 1828, p. 5-7. Cette chanson avait été imprimée pour la première fois dans *Les Annales romantiques*, 1826-1827, sorties des presses d'Honoré Balzac.

2. *Le Médecin de campagne*, éd. Garnier, p. 197. Située au « quartier latin », cette pension préfigure, bien évidemment, celle de Mme Vauquer.

> *Lisette ici surtout doit apparaître,*
> *Vive, jolie, avec un frais chapeau :*
> *Déjà sa main, à l'étroite fenêtre,*
> *Suspend son châle en guise de rideau,*

mais c'est la souffrante Pauline, ou bien la femme sans cœur.
Oui, pourquoi ce déclassement, d'un seul coup, des refrains
du vieil Anacréon de la gauche? Aux tristesses et aux rancœurs aristocratiques, les libéraux opposaient la joie de vivre
et la santé de ceux qui ont pour eux le bon droit, la raison,
l'avenir. La génération de Béranger avait connu le temps des
exaltantes victoires sur le passé :

> *A table un jour, jour de grande richesse,*
> *De mes amis les voix brillaient en chœur,*
> *Quand jusqu'ici monte un cri d'allégresse :*
> *À Marengo, Bonaparte est vainqueur.*
> *Le canon gronde, un autre chant commence,*
> *Nous célébrons tant de faits éclatants.*
> *Les rois jamais n'envahiront la France.*
> *Dans un grenier, qu'on est bien à vingt ans!*

Qu'est-ce que la « misère » de la vingtième année, dans un
monde où tout revit? Charme des préfaces! Mais Balzac,
comme Joseph Delorme, est de la génération suivante, de
celle pour qui les conflits du passé commencent à céder la
place à d'autres. La source première du scandale n'est plus
dans les odieuses et stupides prétentions des rois, des nobles
ou des prêtres, mais bien dans la découverte, au sein même
du monde libéral, de l'impitoyable loi d'argent et de misère.
Pris tout entiers par la lutte contre théologie et féodalité,
les hommes de la « belle époque » n'accordaient qu'une attention distraite à ce qui allait devenir le problème numéro
un du néo-romantisme. « *J'ai su depuis qui payait sa toilette* »,
écrit Béranger : on ne prend plus aussi facilement son parti
dans la jeunesse exigeante qui suit [1]. Quelle distance, aussi,
de Lisette à Coralie! Et comme la prise de conscience d'alié-

---

1. Même thème dans l'une des premières chansons, *Le Petit Homme gris :*
> *Sa femme, assez gentille,*
> *Fait payer ses atours*
> *Aux amours.*

Que la prostitution (car il faut appeler les choses par leur nom) soit, si l'on ose
dire, l'envers de la grisette, ne gêne pas Béranger. Lisette fait partie des années
antérieures à l'établissement dans la vie bourgeoise. Lisette échappe au peuple
(elle porte un chapeau!) en se vendant, et sa liberté, c'est son ami de cœur. Celui-ci
en tire, bien entendu, toutes les conséquences nécessaires à sa bonne conscience.
De toute façon, même si on laisse de côté les sentiments éprouvés, pour s'en tenir
à ce qui est montré, aux rapports et valeurs suggérés, la « liberté », selon Béranger, apparaît ici en ce qu'elle a de plus mutilant.

nations nouvelles vient enrichir la création littéraire! Malgré les apparences, il est aisé de découvrir, dans les vers du « léger » Béranger toute une conception du monde, sans grands mystères, sans désenchantement profond : comment, d'ailleurs, mettre en cause l'argent, dans un parti dont l'un des grands hommes est Laffitte? Dignement, le chansonnier, après sa révocation, refuse une place dans les bureaux du banquier; pourrait-il, salarié par « un vrai citoyen », continuer à dire sans être accusé de flatterie

> *Que la droite du Pactole*
> *Intrigue et ruse vont puisant*
> *Tandis qu'une noble industrie*
> *Puise à gauche, et de toute part,*
> *Reverse à flots sur la patrie*
> *Un or dont le pauvre a sa part* [1] *?*

Comme ces vers nous paraissent, *aujourd'hui*, terriblement réactionnaires! Mais comme ils devaient commencer à dater aussi pour ceux qui n'étaient plus, qui ne pouvaient plus être, vraiment persuadés des vertus de la réversibilité libérale! L'or ennemi de la liberté : et non seulement l'or des indemnités, l'or des sinécures, mais aussi, déjà, l'or de la Chaussée d'Antin, l'or des Keller. L'or de Nucingen. L'or pour qui travaillent les mineurs de Wortshin ou les jeunes compilateurs dans les mansardes. L'or des Doguereau qui voudraient tenir les Lucien dans — précisément — un grenier. Tout en saluant (peut-être en enviant) la puissance de Béranger [2], Balzac montrera toujours un peu d'agacement

---

1. *Les conseils de Lise, chanson adressée à M. J. Laffitte, qui m'avait proposé un emploi dans ses bureaux pour réparer la perte de ma place à l'Université* (1822), *Chansons nouvelles de P.-J. de Béranger*, Paris, chez les marchands de nouveautés, 1825, p. 57-58. Les deux mots soulignés le sont dans le texte.

2. « Le vrai pamphlétaire fut Béranger; les autres ont aidé plus ou moins la sape des libéraux; mais lui seul a frappé, car il a prêché les masses » *Monographie de la Presse parisienne*, 1840, O. D. III, p. 571. Sur Béranger homme de gauche, il faut lire les terribles pages de Jules Vallès :

« Béranger!

Mon père avait un portefeuille qui en était plein.

A côté de vers bachiques imitant un verre, une gourde, il y avait les gueux :

> *Les gueux, les gueux,*
> *Sont des gens heureux,*
> *Qui s'aiment entre eux;*
> *Vivent les gueux!*

Les gueux sont des gens heureux! Mais il ne faut pas dire cela aux gueux! s'ils le croient, ils prendront le bâton, la besace, et non le fusil !

Et puis, et puis — oh! cela m'a paru infâme dès le premier jour ! — ce Béranger, il a chanté Napoléon !

Il a léché le bronze de la colonne, il a porté des fleurs sur le tombeau de César, il s'est agenouillé devant le chapeau de ce bandit qui menait le peuple à coups de pied, et tirait l'oreille aux grenadiers que Hoche avait conduits sur le Rhin

à l'encontre de ce « style » libéral : en apparence, sans doute, pour des raisons « politiques »; en profondeur, sans doute, parce qu'il était avant tout le style, à ses yeux, de qui esquivait les vrais problèmes et niait l'expérience. Celle du siècle, mais d'abord, la sienne.

Tous les biographes ont insisté sur l'apprentissage de Balzac dans deux études du Marais. « Ce fut ici qu'il apprit comme malgré lui, comme à son insu, écrit excellemment Bellessort, tout ce que les contrats, les liquidations, les testaments, les actes notariés, représentent d'espérance, de convoitises, de déceptions, de malice, de traquenards, de cruautés. Le moins clerc des clercs de notaires sera un maître clerc dans les romans. Ces paperasseries imposantes qui l'encombrent aujourd'hui, et qui l'assomment, il leur donnera un jour une vie extraordinaire. Sous les doigts crispés de ses personnages, elles sueront des larmes de sang [1]. » Oui, *en même temps* qu'il s'élançait dans les hautes sphères de la spéculation philosophique, Balzac apprenait que le destin des hommes se joue *aussi* dans ces pièces minables où les saute-ruisseau se moquent du colonel Chabert [2].

Les biographes ont donc raison. Mais pourquoi ne posentils pas la question essentielle : bien d'autres écrivains français, avant Balzac, ont tâté du droit et de la chicane. Pourquoi, *lui*, en a-t-il tiré plus, substantifiquement parlant, que personne avant lui? Pourquoi son stage chez Passez et Guyonnet-Merville n'a-t-il pas été seulement un épisode, vite dépassé

et dans la Vendée : Hoche, qu'il fit peut-être empoisonner, comme on dit qu'il fit poignarder Kléber!...
· *Ce poète en redingote longue baise les pans de la redingote grise!*
Deux redingotes sur lesquelles je crache!
Tiens, imbécile, tiens, lèche-éperons! [...]
. . . .
Je ne puis cacher mon étonnement, ma douleur, ma colère, de voir saluer cet homme par des révolutionnaires de dix-sept ans.
C'est à faire rire vraiment!
Avec son allure de vicaire de campagne, prenant l'air bon enfant et patriote, il va en mission chez les simples, dans les mansardes, dans les cabanes pour mettre de la pâte sur les colères, pour les empêcher de fermenter et d'éclater en coups de feu!
Et il se moque de nous!
Dans un grenier, qu'on est bien à vingt ans! [...]
. . . .
Eh! misérable, si l'on était bien dans un grenier à vingt ans, pourquoi es-tu allé demander une place à Lucien Bonaparte? » (Jules Vallès, *Le Bachelier*, les Éditeurs français réunis, 1955, II, p. 128-130).
1. André Bellessort, *Balzac et son œuvre*, p. 21.
2. Souvenir vécu assez vraisemblable, mais aussi (on retrouvera ce problème), sujet, tableau déjà traité. Dans *Le Rôdeur français*, de Balisson de Rougemont, se trouve un modèle possible, *L'Étude d'un huissier*. Sur Balisson de Rougemont, cf. *infra*, p. 379.

de sa jeunesse? Mieux : pourquoi, au lieu d'en avoir gardé seulement quelques tics, sujets ou situations, en a-t-il tiré toute une conception du monde? Le langage du droit sera pour lui, ainsi que les combats du droit, l'une des dimensions de son univers. Pourquoi?

Parce que, d'abord, ce langage et ces combats sont ceux du monde bourgeois, *ceux du siècle*. Le capitalisme, libéré de ses servitudes d'ancien régime, parle enfin le langage qui est le sien : celui du droit et de l'avoir, celui qui mesure les hommes à ce qu'ils possèdent. L'avoué, le notaire, ont cessé d'être les comparses pour dénouements des comédies classiques; ils deviennent des personnages. C'est à leur niveau que s'institue le débat principal, et à leur niveau seul. Balzac est donc de plain-pied avec la réalité moderne. Seul un romancier nourri dans le sérail pouvait prendre de droit-fil une civilisation de teneurs de livres et de recours.

Parce que, ensuite, le problème de l'argent fut, de bonne heure, le problème numéro un de la vie de Balzac. Ici se pose un curieux problème d'influences rétrospectives et de surimpressions. Il est certain, en effet, que si Balzac avait vite connu une vie sans problèmes financiers, ses premières difficultés d'adolescent et ses souvenirs d'étude n'auraient pas cristallisé comme ils l'ont fait. De même que, déjà, si une carrière sans histoire s'était ouverte devant lui, certaines observations faites chez Guyonnet-Merville auraient eu moins de profondeur. Tout se tient. Balzac, à l'étude, a trouvé confirmées, expliquées en termes d'universalités, ses impressions de jeune homme pauvre. Dans la mansarde, puis dans le cours de ses travaux forcés littéraires, tout ce passé a pris poids, figure de prophétie, de compréhension précoce de ce qu'était le monde. Enfant du siècle, celui qui a connu la misère et ne sortira jamais des échéances, après avoir appris *le métier*, la technique, sans lesquels on reste un touriste, un étranger, dans la réalité!

C'est l'expérience de l'étude qui a permis à Balzac de découvrir, plus largement que dans sa famille, l'envers du siècle. On ne pourra jamais, sans doute, repérer tout ce qu'il a tiré de ses souvenirs de basoche [1], mais *Le Colonel Chabert* suffit peut-être à mesurer, qualitativement, l'importance de cette découverte. Les héros de l'Empire n'avaient été, souvent, que de vulgaires pillards, et l'épopée avait été *aussi* celle des prébendes, des dotations, des fortunes faites en

---

1. M. Gaston Imbault nous signale, par exemple, qu'un Birotteau aurait été connu, par ses affaires, dans les études parisiennes à la fin de l'Empire ou au début de la Restauration.

Poméranie, avec la « permission de l'Empereur [1] ». Les maré-
chaux avaient leur compte chez Laffitte et Perrégaux [2].
Mais, sur le moment, l'âpreté de ces plébéiens parvenus se
doublait d'un courage, d'un dévouement, qui faisait songer
à l' « honneur » de Montesquieu. De même, la Restauration,
première manière, c'était la liberté. Combien fallut-il de temps
au clerc Honoré Balzac pour s'apercevoir que les bases de
tout cela, c'était l'argent ? Que l'idéal, la bravoure, la fidélité,
n'étaient que des bulles à la surface ? Thème vieux comme le
monde, certes, que celui des longueurs et des injustices de la
chicane, mais ici, *il s'agit d'une retombée.* Au lendemain de
ces grandes choses : Révolution, Empire, retour des Lys,
que trouve-t-on au fond de tout ? Que *re*trouve-t-on, plus
fort que tout ? Des fortunes nouvelles, d'autres menacées,
des attaques, des défenses, des intrigues, des bassesses. On a
recours, pour ruiner un vieux brave, enrichi lui-même Dieu
sait comme, aux arguments Trône et Autel. Et le maître
d'œuvre, l'avoué, le notaire, tire sa richesse de cette engeance.
Ce sera une avancée considérable, tout un jugement formulé
en termes romanesques que la création du « second » Derville [3],
instrument, mais aussi juge, œil du romancier. Le cadre,
les clercs, toute cette fantaisie tournant à la caverne gogue-
narde, ce sera l'assaisonnement de la découverte, la mise
en scène du contenu. Les saute-ruisseau du *Colonel Chabert*
ne relèveront pas du pittoresque, mais bien du significatif.
Sous l'Empire, un jeune homme de l'âge de Balzac en 1819,
travaillait dans quelque École attendant son premier poste,
son premier galon de sous-lieutenant. Il se préparait à construire quelque chose, un Empire, une carrière, une légende.
Lui, assiste au délabrement de l'édifice. C'est la corruption
de l'ensemble que rééclairera dans le roman de la maturité les
détails et les figurants. Le style sera, à lui seul, message,
reprise, approfondissement d'impressions de jeunesse que
rien n'est venu démentir, au contraire. Aux décadences de
jadis, on opposait, du moins, les « citoyens », qui apprennent
et travaillent. A l'Étude, Balzac a appris que tout se fondait,
désormais, en une commune immoralité. La bourgeoisie
avait hérité des prestiges attachés aux anciennes classes

---

1. Cf. le général de Montcornet, dans *Les Paysans.*
2. Cf. Aragon, *La Semaine sainte.*
3. Entendons par « premier » Derville, l'avoué, encore anonyme, d'ailleurs,
des *Dangers de l'inconduite*, dans les *Scènes de la vie privée*, en 1830, et par « second »
Derville, celui de *La Transaction*, en 1832. On verra que c'est en 1835 que Balzac,
dans *Le Papa Gobseck*, version augmentée des *Dangers de l'inconduite*, a nommé
Derville le jeune étudiant en droit auquel Gobseck révèle les secrets du monde.
Par commodité, nous nommerons Derville le personnage de 1830 appelé à le
devenir.

dirigeantes; dans la vie, l'avoué, l'homme de loi brillaient d'un éclat qui avait fini d'être secondaire. Or, cette bourgeoisie [1] commençait à séparer sa capacité objective d'entreprise et sa valeur en tant que repère moral. Sa loi fondamentale se révèle être non de bon sens et de sérieux *seulement*, comme chez Molière et Sedaine, mais *aussi* de mensonge et de vol. Il n'y a pas grand risque pour le cœur bourgeois, en 1818, à saisir les secrets d'un Navareins, d'un de Trailles. Mais ceux des siens?

Sans doute, le pessimisme qui naît alors est-il largement balancé par la bonne humeur basochienne : charges, traditions bouffonnes, amplifications ironiques [2], compensent les réflexions qui s'ébauchent. Ici encore, le profond réalisme d'Honoré, son sens inné de l'adaptation, le gardent du véritable mal. Un clerc de vingt ans qui fait ses premières frasques peut-il être mélancolique? Toutefois, ce que nous savons de ses distractions, de ses maladresses, nous prouve qu'il n'avait pas, loin de là, l'ambition sacrée qui faisait l'unité de la vie de ses camarades : succéder à son patron, avoir une étude à son tour. Balzac n'a pas connu cet optimisme dévorant des clercs de *La Comédie humaine*, cet esprit d'entreprise à la Courottin ou à la Fraisier [3], et sans doute faut-il attacher beaucoup d'importance à cette faille dans la jovialité du saute-ruisseau. Les autres s'installaient sans problème et jouaient le jeu. Lui, à la même époque, continuait à lire les philosophes. Rien ne le retenait complètement. Il pourra, plus tard, regarder la faune des Études comme une espèce quasi zoologique : s'il la connaît, s'il a vécu de sa vie, elle s'est vite à ses yeux sclérosée, comme tout ce qui est moins large que l'idée qu'on se fait de l'existence.

1. Du « tertiaire », essentiellement, notons-le (administration, éventuellement petit commerce) : Balzac n'en est pas encore à prendre la mesure de la grande banque et des manufacturiers. La bourgeoisie qu'il a pu connaître à l'étude est celle des « services ».

2. *Le Colonel Chabert* et *Un début dans la vie*. Le style et la requête qui tire à la ligne, dans *le Colonel Chabert*, se trouvent déjà parodiés (ou reproduits), en 1825, dans le *Code des gens honnêtes* (« Lorsque dans sa sagesse, Dieu faisait peser une main de fer sur la France [...] c'était pour rendre les Bourbons plus chers à la France, etc... », O.D. I°, p. 134). « Que de rôles, que de pièces de deux francs, en rapport avec les sentiments monarchiques! », commente alors Balzac, qui ajoute : « A quoi servent les requêtes? A rien. » Le tirage à la ligne avait toujours existé, mais voici qu'il compromettait ce qui jadis restait à l'écart. La satire des pratiques du Droit débouchait dans un scepticisme d'une autre portée, nécessairement, que celle, traditionnelle, depuis Marot. Au niveau de la plus humble activité (un clerc qui grossoie), la croyance est minée, l'individu rejeté son ironie. C'est le thème des tarets, sous une autre forme. Il n'est plus seulement question, sans craindre le Hola, de pouvoir aller au parterre attaquer Attila.

3. *Courottin*, dans *Jean-Louis*, en 1822, Fraisier, dans *Le Cousin Pons* à l'autre bout de la carrière, en 1846.

★

On sait combien, dans sa jeunesse, Balzac souffrit du manque d'argent. Il n'a pu inventer totalement les soupirs de Raphaël après ses « dix coquins, dix libertins de francs [1] », et par deux fois, il a conté l'histoire du jeune homme qui risque au jeu une somme confiée [2] qui, rapprochée de celle de Félix et de ses dettes chez le portier du collège, permet de reconstituer avec assez de vraisemblance quelques tourments vécus. Le fils Balzac était certes un fils de bourgeois, mais tenu serré, volontiers brimé. Le premier sentiment d'isolement, d'infériorité, à Paris, il le dut sans doute à ses poches vides. Il pourra, en 1830, dans un texte-synthèse, reprendre déjà tous ces souvenirs, alors pas encore trop anciens :

> Ces beaux jeunes gens dont le visage resplendit, dont la voix est flatteuse, ont le désespoir dans l'âme : ce sont des notaires qui ont perdu la somme destinée à l'enregistrement d'un acte ; dix employés qui ont perdu leurs appointements du du mois, des militaires, leur parole d'honneur ; des propriétaires leurs réparations de moulins ; des jeunes gens le prix de leurs cachets de tables d'hôte [3].

Ce sont-là des secrets que Balzac a été le premier à épier, à comprendre et à vivre, et des secrets non secondaires, mais majeurs, *les* secrets de la vie. Parce que, pour Balzac, la vie, avait d'abord été *ça*.

Oui, ce drame de l'argent fut, dès le départ, pour lui à la base de sa connaissance du monde, vie privée d'abord, sociologie ensuite. Toute une partie essentielle, pour remonter aux sources, de l'idée qu'il se fait du monde, toute une partie essentielle de son romanesque, viennent de là. Une comparaison aide à le comprendre.

Rappelons-nous le jeune Beyle : il a dit et répété que les deux cents francs que son père lui versait chaque mois lui épargnèrent toujours tout souci de ce côté. Il n'eut jamais, non plus sur les reins cette dette écrasante de Balzac envers sa mère, ce handicap à traîner dès l'entrée dans le monde. Il est vrai qu'il n'eut jamais non plus les besoins de Balzac, son imprévoyance, ses goûts pour le faste et la grandeur. Mais c'est peut-être qu'il n'eut jamais à prendre cette revanche sur les années de misère et d'humiliation. On dira que Balzac,

---

1. *La Peau de chagrin*, C.H. IX, p. 75.
2. *La Peau de chagrin* et *Un début dans la vie*.
3. *Une vue du grand monde* (Prospectus de *La Caricature*, oct. 1830), O.D. II, p. 149.

au fond, n'a jamais été *vraiment* pauvre [1]? Mais la pauvreté
est une question de rapports. Balzac, soutenu par sa famille
(mais au prix de quelles démonstrations maternelles!),
touchant à éclipses quelques sommes de ses premiers libraires,
forcé de courir la brochure ou l'article, méditant entreprise
sur entreprise, songeant à des mariages, plein d'idées, de
lectures, inspiré par le dynamisme paternel, incapable de
gagner bourgeoisement ce qui lui était nécessaire pour vivre
autrement que les bourgeois, n'ayant, comme Lambert, pas
assez d'argent pour se passer d'argent : il y a là toute une
dimension de l'existence qui n'eut jamais de sens pour Beyle.
D'où, certes, une plus grande disponibilité de cœur, une
aisance, une légèreté qui font cruellement défaut à Balzac,
mais aussi une absence de curiosité pour cette composante
du monde moderne. A qui n'a pas souffert de l'argent, jamais
l'argent ne sera chose qui compte. *Henri Brulard* le dit fort
bien : « Tous les faits qui forment la vie de Chrysale sont
remplacés chez moi par du romanesque. Je crois que *cette
tache dans mon télescope* a été utile à mes personnages de
roman; il y a une sorte de bassesse bourgeoise qu'ils ne peuvent avoir, et pour l'auteur, ce serait parler le chinois qu'il ne
sait pas [2]. » Et encore : « Il me fallait donc la comédie romanesque, c'est-à-dire le drame peu noir, présentant les malheurs d'amour et non d'argent; le drame noir et triste s'appuyant sur le manque d'argent m'a toujours fait horreur
comme bourgeois et trop vrai, mon c... aussi est dans la nature,
disait Préville à un auteur [3]. » La *vraie* littérature, pour
Stendhal, est celle du cœur. Il verra, et fort clairement, à
partir d'*Armance*, les problèmes de l'argent, mais ce sera
découverte, et comme scandalisée, plus qu'expérience profonde, plus que retrouvaille et reconnaissance. Pour Balzac,
au contraire, *lorsqu'il* découvrira (plus jeune que Stendhal,
d'ailleurs, et n'ayant pas encore constitué sa philosophie,
non plus que sa vision du monde) la loi sociale de l'argent,
cette découverte éveillant aussitôt les plus personnels, les
plus profonds, les plus secrets des échos et des souvenirs,
liant l'expérience sociale à l'expérience première, la réflexion
sur le monde vu aux souvenirs du monde vécu, en acquerra
une résonance plus large, plus forte, tout se composant et
s'unifiant, le *moi* annonçant le monde, le monde vérifiant
le *moi*. Ce mécanisme si enrichissant, si susceptible d'engendrer un nouveau romanesque, est à rapprocher de celui qui,

1. Par exemple André Wurmser.
2. *Vie de Henri Brulard*, *Œuvres*, III, p. 120.
3. *Ibid.*, p. 242.

on l'a vu, porte de l'expérience de la solitude dans l'enfance au sentiment social de l'isolement dans le monde. Sur ces deux plans il y a reprise et relais d'une expérience intime qui ne serait qu'accident, qualitativement peu important, sans les amplifications intérieures, à l'histoire, enracinement et reconnaissance de l'histoire qui n'est pas scandaleux placage puisqu'elle se connecte sur les premières souffrances vécues. Ainsi viendra, pour Balzac, le passage au romanesque plein, à la chose vue inséparable de durs secrets, aux tableaux inséparables d'une dynamique. Lorsqu'il aura trente ans passés, lorsqu'il écrira cette *Vue du grand monde*, le temps sera venu pour lui, du recul et de l'exploitation, mais ni ce recul, ni cette exploitation n'auraient été concevables sans toute une préhistoire qui ne devait rien à aucune lecture. A l'argent, « bourgeois », Stendhal opposait une « noblesse », une « qualité » d'un autre « intérêt ». Balzac partira de l'argent même, de la vie moderne qu'il conditionne et définit, et le cœur, le sentiment, la qualité : il les *retrouvera* ensuite. Il ne les mettra jamais d'*abord*, comme le font les idéalistes, et, s'il les retrouve, mais d'une tout autre signification, ce sera dans un mouvement global, dans une expression *globale* de soi, et donc du *réel*. C'est l'une des grandes choses que nous fait découvrir l'aventure balzacienne que cette reprise, par la vie sociale, des expériences de la vie privée, que cet enracinement, cette justification et cette relance réciproques des deux moments successifs, dialectiquement inséparables, du roman de l'éducation. Le mal du siècle se saisit ici dans ses profondeurs : ni l'individu n'est à lui seul, coupable, marqué, bizarre, ni l'histoire n'est à elle seule, signifiante. La vie est une, et l'on est embarqué. L'expérience est totale. C'est ainsi que le lyrisme peut comprendre le réalisme et que le réalisme, peut-être, avoir son lyrisme propre.

A une époque plus ancienne, toutefois, avant toute création littéraire sérieuse, alors que le jeune homme était plus au contact, encore sans grandes perspectives, le ton n'était pas le même, l'engagement plus traditionnellement *personnel*, et plus vibrant.

Ce sentiment, aux limites de la plainte et de la révolte, nous le retrouvons, exprimé au direct, dans une lettre de Balzac à sa sœur en 1819. Il a alors vingt ans. Le texte de cette lettre a d'abord été connu par la version qu'en avait donnée Laure, version arrangée dans des intentions bien précises :

> Le feu a pris rue Lesdiguières n° 9 à la tête d'un jeune homme, et les pompiers n'ont pu l'éteindre. Il a été mis par

une belle femme qu'on ne connaît pas : on dit qu'elle demeure aux Quatre Nations, au bout du pont des Arts; elle s'appelle la gloire. LE MALHEUR EST QUE LE BRULÉ RAISONNE, et il se dit :

Que j'aie ou non du génie, je me prépare dans les deux cas bien des chagrins!

Sans génie, je suis flambé! Il faudra passer sa vie à sentir des désirs non satisfaits, de misérables jalousies, tristes pensées!... Si j'ai du génie, je serai persécuté, calomnié; je sais bien qu'alors Madame la Gloire essuiera bien des pleurs.

Il serait temps encore de faire partie nulle, de devenir un M. M... qui juge tranquillement les autres sans les connaître, qui jure après les hommes d'État sans les comprendre, qui gagne au jeu même en écartant les atouts, l'heureux homme! et qui pourra bien un jour devenir député, PARCE QU'IL EST RICHE, L'HOMME PARFAIT...

Si je gagnais demain une quine à la loterie, j'aurais raison comme lui, quoi que je fasse ou dise. Mais n'ayant pas d'argent pour acheter cette espérance je n'ai pas cette merveilleuse chance pour imposer aux sots PATRAQUE D'HUMANITÉ [1]!

Voici les passages de l'original « utilisés » par Laure :

... je ne puis t'offrir que des fariboles. Par exemple, le feu a pris dans mon quartier, rue Lesdiguières, nº 9, au troisième dans la tête d'un jeune homme. Les pompiers y sont depuis un mois et demi; pas possible de l'éteindre. Il s'est pris de passion pour une jolie femme qu'il ne connaît pas. Elle s'appelle la gloire.

Elle demeure aux Quatre Nations, en face le pont des ânes [sic]. On espère guérir ce pauvre fou en lui tirant les vers du nez.

Le pire de tout cela, chère Omar, c'est que JE N'AIME PAS LES RICHESSES; DEPUIS QUE JE ME SUIS FOURRÉ DANS MON TROISIÈME, JE COMMENCE A RAISONNER, ET JE NE SAIS COMMENT FAIRE POUR M'ASTREINDRE A COURIR APRÈS LA FORTUNE. Je m'imagine que quelque gros drôle de banquier va me coucher sur son testament pour 1 200 livres de rente viagère; en voici assez pour mon bonhomme de corps! Et si je n'avais pas envie de vous voir tous riches, je voudrais être un joli petit gueux, ou bien avoir 70 000 francs de rentes [2].

Ici s'intercale le fort joli passage sur les plaisirs de la vie simple, sur les promenades au Père-Lachaise. Puis revient le thème des soucis : l'argent, le génie, la gloire :

1. Laure Surville, *op. cit.*, p. 45.
2. *Corr.*, I, p. 59-60.

Je n'ai d'autre inquiétude que l'envie de m'élever, et tous mes chagrins viennent du peu de talent que je me reconnais...

Avec cela, avec ou sans génie, je me prépare des chagrins. Sans génie, je suis flambé. Il faudra toute ma vie sentir des désirs, n'être qu'un homme médiocre, me rejeter sur la fortune, que de soins, que de peines! Si j'ai du génie, je me vois d'avance errant, persécuté, sans asile, martyr de dame Vérité, mais Mademoiselle la Gloire me récompensera. Ce sera un mouchoir de poche qui essuiera bien mes pleurs. Dame, il est encore temps de faire partie nulle, et d'être un Vomorel, buvant de la bière, jurant après les jacobins, sans savoir ce que c'est, et soufflant sur tout comme dans ses doigts, gagnant à l'écarté en écartant les atouts. Oh! l'homme sublime, le Laffitte du café Montmorency. Il est capable d'être un jour député, comme l'âne par les animaux au grand Alexandre. Est-ce que c'est de M*** de Vomorel que je dis cela? Ah! ma sœur excuse, je me trompe. Tu vas me croire caustique et méchant. C'est de M. que je voulais parler...

Si j'avais l'esprit de gagne (c'est une supposition, ça; je n'y mets jamais un terme), alors alors! mais! mais! mais! ah! oui!... comment? Non! Ah! vous avez raison.

Ainsi, pas de terne [1].

La brave Laure a d'abord émondé la lettre de son frère de deux traits un peu forts aux yeux de la respectabilité bourgeoise : le Pont aux Anes est redevenu le Pont aux Arts, et M. Vomorel, admirable portrait du bourgeois sot et prétentieux, a cédé la place à l'anonyme M. M... Toutes les susceptibilités sont ainsi ménagées, et Balzac redevient un bon jeune homme, aux prises avec le destin, mais respectueux des gens en place. Elle a ensuite corrigé certaines tournures hâtives et peu claires. Elle a enfin et surtout précisé, concentré, dramatisé. Qu'est-ce à dire, sinon que Laure s'est effarouchée de la spontanéité de cette révolte et de la crudité de cette réaction; que toute la morale bourgeoise, ainsi brutalement confrontée avec elle-même, a eu peur de sa propre image; mais aussi qu'une fois atténué le sens *social* du texte, rien ne s'opposait plus à son développement *littéraire?* Dans l'original, la phrase sur l'incendie a une incontestable résonance plaisante, d'un plaisant qui frôle une douloureuse ironie, certes, mais qui est, en tout cas, loin de René. Dans la version survillesque nous sommes en présence d'un poète mourant, qui raisonne sur sa misère et

---

1. *Corr.*, I, p. 1. Sur Vomorel, cf. *supra*, p. 263 sq.

creuse ainsi toujours plus avant son trou. L'exclamation sur les persécutions du génie prend un sens très romantique, alors qu'en réalité Balzac semble bien s'amuser à pasticher le style à la mode, et que certain mouchoir de poche est d'une belle irrévérence. Allons, Madame de Surville, il ne vous déplaisait pas de déguiser en Chatterton, afin de mieux souligner son succès postérieur, ce garçon plein de bonne humeur qui nous dit avec grâce les plaisirs de sa bohème! Il ne vous déplaisait pas de jeter sur lui les inoffensives couleurs de la poésie après avoir dilué celles du réalisme. Car, et c'est là notre propos, Balzac en ces lignes n'est pas Chateaubriand gémissant du triomphe plébéien et mettant son cœur en écharpe; il est scandalisé, non paralysé. Son énergie n'est point abattue, et s'il est conscient des difficultés, s'il souffre en son cœur et en son esprit de voir le génie ravalé par l'argent, il ne pose pas à l'homme supérieur persécuté. Sa bonne humeur ironique est à mi-chemin de la grimace et de l'insouciance. Un peu plus à droite ou à gauche, et il tomberait dans le conformisme sot ou dans le sarcasme stérile. A l'aube de sa vie, il reste éveillé, disponible, prêt à la lutte et au travail, mais aussi déjà conscient que ce monde qu'il voudrait conquérir est un monde impur. On le sent incapable déjà de devenir Rastignac; on le sent incapable aussi de s'immobiliser dans le mépris. Sans doute à qui relit cette lettre aujourd'hui — et ce serait ici l'excuse de Laure — elle rend un son plus dramatique que lorsqu'elle fut écrite, parce qu'elle s'éclaire pour nous de toute la vie et de toutes les souffrances de Balzac. Nous avons tendance à la juger et à la comprendre comme si elle faisait partie de *La Comédie humaine.* Erreur! Balzac refuse d'être M. Vomorel et il s'insurge contre la dictature de l'argent, mais il y a en lui tant de vitalité, tant d'espoirs ont été mis en branle par les splendeurs du monde moderne, qu'il ne peut, parce que certaines cartes sont biseautées, totalement refuser de jouer. La vie reste belle en dépit de tout, et les bourgeois avec leurs sous ne parviennent pas à l'en dégoûter. C'est pourquoi ses jugements sont non des élégies, mais des condamnations. Et des condamnations redoutables, car elles sont portées non pas au nom d'un passé révolu, comme chez Vigny ou Chateaubriand, mais *au nom de l'avenir trahi.* Voilà ce que vous nous offrez? Balzac pose ici de redoutables questions, et l'on comprend que Laure se trouve plus à l'aise dans la littérature et dans l'abstraction. Elle n'a pu tant faire cependant qu'elle n'ait été obligée de laisser se profiler l'ombre du candidat à la députation. Quand elle reçut cette lettre elle dut bien s'amuser sans doute, mais elle n'était encore qu'une innocente jeune fille, et sa jeunesse n'avait pas eu encore à composer avec les Vomorel de toute espèce. Cet aveu qu'elle laisse filtrer comme par impuissance à l'arrêter, cette tentative aussi de le réduire à des images, quelle preuve de la puissance de vision fraternelle! Oui il a eu raison de dire cela, mais aussi, à quoi bon le dire? A quoi bon? C'est ici que nous voyons à quel point Balzac est d'une autre race... « Je commence à raisonner... » devient chez Laure « le malheur est que le brûlé raisonne...» Au fond il n'y a qu'une différence de degré. Alors que les autres vivent sans se poser de questions et prennent tout doucement le monde comme il est, Balzac raisonne. « Patraque d'humanité »! Il aurait pu le dire, et l'expression de Laure est sinon vraie, du moins vraisemblable. Nous sommes en plein mal du siècle, non un mal du siècle qui coupe les jambes, mais un mal du siècle qui empoisonne l'image qu'on se faisait du monde et le rend à jamais inacceptable. Un peu comme Hamlet, mais un Hamlet énergique, Balzac est en marge. La pensée s'arrête non sans une certaine complaisance à considérer les diverses impossibilités dans lesquelles elle se trouve enfermée. La réflexion ajoute encore au sentiment de gêne et d'impuissance, et l'être entier s'immobilise parfois en une incertitude que nous avons déjà rencontrée. Mais l'important pour nous est que le drame ici découvert par Balzac griffonnant les alexandrins de *Cromwell* soit *le drame social*. Ce n'est pas encore exactement le drame intime de la société, celui qui oppose ses membres les uns aux autres, mais celui qui oppose aux difficiles réussites de l'homme supérieur les succès faciles du bourgeois et de l'homme d'argent. *Être pauvre est une damnation.* Balzac se devine repoussé, rejeté par un monde qui ne met pas l'intelligence et le sentiment au rang des valeurs essentielles.

Ceci pourtant, il le devine, il le sent plus qu'il ne l'a réellement vécu. Au fond, il garde encore une confiance illimitée en sa puissance littéraire. Il déplore seulement que le monde ne soit pas mieux fait, et à la rigueur on pourrait réduire ses impatiences à des impulsions juvéniles. Ce n'est que par la suite qu'elles acquerront tout leur poids et que s'explicitera toute leur signification objective.

Mais il ne faut pas, pour autant, vider de toute force critique ce « journal à Laure », n'y voir que facéties sans portée. Car *il y a un style pour écrire à Laure*, un style continu sur plusieurs années, et ce style à lui seul signifie. Cette bonne humeur, cette « bonne franquette », ne sont pas *que* vitalité, ce sont aussi moyens de défense, parades, manière de faire passer les choses. Tout un espéranto de la solitude et de l'effort, tout un code de l'ambition et des difficultés vécues, rythment la correspondance du frère à la sœur pendant ces années cruciales 1819-1822. L'installation rue Lesdiguières est une dissonance dans la vie des Balzac. Laure brûle de monter les trois étages : elle qui étudie sagement son piano tous les matins, de six heures à huit heures, avec sous les yeux les environs de Villeparisis, qui sont « charmants au total », avec les bois qui « sont jolis [1] », elle, petite fille sage et dans la ligne, mais vive, aussi, plus soumise parce que fille, mais non sans romanesque babillard, comment cette aventure permise à son frère ne la charmerait-elle pas ? Seulement, de leur part à tous deux, le ton léger, le badinage, l'espèce de convenu spirituel qui règne dans leurs lettres, ne sont-ils pas des moyens de dédramatiser, d'apprivoiser l'insolite ? Tout ce qui est plaisanterie, allusion fine, tout ce qui est parodique, n'est-il pas tentative pour reprendre les choses, pour les tenir à distance ? Seule la tradition, la formation bourgeoise, pouvaient, certes, fournir l'arsenal, les tournures, l'esprit. Mais pour que le besoin fût éprouvé de l'utiliser, de tendre cet écran protecteur, encore fallait-il que l'on sentît qu'il y avait quelque chose à neutraliser, comme un corps étranger à enrober, à dissoudre, si possible. Jamais Balzac, même dans les lettres où il exprime le tourment le plus authentique, ne l'exprime sans quelque peu d'hyperbole ou de moquerie. Pourquoi ? Ce n'est pas l'élégie, ce n'est pas la plainte traditionnelle et directe, ici, qui témoigne de la présence d'un malaise fondamental ; c'est ce détour par l'ironie. L'expérience commencée rue Lesdiguières, poursuivie avec Lepoitevin, puis seul, puis avec Raisson, cette équipée hors des sentiers connus, ces désillusions, ces obstacles, ces exaltations suivies de retombées, toute cette échappée vers autre chose, toute cette manière nouvelle de connaître et de juger le monde, avec ce qu'elles introduisent de tensions, de tressaillements, de désirs, Balzac en parle à Laure sur un ton désinvolte ou quelque peu forcé, comme s'il refusait d'être tout entier dans le personnage qu'il joue. Les deux figures ne se recouvrent pas exactement, du Balzac qui voulait être écrivain et du plumitif mal parti. Le jeune homme refuse de s'enfermer avec complaisance dans le style souffrant : s'il souffre, cette souffrance n'est qu'accident ; le fond des choses demeure bon. Par ailleurs, aussi, cette souffrance existe, comme existent les premières difficultés de Laure à Bayeux. Signe de *santé*, de

---

1. Lettre du 10 août 1818, *Corr.*, I, p. 29.

volonté de santé, que ces conseils d'être gaie, que ces calembre-
daines sur les veuves à épouser, sur les livres à vendre, sur les
commissions promises, sur les faits et gestes de la maison
Balzac; signes de l'apparition, de la densification de problèmes
neufs dans l'univers libéral, signes de *lucidité*, que ces plaintes
et protestations. Mais la nouveauté, n'est-ce pas que lucidité
ne soit pas antagoniste à force et santé, qu'elle tourne vers
la résolution, vers l'entreprise, plus que vers la complaisance
dans l'amer?

La première œuvre achevée de Balzac, *Cromwell*, livre tout
son secret dans cette note autographe qui figure en fin de
manuscrit :

> Imitations pour *Cromwell*.
> Pour l'imprécation qui termine le cinquième acte, il faut
> consulter Virgile à celle de Didon, Corneille dans celles de
> Camille.
> Pour la scène II du deuxième acte, voir la scène des
> Phéniciennes de Jocaste revoyant son fils Polynice.
> Pour les discours au roi, *Antigone*.
> Voir l'*Iphigénie* d'Euripide, ce qu'elle dit à sa mère
> lorsqu'on l'emmène pour la sacrifier [1].

Il suffit de lire les premiers vers pour être parfaitement
convaincu :

> LA REINE : *Arrêtons-nous, Stafford, je me soutiens à peine*
> (elle s'assied)
> *En l'état où je suis, qui me croirait la Reine?* [...]
> STAFFORD : *Madame rappelez votre sainte constance.*
> *Le ciel n'a pas encore épuisé sa vengeance* [2].

Mais il ne faut pas être tout à fait dupe, peut-être, de ces
évertuements de grimaud. Lorsque Balzac — sans peur —
fait dire à la Reine :

> *Arrêtez-vous, Cromwell, j'ai deux mots à vous dire*

il note en marge :

> Vers de Racine que j'ai pris sans scrupule à Racine, qui
> l'avait pris à Corneille, qui l'avait pris à Rotrou. Je ne sais
> pas si Rotrou ne l'avait pas pris à d'autres [3].

L'irrévérence n'est pas loin, que nous allons retrouver sans
cesse pendant la période des romans de jeunesse. Balzac,
pénétré de culture classique, ne doute pas un instant de ses

1. *Lov.* A 49, f⁰ 67, v⁰.
2. *Ibid.*, f⁰ 2.
3. *Ibid.*, f⁰ 52.

droits à imiter : tant d'autres l'ont fait. Mais l'important,
pour nous, c'est qu'il fonctionne encore *à l'intérieur* d'un
système, ne cherchant d'autres audaces, par exemple, que
d'élider les *s*, parfois, à la seconde personne. Il note alors :
« [l'auteur] désire que ses travaux sous le rapport d'enrichir
le langue poétique [sic!] ne lui soient point comptés comme
faute d'ignorance [1]». Les diverses *Notes philosophiques* permettent d'affirmer, toutefois, que Balzac était loin d'être tout
entier dans cet exercice. Il note, d'ailleurs, à la fin de son
manuscrit : «Qu'est-ce que la vertu? On en parle beaucoup
et l'on s'occupe peu de savoir ce que c'est [2] ». Rastignac
s'écriera, plus tard : « Bah! tout le monde croit à la vertu;
mais qui est vertueux [3]? » C'est constamment le double
registre, l'échappée vers plus authentique et plus complet
que la mise en vers du canevas déduit à Laure. « Sophocle
cadet » ne se prend pas au sérieux. Il entrelarde son exposé de
plaisanteries, d'exclamations : « A ce moment, la Reine indignée (elle a tout entendu) s'élance, et tu juges!... », et conclut :
« La Reine au désespoir (sa douleur aura jusqu'alors été pour
ainsi dire sourde, muette) lancera une imprécation contre
l'Angleterre, invitera la France à la combattre sans cesse. Ah!
ce sera le feu de joie! Je te réponds qu'elle sera tapée de main
de maître. — Je suis ton frère, c'est tout dire. Et puis le
parterre, bien trempé de larmes, ira se coucher [4] ». Faut-il
insister? Balzac *fabrique*, cherche des effets à partir de
recettes purement techniques, arrange sa progression, renouvelle, selon toute une tradition, les caractères fournis par
l'Histoire, etc. La fameuse imprécation contre l'Angleterre,
la condamnation de l'absolutisme de Charles Ier, des revanches aristocratiques sur la liberté, sont certes sincères, chargées d'intentions [5], mais cette sincérité, cette authenticité,
sont strictement politiques, et n'ont rien à voir avec la création
de caractères. Balzac trouve même le rythme juste :

> *Je redeviens française, et je lègue à la France*
> *Ma couronne et mes fils, mes droits et ma vengeance*

pour retomber aussitôt, d'ailleurs :

> *En aurais-tu besoin, noble et vaillant pays*
> *Où l'horreur des Anglais fertilise les lys* [6] *?*

1. *Lov.* A 49, fº 21.
2. *Ibid.*, fº 67.
3. *Le Père Goriot*, C.H. II, p. 942.
4. *Corr.*, I, p. 65.
5. C'est Bernard Guyon qui a, le premier (*La Pensée politique...*, p. 90 sq.),
montré les implications politiques de *Cromwell*.
6. *Cromwell*, v. 1881-1884.

Il finit bien :

> *Puisse de mon pays s'élever un vengeur*
> *Qui de l'orgueil anglais abaissant la hauteur*
> *De vingt siècles de haine accepte l'héritage*
> *Et sous une autre Rome engloutisse Carthage* [1]

mais cet appel au public, cet anti-Shakespeare sur tous les fronts, demeure extérieur au jeune homme, surtout, répétons-le, lorsqu'on tient compte des *Notes philosophiques*. Le « passage » par la culture, par l'Histoire, n'est pas naturel. Il correspond, quant au fond, à ce qu'est, quant à la forme, le recours à l'alexandrin, au style noble, etc. Balzac ne parlera jamais d'un ton léger de la *Physiologie du mariage*, ou des *Scènes de la vie privée*, encore moins de *La Peau de chagrin* et des autres *Contes philosophiques* [2]. Quel que soit le volontarisme que l'on puisse être tenté de trouver dans cette rhétorique, le seul véritable intérêt de *Cromwell* est de montrer que, si Balzac est intelligent, s'il sait, à la rigueur, jouer des instruments légués par la tradition classique, celle-ci est absolument inapte à lui fournir les moyens de dire ce qu'il a vraiment envie de dire. Balzac ne se passionnera jamais pour les révolutions esthétiques formelles; ce qu'il changera au roman, ce sera en avançant, non à partir de principes ou préfaces. Mais ceci ne l'empêchera jamais de se montrer très dur pour ces styles qui ligotant, et donnant l'illusion, pouvant donner l'illusion de la réussite, ne rendaient pas évidemment nécessaire un changement d'inspiration, l'admission de nouveaux sujets. Un fait est certain : il avait choisi d'écrire une tragédie parce que sa famille ne lui passait à la rigueur la littérature, qu'à condition qu'elle fût du ressort de l'Académie ou de la Comédie-Française. Aurait-on pu montrer un roman à Andrieux? Et quant à un ouvrage philosophique... D'où, certainement, ces à-côtés de *Cromwell*, ces divertissements. Sur la même feuille où il note les imitations à faire, Balzac rime cette chanson :

> *Demain je la verrai,*
> *Celle que toujours aimerai.*

> *Si je n'ai point encore*
> *Pu savourer*
> *Le doux plaisir*
> *De ce que j'adore,*
> *Demain, je la verrai.*

---

1. *Cromwell*, v. 1895-1898.
2. Ni même déjà, dès sa vingt-quatrième année, de *Wann-Chlore*.

> *Si je quittais la vie*
> *Avant demain,*
> *Mon jeune chagrin*
> *Serait que mon amie*
> *Tout demain m'attendrait*
>
> *Passant ! elle est jolie*
> *Tu la verras,*
> *Sur mon trépas,*
> *Ou sur ma perfidie,*
> *Verser des pleurs*
> *Et doucement se plaindre.*
> *Dis-lui que sans douleur*
> *J'ai pu m'éteindre !...*
> *Je pensais à demain.*
> *Et que mon déplaisir*
> *Fut d'ignorer*
> *Le doux baiser*
> *Que je devais accueillir*
> *En nous voyant demain.*
>
> *Mais demain je la verrai,*
> *Celle que toujours aimerai.*
> *J'apprendrai la tendresse*
> *Qu'en un baiser*
> *Peut prodiguer*
> *Une douce maîtresse* [1]

Exécrable mirliton, certes, mais quand même plus de naturel, une réaction anti-solennelle, et peut-être quelque chose de vécu, un écho en mineur des rêves de Raphaël.

La suite est connue : lecture de la pièce en famille (mai 1820), puis devant l'académicien Andrieux, ancien professeur de Surville à Polytechnique (août), puis devant Lafon, sociétaire du Théâtre Français (septembre). Consternation. Conseils de faire tout autre chose qu'écrire. En même temps, nouvelle « congestion d'idées », grande fatigue. Retour en famille. L'expérience s'achevait. Entre-temps, vers le mois d'août 1820, Balzac avait rédigé le début d'un roman : *Falthurne*. Lorsqu'il se réinstalle à Villeparisis, à la fin de 1820, c'est *Falthurne* qui porte sans doute ses espoirs, *Falthurne* qui tient à tout (lectures, préoccupations), sauf à ce qui avait présidé à la naissance du malheureux *Cromwell*.

Après l'échec de *Cromwell*, Balzac opère donc un retournement total : il abandonne le théâtre et le style noble pour

---

1. *Lov.* A 49, f° 67.

se faire romancier : selon un rythme de pulsation qui sera celui de toute sa jeunesse, on le voit, après chaque échec, revenir à une tentative antérieure, l'enrichissant ou l'infléchissant. *Corsino* avait marqué le passage de l'abstraction à la vie, la prise de conscience, aussi, de plus de complexité que n'en pouvaient exprimer, sans doute, le traité ou la dissertation, qui supposent optimisme et ouverture. *Cromwell*, en son genre, supposait aussi une sorte de royauté possible, un triomphalisme littéraire qui allait mal avec la complexité et les difficultés croissantes du siècle. Le retour au roman, avec *Falthurne*, que ne suffit nullement à expliquer la rencontre de Lepoitevin, courtier littéraire et chef d'atelier bien connu des balzaciens, bohème à tout faire et qui connaissait les secrets, Lousteau de ce Lucien [1], marque une seconde rupture avec le genre assuré. Comme on va le voir, bien plus vibre en ce premier récit un peu élaboré qu'en la raide pièce sans âme qui venait d'être abandonnée. Pourquoi le roman ?

D'abord, pour des raisons pratiques. Le roman est alors une « industrie » prospère. Pigoreau, bien placé, fournit des chiffres qui se passent de commentaire : quarante-cinq volumes de « roman populaire » (c'est-à-dire excluant les réimpressions de « classiques »), en décembre 1821, et, en 1824, en pleine période creuse d'été, cent dix de fin juillet à octobre [2]. Les éditeurs avisés se doivent d'avoir sous la main manuscrits et auteurs afin de pouvoir fournir à la demande. C'est ainsi que Pollet, en prévision de la « rentrée » de l'automne 1822, constituera une « écurie » de jeunes auteurs, parmi lesquels Victor Ducange et Honoré Balzac, pour pouvoir lancer à temps une grande opération portant sur dix romans en quatre volumes.

1. Nous ne referons pas, nous l'avons dit, l'histoire et le portrait de Lepoitevin de l'Egreville, qui pilota Balzac dans les milieux de l'édition populaire et fut certainement son introducteur à bien des choses. Lepoitevin signa avec Balzac ses deux premiers romans, *L'Héritière de Birague* et *Jean-Louis*, mais on a de solides raisons de penser que Balzac en est seul l'auteur, la double signature n'étant qu'une taxe imposée au nouveau venu. Lepoitevin était un homme sans génie, à la différence du Lousteau des *Illusions*, à qui Balzac a prêté de grandioses regrets et une signification poignante. Il durera très avant dans le siècle, toujours travaillant et trafiquant. On le verra, après la mort de Balzac, tenter d'extorquer de l'argent à sa veuve pour lui céder ses droits sur *Jean-Louis* et sur *L'Héritière*. Lepoitevin, toutefois, n'était sans doute pas dépourvu de ce brillant, de ce charme « parisiens » un peu superficiels, mais qui font effet sur des naïfs et des naïves. Au printemps de 1821, en visite à Villeparisis, il tournera un moment la tête à Laurence, comme Charles Grandet à Eugénie. Le mirliflore de 1833 a peut-être bien là un modèle précis.
2. Pigoreau, *Petite bibliographie biographico-romancière*, octobre 1821, et 1824. Pigoreau précise, en 1823 (février, à la veille de la sortie de *La Dernière Fée*, et alors que Balzac est sur le point de livrer *Wann-Chlore*) : « Les romans abondent aujourd'hui tellement et se succèdent avec tant de rapidité, qu'il serait impossible au liseur le plus infatigable de les connaître tous ».

Comme un roman de ce genre ne demandait que peu de travail, on conçoit qu'un jeune homme qui cherchait de rapides profits — en attendant mieux — pouvait être tenté par cette « solution ». Il ne saurait être question, ici, de littérature à cœur ouvert. On travaille pour des officines, et l'on cherche à plaire. Voilà qui marque un homme.

Mais il est des raisons plus profondes que de marché, et qui, d'ailleurs, y aboutissent. Le roman avait gagné en dignité. Il avait ses modèles, ses références nobles, comme les genres traditionnels. « Les romans, avait écrit Sébastien Mercier dès 1782, les romans, (que les gens de lettres, qui font les superbes, jugent frivoles, et qu'ils ne savent pas faire) sont plus utiles que les histoires. Le cœur humain, vu, analysé, peint sous toutes ses formes, la variété des caractères et des événements, tout cela est une source inépuisable de plaisirs et de réflexions ». Et il ajoutait : « Voyez ce qu'on lit à la campagne. Ce ne sera certes pas une éternelle tragédie de Racine. Ce ne sera certes pas un de ces ouvrages contournés que le sanhédrin littéraire vante seul, et que le reste de la France dédaigne [1] ». Le genre avait donc de quoi fouetter le vouloir-vivre littéraire des jeunes générations. Pendant que les pères appréciaient les tragédies de l'école impériale, leurs femmes avaient aimé les romans de Miss Radcliffe et de Miss Edgeworth. Quant à eux, pour se distraire, ils lisaient Pigault-Lebrun. Problèmes du roman, problèmes d'expression, donc, problèmes de *modèles*. Ce qu'en va faire Balzac, comment il va choisir et forger, importe au plus haut point pour comprendre ce qui se passe en lui, comment évolue sa vision des choses. Inventer un style ne va pas sans quelques découvertes.

Lorsque Balzac songe au roman, le premier modèle qui s'impose à lui (car, comment n'aurait-il pas de modèles?) est sans doute le roman « gai », dans la tradition intellectualiste du conte voltairien, mais bien rabaissé, mis à la portée d'un public plus large, traversé de fortes influences allègres, gaillardes ou critiques, comme surtout celle de Sterne. Toute une génération avait aimé ce genre d'écrits, qui alliait l'agrément de la narration à celui de l'esprit. Il s'ouvrait même au roman d'éducation, avec, par exemple, l'immense succès du *Frédéric*, de Fiévée (1799). Deux noms s'imposent : Restif de la Bretonne, et Pigault-Lebrun, le second, surtout, ayant connu, et continuant à connaître tout

_____

1. *Tableau...*, I, p. 179.

au long du siècle, un extraordinaire succès [1]. D'innombrables
rééditions, adaptations théâtrales, etc., contrefaçons, etc.,
attestent la « surface » couverte par cet auteur, bien représentatif de toute une manière de voir et de dire. *Les Barons de Felsheim* (1798) peignent, sous des couleurs vivement satiriques,
qui devaient réjouir le cœur des bourgeois vainqueurs et satisfaits, l'ancien régime et les mœurs féodales; lardé de grivoi-
series, ou, le plus souvent, de lourdes équivoques et de licences
pour boutiquiers, le récit a de l'allant. Il en va de même d'un
autre immense succès, que Balzac imitera dans *Jean-Louis :
Monsieur Botte* (1802), peinture, cette fois, de la vie moderne.
Le mérite de Pigault-Lebrun est d'avoir habitué les lecteurs
à des sujets « réalistes », et ce n'est pas sa faute si, à sa suite,
Paul de Kock et une connaissance de Balzac que nous retrouverons, Victor Ducange, ont étiré vers la facilité, un genre qui
avait correspondu à un certain état de la société et des
esprits. Mais ce qu'il faut bien marquer, c'est ce qui manque
absolument à Pigault-Lebrun, comme à tous les romanciers de
sa « famille » : le sens du drame et du complexe. Pour eux,
fils de la Révolution, bénéficiaires de la nouvelle douceur de
vivre [2], le monde est lisse et simple. Bonne humeur, frôlements
lascifs, gaillards entreprenants, vieillards pittoresques, tout
ceci relève d'une vision somme toute optimiste, les essais,
même, de vocabulaire populaire, n'ouvrant aucune porte, ne
correspondant à aucun ébranlement profond. Ces hommes
sont des installés, des satisfaits. Les révolutions sont accomplies, et ne demeurent, pour tout piment à la vie, que les
inclassables et incertains tremblements qui animent encore,
sans qu'on puisse les rapporter à une quelconque philosophie
d'ensemble de l'univers, un vouloir-vivre sans grandes perspectives de renouvellement. On est intelligent; on a du courage,
du tempérament, mais, dans l'avenir de ces puissances ne se
dessine nul avenir nouveau. Le roman voltairien tourne en
rond, n'ayant rien à découvrir, et faisant un peu office de
Mémoires pour toute une génération. Le *Frédéric* de Fiévée

---

1. La question des relations littéraires entre Balzac et Restif demeure obscure. Nous n'avons pas abordé ce continent, peut-être riche. Sylvain Rou-
mette, qui commence un travail sur Restif apportera peut-être un jour la
lumière que l'on attend. Quoi qu'il en soit, Restif est le type d'auteur qui devait
se trouver dans la bibliothèque de Bernard-François. Son fils ne le cite pas
une seule fois dans son œuvre, mais ceci ne signifie rien : Sade non plus n'est
jamais cité, mais le manuscrit de *La Muse du département* (*Lov.* A 158) porte
des références à *Aline et Valcour* et aux *Crimes de l'amour*.
2. René Jasinski signale à juste titre que les premiers romans de Pigault-
Lebrun « se ressentent de sa jeunesse aventureuse *et de la liberté des mœurs sous
le Directoire* » (*Histoire de la littérature française*, II, p. 379). Justement : le Directoire ne signifiera bientôt plus rien pour les jeunes générations.

est, à cet égard, significatif : alors que le roman d'éducation balzacien s'ouvrira sur de l'inattendu, sur ce que même son auteur ne soupçonnait pas, et enregistrait ou transcrivait sans en apercevoir clairement toutes les implications, celui du futur rédacteur en chef de *La Quotidienne* (significative alliance de tous les conservatismes, formels et en profondeurs), ne débouche que dans des significations limitées ; rien n'y est mis réellement en cause, et l'analyse reste constamment maîtresse d'elle-même, à l'intérieur d'un univers sans problèmes. Pour certains milieux, encore anachroniquement opposés à ce qui était désormais inévitable (et finalement, pour l'essentiel social, point trop menaçant, seules ayant été réellement menacées, et le demeurant, quelques positions de pointe, et surtout des habitudes, des organisations psycho-sensitives), le roman gai avait des odeurs de soufre et participait de la honte du siècle : avec le recul, ces craintes et haines ont perdu de leur âcreté, de leur valeur, et nul, aujourd'hui, ne songerait à embrigader dans la phalange du progrès des hommes de la même race, au fond, que ceux des chansons Empire ou des articles des Hermites. Le ronron lui-même n'est-il pas signe (littéraire) de piétinement dans la philosophie ? « A quelques lieues de Lunebourg, en Saxe, au milieu des bois, des montagnes et des ravins, existait encore, il y a quelque vingt années, un château gothique bâti, selon les propriétaires, qui probablement se trompaient, par le fameux Witikind, lors de l'invasion de Charlemagne [1] » : cette resucée de *Candide* et du château de Tunder-den-Tronck ne témoignet-t-il pas en faveur d'autre chose que le simple mimétisme des débutants ? *La bonne conscience et la complaisance bourgeoise sont déjà là :* bloquer la vie et ses problèmes sur des lignes désormais dépassées, nier le devenir né de la victoire contre Felsheim ; et, par là même, stériliser, bloquer, le devenir esthétique. Que Ferdinand XV, fils unique de Ferdinand XIV, baron de Felsheim, fût « destiné dès sa naissance à la profession des armes, la seule qui convînt à un arrière-petit-cousin de Witikind [2] » pouvait certes esjouir plus d'un lecteur bourgeois (de peu d'exigences, et de maigres préoccupations) ; mais qui ne verrait que lecture et esjouissance étaient ici essentiellement tournées vers le passé ? Si barons il y a, alors que Balzac aborde la vie, la jeunesse en restera-t-elle longtemps à ceux de Felsheim ? Loin d'être ouverture, la satire se devait vite révéler comme insuffisant et trompeur élément du « progrès ».

1. Pigault-Lebrun, *Les Barons de Felsheim*, éd. Barba, 1843, p. I.
2. *Ibid.*, p. 2.

L'imitateur le plus heureux de Pigault-Lebrun, Victor Ducange, qui fut une figure sous la Restauration, et que Balzac connut sans doute chez leur commun éditeur Pollet [1], offre les mêmes traits. Idole du Marais, cet homme de gauche était monté à Paris après avoir, à Marseille, fondé *Le Diable rose*, souvent saisi. En 1820, les autorités avaient à nouveau sévi contre son roman, *Valentine, ou le pasteur d'Uzès*, qui traitait de la Terreur Blanche. Quelques échantillons, pris à un autre de ses romans, le plus célèbre, *Léonide, ou la vieille de Suresnes* (1823), suffiront à montrer, à la fois, le charme et les limites de ce genre.

Rodolphe est le fils d'une fille d'Opéra et d'un *monsignore* italien, paternité, d'ailleurs, peut-être honoraire. S'étant brouillé avec la mère, et craignant de voir en elle (bien tardivement) quelque succube, le *monsignore* chasse l'enfant loin de lui : « Fruit de Satan, s'écria-t-il, dans sa sainte colère, va, retourne à Satan, et que ta mère te suive. — Il les excommunia pour en être plus sûr [2]. » On imagine la réaction de tous les Monsieur Balzac du Marais. Quant à cet autre passage, pour les plus lettrés, quels mécanismes chéris ne mettait-il pas en mouvement ? A propos d'une liquidation, Ducange conclut : « On n'en retira rien, que les frais de justice, qu'on paya la première, ce qui était fort juste, vu qu'elle n'avait rien mis [3]. » Enfin, et surtout, telle évocation des beaux jours de jadis devait aller au cœur de tous ceux qui n'avaient pas oublié comment, alors, tout était ouvert et permis : « Or, vous vous souvenez qu'à cette époque déjà lointaine, les parchemins n'étaient plus à la mode. Le mérite seul avait droit aux honneurs. Avec du talent, du courage, et du bonheur, *on arrivait à tout*. Il ne fallait qu'aimer la patrie, la servir utilement, et contribuer à sa gloire [4] ». Le mérite! Alors même que des mérites, insoupçonnés des générations impériales (mérites de la jeunesse, mérite de l'industrie, mérite de tout ce qui poussait et n'avait pas encore sa place) commençaient à faire problème, on voit comment le roman de Ducange s'en va dans le sens de précises complaisances : nous sommes installés, mais *nous avons été* les hommes d'une Révolution, et nous avons connu ces temps d'élargissement du droit. A cette ouverture d'autrefois, qu'oppose-t-on ? Non les difficultés croissantes de la société bourgeoise, bien entendu, mais les

---

1. Dans *Illusions perdues*, c'est « l'éditeur de Victor Ducange » que Lucien entend aux prises avec Vidal et Porchon (éd. Adam, p. 216). Comme il s'agit, précisément du roman *Léonide*, l'identification avec Pollet est évidente.
2. *Léonide, ou la vieille de Suresnes*, Pollet, 1823, I, p. 24-25.
3. *Ibid.*, p. 87.
4. *Ibid.*, p. 106-107.

intrigues blanches, les manœuvres cléricales. La bonne humeur, les traits, sont là comme protestation, non sans valeur, d'ailleurs, contre le « sérieux » officiel. On ne s'en laisse pas accroire. Mais on n'a guère, non plus, le sens des drames réels. Sitôt, d'ailleurs, tirés ses premiers feux d'artifice, Ducange ne sait plus tenir son lecteur : c'est la rançon du roman satirique, jusqu'à *Clochemerle*, jusqu'à Marcel Aymé, jusqu'à *Zazie*. Il faut être capable d'autre chose que de bons mots pour que le roman devienne l'histoire d'hommes aux prises avec un destin, pour que les personnages prennent du poids. Ducange ne pouvait intéresser qu'en aidant tout un public bourgeois à tourner en rond dans son propre univers, et son « comique », son agressivité, bien plus que d'authentiques revendications ou une authentique vision critique n'expriment que bonne conscience et certitude. On pourrait certes admettre que ce comique, que ces insolences, que cette licence s'expliquaient par la réaction blanche, souvent odieuse. Balzac lui-même, d'ailleurs, ne se privera pas, dans ses premiers romans, de ce genre de « libertés », les seules possibles, parfois. *Seulement, Balzac n'en restera pas là, et ses romans qui ressemblent à ceux de Ducange seront, dans son œuvre, des romans « de jeunesse »*. Ducange, lui, pendant sa vie entière (c'est Balzac qui le lui dira lui-même, en 1830 [1]) refera toujours le même petit roman, raisonnera toujours de la même manière, attirera toujours l'attention sur les mêmes problèmes. Idéologiquement, le roman gai est fini. Il n'est plus que forme, tics. Il peut encore (on le verra dans *Wann-Chlore*) servir à introduire la vie bourgeoise et les familles, à la vie littéraire, mais une relève s'imposera vite, alors, celle du drame domestique, qui conduit aux *Scènes de la vie privée*.

Il est caractéristique, d'ailleurs, que le roman voltairien lui-même, et chez ses meilleurs auteurs, ne puisse longtemps tenir sur sa lancée. Une fois créée l'*atmosphère*, il faut bien que l'intérêt vienne de l'*intrigue* et des *personnages*, de l'expression et du développement de *sentiments*. La satire tire sa force des relations auteur-monde, mais un univers a besoin de devenirs individuels. A ce moment, les leçons du XVIIIᵉ siècle se révèlent insuffisantes. D'une part, parce que d'autres problèmes subsistent, que n'a pas résolus la victoire sociale et politique de la bourgeoisie, d'autre part, parce que la vie est continuité, dynamique, alors que l'intellectualisme du

---

1. Compte rendu d'*Isaurine* dans le *Feuilleton des journaux politiques* du 7 avril 1830, O.D. 1º, p. 262-263.

philosophisme critique est discontinuité. La solution finale de
Zadig laissait de côté le problème des femmes irascibles et
volages, comme un résidu auquel ne pouvait rien la victoire
des lumières, voire comme un résidu des mœurs d'autrefois.
L'insuffisance du voltairianisme se marque bien dans son
incapacité à nourrir une dramaturgie : la vie le déborde de
toute part. Chez Pigault-Lebrun, par exemple, l'histoire
amoureuse de Mᵐᵉ de Felsheim prend le pas sur le tableau
satirique, et le style passe, invinciblement, des facéties aux
exclamations moralisantes. C'est Rousseau, désormais, qui
tient la plume, et Diderot : « Délicieux précurseurs du plaisir,
qui peut-être, êtes au-dessus du plaisir même ! [...] Pourquoi
l'homme désire-t-il ce qui détruit la plus touchante illusion ?
Combien il est doux d'espérer ! Combien les demi-faveurs ont
de charme ! Qu'il est affreux, le vide qui suit la jouissance !
[...] Jeunes gens qui devancez la nature, qui abusez de ses
bienfaits, qui vous préparez une vieillesse prématurée et douloureuse, je vous parle une langue étrangère... » Nul, en
commençant, ne se serait attendu à ce langage. Lorsque
Werner et son amante se quittent, Pigault-Lebrun, qui se
souvient de Voltaire et de *Candide*, écrit bien : « Un feu
dévorant s'alluma dans ses veines, sa raison se troubla, sa
tête se perdit, sa main s'égara », mais ce n'est là qu'effort
désespéré pour maintenir la primitive unité de ton, et, dès
la page suivante, on glisse au roman larmoyant, sans plus
d'effort de « correction » malicieuse. On ne peut plus être
« vrai » et voltairien jusqu'au bout. Ce n'est pas seulement
mode littéraire, si l'intellectuel se fait ainsi déborder par le
sentimental : c'est que la vie, constitutivement, et surtout,
historiquement, déborde l'intellectuel et le bourgeois, aspire
à plus qu'à l'univers desséchant d'une critique aux points
d'application amortis. La relève sentimentale du roman
voltairien, qui se retrouvera chez Balzac, est l'un des signes
les moins équivoques de la relève des valeurs et des problèmes.

Il faut mettre dans le même sac que le roman gai, le
petit-réalisme tel qu'on le voit fleurir dans la Presse depuis
l'Empire : choses vues, pochades, croquis, qui seront gibier
balzacien, mais après quel chemin parcouru ! Les maîtres
du genre, si souvent imités, sont les divers *Hermites*. Ils
avaient fait leur apparition sous l'Empire ; ils eurent une gloire
et une influence durables ; ils suscitèrent de nombreux émules.
Sous la signature de *L'Hermite de la chaussée d'Antin*, Jouy
avait publié nombre d'articles descriptifs, à l'unité d'abord, en
volumes, ensuite (1812, 1814) : un observateur dégagé rendait

compte, d'une plume souvent vive, des diverses modernités et réalités de la vie française. Sorti de chez lui, ce sage découvrait le monde. On eut bientôt des *Hermites* de partout : *de la Guyane* (1816), *en Province* (1813-1818), *en prison* (1823), *en liberté* (1824), etc. Qui ne s'en mêla pas ? Le royaliste Colnet, de la *Gazette*, publia en 1825, un *Hermite du faubourg Saint-Germain*, et, du même ordre sera *Le Rôdeur français*, de Balisson de Rougemont, qui semble bien être une des sources de l'inspiration réaliste balzacienne [1]. Les divers *Hermites*, qui apprirent une nouvelle manière de voir et d'écrire à plusieurs générations, correspondent assez exactement à une nouvelle réalité sociale et littéraire : procédant par fragments brefs, sans ambition apparente, ils marquent la rupture avec une littérature plus ambitieuse et moins vraie. Ils sont (sauf chez Colnet, bien entendu), d'inspiration plutôt libérale et philosophique, mais sans acrimonie et détendue. L'intérêt est que, décrivant Paris et la France, il leur faut bien en venir à des sujets qui attendent encore leur romancier : les maisons, les métiers, les quartiers, la rue, ce qui se passe, enfin. On ne

1. *Le Rôdeur français, ou les mœurs du jour*, recueil d'articles parus dans *La Quotidienne* (1816-1821), réserve bien des surprises. Ne parlons pas trop des articles consacrés à des sujets qui « seront » balzaciens (*Un suicide*, 4 mai 1820 ; *Une maison de jeu*, 9 août 1825) mais qui relèvent d'une thématique alors assez répandue. Mais que dire, par exemple, de *L'Étude d'un huissier* (les bavardages irrévérencieux des clercs, les chansons de Désaugiers que copie le plus jeune, le repas, pour finir, au *Rocher de Cancale*, le personnage de Roguin), que dire de *La Réforme des employés* (avec, pour épigraphe, la phrase de Talleyrand, que reprendra Balzac : « Monseigneur, il faut bien que je vive. — Je n'en vois pas la nécessité »), que dire de *Le ministre et le commis*, de l'*Intérieur d'un journal*, du *Bal de l'Opéra* (avec la « femme à deux maris ») ? Et l'on peut encore glaner, dans *La Demoiselle de comptoir*, dans *L'Écaillère*, dans *Le Boulevard de Gand*, dans *Le Père-Lachaise*. On est de plus en plus troublé, lorsqu'on voit paraître dans *Une audience publique*, un « M. de Balzac », tympanisé pour ses successives palinodies depuis l'ancien régime (t. V, p. 213), puis, lorsqu'on retrouve le personnage, au tome VI (p. 44 sq.) sous les galeries de Palais-Royal, cherchant un sien neveu en proie au démon du jeu, enfin, toujours au même tome VI (p. 124) assistant en insupportable et bavard pédant, à une lecture littéraire de société. Il existait, certes, sous la Restauration, un M. de Balzac, qui fut député, mais il faut aussi songer à une possible parenté de Balisson avec cette demoiselle de Rougemont, qui aida Balzac à s'installer, et qui était, au Marais, une vieille amie de la famille. Quoi qu'il en soit, l'essentiel est que le romancier semble avoir pris plus d'un canevas chez le journaliste, et que le thème du flâneur, si important dans son œuvre, puisse devoir, ne serait-ce qu'une justification formelle (car pour ce qui fait le fond du *flâneur*, il ne saurait, bien entendu, s'agir de littérature) au *Rôdeur* des premières années de la Restauration. Comment, de ces croquis, on passera à la vision, est, précisément, tout le problème que nous tenterons de résoudre. — Balisson de Rougemont est encore l'auteur du *Bonhomme, ou nouvelles observations sur les mœurs parisiennes au commencement du XIXe siècle* (Pillet, 1818) ; on y trouve *Un salon de la chaussée d'Antin*, *Un bal bourgeois* (dans lequel on voit un *La Bobinière* attraper un gendre), *Un hôtel garni*, *Les usuriers*. Pour donner déjà l'une des coordonnées du futur ouvrage de Balzac, en 1830, ajoutons qu'il a aussi écrit des *Lettres sur Paris, ou correspondance pour servir à l'établissement du gouvernement représentatif en France* (Delaunay, 1820).

refait pas, même en mineur, les *Lettres persanes*, sans que l'Histoire ayant avancé, la France mûri, on ne bute sur de l'original. L'intérêt est, précisément, l'attitude adoptée vis-à-vis de cet original, la manière dont on l'aborde et dont on en parle. Or, exactement comme dans le roman gai, l'ensemble, malgré des hardiesses plus apparentes que réelles, demeure de bon goût et de bonne compagnie. La canaillerie de Pigault-Lebrun pouvait parfois faire illusion, mais les divers sondages des *Hermites* et de leurs confrères ne donnent jamais nul vertige. *A la base de tout réalisme, se trouve nécessairement l'idée que la réalité puisse être intéressante*, entendons la réalité de fraîche date, celle qui n'est pas encore objet de pensée ou de littérature. Alors que la littérature traditionnelle éprouve encore le besoin de passer par le style noble, la littérature réaliste, et même petite-réaliste, accepte le quotidien, faisant appel, chez ses lecteurs, à un réflexe de reconnaissance. C'est le mérite des *Hermites* et du *Rôdeur* : la vie française au XIXe siècle, avec ses problèmes et ses situations qu'avait nécessairement ignorés la société pré-révolutionnaire, apparaît comme un champ à parcourir, et, pour des gens avisés, il y avait profit à tirer de la connaissance et de l'expression de ce qu'on avait sous les yeux. Que de *Scènes de la vie privée*, que de *Scènes de la vie parisienne*, déjà, en ces petits recueils in-12, qui furent dans toutes les bibliothèques! Ce jeune homme qui, dans *Un suicide*, monte au jeu avec l'argent d'un dépôt! Cet *Esprit de parti*, qui montre une famille divisée par les querelles politiques! Alors même que, sous l'Empire, l'Histoire apparente se faisait sur les champs de bataille, Jouy, le premier, avait dit qu'il était un autre réel, qui courait sous l'autre et durerait plus longtemps. L'avancée est donc incontestable. Seulement, tout est question d'optique et de *ton. Hermites* et *Rôdeur* n'empêcheront personne de dormir. S'ils ont conduit à autre chose, eux-mêmes en demeurent au vaudeville et à la chanson, à *La petite ville* et à *Monsieur le sous-préfet*. Un discret pessimisme structure leur curiosité (voyez ce qu'est le monde moderne!), mais on ne va pas plus loin. Balzac, ce sera autre chose. Que l'on compare *Les Six Étages d'une maison de la rue Saint-Honoré*, d'Étienne[1], avec la description, étage par étage, également, de la pension Vauquer. Au rez-de-chaussée, un cordonnier; au premier un notaire et un vieux notable; au troisième une actrice et un employé du Trésor; au quatrième un jeune homme qu'attend Sainte-Pélagie; au cinquième un peintre en minia-

---

1. *L'Hermite de la chaussée d'Antin*, II, p. 133 sq.

tures; au sixième, sous les toits, un cordonnier et un pauvre homme qui ne vit que pour la loterie. A chaque étage, brèves indications sur les lieux et leurs habitants. Mais *c'est tout*. D'abord parce que les indications fournies, *choisies*, ne concernent que la superficie des choses, les habitudes en ce qu'elles ont de plus sommaire, de plus attendu. Rien d'insolite. Un monde bien reposant dans sa diversité, un monde pour excursionniste. L'Hermite, d'ailleurs, est entré dans la maison qu'il veut acheter; mais il en sort bientôt. Ce n'est pas aux hommes qu'il s'intéresse. Ces personnes qu'il nous a fait entrevoir n'ont pas d'histoire *et n'en auront pas*, elles ne sont pas dignes d'en avoir. Ce n'est pas là que les choses arrivent. Tout est clair. On passe. Dans *Le Père Goriot*, au contraire, après avoir fait la connaissance des locataires, on entrera dans leur histoire, dans leurs histoires, et celles-ci deviendront de plus en plus dramatiques, se noueront, se mêleront jusqu'au drame final. On vivra dans la pension Vauquer, on s'enfoncera dans son épaisseur, dans son opacité. Et Balzac saura bien qu'on aura du mal à le suivre, puisqu'il éprouvera le besoin dans sa préface d'affirmer que *all is true* de ce qui se passe à Paris. L'auteur sait bien que le lecteur dans son fauteuil « *l'accusera de poésie* [1] ». Et cette dernière remarque est capitale : *poésie*, c'est *vision* profonde, exceptionnelle des choses, l'aptitude à voir et à exprimer ce qu'elles sont derrière les apparences. Et c'est le moins « poète » des auteurs de ce début de siècle qui, précisément, retrouve ici la poésie, parce qu'il ne l'a pas cherchée. Poésie non des formes et des recettes, non des moyens, mais du contenu, du sens. La vision des *Hermites* est mécaniste et à deux dimensions; elle ignore les sauvages poussées, les drames qui naissent de la nature des choses et du développement de la vie. Babouc et les démons philosophes jugeaient autrefois le vieux monde. Les *Hermites* survolent et décrivent un monde neuf qu'ils réduisent à des jeux limités. Leur style, d'ailleurs, tout de finesse et d'esprit, ne s'ouvrant jamais à l'émotion, demeurant maître de soi et de ses effets, dit mieux encore leur sérénité, et leur aveuglement. *Ce sont des hommes du XVIII*e *siècle*, et comment s'étonner qu'ils soient, *tous*, fermement et définitivement, antiromantiques? Dès 1813, l'Hermite de la chaussée d'Antin écrit : « Le drame s'est accrédité depuis que la mélancolie est à la mode, parmi les jeunes gens qui donnent le ton », et, en 1825, Colnet dans son *Fragment d'un ouvrage*

---

1. *Le Père Goriot*, C.H. II, p. 848.

sentimental dont le titre n'est pas encore trouvé [1] expliquera qu'il a décidé de « se faire » mélancolique pour avoir du génie, qu'il a congédié sa petite bonne, Lisette, trop vive et trop joyeuse, qu'il rend visite à un cimetière, etc.; mais bientôt, revenant au naturel, il renonce à la mélancolie, reprend Lisette, etc. [2]. Quoi d'étonnant à ce que Colnet ait mis son ouvrage à la suite de celui de Jouy? Comme Jay, en 1830, avec sa *Conversion d'un romantique*, il nous offre l'exemple d'un homme cultivé, mais résolument allergique à tout ce qui est dramatisation d'un univers, pour lui, définitivement dédramatisé. *Sainte-Pélagie*, *Le Palais-Royal*, *Le Père-Lachaise*, *Les Salles de rédaction*, les *Enseignes de Paris*, les ministères et les bureaux, futurs hauts lieux, autant, chez Colnet, de têtes de chapitre, autant d'esquives du « drame ». Qu'importe le libéralisme de l'un, qu'importe le royalisme de l'autre? Hommes d'ordre, hommes pour qui l'abîme des résolutions est fermé (et non tant politiquement, en surface, qu'en profondeur, dans la manière de voir et de penser l'ensemble du monde), qu'ont-ils besoin d'une quelconque éloquence? Remarques fines, phrases courtes et élégantes, transparence et précision : c'est le style et le lot de ceux pour qui ne se posent vraiment *plus* de problèmes *de fond*. La prison pour rire, d'ailleurs, de Jay et Jouy, en 1823 [3], bien différente, même, de celle de Béranger, mais surtout à cent lieues de celle du « pauvre prisonnier », de Stendhal, ne met-elle pas le sceau qui convient à ce « réalisme » désormais définitivement refroidi? Il n'y aura de réalisme vrai, fort, fécond, que *lié à une inquiétude, à une interrogation* réelles, à une découverte d'abîmes dans le réel moderne. Seule une prise de conscience antibourgeoise, seule une prise de conscience des drames et difficultés nés de l'organisation du monde par la bourgeoisie, renforcée par l'adhésion à des méthodes, à des idéologies, de portée nécessairement antibourgeoise, dépassant les possi-

1. *L'Hermite de la chaussée d'Antin, Seconde lettre d'un bourgeois du Marais*, II, p. 109.
2. Colnet, *L'Hermite du faubourg-Saint-Germain, ou observations sur les mœurs françaises au début du XIXᵉ siècle, par M. Colnet, auteur de L'art de dîner en ville, faisant suite à la collection des mœurs françaises de M. de Jouy*, Pillet, 1825, p. 95 sq. (On fera à Lisette le sort qu'elle mérite, et l'on notera cette conjonction de style et de fait entre Colnet, de la *Gazette*, et Béranger.) Il s'agit d'un recueil d'articles alors vieux de plusieurs années. Colnet était le critique littéraire attitré de la *Gazette de France*. On le retrouvera, en 1832, au *Rénovateur*, auquel collaborera Balzac. Comme pour *Le Rôdeur français*, on demeure confondu par tout ce que Balzac a pu trouver dans cet *Hermite*, et ce que, selon nous, il en a retenu. De nombreuses « scènes » dialoguées qui mettent en présence employés, commis et ministres (cf., en particulier, *L'Intérieur d'un bureau*, II, p. 208) peuvent difficilement ne pas être des sources balzaciennes.
3. Pour délit de presse.

bilités et les volontés bourgeoises (physionomie, phrénologie, physiologisme, saint-simonisme, etc.) sauvera le « réalisme » de la platitude et le lancera à l'assaut.

On voit ainsi comment la naissance du réalisme est inséparable du mal du siècle, si du moins l'on entend par là une conscience aiguë et permanente de ce qu'est le *destin* de l'homme au siècle de l'argent. Les hommes sont broyés, laminés, dans des drames qui les dépassent et dont ils sont cependant les acteurs. Nul n'est innocent, mais nul n'est totalement non plus bourreau. Les hommes sont condamnés à *cela*, mais ils rêvent tous d'autre chose. Ils cherchent. Ils luttent. Ils rêvent. Mais ils ne savent que bien rarement *pourquoi* il en est ainsi. Ils sont aliénés. Le romancier seul voit plus clair et sait. Mais de sa science et de son pouvoir d'expression, il tire, avec la joie du créateur qui maîtrise les choses, un profond dégoût du monde. Il n'a pas l'œil assuré, le sourire aimable de l'Hermite ou du Rôdeur qui, eux, contrairement aux apparences, sont passés sans rien voir. L'Hermite et le Rôdeur, rentrés chez eux, ont l'âme quiète, et préparent un autre « papier » pour le lendemain. Ils accumulent, ils compilent. Ils ne *créent* pas, parce qu'ils ne *comprennent pas*. Les phrases clés de Pascal sur l'homme écrasé, qui sait qu'il est et en tire grandeur, reprennent ici tout leur sens. L'angoisse, l'inquiétude, c'est justement, dans la conscience de l'homme qui voit la dynamique de son époque, ce sentiment profondément éprouvé de l'aliénation des hommes, balancé, équilibré, mais toujours d'une manière instable, périlleuse, par le sentiment de sa force d'interprétation et de recréation. Il n'y a création que parce qu'il y a inquiétude. Il n'y a grandeur que parce qu'il y a misère. Comme dans tout ce qui est la vie, on retrouve ici la dialectique fondamentale entre données contradictoires. A défaut de tirer de la conscience du vrai une liberté de fait, l'homme en tire une liberté intime, que nul ne saurait lui arracher, mais aussi qui ne saurait en aucune façon, pour le moment, aider à mordre sur les choses comme elles sont. Et c'est un autre aspect capital du mal du siècle, de tout mal du siècle, de toute angoisse, qu'il ne saurait déboucher, en l'absence de perspectives révolutionnaires concrètes, sur autre chose que sur l'affirmation d'une autonomie de la conscience individuelle. C'est ainsi que la joie de la création n'est qu'une joie incomplète. Elle ne change rien au monde. Elle est condamnée, sans cesse, à renaître d'expériences renouvelées de la misère sans que la misère en soit affectée pour autant. Nul pharisaïsme esthète ici. Le monde n'est pas fait pour aboutir à un beau livre. Une fois le livre fait, il faudra en faire d'autres. Non seulement parce que les éditeurs attendent et parce qu'on a des dettes, mais aussi parce que c'est le seul moyen d'équilibrer, jour après jour, l'envahissante, la toujours présente misère.

La littérature réaliste par *choix*, qu'elle le veuille ou non, s'éloignera ainsi, sans retour possible, de la littérature aimable. Dans l'œuvre même de Balzac, les articles de style flâneur-détendu céderont la place à des articles du style flâneur-dramatique (par exemple, en 1844, *Ce qui disparaît à Paris*). L'évolution même du réel y forçait les écrivains; toute une littérature devait s'ouvrir à des conflits, à des misères, à des problèmes, qui bouleversaient, à long terme, son équilibre esthétique, et, par exemple, dès 1825, *Le Provincial à Paris*, de Montigny, fera entendre de tout autres sons de cloche que les Hermites, attirera l'attention sur des aspects de Paris impensables quinze ans plus tôt [1]. *Le Provincial*, toutefois, conservera un ton détendu : comme quoi, il n'est pas de sujet qui donne nécessairement un style, une optique; il y faut l'élément subjectif d'une expérience et d'un génie particulier, d'une attitude personnelle particulièrement nette, agressive, à l'égard du réel, un vouloir-vivre qui remodèle et unifie, qui oriente et densifie, qui projette vers l'avant ce que lui fournit le réel. Une forme manifeste un contenu, et un contenu ne se manifeste que par une forme. Or, qu'est-ce qu'une forme, sinon un contenu personnel, c'est-à-dire une somme *expérience + moi?* Balzac, dès ses années de formation, a eu affaire à des bourgeois; il n'a vécu que dans l'univers bourgeois; il les a vus fonctionner; le développement de son *moi*, de son exceptionnelle personnalité, s'est fait, d'abord, avec eux, et leurs traditions, mais aussi, très vite, contre eux. Le réel bourgeois ne lui a pas été masqué, comme à Hugo, par une mère, par une légende; il a entendu parler du Bousquier dès ses plus jeunes années; il a vu les familles soumises quant à l'essentiel, à la loi des héritages et des appropriations. D'où, le jour où il abordera des thèmes qui sont, en apparence, *les mêmes* que ceux de *Hermites* ou du *Rôdeur*, il mettra derrière tout autre chose. Le roman gai pourra bien lui paraître, un moment, contre quelques respectabilités, une arme; ou bien, la *Physiologie*, le *Code*, le *Traité*, contre l'idéalisme traditionnel, qui refuse de poser les problèmes, ou s'en montre incapable; mais l'essentiel sera la *dimension* donnée aux faits, les infinis retentissements des expériences, la dramatique nouvelle, portée par la reconnaissance, dans l'univers bour-

---

1. Cf. *infra*, p. 697 sq.

geois, de processus à l'œuvre. Ni le roman gai, ni le petit
réalisme, genres qui faisaient les délices de tout un public
(dont semble bien devoir être exclu le futur public de Balzac :
les femmes et les jeunes gens) ne saisissaient, ni n'exprimaient
cette essentielle nouveauté du siècle, à quoi devaient être
surtout sensibles les jeunes, les derniers venus : les aliénations
nées de la victoire même des anciennes classes révolutionnaires. Mais alors, dira-t-on, l'attirance « romantique » ne
devait-elle pas être forte sur, précisément, cette jeunesse,
ces forces neuves ? Tout un style, déjà en place, ou en cours
de développement, ne devait-il pas, ne pouvait-il pas, au
moins, toucher ce vaste public qui n'avait pas encore vraiment *ses* écrivains ? Et, lorsque Balzac entre en roman, tout
ce qui pousse en lui ne pouvait-il trouver consonance dans
cette littérature nouvelle dont se méfiaient instinctivement
les lecteurs des Hermites et de Pigault-Lebrun ? L'état, alors,
du roman, en gros « romantique », non intellectuel, et un
premier bilan, autour des années vingt, du problème roman-
tisme-politique, permettra peut-être de répondre. [1]

Depuis les temps lointains du Consulat, le roman noir,
essentiellement représenté par Anne Radcliffe, et qui était
pratiqué par de nombreux « professionnels », fournissait aux
besoins d'émotion qui ne parvenaient pas à se satisfaire
dans le cadre du classicisme et de la raison. Le roman noir
tirait sa force de l'intrigue (en général les malheurs d'une
héroïne) et du cadre (féodal ou étranger, souvent les deux à la
fois). La religion, et les religieux, y jouaient un rôle important.
Mais le genre noir était loin d'être uniquement un genre
d'*action*. En fait, l'action n'y servait qu'à exprimer un type
assez précis de mentalité, de situation. Le roman noir ne se
conçoit pas sans misère et sans solitude. Ce n'est que dans ses
formes les plus dégradées (et en particulier dans le mélodrame) qu'il est *exclusivement* action. Dans ses formes les plus
complètes, l'intense ne se sépare pas du tendre, ni l'angoisse
de la mélancolie. Ceci se trouve non seulement (ce qui serait
assez naturel), dans les personnages, mais encore, ce qui est
plus inattendu, dans les paysages. La nature est là, dans le
roman noir, souvent, ainsi que les accords secrets avec les
âmes. Le style même se rapproche de manière inattendue du
style purement « romantique », au sens un peu plus étroit
que prendra le mot :

---

1. Une seconde mise au point sera nécessaire, en 1830, lorsque auront mûri
problèmes et positions. Cf. t. II.

Il aimait ce moment où les dernières clartés s'éteignent, où les étoiles, l'une après l'autre, viennent briller dans l'espace et se réfléchir sur le miroir des eaux ; moment troublant et doux, où l'âme dilatée, s'ouvre aux tendres sentiments, aux contemplations les plus sublimes. Quand la lune, de ses rayons argentés, perçait l'épais feuillage [...] quand la nuit était close, le rossignol chantait, et ses mélodieux accents réveillaient au fond de son âme une douce mélancolie [1].

C'est par là qu'il y a de la vérité dans le roman noir, comme il y en a aujourd'hui dans le roman policier. Ici encore, la forme est, sinon fond, du moins matière, sujet. Nous verrons bientôt dans quelles conditions Balzac recourra au roman noir, et pour quelles raisons. Il faut signaler, toutefois, dès maintenant, que, vers 1820, le roman noir commence sérieusement à dater. Il n'est pas assez réaliste. Comme le roman de chevalerie, jadis, il sert souvent de repoussoir à d'autres formes d'expression qui se cherchent. *Roman, romanesque*, avaient longtemps renvoyé, implicitement, à fantastique, hors du commun. Comment n'en irait-il de même, de plus en plus de même, avec le roman noir, alors que mûrit et accède à la dignité littéraire la réalité moderne ? Ce n'est pas *seulement* le « bon sens » des Hermites qui commençait à condamner cette littérature de l'intense par trop coupée de la vie. C'était, déjà, des esprits sensibles, ouverts, qui tentaient, dans la théorie comme dans la pratique, depuis quelque temps, de dégager le roman de ses artifices et de ses embarras. Fin 1821, Quesné, dans la préface de son *Histoire d'Adolphe et de Sylvérie*, l'un des rares textes théoriques, alors, sur le roman, écrit : « Le bon roman ne doit avoir rien de romanesque ; point de châteaux forts, point de tours, d'affreux cachots, de bruits de chaînes, de meurtres nombreux, d'apparitions de spectre, tous tableaux uniquement faits pour effrayer l'enfance ou l'imagination des esprits faibles. *Que le roman soit la peinture naturelle des mœurs du siècle présent ou des siècles passés.* Que le roman bannisse [c'est net !] « le genre romantique [2] ». Il ne s'agit pas tant d'une réaction du « goût » que d'un besoin de vérité. Il ne s'agit même pas tant de curiosité « documentaire » que de sens des problèmes : les « mœurs » sont susceptibles de fournir des sujets de drame au moins aussi valables que la tradition « noire ». Depuis plusieurs années — preuve et exemple — tout un courant romanesque s'était développé, qui allait en ce sens : le courant « intime » qui venait d'Angle-

1. Anne Radcliffe, *Les Mystères d'Udolphe*, I, p. 9.
2. *Histoire d'Adolphe et de Sylvérie*, I, pp. xxv et xxviii.

terre. De nombreuses traductions de Jane Austen et de Miss Edgeworth avaient conquis un public. De *La Nouvelle Emma* (1816) à *Orgueil et prévention* (1821), on se réclamait (car il faut bien, toujours, se réclamer de quelque chose) de la tradition de Richardson pour peindre les drames sans emphase des familles et de la vie privée. On était même très explicite à l'égard des concurrents et devanciers : « On prévient ici le lecteur qu'il ne trouvera dans cet ouvrage aucune aventure merveilleuse, point de châteaux enchantés, point de géants pourfendus : tout est naturel [1] »; on nommait, même : « L'auteur paraît avoir eu pour unique but de jeter du ridicule sur les romans fondés sur la terreur, *et principalement sur ceux de M*me *Radcliffe* [2]. » On disait, dès 1816, exactement la même chose que Quesné, cinq ans plus tard : « *La Nouvelle Emma* n'est point à proprement parler un roman; c'est un tableau des mœurs du temps [3]. » Bien de la fadeur et de la respectabilité paralysaient encore ces romans, mais ils apprenaient à se passer de l'emphase et de l'éloquence, à ne les pas considérer comme nécessaires à l'émotion, à l'intérêt. Ils serviront sans doute à Balzac de « justification » pour faire des romans avec ce qui se passait à Villeparisis, avec Laurence. Il ajoutera, certes, une force, des implications critiques qui ne figurent jamais chez Jane Austen, très respectueuse des fortunes et de l'ordre établi, mais, comme toujours, un modèle, une possibilité littéraire, ne sont que points de départ. Le roman intime anglais était une réaction réaliste sentimentale, mais insuffisante et incomplète. L'intrigue y comptait plus, encore, que la peinture des milieux, que l'exposé des problèmes d'une société. Il lui manquait même cette dramatique, essentielle chez Richardson, résultant du conflit Lovelace-famille Harlowe, cavaliers-bourgeois. L'argent y était « naturel ». Il lui manquait, enfin, ces grandes secousses que ne pourra pas ignorer le roman français correspondant [4]. Il lui manquait des motivations socio-historiques claires. C'est ici qu'on trouve, nécessairement, ce qu'on appelle, en 1820, en France, le « genre romantique ».

---

1. *La Nouvelle Emma*, Bertrand et Cogez, 1816, p. v.
2. Préface d'*Orgueil et préjugé*, 1822. Ces remarques préliminaires sont de la traductrice, Mme de Montholieu.
3. *La Nouvelle Emma*, éd. cit. I, p. vi. Cette distinction concernant « histoires vraies » et « romans » sera reprise par Balzac, en 1824, dans la postface inédite de *Wann-Chlore*. Cf. *infra*, p. 681 sq.
4. Cf. t. II, pour le roman de Guttinger, *Amour et opinion*, en 1827.

*

Nous avons parlé des racines psycho-sociales du romantisme
aristocratique. Longtemps, il n'avait pu s'exprimer *directement*, mais la Restauration lui ouvrit tout grands le livre et
le journal. Balzac, à son entrée dans la vie littéraire et dans
la vie tout court, trouva solidement installé un romantisme
de classe, dont on ne pouvait encore deviner ce qu'il allait
engendrer à la veille de 1830, et contre lequel il allait, nécessairement, réagir et se définir. Ce premier romantisme, toutefois, dans la mesure où il impliquait récusation de certaines
valeurs bourgeoises dont ne pouvait vouloir tout à fait un
jeune bourgeois, n'ira pas sans trouver quelques échos dans
sa conscience. D'où, un jeu subtil, où alternent satires, parodies, pastiches, utilisations, transferts. Des attaques contre
d'Arlincourt à l'adoption du style *René*, on trouve chez le
jeune Balzac bien autre chose que la simple petite histoire
des rapports entre un écrivain naissant et les genres constitués.

En 1833, avec le recul du temps, Cyprien Delaunays le dira
en termes non équivoques : « *le romantisme est né au lendemain
de la chute de la Convention* ». C'est alors que Chateaubriand
et Mme de Staël ont inauguré « *la réaction littéraire* [1] », qui n'a
fait, sous l'Empire, puis sous la Restauration, qu'aller s'affirmant, « en laissant toujours plus loin derrière elle la renommée
pâlissante du xviiie siècle ». Formellement parlant, le romantisme, avec ses aberrations, ne fut « qu'un faux pas » de cette
« réaction littéraire »; il fut, « dans sa pensée profonde, une
invocation brûlante du passé, dédaigné par le xviiie siècle,
une répudiation solennelle de la littérature encyclopédique [2] ».
Le romantisme s'est certes trompé, en ne voyant pas l'importance du xviiie siècle, mais l'impulsion première était juste.
Il était retour au vivant, au spontané, par-dessus certaines
scléroses bourgeoises. L'embourgeoisement des révolutionnaires, le triomphe momentané des émigrés, devaient tout
fausser. Les bourgeois libéraux, en 1820, n'ont nullement le
sentiment d'être sclérosés. Ils se sentent en possession du bon
goût, de l'instrument de mesure nécessaire. Ils regardent avec
ironie ceux qui s'agitent, qui cherchent et qui disent dans
d'autres cadres que les leurs. « Nous ne voyons pas sans plaisir, écrit l'un de leurs organes, que la plupart des écrivains

1. Cyprien Delaunays, *De la civilisation et de la liberté en France en 1833,
induction morales et philosophiques de la révolution de juillet*, Mesnier, 1833,
p. 93.
2. Sur l'ambiguïté de ce retour au passé, cf. *supra*.

qui s'efforcent de corrompre le goût en France appartiennent à une classe d'hommes dont nous nous honorons de ne pas faire partie. L'*Atala*, le *Jean Sbogar*, *Les Folies du siècle*, ne sont pas nés parmi les libéraux [1]. » De même : « Le mélodrame du Vampire, dans lequel on voit apparaître un monstre qui suce le sang des petites filles, et qui offre des tableaux qu'une honnête femme ne peut voir sans rougir, est un ouvrage de M. Charles Nodier, rédacteur du *Drapeau blanc* et Achille Jouffroy, rédacteur de la *Gazette*, et Carmouche, autre rédacteur du *Drapeau blanc*. » On ne se trompait pas, à « gauche », sur le caractère de classe, ou, au moins, d'opinion, de la littérature de l'intense. En 1826, l'ultra-libérale et ultra-classique *Opinion*, où règnent Jouy, Arnault, Népomucène Lemercier [2], citant Brillat-Savarin, selon qui les poètes comiques seraient, digestivement parlant, des réguliers, les tragiques des resserrés, et les élégiaques des relâchés, commentait : « Voilà certes un aperçu aussi fécond que nouveau. Nous le croyons de nature à jeter une vive lumière sur la grande question du romantisme et du classicisme [3]. » Que cette *Physiologie de la littérature* ait plu aux tenants satisfaits des théories de Laharpe et aux bénéficiaires du constitutionnalisme, quoi d'étonnant? L'ouvrage majeur de Brillat-Savarin n'est-il pas, d'ailleurs, salué comme une « production très remarquable », par cette même *Opinion*, pour les raisons suivantes : « rare élégance du style », « naturel et variété des portraits », « comique de bon ton et de bon goût dont ne s'écarte jamais l'auteur », « originalité piquante relevée par la grâce extrême du récit [4] ». Il n'est pas question, dans tout ceci, de renouveler la vision d'ensemble des choses. La même Presse libérale ne réagira pas aussi favorablement à une autre *Physiologie*, trois ans plus tard. C'est que Balzac, alors, ira plus loin que bons propos et considérations sociables. Il prétendra, cependant, renouer avec « la littérature vive et spirituelle du XVIIIᵉ siècle » : mais on récuse toujours d'un héritage ce qui gêne.

Oui, les classiques, en 1820, voyaient bien que le romantisme n'était pas *que* littérature aristocratique. Les inquiétudes qu'il stylisait et exprimait n'étaient pas *que* réactionnaires et obscurantistes. À preuve, ces *Folies du siècle*, déjà citées. Un jeune homme du Marais, retour d'Allemagne, où il

1. *Les Lettres normandes*, 1820, p. 265.
2. Mais aussi deux hommes appelés à un autre destin : Chasles et Halévy, dont nous aurons à reparler.
3. *L'Opinion*, 22 décembre 1826.
4. *L'Opinion*, 31 décembre 1826 (second article consacré à la *Physiologie du goût*).

a passé quelque temps chez un oncle consul, se trouve mal à
l'aise dans le salon familial. Pendant que son père fait un
cent de piquet avec un vieil ami, pendant que sa mère apprend
à Mme Perrault de quels mets se compose l'ordinaire du curé
de Saint-Paul [1] », pendant que ses sœurs, rangées, avec leurs
compagnes autour d'une table de vingt et un, associent leur
fortune de la soirée avec deux surnuméraires de l'entrepôt
des tabacs [2] », lui, s'ennuie et cherche autre chose. Il a jeté
sur le papier quelques ébauches. Son père les trouve :

> — J'ai jeté les yeux sur tes cahiers. Je n'y ai vu que des
> pensées romanesques, des idées sans suite, sans liaison,
> et qui ne renferment aucun sens.
> — Elles ont un sens pour moi...
> — Ceci est au moins douteux [...] Je ne suis pas plus borné
> que toi ; j'ai fait d'aussi bonnes études que toi ; je comprends
> bien Voltaire ; tu ne te crois sans doute pas plus profond
> que Voltaire ?
> Je ne répondis rien [3].

Et la suite, bien entendu, c'est le retour sur soi-même, le
sentiment d'impuissance et d'isolement, l'apparition des plus
purs thèmes romantiques chez ce jeune bourgeois : « Sort
cruel ! dis-je en moi-même ; fatale imagination qui m'emporte
si loin de la vie ! qui me rend étranger à ma famille, à ma
destinée [4]. » Autour de lui, on aime l'Ordre, le style néo-grec,
la Madeleine, tout cet équilibre des lignes et des tendances.
Équilibre faux, truqué ! Le héros de Lourdoueix se sent attiré
par le gothique, et ce pour des raisons intimes. Pourquoi cette
colonnade grecque sur les bords de la Seine ? « Que n'a-t-on
perfectionné plutôt cette architecture gothique, si hardie
dans ses plans, si légère, si élégante dans ses détails ? [5] »
« J'aime ce que le calcul n'a pas encore conquis ; le génie n'a
rien à faire dans votre architecture grecque ; vos sept ordres
sont invariablement fixés comme les sept tons de la musique [...] ; dans l'architecture gothique, l'imagination retrouve
toute sa liberté [6]. » Les Grecs (sous-entendez les classiques)
n'expriment que « les beautés terrestres et positives [7] »,

---

1. Atmosphère et décors balzaciens. Cf. *Annette et le criminel*, en 1823. C'est à
Saint-Paul que Landon fait la connaissance de Wann, dans *Wann-Chlore*, en
1822. Annette, elle aussi, « sortira » du salon familial, et *Wann-Chlore* fera éclater
la grisaille du Marais.
2. Lourdoueix, *Les Folies du siècle, roman philosophique*, Pillet, 1817, p. 7.
3. *Ibid.*, p. 4.
4. *Les Folies du siècle*, p. 6.
5. *Ibid.*, p. 24-25.
6. *Ibid.*, p. 27.
7. *Ibid.*, p. 29.

mais la mélancolie se plaît au gothique, et le gothique engendre
la mélancolie. Point n'est besoin d'être du Coblentz intellectuel cher aux petits journaux; le gothique nous fournit une
« image sublime des espoirs et des prières [1] », car « le sublime
commence où la réalité finit ». Il ne s'agit donc que de s'entendre sur le sens du mot réalité, et tout change, selon qu'on
prend comme point de référence hier ou ce qu'on attendait
d'aujourd'hui. Réalité est conquête par rapport aux ultras
bornés. Réalité est déception par rapport aux hommes du
Constitutionnel. Que l'on perde le goût à la vie, que l'on
se détache des certitudes familiales (bourgeoises) : il faut qu'il
y ait *une cause*, et les digressions esthético-archéologiques du
héros de Lourdoueix relèvent d'autre chose que de la lecture
du *Génie du christianisme.* Le Louvre de Perrault, la Madeleine : édifices pour gens assurés. Édifices royaux ou impériaux.
Édifices temporels, du temporel organisé et conquis. Comme
les Invalides et les immeubles neufs. Mais, « si, à votre âge,
on prenait du dégoût pour le monde, si l'on tombait dans la
tristesse, dans la consomption, si l'on était insensible aux
plaisirs, il faudrait bien qu'il y eût une cause à *une situation
morale si contraire aux vœux de la nature* [2] ». Comment peut-on
être bourgeois *et* romantique? Ou, être bourgeois et
comprendre le romantisme? Voici des questions auxquelles
ne songeaient pas les hommes de la génération et de l'expérience de Bernard-François Balzac.

Le besoin existant, la distorsion étant patente, les brisures
incontestables, reste à savoir si cette insatisfaction dont
témoigne le livre de Lourdoueix, et qui se retrouvera dans
bien d'autres textes, peut trouver son instrument dans le
romantisme tel qu'il est constitué, phénomène de droite,
ayant son inspiration, son public ou, on va le voir, son sous-
public, bien marqués. Des accords, ne serait-ce qu'au niveau
du vocabulaire, malgré de profondes divergences politico-
sociales, seront, déjà, des indications de grande portée.

Le roman romantique *lyrique*, d'inspiration monarchiste
et catholique, traitait les thèmes de droite sur le mode personnel. Se moulant plus ou moins sur *René*, archétype commun, il orchestrait, mais en général en mineur, les tristesses
post-révolutionnaires. En 1820, par exemple, paraissait
l'*Ernest*, [de Brisset]. L'auteur n'hésitait pas à copier servile-
ment Chateaubriand : « Qu'il fallait peu de chose pour alimenter [mes rêveries]. Le dernier rayon du soleil arrêté sur le

---

1. *Les Folies du siècle*, p. 31. A noter que *jamais* le roman de Lourdoueix ne donne
dans la « bondieuserie ». Prière et espoir ont donc ici un sens largement humain, laïc.
2. *Ibid.*, p. 13.

clocher d'une vieille abbaye que j'apercevais de loin [etc...] [1]. »
Les « erreurs du siècle », « la marche du siècle », « les idées du
siècle [2] », s'y trouvaient vivement dénoncées par l'abbé
Lahamel, précepteur qui se faisait tuer en disant une messe
pour les Vendéens. « J'aimais à l'entendre, commente Ernest,
quand il regrettait de n'avoir pas vécu en ces temps de religieuse et d'héroïque mémoire, où un ermite, monté sur le
perron d'un vieux château, arrêté sous les grands arcs d'un
moutier solitaire, peignait avec chaleur aux villageois, aux
prud'hommes, aux écuyers qui l'entouraient, les impiétés des
Sarrazins, les douleurs des chrétiens d'Asie [3]. » Et tout ceci
conduisait, naturellement, à l'éloge de la poésie du Nord :
« La plus précieuse vertu de la littérature de nos aïeux, la
romance, conserve quelque chose de la naïveté, de la
galanterie, de la piété, de leurs trouvères. Ses vers célèbrent
encore les amours des bergères et des châtelaines, ses refrains
sont encore consacrés aux miracles de Notre-Dame des Bois
et aux apparitions des fantômes des ruines [4]. » Enfin, et surtout,
la cause était clairement assignée à la mélancolie moderne.
A propos d'un jeune fanatique, dont le père a été guillotiné,
et qui cherche la mort et la vengeance dans les troupes de
Cathelineau, Ernest s'écrie : « Je m'affligeais du sort de ce
jeune infortuné [...] *Triste effet des révolutions!* Oh, qu'il y en
a, disais-je en moi-même, qu'il y en a, de ces hommes comme
toi, qui ne connaîtront de la vie que ses orages, de l'âme que
ses sentiments pénibles [5] ! » Quel symbolique passation de
pouvoir, en 1828, que l'*Ernest, ou le travers du siècle*, de Drouineau [6] ! Même prénom, même tristesse, même sentiment
d'échec, même idée qu'on est venu dans un monde faussé.
Mais les *causes* ne seront plus les mêmes, ni les accusés. En
1828, Drouineau accusera l'organisation *bourgeoise* de l'État,
et il parlera au nom des enfants même de la bourgeoisie. En
1820, la cicatrice révolutionnaire est encore si fraîche qu'on
s'imagine aisément qu'il n'est d'autre blessure. En 1821, on
réimprima *Les Proscrits*, de Nodier; on y pouvait lire : « J'avais
vingt ans; les dernières fleurs s'étaient épanouies aux derniers rayons du mois de mai, et je fuyais ma douce patrie.

1. *Ernest*, Pichard et Guettier, 1820 (anonyme), p. 19.
2. *Ibid.*, p. 24 et 37.
3. *Ibid.*, p. 25-26.
4. *Ibid.*, p. 43.
5. *Ibid.*, p. 113.
6. Cf. t. II. Ces distinctions, fondées sur la notion de lutte des classes et de
rapports sociaux sont absolument ignorées par l'histoire littéraire traditionnelle,
bourgeoise et bien-pensante en ceci, déformante et mystifiante en ceci que, *pour
des raisons tenant au monde actuel*, elle ne veut pas que le passé soit *ainsi*
explicable. Nous retrouverons sans cesse ce problème.

Ainsi, ce génie funèbre qui planait sur la France épouvantée, enveloppait dans ses immenses proscriptions l'âge et le mois des amours [1]. » Un rien de style XVIIIe siècle, un rien d'archaïsme, classe ce texte de Nodier, par rapport à ceux, postérieurs, de Sainte-Beuve et de Balzac, mais on y voit bien ce qu'est le romanesque, *d'abord* dans ce système de coordonnées antirévolutionnaires. Nodier lui-même le dit clairement dans l'un de ses premiers récits :

> Ce n'est pas que j'approuve beaucoup les caractères roma-
> nesques, *surtout dans les sociétés bien organisées,* où ils sont
> presque toujours déplacés par leur folle exagération ou leur
> sotte ingénuité; mais il y a des temps où les caprices de
> l'imagination la plus bizarre vaut mieux que tout ce qu'on
> est appelé à voir autour de soi, et dédommage de toutes les
> tristes réalités du monde [2].

Le romanesque est donc symptôme et solution, et l'intérêt du romanesque de Nodier, à la différence de celui de Brisset, de *René*, est d'avoir pour héros non nécessairement des
gentilshommes, mais bien souvent des jeunes gens appartenant à la race commune. Même lorsque les nécessités de l'affabulation, de la stylisation, imposent un état civil noble, les
motivations sont moins précisément politiques, plus largement affectives, et conduisent ainsi à de nouveaux types de
héros. Le roman de Brisset est une machine de guerre. Ceux
de Nodier sont des moyens d'expression de soi, l'aristocratie,
la révolution étant plus des moyens de dramatisation que des
sujets. « Cet infortuné n'avait pu connaître qu'un genre d'émotions que peu de personnes ont éprouvées profondément;
dont le souvenir repoussé par l'homme sage, importune
l'homme froid, révolte l'homme corrompu, et ne se conserve
tout au plus que dans certaines âmes passionnées qui ont eu
le tort ou le malheur de ne rien trouver de mieux. *Si on était
sûr d'avoir rencontré toutes celles qui nous entendent, on n'écri-
rait pas, sans doute, mais pourquoi écrirait-on, si ce n'est pour
les chercher* [3]? » Ces lignes sont très émouvantes, très pures,
à tel point que, lorsqu'on passe aux premières lignes du récit
lui-même, on se demande si le véritable héros est celui de ce
récit, ou l'auteur qui conte son histoire : « Je m'appelle
Adolphe de S***. Je suis né à Strasbourg, le 19 janvier 1777,
d'une famille noble dont j'étais le dernier rejeton. J'ai perdu
mon père dans l'émigration. Ma mère a péri dans une maison

---

1. Charles Nodier, *Les Proscrits*, éd. orig., Lepetit et Gérard, 1802, p. 12.
2. *Adèle*, Œuvres complètes, éd. *Renduel*, II, p. 222.
3. *Thérèse Aubert*, Ladvocat, 1819, p. VI-VII.

de détention pour les suspects; je n'ai ni frères ni sœurs, ni
parents de mon nom. J'ai dix-sept ans et demi depuis quelques jours, et rien n'annonce que cette courte existence puisse
se prolonger. J'en dirai même la raison plus tard, quoique
ma position n'intéresse plus personne. Aussi, ce n'est pas
pour le monde que j'écris ces lignes inutiles; c'est pour moi,
pour moi seul, c'est pour occuper, pour perdre de désespé-
rants loisirs qui seront heureusement bien courts. C'est pour
ouvrir une voie plus facile aux sentiments qui m'oppressent,
pour soulager mon cœur si le souvenir est un soulagement,
ou pour achever de le briser [1]. » On sent le glissement du
pseudo-document au vrai, de ce qui suffirait à un partisan
ou à un plumitif, à ce que dépasse un écrivain et un homme
sensible. L'expérience de solitude que transcrit Nodier
n'exclut personne, personne de valable. Elle n'est pas une
solitude de parti; on la sent perceptible et utilisable par
d'autres solitudes, d'origines bien différentes, moins historiquement localisées. On retrouve ici le passage amorcé par
Lourdoueix : à la recherche d'un style, à la recherche de héros
et de références, un romantisme né dans la bourgeoisie, d'une
expérience exclusivement bourgeoise, songeant moins au
peuple révolutionnaire qu'au cadre bourgeois de la vie, pourra
se reconnaître, d'abord, en une littérature encore de transposition, mais déjà, quand même, d'expression. Le héros du
Vicaire des Ardennes, en 1822, plus tard Félix de Vandenesse,
et déjà Raphaël de Valentin, pourront procéder, continuer
de procéder, d'un romantisme dont la puissance de consonance avec le monde moderne, avec les authentiques souffrances et solitudes du monde moderne, effaçait, en quelque
sorte, les premières composantes rétrogrades et passéistes.
D'autre part, et l'on retrouve ce problème au moment du
Dernier Chouan, en 1829, seule une évidente et universelle
dégradation de l'univers post-révolutionnaire peut expliquer
cette réhabilitation des héros nobles, des victimes de la
révolution. C'est, dans une perspective, précisément de
désenchantement politique et social, que ce qui n'aurait été
autrement que folklore de parti, peut accéder à une éloquence
et à des vertus d'abord mal concevables. On retrouvera
plus d'une fois cette main tendue, cette alliance de fait,
spontanée, entre valeurs de droite (valeurs d'exil) et valeurs
qui cherchent encore leur définition et leur orientation. Le
« genre romantique », en ce qu'il a de valable et de vrai, à
partir du moment où il se connecte sur des expériences et des

---

1. *Thérèse Aubert*, p. 1-2.

réactions de plus en plus larges, de plus en plus universelles, est, pour Balzac lui-même, un moment, un moyen essentiel, dans l'expression du mal du siècle.

Il existait bien un roman « romantique », objectif celui-là, qui mettait en œuvre les mêmes thèmes, mais par le biais, plus simplement, d'histoires, d'aventures dans lesquelles n'intervenait pas la personnalité du héros, et qui n'étaient pas centrées sur un héros sentimental privilégié. Le créateur, le champion, en était le vicomte d'Arlincourt, l'immortel auteur du *Solitaire*, celui que le *Journal de Paris* qualifiera, le 24 janvier 1822, de « prince des romantiques [1] ». Le *Solitaire* connut sept éditions en 1821, dont une dans le format noble (rare pour un roman!) de l'in-8°. On sait combien cette vogue irritait Stendhal, qui ne pouvait souffrir, de surplus, le style du vicomte [2], lequel usait et abusait, en prose, des inversions jusqu'alors réservées à la poésie [3]. Le romantisme de d'Arlincourt était un romantisme sans intériorité, purement pittoresque et narratif; il évoquait la chevalerie, le Moyen Age; s'y ajoutait une nature traitée dans le plus pur goût pseudo-classique, des héroïnes sensibles, des écharpes, etc. Par là, il rejoignait le roman noir, le mélodrame, et c'est précisément « une grande pièce tirée du *Solitaire* » que Vautrin proposera à Mᵐᵉ Couture, à Victorine et à Mᵐᵉ Vauquer. « Comment, ma voisine [...] vous refusez de voir une pièce prise dans *Le Solitaire*, un ouvrage fait par Atala de Chateaubriand, et que nous aimions tant à lire, qui est si jolie que nous pleurions comme des Madeleines d'Élodie [4] sous les tilleuls, cet été dernier, enfin un ouvrage moral qui peut être susceptible d'instruire votre demoiselle [5] » : *Le Solitaire* avait vite trouvé le public qu'il méritait et les royalistes du bel air ne tardèrent à récuser cet encombrant et compromettant porte-parole. En 1830, on verra *L'Universel* rejeter d'Arlincourt en même temps que Joseph Delorme. Mais d'Arlincourt a son importance : il est le romantique que l'on peut ridiculiser, dont on peut se moquer, sans avoir conscience de se moquer

1. L'expression fera fortune, et, en plus d'un lieu, on désignera longtemps d'Arlincourt de cette manière. En 1829, dans la préface à la cinquième édition d'*Ipsiboe*, les éditeurs Pichon et Didier citeront encore l'article du *Journal de Paris* de sept années auparavant.
2. En fait, d'Arlincourt venait de Darlincourt...
3. Balzac se moquera de l'inversif vicomte dans *Illusions perdues* (« Le Solitaire en province, paraissant, les femmes étonne. Dans un château, Le Solitaire lu. Effets du Solitaire sur les domestiques animaux [...]. Lu à l'envers : étonne Le Solitaire les académiciens par des supérieures beautés, etc... », C.H. IV, p. 667).
4. Nom de l'héroïne du *Solitaire*.
5. *Le Père Goriot*, C. H. II, p. 998-999.

soi-même. Le genre « troubadour, chez lui, se dépoétise, se
réduit à des décors, à des thèmes narratifs; il n'ambitionne
même pas de suggérer une explication de l'Histoire, et c'est
l'immense distance qui le sépare du roman historique de
Walter Scott, ainsi que du *Cinq-Mars* de Vigny. *Le Solitaire*,
comme *Le Renégat* (1822), comme *Ipsiboe* (1823) ne relèvent
que de l'opportunisme littéraire [1] conjugué avec une totale
impuissance à créer. C'est d'Arlincourt, beaucoup plus que
Chateaubriand, beaucoup plus que Nodier, qui pouvait
ré-aiguiser chez les jeunes bourgeois des réflexes libéraux
que commençait à émousser leur expérience interne de la vie
bourgeoise. D'Arlincourt rapproche les fils de leurs pères, en
même temps qu'il choque en eux leur désir de littérature
vraie. D'Arlincourt, ne signifie plus grand-chose pour nous :
il doit nous servir à comprendre et à mesurer des réactions
moins sommaires et plus enrichissantes des enfants du siècle
à la première littérature qu'ait engendrée la faillite humaine et
sociale de la révolution bourgeoise. Balzac, dans *L'Héritière
de Birague*, puis dans *Clotilde de Lusignan*, parodiera d'Arlincourt, et un « romantisme » qu'il sentait ne le concerner en
rien. Un livre, dira-t-il en 1830, n'a avenir que par l'esprit
qu'il renferme : le romantisme de d'Arlincourt n'avait aucun
avenir, alors que celui de Nodier trouverait aisément à se
renouveler, à se dépasser lui-même, dans ce siècle qui, s'il
déclassait définitivement les créneaux et les mâchicoulis, le
vieux langage et les dames à hennin, engendrait à nouveau,
mais désormais dans une tout autre direction, tant d'invisibles et fatales proscriptions.

　　Tout ceci attendait clarification, que seul pouvait apporter
le temps. Romantisme et politique : il s'agissait là, vers 1820,
et c'était déjà beaucoup, c'était preuve que, n'en déplaise aux
libéraux voltairiens, le romantisme était chose sérieuse, d'un
problème difficile et complexe. Preuve qu'il mettait en cause
les ressorts mêmes de la vie intellectuelle et sociale de la
nation, preuve que les rapports sociaux, que les rapports
moraux qu'ils engendrent, avaient quelque chose de contradictoire, d'ambigu, de « transitoire », comme on aimera à le
répéter pendant plusieurs décennies : on ne pouvait pas, en
une formule rapide, « classer » les hommes, les œuvres, les
idées; tout était à deux faces, comme les classes aux prises
dans l'arène française. En 1821, l'année des débuts parisiens
de Balzac, Scipion Marin, dans son roman *Le Député*, donnait
de la question un résumé lucide; selon lui, une sorte de nou-

---

1. Cf. *Le Renégat*, II, pp. 29-31.

veau classicisme pourrait sortir de la bataille; tous y étaient intéressés, « les constitutionnels en défenseurs de la gloire nationale et de la prééminence des Français, les ultras en champions de l'ancien régime, pour recommander le siècle de Louis XIV, objet de leur admiration, ne fût-ce même que pour rabattre toute innovation »; toutefois, ajoutait-il, le romantisme l'emporterait sans doute, parce que les libéraux se verraient contraints tôt ou tard, pour se maintenir dans la faveur populaire, d'adopter le genre favori du peuple, genre dont au reste leurs chefs, M. Benjamin Constant et Mme de Staël, se sont déclarés les apologistes[1] ». Quelle France gagnait ou perdait au romantisme? Plus profondément, quelle France était mise en cause par le romantisme? Telle était la question clé. Il faut dire qu'en 1820, l'attraction de droite est, dans l'immédiat, la plus forte, les problèmes intra-bourgeois n'étant pas mûrs. Mais, outre les témoignages littéraires cités, d'autres apparaissent, plus systématiques, et déjà plus significatifs.

Romantisme impliquant, en effet, ou mettant en jeu, liberté, amour, jeunesse, droit à la vie, authenticité, cette idée nouvelle ne pouvait pas ne pas subir l'attraction des forces politiques et sociales de novation, c'est-à-dire non tant l'attraction du vieux libéralisme modéré que du jeune libéralisme, plus socialement à gauche, voire d'orientation républicaine ou saint-simonienne. Il y avait dans le monde, au début du XIXe siècle, d'autres exils, d'autres nostalgies, d'autres frustrations que celles des victimes de la hache révolutionnaire. Fait significatif, c'est par les hommes les plus avancés *à l'intérieur* du système bourgeois, par ceux dont les analyses mettaient en cause autre chose que les replâtrages aristocratiques, que devait s'amorcer le rapprochement et se dessiner la récupération du romantisme par les « progressifs ». En février 1820, Augustin Thierry donnait au *Censeur européen* un remarquable article *Sur l'esprit national des Irlandais, à propos des Mélodies irlandaises de Thomas Moore.* Ces *Mélodies irlandaises*, que Thierry avait lues dans le texte, devaient être traduites en 1823, et citées par Balzac dans le premier *Wann-Chlore*[2]; c'était un bon exemple, non seulement de poésie sentimentale, mais aussi et surtout de poésie romantique *nationale*. Celle-ci manquait encore à la France, tout ce qui est national y étant annexé par les consti-

---

1. Scipion Marin, *Le Député, aventure récente ou tableau historique dans lequel plus d'une personne se reconnaîtra*, chez l'auteur, Plancher et Donière, 1821, I, p. 48. Une actrice nommée *Florine* joue dans ce roman un rôle important.
2. Mme de Berny cite Moore dans une lettre à Honoré de 1823 (*Corr.*, I, p. 235).

tutionnels voltairiens. Pourquoi cette distorsion? Et la France devait-elle rester en arrière des pays où *tous* les développements se tenaient?

> Celui qui ferait pour la France ce que M. Moore a fait pour l'Irlande serait récompensé au-delà de ses peines par l'estime du public et par la conscience d'avoir rendu service à la plus sainte des causes. Dans les temps de l'arbitraire nous avions des refrains mordants pour arrêter l'injustice par la crainte frivole du ridicule; pourquoi dans ces temps de liberté douteuse, n'aurions-nous pas des chants plus nobles pour énoncer nos volontés et les présenter comme une barrière au pouvoir tenté d'envahir? Pourquoi le prestige de l'art ne se joindrait-il pas à la puissance de notre raison et de nos courages? *Pourquoi ne ferions-nous pas une poésie nouvelle inspirée par la liberté, et consacrée à sa défense? Une poésie non pas classique, mais nationale*, qui ne serait pas la vaine imitation des génies qui ne sont plus, mais la peinture vivante des âmes et des pensées d'aujourd'hui; qui protesterait pour nous, se plaindrait avec nous, nous parlerait de la France, de son destin, des destinées de nos aïeux et de nos fils [1].

Au moment où « poésie nationale », pour les hommes de gauche, signifie Racine-Voltaire-Delille, par opposition aux importations germano-britanniques du « Coblentz littéraire », on mesurera la hardiesse des propositions de Thierry. C'est que, comme son maître Saint-Simon, si Thierry est fermement opposé à l'ancien régime et à ses tentatives de revanche, il ne l'est pas moins au libéralisme de gouvernement qu'il a sous les yeux. L'exemple irlandais, d'ailleurs, exemple catholique, devait embarrasser les libéraux, et pour longtemps. Se révolter, exister, au nom d'une religion cadrait mal avec une théorie globale de la liberté déduite de l'expérience particulière de la bourgeoisie française. Le rationaliste Thierry trouvait dans la poésie de Moore un aliment à son besoin de vérité. Balzac, on le verra bientôt, rejoindra, en 1823, ces positions et préoccupations. *Une poésie non pas classique, mais nationale :* c'était désintégrer toute l'idéologie libérale en littérature, pour qui étaient inséparables la nation née de la Révolution, le système constitutionnel, l'héritage des Lumières et l'esthétique voltairienne. *Nation, national*, sous la plume de Thierry, renvoyaient, commençaient à renvoyer à une autre nation, à cette « France nouvelle » dont parlera si souvent *Le Globe* et l'avant-garde intellectuelle, à cette

1. Article recueilli dans *Dix ans d'études historiques*, ici 4ᵉ éd., p. 169-170.

« France nouvelle » que définira et mesurera Dupin, à cette
« France nouvelle » qui se trouvera au centre des réflexions,
de 1830 à 1832, de Balzac et de toute une jeunesse. Notion
certes confuse, successive, mais qui n'en déclasse pas moins
une France en train de devenir ancienne : celle du *Constitutionnel*, et de Bernard-François Balzac.

*

L'entrée de Balzac en littérature fut pour lui une expérience
décisive. A la différence des écrivains classiques, qui choisissaient une carrière, se faisaient fournisseurs, mais n'inves-
tissaient pas tout leur vouloir-vivre dans le choix et dans
l'acte d'écrire; à la différence des écrivains philosophes,
combattants et participants, pour qui l'œuvre n'était qu'instrument, il avait, comme tant d'autres, vu dans la littérature
à la fois un magistère intellectuel et comme un acte supérieur
par lequel pouvait et devait s'accomplir ce qu'il avait en lui
de plus riche. Or, très vite, la carrière littéraire lui apparut
comme *une expérience de dégradation. Cromwell* et sa symbolique mansarde, juchée au-dessus du commun, avec cet
artifice familial, ce n'était pas encore la littérature, ou c'était
la littérature dégagée, la littérature échappant au siècle.
Dès la rencontre et l'association avec Lepoitevin, ce fut le
marché littéraire, les habitudes et les trucs de métier, les
camaraderies, les colorations, surtout, prises insensiblement.
Jamais Balzac ne devait, extérieurement, en sortir. Contrats,
engagements, rappels, poursuites, pré-publications, réutilis-
sations, découpages, adaptations, argent escompté, touché,
dépensé, déjà, habitude prise de compter sur sa plume, sur
un tel qu'on connaît, cercle du métier, difficulté à marquer
la frontière entre créateur, journaliste, homme de service,
inévitables proximités des problèmes de l'invention, du style,
de l'imprimerie, du choix du format, des épreuves, de toute
la cuisine : ceci peut ne pas toucher qui écrit de manière
distinguée, avec les entrées que donnent le « génie » ou les
relations sociales, l'appartenance à un milieu, mais ceci est
la vie quotidienne des écrivains-prolétaires. Balzac en fut un,
non *vates* élégant, mais fournisseur et ne pouvant ne pas
l'être, de la condition des Ducange et des Dumas, pour
l'apparence (pour le génie, pour l'aptitude à dépasser, c'est
autre chose), non de celle des Lamartine et des Hugo. La république des Lettres, de plus en plus soumise à l'argent, après
la vie privée, a montré à Balzac que l'univers capitaliste,

libéral et bourgeois était un univers dans lequel les êtres
devenaient *choses*, dans lequel les idées, les images, dont on
avait cru la royauté venue, devenaient *marchandises*. Royauté
des idées, des images, du génie ? En droit, oui, et c'est le point de
départ du siècle, de même qu'en droit la révolution bourgeoise a accompli toutes les révolutions pensables et mis fin à
l'histoire-contestation. En fait, la révolution bourgeoise
est elle-même objet, objet de connaissance, puisque, dans le
fil d'une histoire qui recommence, elle n'est que moment et
moyen, incapable de totalisation, fragment d'un universalisme qui implique son propre dépassement. En fait, les images
et les idées, le génie, ne guident ni ne gouvernent : tout est
soumis aux lois du marché. De même que la famille, d'instrument d'authenticité et de liberté face aux dégénérescences
aristocratiques, se révélait sous des couleurs de *vie privée*,
donc de vie opposable à *la* vie, fraction de la vie, non tant y
conduisant que s'y opposant, de même la vie littéraire et
intellectuelle n'était pas couronnement et libre exercice,
accomplissement de l'esprit, mais bien fragment, elle aussi,
aspect particulier de la course aux revenus, de l'appropriation des autres et de la vente de soi-même. Le sentiment romantique élémentaire d'étrécissement, de dépérissement douloureux, de retrait de fait, qu'on ne cesse d'opposer, subjectivement, à une expansion de droit, doit être compris à partir de
ces expériences privilégiées. Les royautés espérées de Lucien,
de tant d'autres, les expériences partiellisantes qui suivent,
les efforts plus ou moins douloureux pour s'adapter, pour
vivre quand même (car on n'a pas encore inventé les rempla-
cements, les subterfuges théoriques de la seconde moitié du
siècle) la vie des hommes et du siècle, rien de tout ceci n'est
tombé du ciel, d'une quelconque transcendance, sur une
Histoire qui l'aurait reçue et s'en serait plus ou moins bien
arrangée, mais est né de l'Histoire même, dans la pratique la
plus simple et la plus brutale. La géométrie n'était plus qu'un
métier dès lors qu'elle s'avouait incapable de définir son objet
propre et de fonder les lois du monde sur l'évidence et la certitude. La littérature n'est plus qu'un métier, au sens minorisant du terme, dès lors qu'elle suppose retour sur soi,
appauvrissante réorientation d'élans, correction de visées :
dès lors qu'elle devient (sujet de roman !) *l'objet possible d'une
révélation et d'une initiation*. Révélation, initiation, supposent
l'existence objective d'une réalité qualitativement différente
à celle qu'on attendait; elles conduisent soit à l'indignation,
soit à l'acceptation et à la résignation. Dans tous les cas, la
faille est manifeste entre l'*univers-liberté* né des aspirations

de l'individu et des promesses de l'Histoire, et l'*univers-destin* qu'impose une Histoire dégénérée. Les années ne feront que vérifier les intuitions premières, la pratique ne fera qu'aiguiser la connaissance du monde tel qu'il est. Du monde littéraire seulement? Et l'on pourrait objecter qu'il ne s'agit là que d'un monde limité, particulier, dans lequel bien des choses pourraient s'expliquer par les défauts inhérents aux « artistes », aux « auteurs », gens — c'est bien connu — absolument « impossibles »? Cette objection de la mauvaise foi n'a — c'est un signe — jamais été aussi clairement formulée. Comment le monde littéraire ne serait-il pas en correspondance avec l'ensemble de l'univers social? Comment n'en serait-il pas *figure?* Tous les auteurs, sur le moment même, ont parlé d'industrialisation de la littérature, de charlatanisme et de spéculation. Simplement, le monde littéraire, monde des images et des idées, monde de l'imaginaire, et dans lequel la prise de conscience des nouvelles limites devait être plus douloureuse, répercute et démultiplie découvertes et réactions, leur confère une dimension plus dramatique que le monde de la vie privée, de la vie politique, de la vie industrielle. Les découvertes dans ces trois domaines (Eugénie d'Arneuse, Z. Marcas, le polytechnicien Gérard ou l'imprimeur David Séchard) s'opèrent sur un fond de moindre abstraction, donc de moindre exigence, et, d'autre part, famille, politique, industrie connaissent davantage ces zones un peu neutres, d'incertitude ou de semi-réussites qui donnent leur coloration particulière aux découvertes dont elles sont l'objet. Mais la confrontation poético-littéraire est la plus nourrie d'absolu, et celle qui débouche dans les découvertes les plus radicales. D'où sa particulière valeur de signe. Les révélations de Vautrin à Rastignac, dans la mesure où elles trouvent un terrain déjà préparé, dans la mesure où toute ambition sociale comportait au départ une dose d'impureté, touche à des fibres moins sensibles, et se rapporte à des souvenirs moins lointains, moins aigus, que les révélations et avertissements qui, en 1836 et en 1839, reprennent, dans l'œuvre du Balzac de la maturité, toute une expérience commencée vers la vingt-deuxième année. Découverte du monde social? Découverte de l'amour? Balzac a découvert, très tôt, une autre zone dans laquelle l'esprit était aliéné, une zone d'impitoyable confiscation.

En 1836, dans la notice biographique d'Horace de Saint-Aubin qu'il a dictée à Jules Sandeau [1], le ton, la matière de la

---

1. Intitulée *Vie et malheurs d'Horace de Saint-Aubin*, cette notice figure en tête du tome I de la réimpression (très corrigée et affadie) des romans de jeunesse

confidence, ne tromperont pas. S'adressant à Émile Regnault[1], Sandeau-Balzac déplorent qu'il ait décidé d'entrer dans la carrière des lettres. « Gardez-vous d'approcher des sources de la publicité, vos lèvres finiraient par y boire. *Que l'exemple d'un de vos amis les plus chers soit fécond pour vous en enseigne- ments de tous genres.* Ne voilà-t-il pas, je vous prie, un sort bien digne d'envie? Laissez croire à cet ami qu'en sacrifiant son repos, il a, du moins, assuré le vôtre, que le prix de sa liberté a payé la rançon d'un frère. Laissez-lui ces douces croyances; laissez-le misérable esclave, creuser péniblement un sillon stérile sur le sol d'airain où la nécessité l'enchaîne; et vous, plus sage et plus heureux, suivez docilement le sentier sablé de votre destinée. N'apercevez-vous pas, à travers les peupliers qui bordent la route, la fumée du toit domestique et la famille qui vous sourit, vous appelle et vous tend les bras[2]? » Suivent alors conseils et révélations dont l'origine est facile à déceler : « Savez-vous bien ce que c'est que cette vie où vous entrez à pleines voiles? La connaissez- vous bien cette vie littéraire que vous abordez follement? Tout a été dit sur elle, et vous n'en savez rien encore. Écoutez, je ne vous parlerai pas des haines et des rivalités qui font de la carrière des lettres un véritable cirque[3], où la lutte n'a jamais de trêve, où l'art s'efface à toute heure devant la personnalité de l'artiste. Je ne vous dirai rien des exigences que cette vie de fer nous impose. Toute existence est un combat : lutter ici où là, peu importe. Je veux vous confier, à vous qui avez encore tout l'orgueil d'une vertu qui n'a jamais chancelé, toute la rigide sévérité d'une âme qui n'a jamais failli; je veux vous confier que, dans la carrière litté- raire, il est bien difficile à l'homme qui n'a qu'une médiocre aisance de se garder pur et honnête; je veux vous dire aussi que, *pour tout être qui n'est pas un être supérieur*, le succès à des conditions honorables est impossible en nos temps. Votre sonde inexpérimentée n'a point encore touché les écueils que recèle cette mer en ses flancs, et vous croyez que

faite par Souverain. Balzac n'est jamais nommé, mais plus d'une allusion, comme on va le voir, était transparente, et d'ailleurs nul ne s'y trompa. Balzac et son éditeur, d'autre part, s'arrangèrent pour qu'on sût bien que « le plus fécond de nos romanciers », comme l'avait baptisé Sainte-Beuve, ne faisait qu'un avec Horace de Saint-Aubin. Cf. *Aux sources de Balzac*, p. 333 sq.

1. Émile Regnault, médecin, né à Sancerre, ami de George Sand, de Sandeau, fut le prête-nom de Balzac pour l'édition Souverain des romans d'Horace de Saint-Aubin. Il finira par se retirer à Bourbon-l'Archambault, rompant avec les milieux littéraires dans lesquels il avait passé sa jeunesse, et obéissant ainsi aux objurgations de la notice. Regnault est l'un des « modèles » de Bianchon.

2. *Vie et malheurs d'Horace de Saint-Aubin*, éd. Souverain, 1836, I, p. IV-V.

3. Comme on le verra, Balzac, en 1830, dans un compte rendu consacré au *Cirque littéraire*, avait déjà employé cette comparaison. Cf. t. II.

votre barque glissera sans encombre sur ces flots amers et perfides? Détrompez-vous, mon cher ami : la vie littéraire est semée de mille petits récifs contre lesquels viennent s'écorner en passant notre honneur et notre probité : ce sont d'abord de légers accrocs qui égratignent à peine la conscience, mais qui, à force de se répéter, y font des entailles profondes. Bientôt, l'austérité de nos principes s'émousse et s'amollit : nous devenons indulgents pour nous-mêmes, nous nous habituons à transiger lâchement et avec notre dignité. Vous partez au début le cœur altier et la tête haute; vous aurez fait quelques pas à peine que vous marcherez déjà le front baissé [1] ». La littérature gâche la vie, fausse les perspectives morales : « Vous ne savez combien l'état d'exaltation et d'effervescence dans lequel nous jette la littérature, ternit et désenchante le monde réel, et nous rend le fardeau des devoirs odieux, insupportable [2] » : léger gauchissement, accusation qui semble porter sur la littérature en elle-même, mais qu'il faut interpréter. Seuls ceux qui sont assez forts peuvent éviter le piège. Les autres seront Lucien. L'essentiel, pour l'instant, est de noter cette idée d'un enfer : « Vous rappelez-vous, cher Émile, le jour où nous avons vu Paris pour la première fois dans ce vaste désert d'hommes, comme dit le poète? Nous échappions à peine à l'enfance, et la vie s'ouvrait, comme un jardin enchanté, devant nous... *Quelles espérances n'étaient pas les nôtres, alors!* ». C'est l'un des thèmes du siècle, la nostalgie de l'enfance (et de la France d'autrefois) se composant en proportions variables avec l'analyse et la critique du présent. Selon la force des âmes, selon les possibilités objectives de dépassement, l'emportera l'idée d'une société dans laquelle la littérature ne serait pas poison, ou l'image de la maison calme, au bord de l'eau, derrière le rideau d'arbres : image de ce qu'était la vie, avant que tout commence. Tout, c'est-à-dire la naissance du monde moderne, non de vicieuses et inexplicables « ambitions ». Si, dans l'exprimé, le thème va de plus en plus s'orienter vers la maison, les arbres, le bord de l'eau et le paradis perdu (que retrouvera David Séchard, avec son Ève arrachée à l'univers du péché, c'est-à-dire de la menace capitaliste), c'est que maison, arbres, bord de l'eau et paradis perdu se présenteront à la conscience avec des contours mieux définis qu'un univers encore à naître et qui cesseraient de les rendre nécessaires. Ce qui était d'abord conquête et lancée tourne à poison, et c'est ce

1. *Vie et malheurs*, p. xviii-xxi.
2. *Ibid.*, p. xxiii-xxiv.

qu'exprime le discours de Balzac-Sandeau, avec l'accent
mis sur la responsabilité de la littérature en tant que telle.
La carrière littéraire marque une retombée, mais l'analyse
directe tend à mettre en cause moins les *conditions* concrètes
dans lesquelles s'exerce le métier littéraire qu'une sorte de
nature littéraire : rançon de la difficulté à mettre sur pied
une analyse et une critique saines et complètes. Mais le récit,
déjà le roman, vont corriger tout ce que pouvait avoir d'idéaliste cette présentation des choses. Dans la *Notice* même,
on lit : « Qu'est-ce qu'une vie où tout ce que le cœur a de
tendresse, de sève, et d'énergie, s'exhale et se consume en
passions factices, où toutes les choses nobles et belles se résu-
ment par la littérature, où tous les grands sentiments n'aboutissent qu'à de grandes phrases, *où nous écrivons au lieu
d'agir, où nous chantons au lieu de combattre.* Ce n'est ni à
nos amis ni à nos maîtresses, c'est à nos livres qu'il faut demander si nous savons aimer. Tout ce que Dieu a mis de richesses
en nous, nous le réservons à nos livres : nous habillons d'or
et de pourpre les héros de notre imagination, et nous nous
promenons en guenilles dans les sentiers de la réalité. Ce que
nous savons de la vie, nous l'appliquons aux compositions
de notre esprit *et nous négligeons la science de notre bonheur ;*
nous élaborons avec soin la péripétie d'un roman, et nous
gâtons toute une existence. Cet amour de l'art et ce profond
oubli des soucis matériels sont fort beaux chez les grands
artistes, et je les admire à coup sûr ; mais nous ne sommes,
pour la plupart, ni de grands génies, ni de bien grands artistes,
*et il arrive presque toujours que nous compromettons en même
temps l'art et notre repos : c'est trop d'un*[1]. » Une seule phrase
suffit à ce que cette analyse ne soit pas *qu'*un procès de la
littérature en tant que telle : nous écrivons au lieu d'agir,
nous chantons au lieu de combattre. Le monde ne se voit pas
encore assigné pour seule valeur et mission d'aboutir à un
beau livre ; la littérature est redescente par rapport à d'autres
formes de vie encore jugées supérieures, plus riches et plus
pleines. Que, formellement et dans l'immédiat, la littérature
désenchante le monde réel, qu'elle amollisse et émousse,
n'efface pas le fait fondamental : pourquoi, 1º toute une humanité se voit-elle réduite à la littérature, 2º la littérature, au
lieu d'être expansion, est-elle ruine, *peut-elle être* ruine de
l'âme ? Sandeau-Balzac feignent de croire qu'il dépend des
individus d'entrer ou de ne pas entrer en littérature, mais le
problème est infiniment plus complexe que le dilemme offert

1. *Vie et malheurs*, p. XXI-XXIII.

à Regnault (et déjà dépassé, puisque, de toute façon, son
choix est fait, et qu'il est le metteur en ordre des œuvres
d'Horace de Saint-Aubin). Si l'univers, si la pratique littéraires sont décevants et dégradants, c'est en vertu de ce que
sont l'univers et la pratique du capitalisme libéral. L'attitude
moraliste d'une analyse, ou d'une objurgation amicale conduit
un peu fatalement à cette « physiologie de la littérature »,
mais (nous y venons), l'histoire qui suit, et qui l'illustre, le
roman de Saint-Aubin à Paris, va tout éclairer et tout remettre
en place. Il y aura encore de ces réserves idéalistes (et qui
s'expliquent, d'ailleurs dans l'immédiat, par l'irritation
qu'avait causée à Balzac le *Chatterton* de Vigny), mais qui
pèseront de moins en moins face aux *faits*. « Horace vivait
pauvre et seul, raconte Sandeau ; le jour, il courait pour
placer son livre ; le soir, il travaillait, étudiant les littératures
anciennes et modernes, et ne s'endormant jamais que bien
avant dans la nuit. Le pauvre enfant accusait son siècle
d'ingratitude et *tombait déjà dans la vulgarité des génies
méconnus* [1]. » Séquelles de polémique ! Car l'essentiel, c'est
la misère de Saint-Aubin, ce sont ses courses chez les éditeurs
qui l'exploitent, c'est celui-ci, en particulier, qui, montant
les escaliers du jeune homme, baisse son prix au fur et à
mesure qu'il approche de la mansarde. Doguereau, dans
Illusions perdues, fera de même en montant l'escalier de
Lucien, mais, dès à présent, « la chambre d'Horace, des vitres
en papier huilé, des rideaux brodés à jour par la nature, une
chaise boiteuse, une couchette maigre et plate, une cuvette
fêlée, une cheminée sans feu (on était au mois de décembre)
et Horace écrivant les pieds dans sa couverture et tenant son
encrier dans la main gauche afin que l'encre ne gelât pas [2] »,
c'est bien la mansarde de la rue Lesdiguières et toute sa
symbolique. De même, Horace devenant l'esclave des libraires,
vendant d'avance ses manuscrits, comprenant bientôt que
« la littérature, *lorsqu'elle n'est pas le plus noble des loisirs,*
est le dernier de tous les métiers [3] », Horace qui avait quitté
son village et sa fiancée pour aller tenter sa chance à Paris,
Horace renvoyé chez lui par ce même Paris, retrouvant son
village et sa fiancée, mais ne pouvant s'y refaire, repartant,
avant de revenir une seconde fois, définitivement écœuré,
ce sont bien les pulsations de l'expérience balzacienne, le
heurt avec l'argent, avec l'impitoyable système. Trois ans
plus tard, l'esquisse de la *Notice* Sandeau sera reprise, hissée

---

1. *Vie et malheurs...*, p. CLXIII.
2. *Ibid.*, p. CLXX-CLXXI.
3. *Ibid.*, p. CC.

à un tout autre ordre dans *Un grand homme de province à Paris;* et l'on verra Lucien, par exemple, refuser de livrer pour trois fois rien son *Archer de Charles IX*, s'écriant « J'aime mieux le brûler, Monsieur »[1], à peu près exactement dans les mêmes termes que Balzac lui-même, lorsque, en 1823, il expliquera à Thomassy qu'on ne lui offre que 600 francs pour *Wann-Chlore*, le « j'aimerais mieux aller labourer la terre avec mes ongles que de consentir à une pareille infamie » de la lettre de 1823[2] conduisant directement à l'épisode du roman de 1839. Comme quoi, pour reprendre une célèbre formule de Balzac lui-même[3], *les romanciers n'inventent jamais rien.* Comme quoi, surtout, la mise en œuvre romanesque dit infiniment plus que l'analyse ou l'amplification moraliste. Les premières pages de la *Notice* concluaient aisément à la *responsabilité* personnelle de Regnault, qui pouvait faire autre chose, mais l'histoire de Saint-Aubin, comme, surtout, celle de Lucien, concluent à une responsabilité d'un autre ordre. Un individu pris dans un engrenage, et ne pouvant que difficilement ne pas y être pris : l'engrenage avait pour lui, au départ, les espoirs et les lois du devenir. Aussi, à l'arrivée (romanesque), la victime (devenue instrument, bien entendu, comme il sied dans cet univers de l'aliénation) recourt-elle à un langage qui fonde, une seconde fois, et sur des bases absolument neuves, le romantisme. C'est la fameuse tirade de Lousteau :

> Mon pauvre enfant, je suis venu comme vous le cœur plein d'illusions, poussé par l'amour de l'Art, porté par d'indicibles élans, vers la gloire : j'ai trouvé les réalités du métier, les difficultés de la librairie et le positif de la misère. Mon exaltation maintenant comprimée, mon effervescence première me cachaient le mécanisme du monde; il a fallu le voir, se cogner à tous les rouages, heurter les pivots, me graisser aux huiles, entendre les cliquetis des chaînes et des volants. Comme moi, vous allez voir que, sous toutes ces belles choses rêvées, s'agitent des hommes, des passions et des nécessités. Vous vous mêlerez forcément à d'horribles luttes, d'œuvre à œuvre, d'homme à hommes, de parti à parti, où il faut se battre systématiquement pour ne pas être abandonné par les siens. *Ces combats ignobles désenchantent l'âme, dépravent le cœur et fatiguent en pure perte*[4].

Le texte est archi-célèbre, mais, par là même n'est plus jamais lu comme il le mérite. « Il en est temps encore, ajoute

1. *Illusions perdues*, éd. Adam, p. 224.
2. *Corr.*, I, p. 218.
3. Préface de *La Fille aux yeux d'or*, C. H. XI, p. 199.
4. *Illusions perdues*, éd. Adam, p. 270.

Lousteau; abdiquez avant de mettre un pied sur la première marche du trône que se disputent tant d'ambitions, *et ne vous déshonorez pas comme je le fais pour vivre*[1]. » En d'autres termes, on ne se déshonore pour vivre que parce qu'il y a pléthore d'ambitions. « Chaque homme, ajoute Lousteau, y est [dans le monde littéraire] ou corrupteur ou corrompu[2] »; il parle encore, de manière saisissante, de « ces échelons qui mènent à la gloire, et qui ne la remplacent jamais[3] ». Il conclut, surtout :

> Cette réputation tant désirée est presque toujours une prostituée couronnée. Oui, pour les basses œuvres de la littérature, elle représente la pauvre fille qui gèle au coin des bornes, pour la littérature secondaire, c'est la femme entretenue qui sort des mauvais lieux du journalisme et à qui je sers de souteneur; pour la littérature heureuse, c'est la brillante courtisane insolente qui a des meubles, paye des contributions à l'État, reçoit les grands seigneurs, les traite et les maltraite, a sa livrée, sa voiture, et peut faire attendre ses créanciers altérés. Ah! ceux pour qui elle est, pour moi, jadis, pour vous, aujourd'hui, un ange aux ailes diaprées, revêtu de sa tunique blanche, montrant une palme verte dans sa main, une flamboyante épée dans l'autre, tenant à la fois de l'abstraction mythologique qui vit au fond d'un puits, et de la pauvre fille vertueuse exilée dans un faubourg, ne s'enrichissant qu'aux clartés de la vertu par les efforts d'un noble courage, et revolant aux cieux avec un caractère immaculé quand elle ne décède pas souillée, fouillée, violée, oubliée, dans le char des pauvres; ces hommes à cervelle cerclée de bronze, aux cœurs encore chauds sous les tombées de neige de l'expérience, ils sont rares dans les pays que vous voyez à nos pieds, dit-il en montrant la grande ville qui fumait au déclin du jour[4].

Une vision, du Cénacle, est-il dit, passe alors rapidement aux yeux de Lucien, et l'émeut. On comprend pourquoi : il est, dans la pensée de Balzac, en 1839, un contrepoint positif à Lousteau, à sa prise de conscience et à sa révélation. « Je me vois en vous comme j'étais, et je suis sûr que vous serez, dans un ou deux ans, comme je suis[5] » : *ceci est dit avec regret*, non avec quelque satanique satisfaction. « Encore un chrétien qui descend dans l'arène pour se livrer aux bêtes[6] », répond à l'autre exclamation, admirable : « Quand au lieu de

1. *Illusions perdues*, p. 271.
2. *Ibid.*, p. 272.
3. *Ibid.*, p. 273.
4. *Ibid.*, p. 274.
5. *Ibid.*, p. 276.
6. *Ibid.*, p. 277.

vivre chez Florine aux dépens d'un droguiste qui se donne des
airs de milord, je serai dans mes meubles, que je passerai
dans un grand journal, où j'aurai un feuilleton, ce jour-là,
mon cher, Florine deviendra une grande actrice; quant à
moi, je ne sais pas encore ce que je puis devenir : ministre ou
honnête homme, tout est encore possible. (Il releva sa tête
humiliée, jeta vers le feuillage un regard de désespoir accusa-
teur et terrible). Et j'ai une belle tragédie reçue. Et j'ai dans
mes papiers un poème qui mourra *Et j'étais bon. J'avais le
cœur pur* [...] [1]. Cette élégie, élégie non de plein droit, de droit-
fil, mais de passage, sans justifications ni références lyriques,
à base exclusivement réaliste, ouvrant des perspectives, ne
se refermant pas sur soi, sans compensation esthétique ni
refuge moral, est une élégie d'un nouveau genre, dans un
cadre réaliste, avec des implications *directement* réalistes,
parenthèse dans la vie qu'il faut bien continuer à vivre,
l'éclairant, l'empêchant à jamais d'être identifiée avec une
quelconque « nature », mais ne pouvant l'empêcher d'être et
d'aller, là-bas, dans Paris, et qui attend à nouveau Lousteau
lorsqu'il aura fini de parler. Le « Et j'étais bon, j'avais le
cœur pur » n'a ni valeur poétique, ni valeur exemplaire. Ce
n'est pas une clé, ce n'est pas un message, ce n'est pas un
absolu. Ce n'est rien qui puisse servir, sinon à signifier (et
à long terme). « L'expérience du premier qui m'a dit ce que
je vous dis a été perdue, comme la mienne sera sans doute
inutile pour vous [2] » : croire le contraire serait plat moralisme et
absurde idéalisme. Lucidité et connaissance ne sauraient nécessairement déboucher dans une efficacité quelconque; le thème
court à travers tout Balzac jusqu'à (ou à partir de) *La Peau de
chagrin*, et il a pour composantes uniquement les expériences,
les sentiments, nés de la pratique sociale en général, de la
pratique littéraire en particulier. Lousteau est un personnage
profondément douloureux, marqué, non le petit malin qu'en
1966 Maurice Cazeneuve a malhonnêtement montré aux télé-
spectateurs. «Vous croyez à quelque jalousie secrète, à quelque
intérêt personnel, dans ces conseils amers. Mais ils sont dictés
par *le désespoir du damné qui ne peut plus quitter l'Enfer* [3]. »
Balzac avait d'abord écrit : « *Non, c'est l'émotion d'une fille
en exercice qui n'a pas le cœur assez rouillé pour qu'il ne batte
plus à l'aspect d'une blanche et délicieuse innocence sur le
seuil de la fatale maison* [4]. » Le texte définitif est plus éner-

---

1. *Illusions perdues*, p. 273.
2. *Ibid.*, p. 274.
3. *Ibid.*, p. 276.
4. *Ibid.*, p. 813 (texte du manuscrit).

gique, et de portée plus générale, mais le premier était plus
sincère et plus vécu. Balzac peut bien faire dire à Lousteau :
« Quelques succès littéraires amènent ainsi à Paris *des étour-
neaux* enchantés de devenir des aigles et qui ne peuvent être
ni marchands de cirage, ni sous-préfets, ni notaires, ni dan-
seurs, ni banquiers, ni officiers, se mettent dans la littérature [1] »; il peut bien, comme dans la *Notice*, sembler faire
porter la critique sur le choix des individus; encore que le
spectacle de la ruée vers la littérature lui inspire une attitude
descriptive, de l'extérieur (et il est exact que chez plus d'un
il est de la complaisance, de la facilité; on retrouve ici l'anti-
Chatterton) il vit aussi le problème de l'intérieur; il sent la
ruse, le piège, la triche avec les plus légitimes ambitions.
Si la description exclut toute signification uniquement
lyrique, irresponsable et niaisement revendicative de l' « eff-
froyable lamentation » de Lousteau [2], la confidence y gagne
en densité, en portée. Le naufrage de Lousteau (car le véritable naufrage n'est pas la mort, c'est la vie qui continue,
mais faussée, menteuse à soi-même), héros d'abord si jeune,
si frais, en 1837, dans le premier élément de la future *Muse
du département* [3], c'est bien l'une des possibilités, l'une des
nécessités du siècle. Le trait est plus appuyé en 1839 qu'en
1836, parce que le contexte est plus dramatique, parce que,
aussi, sans doute, les années en passant n'allègent rien. Mais
Lousteau reprend exactement ce que disait Sandeau : « Oui,
vous écrirez au lieu d'agir, vous chanterez au lieu de combattre,
vous aimerez, vous haïrez, vous vivrez dans vos livres [4]... »,
et ceci pour rien, avec un affreux sentiment de gaspillage.
Quelle est, ici, la responsabilité des ultras, du passé? C'est
bien la société moderne, c'est bien le monde moderne qui a
accouché de ces monstres, les vieilles querelles entre auteurs,
critiques, libraires, se trouvant démultipliées par les moyens
nouveaux de diffusion et d'expression, par l'expansion du
marché, par la nécessité, inéluctable, pour les libraires, de
recruter et de pressurer. Le vieux Doguereau répondra à
Lucien qui refuse de lui livrer son *Archer* pour trois cents

1. *Illusions perdues*, p. 276 (texte du manuscrit) dans l'imprimé, Balzac a mis :
« Toujours la même ardeur précipite chaque année *de la province jusqu'ici*, un
nombre égal, pour ne pas dire croissant, d'ambitions imberbes qui s'élancent la
tête haute (etc...), *ibid.*, p. 274. On notera que la référence à la province est
plus explicite et plus soulignée dans le second texte; elle relève bien d'une
dramatisation du décalage jeunesse-monde moderne. Cf. *Le Monde de Balzac*.
2. *Ibid.*, p. 274.
3. Cf. *La Grande Bretèche* (*Scènes de la vie de province*, III, 1837), et l'édition
Guyon de *La Muse du département*.
4. *Illusions perdues*, éd. cit., p. 276.

francs : « Vous avez une tête de poète, Monsieur [1] », et l'on comprend que Doguereau comprend et souffre, qu'il n'est pas *personnellement* responsable, mais qu'on ne saurait vivre, qu'on ne saurait survivre, libraire guetté par les autres, soi-même soumis à l'ensemble du système, sans exploiter les Saint-Aubin et les Rubempré. Il n'est pas d'innocence *personnelle* concevable dans un ensemble lui-même coupable et vicié ; il n'est pas de mouvement partiel innocent quand c'est tout le mouvement qui est perverti. Douleur, rage, hypersensibilisation, mais impuissance à s'en sortir seul, obligation de continuer, contre les autres et contre soi-même : c'est cela l'enfer défini par Lousteau [2], et qui doit tout aux hommes, à un type précis de rapports sociaux et d'organisation sociale. « Ces hommes, dont parle Lousteau, *ces hommes à cervelle cerclée de bronze aux cœurs encore chauds sous les tombées de neige de l'expérience*, ils sont rares ». La plupart a été étouffée, et seul le romancier, finalement, leur confère toute cette puissance dramatique, significative. Que de petits hommes Balzac a dû voir, autour de lui, à peine conscients de ce qui leur arrivait, de ce qu'on faisait d'eux. Mais, parce que lui avait vu plus clair, parce qu'il était d'une autre étoffe que ceux qui se laissaient couler, en créant Saint-Aubin, en créant Lousteau, il les a sauvés d'eux-mêmes et leur a fait dire ce à quoi ils n'auraient jamais songé [3] : victoire et solution déjà, en un sens, récupération par le génie créateur d'éléments dont privait la vie. Balzac, c'est un exemple entre mille certainement, mais on a la preuve pour celui-là, avait dû accepter dans le contrat Pollet pour *Le Vicaire des Ardennes* et *Le Centenaire* la clause suivante : « M. Pollet aura le droit d'exiger la refonte d'un volume s'il lui semblait inférieur aux autres. Cette opération ne pourra avoir lieu qu'une fois [4] »,

1. *Illusions perdues*, p. 224.
2. Et par Rastignac : « moi, je suis en enfer, et il faut que j'y reste » (*Le Père Goriot*, C. H. II, p. 1062).
3. Un exemple frappant peut être pris chez Sandeau lui-même, qui écrivait à Mme Marbouty, le 26 septembre 1835, alors qu'elle méditait de se lancer, elle aussi, dans la carrière littéraire : « Si j'avais au fond de quelque province bien ignorée et bien silencieuse une petite maison sur le bord de l'eau, quelques arpents de terre que je pourrais cultiver moi-même, je me ferais une vie simple, active et modeste, et j'aurais un grand mépris pour celle que j'ai adoptée *et qu'hélas je ne quitterai plus*. Mais moi, je suis irrévocablement attaché à la destinée que je me suis faite ; *le boulet que je traîne est rivé de trop près pour que je puisse jamais m'en délivrer* » (lettre publiée par Mabel Silver dans *Jules Sandeau, l'homme et l'œuvre*, p. 76). Cette lettre, ou des idées et expressions similaires sont certainement à la source des passages cités plus haut de la *Notice* de 1836 et d'autres du discours de Lousteau. Mais on voit comment Balzac a donné de la force tragique à son pâle secrétaire. Lousteau inclut ainsi Sandeau, et le dépasse, permet de pouvoir s'en passer.
4. *Corr.*, I, p. 197.

et trois ans plus tard, il obtempérera lorsque Canel lui demandera de remanier le troisième volume de *Wann-Chlore* [1]. Soumis aux entrepreneurs, aux acheteurs de manuscrits, qui les retaillaient, les mettaient au goût du jour et les arrangeaient pour les vendre, le jeune écrivain devait renoncer à tout ce qu'il avait mis, d'abord, dans le rêve d'écrire : s'exprimer, s'affirmer. De la retraite pour *Cromwell* au discours de Lousteau, la boucle est bouclée de la jeunesse littéraire de Balzac : exaltation, découverte, re-création et affirmation d'un magistère critique auquel on ne songeait d'abord guère.

Quelle tentation, peut-être, d'écrire à notre tour un roman sur cette période de la vie de Balzac! Comment ne pas penser à Lorenzaccio, au masque qui finit par coller au visage? Lepoitevin à Villeparisis, tout faraud de son brillant parisien, tourne la tête à Laurence, qui ne voit pas ce qu'est, en fait, ce mirliflore. *Eugénie Grandet* récupérera le souvenir, mais, sur le moment, ce qui compte, c'est le frère qui veut préserver sa sœur. Un auteur! Suffit d'en être un soi-même, et le ton enjoué, une fois de plus, de la lettre à Laure ne doit pas faire illusion. « Ne dis rien qui puisse faire croire que j'ai trahi le secret, mais j'ai eu toutes les peines du monde à lui faire voir que les auteurs étaient de fort vilains partis, pour la fortune s'entend; vraiment, Laurence est romanesque, ce que c'est que le sentiment!... Oh! comme elle m'en voudrait si elle savait que je parle avec tant d'irrévérence de ses amours [2]. » Il s'agit quand même de *préserver* un être cher. Quel sujet de drame!

Mais, comme toujours, tenons ferme les deux bouts de la chaîne. Les lettres, sur le moment, sont infiniment plus légères de ton que les utilisations romanesques postérieures. C'est que Balzac, en 1839, charge de toutes les expériences qui ont suivi les souvenirs de 1821-1822. D'où, très précisément, une *aggravation*, mais qui n'est en rien une *déformation*. Comme pour les problèmes concernant sa mère, son enfance malheureuse, cette dramatisation ne se serait jamais produite, si la vie, dans son cours, avait apporté un démenti aux premières découvertes. Le paysage du passé s'est construit peu à peu, en avançant, comme celui qu'on aperçoit par la vitre arrière d'une voiture. Sa jeunesse n'a jamais fait figure, pour Balzac, d'exception, de début douloureux, et de début seulement. Elle a eu, au contraire, quelque chose de prophétique, une

1. *Corr.*, p. 260.
2. *Ibid.*, I, p. 102-103.

valeur de signe. D'avance, Balzac *reconnaissait* sa vie. Tout
se tient. Le jeune homme qui navigue entre Hubert et Pollet,
que pressent, déjà, ces imprimeurs [1] ne fait que préparer le
héros des grandes affaires Mame, Gosselin ou Werdet. Comme
Raphaël, aux prises avec une misère sans fond, redécouvrira
son enfance malheureuse, et qu'il aurait sans doute oubliée
autrement, Balzac reviendra sans cesse vers cette jeunesse
où il se retrouve si bien, avec le siècle qui continue et n'a pas
changé. C'est pourquoi, s'il faut faire leur part aux drama-
tisations romanesques et tenir compte du ton des lettres
(pas de toutes!) de 1820-1823, nous n'en devons pas moins
voir, par-delà un rideau de légèreté, une amertume réelle
qui ne s'exprimera vraiment que plus tard, avec les sentiments,
et aussi, *peut-être surtout*, avec les moyens du romancier aguerri.
L'influx optimiste, le style « bonne franquette », ont longtemps
masqué, dans leur expression, des sentiments qui ne trouveront
leur voie que bien longtemps après, dépouillés, alors, des
insouciances de la jeunesse, des espoirs de la jeunesse, alors
qu'ils auront cessé d'être sentis comme des anicroches de
début. Ils prendront alors figure de *signes*, et acquerront
une virulence, un rayonnement, qu'ils ne pouvaient avoir
pendant les années d'apprentissage du bachelier Horace de
Saint-Aubin.

Balzac n'en doutons pas, a senti sans doute, lui aussi, le
vent de la déroute le caresser. Les aventures de Lucien et
de Lousteau *sont* les siennes, et, en 1847, dans l'avant-propos
du *Provincial à Paris*, il écrira, ou fera écrire :

> Les souvenirs de cette époque de sa vie percent à chaque
> page dans les livres de M. de Balzac; il se rappelle avec
> amertume ce qu'il a souffert : le fantôme du passé est son
> hôte habituel, et aujourd'hui même, aujourd'hui que, grâce
> à cette plume féconde, avec laquelle naguère il combattait
> la misère, il a conquis une fortune princière et une gloire
> européenne, c'est avec une douloureuse, mais sympathique
> émotion qu'il se rappelle les jours mauvais de son existence
> littéraire [2].

Suivra alors la longue et fameuse citation de Lousteau. Les
guillemets n'auraient guère été nécessaires! Lousteau, c'est
lui. C'est *ce n'est qu'en partie* lui. C'est un *moi* dépassé. Il faut
y insister : Balzac est Lousteau, et *plus* que Lousteau.

Car enfin, lui s'en est sorti. Il n'a pas exactement connu

---

1. Cf. *infra*, p. 483, pour *Clotilde de Lusignan*.
2. C.H. XI, p. 424. Il s'agit d'une édition séparée des *Comédiens sans le savoir*,
parus l'année précédente dans *Le Courrier français*. Les allusions à la « fortune
princière » sont évidemment destinées à la famille de Mme Hanska.

« le désespoir du damné qui ne peut plus quitter l'enfer »,
et c'est autant en romancier qu'en confident qu'il peint, dans
Illusions perdues, le poète enchaîné. Il s'agit là d'un processus
très caractéristique de Balzac. Non seulement de son art,
mais de son expérience, qui le sous-tend. Balzac expulsant de
lui-même pour le décrire un héros qui succombe et qui finit,
mais qui, certainement, *a été* lui, qui a commencé comme
lui : il y a là, incontestablement, dépassement du mal du
siècle, dépouillement d'aubier, naissance à un autre soi-
même. « Ces hommes à cervelle de bronze, aux cœurs encore
chauds sous les tombées de neige de l'expérience [1] », Balzac
en a été un, il les connaît ; il les plaint ; il les fait vivre dans ses
romans ; parce qu'il les a dépassés ; parce qu'il les *voit*, et
peut les faire voir. Le siècle fait d'hommes de talent des
mercenaires et des ratés : Balzac, en se souvenant, charpente
un acte d'accusation, mais c'est le passage du subjectif pur
à l'objectif qui permet d'élargir et de renforcer l'effet d'une
simple confession.

*

Falthurne, qui fut entrepris pendant l'été 1820, devait être
un roman historique inspiré de Walter Scott. Les deux premiers chapitres content le débarquement à Naples, où le
catapan Borgino gouverne, pour le compte de Byzance, d'un
couple mystérieux. Falthurne, jeune fille d'aspect imposant,
et Rosadore jeune homme d'aspect frêle. Après deux
chapitres, le roman s'arrête. Il reprendra dans des termes
nouveaux sur lesquels il faudra insister.

Il ne fait aucun doute que Balzac a voulu composer un
roman sérieux. Sa documentation, les sources livresques qu'il
utilise, le caractère mystérieux de Falthurne, tout prouve
qu'il avait en tête une œuvre ambitieuse. Importants pour
l'histoire de Balzac romancier, ces deux chapitres ne le seraient
guère directement pour nous si le roman lui-même n'était
constamment doublé de notes qui en font pratiquement toute
l'originalité. *Falthurne*, en effet, est donné comme le manuscrit
d'un certain abbé Savonati traduit de l'italien par un certain
M. Matricante, « instituteur primaire ». Balzac envisageait-il
de publier sous un pseudonyme ? Le nom Balzac pouvait
figurer en tête d'une tragédie ; pour un roman, il en allait sans
doute autrement. Il y avait là une dignité à conquérir. Ce

---

1. *Illusions perdues*, C.H. IV, p. 876.

sera l'affaire d'un certain nombre d'années, de 1830 à 1850.
Pour le moment, il fallait passer par Matricante. Or, il se
trouve que cet éditeur fictif va devenir le porte-parole de
l'auteur, dans les notes et commentaires qu'il sème en bas
de page, avec une autre efficacité, une autre sincérité, que
dans cet assez pâteux récit qu'il est censé nous traduire.
Falthurne est ainsi composé d'un double texte courant :
en haut, un assez laborieux roman scottien, en bas, un
alerte contrepoint qui, sans cesse, remet les choses en place.
Comme si Balzac compensait la nécessité qu'il s'est imposée
par une liberté annexe ou de contrebande. N'est-ce pas à
dire qu'il ne se trouve pas totalement à son aise dans le genre
sérieux, que ce qu'il a à dire, que sa vision du monde passent
mal par l'art « officiel »? Il y a beaucoup de juvénilité dans les
notes de Matricante. Balzac y est naturel, alors que, dans les
aventures de Falthurne, il se guinde autant que dans les
alexandrins de *Cromwell*. Serait-ce cette « nature » qui serait
pose, et dissimulerait un « sérieux » foncier, qui prendrait le
détour de la plaisanterie? Les *Notes philosophiques* étaient
sérieuses, et *Corsino*, à leur suite, avait amorcé la mise en
œuvre romanesque des difficultés de la philosophie. Mais il
existe un autre sérieux que celui des affirmations et drama-
tisations. Les notes de Matricante ne sont pas pures fantaisies.
Balzac s'y montre le fils, toujours, de ce xviiie siècle dont il
avait reçu l'influence par son père. Ses maîtres sont, visiblement, autant que Scott, Lesage, Scarron, Diderot. Par là,
il récuse ce romantisme, ce style *Werther* et *René*, qui ne saurait
être *encore* vraiment le sien. Caricature, tableau ironique et
joyeux, réflexion en passant : même l'âpreté, même le discret
anarchisme qu'on y décèle parfois, ne sont en aucune façon
de quelqu'un qui a commencé à désaimer la vie.

La meilleure preuve, d'ailleurs, que ce premier *Falthurne*[1]
est une œuvre a-romantique, ce sont les attaques contre Chateaubriand. « Mange-t-on dans René? », demande Matricante[2], qui reproche aux auteurs de romans de ne pas s'inquiéter suffisamment « de l'estomac de leurs héros ». Voici
qui sent nettement son Marais. C'est à Claye-en-Brie, patrie
de Matricante, que l'on « chateaubrillante » son style, comme
jadis on faisait de la préciosité à Pézenas[3]. Cependant, est-il

1. En fait, il y a trois *Falthurne* : les deux chapitres dont nous nous occupons
ici, les huit suivants, dont nous nous occuperons bientôt, qui reprennent les mêmes
personnages, mais dans une optique tout à fait différente, et le *Falthurne* de 1823,
d'inspiration romantique et religieuse, qui n'a que le titre de commun avec les
ébauches de 1820-1821.
2. *Falthurne*, éd. Castex, p. 34,
3. *Ibid.*, p. 10.

précisé, « le genre tombe; l'autre jour, à Claye, chez la mer-
cière, Chactas enveloppait un gilet de flanelle. Quelle horreur! »
Et, mieux encore, c'est le texte romanesque lui-même, lorsqu'on en connaît les secrets et la genèse, qui signifie et témoigne contre Chateaubriand. Par exemple, Balzac avait d'abord
écrit : « La jeune femme paraît avoir vingt-cinq ans et son
complice dix-huit [1]. » Mais il barre, et met à la place : « La
jeune fille paraît avoir vu vingt chutes de feuilles, et son
complice dix-huit fois fleurir le printemps [2] », ce qui est une
visible parodie du style non seulement pseudo-classique,
mais du style « *Atala* [3] ». Une telle récusation des *formes*
ne marque-t-elle pas une profonde récusation des *sentiments*?
En 1820, Chateaubriand a partie liée avec les ultras; c'est
lui qui provoque le départ de Decazes. Politiquement, il est
« classé », pour un Balzac, et sa « poésie » est une poésie de
parti. On peut voir dans ces attaques un reflet de ce qui se
disait dans le milieu Balzac, mais aussi la première réaction
de ce jeune homme de vingt et un ans à une littérature qui,
pour lui, pue le faux, *parce qu'il n'en a pas besoin*; parce
qu'elle n'exprime rien de lui. Rappelons-nous ici de Sainte-
Beuve frémissant et se reconnaissant tout entier. Balzac ne
voit que tics d'expression et clichés, dans le romantisme noble
de l'Enchanteur. Matricante, à cet égard, est un *classique*,
en même temps qu'un *libéral*, et sa relative simplicité, son
manque de « profondeur », le placent bien parmi les figures de
la gauche voltairienne. Le vrai romantisme n'est pas encore né.
Les « beautés » découvertes par Matricante trouvent en lui
un commentateur ironique, c'est-à-dire qui met l'enthousiasme au rang des aptitudes éminemment soupçonnables
d'obscurantisme. Matricante est un plébéien qui se méfie de
la « culture » pour gens au-dessus de lui. Claye-en-Brie,
d'ailleurs, ses études, qu'il a faites à Beaumont-sur-Oise,
tant de choses le relient aux années de jeunesse de Balzac,
à Villeparisis [4], à la région de chez Villers-la-Faye [5], que
nous n'avons aucun mal à voir incarnés en lui les éléments
les plus authentiques de la jeunesse et de la formation familiale de Balzac. En lui s'exprime tout le « dix-huitièmisme »
hérité de son père et de son milieu. « Crève donc animal! » :
tel est bien, en 1820, l'année où Lamartine s'attire cette
repartie d'un académicien, ce que le jeune Balzac a à dire

---

1. *Falthurne*, p. 131.
2. *Ibid.*, p. 10.
3. « Ensuite je répandis la terre du sommeil sur un front de dix-huit printemps »
(funérailles d'Atala).
4. Qui se trouve en pleine Brie.
5. Toute cette région accédera à la pleine dignité littéraire dans *Wann-Chlore*.

aux « jeunes malades » et à tous les représentants de « l'infirmerie littéraire[1] ».

Est-ce à dire que nous soyons en pleine platitude? Car
enfin, le romantisme, si compromis qu'il soit du côté du
Trône et de l'Autel, exprime quand même le refus d'un
certain conformisme et une exigence de mieux. Honoré Balzac
ne serait-il qu'un enfant du siècle au pire sens du terme, un
sectateur du « constitutionnalisme »? En aucune façon. Il y
a la hiérarchie des urgences. Il y a, *d'abord*, les ultras et les
cafards, les marchands de solennel qui voudraient nous faire
croire que la vie est grave et triste parce que, au fond, elle
est grave et triste pour eux, de leur point de vue. D'où, les
coups d'épingle de Matricante. D'abord tuer les poncifs,
les mythes. Mais, ensuite, (en même temps, souvent) il y a
cette conception exigeante que se font de la vie les héritiers
de l'Empire, ceux pour qui 1815 commence à être l'époque
d'une brisure profonde. *Falthurne* contient une amplification
sur la France du plus pur caractère « national », par exemple,
mais qui, pour demeurer d'allure « scolaire », n'en est pas
moins animée de quelques vibrations nouvelles. « Heureuse
nation, qui chéris la gloire et les dangers comme les autres
le repos; qui concilies la gaîté, l'amour, la paix, les batailles,
et les arts, qui ris en posant le pied dans la tombe [etc...] » :
ce « France mère des arts, des armes et des lois » nouvelle
manière ne mériterait pas de nous retenir[2]; il fait partie
de cette galerie un peu obligée des dissertations sur la légèreté et l'héroïsme français. Mais, en 1820, des phrases de ce
genre : « La France a même porté la grandeur de l'infortune
plus loin que Rome saccagée par Brennus, un de ses aïeux[2] »,
avaient une résonance autre que simplement rhétorique.

1. Préface de *La Peau de chagrin*, en 1831 (C. H. XI, p. 176).
2. *Falthurne*, éd. Castex, p. 39. Il faut prendre garde lorsqu'on juge le style de
Falthurne. Certaines tirades y sentent la parodie, sans aucune équivoque possible.
Il est fréquent que Balzac « en rajoute », lorsque, par exemple, après avoir écrit :
« Hélas ! le doux sourire d'un père n'a point calmé mes premières larmes! Jamais
le sein d'une mère ne me fut présenté », il complète ainsi son brouillon : « et la
mort a marqué de sa faux ma cruelle naissance, dont rien ne s'est réjoui dans
la nature » (*ibid.*, p. 18 et 133). Mais il est d'autres cas où l'on hésite. Est-ce parodie,
ou impuissance à écrire autrement qu'en clichés pseudo-classiques? Par exemple :
« il demande un dernier secours, Byzance aux abois le lui envoie, il traverse les
mers, et le visage sévère du Borgino, quand il vit débarquer ses soldats, montra
le sourire amer de Mars volant à la vengeance » (*ibid.*, p. 5). Ou encore : « Rosadore
succombe; alors, sur son épaule d'ivoire, la douce charge est placée, et bientôt...
Mais où ma Muse s'engage-t-elle? Qu'importe Falthurne? On la connaît, on l'a vue;
et je n'ai pas encore montré la voluptueuse Mathilde, cette souveraine de la
Toscane, etc... » (*ibid.*, p. 47). Ceci n'est-il pas « normalement » scolaire? En fait,
comme tout débutant, le jeune Balzac a du mal à trouver un style noble et grave
qui ne soit pas d'imitation. Il s'en dégage, parfois, par l'ironie, mais l'invention
d'un *nouveau* style sérieux attendra que la prise de conscience soit plus profonde.

Ce thème « France » est alors, contre la droite installée, un thème de *mouvement*, un thème d'un autre romantisme à naître. Balzac utilise Chateaubriand dans ce passage, et cette fois sans intention d'irrévérence : c'est sans doute que Chateaubriand déborde une certaine « sagesse » installée, qu'il n'est pas tout entier dans *René* — où l'on ne mange pas. D'où, ces exaltations : les Français « seraient maîtres du monde sous un chef digne d'eux, sous un gouvernement capitolien ». Mais Balzac ne dramatise pas; il se refuse à une vision trop exaltante, dont il n'éprouve pas un besoin contraignant; aussi ajoute-t-il : « mais ils ne le garderaient pas longtemps, et le rendraient libre par caprice, et pour pouvoir dire : J'ai conquis le globe ». Tartine? *Falthurne* en fourmille. Mais la raideur de la rédaction ne doit pas nous empêcher de voir ce que le jeune auteur a pu mettre de sincère dans tout ceci. Le sentiment n'est pas encore assez intense pour engendrer une forme neuve, mais aussi il s'agit de l'œuvre d'un débutant. Plus d'un Honoré Balzac, dans une mansarde, a dû, alors, rêver d'une France à nouveau puissante, rayonnante, où l'attendrait autre chose que d'être notaire. D'où ce premier affleurement de bonapartisme, plus révélateur, d'ailleurs, d'une sensibilisation que d'une pensée politique réfléchie. Il est naturel que cet hymne ait trouvé place à l'étage noble, et Matricante lui-même a mis une sourdine à son ironie : « J'avoue que mon cœur a palpité plus d'une fois en lisant ces vers sur la France, faits par un poète étranger. Hélas! il n'a pas parlé de Claye! Mais mon neveu ne se possédait pas : il criait à Sophistiquet, comme en délire : C'est bien nous, c'est bien nous! [1] ». C'est l'endroit où les deux textes se rapprochent le plus l'un de l'autre. Tous deux sont *fiers*, en un temps où l'on reprochait au gouvernement d'avoir accepté l'humiliation. Les Bourbons, il est vrai, avaient offert à la bourgeoisie l'ouverture des vannes du développement économique. Les bourgeois en place pouvaient s'en satisfaire, mais Matricante lui-même, « intellectuel » de village vaguement frotté de lectures, s'emballe. Signe que quelque chose couve sous la cendre.

Sur ce fond patriotique, on comprend les nombreuses réflexions « gauchistes » de Matricante, interprète de Balzac. Lui-même a traversé la Révolution « sans être inquiété », grâce à sa circonspection et à son royalisme « bien concentré dans [son] cœur pour éclater au besoin [2] ». Son neveu n'en a

---

1. *Falthurne*, éd. Castex, p. 39.
2. *Ibid.*, p. 29.

pas moins été mis en demi-solde, et l'oncle se ferait bien libéral (c'est le vœu de son cœur), mais il craint de ne plus pouvoir placer son neveu au ministère de la guerre. En cas de changement de ministère, on pourrait voir... [1] ». Dans une discussion qui oppose Sophistiquet, d'un côté, le beau neveu et un bénédictin (qui s'était marié pendant la terreur pour sauver sa tête), de l'autre, alors que ces deux derniers se placent hardiment à gauche et que le juge de paix se place à droite (mais que peut faire un fonctionnaire?), Matricante, lui, se place... au centre [2]. Etc. Qu'est-ce à dire, sinon que le jeune Balzac se montre ici très dur pour le monde politique *des adultes*, aussi bien celui des réactionnaires bourboniens que celui des opportunistes qui ont su « vivre » de régime en régime? On s'éloigne ici de la vision qui était celle de Bernard-François. Il n'est plus question de nation régénérée, d'unité refaite, de promotion morale autant que matérielle. Tous ces « grenouillages » dans un monde qui n'est pas encore le sien, dans lequel il ne détient encore aucune responsabilité, mais dans lequel il est appelé à vivre, Balzac, à vingt et un ans, les juge sans pitié, et sur un ton d'ironie qui est bien un ton de désabusement. « Peignez donc l'époque, s'écrie Balzac-Matricante, après avoir reproché à René de ne pas faire manger ses héros, et à chaque époque on a dîné, *car Sophistiquet dit qu'à chaque époque il y a eu des ministres* [3] » : c'est un thème que Béranger venait de rendre célèbre, celui des « ventrus », députés ministériels entretenus par le gouvernement à coup de prébendes et de dîners :

> *Électeurs de ma province,*
> *Il faut que vous sachiez tous,*
> *Ce que j'ai fait pour le prince,*
> *Pour la patrie et pour vous.*
> *L'État n'a point dépéri,*
> *Je reviens gras et fleuri.*

> *Quels dîners*
> *Quels dîners*
> *Les ministres m'ont donnés!*
> *Oh! que j'ai fait de bons dîners*

. . . .

---

1. *Falthurne*, éd. Castex, p. 30.
2. *Ibid.*, p. 31.
3. *Ibid.*, p. 34.

> *Enfin, j'ai fait mes affaires :*
> *Je suis procureur du roi ;*
> *J'ai placé deux de mes frères,*
> *Mes trois fils ont de l'emploi.*
> *Pour les autres sessions,*
> *J'ai deux invitations.*

> *Quels dîners*
> *Quels dîners (etc. [1]).*

Il était également question de ce genre de personnage dans *Le Député*, paru en 1820, où l'on voyait un provincial faire son chemin par les salles à manger ministérielles [2]. Dira-t-on qu'il s'agit là d'un thème de satire politique sans grande importance, et dans le genre léger? Rien n'est moins sûr! Pour l'opinion libérale, nationale, pour la jeunesse des Écoles, pour les militaires, pour tout ce qui vibrait un peu, la plaisanterie ne dissimulait qu'imparfaitement l'indignation, et Béranger avait *aussi* écrit :

> *Malgré des calculs sinistres*
> *Vous paierez sans y songer,*
> *L'étranger et les ministres,*
> *Les ventrus et l'étranger.*
> *Il faut que, dans nos besoins,*
> *Le peuple dîne un peu moins.*

On ne peut que se moquer comme il sera dit dans la préface de *La Peau de chagrin*. Les ministres sont trop puissants. Et voici le monde dont nous héritons! Et voici la carrière que continuent de poursuivre certains des hommes qui « s'illustrèrent » de 1789 à 1814! Balzac commence à voir ce monde un peu moins simplement que dans ses dissertations de rhétorique, dans une lumière un peu moins culturelle et littéraire, un peu plus politique. La caricature dont parlera Engels, elle est déjà dans ces remarques de Matricante en 1820, et la caricature-fait devient caricature-œuvre, caricature-style, parce que œuvre et style sont un moyen de conjurer, de s'approprier, de ne pas être dupe. Mais, que le fils de Bernard-François Balzac, en 1820, soit obligé de parler sur ce ton non seulement de la réaction bourbonienne, mais encore de l'ensemble du système politique français! Que nous importent le Borgino, Byzance et les Normands! Ils ont conduit Balzac à ce premier réquisitoire contre un siècle qu'il n'avait, à l'origine, aucune raison de douter. Et remar-

---

1. *Le ventru, ou compte rendu de la session de 1818, aux électeurs du département de... par M. ***.*
2. Scipion Marin, *Le Député* [...], I, p. 48.

quons bien qu'aux ministres (pouvoir de fait, pouvoir immédiat) aussi bien qu'aux notables, Balzac n'oppose *rien d'autre*
qu'ironie ou colère personnelle. Son opposition libérale n'est
en rien une opposition optimiste, puisqu'elle ne s'appuie
sur aucune force concrète extérieure à lui-même. Il n'appelle
pas à l'aide un libéralisme constitué, mais bien un libéralisme
abstrait, « idéal », fait de ses exigences, tout subjectif. Telle
victoire électorale, tel épisode de la vie politique (comme
l'affaire Grégoire), pour cristalliser un moment les imaginations et les rancœurs, n'en appartient pas moins à l'anecdote, au plus au symptomatique. L'insatisfaction et la critique
ne trouvent donc pas de relais politique ferme : d'où l'ironie,
qui creuse, sépare, préserve, mais ne peut rien à rien dans le
concret. Si l'on n'avait face à soi *que* la Restauration, l'inquiétude ne serait pas si forte, mais on sent bien, obscurément,
qu'il s'agit de quelque chose de plus large, de plus fort, de
plus solide que l'apparence légitimiste. Il s'agit de cette
société bourgeoise nouvelle manière, des carrières, des profits,
qui ne s'accomplissent plus comme autrefois dans le sens
même de ce que le siècle a de plus jeune, de plus dynamique.
Ventrus bourgeois et ministres monarchistes appartiennent
tous à un univers dont la jeunesse et l'esprit se sentent de
plus en plus nettement exilés. Il n'y avait pas d'ironie à
Clarens. Il n'y avait pas d'ironie dans la brochure de Bernard-
François Balzac sur l'apogée de l'Empire. Il y en a, dans
Falthurne, et portant sur la politique française, sur la société
française en 1820. Mesure-t-on la retombée? Oh! certes!
il n'est pas question, ici, de langueur, d'abattement, de nausée.
Mais le mal du siècle, si l'on veut bien y voir autre chose
que du manque de nerfs, est d'abord prise de conscience de
contradictions et d'avortements. Que Balzac, en 1820, ait
jeté sur ses épaules le manteau de Walter Scott, commentateur, en des notes ironiques (comme celles de Matricante),
de *La Prison d'Édimbourg*, compte moins que les raisons qu'il
avait d'adopter ce style. Matricante est un individu pur et
exprime une humanité rejetée à l'individualisme, à ce que
Balzac appellera, en 1830, les « calculs étroits de la personnalité [1] ». Cet individualisme de défense [1] marque la fin du
« rêve » qui avait été celui de Bernard-François, d'une humanité de plus en plus associée, conduisant à son terme logique
le grand mouvement d'ensemble de la civilisation. Ce n'est
pas sans émotion que, dans cette ébauche de roman de la

---

1. Défense aussi bien par l'ironie que par le « carriérisme ». Se moquer *in
petto* du gouvernement et de l' « ordre » du monde, mais, puisque l'on ne saurait
admettre d'être tondu, se faire un peu tondeur, ou discret avec eux.

vingt et unième année, on relève cette notation, qui figure déjà dans les *Notes philosophiques*, et qui vient tout droit du vieux voltairien : « Il quitta très jeune la France, sa douce patrie, lieu où naissent et naîtront tant de grands hommes, *où la Grèce et Rome revivent ensemble pour former un peuple unique*[1] ». Telle était la France que pouvait aimer, en effet, le héros Robert, une France « historique », légendaire presque. En aucune façon cette France livrée aux divisions politiciennes, aux divisions d'intérêts et qui était sortie, à l'ébahissement général, de la Révolution. La perspective n'est plus *synthétique*, mais *analytique* et, dans le collimateur, ce qui apparaît, ce n'est plus *une* humanité nouvelle, mais bien *des* hommes, auxquels on n'aurait jamais songé. C'est par là que *Falthurne*, ce *Falthurne* dont il ne reste, et dont peut-être ne furent jamais écrits plus que deux chapitres, est avec *Corsino*, mais dans un registre plus clairement[2] *politique* le premier témoignage d'un changement de Balzac de son premier optimisme à ce registre sombre qui sera le sien et qui l'a rendu célèbre. *Falthurne*, ou un entretien avec soi-même : le duo Savonati-Matricante marque la première dissonance de l'histoire de Balzac, et cette dissonance n'est pas née de rien. Les voilà, dès 1820, les deux faces des choses dont parle Gautier. Un passé où tout était possible, merveilleux. Un présent domaine des humoristes, en attendant mieux. C'est dans cette optique qu'il faut comprendre *l'autre mythe* du roman.

La mystérieuse Falthurne, en effet, qui débarque à Naples au premier chapitre, n'est pas une simple créature de roman d'aventures ou sentimental. Balzac n'a pas eu le loisir de la mener très loin, mais les plans manuscrits qu'il a laissés permettent de se faire une idée de ce qui attendait son héroïne. *Plus exactement, de ce qu'il voulait en faire.* Elle apparaît, d'abord, comme chargée de chaînes, inspirant à ses geôliers même la pitié. On devine aisément qu'elle représente une force inconnue contre quoi rien ne saurait prévaloir[3]. Falthurne, dès ces pages, est le génie même, qui échappe nécessairement aux persécutions : « Génies sublimes, le langage humain peut-il célébrer et exprimer vos découvertes ?[4] ». Mais, celui qui « lève ce voile de plomb dont une puissance

1. *Falthurne*, éd. Castex, p. 36.
2. Il est impossible de dater les deux textes avec rigueur l'un par rapport à l'autre. *Corsino*, répétons-le, paraît plus proche des *Notes philosophiques*. *Falthurne* est moins abstrait.
3. *Falthurne*, éd. Castex, p. 9.
4. *Ibid.*, p. 11.

jalouse enveloppa le sanctuaire des causes premières »,
« celui-là », certes, « dompte la terre », « il est le lion pour
la force, le cerf pour la vitesse, la mine d'or elle-même pour
la richesse, le maître des rois, dont il dédaigne les sceptres,
et marche égal au destin. Que n'est-il immortel, il serait
Dieu! [1] ». Seulement, ce que rencontre un tel être, ce ne sont
pas seulement les limites naturelles de la vie humaine. Falthurne, devineresse, sorcière ou savante, initiée à quelque chose
de supérieur, est prisonnière des puissances de la terre. Un
ordre de la Cour, signé de l'Empereur dit de la mettre à mort.
Falthurne est signalée comme un être dangereux. Mais son
regard dit à tous, et au Borgino lui-même qu'elle ne *peut*
être criminelle [2], et ce regard n'a rien d'élégiaque ni de plain-
tif : il étincelle, il frappe. La multitude témoigne sa joie à
voir Falthurne échapper à l'ignominie : *vox populi!* Et tout
ceci est moins puéril et moins « littéraire » qu'il ne paraît.
Pourquoi Balzac a-t-il écrit ces choses? Pourquoi a-t-il, lui,
le philosophe partisan de Locke, fait parler Falthurne
comme Jésus? « Si j'ai la puissance qu'on me donne, pourquoi suis-je entre vos mains? S'il ne fallait qu'un mot pour
me sauver, ne l'aurais-je pas déjà dit? [3]. » Grecque, née à
Delphes, cette jeune fille que l'on poursuit, est initiée aux
mystères de l'Asie; elle a eu pour père spirituel « un vieillard dépositaire de la science des anciens prêtres d'Isis et
d'Apollon [4] ». On l'a accusée de l'avoir déchiré de ses propres
mains, d'être un vampire, etc. Mais rien n'a pu être prouvé.
Falthurne est une victime. Les deux premiers chapitres nous
la montrent aux prises avec la superstition populaire, mais
ceux que projetait Balzac devaient aller infiniment plus loin.
Au chapitre XVIII, on devait voir « Falthurne en prison, accusée
de magie », au chapitre XIX, « Falthurne au concile. On lui
donne la question. Elle est condamnée [5] », et, dans un autre
plan, elle devait être appelée en Italie par le futur pape
Hildebrand, restaurateur de la foi, et c'est la comtesse Mathilde,
jalouse, qui devait aider à sa condamnation. Dans les deux
cas, elle devait comparaître devant le Concile.

Qu'eût dit Falthurne devant le concile? Nous ne le saurons
jamais, ni pour quelles raisons exactes elle était poursuivie.
Mais n'est-il pas évident que Falthurne incarnait, face à
l'Église temporelle, une vérité plus ancienne, plus complète?
N'est-il pas évident que, Grecque et Indoue, elle était, face

1. *Falthurne*, éd. Castex, p. 11.
2. *Ibid.*, p. 13.
3. *Ibid.*, p. 17.
4. *Ibid.*, p. 18.
5. *Ibid.*, p. 22.

à un christianisme de gouvernement, le symbole d'une pensée universelle? *Si Matricante est le porte-parole du Balzac critique, Falthurne est le porte-parole du Balzac enthousiaste et croyant.* Son anticatholicisme, virulent [1], s'accommode parfaitement d'une adhésion de cœur à des croyances qui n'impliquent aucun ralliement *politique* dans la France de 1820. Et puis, ce procès de Falthurne, qu'il a quand même bien fallu imaginer, qu'il a bien fallu nourrir de quelque chose, ne signifie-t-il pas que, en ce temps-là, face aux fanatismes et aux jalousies, la philosophie trouvait à s'incarner en de redoutables et charmantes créatures, dont la mort même était une victoire pour l'Homme? De telles victoires sont désormais inconcevables. Comme il n'est plus de France faisant la synthèse de la Grèce et de Rome, il n'est plus de Falthurne disant la continuité de l'Absolu face aux policiers du relatif. Or, on n'invente pas de telles histoires dans les époques remises et assurées, dans les époques où l'opposition philosophique est inconcevable dans l'œuvre littéraire parce qu'elle n'est pas nécessaire dans la vie. Il faut que se soient dessinées des failles dans l'édifice social pour que puissent être conçues, pour qu'on ait besoin de concevoir, des figures comme celle de Falthurne. Figure de recherche, figure d'autre chose, figure d'un autre ordre : figure propre à ce que les saint-simoniens appellent les périodes critiques. Figure romantique, aussi, d'un autre romantisme que celui des écrivains ultra, mais aussi d'un romantisme que ne pouvaient en aucune manière comprendre les continuateurs intellectuels de l'Empire. Que, de la réflexion sur Locke, ait pu naître Falthurne dans l'esprit d'un jeune philosophe, implique que quelque chose se soit passé, autour de lui, qui ait dissocié la vision pseudo-unificatrice des Idéologues. Notons bien que les deux premières créations balzaciennes, Corsino et Falthurne, sont des figures de la Spéculation, de la Volonté et de l'Absolu; toutes deux sont chargées d'exprimer, sur le fond commun de la vie quotidienne et des pouvoirs de fait, des valeurs directement opposées à celles de la vie quotidienne et du monde tel qu'il est constitué, susceptibles de provoquer de sa part une incompréhension,

---

1. Une preuve (dans le « second » *Falthurne*, il est vrai, mais, un an plus tard; simplement Balzac n'a pas faibli) : « l'abbé *magnus conferencius* Fraynoussi », qui « régalait ses auditeurs dans l'église de San Sulpicio, à Rome » (*ibid.*, p. 68), est évidemment Mgr Fraysinous, célèbre depuis l'Empire par ses conférences aux Carmes et à Saint-Sulpice, et qui deviendra, en 1822, Villèle *regnante*, Grand-Maître de l'Université.

voire une répression, qui montrent bien à quel point il est éloigné de pouvoir les admettre. Le mythe de Lambert a dominé la création balzacienne dès ses premiers balbutiements : preuve éclatante que, sitôt que Balzac prit sa plume pour s'exprimer sérieusement, ce fut pour *isoler*, dans le cadre du donné, des héros non de dialogue, mais de quête forcément solitaire. Peu importent les lectures qui ont pu éventuellement fournir une stylisation quelconque : Corsino, Falthurne, le Centenaire, bientôt, signifient qu'il est une recherche qui s'opère nécessairement par d'autres moyens que ceux, truqués, de la pensée sociale et commune. Une longue marche commence, hors du cercle. Il fallait bien, pour cadre à cette naissante épopée, l'Histoire, la Légende, formant tribunal. Le sérieux de ces deux premiers chapitres de *Falthurne*, malgré les apparences, n'est pas de pacotille. Il n'est pas même « pittoresque » selon les recettes de Scott. Il est l'indispensable ornement d'une mythologie naissante.

Que s'est-il passé, entre le « premier » et le « second » *Falthurne?* Pourquoi cette reprise, sur un mode burlesque, on va le voir, d'un premier sujet sérieux? Une réponse s'impose : la rencontre avec Le Poitevin, et, de fait, il s'agit bien là de l'élément majeur des mois de transition qui conduisent de la période *Cromwell-Falthurne* à l'entrée dans le monde littéraire. Comment dater cette rencontre? Un seul texte certain : au début de juin 1821, Balzac, qui est en train de corriger le premier volume d'un roman [1], écrit à Laure : « Tu as le chagrin d'être séparée de ta famille; nous avons celui de ne plus te voir parmi nous, rire, sauter, disputer, jacasser, jouer. N'ai-je pas celui (car toujours : *moi*) d'avoir vingt-deux ans, et d'être sans indépendance, ni sort, ni place, avalant des goujons, bouillons, etc.? *Heureusement que depuis quinze jours j'ai eu l'esprit de me faire assurer 100 000 écus à prendre sur le public, et je vais les recevoir en détail, en échange de quelques romans* dont j'aurai bon débit à Bayeux [2] ». Ainsi, c'est donc dans la seconde motié de mai 1821 que fut conclu le « traité » entre Balzac et Lepoitevin, bien introduit, par exemple, auprès du « grossiste », Pigoreau et d'Hubert, libraire au Palais-Royal. Balzac avait pu faire sa connaissance plus tôt, mais la lettre à Laure est, répétons le, assez impérative en ce qui concerne le début de leurs relations « officielles ». On devine d'ailleurs la fierté du jeune homme qui se voyait un « avenir » assuré : peu de temps après

---

1. Qui est, on le verra, *Charles Pointel, ou mon cousin de la main gauche*, signé A. de Viellerglé, paru en novembre 1821, mais écrit au début de l'été.
2. *Corr.*, I, p. 98.

avoir conclu affaire, il amenait son nouvel ami à Villeparisis, tout heureux de le produire auprès des siens [1]. Faire des tragédies ? Il existait un autre « filon » à exploiter. On se figure sans mal les tirades, d'un côté, les mines réservées, de l'autre, Laurence, du sien, s'affolant un peu et tombant amoureuse de l'ami du grand frère. Celui-ci jeta-t-il un regard intéressé à l'enfant ? On ne sait. Mais il est sûr qu'Honoré s'engageait dans une voie nouvelle, qu'il cédait aux appels de ce que l'on pouvait, en un sens, appeler « le siècle », mais qui n'en était qu'une caricature. Comment, sinon l'inspiration, les préoccupations profondes, du moins la pratique littéraire de Balzac n'en aurait-elle pas été profondément influencée ? Comment, dans un second temps, presque immédiat, inspiration et préoccupations n'en auraient-elles pas reçu une orientation, et une marque nouvelles ?

Le jeune Balzac, jusqu'à la rencontre avec Lepoitevin, a été un être frémissant, vibrant directement aux préoccupations du siècle, *désintéressé*. A partir du printemps 1821, commence pour lui une nouvelle carrière d' « industriel », comme on disait alors. Ayant à vivre, à se faire une carrière, puis à payer ses dettes, ayant pris goût, aussi, à cette vie, il va être de moins en moins un esprit « libre », pour devenir l'homme des libraires et des journaux, un fournisseur de copie. Chaque fois qu'il le pourra, certes, il « reviendra » à son inspiration « sincère », « personnelle », surtout pendant cet été de 1821 où, abandonnant *L'Héritière de Birague*, retrouvant sa Touraine, il composera *Sténie*, brûlant roman où se mêlent les thèmes d'amour, de philosophie, les souvenirs, les idées [2]. Mais, dans l'ensemble, son activité littéraire et intellectuelle va être de plus en plus marquée par la commercialisation de tout ce qui touche à l'esprit dans la France restaurée. Penseur original, ne cessant pas de lire et de réfléchir, Balzac va renforcer une vision personnelle du monde, mais il ne le fera jamais « purement », « librement »; il le fera dans le cours d'une vie toute de lutte vitale. Il ne sera ni une conscience à l'écart, au-dessus, des vulgarités alimentaires, ni un tâcheron aveugle et sans horizon. Toutes ses idées naîtront d'une pratique directe, et toute sa pratique sera éclairée par ses idées. « Deux carrières lui étaient ouvertes : par la littérature et par l'industrie, ou, pour mieux dire, industrie et littérature ne faisaient qu'un [3]. » Il faut ferme-

---

1. *Corr.*, p. 102.
2. Cf. *infra*, p. 437 sq.
3. Article de Georges Guénot, paru après la mort du romancier, et reproduit par Lovenjoul (*Une page perdue...,*).

ment souligner ce point, parce que se pose ainsi toute la question : comment Honoré Balzac est-il devenu Honoré de Balzac, créateur de *La Comédie humaine?* Il est évident, encore plus évident en mai 1821, que l'écrivain est né du besoin de gagner sa vie. D'où, André Wurmser : « Balzac n'aurait pas été un grand homme *s'il avait pu faire autrement*[1]. » Que Balzac, on le verra souvent, s'illusionne sur ce qui serait le plus susceptible de le porter et de l'exprimer, est certain. Mais faut-il penser que Balzac a plongé dans le faux, dans le mensonge total, qu'il s'est stérilisé, parce qu'il a écrit, parce qu'il a accepté d'écrire pour vivre, avec toutes les conséquences imaginables? Volontiers manichéenne, la critique se trouve mal à l'aise dans ce genre de situation complexe : pour elle, Balzac est facilement « né » d'une sorte de miracle, en 1829. Rien de plus absurde, on va le voir dans tout ce qui suit.

La seconde partie de *Falthurne* est d'un ton parfaitement différent[2]. L'irrévérence et la parodie ne sont plus seulement dans les notes, mais dans le texte. Le jeune écrivain abandonne complètement le « sérieux » vaguement scolaire qui avait présidé à la narration du débarquement de Falthurne; il accumule les péripéties les plus abracadabrantes, se moque de lui-même et du lecteur. « L'aurore de ce jour où tant d'événements éclatèrent arriva; le char doré du soleil s'élança dans les campagnes du ciel...[3] », c'est bien du d'Arlincourt, dont les romans étaient eux aussi parsemés de ces métaphores ordinairement réservées à la poésie. Mais voici du Pigault-Lebrun, de *La Pucelle*, du *Lutrin :* « L'Ermite s'écria : Je suis le Borgino. Tous reculèrent d'effroi. Le faux vieillard détacha sa fausse barbe et ses cheveux, et sa terrible figure parut dans toute son éclatante horreur[4]. » Roman, ou roman comique? Radcliffe ou Scarron? S'il rapporte un discours de chef de brigands, Balzac met en note : « Je ne doute nullement qu'il ait prononcé ces paroles; mais ce qui m'inquiète, ce sont les moyens que l'abbé a employés pour se les procurer. Il avait peut-être un aïeul, un bisaïeul au nombre des brigands[5]. » S'il arrive à un moment décisif de l'action, il embouche la trompette : « L'aurore aux doigts de rose accourait sur son

1. *La Comédie inhumaine*, p. 144.
2. Cette constatation a été faite par P.-G. Castex (pp. XVIII-XIX de son édition), puis reprise et développée dans ses conséquences par M. Bardèche (H.H. XXV, p. 17-19). Nous nous rallions aux conclusions de M. Bardèche, et nous leur apportons des illustrations supplémentaires.
3. *Falthurne*, éd. Castex, p. 68.
4. *Ibid.*, p. 74.
5. *Ibid.*, p. 84.

char doré, lorsque des cris effrayants partirent de chez la tendre Angélina et de chez le beau page. Bongarus, le premier, s'éveille en sursaut et se pique violemment le nez ; il retombe, et se voyant lié, se met à chanter comme à matines lorsqu'il était au couvent. Ses cris éveillèrent tous les autres chevaliers, qui se piquèrent et crièrent. Le grand cardinal cria et se piqua... [1]. » La première partie relevait du roman historique le plus ambitieux. Nous sommes ici en pleine farce. Matricante, même, gagne en naïve sottise, en gâtisme presque. Il parle encore de son neveu, mais, par sept fois, tel un doux maniaque, n'invoque-t-il pas « nos *invincibles* armées » d'Italie, où servit ledit neveu [2] ? Chanclos, dans *L'Héritière de Birague*, invoquera bientôt, avec la même régularité de métronome, son « *invincible* maître, l'aigle de Béarn [3] » : aucun doute ne semble permis, et les deux récits sont bien de la même veine. Le premier « premier » *Falthurne* avait été écrit dans la foulée de *Cromwell*, et abandonné comme *Cromwell*. Le second lui est certainement postérieur de plusieurs mois, et date des premiers temps de la rencontre avec Lepoitevin et Arago, qui suggérèrent au jeune Balzac de se lancer dans le genre héroïco-bouffon propre à attirer les suffrages des lecteurs du Marais. D'où cet « exercice », ce « canular », sur les thèmes du roman noir ou d'aventures. Le Borgino et quelques autres personnages sont réutilisés, mais dans un registre totalement différent. Il n'est plus question de Walter Scott. Pendant l'été 1820, Balzac pensait pouvoir s'exprimer à travers une affabulation grave. Il se drapait. Près d'un an plus tard, il passe de l'autre côté, et s'exprime par la parodie. Reste à préciser le sens de cette parodie.

On remarquera d'abord qu'elle reprend et amplifie une parodie qui était déjà présente dans les deux premiers chapitres. L'irrévérence et le dégagement symbolique remontent des notes du rez-de-chaussée au texte même. Passage, donc, et non rupture. Le « second » Matricante amplifie le premier. Il serait absurde, toutefois, de ne voir dans cette aggravation que l'effet de tractations littéraires. Ceci, c'est l'aspect extérieur de l'affaire. Mais dans la conscience de Balzac ? Ce n'est pas la dernière fois que nous aurons l'occasion de nous interroger sur ce que comporte d'authentique une « opération » influencée par la commande. Dans la première partie, le jeune

1. *Falthurne*, éd. Castex, p. 120.
2. *Ibid.*, p. 71, 88, 90, 93, 102, 114, 115.
3. Ce rapprochement est la meilleure preuve de la parenté qui unit les deux œuvres, et de la proximité de leurs dates respectives de rédaction. Or, *L'Héritière* fut commencée en juin.

romancier se partageait. Grave, sérieux, il tentait de s'exprimer par le médium de héros graves et sérieux, d'une affabulation grave et sérieuse. Il gardait assez de liberté d'esprit, toutefois, pour marquer la distance, grâce aux notes de Matricante. Dans la seconde partie, la dérision l'emporte et bouscule tout. Le Balzac grave et sérieux s'abîme corps et biens. On le verra reparaître, secrètement, à l'été, dans *Sténie*, et, publiquement, deux ans plus tard, dans les romans écrits pour Pollet. Pourquoi ce naufrage ? Héros, pures jeunes filles, traîtres, forment une thématique qui, pour être prise au sérieux, pour être vivante, doit correspondre à un certain ordre intérieur, à une sorte de *foi*. Or, Balzac, d'une part, portait en lui, de par ses origines, de par sa formation, les germes d'une irrévérence bourgeoise qui le séparait d'un sérieux quelque peu compromis par le romantisme distingué et, d'autre part, l'échec de *Cromwell*, l'échec, peut-être, d'autres projets dont il ne reste rien (traités philosophiques, un premier roman dans le même genre, peut-être, et qui sera repris en 1821 pour devenir *Sténie*) avaient dû faire naître en lui des attitudes de dérision, vis-à-vis de tout : des genres littéraires, de l'application, de soi-même. Toute bouffonnerie suppose un minimum de désenchantement, et cette seconde partie de *Falthurne*, où Balzac se déchaîne contre ce qu'il respectait encore à demi dans la première, on y devine un peu Lousteau. Fabrication, diront des critiques qui veulent s'en tenir à l'extérieur, aux influences purement fortuites, et qui ne veulent pas voir tout ce que la littérature exprime de vrai, de fort, d'objectif. Fabrication, oui, en partie, dans la mesure où Balzac a besoin de modèles. Mais l'essentiel n'est-il pas dans ce refus, chez le jeune Balzac, de faire de la littérature *comme les gens bien* ? De l'irrévérence encore de bonne compagnie, et que pouvait comprendre son père, nous voici à une irrévérence autrement destructrice et amère. Byron ou Toussaint Louverture, pour Lamartine, Moïse, pour Vigny, Bug Jargal, pour Hugo, Don Paëz, pour Musset, ne sont pas des fantoches ; ils disent des inquiétudes, des hantises, transposent des besoins, tous aisément repérables dans l'histoire antérieure de leur créateur. Ils supposent à la littérature une valeur et une efficacité. Le second « premier » *Falthurne* anéantit cette littérature, dont *Cromwell* et les deux premiers chapitres du même roman proclamaient implicitement la dignité. Les notes du premier Matricante refusaient à la littérature le droit de *tout* recouvrir et de *tout* exprimer ; l'ancien clerc de notaire, le fils de bourgeois, s'étant mis à écrire, ne s'y mettaient quand même pas tout entiers ; mais enfin, une « chance » existait d'être soi-même par ce qu'on allait écrire. Mesure prise des choses, la littérature n'est que farce et attrape. Balzac, alors, hypertrophie les tendances à la raillerie qui sont en lui. *Et c'est là qu'il devient totalement sincère.* « Nous ne pouvons que nous moquer » : s'il a déjà eu cette idée en 1821, elle n'avait pas encore les mêmes composantes que celles qu'elle aura au moment de *La Peau de chagrin*. Il n'est pas encore question, en 1821, de « littérature de sociétés expirantes ». Mais la raillerie est déjà l'un des moyens de dire la dissonance, la fin de cette unité à laquelle continuait de croire, à la même époque, nous l'avons vu, Bernard-François Balzac.

L'entente avec Lepoitevin devait vite porter d'autres fruits. Repartant sur de nouveaux frais, Balzac abandonne son *Falthurne* et se met, en collaboration avec Auguste, à rédiger *Charles Pointel*. Au début de juin, il corrige le premier volume[1]. Il doit être un peu en panne de copie pour la suite, puisque, interrompant son bavardage dans une lettre à Laure, il s'écrie : « si on imprimait ceci, ça donnerait bien trente pages d'impression, Grand Dieu, que je le mette dans mon roman![2] ». Le 1er juin, Laurence parle à Laure de *deux* choses en train : un roman, « dont le premier volume est très drôlement fait, avec beaucoup d'esprit et d'imagination », et un « ouvrage en quatre volumes », que son frère a entrepris avec « son ami ». Rien d'étonnant, on le sait, à ce que Laurence prête autant d'attention au consortium Auguste-Honoré! Entre-temps, prend corps un projet de voyage en Touraine. Le 2 juin, Honoré apprend à Laure que M. de Savary, propiétaire viticulteur à Vouvray, ami des Balzac et beau-père de M. de Margonne, l'a invité pour l'été. En conséquence il ne pourra aller la voir à Bayeux, comme semble vivement le souhaiter la jeune exilée[3]. Mais comment partir en laissant en chantier de l'ouvrage commandé? Laurence ne se pique pas d'exactitude, dans sa lettre du 10 juin, mais on peut reconnaître, à côté d'un livre écrit à deux, un autre qui serait de Balzac seul, et dont le premier volume, très drôle, est fait. Il s'agit certainement de *L'Héritière de Birague*, où Balzac réutilise, en les plaçant dans la bouche de Chanclos, les plaisanteries de Matricante sur l'invincibilité, non plus de nos armées d'Italie, mais de l'aigle de Béarn. L'offensive est donc conduite sur deux fronts. Quelle fièvre, sans doute, à Villeparisis! On devine quel plaisir devait faire à Balzac, l'idée de vacances en Touraine. Il n'était pas retourné dans son pays natal depuis

1. *Corr.*, I, p. 97.
2. *Ibid.*, p. 103.
3. *Ibid.*, A, I, p. 95.

1814... En cravachant, on pourrait sans doute partir, Lepoitevin ayant reçu sa provende de copie payée. Le départ était prévu pour la fin de juin, et Balzac expliquait à Laure qu'il tâcherait, là-bas, d'écrire des poésies romantiques pour se faire épouser comme M. de Lamartine. Suivait l'histoire de l'Anglaise [1]. Mais de l'imprévu allait retarder le départ : on allait enfin marier Laurence. Bernard-François avait déniché le fils d'un de ses anciens collègues, dont la famille possédait une terre proche de Villeparisis : Armand-Désiré de Montzaigle. Le 22 juillet, le prétendu était parrain du fils de la cuisinière des Balzac, et Laurence était marraine. Premier baiser, en famille. Politesses envers madame Mère, aux anges [2]. Honoré n'était pas très emballé par le futur beau-frère. Mais il avait aussi d'autres choses en tête : il espérait pouvoir quitter bientôt Villeparisis, s'installer seul à Paris, et travailler. Un roman par mois, pour six cents francs [3]! Le premier était terminé. Dans une lettre des premiers jours d'août, il annonce à Laure qu'il tient les derniers chapitres et que la vente a été conclue pour six cents francs, pour la première édition. Le 29 août, l'imprimeur Cordier annoncera qu'il va mettre sous presse *Charles Pointel* [4]. Voilà donc une affaire de faite. Mais il n'est pas question de partir pour la Touraine. Il faut terminer *L'Héritière*. Et puis, comment s'en aller alors que Laurence va se marier? Le 12 août, on signe le contrat. Balzac n'est toujours pas chaud pour Montzaigle, et déclare, quant à lui, que, « en son âme et conscience », il ne se marierait jamais à une jeune personne « qui ne lui aurait pas inspiré beaucoup d'amour [5] ». Il faut croire, par ailleurs, que les affaires vont mal avec la famille, et que l'on n'est guère séduit par les perspectives Lepoitevin : Nacquart s'est chargé de trouver une place à Honoré, et celui-ci frémit d'horreur [6]. Est-ce pour forcer la chance qu'il attaque un nouveau roman? Le 20 août, en tout cas, il travaille à ce qui

1. *Corr.*, p. 102-103.
2. *Ibid.*, p. 107.
3. *Ibid.*, p. 108.
4 *Archives nationales*, F 18, 55.
5. *Corr.*, I, p. 111. Laure avait dû insister de nouveau pour faire venir son frère à Bayeux : « Tu penses que, dans ces conditions, je ne peux pas plus aller à Bayeux qu'en Touraine, et, si je me sépare de la maison paternelle, c'est que je suis obligé de travailler à des romans, qui exigent des recherches et de l'assiduité », lui écrit-il au début d'août. Il ira quand même en Touraine. Le 23 novembre, longtemps après être rentré, et répondant sans doute à une nouvelle demande, il lui précisera : « Mon voyage est encore subordonné à des considérations pécuniaires de haute importance » (*Corr.*, I, p. 117). Il attendait sans doute de l'argent d'Hubert, à qui il avait dû livrer un autre roman, *Jean-Louis*. Il n'ira finalement à Bayeux qu'en mai 1822, sa mère ayant passé une partie de l'hiver auprès de sa fille.
6. *Ibid.*, p. 112.

deviendra *Clotilde de Lusignan* [1]. Le 1ᵉʳ septembre, c'est le mariage de Laurence. Balzac a été retenu à Villeparisis depuis plusieurs semaines. Il brûle, sans doute, de s'évader. C'est aux premiers jours de septembre qu'il peut, enfin, prendre la route de Touraine. Bilan des derniers mois : *Falthurne* définitivement abandonné, *Charles Pointel* à l'impression, *L'Héritière de Birague* bien avancée, *Clotilde de Lusignan commencée*, Laurence mariée à un homme dont le moins qu'on puisse dire est qu'il ne provoque pas l'enthousiasme. Balzac a besoin d'air, besoin de se retrouver. D'autant plus qu'il vient, avec *Charles Pointel*, d'en finir avec sa première « corvée » littéraire. Il avait rédigé, de cette histoire embrouillée, le premier et le quatrième volume. Un peu de lui-même y avait-il passé? Malgré tout, comment non? On comprendra mieux ce qui va se passer en Touraine après avoir lu ce roman [2].

Voici les premières lignes de Balzac qui furent jamais imprimées :

« J'ai lu quelque part que le Corrège, regardant le tableau d'un grand peintre, s'écria avec enthousiasme : Et moi aussi, je suis peintre. En voyant la foule d'écrits dont nous sommes maintenant inondés, je me suis dit vingt fois, sans enthousiasme, à la vérité, mais en revanche avec une bonne dose d'orgueil : Et moi aussi, j'ai une histoire à raconter!.. J'aurais donné beaucoup pour que ce fût la mienne; mais il n'y a pas moyen : il a plu à ma mère de me bâtir d'une si drôle de manière, que jamais rien n'a moins ressemblé à un héros de roman que votre serviteur. J'en ai pris mon parti : *sic fata et mater voluerunt.* — Je crois cependant qu'en enjolivant le travail de ma mère, c'est-à-dire

---

1. *Lov.* A 158, fᵒ 9 (date en marge d'un brouillon de *Clotilde de Lusignan*).
2. La paternité de Balzac est attestée par la chronologie, la correspondance et l'étude interne du texte. *Chronologie et correspondance :* alors que Balzac n'a pu collaborer aux *Deux Hector*, roman signé Viellerglé paru en février 1821, soit trop tôt par rapport à l'entente avec Lepoitevin (mai), les diverses allusions figurant dans les lettres citées plus haut forcent d'admettre que, dès juin, il travaillait à deux romans, dont l'un est reconnaissable comme *L'héritière de Birague*, et dont l'autre, fait en collaboration « avec son ami », ne peut être que *Charles Pointel*, terminé au début d'août, remis aussitôt à l'imprimeur et déclaré le 29. *Étude interne :* les volumes I et IV sont écrits dans le même style plaisant que le « second » *Falthurne* et que *Une heure de ma vie ;* le voyage en voiture qui ouvre le roman se retrouvera, avec des ressemblances frappantes, dans *Annette et le Criminel* (1823) et dans *Un début dans la vie* (1841); les amours parallèles du maître et du domestique (ancien soldat dans les deux cas) se retrouveront dans *Wann-Chlore*, Rosalie prenant la suite de Louison; le grognard Tranquille, réchappé d'entre les morts comme le colonel Chabert, sera repris dans le sergent Lagloire, du *Centenaire* (1822), et dans le Goguelat du *Médecin de campagne* (1833). Nous citerons plus loin d'autres ressemblances, dont certaines plus « organiques » qu'anecdotiques. Nous nous rencontrons ici avec Prioult (*op. cit.*, p. 108 sq.) et Bruce Tolley *(Balzac et les romans de Viellerglé*, A. B., 1964*)*, mais avec plus de précision que le premier, et avec d'autres arguments que le second.

en ôtant une verrue qui me couvre un œil, et une autre
qui me pend au nez, en me diminuant la bouche et m'augmentant une jambe, ce que tout l'art de mon cordonnier
ne peut qu'imparfaitement exécuter, je crois, dis-je, qu'il
pourrait m'être permis de parler de moi tout comme un
autre. Nous avons vécu des temps si féconds en événements,
que chacun peut, sans craindre de passer pour un hâbleur,
prétendre avoir des aventures très curieuses à raconter.
Les révolutions offrent un spectacle vraiment curieux; les
uns perdent, les autres gagnent; tout le monde crie; beaucoup de gens écrivent; le public lit ou ne lit point; peu
importe, on n'en a pas moins dit : je fus, je devais être,
je suis, et chacun est content ou consolé [1] ».

C'est le style Matricante. Ce sera bientôt celui de *L'Héritière
de Birague*. Il faisait rire la rieuse Laurence. *C'est surtout le
style du Moi par antiphrase*. Balzac avait pensé à écrire
« sérieusement », et il avait fait de son *Falthurne* une farce,
une charge. Non qu'il se fût vraiment prostitué, encore moins
dégrisé : il était de plain-pied avec l'ironie, la plaisanterie :
c'était chez lui; en lui. C'était aussi défense. « Travaillant »
pour Lepoitevin, songeant à toutes les histoires qu'il pourrait
raconter lui aussi, mais obligé à broder sur un canevas qui ne
lui était rien, il s'en tirait, avant de se lancer, par ces quelques
lignes ironiques, burlesques, *que Lepoitevin ne lui avait pas
demandées*, que le public ne comprendrait pas, mais dans lesquelles, aujourd'hui, en les replaçant dans leur contexte, on le
retrouve quand même. Sa signature a beau ne pas être sur la
couverture : c'est en se jouant que Balzac *va* conter l'histoire
du capitaine Charles Pointel, ses aventures en Espagne (qui
annoncent plus d'un récit ultérieur), ses amours avec une belle
Valencienne, etc., et c'est parce qu'il se joue, au lieu de
prendre son sujet au sérieux, que nous le reconnaissons.
L'ouverture de *Charles Pointel* est une distance prise par
rapport à la « littérature marchande », et peut-être une confidence. L'avortement de *Cromwell* et du premier *Falthurne* lui
ont prouvé qu'il n'était pas mûr dans le genre sérieux. La
seule chose, en lui, qu'il puisse exprimer, manier, utiliser,

---

1. *Charles Pointel*, I, p. 1-2. Dans une lettre à Laure du début d'août, on lit,
après la confidence sur le défaut d'amour et de maîtresse depuis « dix grands
mois » : « et cependant je puis dire comme le Corrège : et moi aussi, je
suis peintre! » (*Corr.*, 1, p. 110). Le style de ce début se maintient pendant tout le
premier volume. Avec le second et le troisième, toute truculence disparaît, et l'on
passe au pire imbroglio sentimental ou dramatique. Le style est « sérieux » et
pénible, marqué de nulle personnalité. On retrouve le style du premier volume
dans le quatrième, un dialogue humoristique avec le lecteur, des insolences de
rédaction, une postface désinvolte, le tout sans transition. La marque d'un
travail à deux est visible.

c'est son « esprit » sa gouaille héritée de la tradition bourgeoise. Y a-t-il regret, souffrance, dans ces lignes, d'un jeune homme obligé de mentir? Ce serait aller beaucoup trop loin. Voyons-y simplement un peu de liberté. Balzac est encore obligé, malgré ses désirs de dire des choses qui lui tiennent à cœur, d'en rester à l'écorce, à la méfiance. *Il ne s'engage pas;* il se réserve. C'est ce qui explique, sans doute, les considérations sur les révolutions. Un autre langage suivra, bientôt, mais le contrepoint se continuera longtemps, entre une philosophie historique appuyée sur les conquêtes de 89, de l'Empire et de la Restauration constitutionnelle, et un scepticisme vigilant à l'encontre des bouleversements qui ne changent pas le fond des choses. *Jean-Louis* répondra à *Sténie.* Mais cette littérature, cette politique à plusieurs voix, ce double registre, qui commençait avec le premier *Falthurne,* ce Balzac qui en comprend deux, n'est-ce pas un signe manifeste d'impossibilité à être, à penser, selon un thème harmonieux, unique? Héros de roman ou son contraire, optimisme philosophico-scientifique ou ironie, figures de prophétie ou de dérision, grande aventure humaine, ou histoire de prudents qui surent « vivre »; tout est, sinon faussé, du moins ambigu. Nulle tonalité ne s'impose. On s'éloigne toujours de l'unité.

Cette dissonance se précise dans les pages qui suivent immédiatement. Nous retiendrons que Charles Pointel est un peu cousin de Matricante, non plus par le style, mais par ses origines : n'est-il pas descendant d'un fermier de la Brie? Mais surtout, à propos de ce fermier, nous retiendrons le rapide jugement porté sur la Révolution : « La nation, fatiguée de n'être comptée pour rien depuis dix siècles, eut la prétention de vouloir devenir quelque chose [1] ». Antoine Pointu [2] achète des biens nationaux, donne du travail à son village, en fait disparaître mendiants, voleurs, etc. Il finit par épouser une demoiselle de Kerindec [3], qui oublie sa roture en faveur de ses écus. Tout ceci est toujours du bel et bon libéralisme, comme on en trouve dans tous les petits romans « de gauche » d'alors. Victor Ducange, bientôt, portera ce style à sa perfection. Balzac y atteint, d'ailleurs, un mordant que d'autres pourraient lui envier : « Si nous avons la liberté de la pensée, grâce à la générosité des puissances, nous n'avons point encore la liberté, celle de la communication des pensées, ce qui fait

1. *Charles Pointel,* I, p. 9.
2. Pointu est devenu Pointel pour plaire aux dames...
3. Ce thème breton est un signe de la collaboration avec Lepoitevin, qui était d'origine bretonne. Les thèmes bretons étaient nombreux dans *Les Deux Hector,* roman qui ne doit rien à Balzac.

une grande différence [1] ». Mais alors, comment concilier ceci avec les premières réflexions sur les révolutions? La victoire, *légitime*, de la nation sur les prêtres et les nobles [2], la lutte contre les ultras, complices de l'étranger : comment concilier ceci avec les ironies sur les vanités et ambitions qui semblaient d'abord être à peu près tout ce que les révolutions mettaient en branle? Il y a danger, aujourd'hui, à trop parler de soi, était-il expliqué plus haut : on ira chercher dans le *Moniteur* « un salmis de discours républicains, impérieux et monarchiques qui, quoique parfaits chacun dans leur genre, attirent sur leurs auteurs une nuée de brocards et de quolibets ». On m'a appelé « inconstant », « girouette », poursuivait le présentateur, alors que je ne voulais, tout bonnement que garder ma place. Le voilà décidément cousin de Matricante. Mais surtout, comme Matricante, il dit la clairvoyance de Balzac au sujet de *l'une* des faces de la réalité post-révolutionnaire. Ce genre de remarque était certes, alors, monnaie courante, et certaines pages de Balisson de Rougemont sur un certain M. de Balzac nous en avaient fourni un bon exemple. Le *Dictionnaire des girouettes*, auquel il est fait allusion ici, fut l'annuaire d'une époque, la Bible de sa continuité. L'Absolu s'y émiettait en carrières. Les grands principes, pour lesquels on avait espéré, lutté, vécu, comme l'avait dit Carnot, s'y réfractaient en reniements. Il y avait bien une durée, dans cette époque 1789-1820 : celle des intérêts, non celle des idées.

Lorsque Balzac reprend la plume, au quatrième volume, le pâteux récit de Lepoitevin, qu'il faut bien finir quand même, retrouve un peu d'air. D'un coup, on s'élève, on se dégage. Tout le sentimentalisme platement pris au sérieux jusque-là devient « le romantique bonheur d'aimer et d'être aimé [3] ». Le faux pathétique se trouve « classé ». Ce qui n'est pas digne qu'on s'y donne se trouve mis à distance. Nous aurons, bientôt, la parodie du roman monarchiste; nous avons un peu, ici, celle du roman libéral, malgré les nettes tendances du premier volume. Pointel organise des *Gardes nationales* en Béarn, au moment des Cent-Jours, « pour la France et contre Bonaparte », pour la liberté et l'indépendance, contre l'étranger et

---

1. *Charles Pointel*, I, p. 24.
2. Le roman comporte de vives attaques anti-nobiliaires et surtout anticléricales. L'abbé de la Bletterie, luxurieux comme le Moine de Maturin, surpris en train de trousser la servante Louison, prêt à faire endosser ses responsabilités paternelles par le brave grognard Tranquille, insolent triomphateur et persécuteur de ceux qui l'avaient démasqué, au moment de la Restauration, de la Terreur Blanche et des Cours Prévôtales, est un excellent témoignage sur l'état d'esprit de Balzac en 1821. Il faudra lui comparer le Jésuite Lunada, dans *Le Centenaire*.
3. *Charles Pointel*, IV, p. 49.

le despotisme. « Il eut vraiment à se louer de ses peines, car, sur 1 458 tirailleurs qu'il enrégimenta, il s'en trouva 522 qui comprirent le quart de ce qu'il disait, 87 le tiers, 51 la moitié, 29 les trois-quarts, et 16 la totalité ou à peu près. Après cela, qu'on vienne dire que les Français ne sont point à la hauteur du siècle!... [1] » C'est encore un refus de marcher sans arrière-pensées dans les traces libérales. Confusion, plus qu'épopée : telle est la leçon d'avril-juin 1815. Balzac ne le pensait pas en 1815. Il avait fallu ce qu'était devenue la suite de 1815. Encore une maille qui file. Jusqu'au bout, le grenadier Tranquille gardera sa mâle allure, qui le conduit à Lagloire et à Goguelat, mais Tranquille, surtout dans le quatrième volume, n'est plus qu'un revenant, une figure isolée dans le monde d'aujourd'hui ; une figure un peu absurde. Il faut décidément chercher ailleurs que dans l'alignement sur la « gauche », une authenticité. D'où l'ironie, le retour à l'ironie, qu'ignorent ceux qui, comme Lepoitevin, ne mettent rien en cause d'un univers qui leur semble « naturel ». Balzac reprend son dialogue avec le lecteur, lui fait des niches, retarde le moment où il va lui livrer un secret, joue avec ce texte dont il s'est à nouveau chargé. « Avec la permission du lecteur, et même sans sa permission, je le laisserai brûlant le pavé de la grande route [2] » : on a dit que c'était imitation de Scott, mais c'est toujours la même interprétation formaliste des procédés littéraires. Balzac sait parfaitement ce qu'il fait. Son regard est clair, par-dessus son papier, alors qu'il écrit ces dernières pages. Un mariage, pour finir, bien sûr ? Un mariage comme les autres ? Une pitrerie s'impose : « Avec cette différence, 1º, que le marié et la mariée s'aimaient, etc... [3] » Le procédé se retrouvera dans *Wann-Chlore* [4] et dans *La Peau de chagrin* [5]. Il se prolonge dans la *Post-Face*, où le lecteur se voit promettre une suite, intitulée *Mon cousin de la main droite*, pour le jour où il aura acheté les huit cents exemplaires de *Mon cousin de la main gauche*. « Je me suis engagé, moi, A. de Viellerglé, à livrer à messire Georges Cyr Hubert, libraire actif et entendu, que je recommande, par parenthèse, à mes amis, parents et connaissances, un ou plusieurs gros cahiers de mon écriture, lesquels cahiers donneront naissance à quatre volumes in-12 de deux cents et quelques pages chacun, que le dit Georges Cyr Hubert vendra et débitera

1. *Charles Pointel*, IV, p. 52-53.
2. *Ibid.*, p. 119-120.
3. Cf. une énumération du même genre à la fin du chapitre.
4. Cf. *infra*, p. 566.
5. Cf. la moralité rabelaisienne qui terminait l'édition originale, et qui a disparu par la suite (éd. Allem, p. 460).

dans sa boutique du Palais-Royal, galeries de bois, n° 222, et partout ailleurs, comme bon lui semblera [1]. » Allégresse de jeune homme qui se voit imprimé tout vif pour la première fois. Prise totale, sur Balzac, de l' « industrie » et de la spéculation? Il y a de l'ironie, et sans doute un peu plus, dans « un ou plusieurs cahiers de mon écriture, lesquels cahiers donneront naissance à quatre volumes in-12 de deux cents et quelques pages chacun ». C'est le passage de l'écriture-acte — comme dans les cahiers de philosophie — à l'écriture-marchandise, à l'écriture devenue marchandise. « Un ou plusieurs cahiers de mon écriture », c'est la réification de l'idée, l'encre sur le papier, l'objet manipulable, l'emportant sur le flux profond [2]. Cet appel au lecteur, à la fin de Charles Pointel on peut sans grand effort, le comprendre de deux manières. Et il en sera toujours ainsi dans les œuvres de jeunesse : à côté de ce qui est là pour être vendu, il y a toujours à déchiffrer une confidence. Il est important que ceci soit vérifiable dès le premier manuscrit livré. Bientôt, toutefois, l'occasion allait être donnée à Balzac, d'être plus totalement et plus profondément sincère. A la fin de l'été, il partait pour la Touraine.

Il avait dû penser, dès 1819 ou 1820, à un autre roman philosophique que *Corsino*. Certains morceaux en étaient passés dans le premier *Falthurne*, comme cette longue note dans laquelle Matricante discute la question de savoir si l'on peut parler de l'éternel univers sans mettre en danger la notion de Dieu [3]. La mise en scène n'était encore que légèrement burlesque (une conversation entre l'instituteur et l'ancien bénédictin), mais elle manifestait, outre la permanence des préoccupations spéculatives, le désir de faire passer la philosophie dans la vie, et de la sortir des dossiers; mais ce serait encore mieux, sans doute, si on la dramatisait, si on la fondait avec des destins. Pour les hommes du XVIIIe siècle, la philosophie était moyen d'informer, d'orienter une action sociale ou politique, sans mettre en mouvement les profondeurs mêmes de l'individu. Il n'en allait plus de même avec la montée du pré-romantisme et du romantisme. La philosophie devenait affaire personnelle. A l'intérieur d'un univers

1. *Charles Pointel*, IV, p. 167. La promesse d'autres romans et suites sera utilisée à nouveau dans *Le Vicaire des Ardennes* (I, p. xxx-xxxi, et IV, p. 255). La réclame et le commentaire sur Hubert sera utilisée à nouveau dans *L'Anonyme*.
2. Il existe, on l'a vu, un autre type, encore, d'écriture balzacienne : « la bouteille d'encre où je devais puiser le génie moyennant 75 centimes » (H.H. XXV, p. 574). Cf. *supra*, p. 292.
3. *Falthurne*, éd. Castex, p. 28-30.

qui, *en tant qu'univers*, avait naguère fait l'objet de la lutte philosophique, l'individu, *en tant qu'individu*, devenait l'objet d'une autre quête, d'une autre révolte, d'une autre inquiétude. Les bourgeois demeurés intégrés à la bourgeoisie ne voyaient dans la philosophie qu'instrument à libérer la bourgeoisie. Dans le cadre de la bourgeoisie devenue libre, la philosophie devenait, pouvait devenir, instrument de l'effort et du besoin individuel sur un fond de valeurs constituant un nouveau conformisme. Le roman métaphysique se distingue nettement en ceci du conte philosophique. Ce n'est plus sagesse contre absurdité, Babylone à la Zadig contre Babylone à la Rohan. C'était creusement toujours plus avant, toujours plus solitaire du sens de la vie, alors que se dissolvaient les références qui, jadis le définissaient. La philosophie comme recherche de soi, comme auxiliaire, comme langage, comme aboutissement aussi de la recherche de soi : cette crise de la philosophie illustre bien celle de la culture bourgeoise. Passer des *Notes* philosophiques au *Roman* philosophique, c'était passer d'une philosophie socialement conquérante, avec des arrières assurés, à une philosophie de l'instable, à une discussion où l'on serait soi-même en cause. Le philosophe « libéral » est un homme personnellement souriant, sans problèmes, tourné tout entier vers l'extérieur. Mais c'est un signe décisif de l'évolution des rapports philosophie-libéralisme, que la prolifération, au début du XIXe siècle, des philosophies de l'inquiétude. Les nouvelles normes (utilitaristes, bourgeoises) ne suffisent donc pas à tracer un soubassement incontesté. La liberté nouvelle inquiète-t-elle tant, fuit-elle tant des mains, pour que l'individu parte en avant, faisant des crochets de droite et de gauche, tentant de saisir des bribes de solide? Le pathétique philosophique marque la prise de conscience des insuffisances et des difficultés d'une philosophie uniquement dirigée contre un passé mort. Aujourd'hui encore, les *Notes philosophiques* nous paraissent légèrement sclérosées, dépassées, alors que *Sténie*, nous l'allons voir, malgré ses évidents défauts de forme, demeure une œuvre susceptible de nous parler. Les *Notes* étaient encore *classiques*, en ce sens que, dans l'ensemble, elles étaient affirmation contre affirmation. *Sténie* sera *romantique*, en ce sens que l'individu écrivant y apparaîtra comme désorienté, cherchant le vent, au milieu d'un univers ne comportant que murs et barrières, dépourvu de toute valeur objective. C'est en pensant à son premier roman philosophique, c'est en animant ses dissertations en dialogues et élégies, que Balzac a vraiment commencé à passer de l'univers de son père à celui des enfants du siècle : non tant à cause du sujet (l'histoire d'un amour malheureux) qu'à cause de la nature même de la démarche. *Balzac voit désormais un problème, là où son père n'en voyait pas.*

Lorsqu'il part pour la Touraine, Balzac a donc peut-être en tête un vieux projet de roman dans lequel la donnée première serait le dialogue qui opposerait deux jeunes gens sur des thèmes moraux et philosophiques. Le texte de *Notes* de 1819 se retrouvera presque textuellement dans l'œuvre de 1821. D'autre part, il a acquis une certaine expérience de romancier. Il sait un peu ce que c'est que, sinon *faire*, du moins *commencer* un livre. Le contact avec la Touraine retrouvée, enfin, va donner le branle à son imagination, à sa sensibilité. Comme cela se produira plus d'une fois, à la découverte d'un sujet, avec pour arrière-plan l'assurance technique du « métier », c'est le départ en flèche. Balzac multiplie plans, ébauches, se lance à fond dans sa rédaction, recopie, calligraphie. Puis, il abandonne. Pourquoi? Des calculs de calibrage, en marge du manuscrit, prouvent qu'il pensa sérieusement, sans doute au retour, à le soumettre à un éditeur, et qu'il chercha à savoir quelle quantité de copie on en pourrait tirer. Mais *Sténie* n'était peut-être pas monnayable, ou bien, ce qui paraît plus vraisemblable, pour mener à bien ce roman, pour lui donner un troisième volume digne des deux premiers, il fallait trop de travail. *L'Héritière* était là, qui attendait, et *Clotilde de Lusignan*, infiniment plus faciles — il n'y a pas d'autre mot — à « torcher ». *Sténie* fut abandonnée. Balzac se dédommagea en faisant précéder *L'Héritière* d'une préface qui s'inspirait directement du voyage à Tours [1]. Il pensa même, un moment, appeler son héroïne *Sténie* Montbard [2]. Il mit dans *Clotilde* des développements philosophiques sur le fluide vital, sur l'usure vitale, que n'appelait évidemment pas cette histoire de Croisés [3]. Un rayon d'authenticité venait ainsi éclairer deux romans « industriels ». *Sténie* est l'œuvre d'un entracte, une échappée sur le vrai, au moment où Balzac entre en galère. Il y dit ce qu'il n'avait jamais dit, et ne devait dire de longtemps. C'est le sommet de sa jeunesse, son *Werther*. C'est le roman chéri que tout le monde écrit ou rêve d'écrire entre vingt et vingt-deux ans, depuis que s'est

---

1. Cf. *infra*, p 72-73, p. pour la signification de cette préface réaliste.
2. *Lov.* A 214, f°. p. 470, (plan manuscrit du troisième volume de *L'Héritière de Birague*, relié avec le manuscrit de *Sténie*).
3. Cf. *infra*, p. 486, pour l'importance de cette digression.

défaite l'unité de la morale bourgeoise. Tout s'y trouve[1].
Voici donc, Paris étant loin, et l'Égreville, Balzac qui
retrouve sa Touraine. Bain de jouvence. Retour aux sources.
Retour à la sincérité. Moment de faire le point? Balzac a
vingt-deux ans. Il a déjà connu le collège, les études de notaire,
la faculté, la mansarde; il a fait son entrée dans les milieux
de l'infra-littérature. Au passage, il a amorcé une « œuvre »
personnelle, projeté devant lui quelques mythes significatifs.
Tout ceci est bien compliqué. Comment voyait-il la vie,
sept ans auparavant, lorsqu'il avait quitté la Touraine?
Qu'en attendait-il? Et qu'en avait-il obtenu? Que pensait-il
de ce siècle, dans lequel il avait été jeté à un moment où
tout semblait repartir? Balzac devait se sentir un peu seul.
Laure était mariée depuis un an. Laurence depuis quelques
jours. A Villeparisis, la vie continuait, bourgeoise, avec ses
petits problèmes, son train-train. Lui, avait l'œil ouvert,
ardent, curieux. Sur le fond familial, ne se sentait-il pas un
peu « héros », un peu « en avant »? *Charles Pointel* était loin,
et les fantoches de *L'Héritière de Birague*. D'autres figures
montaient. « A mesure que j'approchais de ma douce patrie,
ton image, ton amitié, mes regrets pâlissaient devant elle
et les souvenirs de mon enfance!... Juge par cet aveu combien
je l'aime; oui, *tout disparut lorsque j'aperçus les bords de la
Loire et les collines de Touraine*[2] ». La levée du Cher, Tours,
vue de loin, les habitations troglodytiques de Vouvray,
l'abbaye de Marmoutiers, la tour pointue de La Roche-Corbon,
les vignobles, au milieu de la Loire une grande île pleine de
peupliers[3], puis, enfin, surtout, Saint-Cyr :

> Le désir de revoir le petit village de Saint-Cyr où demeu-
> rait ma nourrice, me fit diriger mes pas de ce côté. Je m'in-
> formais si Manon-Viel vivait encore, dans le dessein de lui
> procurer une douce aisance qui dorât ses vieux jours. J'ap-
> pris avec douleur qu'elle était morte. Alors, je me mis à

---

1. Il est impossible de dire si Balzac a écrit *Sténie* pendant son séjour en Touraine, ou s'il s'est contenté, alors, de notes, qu'il aurait reprises de retour à Paris.
Il est certain que, début octobre, il était de retour (sa mère écrit à Laure le 8 :
« Honoré travaille comme un cheval », *Lov.* A 381, f° 91). C'est au cours de ce mois
qu'il vendit *L'Héritière* à Hubert et c'est au cours des dernières semaines de
l'année qu'il termina *Clotilde* et écrivit *Jean-Louis*. On imagine aisément une
reprise « à froid » d'une *Sténie* commencée dans l'enthousiasme, puis l'abandon,
sous la pression de la nécessité, et alors, peut-être, que l'inspiration s'éloignait.
Tout concourt ainsi à faire de *Sténie* une « percée » parfaitement isolée dans une
période où il faut *chercher* Balzac sous des épaisseurs factices. Dans *Sténie*, on le
trouve, directement. C'est pourquoi il est absurde de liquider *Sténie* en n'y voyant
qu'un exercice littéraire.
2. *Sténie*, éd. Prioult, p. 9.
3. *Ibid.*, p. 14. Est-ce celle où est enterrée la mère de Raphaël, et qu'il garde
seule de son patrimoine? Tous les autres éléments du paysage seront utilisés.

visiter tous les sentiers, témoins de mes premiers pas; ils
me parurent bien plus petits, surtout un certain endroit
que je m'imaginais être immense, endroit où j'exerçais
jadis mes talents naissants pour la construction; j'y restais
des journées entières à bâtir avec des cailloux et de la boue
des Louvres en miniature. Tous ces lieux examinés avec une
curieuse ardeur se paraient de la grâce enchanteresse des
souvenirs; j'avais en les voyant un sentiment tout à part,
suave comme la volupté, sans être elle, bon à l'âme comme
le plaisir, mais mêlé de regrets, pleins de mélancolie [1].
Je m'abandonnais au torrent enchanteur de mes impressions;
elles passaient en mon âme dans toute leur magique simplicité, en y laissant une fraîcheur suave et un calme inconnu.
Prolongeant cette douce rêverie, les heures coulaient comme
l'eau du fleuve, dont le murmure s'accordait avec ma situation [2].

Le soir tombe. Une voile remonte la Loire. Mon cœur est
en repos, mon âme est en silence. Il dut y avoir là un de ces
moments où, vraiment, l'on se retrouve. Cette première « vue
de Touraine [3] » est un point d'orgue dans l'histoire du premier
Balzac. Il ne *savait* pas, en 1814, lorsqu'il avait quitté les
bords de la Loire, tout ce qu'ils pourraient un jour signifier.
A présent, les choses s'étaient mises en place, les valeurs,
comme dans un tableau, organisées. Il y avait cette sincérité,
cette émotion, ce naturel. Et puis, il y avait aussi cette
« raison », cette « analyse » qui revenait, fruits de la formation
parisienne. Aussi, à la première lettre de del Ryès, toute au
plaisir de la redécouverte, succède une lettre pédante de son
ami Vanhers, qui discute, ratiocine, accumule les « nous
venons de voir [4] », les « Revenons à toi [5] », multiplie les
axiomes, et les rappels d'axiomes. Après un poème, une
dissertation. Balzac, certes, puise dans ses dossiers. Mais la
manière dont a été fabriqué le roman ne suffit pas à tout
expliquer. *Sténie* va être un roman à deux voix, comme
celui que, sans doute, devait être *Corsino*, del Ryès sera
l'enthousiasme, le cœur, la philosophie instinctive. Vanhers
sera l'intelligence corrosive, la volonté de puissance solitaire.
Un ange et un démon. Le démon utilisant le langage de la
philosophie, mais sans générosité. L'ange susceptible, au
besoin, d'utiliser les armes du démon, mais surtout cherchant

1. *Sténie,* éd. Prioult, p. 37. Influence évidente de Rousseau et des « romantiques ». Cf. *infra* pour cette intrusion de la « culture ».
2. *Ibid.*, p. 41.
3. Cf. t. II, le texte publié sous ce titre en 1830.
4. *Sténie,* éd. Prioult, p. 27.
5. *Ibid.*, p. 29.

un au-delà des constructions et affirmations insuffisantes de l'intelligence. Balzac, enfin, parlant par del Ryès; toutefois faisant parler par Vanhers un Balzac qu'il a cessé d'être, mais qu'il comprend. Vanhers est déjà un personnage que le créateur a expulsé de soi, mais auquel il est encore relié par des souvenirs et des expériences. Deux totalités s'affrontent, l'une encore en devenir, ouverte, chercheuse, l'autre déjà un peu figée dans le procédé, appartenant à une sorte de « faune » du siècle. Balzac n'a pas encore ce regard souverain, qui lui permettra de voir Lucien et Lousteau dans une certaine *aura* lointaine [1]. Il est encore très immédiatement engagé dans son héros, et *Sténie* sera plus poème que roman. Del Ryès, d'ailleurs, symbolise à lui seul cette ambiguïté, puisqu'il est à la fois « philosophe » et « exalté [2] ».

Vanhers *et* del Ryès redeviennent Balzac lorsque, face à ce monde établi, il ne reste que la révolte. Pour avoir Sténie, qu'on lui a « prise », del Ryès aura recours aux mêmes arguments, aux mêmes valeurs que Vanhers, leur donnant seulement plus de chaleur. Balzac tient fermement son attelage, et *Sténie* est une œuvre dans laquelle chaque personnage, ou presque, vient, à son tour, proclamer l'inanité, l'injustice du pacte social, appeler au mépris des lois reçues. Littérature, dira-t-on, mais la nervosité du style, la sécheresse des affirmations révèlent un Balzac ayant envie, parfois, de « tout casser ». Et n'est-il pas surprenant que ce soit *à propos du problème du mariage et du droit de la femme au bonheur*, que se manifeste cette opposition virulente ? On a dit, bien souvent, que Balzac avait hérité de son père ses préoccupations touchant le mariage. Mais Bernard-François avait épousé, quinquagénaire, une jeunesse de dix-huit ans, et ne se souciait guère que d'eugénisme et de callipédie. Le problème du bonheur de la femme lui était totalement étranger, et il se conduisait (ou pensait), sur ce point, en parfait bourgeois. Ne venait-il pas, d'ailleurs, d'en donner une preuve ? Au mois de juillet 1821, il avait arrangé pour Laurence ce mariage avec de Montzaigle, âgé de trente-quatre ans, fils d'un de ses anciens amis, et dont on disait merveille [3]. Il n'avait plus de dents du haut, était grand chasseur, et surtout, d'après une lettre d'Honoré à Laure, fort présomptueux. Mme Balzac,

---

1. Encore que, pour qu'il n'y ait pas schématisme, Balzac soit plus Lucien que Lousteau.
2. Cf. plan primitif reproduit par Prioult, éd. cit., p. 210.
3. Cf. Madeleine Fargeaud, *Laurence la mal-aimée* (A. B., 1961), et Philippe Havard de la Montagne, *Un beau-frère de Balzac, A.-D. Michaud Saint-Pierre de Montzaigle* (A. B., 1964).

raconte encore Honoré, en était folle. Le prétendu avait
su lui faire la cour. La famille exultait : « Bonne maman est
dans l'ivresse, M. de Montzaigle est l'aigle des aigles, l'homme
par excellence, etc., etc. Papa est très content, moi de même,
toi aussi [1] ». *Moi de même* sent l'antiphrase. Faisons comme
tout le monde! On n'était pas sans savoir que Montzaigle
avait eu une jeunesse... aventureuse. « Jusqu'à environ
deux ans de ça, il a usé de tout ce que la dissipation, les
plaisirs, peut présenter à la fougue de l'âge; *et qu'il ne lui
reste plus qu'à faire un bon mari* [2] ». Et c'est à cet édenté, à
ce vérolé, à ce coureur de bruyère, à cet homme qui avouait
quand même quelques dettes, qu'on avait livré une Laurence
âgée de dix-neuf ans (il commençait à être temps!), « faite
à peindre », « avec le plus joli bras et la plus jolie main qu'il
soit possible de voir », avec « la peau très blanche, et deux
n[é]n[ais] placés admirablement bien », avec « beaucoup
d'esprit », et de l'esprit « naturel », et qui « n'est pas encore
développé »! En famille, on devine aisément qu'Honoré se
soit montré « dans le ton ». Laurence est pâle, mais il y a une
foule d'hommes qui aiment ce teint-là, et il est probable que
« le mariage lui fera très bien [3] » : entendez, chacun sait que
les plaisirs de l'hymen, comme on disait alors, sont le meilleur
remède contre les « pâles couleurs », que d'autres, plus
prosaïques, appellent chlorose. Mais, au fond de lui, une fois
posé le masque léger de l'esprit Balzac, s'en tenait-il là?
L'affaire Laurence fut menée avec une rapidité saisissante.
En juin, c'était encore une romanesque jeune fille. Six
semaines plus tard, le contrat Montzaigle était signé. Pas de
fiançailles, ou presque. Pourquoi? Il avait fallu aller vite :
Montzaigle avait en vue deux autres mariages [4]. La boucle
était bouclée. Quand Honoré écrivit-il les pages décisives
de *Sténie?* En Touraine même, ou au retour, dans sa chambre,
après avoir fait l'aimable en famille avec le beau-frère? On
aimerait le savoir. Mais il est impossible que l'affaire Laurence ne soit pour rien dans ces lignes : « *L'absurde maxime
qui règne depuis longtemps de ne compter pour rien le bonheur
quand on se marie, est tellement reconnue que je n'en parle
pas* [5]. » C'est Sténie, à la veille d'être donnée à Plancksey,
qu'on croit riche, qui écrit ceci à son amie. Elle ajoute aussitôt :

1. *Corr.*, I, p. 107-108.
2. *Lov.* A 379, f⁰ 17 (déjà cité par Havard de la Montagne, *op. cit.*, p. 47).
3. Cette description se trouve dans la lettre de Balzac à Laure de juillet
(*Corr.*, I, p. 107-108).
4. C'est Bernard-François qui l'écrit à son neveu (cité par Madeleine Fargeaud,
op. cit., p. 15).
5. *Sténie*, éd. Prioult, p. 56.

« elle excite mon indignation trop fort! Se lier pour toute sa vie *sans examiner si l'âme sympathise*! » C'est sa mère, explique-t-elle, qui impose ce mariage. Si elle osait, elle lui parlerait! « Mais il est temps, *quand on discute contrat*, que je voudrais voir dans le feu [1]! » Or, le 15 août, Balzac, dans une lettre à Laure, disait exactement la même chose, en employant presque les mêmes termes :

> Or, je te déclare en mon âme et conscience, que je ne me marierais jamais à une jeune personne qui ne m'aurait pas inspiré beaucoup d'amour; de tout ceci, il résulte dans mon esprit des réflexions très creuses et très profondes sur la manière dont on contracte un tel engagement; cependant je ne doute pas que Laurence ne soit heureuse, car elle épouse un aimable homme qui a de l'esprit et un très heureux caractère; mais comme je crois que chacun doit ressentir, dans l'état social, comme dans la nature, l'effet unique d'une harmonie unique aussi, je conclus que je veux saisir *cette harmonie sympathique* pour me marier [2].

Aucun doute n'est possible : sur *Sténie*, roman philosophique, se branchait la première scène de la vie privée, directement prise à la famille Balzac. Mais il n'y a pas que l'affabulation. Il y a les résonances, les réflexions, la découverte. Voilà ce qui se passait dans une famille qui avait pu passer pour un séminaire de liberté. Le père, dans *Sténie*, est épargné. Sténie n'a que sa mère, et c'est elle qui fait tout. De même, l'année suivante, dans *Wann-Chlore* : de nouveau, il n'y aura pas de père, et ce sera la mère qui martyrisera Eugénie. Quel est le sens de ce montage? Balzac n'a-t-il pas voulu, alors qu'il savait parfaitement que son père, son éducateur, celui à qui il devait tant, était le premier responsable du sacrifice de Laurence, reverser sur l'élément hostile, sur sa mère, ce qu'au fond il savait être, pourtant, le fait du chef? A-t-il voulu, à toute force, maintenir hors du nœud de vipère celui qui demeurait pour lui l'élément positif? Le détail de la vie quotidienne pouvait l'y aider : Bernard-François rond en affaires, bon parleur, bon vivant, désarmant et « naïf », toujours un peu ailleurs, fuyant une maison bruyante; Mme Balzac, au contraire, énervée, énervante, toujours sur le dos de tout le monde, ressassant toujours les mêmes affaires et les mêmes griefs, faisant l'aimable avec Montzaigle,

1. *Sténie*, éd. Prioult, p. 57.
2. *Corr.*, I, p. 111. Le jugement aimable sur Montzaigle cédera bientôt la place à d'autres. La confidence de Balzac est d'ailleurs beaucoup plus forte à se placer ainsi dans la meilleure hypothèse possible : un promis que l'on n'aime pas, mais qui possède toutes les qualités.

bousculant Laurence [1]. Dans la première quinzaine d'août, d'ailleurs, Bernard-François avait été presque éborgné par le fouet d'un cocher. Lui qui tenait tant à ses yeux, parlait toujours de ses lunettes! On le plaignit. Honoré le plaignit [2]. Cela fit oublier qu'il avait donné Laurence à Montzaigle. Et la mère hérita de tout : elle n'avait rien négligé pour cela, ni dans l'immédiat, ni dans le passé. Tout ce qui était souffrance et malheur lui était versé en compte. C'est elle qui mariait Sténie. C'est elle qui mariait Laurence. La révolte pouvait se donner libre cours : elle épargnait ce que le passé bourgeois léguait, continuait à léguer d'efficace et de valable à un enfant du siècle. Qu'il ait fallu cette ruse dit bien toutefois que tout n'allait pas sans difficulté dans le ménage des générations. La contestation de Bernard-François par son fils se fera par d'autres voies que celles de l'affirmation romantique : par la construction et la création critique de *La Comédie humaine*.

Une confidence de Plancksey, le mari de Sténie, jette, toutefois, une lueur sur ce conflit réservé. « Enfin, oui, je t'avoue qu'héritier des maximes de l'autre siècle sur la vertu des femmes, la sienne me serait fort indifférente, et je ne suis pas assez sot pour me croire sot de ce que je serais sot. La retenue de Stéphanie fait mon malheur : si la Révolution n'avait pas non seulement renversé les bonnes idées de l'autre siècle, mais encore sa morale commode, est-ce que la femme d'un Plancksey aurait eu, sur cet article, des scrupules et des remords bourgeois [3]? Ce texte est très ambigu. Balzac y attaque, clairement, la morale aristocratique, le style « Régence ». Il reprendra le thème dans *Madame Firmiani*, faisant dialoguer sur ce sujet Octave de Camps et son oncle. Mais l'opposition n'est pas seulement entre deux classes. Elle est entre deux générations. Les bourgeois avaient adopté, souvent, sur le chapitre des femmes, les « maximes » des gentilshommes, au XVIIIe siècle, surtout ceux qu'avaient brassés les événements, qui n'étaient pas solidement liés à un milieu, à un pays. Il semble que Bernard-François n'ait pas été très farouche au sujet de la vertu de sa femme. Naïveté? Pas seulement, semble-t-il, et, dans *Wann-Chlore*, M. d'Arneuse, époux d'une femme jadis volage, aujourd'hui

---

1. *Corr.*, I, p. 108. « Quant à maman, rappelle-toi les derniers jours de ta demoisellerie, et tu pourras comprendre ce que Laurence et moi endurons. »

2. *Ibid.*, p. 112. Honoré écrit : « Cela nous a fait beaucoup de peine, et singulièrement à moi. Papa est triste de cet événement, et sa tristesse a quelque chose de navrant [...]. Rien n'est déchirant comme la tristesse d'une femme et d'un vieillard. »

3. *Sténie*, éd. Prioult, p. 203.

insupportable et tyrannique et qui ressemble on ne peut mieux à Mme Balzac, sera lui aussi un mari presque complaisant. Mais les jeunes veulent autre chose. Ils ont appris à croire, et pas seulement en la loi, en la liberté : *également en l'amour*. Benjamin Constant fait dire à son Adolphe : « J'avais, *dans la maison de mon père,* adopté sur les femmes un système assez immoral. Mon père, bien qu'il observât strictement les convenances extérieures, se permettait assez fréquemment des propos légers sur les liaisons d'amour : il les regardait comme des amusements, sinon permis, du moins excusables, et considérait le mariage seul sous un rapport sérieux [1] ». Il y a d'importantes différences avec le cas Balzac, mais, sur le fond, on retrouve la même opposition entre l'amour pris au sérieux, inséparable en ce sens d'un mariage vu sous un angle neuf, et l'amour distraction ou simple investissement. Le climat n'est plus le même. Oh! bien sûr, Honoré peut bien se plaindre à Laure d'être « sans amour » et « sans maîtresse», et depuis «de grands mois [2] » : la sincérité, en amour, ne recouvre pas tout l'être; mais quand même : que le bonheur soit une idée neuve en Europe ne semblait guère, pour Bernard-François et sa génération, avoir bouleversé leurs profondeurs. Quant à Mme Balzac, selon un phénomène bien repéré, victime du système sans aucune perspective d'en sortir jamais, il ne lui était resté que de s'en emparer et de s'en servir. Pour elle aussi, l'idée de bonheur en mariage ne dépendait que de considérations d'opportunisme, de conduite, d'habileté. Balzac avait-il vu clair, dans les motivations de sa mère pour faire écrire par Mme de Radthye, bourgeoisement mariée, prise au piège, elle, à Sténie : « *Si tu aimes, aie le courage de l'amour* [3] »? Mme Balzac, et d'autres, n'avaient eu que le courage de la contrebande, celui de la liaison clandestine; elles faisaient payer aux autres cette liberté dont elles n'étaient pas fières. Allons, ferme, poussez! dit Balzac pour elles. Toutes ces misères souterraines, il les fait s'exprimer. Et voici plus qu'une faille dans l'édifice bourgeois, dans la société post-révolutionnaire. Car, on pouvait bien dire qu'il s'agissait d'un roman, lequel, de plus, se passait en milieu noble : chacun savait bien qu'à poser le problème du mariage on ne s'en prenait pas qu'aux sociétés d'ancien régime. Chacun savait bien que la liberté n'avait pas poussé jusqu'à certaines zones de la vie privée. De là allait pouvoir partir une critique de l'ensemble, d'abord détaillée, minutieuse,

1. *Adolphe*, éd. Bornecque, Garnier, p. 30.
2. *Corr.*, II, p. 109-110.
3. *Sténie*, éd. Prioult, p. 61.

anecdotique, puis qui irait s'élargissant. *C'est par la vie privée que commencerait le procès de la société bourgeoise.* C'est dans la vie privée qu'étaient les exils majeurs, les souffrances non décoratives, mais continues, inséparables de la trame même de l'existence. Comme Balzac est encore sous la coupe d'une tradition littéraire solide, il limite l'histoire de Sténie à ses débuts, à l'époque où elle perd Job, puis est tentée par lui. Mais attendons un peu. Le temps de la grisaille viendra, traversée d'éclairs. Le romantisme de Balzac est en train de naître, non pas verbal, mais structural, allant vers Eugénie d'Arneuse et Augustine Guillaume, non vers Antony.

Pour le moment, avec les moyens du bord, on dit ce qu'on a à dire, et comme on peut. Vanhers conseille à del Ryès : « Veux-tu savoir mon conseil, le voici : Livre-toi à toute ton ardeur[1] ! »; et del Ryès lui-même, à l'ombre de Saint-Gatien, s'écrie : « Pourquoi vais-je croire aux sots préjugés qui composent la vertu? J'aurai Sténie[2] ! » Dans une grande lettre, surtout, à son ami, Vanhers donne un avant-projet du discours de Vautrin à Rastignac : « Oui, je ne crains pas de le dire, la seule présence d'un pacte social est un grand et magnifique crime contre l'humanité [...]. Malheur à ceux qui consentent au pacte social[3] ». Qui dit gouvernement dit écrasement de l'individu, négation de ses droits. Nous voici bien loin des « belles institutions » de la lettre I : « D'abord, un sage gouvernement, point dur, point vexant et bien paternel, il n'en exista jamais, et la preuve, c'est qu'il n'y a pas un seul gouvernement resté debout pour le témoigner à l'espèce humaine[4]. » Ceci vient droit de Rousseau, de sa philosophie des imprescriptibles droits de la nature face aux droits frelatés de la société constituée. D'autre part, le ton de Vanhers est celui de quelqu'un de blessé, de déçu. Vautrin aura mieux pris son parti, et verra tout plus froidement. Il y a, dans les grondements de Vanhers, une justification ardente du plus fruste vouloir-vivre, d'une soif de bonheur encore marquée du coin de la jeunesse. Le bonheur compte plus, encore, que la réussite. Vanhers est l'une des voix possibles de l'amour de la terre. *Erreur philosophique?* On a beaucoup discuté sur le sous-titre du roman. On a voulu y voir une précaution de Balzac; il aurait été un simple « peintre » de

1. *Sténie*, éd. Prioult, p. 71.
2. *Ibid.*, p. 80.
3. *Ibid.*, p. 134.
4. *Ibid.*, p. 134.

Vanhers, peintre moralisateur à l'occasion et condamnant les
déviations du jeune philosophe. Erreur! Et bien philosophique,
celle-là! Comment un écrivain de vingt-deux ans pourrait-il
« peindre » un révolté, comme un écrivain rassis et marchand
de « morale »? Vanhers, pour dépassé qu'il soit, dans une
vision globale, n'en est pas moins Balzac, une part importante de Balzac, négateur, théoricien de l'individualisme vital,
énergique d'une énergie qui refuse de se laisser prendre aux
pièges de ceux dont l'énergie est déjà payée. « *Un pacte
social est un crime* [1]. » A partir de là, tout est permis : « *Tu te
venges* [2]. » C'est, déjà, le « Traitez ce monde comme il le
mérite! » de Mme de Beauséant. Mais Mme de Beauséant,
comme Vautrin, aura déjà vécu l'essentiel de sa vie, et ne
pourra plus espérer que compensations. Mais Vanhers! Son
dialogue avec del Ryès, qui se défend si faiblement, n'a pas
encore ce goût de leçon, de bilan. Deux années passées, et
l'on verra, dans *La Dernière Fée*, apparaître des figures marquées, ces tentatives pour vivre quand même, qui témoignent
d'un vieillissement général du monde. En 1821, l'expérience
de Balzac est encore courte, et s'impose surtout, dans *Sténie*,
un double vouloir-vivre, dont l'un, seulement plus appuyé sur
des lectures, sur des principes, possède un certain recul par
rapport à celui, plus naïf et plus spontané de del Ryès; et
c'est sur ce point qu'il faut marquer la différence. La « philosophie » de la duchesse de Sommerset, de Gobseck, de
Mme de Beauséant, de Vautrin, ne devra plus rien à l'abstraction, aux réflexions métaphysiques, aux souvenirs de collège
et de sacrilège en vase clos. Vanhers, par là, est un héros qui
date. Balzac créateur ne le dépassera qu'en puisant dans
l'arsenal nouveau de la critique réaliste, ce que se garderont
bien de faire la plupart des autres révoltés romantiques, pour
longtemps encore empêtrés dans des débats d'un autre âge,
empêchés, par un style et par des attitudes de poser les vrais
problèmes. « J'aurai Sténie », ou « Tout pacte social est un
crime » sont des pétards dont s'est vite accommodée la
société bourgeoise, puisque les mariages continuaient et la
société aussi. Mais dire et montrer, avec efficacité, sans avoir
à élever la voix, les secrets des aliénations et de l'argent,
voilà ce qui, vraiment, sans la supprimer, mais en la complé-
tant et en la dépassant, permettra à Balzac de se passer,
bientôt, de la révolte à la Vanhers. Il y faudra une plus
profonde connaissance du monde (ce qui viendra vite), et

---

1. *Sténie*, éd. Prioult, p. 135.
2. *Ibid.*, p. 138.

l'admission des découvertes à la dignité littéraire (ce qui sera plus long). Ce sera, alors, vraiment, la liquidation des « erreurs philosophiques ».

Vanhers, un peu en retrait, n'a guère pour fonction que de faire valoir del Ryès. C'est sur ce dernier que tombe toute la lumière. C'est lui qui redécouvre la Touraine, c'est lui qui aime Sténie, c'est lui qui dit ce que Balzac a à dire de réellement important. Les dissertations de Vanhers servent de toile de fond au développement de ce destin, et lorsque, pour vaincre Sténie et s'en faire aimer, il utilise à son tour les « arguments » philosophiques de son ami, c'est avec une passion, une ardeur à faire flèche de tout bois, qui les transmuent, littéralement, en tout autre chose que des *Notes philosophiques* romanisées. Vanhers a quelque chose de rabougri, de sclérosé, et nous tenons là, *par l'intermédiaire du roman*, un jugement capital de Balzac à un tournant de sa vie intellectuelle. Corsino, déjà, devait être dépassé, complété, par un Français de la « nouvelle vague ». Vanhers est un *moi* que les retrouvailles avec les bords de Loire achèvent de figer dans une sorte de procédé. Mais del Ryès! C'est le premier héros *ouvert* de Balzac, sensible, conquérant, ambitieux, apte à toute chose, aimant le monde, fait pour le bonheur. A quoi del Ryès n'est-il pas appelé? René était un être meurtri. Del Ryès est un être d'attente, de conquête. Ce qu'il va revoir, à Tours, ce n'est pas un Combourg dévasté, mais de riantes collines, la courbe harmonieuse d'une rive, les clochers dans le soir, les barques sur le fleuve. Une fâcheuse rencontre en voiture est bien le présage d'autre chose [1], mais le devenir romanesque attendra, pour expliciter ce que porte en lui le présent, qu'ait été défini le donné dynamique de l'enfance d'un siècle. *Sténie* après la réserve et l'indication que constitue la rencontre avec l'ennemi ignoré, s'ouvre sur un hymne auquel il faudra rapporter, plus tard, les élégies de Lambert, de Lucien, de Gérard :

> C'est à *nous, jeunes gens, enfants du siècle et de la liberté*, à favoriser l'aurore du bonheur des nations, à faire accorder la sûreté des trônes avec la liberté des peuples; nous avons déjà de grandes obligations à remplir. Quel lourd fardeau, quelle tâche, de rendre notre siècle illustre après les grands hommes des deux siècles précédents. Rendrons-nous à nos fils la couronne de lauriers dont la France s'enorgueillit, sans l'avoir augmentée de fleurons nouveaux? Les arts, la littérature, resteront-elles *(sic)* en arrière du génie de la

---

1. Del Ryès a fait connaissance d'un personnage inquiétant, qu'il a revu en rêve. C'est l'homme qui épousera Sténie plus tard.

guerre et des trophées de nos armes? Oh! que je sens mon
âme s'enflammer en pensant aux chefs-d'œuvre qu'il faudrait pour achever notre gloire! Je prends mon désir pour
du génie! hélas! je puis être tout au plus la sentinelle du
temple, le gardien du feu qu'on veut éteindre [1].

Pourquoi ce texte capital n'a-t-il pas été, jusqu'à présent, mis
en valeur comme il le mérite [2]? Il y avait pourtant de quoi!
Tout d'abord Balzac y emploie une expression appelée à faire
fortune. *Enfants du siècle!* Où l'a-t-il prise? S'il ne l'a pas
inventée, la preuve est faite, en tout cas, qu'elle était dans
l'air, qu'elle circulait dans la jeunesse, bien des années avant
que Musset ne lui fasse une nouvelle célébrité. On a parlé de
Maturin, et l'expression se trouverait dans *Melmoth* [3]. Nous l'y
avons cherchée en vain. En fait, il est probable qu'il s'agisse
d'un souvenir des cours de Victor Cousin [4], et le jeune romancier, retrouvant la Touraine de son enfance, par-dessus la
courte, mais déjà, sans doute, décisive expérience Lepoitevin,
retrouve aussi, dans le même mouvement de rajeunissement
et de retour aux sources, l'enseignement du temps des premières *Notes philosophiques*. Ces mêmes bords de Loire qui,
en 1825, après l'échec de *Wann-Chlore*, verront un Balzac
au bord du désespoir, cette même cathédrale Saint-Gatien
qui, alors, se mettra à vaciller [5] comme tout un univers qui
échappe et qu'il faut retrouver, voient, en 1821, un jeune
Balzac qui n'a pas grand effort à faire pour reprendre goût à la
vie et retrouver leur sens aux choses. Le *nous*, les *enfants du
siècle et de la liberté*, l'expérience Lepoitevin, *Charles Pointel* à
l'impression, *L'Héritière de Birague* à finir, tout ceci, un peu
mieux interrogé, un peu moins isolé dans un ensemble encore
juvénile et beau, un peu moins rapidement mis entre parenthèses sous le coup des premières bouffées, les aurait sans
doute rendus à leurs justes proportions et surtout à leur
exacte efficacité. Mais la suite du roman « rattrapera », si
l'on ose dire, cette sorte d'inadvertance, et le roman sentimental ou noir jouera, de manière assez inattendue, son rôle
réaliste en réintroduisant, pour de bonnes raisons, le doute et
l'inquiétude.

---

1. *Sténie*, éd. Prioult, p. 17-18.
2. Il est bien étonnant que nul, parmi les historiens de Balzac, n'ait signalé
l'importance de ce texte. Bernard Guyon le met en épigraphe à son chapitre
consacré à *Sténie (La Pensée politique et sociale...*, p. 98*)*, mais il ne lui consacre
aucun commentaire particulier...
3. *Sténie*, éd. Prioult, p. 17, n. 5.
4. Cf. *supra*, p. 32.
5. Cf. *infra*, p. 690 (à propos de *La Danse des pierres*).

Plus que l'emploi d'une expression, importent donc les idées, les images et les perspectives qu'elle convoie au moment de son premier emploi. Or, en 1821, dans *Sténie*, il est évident, qu'*enfants du siècle* est encore bien loin d'avoir cette espèce de résonance désenchantée, retombée, cette suggestion d'orphelinat moral, qu'on trouvera sous la monarchie de Juillet, alors que l'histoire du monde moderne aura sérieusement commencé, tant sur le plan public que sur le plan privé, à se comptabiliser. Ni les femmes sans cœur ni les révolutions trahies, ni même le règne de la gérontocratie ne sont encore venus, de façon dure et définitive, infléchir et reployer les premiers rêves. Tout est encore jeune, tout commence, tout est possible. Il a suffi d'une reprise de contact avec le pays natal, d'une courbe du rivage et de quelques voiles sur la Loire, pour que s'estompent quelques ombres parisiennes. On parle au futur. On ne se tourne pas vers le passé. On fourbit des armes et on envisage des perspectives. Si enfants du siècle il y a, le temps n'est pas venu encore de leurs diverses et convergentes confessions. Même les chevauchées de l'Empire ne sont pas encore là comme préfigurations. Le siècle n'est pas encore destin, mais promesse. Il faut bien voir l'importance de cette alliance de mots, propre à Balzac et à ses premiers maîtres : enfants du siècle ET de la liberté ; non seulement de la liberté politique de la Révolution, mais bien de la liberté plus vaste des conquêtes constitutionnelles et intellectuelles de la Restauration avant que ne la défigurent l'affairisme de Decazes et l'ultracisme de Villèle. On l'a déjà vu : la chute de l'Empire avait donné le signal d'un épanouissement général devenu possible ; les Bourbons étaient là, mais ce ne seraient pas eux, en tant que race, qui bénéficieraient de la grande mutation ; ce serait la jeunesse, toute la jeunesse, toutes les jeunesses. La liberté, pour del Ryès, c'est le gouvernement constitutionnel, c'est une carrière offerte aux jeunes et légitimes ambitions, aux capacités, ce sont les spectaculaires conquêtes d'hier passant dans les mœurs, dans les institutions, remodelant l'ensemble de la société et de la vie. C'est aussi la « chance » littéraire, artistique, offerte à toute une génération. Nous devons, nous pouvons, *continuer*, et *aller plus loin*. Il n'est pas question d'opposer le présent au passé, de jeter anathème sur quoi que ce soit. Le XVIIe et le XVIIIe siècle ne sont pas opposés l'un à l'autre, mais bien unis dans une même vision « classique », et le XIXe siècle, s'il est digne de ses origines, doit en être le successeur. Nulle idée de rupture, de discontinuité dans tout ceci, mais, comme chez Bernard-François Balzac, celle d'une ascension continue

des Lumières, de la civilisation. Et tout ceci est bien éloigné
d'un « romantisme » quelconque, à prendre le mot dans un sens
polémique ou d'école. Balzac retrouve presque le ton de ses
dissertations de Rhétorique ; il ne se dit pas, avec sa génération, acculé par un passé aveugle ou pénible, à inventer
dans la solitude ; la seule inquiétude qu'il exprime est : en
serons-nous capable ? Nous entrerons dans la carrière...
Tout apparaît possible en Touraine, dans cette vérité retrouvée ; toutes les France se tiennent. Et c'est bien là le matin
du siècle. Encore un peu, et les critiques réactionnaires vont
découper le réel et le passé français en tranches de jour et de
ténèbres. Puis, il n'y aura plus que ténèbres et qu'erreurs. On
commencera par dresser le xviie siècle contre le xviiie,
puis, on condamnera dans le xviie même la naissance
d'un esprit de raison, responsable de tous nos malheurs [1].
Une culture entrera en crise, conséquence de la crise sociale
et des peurs répétées. De soubresaut en soubresaut, la bourgeoisie renoncera à son humanisme, à son ouverture d'esprit,
dénonçant ses propres ancêtres, fauteurs de critiques et de
révolutions qu'ils n'avaient pas prévues. Pour que la bourgeoisie n'ait pas peur, il aurait fallu qu'il n'y ait jamais de
bourgeoisie. On en viendra ainsi à une vision nihiliste, étrécissante, du passé culturel français, à qui l'on n'ira plus demander que des leçons de scepticisme. Balzac, lui, en 1821, ne semble
même pas imaginer qu'on puisse récuser quoi que ce soit de
cet héritage qui le porte et l'oblige. La gloire militaire même,
si elle semble avoir fait son temps, n'est pas rejetée au nom
d'un quelconque pacifisme intellectuel. Tout se tient. Ce texte
a quelque chose de « romain ». Les écrivains, les artistes seront
les combattants du même combat sous une autre forme. Celui
qui s'était enfermé dans sa mansarde, deux ans auparavant,
après la mémorable séance de famille, devait trouver là
des forces nouvelles. D'où, peut-être, cette idée de se remettre
à autre chose que ces romans entrepris avec Lepoitevin ?
En tout cas, ce manifeste fait du Balzac inconnu de 1821,
parallèlement à Augustin Thierry, à Auguste Comte, à Victor
Cousin, à toute la gauche intellectuelle, l'un des théoriciens
de ce *progrès* (progrès de fait, progrès possible) que nient et
redoutent les « romantiques » de droite, et qu'assument de
plus en plus mal les libéraux d'âge mûr en train de se refermer.

1. L'idée que la civilisation commence en 1600 est une idée bien voltairienne, et
l'on a ici une preuve supplémentaire de la continuité d'une influence. Pour Balzac,
en 1821, ni le Moyen Âge ni même, en partie, le xvie siècle ne comptent comme
époques de civilisation. On notera que, lorsqu'il évoque les grands écrivains
nés au bord de la Loire (*Sténie*, éd. Prioult, p. 15), il cite Descartes et Rabelais,
mais aucun des poètes de la Pléiade. La révolution beuvienne n'est pas faite.

Avant d'entreprendre l'analyse critique de la société nouvelle, les meilleurs, parmi les intellectuels bourgeois, pensaient d'abord à la porter plus avant. On se comptera, bientôt, sur les conséquences à tirer de cette constatation fondamentale pour le siècle : un réel accomplissement du siècle supposait, impliquait, la mise en cause des structures et des intérêts qui l'avaient rendu pensable.

Quoi d'étonnant à ce que ce del Ryès soit « de gauche », et à ce que l'ensemble du roman s'inspire d'une pensée « progressive » ? Sténie raconte comment, dans son salon, Job s'est mêlé à une discussion politique, et comment elle a tremblé à l'entendre « jeter des expressions de mépris sur ce qu'il appelait les bandes vendéennes, que M. de Planksey commanda si souvent [1] ». Il doit y avoir là un trait de caractère de Balzac lui-même, assez outrecuidant en société, et que M. de Berny, en 1831 encore, sera obligé de prier de ne plus venir chez lui, après une discussion du même genre, au cours de laquelle l'amant de sa femme avait fait, un peu trop vivement, le libéral [2]. Mais il y a surtout un témoignage de premier ordre sur l'orientation de sa pensée politique, et c'est bien lui qui parle, encore, lorsque Vanhers s'écrie : « Qui conteste que la servitude et la féodalité, etc. ne soient d'horribles crimes [3]? » C'est son côté *polémique*, qui s'oppose à son côté plus serein, dans le manifeste sur les enfants du siècle. N'est-ce pas la preuve que les nobles ambitions qui s'y exprimaient se heurtaient à des obstacles qui les durcissaient, les alignaient, un peu de force, sur des positions plus partisanes? La Restauration était aussi un semblant de victoire pour ceux qui n'admettaient pas la victoire de la liberté. L'exécution, l'an d'après, des sergents de La Rochelle, achèvera de dramatiser, symboliquement, cette opposition, et le libéralisme « ouvert » de 1820 se nuancera d'autre chose. Il y a donc en germe, dans le personnage del Ryès, une sorte de mal du siècle « carbonaro », qui d'ailleurs tournera court chez Balzac.

Plus en profondeur, on trouve une philosophie politique qui montre à quel point Balzac est éloigné de tout sentimentalisme, de toute vision rétrécissante et fractionnelle des choses. Son universalisme et son ouverture d'esprit sur le plan culturel a son correspondant sur le plan de l'organisation sociale et du choix des valeurs. Aussi, après avoir dit, comme

---

1. *Sténie*, éd. Prioult, p. 120-121.
2. *Corr.*, I, p. 507. Nul doute que Balzac ait été coutumier du fait. Sa mère s'en plaint à plusieurs reprises dans des lettres de la période Villeparisis.
3. *Sténie*, éd. Prioult, p. 136.

il se doit, son émotion à retrouver la Touraine, reproche-t-il, lui, parisien déjà habitué à un mode de vie plus fiévreux, plus entreprenant, à ses compatriotes, d'être « lâches, sans énergie »; victimes de la douceur du climat; leur tranquillité est comparable à celle de l'Indien au bord du Gange, etc. Balzac a certainement été surpris par un changement de rythme : cette France d'hier ne vivait pas comme la France « moderne », « industrielle ». D'où, en lui, une contradiction : « Malgré ses défauts, j'aime ma patrie avec délices [1] ». Défauts, pour l'intelligence, pour l'idée d'ensemble qu'on se fait des choses. Amour, mais amour annexe, amour non susceptible de déboucher dans un quelconque provincialisme de repli. Balzac n'a pas *trouvé* en Touraine un refuge, qu'il ne *cherchait* pas. Et c'est pourquoi, gardant la tête froide, il charge del Ryès de formuler ce qui sera l'une des constantes de sa politique : l'éloge de la centralisation modernisatrice, et la condamnation des particularismes réactionnaires. « A propos de cet amour, j'ai remarqué que ce sentiment si vif pour les lieux de notre naissance était *un grand obstacle au progrès des belles institutions que nous attendons impatiemment et que la philosophie du siècle dernier a redemandé au nom du genre humain* [2] ». Les penseurs réactionnaires et les romantiques de droite, de Chateaubriand à Taine, ont toujours regretté que la centralisation ait tué la vie locale, anémié les anciennes cellules de vie; ils n'ont cessé de faire l'éloge de la petite patrie, génératrice de vertus, chargée de poésie, contre ce monstre de Paris, condamné, d'ailleurs, plus comme symbole vivant d'un modernisme qui faisait peur, que comme Babylone des corruptions inhérentes à une société fondée sur l'argent. Mais sur ce point, pour Balzac, comme pour son père, le lieu normal de développement, c'est la nation (stabilité, totalité), avec son avenir, et ce qu'elle offre. La province est point de départ, pays où l'on vivait mal, au ralenti. Del Ryès, comme son créateur, se refuse aux facilités du folklore, et il n'a pas encore suffisamment « découvert » Paris, pour aller chercher dans la province une revanche critique contre les folies de la capitale. Ce sera l'affaire de peu de temps [3], mais, pour le moment, au contact de cette France de la veille, sa réaction est nette : homme non d'hier, mais d'aujourd'hui, et de demain, comme son père, il pense que le développement de la vie et des individus est affaire, avant tout, d'institutions. Fils de la

1. *Sténie*, éd. Prioult, p. 15.
2. *Ibid.*, p. 16.
3. Cf. *infra*, p. 560, à propos de *La Dernière Fée*, en 1823, pour le chemin parcouru.

Révolution, il fait confiance, en premier, à la Loi et à l'Organisation. La philosophie a toujours buté sur les intérêts et les
habitudes locales. Quel Pierre le Grand va épurer et simpli-
fier la France? La loi ne s'oppose pas à l'individu; elle est
faite pour le nourrir et le porter. Seuls, à cette époque, les
bourgeois, bénéficiaires de cette transformation, pouvaient
parler ainsi, ou plus exactement, ceux que la bourgeoisie
avait formés, selon une dynamique optimiste qui ne cessait
pas encore totalement d'être la sienne. Loi et individu :
non pas douloureux conflits, mais conjonction de désirs et
alliance. *Or, avoir la loi pour soi exclut la fatalité.* C'est par là
que del Ryès n'est pas un paria, alors que l'est Plancksey,
vétéran des guerres de Vendée, qui n'a rien qu'un grand nom,
que « *l'esprit du siècle rend nul*[1] ». Il trouve, il est vrai, moyen
de se tirer d'affaire : un mariage d'argent, qui lui ouvrira les
portes de la députation. Mais alors? Cette Restauration, cette
France centralisée, que chantait del Ryès, deviendrait-elle
la chose d'opportunistes, de nobles « convertis » à la Plancksey?
Balzac n'a pas opposé del Ryès riche et libéral à Plancksey
pauvre et hobereau. Il a tout mis d'un côté, et rien de l'autre.
Plancksey est de la Restauration par ses états de service,
par sa noblesse, par son entrée dans l'univers de la combine
parlementaire et affairiste. Del Ryès reste en dehors, opposant politique, banni social. Que servaient, dès lors, les
hymnes à la France nouvelle? Ne serait-ce pas qu'il y a
deux France nouvelles : celle que l'on attendait, et celle qu'on
a eue? Del Ryès a chanté le thrène d'une centralisation qui
joue, finalement, au profit d'un Plancksey, ravisseur de Sténie,
et le roman tourne très vite de l'exaltation du siècle au chant
de solitude. Capitole et roche tarpéienne. Del Ryès est un
héros triomphant *en droit*, en possibilité. Il devient presque
immédiatement un héros souffrant et rejeté. Une lumière
ne va pas sans l'autre, et la proclamation théorique du progressisme politique est immédiatement suivie de la narration
pratique des malheurs du hérault. La vivante dialectique du
roman saisit ce qu'est le mal du siècle à son point même de
jaillissement. Ne voilà-t-il pas de quoi en finir avec un mythe,
et récupérer, le plus légitimement du monde, ces œuvres
de jeunesse qu'on avait, le plus souvent, mal lues?
Roman scolaire et philosophique, voici que *Sténie* s'ouvre
sur, sinon encore vraiment la peinture sociale, du moins
l'intuition, déjà, des composantes sociales du mal de la jeunesse, du fourvoiement de la vie. Si del Ryès, lui, est encore

1. Cf. *infra*, p. 169, à propos de *La Dernière Fée*, en 1823, pour le chemin
parcouru.

abstrait, son vis-à-vis Plancksey est bien déjà de la race des affreux de *La Comédie humaine.* Il lui manque encore, certes, une présence physique, des arrières précis et complets, mais il est déjà, pour l'essentiel, composé, saisi, de la même manière. C'est le romancier, déjà, qui propose à la conscience et à la jeunesse d'autres explications, d'autres adversaires que le vieux bon Dieu des philosophes et des manuels.

Donc, le roman. Le roman qui, par un jeu de forces et de valeurs, non d'idées, faisant réfléchir en faisant sentir, pose mieux les problèmes que la philosophie. Un âge d'or en avant, non derrière. Une évolution historique qui conduit à l'épanouissement, non à l'écrasement de l'individu. De belles institutions, aussi, *redemandées* par les philosophes, c'est-à-dire dont l'humanité avait été frustrée, mais qu'elle allait retrouver. Les deux composantes fondamentales du désir : l'espoir et la nostalgie, la création prométhéenne et le retour aux sources, l'entreprise et la fidélité, se trouvaient étroitement unies dans les affirmations de del Ryès. On allait retrouver un paradis et en fonder un. On pouvait le penser. On passerait, même, de la petite patrie à la grande, comme Rome avait su passer, en se servant de la citoyenneté, moyen « d'entretenir l'unité parmi ses enfants [1] » du village à l'Empire. Et puis, le porte-parole devient le héros d'une atroce histoire d'amour. Il apparaît comme une espèce de monstre. Personne ne veut de lui. La lumière qui l'isolait, au lieu de le hisser en vue, le jette au centre d'un cercle d'enfer. Pourquoi ? La trame romanesque, ici, fournit les indications essentielles. Del Ryès est et signifie par ce qu'il devient, non par ce que Balzac explique. La vie s'exprime dans le roman.

Éliminons sans faiblesse les explications « littéraires » : Balzac « ferait « du Rousseau ou du Chateaubriand. Ce serait reculer pour ne pas répondre. Car : *pourquoi* ferait-il du Rousseau et du Chateaubriand ? Il faut bien chercher la réponse au profond de lui-même. Del Ryès est un signe qu'il faut déchiffrer. Il *aurait dû* n'y avoir pour lui d'obstacle au bonheur que social. Est-ce le cas ? Balzac hésite, part dans plusieurs directions : symptôme significatif des diverses manières d'aborder le réel. Une chose est sûre : del Ryès, dans l'affaire de son amour pour Stéphanie de Formosand, n'est pas victime d'un préjugé social, comme Saint-Preux. La mère de Sténie le croit pauvre, et lui préfère Plancksey, mais, la vérité une fois rétablie, on se trouve en plein absurde. Del Ryès était riche, et Plancksey pauvre. Mais l'absurde est irréversible.

1. *Sténie,* éd Prioult, p. 16.

De plus, il aime Sténie, mais, dans le monde de la Restauration, rien, socialement parlant, ne le sépare d'elle. Et pourtant, elle lui échappe. Ce qui le *sépare*, ce n'est pas, comme René, ou les héros « romantiques », une catastrophe historique, un cataclysme social. C'est, au moins autant que le malentendu dont il est victime, les exigences de son cœur, qui font de lui un homme d'absolu. *Balzac situe del Ryès dans une situation que n'éclaire aucune perspective révolutionnaire.* De quel changement attendre quoi que ce soit? Il ne lui reste que la conscience aiguë de sa solitude. Et, sans doute, il faut faire la part de l'inexpérience *littéraire* du jeune Balzac : il tranche, il simplifie et son del Ryès est beaucoup plus sommaire que ne le sera son Raphaël. Le héros de *La Peau de chagrin* saura faire la part de l'argent, de la politique, de l'Histoire; il sera aussi romanesque que lyrique. Del Ryès est un peu trop *donné*, pas assez *construit*. Il n'évolue guère. Mais c'est aussi que Balzac, en 1821, n'a pas encore la même connaissance des choses que celle qu'il aura dix ans plus tard. Une opposition, dont il faudra déterminer la nature, lui apparaît encore, radicale, entre les vingt ans de del Ryès et le monde. D'où, une conscience de soi plus fermée, et qui contraste avec l'ouverture de la lettre I. Balzac connaît mieux l'immensité de ses désirs que les secrets du monde, et les simplifications du roman sentimental ne lui apparaissent pas encore comme scandaleuses. Mais, si l'on admet ce mode lyrique, ce héros qui ne progresse pas, qui amplifie, qui répète, qui module, comment ne pas y voir une évolution décisive à partir de l'héritage paternel, *à partir de thèmes du même roman?* Le premier del Ryès porte en lui-même son contraire, puisque le monde tel qu'il le jugeait possible, normal, porte en lui aussi son contraire. Chez René, il n'y avait pas l'ouverture optimiste de la Lettre I. Chez les romanciers bourgeois, il n'y a pas cette solitude. Balzac porte la guerre là où régnait l'insouciance ou la respectabilité. C'est le sens de la scène du piano, dans le salon Plancksey : Job joue ce *Songe de Rousseau* que Balzac jouait lui-même dans sa mansarde de la rue Lesdiguières; il le joue en inspiré, mettant dans son jeu autre chose qu'un divertissement de société. « *Il contraignait,* écrit Balzac, *ses auditeurs hors d'haleine, de penser profondément; enfin, il faisait mal*[1]. » Puis, il improvise, *se libère,* et révèle aux autres ce qu'ils portent en eux :

C'était les regrets d'une mère au tombeau de son fils, c'était Sapho pleurant d'amour, Pétrarque au rocher de

1. *Sténie,* éd. Prioult, p. 16.

Vaucluse, on entendait leurs plaintes et leurs pleurs découler, on les voyait, on les plaignait! Quelque chose d'ossianique se mêlait à ce chagrin; rien ne peut rendre la douleur comme les sons qu'il rassembla sous sa main savante... Plusieurs avaient les larmes aux yeux [...] Job semblait dominé par une influence hors de l'humanité, il faisait frémir, le silence régnait dans toute sa pureté [1].

C'est-à-dire que chacun se trouvait renvoyé à soi-même. Seul. Et voici del Ryès, tout à l'heure héros de l'union, du progrès et de la synthèse, enfonceur de coins, séparateur, homme par qui le scandale arrive, comme si la Révolution était à refaire, comme s'il fallait recommencer ce brutal décapage des habitudes mondaines, comme si la naissance d'un nouveau positif avait cessé d'être pour demain. Rien n'a donc changé, depuis que de pareilles scènes se sont produites pour la première fois? On se tirerait d'affaire à bon compte, vraiment, si l'on ne voulait voir là que littérature. *Car, pourquoi cette persistance de thèmes littéraires?* Même si l'on admet que Balzac, un peu trop facilement, utilise certains éléments d'un mal du siècle distingué, stéréotypé, paresseux [2], encore faudrait-il expliquer pourquoi une telle utilisation ne lui est pas apparue comme impensable, à lui, fils de raisonneur, enfant d'un monde raisonneur. Non : on ne parviendra pas à étouffer la voix de l'authentique dans ce roman de la séparation. Si Balzac a pu l'écrire, s'il a pu, surtout, l'écrire après ces retrouvailles avec la Touraine, après cette ouverture des enfants du siècle et de la liberté, il a bien fallu qu'il en trouve en lui les éléments. Et ces éléments, ce sont des réactions, des jugements, des révoltes, des tristesses, qui équilibrent, depuis des années déjà, tout le positif, tout le constructif qui sont en lui. Si Balzac avait tout ce qu'il fallait pour *faire parler* un del Ryès porte-parole du siècle en ses promesses, il avait aussi tout ce qu'il fallait pour *créer* un del Ryès de solitude. D'un côté, le père, la classe, l'époque ouverte sur un avenir merveilleux. De l'autre, la mère, Vendôme, l'argent, la mansarde, Le Poitevin, la découverte des mystères de la vie privée. Oui, il n'y avait vraiment pas besoin de se forcer.

Aussi, avec quelle facilité del Ryès, lorsqu'il fait le bilan de sa vie, trouve-t-il ce langage négateur, ce langage de la revendication, que rien, normalement, ne préparait Balzac à parler un jour!

1. *Sténie*, éd. Prioult, p. 17.
2. Cf. *ibid.*, p. 38, la comparaison avec Volney réfléchissant sur les ruines de Palmyre, et tant d'autres passages imités. Mais, au fond, qu'importe la référence à Palmyre, et que Volney n'y soit pas allé? C'est l'image qui compte, et les raisons pour lesquelles on y recourt.

A cet âge charmant, où suis-je? Sur un rocher désert. Que vois-je? Le malheur et des précipices. Je suis souillé par une double maladie qui m'embrasse tout entier. Je n'ai pas encore goûté de plaisirs purs. Mon existence est enveloppée d'un nuage noir qui ternit tout; je suis fatigué de déserts. Le bonheur, ce parfum du ciel, je ne l'ai point senti. Mon esprit microscopique me fait voir la terre fatale... la fosse entr'ouverte et déjà commencée que je vais remplir d'un corps vierge de plaisir; rien ne m'aura souri, pas même le visage adoré d'une mère. Aucune femme n'aura partagé ma couche, je n'aurai point respiré la douce haleine d'une compagne, je n'aurai point écouté son cœur palpiter sur le mien, et ma tête n'aura pas reposé sur un sein blanc comme la neige que j'aurai recouvert de baisers. Hélas, comme la Vestale qui laisse éteindre son feu sacré, je m'enterre vivant, et je meurs affamé de voluptés, le cœur sec, et sans laisser une ligne qui dise : il fut [1].

Quelle que soit la part de rhétorique dans ces phrases, Balzac pouvait, sans doute, mettre un souvenir précis derrière chaque mot. « Pas une ligne... », en particulier : *Cromwell* avait manqué, et *Falthurne* avait été abandonné. Pouvait-on compter pour quelque chose *Charles Pointel*, imprimé, cependant? Balzac avait misé sur la littérature, et la littérature lui manquait.

Totalement? En fait, comme il arrive souvent, c'est au moment où les Muses comme étranges s'enfuient, qu'elles sont le plus proches. *Sténie* est la première œuvre rédigée de Balzac qui ait un peu de tenue et qui résonne de quelque chose de vrai. Certes, il n'y avait pas encore de quoi rendre immortel « le nom Balzac », et les marchands de papier, bientôt, se chargeront de faire comprendre que leur public attend autre chose. Mais enfin, Balzac n'a pas brûlé le manuscrit de *Sténie*, avec tous ses brouillons, ses plans, ses chapitres refaits. Il y a déjà de l'art, dans ce récit abandonné, un effort réel de composition, des éléments fondus ensemble, des synthèses significatives. Les souvenirs d'enfance à Saint-Cyr sont revus, repris, à la lumière d'impressions beaucoup plus tardives, qui leur ont donné leur sens. Le *moi* est « réparti » entre Vanhers et del Ryès. Il y a déjà *diversification* en personnages et situations de hantises familières : c'est un progrès considérable par rapport aux accumulations bouffonnes du « second » *Falthurne*, à ces re-départs tout gratuits, à ces pages auxquelles on ne croit pas. Le roman par lettres, d'autre part, permet le dialogue, la confidence, l'explosion, l'élégie.

---

1. *Sténie*, éd. Prioult, p. 108-109.

Un début de maîtrise s'affirme dans ces quelques dizaines de feuillets manuscrits, de tout autre nature que les premiers cahiers remis à Hubert. Le style, même, autant qu'il doive encore à Lamartine, à Rousseau, atteint parfois, lorsque le sentiment guide la plume, une sorte d'état de grâce : « Prolongeant cette douce rêverie, les heures coulaient comme l'eau du fleuve, dont le murmure s'accordait avec ma situation [...] enfin, l'horizon, le tableau de la campagne étaient devant moi sans y être; je les voyais machinalement, tant j'étais occupé d'un autre ciel, d'un autre temps, d'un autre que moi [1]. » Ce regard sur son passé, cette transparence du présent, cet art de dire, c'est déjà Félix de Vandenesse, en plus naturel même. Le style donne l'idée d'une plus grande complexité des choses, d'une dimension sentimentale de la vie, qu'ignoraient les rationnels. Comment faire comprendre tout ceci à un Bernard-François Balzac ? On comprend le héros de Lourdoueix devenant « romantique » près d'une partie de piquet. Il n'y a jamais, chez Bernard-François, lorsqu'il parle de son passé, cet aspect un peu trouble, fuyant. Il n'est question que de ses « immenses travaux », de sa santé, de ses entreprises. Quant à Mme Balzac, elle ne parlera jamais que justifications, apologie de soi, épreuves, difficultés qui rehaussent. Pour elle aussi, les choses seront simples, comme elles le seront pour Laure. Honoré sera toujours plus *compliqué*, et ceci se discerne nettement dans plus d'un passage de *Sténie*. Un certain sens du destin, rendu sensible par le style : tel est le message contenu dans ce roman abandonné. Tout départ dans la vie met en jeu bien autre chose que de petites ambitions pratiques. Certains ne s'en douteront jamais, qui prennent tout doucement les hommes comme ils sont, bourgeois à l'aise dans la bourgeoisie, n'imaginant pas un moment que la vie puisse être autre. Mais d'autres (question de qualité personnelle, question de formation, de lectures), parfois, montent sur une levée d'où l'on voit le reste; ils jettent sur l'ensemble un regard qui le juge, qui le perce. *Sténie* s'ouvre sur cette petite *Tristesse d'Olympio* d'un Honoré Balzac qui commence à avoir du génie. Il voulut tout revoir. Et puis, après, il fallut revenir avec les autres, gagner sa vie selon les règles. Un moment, dans une lumière privilégiée, le donné, l'accepté des autres, était devenu apparence, illusion. La vraie vie était ailleurs. C'était encore dit sur un mode lyrique, avec un début, toutefois, d'organisation romanesque. *Sténie* était le

---

1. *Sténie*, éd. Prioult, p. 41. Réminiscence possible de *L'Isolement* dans « le tableau mouvant » (« Dont le tableau changeant se déroule à mes pieds »).

livre de la dissonance, avec une tentative pour en transmettre l'expérience selon une sorte de réalisme. Balzac lut-il son manuscrit à Villeparisis? Il est peu probable qu'on l'ait goûté. Écrire, c'était entreprendre selon des règles et des modèles, soumettre ce qu'on écrivait à des gens connaissant l'orthographe et le style. Écrire, ce n'était pas mettre en cause. Ce n'était pas toucher à tout, aller mettre son nez partout, parler de ce dont on ne parle pas entre gens bien élevés, se mettre à faire vibrer les choses. La caution des auteurs imités ne suffisait pas. L'importance de *Sténie*, c'est que, souvent, il s'agit de tout autre chose que d'un exercice. Seul, blessé, déçu, Honoré Balzac pouvait, du moins, envisager d'écrire *Sténie*. Mesure-t-on le chemin parcouru depuis *Cromwell?* *Cromwell* était prêt à s'intégrer. *Sténie* faisait brèche; deux *actes* littéraires affrontaient de manière fort différente l'univers bourgeois. Mais ce n'est pas tout : si de *la* rhétorique on était passé à *du* romantisme, d'autres éléments, dans *Sténie*, apportaient la preuve que Balzac, en profondeur, se désamarrait décidément des pseudo-certitudes libérales. En voici une autre preuve.

Roman religieux, *Sténie* est une œuvre ambivalente. On y voit, en effet, se développer deux courants : d'un côté, le philosophisme, toujours apte à fournir à la passion égoïste ou exacerbée, des arguments nécessaires, d'autre part, une attirance sentimentale pour le christianisme. Les dettes envers Chateaubriand, sont, sur ce point, formellement importantes. Mais ne faut-il pas, une fois encore, s'attacher davantage aux exigences qui sont à l'origine du thème? Rousseau avait déjà montré qu'il existait une « religion » qu'on ne saurait compromettre avec l'ordre établi, qui vient de l'âme, du besoin de morale et d'unité. Or, Balzac, en 1821, est encore largement capable de railler le christianisme : l'arbre de saint Martin, par exemple, le chiffonne, et il espère qu'on pourra le retrouver, « pour l'honneur du christianisme [1] », ou, encore, revenant à la veine des *Notes*, il s'écrie : « la plupart des conséquences de nos dogmes mènent à l'absurde, et l'on ne cesse de les proclamer en chaire, et d'en épouvanter la vieillesse et l'enfance [2] »; ou, surtout, chargeant del Ryès de réfuter les arguments qu'oppose Sténie à sa passion, il retrouve sans mal le ton de Bernard-François, adapté aux nécessités sentimentales : « Écoutons la voix immense des générations qui, depuis six mille ans, ont succombé en des

1. *Sténie*, éd. Prioult, p. 11.
2. *Ibid.*, p. 25.

guerres et disputes fanatiques. Quel est ce Dieu, qui n'a pas daigné baisser la tête pour arrêter des combats faits en son nom? et opérer pour la paix de l'univers le moindre des miracles qu'il enfanta pour le moindre de ses saints [1]? ». Thèmes ressassés! Peut-on même considérer comme un renouvellement sentimental une remarque de ce genre : « Pourquoi Dieu nous fit-il ce fatal présent [la raison], sachant son résultat [2]? ». L'angoisse, certes, se glisse quelque peu dans le raisonnement formel, mais trop de rhétorique nous gêne. C'est mal poser le problème, et l'on ne peut que se louer de constater que Balzac échappera bientôt à cet antichristianisme sommaire. Tous ces semi-blasphèmes refroidis ont cessé de nous toucher, et, même en 1821, commençaient sérieusement à sentir la poussière. Aussi, est-on plus sensible aux remarques de l'autre versant. « L'amour aime trop les mystères, s'écrie del Ryès, *il est chrétien*, il croit au souffle incorruptible de l'âme, à toutes les rêveries; *il est rêverie lui-même* [3]. » Amour-plaisir et amour-jeu pouvaient sans trop de difficultés s'accommoder d'un scepticisme élégant, sec, ou agressif, selon le cas, mais l'amour-valeur s'était depuis longtemps réconcilié avec la foi, ses expressions, sa poésie. Et il n'y a pas là que souvenirs de Rousseau. Il y a quelque chose d'authentique, de vécu, de constamment redécouvert : une religion qui ne serait pas règle et contrainte, mais effusion, expression, grâce à un langage particulier, de tout ce qui est élan, besoin de communion. Il ne s'agit pas ici de cette religion *de fait* qui devait condamner Falthurne, et il est bien intéressant de voir le fils de Bernard-François Balzac opérer, *dans le mouvement même d'une invention littéraire*, cette distinction et ce dépassement. Il est probable que Balzac ait retrouvé, lorsqu'il composait *Sténie*, certaines émotions éprouvées à Saint-Gatien, jadis, mais il ne s'agit nullement, ici, d'une *conversion*, d'une « capucinade », comme dira Thomassy. Il s'agit de la recherche d'une nouvelle synthèse. Quelque chose porte del Ryès, qui est plus fort et plus complet que ce qui portait les philosophes et les idéologues. Il rencontre, nécessairement, en chemin, une religion comme épurée, refaite à partir des sentiments individuels, *une religion qui n'est, au fond, que le sentiment de soi exprimé en d'autres termes qu'intellectuels*. Cette nouvelle religion bute, nécessairement, sur l'autre, mutilatrice et incomplète. D'où le dialogue del Ryès-Vanhers, d'où les deux faces

1. *Sténie*, éd. Prioult, p. 172.
2. *Ibid.*, p. 178.
3. *Ibid.*, p. 53.

de del Ryès, tantôt philosophe, tantôt exalté. D'où l'ambiguïté des pages consacrées au cloître Saint-Gatien et à la
cathédrale.

Balzac, en revoyant ces lieux, a dû sentir battre son cœur.
Le Cloître, endroit désert, attire et repousse. Il attire ceux
qui cherchent le calme, la retraite, l'oubli. Il repousse ceux
qui veulent la vie, la joie, le bonheur. Mais del Ryès, ayant
perdu Sténie, est l'un et l'autre. « Elle demeure dans le cloître
Saint-Gatien, la rue est sombre... Ce sont de grands bâtiments,
affreux, déserts... affreux, te dis-je, et... la nuit n'était pas
belle, le ciel était couvert de gros nuages noirs; en allant,
je ne les remarquai pas, dans ma joie. Il tonne maintenant [1]. »
On imagine aisément le pèlerinage, les pas qui résonnent
dans la solitude, les peurs d'enfant retrouvées, avec le goût
du mystère. Le Cloître : lieu prédestiné pour le roman. Del
Ryès y trouve Sténie, en compagnie de celui qu'elle va épouser,
et qui n'est autre que le sinistre inconnu rencontré en voiture.
Romanesque, romantisme. Peu importe. Il faut bien coudre
ensemble les impressions. Et voici les pages consacrées au
mariage : « Je suis devant Saint-Gatien, sur une place entourée
de vieux murs; je vois avec plaisir les nuages s'amonceler
sur les tours noires et antiques de la cathédrale. Éveillés par
l'approche de l'orage, une nuée de corbeaux croassent un chant
de mort. Quelques éclairs rougissent cet immense et admirable
monument; l'air rafraîchit mon visage et mes pensées sinistres.
J'entends sonner lentement minuit... ». Il est certes dommage
que Balzac ait cru nécessaire d'ajouter : « heure de malheur,
heure du crime [2] ». Il l'est encore plus qu'il ait cru nécessaire
de conclure : « La joie maligne du désespoir se glisse en mon
âme et détachant le clou d'une barrière, j'entre dans l'église,
dans le dessein d'ensanglanter par ma mort, mes malédic-
tions, mes cris, le lit nuptial que l'on va bénir [3]. » Mais, dans
ce texte, comme tant d'autres, bientôt, il y a ce qui *porte*
Balzac, et ce qu'il est bien forcé de *fabriquer* pour faire un
roman, pour qu'il se passe quelque chose. Ici, ce qui le porte,
c'est, incontestablement, Saint-Gatien revu, cette présence
de la pierre, des tours, des corbeaux, cette masse présente
au milieu des maisons. « En entrant dans ce vaste monument,
j'éprouve quelque chose de religieux; que suis-je, avec ma
douleur, devant cet édifice? Il a retenti des cris de douleur
de cinq siècles; *c'est sous cet amas de pierres qu'on croit enfermer
Dieu*; c'est là, toujours, qu'on l'implore! Mon cœur était,

1. *Sténie.*, éd. Prioult, p. 77.
2. *Ibid.*, p. 80.
3. *Ibid.*, p. 80.

tellement affecté que rien-rien, ne m'a saisi, Dieu ne m'a pas regardé. Vains simulacres, écoutez-moi donc! Une faible lumière tremble derrière le maître-autel, j'y vais... Mes pas sont répétés par les voûtes, le tonnerre fait mugir l'orgue, et ces circonstances toutes naturelles influent sur moi. Un vieillard à cheveux blancs passe, et l'aspect de cet homme me fait réfléchir. Je suis troublé. J'arrive à l'autel de la Vierge en écoutant le silence interrompu par les cris du hibou et le corbeau funèbre... C'est ici qu'à sa mort, à sa naissance, on conduit l'homme : c'est ici qu'en confiant ses plaintes à l'air, il se console; *c'est ici qu'il trouve la voix que la superstition y fait entendre, c'est ici que je souffre, et rien ne m'y console* [1]. » Comme Balzac hésite entre deux développements possibles, et comme son hésitation est significative! *Qu'est-ce qu'une cathédrale? Monument de superstition, ou témoignage pour autre chose?* Justifie-t-elle les bourgeois voltairiens ou suggère-t-elle qu'ils ont mutilé la vie? Être plus sensible qu'eux implique-t-il qu'on revienne à ce que la raison repousse de toutes ses forces? La raison *et* le sentiment sont *modernes*. Pour « nous, jeunes gens, enfants du siècle » il est des conquêtes définitives, acquises. On n'ira plus jamais à Saint-Gatien comme on y allait autrefois. Mais aussi, cette libération s'est faite selon des valeurs et des moyens dont on sent obscurément qu'ils ne sauraient être totalement les nôtres. Comme dans le Cloître, del Ryès est à la fois attiré et repoussé par la cathédrale. Ce Balzac de vingt-deux ans en dit plus que Chateaubriand, avec ses réhabilitations simplistes, et plus que n'en dira Hugo, avec son archéologie à grand vocabulaire. La cathédrale, ici, est un signe. On ne saurait ni l'admettre comme on l'admettait « avant », ni ne pas la voir, ou en faire une simple annexe de la préfecture, comme le voudraient les thermidoriens.

Mais il y a plus important encore, et qui établit un lien solide entre ce roman religieux et l'inspiration des *Notes philosophiques* : « Tu me rends mystique et religieux. Oui, Sténie, si les conjectures humaines ne sont pas fausses, s'il existe un Dieu tel qu'elles nous le figurent, s'il nous écoute, s'il nous voit! Quelle doit être *notre destinée future et notre éternel bonheur près de lui* [2]! ». Dieu n'est pas révélé. Dieu ne vient pas d'un dogme, ni d'un héritage culturel. Dieu vient de l'Homme, qui sublime et magnifie en lui sa propre puissance d'aimer; Dieu est le garant de l'unité du monde et du sens des

1. *Sténie*, éd. Prioult, p. 81.
2. *Ibid.*, p. 155.

choses. Cette idée n'est certes pas nouvelle, et la Julie de
Rousseau avait, en termes romanesques, « redécouvert »
Dieu et la religion, comme les philosophes avaient « redécouvert » Dieu et la Religion, l'une après avoir cru en l'amour,
les autres en la nature et en la raison purement humaine.
Au ciel des époques métaphysiques, l'Homme a besoin de ce
repère. Dieu est positivité, figure de la positivité après laquelle
cherche l'Homme. Il est caractéristique que del Ryès, après
avoir donné dans la révolte et dans le cynisme, en vienne à
la mysticité. Révolte et cynisme, s'ils sont intense affirmation
de soi, sont aussi destruction. Mais ici, del Ryès insiste sur
cette « résignation sublime », sur « cette victoire stoïque remportée sur nos souffrances aiguës », sur un ordre inventé
par l'Homme, et ne devant rien qu'à l'humain. Mme de Staël
avait vu que la résignation pouvait être une des bases de la
mysticité [1], mais l'abandon à la manière des quiétistes n'est
nullement celui de del Ryès, qui demeure conquête et partage
humain sans tomber dans un éperdu quelconque. *Résignation*
a pu entraîner *mystique*, mais cette mystique se veut ordre
parallèle à celui de la révolte, plus complet, irréductible à
un conformisme quelconque. Pas plus que Saint-Gatien ne
plaide en faveur de la droite, *mystique* ne plaide en faveur d'une
quelconque platitude, ou d'une quelconque fadeur, même
simplement apparentes. Cette ébauche de lettre mystique
fait del Ryès plus complet et il est important de constater
que Balzac, *bien avant cet événement capital que sera pour
lui sa liaison avec Mme de Berny*, et qui le conduira, après une
période assez uniquement intellectuelle à une manière plus
sentimentale et plus poétique, dans le fil des effusions et
retrouvailles de l'été 1821, en vient assez normalement au
langage religieux pour exprimer le maximum de ce qui est
en lui. Cette religion refaite à partir de soi-même, cette volonté
d'au-delà, plaident contre toutes les philosophies satisfaites,
amorcent la définition de valeurs et d'exigences qui impliquent récusation et dépassement des installés. Il est capital
que ce soit dans cet entre-deux qui sépare *Charles Pointel*
de *L'Héritière de Birague* (romans de commande), que Balzac,
étant lui-même, et tirant un roman de son propre fond, ait
spontanément choisi *aussi* ce genre de sincérité. Ce point de
repère sera de la plus grande utilité pour comprendre la
suite : thèmes religieux, thèmes de la mystique amoureuse
et des « sympathies », en 1822-1823, ne sont pas nés de ren-

1. Arlette Michel, *Aspects mystiques des romans de jeunesse*, A. B., 1966, p. 23.
Cf. *De l'Allemagne*, 3e partie, chap. v.

contres, d'accidents, mais bien de poussées authentiques et de besoins profonds. Il en sera de même, en 1832, pour la conversion au légitimisme. On n'approche du vrai Balzac qu'en renonçant aux anecdotes, aux visions anecdotiques de l'Histoire. En *pouvant* y renoncer.

★

Lorsque Balzac retrouve Paris, lorsqu'il range dans ses dossiers le manuscrit inachevé de *Sténie*, que lui a peut-être refusé Hubert, plus intéressé par ce qui était en train depuis juin-juillet, il décide quand même de sauver quelque chose. Il avait hésité entre Vanhers et Wann Rhoon [1]. Pensait-il clairement à l'anagramme Rhoon[e]-Honoré ? Il est bien possible, et ceci ne fait que donner de la force au lien qui unit l'ami de del Ryès à son créateur. Mais Wann Rhoon s'était effacé. Pas pour longtemps. Lorsqu'il fallut choisir un pseudonyme pour Hubert, Balzac proposa Lord R'Hoone, « le nom Balzac » se glissant ainsi, à l'insu de tous, sur les couvertures, drapé de fashionable. Mais Lord R'Hoone ne devait pas rester un simple pseudonyme. De même que Balzac n'avait pu s'empêcher de faire vivre Matricante, de le lier à lui, à ses souvenirs, de lui prêter ses idées, de même, R'Hoone, à l'automne de 1821, va se mettre à vivre, à foisonner, même à assumer divers rôles. Alors que Balzac fabrique ses romans pour Hubert, il se livre, avec R'Hoone et sur R'Hoone, à tout un étonnant travail d'expression, et presque de création. La première manifestation en est un texte intitulé *Une heure de ma vie*, que l'on peut dater, approximativement, de la reprise de contact avec Paris et du renoncement momentané au style sentimental de *Sténie* [2].

Une heure de ma vie évoque des souvenirs de la rue Lesdiguières, les promenades autour du Palais-Royal, les rencontres

---

1. *Lov.* A 214, f⁰ 78, v⁰.
2. *Une heure de ma vie* a été publié pour la première fois par M. Bardèche en 1950 (avec *La Femme auteur*, et autres fragments inédits). Le même éditeur l'a reproduit au tome XXV des *Œuvres complètes* du *Club de l'honnête homme.* Tenant compte de l'utilisation du pseudonyme Lord R'Hoone, de l'écriture, particulièrement soignée, très semblable à celle de 1820, très différente de celle de 1822 et années suivantes (Balzac, alors, travaillant pour l'imprimerie, allant vite, n'aura plus de ces manuscrits calligraphiés), de l'apparition, surtout, de Rhoon dans le manuscrit de *Sténie*, on peut avancer avec assez de certitude comme date de composition, la fin de 1821. Il faut tenir compte également de ce que *Une heure de ma vie*, par l'inspiration, semble nettement antérieur au virage sentimental que marqueront les romans Pollet. C'est pourquoi, avec plus de précision que M. Bardèche, qui proposait 1820 ou 1821, nous pensons pouvoir situer ce texte entre *Sténie* et les romans Hubert.

galantes, etc. Balzac y imite Sterne et Pigault-Lebrun,
y retrouve des recettes gaillardes qui lui venaient de certaines
de ses lectures. L'équivoque, filée selon la meilleure des
traditions [1], l'allusion coquine [2], les promenades pour remonter
l'horloge, tout ceci, après *Sténie*, ne nous intéresse plus que
comme survivances et reprises. Voyons plutôt les considérations initiales sur l'Histoire, « tableau de tout ce qu'ont fait
les grands troupeaux d'hommes qu'on nomme nations »; jusqu'ici, on ne s'est occupé que des « bergers et de leurs chiens »;
« je crois, conclut R'Hoone, qu'il reste beaucoup à faire ».
Quoi? Dates, dictionnaires, dynasties, c'est l'apparence.
On retrouve une préoccupation connue depuis les *Notes
philosophiques*. « Il est une autre sorte de génie qui pense que
ce genre d'histoire n'est que la peinture sèche des faits et
gestes d'hommes qui n'ont aucun rapport avec les temps
présents; qu'il existe une espèce d'histoire qui sert à dévoiler
l'*intus* de l'homme et les motifs qui le portèrent à ces actions,
en sorte qu'un savant puisse, sur telle situation, savoir ce
que fera tel homme [3]. » Cette revendication, et cette ambition,
trouveront à se justifier et à se renforcer chez Saint-Simon
et les saint-simoniens : que l'Histoire ne soit ni simple curiosité,
ni archéologie, ni chronologie, mais qu'elle soit branchée
sur les préoccupations modernes; que, surtout, elle débouche,
si, possible, dans une science sociale, dans des possibilités
de compréhension et d'action. C'est la ligne Bernard-François
qui continue, et se renforce. « Cette *histoire secrète du genre
humain*, cet inventaire de tous ses sentiments m'a toujours
paru plus difficile que tout le reste des genres littéraires, et
cette muse compte Molière, Tacite, Sterne, Richardson,
Cervantès, Rabelais, Montaigne, Rousseau, La Rochefoucauld, pour les plus fameux maîtres, et Locke a posé les fondements de ce genre en montrant, le pourquoi de l'homme [4]. »
On voit quels fils se renouent. L'explication de l'homme est
dans l'homme. Il faut comprendre le pourquoi profond,
non se contenter de décrire. En langage moderne, être réaliste,

1. « Jamais il n'entrera, Monsieur l'abbé... — Madame, avec une grande
patience, j'en réponds... — Je vous répète qu'il est trop enflé ce soir. — Ouf!...
et M. l'Abbé se pencha sur son lit. A ce moment, la pendule sonna neuf heures. —
L'heure presse, s'écria-t-elle, et vous voyez bien qu'il est trop étroit, vous n'y
réussirez pas, il y faut renoncer. — Il faut convenir, Jeannette, que je ne l'ai
jamais vu si gros, que le diable emporte tous les cordonniers du monde, et avant
les cordonniers, la damnée goutte qui m'a grossi le pied [etc...] » (H.H. XXV,
p. 574).
2. Dans ce même chapitre vi, le coquillage aux lignes évocatrices, et que l'on
retrouvera dans *Annette et le criminel* au bout de la chaîne de montre de M. Gérard,
c'est-à-dire de Bernard-François Balzac.
3. H.H. XXV, p. 563.
4. *Ibid.*, p. 563-564.

non naturaliste. Après *Sténie* et la découverte d'autres terres, *Une heure de ma vie* prouve (d'autres preuves suivront, accompagneront, immédiatement *L'Héritière de Birague*, le roman s'ouvrant lui-même par des réflexions sur la philosophie de l'histoire) que la philosophie de Balzac ne s'infléchit pas dans le sens que l'on pouvait craindre. Romantisme n'est pas nécessairement obscurantisme et pessimisme. La découverte, bientôt (ou déjà?) du grand ouvrage de Legrand d'Haussy, *Histoire de la vie privée des Français*, la montée de la famille Balzac comme *sujet*, la découverte continuée, aggravée, de Paris et des mystères sociaux, on voit ce qui va nourrir et structurer l'idée. Une histoire complète inclut le mariage de Sténie-Laurence, ce qui y conduit, inclut la psychologie, la physiologie individuelle, etc. La synthèse balzacienne, qui devait embarrasser tant de gens, est en marche. Le R'Hoone auteur d'*Une heure de ma vie*, s'il est ouvert et sensible, nous le savons depuis *Sténie*, n'en est pas moins vigoureux, exigeant, n'a pas peur du réel, même sous formes de gaillardises, est curieux de tout, ambitionne de tout exprimer et de chercher les raisons de tout. Le texte bifurque vite, certes, pour obéir aux lois du genre gai (Balzac est en train d'écrire *Jean-Louis*, d'après Restif et Pigault-Lebrun), mais l'ouverture (comme dans *L'Héritière de Birague*, dont le manuscrit vient d'être remis à Hubert) est sans équivoque : quel que soit le biais choisi, faire vrai, trouver les ressorts; autobiographie, autoportrait, étude analytique, description des conduites, c'est déjà ce behaviorisme inspiré qui, par divers textes (traités, physiologies, théories) conduira à *La Comédie humaine*. R'Hoone suit une jeune fille rencontrée près du Palais-Royal; « certains vestiges de virginité se faisaient remarquer dans sa tournure [1] »; ses idées se divisent; une partie « vers l'entresol [...] emportant une scène de tragédie », l'autre moitié se réfugiant dans « la protubérance aux illusions », et le transportant en Grèce. Est-ce ainsi que *Cromwell* ne fut pas écrit? R'Hoone suit, portant la main à son gousset. Il le trouve vide, ou peu s'en faut. D'où, choix à faire, choix vite fait, entre spiritualisme et matérialisme, entre tenants du monde vide et tenants du monde plein. Mais la jeune fille n'est pas une fille du Palais-Royal; elle se met à trembler, ne peut retenir une larme au geste de R'Hoone portant la main à son gousset. Nathalie est pure. La suite de l'histoire se perd; le manuscrit est plein de lacunes; ce qui en reste fait supposer qu'on serait parti un peu dans tous les sens, comme dans *Tristram Shandy*,

1. H.H. XXV, p. 567.

que les commentaires sur l'impossibilité de nommer le fameux coquillage, auraient sans doute conduit à des considérations aussi bien littéraires que psychologiques (la pudibonderie de l'époque, la mentalité féminine, la vertu, etc. etc.) ou sociales (les boutiques, les gens qui y vivent, etc.) etc. : cette manière de prendre les choses de l'extérieur, toujours étroitement mêlée de réflexions personnelles, cette présence, en apparence un peu sommaire, familière, du réel, cet esprit alerte, investigateur, toutes ces protubérances qu'ignorent les « romantiques », gens distingués, c'est la santé balzacienne qui se maintient, mais plus riche et plus ambitieuse, plus susceptible de « reprises » que chez Bernard-François. Au lendemain de *Sténie*, d'ailleurs, cet exercice qu'est *Une heure de ma vie* ne prouve-t-il pas la richesse, la complexité du tempérament balzacien? Saint-Gatien, ni l'amour ne l'ont « repris » à l'esprit critique, à la raison, à cette autre générosité plébéienne qu'ignoraient les « romantiques ».

A la suite, le destin de R'Hoone prouve bien que le Balzac de 1821-1822, malgré la plongée de *Sténie*, demeure essentiellement un fils de ce XVIIIe siècle, vif et réfléchi, que le romantisme s'appliquait à enterrer. On ne sait quand fut écrit ce *Tartare* qui parut, sous la signature de Viellerglé, en octobre 1822. Plusieurs mois auparavant, sans doute, antérieur, en tout cas, à la mort de R'Hoone et à la naissance de Saint-Aubin. Trois chapitres portent des épigraphes qui sont preuves, au moins, de collaboration. La première vient droit des *Notes philosophiques :*

> L'homme de la nature a des pensées plus fortes, et surtout plus vraies que l'homme civilisé. Rien n'altère la justesse de ses jugements. Une phrase d'un sauvage du Canada est non seulement éloquente, mais elle est claire et précise, elle va droit au but qu'il se propose; ses paroles ont une mâle vigueur de l'être qui n'a jamais senti la servitude morale et physique.
>
> Lord R'Hoone, *Essais philosophiques.*

La seconde vient de tout ce qui touche aux poèmes comme *Job, Saint Louis.*

> *A son retour de Palestine,*
> *Raoul trouva plus d'enfants qu'au départ.*
> *Quant à ses champs, il en manquait un quart.*
> *Oyant cela, Raoul fit grise mine ;*
> *Il jura, se plaignit et du moins et du plus.*

> *Mais las ! chacun se mit à rire :*
> *Terre et femme doivent produire,*
> *Dit-on au châtelain confus,*
> *Cultivez-les si craignez le mécompte.*
>
> > Lord R'Hoone, *poème inédit des Croisades.*

Ceci, surtout depuis *Sténie,* va moins loin, et appelle, visiblement, dépassement et liquidation. En est-ce l'amorce dans la troisième épigraphe ?

> *Elle le fixa avec ce regard qui commande l'amour,*
>
> > Lord R'Hoone [1].

Il est certain que R'Hoone, après del Ryès, commence à dater un peu, malgré le plus de richesse d'*Une heure de ma vie,* et ceci est très significatif : Français, parisien, philosophe, R'Hoone n'en « décroche » pas moins assez nettement par rapport à toute une intensité sous-jacente. Il va « servir » pendant une année, signer trois romans, puis, ayant donné tout ce qu'il pouvait, cédera la place à d'autres images.

L'Héritière de Birague, commencé en juin-juillet 1821, fut achevé en automne, et vendu aussitôt à Hubert. Malgré la double signature Viellerglé-Lord R'Hoone, on doit en restituer la totale paternité à Balzac : il l'a toujours revendiqué ; un plan manuscrit pour le troisième volume se trouve dans ses papiers, et si, en 1836, il dut renoncer à réimprimer ce roman, ce fut à cause des difficultés juridiques causées par le double copyright. La comparaison interne des textes, enfin, ne laisse aucun doute [2].

L'Héritière de Birague est un roman de chevalerie, et un roman noir écrits sur le ton de la parodie. L'intrigue est faite pour faire peur, mais le récit est sans cesse *présenté* sur un ton de raillerie burlesque. Dans un roman qui se voudrait terrifiant, fertile en souterrains et machinations, Balzac prend volontairement ses distances avec un néo-pathétique qui ne lui convient pas. Aussi faut-il s'attacher à cette idée de *présentation* et de présentation *volontaire.* On dirait qu'un *texte,* un *sujet,* ne prennent leur sens que par la forme, on pourrait dire par le *geste* de Balzac. La forme est ici le fond, le vrai sujet. On commence, dans le « *Roman préliminaire, c'est-à-dire préface* », par le récit burlesque d'un voyage à Tours, avec un dialogue entre un petit Monsieur et un gros Monsieur, avec une pittoresque gouvernante, Mme Scrupule,

---

1. Ces trois épigraphes ont été découvertes et reproduites par A. Prioult (*Balzac avant La Comédie humaine,* p. 150 sq.).
2. Cf. *Aux sources de Balzac,* p. 27 sq. et 77 sq.

qui vient droit de Regnard ou de Molière, avec un style vif,
naturel, qui éclaire curieusement, d'avance, la féodale et
gothique histoire qui doit suivre. Cette ouverture, pleine de
bonne humeur (on allait revoir Tours!) témoigne de ce que
Balzac, au moment où il va « faire » du romantisme, est on
ne peut plus éloigné de l'état d'esprit romantique :

> — *A. de Viellerglé! — R'hoone!*
> — *C'est lui!...*
> — *C'est lui!...*
> *C'était bien nous* [1].

On est ici plus près de Pigault-Lebrun que de d'Arlincourt, et
c'est ce rapprochement qui donne son sens au roman.

Du point de vue politique, on a, depuis longtemps, signalé
les traits libéraux dont fourmille *L'Héritière de Birague* :
anticléricalisme, satire de la noblesse d'ancien régime, allusions aux tentatives et espoirs de la droite dans les années 20,
etc. Mais il faut noter que ces attaques se présentent toujours
sous une forme non pas dramatique, et indignée, mais ironique.
« Ferme la porte, répliqua le capitaine en se frappant les
mains. Vieille Roche! un siège à soutenir! Ah! les drôles!
se jouer d'un Chanclos! Cabirolle! Mes pistolets, espingoles,
fusils, vieux canons, haches, poignards, lances, hallebardes,
piques; mettez tout en état; armez les gens, et vous, vassales,
les manches à balai [2]! » Et voici un autre : « Il n'y a pas de
brigands sur le territoire des Morvan!, s'écrie le vieil intendant
Robert, qui en a pendu trois, jadis, en sa jeunesse; mais,
depuis, rien de pareil n'est arrivé dans le comté. On a bien
pendu des vilains, par-ci par-là, afin qu'ils n'en perdissent
pas l'habitude, mais des brigands, par Saint-Mathieu, les
vassaux sont trop heureux, et la religion, la morale et le bon
sens dominent trop ici [3]! ». Et permettons-nous ce dernier :
« Robert n'eût pas trouvé décent qu'un Mathieu fît maigre
chère devant les quarante bustes représentant les chefs
illustres de la famille depuis Mathieu VII inclusivement,
lesquels chefs, à l'exception de Mathieu XXIII, dit *Le Ladre*,
avaient toujours vécu royalement aux dépens de qui il
appartient [4]. »

---

1. *L'Héritière de Birague*, I, p. 9.
2. *Ibid.*, II p. 118 (N. B. Jean Cabirol était carrier, près de Villeparisis.
Balzac le connaissait bien. Début 1822; il écrit à Laure : « Cabirolle n'est pas
gnole. Bibi cabriole, la maman vole, Félicité babiole, et le père joue son rôle car
la femme batifole. » (*Corr.*, I, p. 131.)
3. *Ibid.*, p. 23.
4. *Ibid.*, pp. 87-88.

Il y a là un art du trait qui, d'une part, tient aux conteurs français et aux philosophes qui les ont relayés, et qui, d'autre part, est de la même veine que les articulets des petits journaux d'opposition. On voit aisément où a été puisé ce passage sur les cadets, victimes du droit d'aînesse : « Il devait... Que ne devait-il pas ?... Du reste, il était noble, très noble. Par compensation, sa prévoyante mère s'arrangeait toujours de manière à ce qu'il fût le plus bel homme de la famille [1]. » Ce qui explique que le cadet, souvent, parcourait une brillante carrière, grâce à... « lisez l'Histoire, et vous verrez que ces dames avaient l'expérience des cours ». Que dire, d'autre part de cet autre, sur un droit cher à Figaro ? « Il faudrait, explique Christophe, pour faire plaisir aux seigneurs, que nous ayons continué à voir d'un bon œil le droit de jambage que nous commençons à racheter, et contre lequel mon père jurait tant, en me donnant du pied dans le derrière, à moi, son fils aîné [2]. »

Drôlerie ? Oui, mais réelle et sombre agressivité ? L'auteur est un adversaire déterminé du Trône et de l'Autel, seulement, le ton importe autant que l'idée. Il n'y a pas dans *L'Héritière de Birague* cette âcreté que l'on trouve souvent dans la littérature « de gauche », jusqu'au *Rouge et Noir*. Que Balzac puisse faire des mots au lieu du lyrisme ou de la révolte en dit long sur la nature du sentiment éprouvé. Si Balzac, face à l'ordre noble a des réactions de plébéien, celles-ci ne conduisent ni à protestations, ni à souffrances profondes. Il y a, dans les cabrioles de *L'Héritière de Birague* comme de la *sécurité* : Balzac ne dramatisera sur l'aristocratie que lorsqu'il la constatera incapable d'assumer la tâche historique qu'il lui eût souhaitée, après 1830. Pour le moment, le Pouvoir ne mérite pas plus que ces attaques mouchetées. L'essentiel est ailleurs, en réserve.

Mais il arrive à Balzac, en ce même roman, d'aller infiniment plus loin. Par-delà affabulation, par-delà le journalisme, on sent le jeune homme qui s'interroge sur autre chose, et cet autre chose, ce n'est pas le problème — réglé — de la liquidation du passé d'ancien régime, c'est le devenir historique, le sens de ces mutations et destructions, dont on est le bénéficiaire. *L'Héritière de Birague*, comme les grands romans balzaciens, est déjà innervée par une réflexion globale qui témoigne de la difficulté à ce que le monde moderne soit sans difficultés. Le vieil intendant défenseur de la famille et qui

---

1. *L'Héritière de Birague*, p. 149.
2. *Ibid.*, I, p. 137.

s'est attaché aux valeurs de l'aristocratie (première et lointaine incarnation du Chesnel, du *Cabinet des antiques*), s'indigne, par exemple, contre les roturiers, qui brocardent la noblesse : « Voyez-vous, voyez-vous, ils se croient quelque chose, et je ne donne pas trois cents ans pour qu'ils viennent tenir leurs conventicules dans la chambre de l'intendance. Oh! que Mathieu XLIV avait raison, lorsqu'il me disait confidentiellement : Robert, tout sera perdu lorsque le ver lèvera la tête!... Tu ne peux comprendre cela, Christophe ; je m'en vais te l'expliquer ; ça arrivera lorsque vous autres, par exemple, vous commencerez à rassembler vos idées, à juger le présent, à penser à l'avenir, à savoir que deux et deux font quatre ; comprends-tu, maintenant[1]? ». De telles réflexions ne se conçoivent pas dans une optique *totalement* libérale, et il suffit qu'elles soient le fait d'un personnage sympathique (et appelé à le devenir plus encore), pour qu'elles prennent une étrange résonance. Christophe et ses semblables, malgré le droit de jambage et toutes les absurdités et cruautés aristocratiques, c'est un peu, pour Balzac, cette petite bourgeoisie (ou cette dimension petite-bourgeoisie du peuple), « râleuse », sans perspectives, à laquelle appartiendra, bientôt, dans *Jean-Louis*, Courottin, et qui tiendra tant de place dans *La Comédie humaine*. Si la victoire de ces gens était pure, concevrait-on cette action régressive, jusqu'en ce roman parodique, de doutes incontestablement *actuels*? Un Ducange eût fait de l'intendant un odieux serviteur des tyrans. Balzac en fait presque un philosophe, et ceci remet à leur juste place les alertes facilités de style « gai ». Mais il y a mieux, et plus surprenant encore.

Dès les premières lignes du roman, on lit, à propos de la féodalité :

> Depuis l'établissement du gouvernement féodal, gouvernement absurde, *bien que coordonné avec un art infini*, la France a presque toujours été la proie d'une anarchie pour ainsi dire légale, puisqu'elle était la suite nécessaire de la constitution politique du royaume. Grâce à cette constitution, le despotisme des rois était le seul refuge des peuples. Aussi, ne vit-on jamais ces derniers se révolter contre leur maître, quelque dur qu'il fût, dans l'exercice de l'immense pouvoir dont il s'était emparé. Cette indifférence brutale dans laquelle la nation vécut accroupie neuf cents ans environ, est certainement la critique la plus juste et la plus énergique de la féodalité[2].

---

1. *L'Héritière de Birague*, II, pp. 136-137.
2. *Ibid.*, I, p. 1-2.

Or, il faut noter que cette ample « ouverture (bien surprenante pour un roman comme celui qui suit !) n'est absolument pas nécessaire. *Celui qui a écrit ces lignes tenait à les écrire.* Elles ont, d'autre part, une allure dogmatique et « philosophie de l'Histoire », qui ne saurait manquer de parler à tout lecteur un peu familier de l'œuvre et de la pensée balzaciennes. Dix ans plus tard, dans l'*Essai sur la situation du parti royaliste*, on lira des considérations semblables sur les rapports entre le Tiers État et la monarchie, alliés contre les seigneurs. On est frappé aussi par cette idée d'une rationalité relative, dans des perspectives et dans un contexte autres que modernes, d'un système politico-social qui révolte les sensibilités modernes. La féodalité avait un sens ; les rapports sociaux détruits par la Révolution ont eu un sens : en pleine période de libéralisme militant, il y a là un bel effort, et qui ne se comprend totalement que sur le fond, encore une fois, de prise de distance par rapport à l'absolu de la victoire libérale et bourgeoise. Que la raison dans l'Histoire n'ait pas commencé avec le règne de la Bourgeoisie, il y a là un trait de sérieux qui accentue encore l'impression d'un naissant désenchantement, et fait deviner, à l'arrière-plan de ce roman pour rire, tout effort de réflexion qui ne s'est jamais interrompu ni ralenti. Mais que dire, lorsqu'on s'aperçoit que cette idée, que cette expression même de *coordination* appartient à l'arsenal idéologique d'un homme qui poursuit une étonnante carrière ? C'est Saint-Simon, en effet, qui écrivait, par exemple, dans *Du système industriel*, réimpression, en 1821, d'un ensemble de brochures parues dans les années précédentes : « La société a été organisée d'une manière nette et caractéristique, pendant que le système féodal ou militaire a été en pleine vigueur, parce qu'elle a eu alors un but d'action clair et déterminé, celui d'exercer une action guerrière, pour lequel toutes les parties du corps politique *ont été coordonnées* [1]. » L'idée, le mot, reviennent d'ailleurs fréquemment sous la plume du théoricien. Balzac l'aurait sans donc lu et médité beaucoup plus tôt qu'on ne l'a cru [2] ? Comment ne pas le penser, surtout si l'on se rappelle qu'en 1819, Balzac entendait faire de son *Cromwell* un « *bréviaire des rois et des peuples* », et si l'on sait que Saint-Simon, en cette même année 1819, avait écrit dans son *Organisateur*, que l'histoire, compte tenu des innombrables erreurs des uns et des autres, ne méritait guère d'être

---

1. Saint-Simon, *Du système industriel*, Renouard, 1821, p. xx-xxi.
2. Cf. les travaux de Bernard Guyon, qui date les premiers rapports de 1828, lorsque Balzac imprimera la revue saint-simonienne *Le Gymnase*. Cf. *infra*, p. 742 sq.

appelée « *le bréviaire des peuples et des rois*[1] ». Voici une
nourriture quelque peu inattendue chez ce fournisseur pour
cabinets de lecture : preuve que le courant grave continue
de couler en profondeur. Quoique discret, ce saint-simonisme
de 1819-1821, est comme un premier *envers* du libéralisme
de Balzac; le style Ducange n'est que façade, et n'exprime
que du secondaire. *L'Héritière de Birague*, roman écrit
certainement à toute vitesse après l'abandon de *Sténie*,
s'il ne draine pas, exactement, toute une philosophie, s'il est
vraiment une œuvre d'irrévérence et s'accepte comme tel,
porte les traces de préoccupations qui vont dans un tout autre
sens que les simplifications polémiques de la gauche : bonne
humeur, esprit, d'ailleurs, sont loin d'être incompatibles
avec philosophie. Balzac venait d'écrire *Sténie*; il y avait
développé certains thèmes de la solitude et de la difficulté
d'être; mais la passion de del Ryès se retrouvait, sous une
autre forme, dans les diverses assurances du roman parodique.
D'Arlincourt avait donné le modèle du roman « romantique »[2].
Tourner en ridicule les thèmes de la littérature troubadour
était un *premier* réflexe, très sain, de la part d'un jeune intellectuel bourgeois, et ce au moment où Villèle allait accéder au
pouvoir. Mais, si Balzac est on ne peut plus éloigné du « romantisme », aussi bien littéraire que sentimental, d'un romantisme
qui n'est encore que l'apanage d'une aristocratie frustrée,
si bon sens, raison, esprit, vivacité critique, refus du sentimentalisme bric-à-brac, définissent en lui une attitude parfaitement étrangère au mal du siècle le plus apparent,
quelques vibrations qui affleurent disent que les choses ne
sont pas si simples. Or, qui dit et pense, en 1821, que les
choses ne sont pas si simples, se met déjà comme à l'écart
des vues officielles de la bourgeoisie. Une certaine *qualité*,
une certaine *intensité* de pensée, certaines exigences et préoccupations, témoignent et promettent. On en trouve d'ailleurs
la preuve immédiate, évidente, dans les papiers mêmes de
L'Héritière de Birague.

Oui, à la même époque, exactement, Balzac continuait
— même s'il n'en pouvait rien tirer pour son nouveau métier —

---

1. *L'Organisateur*, II, p. 71. On sait que ce titre sera repris en 1829 par le
groupe Enfantin-Buchez-Bazard, et donné à un important journal qui fait transition entre *L'Organisateur* (1825), et *Le Globe* saint-simonien (1831).
2. Le mot *romantique* est employé à plusieurs reprises dans le roman. Une fois,
par exemple, au sens simplement staëlien (« les masses *romantiques* de Birague »,
III, p. 109). Mais une autre fois, on sent la pointe : « Tendre amour, seule fleur
qui produise la vie, tu es plein de recherches ingénieuses et de nuances délicates!...
Nous ne savons pas si c'est cette réflexion *romantique* qui fit sourire le rusé
conseiller » (IV, p. 111). Comme on le verra, cette tendance s'accentuera dans
Clotilde de Lusignan.

à s'interroger sur des problèmes dont la seule formulation bouscule quelque peu les tranquillités d'esprit, quelles qu'elles soient. Au dos d'une enveloppe à lui adressée, du 21 juillet (avant le départ pour la Touraine, alors que *L'Héritière* en est à son premier volume), il note :

> La faculté de faire comparaître en soi les accidents de la nature existe; elle existe, comme l'air, comme l'eau, les fluides; n'y aurait-il aucun moyen de diriger cette faculté, cette force en sommeil comme la force-vapeur, air, eau? De ce que cette puissance reste ensevelie dans l'homme, *livrée à ses propres aventures, à ses bizarreries, comme jadis la vapeur avant que l'on s'en servît,* faut-il conclure qu'elle n'est pas? [1].

Il s'agit, déjà, de cette force de comparer, dont parlera Raphaël, et des capacités visionnaires de *Louis Lambert* ou de *Facino Cane.*

De la même époque, au dos d'un brouillon pour *L'Héritière,* date cette autre remarque :

> *On ne peut pas se refuser à donner à la pensée une force très active* et dont les conséquences produisent des effets physiques. Les massacres des Vêpres Siciliennes, de la Saint-Barthélemy et de la Révolution Française comme de toutes les révolutions, sont le résultat d'une certaine masse d'idées qui fermentent dans les cerveaux à l'exclusion de toute autre pensée. Il est indubitable qu'une idée répétée a poussé le bras de Jacques Clément celui d'Harmodius. Cela posé qu'avant de vouloir, il faut une délibération, une raison déterminante, une idée, un raisonnement, l'on doit convenir que c'est une force très subtile, mais enfin un pouvoir réel [2].

N'est-ce pas déjà, aussi, l'un des thèmes lambertiens et balzaciens de la concentration et de l'application de la pensée? N'est-ce pas aussi, dans ces deux notes, tout le problème de *l'emploi* des forces vitales? Et ne faut-il pas comme le sentiment d'un excès, d'un sous-emploi, pour que prennent forme de telles pensées? Balzac vient, coup sur coup, d'abandonner *Corsino, Cromwell, Falthurne, Sténie;* il a été obligé de se mettre au service de Lepoitevin; il est dans le monde, et, vaguement, sans prise sur le monde. Point de développement, point d'harmonie. Malgré l'appareillage apparent que constitue la double publication de *Charles Pointel* et de *L'Héritière de Birague,* on demeure à quai. Dans ces deux notes revien-

---

1. *Lov.* A 160, f⁰ 19.
2. *Lov.* A 160, f⁰ 22.

nent et se croisent, insistons-y, deux thèmes : celui de l'*existence* des forces de l'esprit, celui de leur *utilisation*, de la direction à leur donner : rien de moins romantique. Les forces
qu'on sent en soi, et qu'on retrouve à l'œuvre dans l'Histoire,
ne sont nullement damnation, fatalité, poids à traîner;
elles ne portent pas malheur. Les mots de *faculté*, *diriger*,
forces, *vapeur*, *masses d'idées*, *pouvoir réel*, surtout reliés
à l'idée d'un *progrès*, de *conquêtes* historiques, à celle, aussi
d'une Histoire qui serait non hasard ou absurdité mais mise
en œuvre de profondes poussées orientées et unitaires à certains
moments, définissent une fois de plus une vision prométhéenne. Des progrès demeurent à accomplir : utiliser ce qui,
en l'Homme, jusqu'alors, se dispersait, ou agissait un peu à
l'aveuglette. L'exemple de l'invention de la machine à vapeur
(qui semble avoir vivement frappé Balzac; il y reviendra,
en termes d'extrême importance, en 1830 [1]) est une *preuve* à
laquelle n'auraient jamais songé un Chateaubriand, un Lamartine, un Vigny. Que prouvait, *pour eux*, l'invention de la
machine à vapeur, sinon leur propre condamnation, ou la
nécessité de se faire, bon gré mal gré, à ce monde nouveau [2]?
Pour Balzac, elle prouve en faveur de l'homme, du vouloir-
vivre et du sens de tout ce qui est en nous. On notera que
n'apparaît pas ici l'autre face balzacienne du thème : la
puissance de comparer et de penser, usant, tuant le poète ou
le penseur, la rançon de la concentration. C'est que, sans doute,
certaines expériences ne sont pas faites, que l'élan conquérant
de Falthurne et des diverses dissertations est encore fort.
Les difficultés, les abandons, les méditations dont *Sténie*
avait été l'écho, se traduisent plus par des exigences et par
une tonalité générale d'intensité que par de la véritable amertume, encore moins par un pessimisme théorique. Balzac,
c'est net, est encore bourré jusqu'à la gueule : il se démarque
ainsi nettement par rapport aux romantiques, mais aussi
par rapport aux libéraux, aux bourgeois, hommes plus tranquilles, et déjà à la traîne. Tout ce volontarisme va trouver
son expression romanesque dans le second roman, qui parut

---

1. *Lettres sur Paris*, *Le Voleur*, 10 janvier 1831. Cf. t. II.
2. Pour Stendhal, la réaction sera mitigée : Octave de Malivert, on le sait, songeant
à quoi faire de soi, rêvera de commander une batterie ou une machine à vapeur.
Réaction de jeune homme moderne, de polytechnicien qui voit bien qu'il n'y a
rien à tirer, pour se sentir être, de la noblesse des Malivert. Mais aussi, la machine
à vapeur, ce sera la machine qui fait aller la fabrique de clous de M. de Rénal,
la machine à vapeur accaparée par la Bourgeoisie. Il est intéressant de noter, *a*) que
Balzac, qui connaissait mal le milieu manufacturier, n'a pu peindre la machine à
vapeur de M. de Rénal, et qu'il a pu, ainsi, conserver à la machine à vapeur toute
sa signification progressiste et mythique, *b*) que sa vision, surtout au début
de sa carrière, est plus ouverte, plus optimiste, moins boudeuse.

chez Hubert au début de 1822 [1], et dont la rédaction doit être des derniers mois de 1821 : *Jean-Louis, ou la fille trouvée.*

Jean-Louis, qui s'inspire directement de deux romans populaires : *Le Pied de Fanchette*, de Restif de la Bretonne, et *Monsieur Botte*, de Pigault-Lebrun, est un roman gai, de sujet moderne (avec une légère pointe d'archaïsme : il s'agit de la fin du xviiie siècle), mais d'une nature très particulière. L'histoire de ce charbonnier qui doit défendre sa fiancée contre les entreprises d'un séducteur est contée comme une épopée burlesque. La force herculéenne de Jean-Louis, ses prodigieux exploits, son extraordinaire ascension, en font un véritable Hercule travesti : l'épisode de sa folie, après la perte de Fanchette, vient du *Roland Furieux*. Balzac rejoint là une vieille tradition bourgeoise, anti-héroïque, parodique, tout en suggérant habilement d'autres héroïsmes. Il faut sans cesse avoir à l'esprit les deux intentions : d'une part, refaire, dans le registre bourgeois ce qui dépasse un peu les lecteurs, bourgeois dans la haute littérature, d'autre part, faire accéder à la littérature, fût-ce par ce biais de l'irrévérence envers les modèles, toute une humanité qui dit « moi aussi ». Et, précisément, ce « moi aussi », première forme, mais encore saine du « à nous deux, maintenant! », est la clé, le fil conducteur de toute l'histoire. Sur un fond de petits soupers, de « folies » et de corruption élégante, se déroule la *saga* de Jean-Louis, de Fanchette, de Granivel, de l'oncle sentencieux et pyrrhonien. On ne se laisse pas faire; on contre-attaque; on organise des expéditions; la lutte atteint souvent à une énormité, elle est soutenue par un entrain du style, par un rythme du récit, qui en font quelque chose d'étonnant. Balzac avait dû quelque peu, à cause de « l'Histoire », refréner son entrain dans le roman précédent; cette fois, il se donne libre cours, et la générosité macaronique du style exprime très exactement la fruste mais sympathique vitalité d'un Tiers État qui ne supporte plus les petits marquis. Le thème dominant de *Jean-Louis* est celui de la *poussée* de forces neuves. Jean-Louis n'est pas un penseur, un intellectuel; c'est un individu généreux, prompt aux décisions, une graine de général de la révolution, d'une autre stature, en tout cas, que les divers paysans ou hommes du peuple de la littérature et de l'Opéra xviiie siècle. C'est que l'Histoire s'est accomplie, qui est allée chercher Jean-Louis et ses semblables, qui en fait, ainsi que de leurs parents, de leurs semblables, les cadres

---

1. B. F. du 30 mars 1922. La déclaration d'imprimeur est du 15 janvier.

nouveaux d'une société qu'on ne pouvait même se figurer en
1780, et c'est ce qui fait l'importance de *Jean-Louis*, du coup
d'œil de Balzac, dans *Jean-Louis*, presque de sa vision :
Jean-Louis et les autres personnages qui l'entourent *sont*,
réellement, en fonction de ce qu'ils *deviendront*, de ce à quoi
ils sont *appelés*. De là vient leur truculence, leur aisance,
leur force, leur allant. Ils ne sont pittoresques qu'au départ;
très vite, ils deviennent significatifs, aspirés par un avenir,
et le faisant. Toute l'affaire de Fanchette, malgré la place
qu'elle occupe dans le livre, n'est qu'un épisode de quelque
chose d'infiniment plus grand : la révolution, en train de se
faire, déjà faite dans les cœurs, déjà faite dans et par ces
droits, vécus, éprouvés, dans et par cette dignité, ce besoin
de bonheur, cette légitimité du besoin de bonheur, dans et
par la stature nouvelle de toute une humanité, mais la révolution attendant encore sa sanction, le bond en avant qui allait
libérer, promouvoir, rajeunir. Le burlesque traditionnel était
de portée limitée. Le comique de Ducange et Pigault-Lebrun
marquait comme une retombée : acide, railleur, il ne débouchait jamais dans la moindre suggestion de force ou de grandeur. Il n'est pas exagéré de dire, par contre, que *Jean-Louis*,
fidèle à l'inspiration première de la révolution, généreux,
relève déjà de la création. Il complète ainsi avec force le
témoignage de *L'Héritière de Birague* : *Jean-Louis* est le plus
antiromantique des livres; le « genre tendre », d'ailleurs, les
« intéressantes pâleurs [1] » y sont dûment raillés. *Jean-Louis*
est un livre de sang dru, non sottement « populaire », mais
dans lequel on sent les pulsations de la vie.

C'est à quoi il faut s'attacher, plus qu'à ces plaisanteries
qui, paraît-il, faisaient rire aux éclats la mère Commin, la
laveuse de la famille, la messagère de la rue Lesdiguières.
Plus, aussi, qu'à ces hardiesses politiques qui firent hésiter
Hubert. Il demanda des suppressions, des adoucissements,
dont Balzac tint très peu compte [2]. Ce ne sont là que hardiesses
de forme, et qui comptent moins que le mouvement général du
livre. Le tableau de la prise de la Bastille dut faire, sans doute,
battre des cœurs, aux premières semaines du ministère
Villèle [3], et le chat de Fanchette, et les mots du pyrrhonien
(souvenirs de Sterne!) durent égayer plus d'une philosophique
sensibilité. Mais l'oncle Barnabé qui achète des biens natio-

---

1. *Jean-Louis*, I, p. 16, 156 et 161.
2. *Corr.*, I, p. 142. Hubert regrette une « chaleur séditieuse, qui ferait beaucoup
de mal à Jean-Louis dans les temps où nous vivons ». Balzac se contenta de
faire disparaître le mot *despotisme* du passage incriminé (IV, p. 53-60).
3. *Jean-Louis*, IV, p. 52 sq.

naux, mais Jean-Louis héros de la guerre d'indépendance puis général de la Révolution, mais Courottin, l'homme de basoche qui ira à tout, le premier de ces « avocats » balzaciens qui gouverneront le XIXᵉ siècle, ces personnages et ces symboles ne peuvent être vraiment déchiffrés qu'aujourd'hui. De la joie de vivre, de la gentillesse, de la sensualité, d'un bon et gros sentiment de l'existence, on en vient à ces lignes de force d'un avenir, et l'on y vient d'autant mieux, et avec d'autant plus de force, que cet avenir, que ce devenir, Balzac les voit et les montre *doubles*. Le roman pivote. C'est, dès cette œuvre de jeunesse, plus encore peut-être que dans la relance des héros gais par le dynamisme révolutionnaire, vraiment comme un coup de génie.

L'envers saint-simonien du libéralisme de *L'Héritière de Birague* se renforce ici, en effet, avec Courottin, avec la manière dont est présentée, explicitement, l'épopée révolutionnaire, à d'autres moments, nous l'avons vu, sentie en son droit, en sa fécondité, dans un mouvement essentiellement implicite et romanesque. Balzac, en effet, s'il enregistre et exprime, voit, aussi, et juge. Il sait que la Révolution n'a pas été *que* la promotion de la vie. Courottin est, chez Balzac, le premier de ces Camusot, de ces Fraisier, de ces hommes sortis du peuple, qui devront leur fortune à la Révolution, mais aussi fonderont leur fortune sur la loi bourgeoisie de l'égoïsme et de l'argent. Courottin, homme d'argent et homme de l'argent, Courottin n'ayant d'autres idées que ses intérêts, opportuniste, sachant se placer, profiter des grands mouvements, incarne à lui seul ce que fut, en son fond, l'autre Révolution française, *la vraie*, celle qui enrichira Grandet. Courottin aura pour successeurs tous les Malin de Gondreville, tous les Moreau de l'Oise, tous les Du Bousquier, tous les accapareurs du grand élan. Si la Révolution, ç'a été la prise de la Bastille et la libération de Jean-Louis, ç'a été, *aussi* sans que quiconque qui le nierait ne puisse être taxé de jobardise ou de volonté de truquage, l'installation de ces nouveaux maîtres. Courottin, malgré des touches « gaies » est infâme, mais c'est parce qu'il est infâme que, souvent, c'est lui qui dit le vrai, beaucoup plus que le naïf Jean-Louis. Lorsque avec une troupe de vauriens ramassés dans Paris, le héros s'embarque pour le Nouveau-Monde, Courottin adresse à la petite troupe une harangue, évidente parodie de celle de Bonaparte à son armée d'Italie, qui dit tout :

> Vous serez récompensés de vos hauts faits d'armes par le pillage de tout ce que les Anglais possèdent en Amérique [...].
> Vous reviendrez glorieux, riches, et vous serez invulnérables.

[...] Allez donc représenter dignement la France dans les combats qui se livrent sur le Nouveau-Monde... Vous en rapporterez de l'or, des grades, de la gloire. Vive la liberté [1]!

Vive la liberté! Tout le siècle est là. Le *contenu* du mot est livré, et il sera difficile, désormais, de ne voir que les *images.* Comme l'inspiration générale est bien « de gauche », comme Balzac n'écrit pas ces lignes dans le cadre d'une entreprise littéraire consciemment et directement réactionnaire, un fait s'impose : ce roman libéral est aussi un roman de la démystification du libéralisme. En ces années, alors que Ducange oppose à de stupides nobliaux de sympathiques et touchants « démocrates » bourgeois, insoupçonnables et insoupçonnés, Balzac amorce ce qui sera l'essentiel de son œuvre : l'impitoyable autopsie du monde *moderne* en ce qu'il est, non le monde des idées, mais le monde de l'argent. Infiniment moins qu'une épopée sentimentale et décorative de la liberté, la Révolution est une immense entreprise de mutation du pouvoir et de la richesse. « Chaque gentilhomme veut conserver, mais chaque roturier veut acquérir », explique Courottin; la lutte ne peut être douteuse » : où sont, en tout cela, les valeurs et les idées? Il faut relire — ou ne lire que maintenant — dans cette perspective le fameux passage souvent allégué de la prise de la Bastille : « Ce fut un spectacle magnifique que l'arrivée de cette masse populaire devant la Bastille : chaque visage, jaune ou rouge, jeune ou vieux, pâle ou brillant de santé, exprima la haine de l'arbitraire; chaque œil mesura les murs épais qui recélaient les victimes des grands, et, jusque dans leurs cachots retentit une clameur prolongée : ...Liberté!... [2] » *Liberté! De quoi, et de qui?* Le roman de Balzac, s'il est aux antipodes du genre tendre et pâle, l'est également du genre bourgeois. Tout un matérialisme pousse sa pointe, à portée non littéraire ou pittoresque, mais bien antibourgeoise, critique, politique. A la récusation des valeurs nobles dans *L'Héritière de Birague* succède la récusation des valeurs absolues de la gauche, celles qui tiraient leur justification de la lutte contre ces mêmes valeurs nobles. Dès 1822, Balzac se situe au-delà du conflit bourgeoisie-aristocratie, entreprend de les dépasser. Le diagnostic porté sur la Révolution et la guerre d'indépendance ne le ramène pas plus à l'idéologie émigré que celui porté sur les tenants de la réaction villèlienne ne le porte à se faire le chantre aveugle des banquiers de la « gauche ». Balzac prend la mesure d'une révolution qui n'a

---

1. *Jean-Louis*, III, p. 118.
2. *Ibid.*, IV, p. 52.

jeté bas les Vandreuil que pour mettre en scène les Courottin.
Et, arrivé à ce point, le vrai Balzac se montre, et ne s'arrêtera
pas de sitôt : *L'Art de parvenir*, rédigé par Courottin (le
premier *Code* balzacien!) comprend un chapitre *Des tarifs*,
où l'on apprend à quel prix on peut vendre n'importe quoi :
patrie, conscience, ce que coûte « une loi, un article, un
paragraphe, un amendement, un homme éloquent, un homme
ennuyeux [...] une conspiration faite ou à faire » : ce n'est
plus le procès de jadis, c'est le procès d'aujourd'hui, de la
vénalité des ventrus, déjà nommés dans *Falthurne*, et qu'on
retrouve ici à plusieurs reprises. Tout se tient, des hargnes
d'un procureur arriviste de 1780 à la formation d'une majorité
quarante années plus tard. Où est-elle, la lettre de Bernard-
François Balzac écrite de Verdun [1]? Son fils, parce qu'il est
plus jeune, peut mieux mesurer tout ceci. Ce sont les racines
même de l'inquiétude et du doute.

Mais tout ceci, bien sûr, c'est nous qui pouvons le déceler,
en conférant aux éléments appelés à d'importants développements une importance que le texte brut ne leur donnait pas.
Dans l'ensemble, *Jean-Louis* demeure fidèle à sa tonalité de
départ : livre débridé, livre où se donne libre cours une érudition toute fraîche, une culture souvent scolaire, où les
montages et effets sont nombreux, qui ne sont jamais langage de désespérance. *Jean-Louis*, roman lucide et conduisant
à plus de lucidité encore, n'est en rien un message de quelque
conscience malheureuse. Les rires de cette bonne Commin
sont un assez sûr baromètre, ainsi que d'autres, que l'on
devine aisément. Lorsque Balzac parodie (ou utilise, mais
comment toujours savoir?) Molière, Beaumarchais, Rabelais, lorsqu'il décrit une soirée chez le magistrat Plaidanon,
lorsqu'il peint « le bon bourgeois du Marais qui revient de la
place Royale voir jouer ses enfants [et qui] fait presque un pas
géométrique par seconde, et marche comme le balancier d'une
pendule, même lorsqu'il s'agit d'aller manger sa soupe de
deux heures », lorsqu'il fait parler ce pyrrhonien, grand
amateur d'aphorismes, et qui ressemble tant à Bernard-
François Balzac, lorsqu'il fait discuter Fanchette, à la Cour,
avec Chamfort et La Harpe [2], on sent qu'on est en face d'un
garçon prodigieusement intelligent, maniant avec plaisir
les intruments de l'intelligence. Il y a de même cette remarquable parodie de la *Pantagruèline pronostication* (« Les
principes iront à reculons, les ministres en avant, et la

---

1. Cf. *supra*, p. 156.
2. C'est un procédé de dialogue des morts; mais ce sera aussi, en 1830, celui
des *Deux rêves*, qui réunira dans un salon de brillants causeurs du XVIIIe.

France en arrière [1] »), et cette autre, de la Lettre de Gargan-
tua à Pantagruel (« De la philosophie, tu passeras à toutes les
sciences qui en dérivent, et qui sont : la précieuse logique
(ici, le professeur ôta son bonnet de velours noir, s'inclina et
le remit). ») où Balzac a réussi, non seulement, à moderniser les
textes fameux, à les faire aboutir à quelque chose que seules les
études balzaciennes modernes permettent d'identifier comme
une confidence :

> Mon ami, tout ceci bien compris, admettant que tu as
> du génie, de la patience, et le don de l'intrigue, tu pourras
> devenir célèbre ! Mais cette célébrité sera un poison mortel,
> fécond en chagrins !... Cependant, si tu veux occuper tes
> loisirs et te consoler, il te reste une foule de sciences qui
> sont les ornements du bel édifice que je viens de construire ;
> tu as la poésie lyrique, comique, épique, tragique ; la musi-
> que vocale, instrumentale et la composition ; la peinture, la
> sculpture, et toute la littérature, depuis l'acrostiche *jusqu'aux
> œuvres inédites* [2].

Bernard-François n'aurait-il pas tenu ce langage à son fils ?
Et *Cromwell, Falthurne, Sténie*, essentiel, alors, de la littérature balzacienne, ne pourrait-ce être malices du vieil homme
demandant où on en était ? Ou bien Honoré ne se raille-t-il
pas un peu lui-même ? Un dernier sondage permettra de confirmer l'orientation vive, intellectuelle, antiromantique, du
livre : sur une quarantaine d'épigraphes des chapitres, *trois*
seulement sont prises aux modernes, soit deux à Mathurin
(1, 5 et 11, 3), et une à *Childe Harold* (11, 2). Pour le reste,
moralistes classiques, poètes rhétoriciens, Racine, Voltaire,
Perrault, Malfilâtre et les comédies Empire. Ce n'est pas
l'Américain Maïco, empoisonneur et lointain ancêtre du
Brésilien de *La Cousine Bette*, venu tout droit, lui, de quelque
mélodrame, et dont Balzac s'amuse beaucoup [3], qui pourra
faire pencher la balance. *Jean-Louis*, roman gai peignant
les mœurs et l'Histoire modernes, a puisé dans une
conscience aiguë du devenir moderne une force de suggestion
qui déborde ses cadres initiaux et prépare des accusations
ou des découvertes plus précises. Mais *Jean-Louis* continue
d'appartenir à une littérature non fondamentalement dramatique en ce qui concerne le sujet écrivant. Une impression
générale de *maîtrise* y domine encore les puissances de rupture.

---

1. *Jean-Louis*, II, p. 198. Balzac a reconnu sa dette dans une note.
2. *Ibid.*, III, p. 96-97. Mais cette fois, il n'y a pas de note...
3. Balzac fera « reparaître » Maïco, en 1823, dans un roman signé Viellerglé,
L'Anonyme, ou ni père ni mère.

Clotilde de Lusignan, ou le beau juif, commencé pendant l'été 1821 avant le départ pour la Touraine, mené à bien pendant l'hiver 1822, parut signé du seul pseudonyme Lord R'hoone. C'est un ouvrage ambitieux, de plus d'ampleur que les précédents, et qu'on pressa son auteur, dans la famille, de polir tout particulièrement. Le sujet, éminemment scottien, est celui du retour de la Croisade, et des amours de l'héritière des Lusignan pour un mystérieux personnage qui se révèle finalement être digne d'elle. Mais, contrairement à ce qu'on attendait dans un ouvrage de cette ambition, il s'agit encore, et plus nettement peut-être que dans *L'Héritière de Birague,* d'une parodie, et, soyons-en sûrs, d'une parodie de d'Arlincourt, plus que de Scott. *Le Renégat,* qui avait paru tout au début de 1822, s'ouvrait sur une invocation : « Muse des roches et des torrents, puissants génies des orages! farouche déité du Nord! Je te cherche, j'ose t'appeler [...] Lyre mélodieuse de la Grèce, loin de moi tes suaves accents! Au doux chant de la volupté, je préfère la voix des tempêtes [1]. » Or, Balzac, consciemment, ouvre son chapitre XXIX sur une double invocation, d'abord, selon la tradition *(Nunc, age, qui reges, Erato),* ensuite selon les nouveaux doctes : « *O muse nouvelle,* pleine de jeunesse et de grâce, qui présidez aux compositions romantiques [2]! » On verra bientôt, pendant l'été 1823, que la notion de « muse nouvelle [3] » prendra pour lui une autre signification, sérieuse, et ainsi, par régression, on peut bien s'assurer du caractère délibérément parodique, voire insolent, de cette mise au goût du jour : « Muse qui dictiez à Gœthe son *Werther,* à Staël sa *Corinne; Atala, René, Paul et Virginie, Le Corsaire,* daignez jeter un regard de protection sur ce qui me reste à dire des amours de Clotilde et du beau Juif! Donnez-moi la hardiesse! Élancez-moi dans les champs de l'inconnu de l'idéal et de l'immense, ou, mieux que tout cela, mettez dans mon cœur cette exquise sensibilité, le charme de la vie! Amis, redoublez d'attention, le dénouement s'approche, et c'est ici que je puis dire que la toile se lève pour le cinquième acte et la dernière décoration. » Le romantisme est bien une chose *vue,* de l'extérieur, et Balzac en invoque significativement la Muse après avoir rappelé l'artifice rhétorique correspondant chez les « classiques », depuis Virgile. Le romantisme a un passé, des procédés; il en aura plus encore, quelques années plus tard. Ce n'est nullement, en

---

1. *Le Renégat,* I, p. 1.
2. *Clotilde de Lusignan,* IV, p. 159.
3. « Une muse nouvelle à chanter se prépare ». Cf. *infra,* p. 602 sq. Il s'agira, alors, d'une Muse « nationale » et « de gauche ».

tout cas, le romantisme, tel qu'il est constitué, qui pourrait fournir au jeune écrivain un système quelconque de sincérité, ou d'expression de soi.

Toutes les charges postérieures contre l'école angélique, contre *Hernani*, sont là, déjà, avec les motivations fondamentales. Avec, aussi, curieusement, par avance, les arguments visant la « camaraderie » : « A ces mots, le prince et sa fille levèrent leurs cuillers pour les porter à leurs bouches, mais s'apercevant que le fatal breuvage était encore trop chaud, ils soufflèrent dessus ! Je défie la critique de ne pas trouver du naturel dans ces mouvements-là !... et naturels ? on n'a rien à dire !... s'ils ne le sont pas ? *Alors, ils deviennent romantiques ! ainsi, la critique est battue* [1]. » On voit comment le romantisme apparaît déjà comme quelque chose de sclérosé, de réduit à ses propres « trucs ». Réaction, encore, de jeune bourgeois, que ses expériences n'ont pas suffisamment troublé pour le conduire à rompre avec le style purement intellectuel. De l'émotion, dans *Clotilde* ? Il aurait pu y en avoir, et le sujet s'y prêtait, mais c'est sans cesse et constamment l'esprit qui guide et domine. Le vieux roi Jean II de Lusignan aurait pu être une émouvante figure de l'héroïsme féodal, et c'est un vieillard ridicule, qui reçoit ses hôtes avec un faste digne de celui du maître de Tunder-den-Tronck. Les malheurs du sang noble n'émeuvent pas Balzac, qui retrouve spontanément le style « libéral » pour liquider ces badernes. Le couple de l'évêque qui parle comme un soldat et du soldat qui parle comme un évêque, en son schématisme burlesque, finit, à force d'insistance, par devenir gênant : tout ceci est d'une assez impitoyable rigueur. C'est qu'en fait toute la friperie scottienne apparaît à Balzac comme du matériel de propagande pour Villèle; il n'a pas tort, et ses réflexes sont sains : le roman historique, comme d'ailleurs Balzac le comprendra plus tard, ne pouvait avoir de réel intérêt que s'il retrouvait les *problèmes* du passé, et s'il les branchait sur ceux du présent. Mais le décor seul ne valait que sourires et sarcasmes.

L'ennui est peut-être que l'histoire de Clotilde fille qui aime, souffre de cet éclairage d'ensemble. Dans *Sténie*, Balzac avait pourtant montré qu'il « croyait » à l'amour. Cette fois, tout bascule du même côté. D'où, même, cette page sacrilège dans laquelle chacun put reconnaître l'une des pages les plus célèbres du *Génie du christianisme*. Avant la bataille, la petite cour prie Dieu devant la porte du château. Et voici

---

1. *Clotilde de Lusignan*, III, p. 268-269.

le commentaire : « Il me semble voir, sur une mer orageuse, au fort d'une tempête, des matelots chanter l'hymne de la Vierge et leurs cris de détresse surmonter la voix immense des orages et parvenir au trône céleste sur l'aile rapide des vents. » La voix immense des orages, l'aile rapide des vents, sont bien trouvés, ou bien retrouvés, et le style « chateau-brillanté » de *Falthurne*, même, s'améliore. Qui l'eût cru ? L'intention, en tout cas, demeure la même, bien différente de celle d'un Brisset lorsqu'il démarquait l'Enchanteur, et l'on sent bien que Balzac n'a nulle raison de « croire » en ce qui demeure, pour lui, du domaine de l'effet. Régression par rapport à *Sténie ?* L'important est qu'elle demeure possible. La raison et l'esprit dominent encore suffisamment pour que l'emporte l'attitude critique. Clotilde, donc, en souffre, et le roman lui-même, sans chair, sans élan, toujours obligé de repartir sur de nouvelles pirouettes : *Le Dernier Chouan*, la trilogie *Sur Catherine de Médicis* vivront des connections et prolongements implicites entre univers « historique » et univers moderne. Balzac voudra écrire, plus tard, une *Histoire de France pittoresque :* l'adjectif ne doit pas abuser. Balzac est incapable de faire de la littérature distractive, sans épine dorsale ou force d'orientation. Le sujet de *Clotilde* ne le porte pas. C'est certainement le plus mauvais des romans de sa jeunesse.

Le seul élément positif se trouve dans l'exposé, qui court à travers tout le roman, de la doctrine de maître Trousse sur l'économie de l'énergie vitale. Maître Trousse est de la même race romanesque que le pyrrhonien de *Jean-Louis*, et il doit beaucoup, lui aussi, sans doute à Bernard-François : senten-cieux, quelque peu radoteur, et surtout préoccupé des ques-tions de longévité, d'eugénisme, etc. On a dû bien rire, à Ville-parisis, lorsque Balzac lut ces passages aux siens. Pour le contenu sérieux, tout balzacien doit dresser l'oreille, puisque c'est dans *Clotilde de Lusignan* qu'est développée pour la première fois l'idée que sa pensée, que trop de pensée, puisse être un danger : « *ah ! vous aurez trop pensé. Je le répète pour-tant assez, les émotions du cœur et de l'esprit sont les plus grands fléaux de la santé ; moi, par exemple, si je me porte si bien, c'est parce que je ne pense jamais* ». La pirouette finale est la rançon du genre, et ne doit pas étonner ; on en trouvera une semblable même à la fin de *La Peau de chagrin*. Mais, comme Trousse ajoute : « *La vie est tout, et chacun la gas-pille* », comme il dit encore : « *Nos pères, qui pensaient peu, se portaient bien, et, de nos jours, les maladies augmentent avec les sciences* » nul doute qu'il n'y ait là, comme dans le

premier roman, une trace de préoccupations philosophiques
des plus sérieuses. La pensée, explique encore Trousse, « est
un produit auquel concourt le cœur, et qui met en mouvement les atomes invisibles du cerveau [1] » : on devine Nacquart,
des lectures d'idéologues et de matérialistes, toute une réflexion
sur ce jeu complexe qui fait vivre, mais qui use, qu'on devrait
pouvoir, à la limite, mesurer, etc. Ce sera la théorie de base
de *La Peau de chagrin,* mais les différences sautent aux yeux :
dans *Clotilde,* le thème est plaqué sur le sujet, alors qu'en
1831, il sera le sujet même. Dans *Clotilde,* d'autre part, la
discussion, l'exposé demeurent abstraits, scolastiques ; on est
tout près du paradoxe et du « topo ». En 1831, on aura une
vision dramatique de la vie humaine, reliée à l'expérience
même du monde : choisir entre l'expansion, qui tue, et
l'économie de soi, qui n'est pas la vie. Toute une expérience,
des années de souffrance, le spectacle de la France entière,
les théories d'Azaïs, et de bien d'autres, peut-être déjà
connues, en 1821, mais à nouveau méditées, rechargées, dans
la fiévreuse atmosphère des lendemains de la révolution de
Juillet, viendront charger de signification largement critique
les simples propositions du sage de Villeparisis. *La Peau de
chagrin* sera une protestation contre la vie qui nous est faite,
et le fils, ainsi que toute sa génération, se montrera d'une
autre exigence que Bernard-François, avec son algèbre des
passions. C'est ainsi que les enfants des philosophes à
l'ancienne mode écriront des *Contes philosophiques* auxquels
n'aurait pas songé la philosophie. Mais, bien entendu, la
décisive mutation de 1831 ne prend tout son sens que si l'on
tient compte de l'affleurement de 1821, et de l'incapacité,
alors, de Balzac à dépasser ses « sources » autrement que par
l'ironie.

Aucun de ces trois romans n'obtint le moindre succès. Il
faut noter qu'un article-annonce (rédigé par l'annonceur),
dans *Le Pilote* du 12 septembre 1822 signale que l'un des
mérites de *Clotilde* réside dans « *des observations philosophiques
et curieuses* ». Pigoreau, qui avait le dépôt, n'en disait pas tant,
dans les brèves notices de ses catalogues. Si, comme il est
probable l'annonce du *Pilote* est de Balzac lui-même, on voit
ce qui importait à ses yeux dans sa production. Pour le reste,...
Alors que sa mère le pressait de soigner sa publicité, de pousser
l'ouvrage, il était à Bayeux, où il découvrait plus d'un sujet

---

1. *Clotilde de Lusignan,* III, p. 220.

que devait retenir *La Comédie humaine;* il partit pour Cherbourg, laissant Madame mère s'arranger avec Hubert. Il avait autre chose en tête, et nous savons quoi : depuis le mois de mars, il s'était déclaré à Mme de Berny, et c'est pour l'en séparer qu'on l'avait expédié chez Laure, à Bayeux. Avant de partir, un exemplaire de *Clotilde*, avec dédicace spéciale imprimée : « A VOUS, votre très humble, R'Hoone », avait été remis à la Dilecta, qui valait quand même mieux. Une page était, en tout cas, tournée. Que valent, pourtant, ces trois premiers romans ?

Il faut en retenir, essentiellement, la parodie, comme attitude d'esprit-type, avec toutes ses conséquences et toute sa signification. A première vue, on pourrait croire que la parodie réponde à des nécessités commerciales : servir, à la fois, au public des cabinets de lecture, des aventures et leur dérision. Ce public aime croire et ne pas croire, « marcher » et ne pas être dupe. On le sert donc de deux manières. Mais *Falthurne*, qui n'a pas été publié, qui semble rédigé spontanément, est déjà sous ce signe de dissociation, les notes de Matricante au rez-de-chaussée faisant contrepoint au récit de Savonati. Et il y a mieux encore : dans *Sténie*, œuvre grave, sérieuse, romantique, s'il en est, on retrouve exactement le même réflexe. Une seule note, il est vrai, mais peut-être ainsi plus significative, dans cet océan de werthérisme, suffit à dire que la veine de Matricante n'est pas loin, et que Balzac n'eut pas grand effort à faire pour ses romans Hubert. A propos de del Ryès, dont Mme de Radthye raconte à Sténie qu'il disait à son mari : « Je suis horriblement gêné », Balzac, après « horriblement », a mis ce commentaire : « Il eût été facile au moindre écrivain d'ôter ces mots : *horriblement, noirceur, extrême, horrible, affreux, inouï*, qui se rencontrent si souvent. Mais il aurait fallu dénaturer chaque lettre. Du reste, si des étrangers lisent ceci, qu'ils apprennent que nous avons changé notre langage, et que nous ne parlons plus qu'en répandant ces mots *extraordinaires* avec profusion ; il n'est pas de femme *de bon ton* qui ne les emploie : *je suis horriblement* coiffée, que croit-on que cela signifie, rien autre chose, si ce n'est qu'une boucle de cheveux est mal placée. *Je suis à la mort* veut dire : j'ai mal à la tête. Une marquise va se plaindre de l'imposition faite sur sa fausse fenêtre : Monsieur le commis, elle est *inculte*. J'ai entendu dire en un bal à une jeune personne voyant une de ses compagnes mise avec élégance : *Elle est épouvantablement bien mise*. Comment désormais pourront s'exprimer les passions ? Je fais cette remarque ici : elle aurait dû être faite depuis longtemps. Qu'elle serve pour cette cor-

respondance [1]. » Qui jurerait que Balzac avait oublié cette
note lorsqu'il écrivit, en 1830, *Des mots à la mode?* [2] Pour le
moment, elle rappelle que *Sténie* utilise la vieille fiction de la
correspondance retrouvée et publiée, et dont, par conséquent,
l'éditeur n'est pas responsable [3]. Cette débauche de vocabulaire affectif apparaît donc comme parfaitement ambiguë,
à la fois satire et sincérité. Balzac se moque d'une noblesse
de style et de sentiment qui vire aisément au procédé. On
remarquera qu'il prend ses exemples au quotidien, à la « vie
privée » : c'est un tout autre registre que l'histoire de del
Ryès. Balzac prend donc ses distances, même à l'intérieur de
Sténie, par rapport au roman sentimental et à ses poses.
N'est-ce pas dire que *Sténie* n'est que l'une de ses tentations,
ou l'une de ses possibilités? Que le jeune auteur n'est pas pri·
sonnier d'un genre, et que celui-ci, quelles que soient les
résonances qu'il rencontre en lui, n'est qu'un « choix »?
*La parodie marque toujours un non-engagement, une possibilité
de non-engagement.* Pour parodier, il faut y avoir le cœur.
Certes, la note de Sténie ne pousse pas aussi loin le contrepoint que celles de *Falthurne*, parce que *Sténie*, sans doute,
est une œuvre beaucoup plus pleine de Balzac, parce que
Werther et *Julie* sont plus proches de son cœur que Scott et
la chevalerie, mais il n'empêche qu'il y a là comme *une faille*
dans l'expression du mal du siècle qui prouve un reste important de disponibilité intérieure. Et ceci explique tout. Par
formation (intellectualiste, « philosophique »), Balzac se
méfie instinctivement du *style* noble. Mais il s'en méfie également parce qu'il laisse échapper une partie importante du
réel, ou parce qu'il le défigure : réaction classique, encore,
réaction libérale, commandée non par d'étroites et desséchantes
considérations de parti, mais par une sorte de raison, de bon
sens, chez un jeune homme certes capable d'émotion, mais
encore très ancré à un univers d'innocence. Critique, dérision,
parodie sont des moyens de préserver un réalisme qui ne se
définit pas encore exactement en termes dramatiques; il se
contente d'être familier, railleur, et l'ironie est un moyen de
faire la part des choses. Les premières *Scènes de la vie privée*
offriront le même spectacle, mais avec une nette accentuation
du dramatique quotidien, de tout ce qui n'est pas encore
« littéraire » au temps des premiers essais, mais qu'une expérience et une vision nouvelle promeuvent à une dignité supérieure. On y trouvera encore plus d'un trait d'esprit, dégon-

---

1. *Sténie*, éd. Prioult, p. 145-146.
2. *La Mode*, 22 mai 1830.
3. *Préface*, p. 3, et la note de Prioult.

fleur de baudruches ; mais déjà largement équilibrés, dépassés, par la découverte et l'expression d'un nouveau sérieux. L'échelon intermédiaire aura été la période de quelques années qui aura vu, pour l'essentiel, les souffrances et la mort de Laurence, un approfondissement de la réflexion socio-politique, et la découverte de Paris. *On n'en est pas encore là :* le pathétique sentimental des romans a un peu vieilli, le pathétique « romantique » est un pathétique de parti qui hérisse Balzac : par conséquent, les premiers romans de R'Hoone ne sont pas simples pantalonnades pour lecteurs voltairiens. La parodie y est hygiène et exercice, et c'est sans doute ce que ces romans, écrits le plus souvent à la diable, ont de plus positif et de plus sincère. Balzac admire Gil Blas, Sterne, la littérature « fine et railleuse du XVIIIe siècle », qu'il tentera de réhabiliter en 1829 : héritage de formation bourgeoise, réflexe réaliste. Balzac ne *retrouvera* vraiment l'émotion, le sentiment, que par-delà cette dévalorisation ironique de leurs manifestations les plus stéréotypées. C'est le cycle dont il sera question, en 1831, dans la Préface de *La Peau de chagrin :* tout idéalisme neuf se dégage nécessairement d'un réalisme constitué ou renforcé en réaction contre des idéalismes fatigués[1]. Parodier d'Arlincourt n'est pas manifester de l'incompréhension vis-à-vis du « romantisme » : c'est en préparer le dépassement. *Rien, absolument rien de sérieux ne ravive encore, pour Balzac, tout ce qui, dans les divers registres reçus relève du sentiment.* L'insertion de *Sténie* entre le début et la fin de *L'Héritière de Birague* prend ainsi toute sa signification, ainsi, sans doute, que l'abandon de *Sténie*, que portait, certes, toute une réflexion philosophique apte à se dramatiser, tout un vouloir-vivre exigeant, et qui avait trouvé, dans les paysages de Touraine et dans les souvenirs d'enfance de quoi, sans doute, prendre forme un moment, mais qui n'était qu'une avancée prématurée. La facilité de rédaction n'explique pas tout pour les romans Hubert, non plus que les difficultés à polir *Sténie* : Balzac n'a encore embrayé que de manière incomplète, abstraite, sur une dramatique réelle. Les *Notes philosophiques* et leurs annexes, *Sténie*, préfigurent, certes, ainsi que quelques passages des romans, mais ne parviennent pas à l'*être* littéraire, et, finalement, que les romans Hubert aient été écrits s'explique sans doute par le fait qu'ils correspondent avec assez d'exactitude à ce qui est encore la dominante de Balzac. Mais bientôt, tout va changer. L'amour pour Mme de Berny, cette

1. Cf. t. II.

porte enfin réellement ouverte hors de l'univers régi par la
mère, les premières difficultés du ménage Montzaigle, un
amour vécu et des réflexions sur la vie privée, sur le destin,
tout ceci va passer dans un autre groupe de romans, écrits
du printemps à l'automne de 1822, et qui paraîtront chez un
nouvel éditeur : Pollet. Cet homme entreprenant, figure de
la librairie parisienne, avait « recruté » Honoré Balzac pour
une grande opération qui devait prendre place à la rentrée
d'octobre 1822. Pour lui furent écrits *Le Centenaire* et *Le
Vicaire des Ardennes*. Il devait également publier *Wann-Chlore*,
commencé à Bayeux, comme les deux autres romans, mais
la rédaction et la mise au point de ce dernier roman traîna
jusqu'en 1825. Quoi qu'il en soit, on peut dire que le départ
pour Bayeux, au lendemain des premiers échanges avec
Mme de Berny est l'un des moments les plus importants de
la jeunesse de Balzac.

*

Il n'est absolument pas nécessaire de refaire l'histoire des
amours de Balzac avec Mme de Berny; il s'agit là d'une affaire
connue. Il convient seulement d'insister sur trois points :
1° Mme de Berny, femme d'expérience, sera pour Balzac
une initiatrice. Sa mère ne l'avait préparé à rien de positif.
Mme Berny put corriger l'image héritée de Bernard-François
et ceci passera dans les leçons de Mme de Mortsauf à Félix de
Vandenesse. Mais il faut bien voir que cette initiation s'est
faite dans un climat non d'imposition, mais de communion et
d'apport réciproque. Balzac — nous l'avons déjà dit[1] — a
révélé l'amour physique à Mme de Berny. Les documents, tous
les documents, manquent, mais on imagine aisément l'importance d'une telle reconnaissance, de la part de cette femme
envers ce jeune homme, l'assurance et les épanouissements
qu'elle a pu permettre, les nœuds qu'elle a pu dénouer.
Certes, ceci n'effacera pas l'absence de la mère, mais enfin, et
sur le moment du moins, explique que Balzac se soit senti
libéré, affranchi. Pour cette femme, au sens plein, *il était*.
Du même coup, il retrouvait sa mère et l'amour; il était fils,
il était homme. Dans toute destinée individuelle, il est de
ces rencontres qui cristallisent et signifient. Mme de Berny,
c'est le monde moins innocent que Bernard-François Balzac,

---

1. Cf. *supra*, p. 190.

mais c'est aussi des découvertes faites ensemble, un nouveau départ, sans humiliations ni regrets. Balzac, à partir du milieu de l'année 1822, s'il prend appui sur ce qu'il est, sur ce qu'il a commencé à devenir, sur ce qu'il a déjà tenté d'exprimer dans ses œuvres secrètes, s'appuie aussi sur quelque chose de neuf aux tonifiantes positivités.

2º Mais il serait absurde de parler pour autant d'un « miracle Berny », cher à la critique anecdotique et cancanière. En fait, l'aventure avec la dame du bout du village survenait dans un contexte général, sinon d'épanouissement, du moins d'apparente réussite. Coup sur coup avaient été vendus trois romans à Hubert, avec une impressionnante progression dans les sommes touchées : huit cents, mille, deux mille francs; à défaut du « nom Balzac », le pseudonyme R'Hoone gagnait en droits et surface. Balzac se sentait lancé. Fin janvier 1822, Laure reçoit une lettre enthousiaste : Honoré va gagner 20 000 francs dans l'année! « J'ai cette année à faire : *Le Vicaire des Ardennes*, *Le Savant*, *Odette de Champ-divers*, roman historique, *La Famille R'Hoone*, plus une foule de pièces de théâtre. Dans peu, lord R'Hoone sera l'homme à la mode, l'auteur le plus fécond, le plus aimable, les dames l'aimeront comme la prunelle de leurs yeux et le reste. Et alors, le petit brisquet d'Honoré arrivera en équipage, la tête haute, le regard fier et le gousset plein. A son approche, on murmurera de ce murmure flatteur, et l'on dira : c'est le frère de Mᵐᵉ Surville [1]. » Oui, Balzac s'apprête à faire feu de toutes ses pièces. Un autre document du début de 1822 (sorte de bordereau de travail) le montre songeant à rien moins que six mélodrames, deux vaudevilles, un opéra, sept romans, une comédie et deux brochures. *Tragédies* demeure en blanc [2]... Planification, appropriation de l'avenir. On est, à vingt-trois ans ce qu'on sera encore à cinquante et plus. Mais Balzac est lancé, du moins le croit-il. Dans ces circonstances, se voir accepté par Mᵐᵉ de Berny (à qui l'on adresse *Jean-Louis*, à qui l'on dédie, *in extremis Clotilde de Lusignan*) [3] quelle confirmation! Paraissez Navarrais! Aux divers freinages familiaux, voici que succède un lâchez-tout général. Orientation, éclairage, tout change. On lit les poésies de Chénier en compagnie de l'aimée. On lui adresse des épîtres brûlantes, un peu faites « de chic », sans doute, au début, mais qui prennent peu à peu du sens. Pathos, souvent, et du

1. *Corr.*, I, p. 133.
2. *Lov.* A 202, fᵒ 28.
3. Les exemplaires de dépôt légal ne portent pas le : « A vous, votre très humble, R'Hoone », qui figure sur de l'exemplaire conservé à Chantilly.

plus mauvais, mais les thèmes généraux ne trompent pas :
vous pouvez, on peut toujours encore croire au bonheur;
« jeune âme naïve », « quand vous m'êtes apparue [1] », j'atten-
dais comme un signe, et ce sont constamment les mêmes
idées. Droit à l'être, possibilité d'être, expansion et conquête,
opposition entre nature et société : sinon « dans le désert
du monde » comme l'Elvire de Lamartine, Mme de Berny
est apparue à Balzac dans un univers qui avait besoin d'elle
et avait tout, aussi, pour la recevoir. Il est évident que, pour
Lamartine, l'image d'Elvire ne fait qu'ajouter aux autres
images de la mort et de la fragilité, alors que, pour Balzac,
l'image de la Dilecta est inséparable de l'entreprise et de la
conquête. « Aimer, c'est l'exaltation de notre être [2] » : ce
cliché, que Balzac reprendra dans *Le Centenaire* n'a pas pour
seules limites sa propre forme. A Bayeux, où sa famille l'a
expédié pour tenter de couper court à l'intrigue naissante,
Balzac parle de l'eau de Portugal, du Chénier, mais sans cette
tristesse morose qui, chez tant d'hommes, est comme attente
de la fin de tout; lui vit, parle, imagine. Écoutons-le : « S'il
y a de grands inconvénients à dévorer l'avenir en l'enrichissant de tous les trésors de la perfection et du bonheur, on
gagne d'oublier le présent et pour les moments de mélancolie
qui arrivent, lorsque les yeux se dessillent et que le dormeur
casse les porcelaines de sa boutique ou que le pot de lait tombe,
on a eu des heures charmantes où l'on vit double... [3]. Ces
amours bourgeoises de Villeparisis, cet exil, non pas à Naples,
mais sous le ciel froid, l'azur terne [4], dans un cadre prosaïque,
connaissent des exaltations, des découvertes, qui sont toujours dans le sens conquérant du siècle. Le *sentimentalisme*
qui envahit la correspondance de Balzac marque un élargissement considérable par rapport au simple *épicurisme* de
R'Hoone; le vocabulaire auquel il recourt (« je ne vois pas de
quel droit je troublerais votre bonheur pour un reste d'existence que je crois qu'il n'est au pouvoir de personne d'embel-
lir. Il y a des êtres qui naissent malheureux, je suis de ce
nombre [5] »), s'il ne doit pas être pris à la lettre, n'en est pas
moins un signe. Mais aussi, cet élargissement, cette ouverture,
ne signifient pas liquidation de tout l'acquis. Cette « poésie »,
qui est conquête sur le plan sentimental, n'est pas démission
sur le plan conceptuel. L'enrichissement, la mutation, on va

1. *Corr.*, I, p. 139 et 145.
2. *Ibid.*, p. 171.
3. *Ibid.*, I, p. 194.
4. *Ibid.*, p. 195.
5. *Ibid.*, p. 193.

le voir, concernant *l'ensemble* d'un *moi* qui prend de mieux
en mieux la mesure de l'ensemble du monde qui est le sien.

Oui, à partir des romans Pollet s'amorce un virage capital
dans l'inspiration : Balzac commence à s'exprimer par l'intermédiaire de héros qu'il nourrit de ses propres rêves. Dans les
trois romans Hubert, impersonnels, Balzac mettait en œuvre,
mus par les ressorts que nous avons vus, une matière romanesque prise aux autres. Mais Joseph, dans *Le Vicaire des
Ardennes*, mais Tullius, dans *Le Centenaire*, mais Abel, dans
La Dernière Fée, mais Horace Landon, dans *Wann-Chlore*,
seront des assoiffés d'absolu, des porte-parole et des incarnations du *moi* profond. Ces quatre romans sont des romans
d'amour. Ces quatre romans ont pour héros un jeune homme
singulier. Ces quatre romans se nourrissent de préoccupations
graves. Enfin, dans ces quatre romans, si la satire, si l'ironie,
si le style gai conservent leur place, ils ne sont plus qu'annexes,
au point que Balzac (on a la certitude à partir du manuscrit
de *Wann-Chlore*) en a considérablement réduit l'importance
à mesure qu'il les mettait au point. Ainsi, d'une manière
générale, dans ces quatre romans, on passe à l'expression de
tensions, de recherches, d'inquiétudes, à une authenticité,
qui manifestent l'ouverture d'une pensée et d'une sensibilité
à tout autre chose que dans les romans Hubert. Le premier
témoignage s'en trouve, d'ailleurs, dans les multiples essais
poétiques qui prolifèrent à cette époque.
  Balzac, on s'en souvient, avait abordé la poésie par la rhétorique et la versification : *Cromwell*, *Saint-Louis*, *Job*,
n'avaient de poétique que des lignes plus courtes que la prose,
et l'esprit y dominait. Mais, dès le manuscrit de *Clotilde de
Lusignan*, on lit, au dos du fragment relatif à la mort de
Trousse, ces essais pour les stances de Nephtaly :

> *Qu'importe de nos faibles jours*
> *La trop courte* [...]
> *Qu'importe la faible durée*
> *De nos trop misérables jours,*
> *Si du bonheur la main dorée*
> *N'en fleurit pas le cours* [1]*?*

Il n'est pas interdit de penser que ceci s'adressait à Mme de
Berny, avec le seul vocabulaire dont disposait encore Balzac.
Toujours sur des fragments de *Clotilde*, on lit encore :

---

1. *Lov.* A 158, f° 11.

Un matin vit éclore
Sur un lys encore frais des pleurs de l'aurore [sic!]
Un des fils du printemps
Par les jeunes efforts, par les doux mouvements
A sa prison brisée,
Il marche sur la fleur, il en boit la rosée,
Regarde le jardin.

Ceci devait conduire à une comparaison de goût classique, qui devait venir à l'aide d'un développement moral :

Quand de sa vie entière on a réglé le cours,
Donnant [...] *un tiers à ses amis,*
Et le reste aux amours,
Comme le papillon qu'un matin vit éclore [1] [...]

C'est très mauvais, encombré du pire Jean-Baptiste Rousseau et des poètes à la suite. Mais il est intéressant de voir Balzac, alors qu'il peine à terminer *Clotilde*, recourir ainsi encore, comme au temps de *Cromwell*, à la langue des Dieux. Il semble chercher un autre langage que cette prose à laquelle il se sent condamné, dont il ne sait pas encore qu'il pourra en faire, lui, un instrument de libération.

Au verso d'une feuille d'*errata* du *Vicaire des Ardennes*, on lit cette ébauche plus romantique :

La vierge des mourants d'une main consolante,
Guida de cet amant la démarche tremblante
Il arrive à la cime,
Sur le sein de la vierge, il repose sa tête [2].

Mais, surtout, c'est en marge de brouillons pour le même *Vicaire des Ardennes* qu'on lit ce début :

Serais-tu pas cet ange, et tombé de la voûte [...]
Du sein de ces torrents d'azur et de lumière [3] [...]

et sur des placards cet autre départ :

Que vois-je au sein diapré de ce tendre nuage?
Une jeune déesse à l'éclatant visage,
Au souris gracieux [4].

Ce sont les premiers balbutiements de l'*Ode à une jeune fille*, que Balzac publiera dans les *Annales romantiques* d'Urbain Canel, en 1827-1828 [5], et que, surtout, il fera réciter, en 1839,

1. *Lov.* A 240, f⁰ 73..
2. *Lov.* A 240 f⁰ 55-56.
3. *Lov.* A 158, f⁰ 36 v⁰.
4. *Lov.* A 240, f⁰ 79, v⁰.
5. Intégralement reproduite dans O.D. I⁰, p. 202-203.

par Lucien de Rubempré dans le salon de Mme de Bargeton.
Il expliquera plus tard à Mme Hanska [1] que le poème était
destiné à la fille de Mme de Berny qu'on voulait lui faire épouser. Le passage d'*Illusions perdues* est intéressant, grâce aux
commentaires de Châtelet : « Ce sont des vers comme nous
en avons tous plus ou moins fait au sortir du collège, etc. [2] »,
et ce ton méprisant d'un pur « classique » Empire dit sans
doute que Balzac, sur le moment, avait tenu à son *Ode*.
Certes, faisant le fier, et, aussi, avec quelques années de plus,
il avait demandé à Émile Regnault, pour cette scène de son
roman « un petit poème bien ronflant, dans la manière de
lord Byron ; c'est censé être la plus belle œuvre d'un poète
de province, en stances ou en alexandrins, en strophes mêlées,
comme il voudrait [3] ». Mais, sur le moment, et, même, au fond,
en 1836, alors que se rééditent les œuvres d'Horace de Saint-
Aubin ? Que Balzac ait, finalement, fait réciter à Lucien un
de ses poèmes éclaire à la fois le personnage et le poème, les
valorise tous deux. Quant à la destinataire, est-on bien certain qu'il s'agisse, malgré le titre, et malgré les explications
de Balzac à Mme Hanska, de la *fille* des Berny ? Lorsque la
lecture est finie, « si l'ode est obscure, dit Zéphirine, la déclaration me semble très claire », et Francis ajoute : « l'armure
de l'ange est une robe de mousseline assez légère [4] ». Le
1824, d'ailleurs, des *Lettres à l'Étrangère* est inexact, et nous
avons un brouillon de *1822*... Qu'en conclure, dès lors ? Le
poème est bien pour Mme de Berny, sous couvert, peut-être,
de la seule chose faisable en public : une politesse rimée à la
fille, et on devine, s'il y eut lecture, les airs appuyés et les
clins d'yeux. Mais il fallait, en 1836, biffer pour l'Etrangère,
tout ce qui demeurait de l'amour pour la Dilecta.

Telle qu'elle nous est parvenue, cette *Ode à une jeune fille*
se ressent évidemment de l'influence lamartinienne : harpes
d'or, Jéhovah, esprits immortels, chérubins, éternelle voûte, etc.
Comme le remarque Châtelet, Malvina, Fingal, apparitions,
guerriers sont passés de mode ; on en est aux lacs, aux
paroles de Dieu, à une espèce de « panthéisme christianisé » ; au
lieu d'être « au Nord », on est « dans l'Orient ». Mais rien ne
serait plus sot que de se limiter à des questions d'influences.
On sent, dans cette *Ode* un peu factice et appliquée l'effort
pour passer à un autre style, pour s'élever. On va voir

---

1. *Etr.*, II, p. 331.
2. *Illusions perdues*, éd. Adam, p. 100.
3. *Corr.*, III, p. 114. « Il » renvoie à Charles de Bernard, chargé, lui aussi, de la recherche.
4. *Illusions perdues*, éd. cit., p. 100.

que plus d'une gaillardise, dans *Le Vicaire des Ardennes* (tout ce qui concerne la servante du curé) rattachait encore Balzac à son récent univers Lepoitevin. Or, il y a dans cette *Ode*, une volonté de noblesse qui témoigne d'un changement de sentiments :

> *De ces anges d'amour, un seul est parmi nous*
> *Que le soin de notre heur égara sur sa route ;*
> *En soupirant, il tourne un regard triste et doux*
>   *Vers l'éternelle voûte.*

> *Ce n'est point de son front l'éclatante blancheur*
> *Qui m'a dit le secret de sa noble origine ;*
> *Mais son tendre sourire et l'accent enchanteur*
>   *De sa plainte divine.*

C'est le « O toi qui m'apparus dans le désert du monde », de Lamartine, avec ce qu'on devine de sincérité dans l'exclamation. Balzac pouvait bien se moquer de Lamartine en écrivant à Laure : c'était en juin 1821, et il y avait bien longtemps depuis lors! C'était le temps de Charles Pointel et de Chanclos.

Il n'est alors que de feuilleter les brouillons qui ont été sauvés : à tout moment, Balzac lâche la prose pour les vers, essaie, s'efforce, puis abandonne, butant sur l'artifice. Au bas d'un feuillet totalement raturé de *Wann-Chlore* figurent ces ébauches pour une églogue qui, cette fois, fait penser à Chénier :

> *A l'aspect du soleil abandonnant les cieux,*
> *Le pasteur a cessé ses chants mélodieux*
> *Qu'une nymphe attentive écoutait en silence*
>   [...]
> *Quittant son humide retraite*
> *Et du sein des roseaux levant sa blonde tête,*
> *Elle admire* [1] *[...]*

La réussite est moins contestable, la joie qu'elle a pu causer imaginable : du Chénier! Une antiquité, une mythologie, *pouvaient* échapper aux aimables et aux diseurs. Le support thématique n'obligeait pas, en soi, au faux. Mais le style, il est vrai, et ses obligations, empêchaient d'aller plus loin. D'où, changement de front.

Le Prisonnier devait avoir pour sujet, sans doute, les malheurs du Tasse : « Mon crime fut d'adorer une belle, d'oser le lui dire après l'avoir caché, de lui plaire, de chanter

---

1. *Lov.* A, f⁰ 80.

mon bonheur, de lui donner l'immortalité [...][1]. On sent les applications possibles, l'importance croissante du héros d'amour. La rhétorique est toujours là : « Je pourrais vous décrire les voûtes profondes, l'humidité des pierres, et cette mousse verdâtre dont la triste végétation offre aux prisonniers l'image de leur vie. » L'absurde, même, entraîné par le style noble et l'impossibilité de dire autrement : « L'un, rampant vers ses barreaux, comptera les années par les lignes brillantes que ses dents ont tracées sur le fer; il rit en voyant cette rouille qui lui parle, et il a assez de raison pour sculpter tout un discours sur une chaîne [...]. De tels malheurs sont suaves, si la lyre pouvait leur opposer l'horrible concert de toutes ces voix sépulcrales lorsque les prisonniers se réveillent au matin et qu'arrivés auprès de leurs barreaux, ils se parlent et veulent l'emporter les uns sur les autres [...]. Ici, un prédicateur rugit un sermon, là des guerriers assiègent une ville [...] etc., etc[2]. Quelque chose s'interposait, et que de jeunes gens, en ce siècle, durent commencer par ce dur apprentissage négatif! Même le déjà vécu, le déjà senti, devait passer par ces formes qui tuaient les sujets les plus authentiques. Qu'en en juge par cette *Ode à la fatalité*, ou, par ce qui semble en être l'aboutissement versifié, par ce *Poète mourant*, qui sont de l'époque où s'achevait *Clotilde*[3]. Fatalité, mort, autant de notions redécouvertes, souvent, et qui devaient leur importance, pour de jeunes consciences, à autre chose qu'à l'imitation littéraire : Annette le montrera bientôt, et Eugénie d'Arneuse. Mais voici : « Né d'un jour et pour un jour, l'homme est une fleur qui s'échappe du bord d'un précipice. Il faut qu'elle parcoure jusqu'au fond le lieu de son repos, elle se croit libre parce qu'elle poursuit son rapide chemin en voltigeant à droite ou à gauche, ou parce que l'air plus ou moins dense la soutient : poussée par son propre poids, elle ne peut s'arrêter, les accidents de sa chute sont nécessaires. Ainsi, la fatalité préside la vie du monde. Cette horrible ou gracieuse déesse conduit d'une main charmante ceux qui se laissent mener, et son autre main sévère traîne dans la poussière les malheureux qui demandent grâce à genoux et lui tendent des mains suppliantes. Elle est sur un char indestructible entre le Temps, les Plaisirs et les Maux » [...]. Faut-il, au mépris de toute charité, de tout bon goût, insister? Mais, si

---

1. *Lov.* A 240, f° 5.
2. *Ibid.*, f° 3.
3. Un brouillon figure au dos de la lettre de l'imprimerie Belin qui, en date du 22 mars (1822), réclame à Balzac de la copie pour *Clotilde* (*Lov.* A 240, f° 37, v°).

de tels textes n'étaient cités, qui comprendrait vraiment
d'où il a fallu partir pour écrire *Louis Lambert* ou *Le Père
Goriot?* « O déesse, suspends ta course, je veux cueillir une
fleur sur le chemin avant qu'elle soit flétrie. La déesse marche
toujours [...]. Que résulte-t-il de ce tableau? Que l'égoïsme
et l'insouciance sont de mauvais biens. Que la vertu est mille
fois plus belle, et que tout est égal ». Et quand on passe aux
vers...

> *Brillant d'or et d'azur, à la céleste voûte,*
> *Le soleil recommence une éternelle route,*
> *L'espoir du laboureur ;*
> *D'un sein toujours fécond, Cybèle fait éclore*
> *Des tapis parfumés qu'une immuable aurore*
> *Embellit de ses pleurs*

· ·

> *Inégale en son cours, la Comète elle-même*
> *Revient nous attester que son blanc diadème*
> *Ne doit point se ternir,*
> *Enfin, du monde entier, l'immortelle matière*
> *De ses vivants débris se faisant l'héritière*
> *Meurt pour se rajeunir*

> *Le tranquille animal, privé de la pensée,*
> *Rumine le festin, tout brillant de rosée,*
> *Qui renaît sous ses pas,*
> *Sans voir que de ses jours, le flambeau se consume ;*
> *Et ceux qui de la tombe ignorent l'amertume*
> *Sont exempts du trépas*

O Malherbe, qu'eût pensé votre grande âme! Et comment le
Balzac des lettres à Laure peut-il écrire ainsi? Il y a, en un sens,
cru, cependant. Il a pensé que certaines choses ne pouvaient
se dire qu'ainsi, à moins de passer par chez Pigoreau. Est-ce
pour le mariage (pardon, pour l'hymen) de Laure, ou pour
celui de Laurence, qu'il a broché cet hymne?

> *Vierge au divin sourire, à chevelure blonde,*
> *Je me souviens encor d'un jour où loin du monde,*
> *En un secret vallon,*
> *Devinant la journée aux grâces de l'aurore,*
> *Des fleurs qui dans ton âme un jour devaient éclore,*
> *Tu faisais la moisson*

· ·

> *Bientôt pour toi l'hymen apprêtant ses concerts,*
> *Arrache ta jeunesse à tes bocages verts,*
> *Et de leur paix profonde*

> *Tu sortis dans l'éclat de ces dons immortels,*
> *Et chaste tu deviens l'honneur de ses autels,*
> *Et l'événement du monde* [1].

Comment, pour égayer l'événement, ne pas préférer les « nénés » de telle lettre de 1821, et les considérations sur le mariage qui « fera très bien à Laurence » ? Comment, surtout, ne pas songer à la « femme abandonnée », de *Wann-Chlore*, et à tout ce qui s'ensuivra ? Mais Balzac avait hérité, de son père et de son monde, avec son « progressisme », cette « civilisation » du style qui gardait si bien de mettre en cause l'autre. Et il y faut insister : sans le roman, qui donnait le droit, la possibilité, de court-circuiter ce langage faux, sans le roman, alors genre totalement hors-littérature, Balzac ne serait peut-être jamais pleinement sorti de cette contradiction esthétique fondamentale entre une expression sclérosée et tout un exprimable, tout un à exprimer, qui pesait sur les structures héritées. Et, d'autre part, cette contradiction, il faut bien la prendre dans sa direction positive et libératrice : du côté des exigences, non du côté des carcans. Rien de plus facile que d'ironiser et se tailler un succès de lecture en citant les « poésies » du jeune Balzac. Mais il est beaucoup plus important de chercher à comprendre *pourquoi* le même jeune Balzac se trouvait *gêné* dans ce qui ne faisait pas problème pour les amis rimeurs du baron Châtelet.

Oui, l'expression demeure traditionnelle, mais l'élan, les sentiments sont nouveaux. C'est un véritable dégel de Balzac, un débordement de son libéralisme et de son intellectualisme du côté de la vie, du spontané, du moins à ras de terre aussi. Déjà, l'insertion, dans *Clotilde de Lusignan*, de stances, de ballades, marquait la transition d'une littérature à peu près uniquement critique à une littérature d'*expression*. Au dos, d'ailleurs, de la lettre d'Hubert qui demandait des adoucissements à *Jean-Louis*, Balzac avait jeté les premiers vers d'une ode qui redécouvrait curieusement les mérites du style chateaubrillanté, naguère si moqué :

> *Rarement l'on a vu le voile d'un nuage*
> *Mêler ses flots d'argent à l'écharpe d'azur*
> *Dont la course hardie entoure les rivages*
> *Qu'arrose le Niger d'un cours rapide et sûr* [...]
> *Aux lieux où l'Africain, sur le sable doré* [...]
> *Je viens redemander à ces autels sacrés*
> *La foi de nos serments si saintement jurés* [2]

1. *Lov.* A 240, f⁰ 53.
2. *Lov.* A 256, f⁰ 158, v⁰.

L'auteur de *Jean-Louis* s'exprime ainsi... N'est-ce pas bien la preuve incontestable que le genre libéral ne pouvait suffire à tout ce qui cherchait à s'exprimer chez ce jeune bourgeois de la génération montante? L'art, l'intense, dédaignés par les bourgeois et les libéraux, accaparés par le droitisme sentimental, vont, dans les nouveaux romans, s'épancher dans le « raisonnable ». Tout un renouvellement, tout un enrichissement intérieur, que ne soupçonnait pas Mᵐᵉ Balzac, l'amour pour Mᵐᵉ de Berny, la joie de se sentir enfin compris, libèrent en Balzac des forces contenues, sans emploi. *Clotilde*, par le biais de la dédicace ajoutée en dernière minute, par ses quelques strophes, avait été tant bien que mal rattachée à ce nouvel univers du sentiment, mais on imagine que Balzac rêvait de mettre aux pieds de l'aimée autre chose que des romans plaisants. Désormais, c'est tout le style des lettres à La Dilecta qui passe dans les poèmes, dans les romans auxquels on travaille pour Pollet. L'amour de Jean-Louis pour Fanchette avait encore quelque chose de joyeux, mais d'un peu court. Désormais, c'est autre chose.

Phénomène banal, dira-t-on? Mais comment ne pas voir qu'on a là, il faut le répéter, un débordement du raisonnable et du bourgeois par le poétique, par l'intense, par le mouvement, et ce débordement n'est-il pas la preuve que le bourgeois, en 1822, est bien déjà le bourgeois? Reste à inventer contre lui un art, un style, qui ne doive plus rien, ou le moins possible, à ces rhétoriques, à ces effets que sa raison récuse aisément; reste à ne plus avoir besoin des pseudo-classiques, des frénétiques et divers artificiels ou exagérés. Mais le besoin, la contradiction sont là. Nul doute que Bernard-François et ses amis pouvaient « admettre » les trois premiers romans, mais pour Chénier (qu'Honoré lit avec Mᵐᵉ de Berny), mais pour ce qui va naître, l'écart ne peut que croître. C'est pourquoi importent au premier chef ces figures nouvelles qui apparaissent à la fin de 1822, autrement fraternelles que les fantoches de l'année précédente.

Balzac pensait au *Vicaire des Ardennes* dès février 1822. Peut-être, pris par de trop multiples projets, ne pouvait-il faire face à tout. Aussi, demanda-t-il aux Surville de l'aider : la correspondance garde la trace d'une collaboration de Laure et d'Eugène; ils rédigeaient un premier texte que Balzac reprenait et mettait au point. Pendant le séjour à Bayeux, le travail dut aller bon train, et l'on garde un plan manuscrit de la main de Laure[1]. Mais sans doute le rythme était-il trop

---

1. *Lov.* A. 158, fᵒ 36.

lent, et, de retour à Paris, Balzac, pressé par Pollet, demanda-t-il d'urgence tout ce qui était prêt, afin d'en finir. Il travailla à son nouveau roman tout l'été; moyennant quoi l'engagement put être tenu, et la *Bibliographie de la France* annonça l'ouvrage le 2 novembre. La source première est un roman de Sophie Pannier, *Le Prêtre*, paru en 1820. C'était l'histoire d'un jeune homme entré dans les ordres sans vocation, mais dont le cœur et la sensibilité font un prédicateur émouvant, et qui déroute ses nouveaux paroissiens dès sa première prise de parole. Il devient bientôt l'objet d'un amour insensé de la part de la comtesse d'Origny, qu'il repousse comme Hippolyte Phèdre. Le roman était assez schématique, et tirait le meilleur de ses effets de ses audaces (par exemple, le baiser que donne la comtesse au jeune prêtre au confessionnal). Il n'a fourni à Balzac qu'une donnée de départ : sur ce terrain comme sur d'autres, les audaces du *Vicaire des Ardennes*, sa portée, seront d'un tout autre ordre.

Avant, toutefois, d'interroger ce roman « sentimental », il importe de définir la personnalité de celui qui en est officiellement le présentateur, et lui fait souvent équilibre de manière curieuse. R'Hoone, en effet, était mort avec le changement d'éditeur. Il avait recouvert trop de choses désormais dépassées; il rappelait des partages; et, désormais, Balzac volait de ses propres ailes. D'où, ce bachelier Horace de Saint-Aubin, nouveau pseudonyme qui « durera », avec diverses fortunes, jusqu'en 1825, et refera surface, en 1836, lors de la réédition de ses *Œuvres complètes*, chez Souverain. Une longue biographie lui sera alors consacrée, avec déjà, on l'a vu, toute une distanciation romanesque, qui conduit à Rubempré et fait avancer la théorie de l'éducation. Mais l'autre histoire de Saint-Aubin, au jour le jour, avant toute recomposition, alors même que le personnage se faisait sans savoir où il allait, réserve déjà de passionnantes surprises. N'ayant pas encore le « droit » de créer des héros de roman, Honoré Balzac, du moins, continue de s'exprimer, et s'exprime de plus en plus, par l'intermédiaire de ses porte-symboles.

R'Hoone, aux contours assez indécis, relevait de la tradition Voltaire-Pigault Lebrun. Saint-Aubin, d'emblée, semble être d'un cran au-dessus, quelque peu différent. Oh! certes, il est encore cousin de Matricante et du lord de chez Hubert. Il est spirituel, insolent, faiseur de phrases. Il habite dans l'île Saint-Louis, rue de la Femme-sans-tête [1]. Il sait quêter la

---

1. *Le Vicaire des Ardennes*, III, p. 26.

faveur du lecteur, annoncer une burlesque suite de romans, si
Le Vicaire est bien accueilli [1]. On le retrouvera, en 1823-1824,
dans la préface d'*Annette et le criminel*, protestant de ses
honnêtes intentions politiques [2], racontant qu'il va chaque
dimanche à la messe à Saint-Louis, qu'il y paie consciencieusement ses deux chaises (?), sans regarder la jeune personne qui reçoit ses deux sous, « quoiqu'elle soit bien jolie [3] ».
On apprend alors qu'il a fait ses études au collège de Beaumont-sur-Oise, sa rhétorique, en particulier, « sous feu le père
Martigodet [4] », ce qui rend un son assez semblable à celui,
naguère, de Matricante. Quant aux « jupons de dessous »,
auxquels fait allusion une note du *Vicaire* [5] ils sont bien
toujours de cette tradition narquoise, à l'occasion gaillarde,
du tout premier Balzac. Aucun doute n'est donc permis :
Saint-Aubin, en 1822, continue bien dans la tradition intellectualiste et xviiie siècle de R'Hoone. A cet égard, il jouera un
rôle très significatif, dans des romans d'une inspiration toute
nouvelle : brillant, insouciant, il fait contraste avec les personnages graves dont il conte l'histoire : Joseph, Tullius, Abel,
Annette. Il semble, ici, que Balzac se partage, ses héros
incarnant tout le « romantisme » qui est en lui, Saint-Aubin
marquant la distance qu'il entend garder par rapport aux
entraînements du verbe et du sentiment. Par Saint-Aubin,
Balzac ne se livre pas entièrement à cette poésie qui inspire ses
romans. Il la domine et la comprend, l'irrévérence des préfaces
et des notes étant là, toujours, pour aider à *voir*, à continuer
à *voir*. Ce dédoublement correspond à la fois, à un manque
d'expérience, et à une lucidité supérieure. Manque d'expérience, puisqu'on verra Saint-Aubin, en 1824, changer de ton
et laisser, pour tout de bon, ses pirouettes au contact personnel du malheur [6]. Lucidité supérieure : romantisme ni poésie
n'entraînent Balzac; ils font partie du réel, sans l'exprimer
totalement, ni l'épuiser. Au départ, Saint-Aubin dit assez
bien des restes de méfiances bourgeoises envers ce « style »
dont on se méfiait chez les fils de la Révolution et du constitutionnalisme. Ces méfiances fondront, chez les plus jeunes, mais
il n'y aura jamais, chez Balzac, romantisme sans jugement,
chose éprouvée sans chose *vue*, et faite voir.

---

1. *Le Vicaire des Ardennes*, p. xxx-xxxi (*Le Traversin, ou Mémoires secrets
d'un ménage; Le Fiancé de la Mort; Mon cousin Vieux-Pont; Le Bâtard; Les
Conspirateurs;* et *Les Gondoliers de Venise*).
2. *Annette et le criminel*, I, p. 10 sq.
3. *Ibid.*, p. 11.
4. *Ibid.*, p. 16.
5. *Le Vicaire des Ardennes*, IV, p. 27.
6. Cf. *infra*, p. 681 sq., pour la postface de *Wann-Chlore*, en novembre 1824.

Là, toutefois, ne se limite pas Saint-Aubin. S'il maintient, en l'enrichissant, la tradition de R'Hoone, il possède aussi quelque chose de plus. Le jeune bachelier (jeune célibataire, comme dans la *Physiologie du mariage*) rappelle à la fois Lindor et Gil Blas; il s'inscrit dans toute une autre tradition, romanesque ou picaresque, d'aventure et de charme, d'ambition juvénile et charmante. Il semble plus léger que R'Hoone, plus pirouettant, *disponible*. Alerte et confiant, le bachelier Horace de Saint-Aubin, à la fin de 1822, c'est le Rastignac que l'on porte en soi à cet âge, alors qu'une dame vient de vous distinguer, alors qu'on vient de vendre deux nouveaux romans, et qu'on en a un troisième de commencé, autant dire de vendu [1]. Ce Saint-Aubin-là, c'est bien l'anti-René. Ce qui ne l'empêche nullement d'avoir du cœur, et d'être sensible. Comme le jeune Balzac, il aime à se promener au Père-Lachaise [2]. Il rêve, aisément, et son prénom, Horace, que Balzac avait pris, peut-être à Molière, mais que, dans *Le Nègre*, mélodrame écrit aux derniers jours de 1822, il accolera à celui de Manfred, plus que d'un philosophe, est bien celui, déjà, d'un héros de roman [3]. Quelques mois plus tard, d'ailleurs, dans des brouillons pour *Wann-Chlore*, Balzac s'amusera à mêler sa signature à celle d'un autre Horace, Horace Landon, héros de roman à part entière, celui-là, figure centrale de *Wann-Chlore* [4]. Le moins, donc, qu'on puisse dire, est qu'il y a proximité (sinon filiation) entre porte-parole des préfaces et le personnage des œuvres d'imagination. C'est là une dimension qui manquait à R'Hoone, philosophe et disert; mais assez *sec* de mode d'être. Saint-Aubin, d'ailleurs, connaîtra l'amorce d'une existence romanesque bien des années avant la notice Sandeau. Dans *Le Centenaire*, il est déjà question de son frère, Victor Saint-Aubin, qui lui aurait remis les papiers qui sont à l'origine du roman, et c'est ce « Saint-Aubin l'aîné » qui, aux dernières pages, apporte aux lecteurs l'heureux dénouement qu'ils attendent [5]. Au début de 1824, dans des brouillons pour *L'Excommunié*, roman historique Armagnac et Bourguignon, deux frères Saint-Aubin, Georges et Jacques, apparaissent, qui auraient été chacun dans l'un des partis opposés [6]. Le bachelier aurait-il eu, à la manière du

---

1. *Wann-Chlore*, commencé à Bayeux, en mai, promis à Hubert pour octobre, en août (*Corr.*, I, p. 206).
2. *Le Vicaire des Ardennes*, I, p. vi.
3. Signé Horace de Saint-Aubin, *Le Nègre* sera refusé par la *Gaîté* en janvier 1823. (*Corr.*, I, p. 217).
4. *Lov.* A 156, f° 28. Au milieu de la feuille : « jeudi 10 avril 1823 ».
5. *Le Centenaire*, IV, p. 223 sq.
6. *Lov.* A 158, f° 17.

duc d'Hérouville, de lointains ancêtres d'ancienne France,
dans cette petite *Comédie humaine?* Il est certain que, à défaut
du nom Balzac, le nom Saint-Aubin se manifestait, vivait, se
révélait apte aux développements, et enrichissements. Le
jeune romancier n'avait-il pas exigé, d'ailleurs, par contrat,
que le nom Saint-Aubin soit exclusivement réservé, par
Pollet, à ses propres productions [1]? A la proximité substantielle et thématique Saint-Aubin-héros de roman, il faut
ajouter la proximité substantielle et personnelle Saint-
Aubin-Balzac. Le bachelier est déjà l'un de ces héros semi-
mythiques, susceptibles de devenir comme la cellule-mère
de fictions significatives, qui marqueront les débuts du grand
Balzac. On peut prêter à Saint-Aubin son esprit. On lui
prêtera, en 1824, sa détresse et ses visions sur la « vie privée [2] ».
Manquait-il beaucoup pour qu'on lui prêtât ses rêves? En fait,
et surtout compte tenu de ce texte capital que sera la postface de *Wann-Chlore*, en 1824, Saint-Aubin conduit à Victor
Morillon, présentateur pseudonyme auquel songera d'abord
Balzac pour *Le Dernier Chouan*, à Raphaël et à Louis Lambert. Raphaël, exactement comme Saint-Aubin, ne parlera-t-il
pas, lui aussi, de « littérature marchande [3] »? On passe assez
bien de Saint-Aubin à Raphaël. On passera encore plus aisément de Raphaël à Lambert, dont Morillon est une première
incarnation. Et Morillon tient au Saint-Aubin de 1824,
douloureux et marqué, mais qui continuera, comme celui
de 1822, d'habiter l'île Saint-Louis... Il semble qu'on ait
réellement avancé depuis Matricante et depuis R'Hoone, et
qu'on soit vraiment en marche, sans renier quoi que ce soit,
mais en intégrant, en dépassant, en enrichissant tout, vers le
vrai Balzac.

En apparence, *Le Vicaire des Ardennes* relève toujours
d'une tradition désormais bien définie chez Balzac : celle du
roman intellectuel et des recettes XVIIIe siècle. La technique
est celle des « tiroirs » : deux retours en arrière, l'un par la
découverte d'un manuscrit, l'autre par un récit oral, nous
mettent au fait de l'histoire de Joseph et de celle de
Mme de Rosann, et, au départ de tout, il y a le manuscrit

1. *Corr.*, I, p. 198.
2. Cf. *infra*, p. 679.
3. *La Peau de chagrin*, éd. Allem, p. 177 (texte de l'éd. orig.). Cf. *Le Vicaire
des Ardennes*, I, p. xxix-xxx : « un pauvre bachelier qui commence ses premières œuvres de *littérature marchande* », et *Annette et le criminel*, I, p. 5 : « mes
petites opérations de littérature marchande ». Raphaël vendra, par l'intermédiaire de Rastignac, les mémoires de sa tante : souvenirs, aussi bien des années
1820-1825, que celles plus tardives, au temps du retour à la littérature, lorsque
Balzac fabriquait les *Mémoires* de Bausset.

trouvé et publié par Saint-Aubin. C'est là une technique proprement discursive, beaucoup plus que poétique, propre à satisfaire des curiosités plus qu'à exprimer directement des sentiments. Manuscrit et récit permettront, certes, la confidence, l'épanchement, mais demeure cet écran de fictions, qui, à la différence de celles du roman par lettres, ont assez de mal à s'intégrer dans une présentation réaliste. D'autre part, le ton, dans la préface, dans les premiers chapitres, est encore celui de Sterne, de Beaumarchais, de Lesage. Enfin, Matricante est toujours vivant. Saint-Aubin, d'ailleurs, a trouvé le manuscrit au Père-Lachaise, non loin du tombeau d'Héloïse ; après avoir consulté un libraire, qui lui a conseillé de faire revoir la chose par un homme de lettres, il a arrangé, émondé. Exactement comme l'instituteur de Claye-en-Brie revoyant la lyrique prose de Savonati, il explique, par exemple, à propos du journal de Mélanie :

> Le journal de Mademoiselle Mélanie m'aurait facilement fourni trois cents pages d'impression. Usant de tout le goût et le discernement qu'un bachelier ès lettres peut avoir, j'ai réduit cette divagation amoureuse à sa juste valeur. Les écrits des amants sont lâches, diffus, remplis de répétitions, et ce n'est pas une petite tâche que de les resserrer. Aussi, je demande grâce pour les incohérences, les expressions et le délire de ces morceaux, en faisant observer qu'*ils ne sont pas de moi*. C'est par ces mêmes raisons que je me suis permis de retrancher beaucoup de choses dans le manuscrit du Vicaire. J'espère que les lecteurs me tiendront compte de cette délicatesse de conscience [1].

Laure, auteur de certaines pages serait-elle visée ? Il n'est pas absolument nécessaire de l'imaginer. C'est toujours la « distance » vis-à-vis d'un pathétique et d'un style non totalement assumés. Balzac récuse toujours le Panthéon officiel, comme en fait foi cet autre passage de la *Préface* sur les inscriptions du Père-Lachaise : « Le monde y est renversé, chaque épouse y est fidèle ; toutes les mères adorées ; tous les enfants de leur père ; et les superlatifs les plus pompeux sont prodigués à d'honnêtes charcutiers, procureurs, boulangers, tailleurs, maçons, etc., tellement que pour les hommes que la France révère, on n'a pu mettre sur leurs marbres rien autre chose que Masséna, Jacques Delille, Évariste Parny, Méhul. Ces messieurs les débitants avaient tout pris [2]. » On contestera sans doute certains éléments de l'anti-Panthéon, mais on

1. *Le Vicaire des Ardennes*, I, p. x.
2. *Ibid.*, p. vii.

retiendra surtout que, des méditations du jeune Balzac au
Père-Lachaise en 1819, s'il demeure, s'il est demeuré, comme
en font foi les lettres à Laure, de l'exaltation et des rêves, est
demeuré *aussi* un début de réflexion critique et démystifica-
trice qui continue toutefois à recourir à l'ironique légèreté
des maîtres.

L'autre face intellectuelle du roman est la peinture satirique des personnages et des milieux. *Le Vicaire* est d'abord
un roman de mœurs dans la tradition de *Jean-Louis* :
simplement, le sujet est pris à une époque plus tardive, ce
qui permet de mesurer quelques chemins parcourus. Balzac
silhouette non sans bonheur quelques types pittoresques qui
appartiennent au folklore Restauration : l'ancien maire, destitué en 1815, et jaloux du maire actuel; celui-ci, qui fait des
effets d'écharpe blanche; l'instituteur, Jean-Baptiste Lesecq,
sous qui la Restauration, « profita de ces temps d'anarchie
pour prendre le prénom de Marcus-Tullius[1] »; le curé jureur; les
emprunts forcés lors du passage des alliés; le retour annoncé
des Jésuites; même, car les choses vont lentement dans les
consciences et dans les campagnes, les bouleversements
apportés par le système décimal; l'allusion aux paysans
qu'on empêche de danser le dimanche, etc. Tout ceci,
alors, devait faire mouche. Notons d'ailleurs dans ce registre
moderniste l'apparition des thèmes du passé, des effets
accumulés, des héritages. Ce n'est plus l'univers de *Jean-
Louis ;* il y a déjà habitudes et stratifications, différenciations
d'une unité, quelque peu devenue *pseudo.* Tout cet univers
post-révolutionnaire est agité des passions, de rivalités;
l'élément individuel et privé y prend une part croissante :
les acheteurs de biens nationaux se sont installés sur leurs
terres. Dès lors, une conséquence : alors que dans *Jean-
Louis*, roman de l'élan révolutionnaire initial, le *sentiment*
s'identifiait avec la poussée plébéienne, avec la mutation en
cours, dans *Le Vicaire*, il se différencie de ce qui, de plus en
plus, est juxtaposition de réussites, de désirs, d'ambitions, etc.
Très significatif à cet égard sera le doublement de Gausse
par Le Vicaire : alors que Gausse appartient à la race des curés
« philosophes », Joseph sera un prêtre tout de sentiment, et
mettant en cause ce qui mérite de l'être par de tout autres
moyens que ceux de la tradition des « curés de campagne ».
Balzac avait probablement lu, en 1819, *Le Curé de village*, de
Mahul, ancêtre direct de celui de Montégnac en 1839[2]. Il

1. *Le Vicaire des Ardennes*, p. 39.
2. Cf. Pierre Barbéris, *Deux sources lointaines du Curé de village*, A. B., 1965.

avait aussi à l'esprit toute une tradition qui remontait au
XVIIIe siècle et qui, du *Vicaire savoyard*, conduit à Jocelyn [1]. Il
pensait, enfin, tout près de lui, à Béranger : lorsque le curé
Gausse prend le menton de sa servante, lorsque celle-ci
sourit, « soit de souvenirs, soit de contentement [2] », lorsque,
surtout, il se demande si le nouveau vicaire ne sera pas
quelque fanatique, s'il tourmentera « ces pauvres gens pour
leur danse, leurs petits défauts inséparables de notre nature »,
il pense à tout un système de références libérales. La fameuse
Pétition de Paul-Louis Courier *pour les villageois qu'on
empêche de danser*, datait alors de quelques mois seulement,
et elle avait sans doute réactivé de vieux souvenirs de 1815 :

> *Le dimanche point ne défends*
> *La joie à ces pauvres enfants.*
> *J'aime alors qu'on s'en donne.*
> *Au chœur où seul je suis content,*
> *Je les entends rire en buvant,*
> *Chez la mère Simone*
>
> *Ou j'y vais même, s'il le faut,*
> *Les prier de chanter moins haut.*
> *Et zon, zon, zon,*
> *Baise-moi, Suzon,*
> *Et ne damnons personne* [3].

Mais attention! Gausse, curé philosophe et raisonnable,
sentencieux, plein de sagesse humaine, Gausse heureux
avec sa Mélanie, *est un peu court, un peu sommaire*, par rapport
au nouveau vicaire, messager, non pas, comme on avait pu
le craindre, du fanatisme blanc (auquel Gausse aurait sainement réagi, sans doute, comme tout le village, mais Balzac
déçoit l'attente rassurante de la conscience libérale), mais bien
d'une tout autre manière de vivre, de sentir, de vivre avec
les autres. Dès son premier sermon, le vicaire touche et bouleverse les paroissiens qui n'avaient jamais entendu paroles
aussi émouvantes, aussi senties. Le vicaire déborde Gausse
en étant un héros du sentiment et le témoin d'exigences mal
comprises de l'univers libéral. Plus tard, dans une œuvre de
Balzac, Gausse, en tant que curé d'avant-garde, sera à nouveau
dépassé, mais cette fois par des prêtres disciples de Lamennais : l'abbé Janvier, en 1832, dans *Le Médecin de campagne*,

---

1. Cf. André Masson, *La Religion de Jean-Jacques Rousseau*.
2. *Le Vicaire des Ardennes*, I, p 58.
3. *Chansons morales et autres*, par M. P.-J. *de Béranger, convive du caveau
moderne, avec gravures et musique*, Eymery, 1815. La strophe citée est mise en
légende sous le frontispice qui représente le curé arrivant « chez la mère Simone ».

comme l'abbé Bonnet, en 1839, dans *Le Curé de village;*
significatives relances, dans le sens du social, et non plus seulement du simple politique, d'un esprit de justice et de liberté
que ne suffisaient plus à définir ni à encadrer les valeurs et les
mobiles du libéralisme. La justice et la liberté, pour les curés
philosophes, c'était la charité, l'indépendance d'esprit (parfois
un peu de jansénisme, comme chez le Paterne Simplicius de
Mahul, et comme chez l'abbé Chélan), la compréhension des
problèmes de leurs ouailles, l'opposition au fanatisme tel qu'il
s'élabore dans les villes et dans les partis. La servante au
grand cœur, c'était la dimension un peu coquine de la question,
l'appel discret à la nature, la proximité avec les autres
hommes. Mais tout ceci commençait à dater : l'arrivée d'un
nouveau vicaire au village d'Aulnay, la semi-retraite du curé
Gausse, cette relève de la tradition libérale et philosophique
par ce qu'il faut bien appeler, comme la suite du roman va le
prouver, le romantisme, est la preuve du déclassement, pour
les jeunes consciences, de toute une théorie et de toute une
pratique de la liberté qui non seulement avaient suffi à la
génération précédente mais encore avaient largement et puissamment défini l'universalisme de ses efforts. Il n'était guère,
alors, d'autre contenu pensable, d'autre expression possible, à
la notion de liberté. Mais un besoin d'autre chose, d'une
autre liberté, l'insuffisance de la liberté selon philosophes et
libéraux, devait conduire à d'autres héros. Joseph, dans *Le
Vicaire des Ardennes*, n'est pas porté par une simple intrigue,
comme le héros de Sophie Pannier, mais bien par une nouvelle
vague de la vie. Sur ce point, déjà, le renouvellement est
profond.

Mais la grande nouveauté du *Vicaire des Ardennes* est d'être
largement inspiré par les souvenirs et les sentiments personnels
de Balzac. Il ne s'agit plus seulement, cette fois, de réactions
critiques de l'intelligence, mais de choses qui montent des
profondeurs, d'affleurements et résurgences qui ne se peuvent
exprimer que dans un langage qui leur soit propre. Vite, le
côté traditionnel du roman, le côté libéral, cède la première
place aux thèmes du souvenir, de l'amour, du besoin d'aimer
et d'être aimé. Joseph, c'est Balzac à dix-huit ans, lors de la
découverte exaltante de Paris : le Panthéon, les cours de
Sorbonne, la Bibliothèque Sainte-Geneviève, l'univers de la
science et de la culture, nous savons d'où cela vient. Que
Bernardin de Saint-Pierre ait fourni la « nègrerie » du tome II,
que *René* ait fourni l'amour incestueux pour la sœur, pour des
traits de caractère et d'expression, est incontestable, mais ce
qui nous importe, ce sont les raisons de cet intérêt pour un

style jusqu'alors si peu goûté. Balzac s'était montré dur envers le romantisme de *La Quotidienne*, mais, auteur de *Sténie*, il savait ce que disait à son cœur le romantisme du moi, celui de *Werther*, celui de *Julie*, avec ses exigences d'une autre portée que les nostalgies à la d'Arlincourt. Ce qui manquait, c'est la cristallisation, l'événement qui devait permettre la personnalisation, l'appropriation profonde de thèmes encore extérieurs, ou sans points d'ancrage suffisamment fermes dans la conscience du jeune homme. Or, l'événement s'était produit, qui avait apporté à Balzac ce qui lui manquait, et le lançait, par conséquent, vers des horizons jusqu'alors insoupçonnés. La genèse même du roman est éloquente.

Chez Sophie Pannier, la comtesse d'Origny n'est qu'une amoureuse ardente. Balzac a fait de Mme de Rosann, en une fiction dont l'audace n'a pas été vue, *la propre mère de Joseph*. Non seulement il a rendu chaste (?) un sujet scabreux, mais surtout, il a rendu possibles toutes les mutations de senti-ments imaginables. Mme de Rosann est, *à la fois*, la figure de l'amante et la figure de la mère. Pourquoi? La réponse est immédiate : Mme de Rosann c'est Mme de Berny. *Joseph n'a pas de mère*, et la confidence est nette, sans équivoque : « *quant à ma mère, jamais je ne l'ai vue, jamais son sourire ineffable n'a porté le frémissement dans mon cœur, aussi, mon âme est grosse d'une reconnaissance que je n'ai pu jeter sur aucune femme* [1] ». Ce ne sont pas là, nous le savons, simples phrases de roman. Ce n'est pas artifice pour conduire à une plate reconnaissance. On se souvient de *Sténie*, et de del Ryès, à qui rien n'avait souri, « pas même le visage adoré d'une mère », de del Ryès à la recherche de son passé et de l'image d'une sœur. Or, l'histoire de Joseph, c'est encore l'histoire, d'abord, d'une enfance innocente, *avec une sœur aimée. Paul et Virginie* fournissent le cadre, mais comment s'en tenir à ces seules apparences d' « explication »? *Le Vicaire* est le livre de la recherche du paradis perdu, *et le livre du paradis retrouvé.* Joseph retrouve sa mère en celle qui l'aimait et qu'il aimait. Clair symbole : Mme de Berny a apporté à Balzac ce que, précisément, sa mère ne lui avait jamais donné. D'où, la transformation du sujet fourni par Sophie Pannier. Mme de Berny put d'abord se reconnaître en cette femme que les années, comme le lui explique Joseph, et comme Honoré Balzac l'avait lui-même expliqué à Mme de Berny, ne rendent pas encore inapte à l'amour; mais elle peut encore et surtout se reconnaître en cette figure qui réintégrait Joseph à l'univers

---

1. *Le Vicaire des Ardennes*, II, p. 5-6.

des enfants heureux. Alors que Mme Balzac guette son fils,
le somme, lui démontre son indignité, le néantise et le traque,
Mme de Rosann est la figure d'amour et de protection,
comme le démontre le plan d'une version abandonnée :
jusqu'au bout, Mme de Rosann était là, défendant le bonheur
de son fils, défendant Mélanie contre Argow, et le roman
devait se terminer ainsi : « Mort de Mélanie. Désespoir du
Vicaire, sa dernière scène avec sa mère, *et comment il la
retrouve*[1]. » Dans la version imprimée, il est dit que Joseph
n'a pas revu sa mère, et celle-ci ne nous est pas montrée face
à face avec Argow. Le romancier, avec un sens très sûr des
effets, a pensé que le personnage de Mme de Rosann, qui
n'était plus au premier plan depuis longtemps, avait cessé
d'intéresser et qu'il serait maladroit d'y revenir. Il a donc
coupé sur la mort de Mélanie, se réservant, en ce qui concerne
Argow, de le faire reparaître, comme l'annonce une note en
fin de roman[2]. Le romancier qui construit l'a donc emporté
sur le poète, sur l'homme de confidences et de symboles.
Mais les manuscrits le prouvent : *Le Vicaire des Ardennes*
devait être essentiellement un roman de la mère perdue,
retrouvée, à nouveau perdue, définitivement retrouvée.

Le romantisme du *Vicaire* commence, en effet, par le pastiche, le sacrilège et la dérision. « O que l'automne me parut
belle, s'écrie Joseph. Que ses vents furent l'objet de mes
prières. Je voulais qu'ils m'emportassent avec la feuille jaunie
dont ils faisaient leur jouet[3] ». Un célèbre passage de *René*,
la dernière strophe de *L'Isolement*, font ici les frais de l'opération, comme cet autre passage de Chateaubriand dans cette
autre incontestable réussite : « Ces accents de passions dans
un cœur attristé ressemblent aux murmures qui troublent
le silence d'une forêt; on les entend, mais on ne peut les
peindre. Chose incroyable, je trouvais de la douceur dans mes
peines, et quelque chose de voluptueux se glissait dans mon
âme[4] ». Une simple lecture suggère moins de raillerie que
dans les romans Hubert? Certes, et l'on se sent moins porté à
parler de parodie : *l'ensemble n'est plus le même*. Nous retrouverons bientôt cette idée. Il n'en demeure pas moins que cette
dernière citation prouve à l'évidence l'intention de Balzac
de « faire » du romantisme : « Ce fut alors que le prêtre s'écria
d'une voix profondément émue : Ame pure et chérie, ton
passage sur cette terre a été le passage d'une fleur comme

1. *Lov.* A 158, f° 37, v^o.
2. *Le Vicaire des Ardennes*, IV, p. 255.
3. *Ibid.*, II, p. 102.
4. *Ibid.*, p. 103.

telle, un orage t'a fait mourir [...] La nature semble prendre part à ce moment d'horreur. Les nuages qui couvrent la lune paraissent un crêpe funèbre étendu sur l'univers, pour annoncer la mort de l'innocence, et les vents, précurseurs de la tempête, sifflent au loin, et font résonner, en sons inégaux, la cloche du village ». Oui, Balzac, fin 1822, parfois encore, *se moque* encore.

Mais il se trouve aussi, qu'en d'autres pages, déjà, tout aussi « romantiques », on sent qu'il *s'exprime*. Le romantisme installé, arrivé, est certes l'objet de railleries, mais l'autre romantisme, le romantisme « ouvert », celui que ne saurait annexer, à long terme, l'Histoire le prouvera, un romantisme nécessairement inspiré par des milieux conservateurs, l'autre romantisme, plus fermement, avec d'autres bases que dans *Sténie*, le voici, qui reprend, et qui sauve, des thèmes jusqu'alors compromis par la droite. « L'ordre social, s'écrie Joseph, lorsqu'une représentation de *Phèdre* lui a fait prendre conscience du caractère incestueux de son amour, l'ordre social est une boîte de Pandore sans l'espérance. *Nous sommes des êtres finis, et il ne peut y avoir, pour nous de bonheur infini et les âmes qui veulent de l'immense doivent périr consumées* [1] ». Figure du conflit entre l'*infini* que l'homme porte en lui, que l'Histoire lui avait promis, et le *fini* moderne, le fini bourgeois. Le *fini*, dans *Le Vicaire des Ardennes*, c'est la loi sociale, la loi de l'utile, dont Argow est le défenseur attitré, le symbole le plus voyant. L'*infini*, c'est l'Homme et ses droits, et il est manifeste que, pour Honoré Balzac, l'Homme et ses droits ne se trouvent plus *nécessairement* ni sans discussion dans le fil du monde moderne et de ses conquêtes. Le monde moderne, c'étaient les notables attendant sur la place d'Aulnay l'arrivée du nouveau vicaire, ces hommes divisés, impuissants, fractionnels et fractionnants. Ce qui importe, plus que le recours à des thèmes romantiques qui peuvent paraître formellement dépassés (ou qui peuvent paraître poser de travers un problème réel, le conflit ne pouvant raisonnablement être entre un *infini* de caractère plus ou moins métaphysique et un *fini* sans espoir qui caractériserait le monde, mais bien entre des degrés différents d'ouverture et de réalisation) c'est leur possibilité de résurgence dans l'œuvre du jeune Balzac. On pouvait railler l'infini et ses thèmes, tant que ceux-ci n'apparaissaient liés qu'à des formes dépassées de l'exigence et de la vie, tant qu'on pouvait leur opposer un avenir, un devenir, tenant lieu de l'infini

---

1. *Le Vicaire des Ardennes*, II, p. 94.

classique, un projet historique qui rendait inutiles et illusoires les schémas traditionnels de l'aspiration au plus être,
au plus que soi. Mais, dès lors que renaissait le conflit entre
les poussées intimes, les besoins, l'intelligence et le cœur,
d'une part, et l'ordre établi d'autre part, tout un système
d'images et de correspondances reprenait force et droit. Les
exclamations citées plus haut ne visent nullement à réfuter
les règles qui condamnent l'inceste : l'aventure de Joseph
et de Mélanie n'est qu'occasion et figure pour dire les limitations de l'être. La notion, les mots de *romantisme* et *romantique*, en changent de contenu et de portée. Il est encore question comme dans les romans précédents des « ruines romantiques de l'ancien castel situé sur un petit lac »; il est encore
question des « débris romantiques de l'ancienne forteresse »,
mais voici bien autre chose : « Une imagination, *amie du
romantisme*, aurait cru entrevoir une de ces filles de l'air,
que Girodet et Gérard ont placées dans leurs tableaux d'Ossian. *Cette femme, semblable à une légère vapeur blanchâtre,
apparaissait comme le génie de l'antique féodalité, pleurant de se
voir proscrit et déplorant la ruine de ses châteaux* [1] ». Ce n'est
plus du pastiche : les références à Ossian, à Girodet, à Gérard,
les *Iambes* de Chénier, qui vont servir de signe de reconnaissance aux amants, et qui, par trois fois, reviennent dans le
roman [2], c'est bien du Balzac, dans le prolongement des
exaltations en compagnie de Mme de Berny, des soirées du
banc, des lectures en commun.

Mais ce n'est pas tout : un autre thème fondamental du
roman « romantique » se voit, lui aussi, récupéré. L'Adolphe,
de Joséphine de Vauxelles, avec qui, selon une phrase rendue
célèbre par l'abbé Bertault, elle imite Julie « en tout »,
est un jeune aristocrate guetté par la hache révolutionnaire,
et, avant l'Amaury de Sainte-Beuve, avant le Landon, de
Wann-Chlore, avant le Félix de Vandenesse du *Lys dans la
vallée*, un romancier bourgeois habille son inquiétude, sa
tristesse et sa révolte, son sentiment naissant d'étrangeté
au monde, des vêtements de l'aliénation aristocratique.
Adolphe n'est plus un ci-devant ridicule ou odieux : c'est
un jeune homme qu'on rejette et qu'on poursuit. Imagination,
proscription, ruines : *Le Vicaire des Ardennes* manifeste
que ce n'est plus là seulement le lot des émigrés et des fils de

---

1. *Le Vicaire des Ardennes*, III, p. 242.
2. *Ibid.*, II, p. 46, IV, p. 33 et 85. Dans la réédition Souverain de 1836, Balzac
ne conservera que la seconde citation, Chénier n'ayant plus alors, sans doute,
sa force d'impact et de séduction. D'où, rétrospectivement, le net caractère de
confidence du texte de 1822.

l'émigration. Les réactions du jeune Balzac sont un bon témoignage sur les relations entre bourgeoisie et romantisme. Lorsque apparaissent, au sein de l'univers libéral, des barrières et des manques, lorsqu'il cesse d'être un lieu, *le* lieu d'épanouissement, lorsque, du moins, on prend conscience de tout ceci, lorsqu'en nous s'éveillent ou se révèlent des forces, des droits, qui, d'un coup, clairement, ne peuvent plus entrer dans le cercle, *lorsque l'univers bourgeois ne peut plus absorber tout l'être, ses exigences et son devenir,* alors, une jeunesse non noble, au départ sans nostalgies, et tout à son vouloir-vivre que tout autour d'elle justifiait, alors, la jeunesse bourgeoise se découvre des correspondances avec l'autre, avec ses *formes* essentielles. Mélanie sur la terrasse est certes une figure du romantisme pictural et littéraire, mais c'est aussi une figure du romantisme *de Balzac,* une figure de ses rêves. Où trouver l'équivalent dans l'univers voltairien ? Au temps de *Cromwell,* avec Racine, Balzac *faisait* vraiment de la littérature. A présent, il vit beaucoup plus profondément ce qu'il écrit.

Et la preuve, peut-être, qu'il le vit plus profondément, c'est le changement de sens dont semble affectée, comme d'un coefficient, la dérision, toujours présente, en ce roman. Nous avons rencontré d'authentiques pastiches ? Mais que dire, après les exclamations sur l'inceste et les interdits, de ce ressouvenir qui prend à Joseph qu'il est fils du XVIII⁰ siècle raisonneur et de Bernard-François Balzac ? S'il aime sa sœur, c'est que Dieu l'a voulu ! « Rien n'arrive dans l'univers que par son ordre, et il n'a pu vouloir notre malheur. L'Histoire nous apprend que les Égyptiens épousaient leurs sœurs !... Et, de là, mettant tous les récits de voyageurs à contribution, je m'énumérais tous les pays où cette coutume avait lieu. Enfin, et ce fut l'argument le plus solide, enfin, s'il n'y a eu qu'un premier homme et une première femme... ou le fils épousa la mère, ou le père épousa ses filles, *ou les frères épousèrent leurs sœurs:* ce que Dieu a permis dans un temps ne peut être criminel maintenant [1]. » Lorsque Joseph se met ainsi à « sophistiquer [2] », équilibrant en un paragraphe matricantesque le paragraphe romantique qui précède comme lorsque Saint-Aubin équivoque sur les jupons de dessous, sur les outrages auxquels s'attend la servante de Gausse en tête à tête avec le vicaire, sur, d'une manière générale, tout

---

1. *Le Vicaire des Ardennes,* II, p. 99-100; souligné dans le texte.
2. C'est lui-même qui emploie l'expression (*ibid.,* p. 99) et la couture est significative « ...les âmes qui veulent de l'immense doivent périr consommées par elles-mêmes. Lorsque je revins à moi, je me mis à sophistiquer... ».

ce qui touche au sexe et l'amour (et qui fut certainement, conjugué avec le scandale des amours d'un prêtre, la cause majeure de la saisie), que reste-t-il de l'authentique roman de l'amour et de soi-même? Quantitativement, *Le Vicaire des Ardennes* est sans doute, de tous les romans de jeunesse, celui dans lequel les cochonneries — non littéraires — du genre Pigault-Lebrun sont les plus importantes; c'est celui qui sera le plus corrigé en 1836 [1], et encore, Balzac aura-t-il bien du mal à lui rendre quelque respectabilité! Lors de la réimpression Maresq encore, en 1853, les éditeurs obligèrent la veuve du romancier à accepter, en cas d'éventuelle réaction des autorités, la suppression du roman [2]! Et pourtant, c'est, en son fond, qualité s'opposant à quantité, le premier des romans « romantiques » balzaciens, presque, d'un seul coup, le plus romantique. L'architecture, les réflexes, sont encore, extérieurement, rationnels et libéraux. Mais le cœur de l'ouvrage? Mais ce qui meut les personnages et organise les métaphores? Cent pages d'ironie ne pèsent pas contre une de sentiment; cent d'assurance et d'esprit contre une de solitude. Faut-il préciser à quelles vérités statistiques objectives correspondent ces efficacités de l'œuvre littéraire? Ce genre de reconnaissance et d'adoptions? Le jour où Balzac se met à s'exprimer par l'intermédiaire des victimes de la hache de quatre-vingt-treize, il prend (spontanément, on peut le croire) un chemin que d'autres ont pris, que d'autres prendront : celui de l'Histoire selon le xixe siècle. Bernard-François s'en doutait-il dans son Verdun de 1792? C'est l'une des sources du romantisme : *la Révolution a fourni aux écrivains, quelles que soient leurs origines, un type nouveau de réprouvé.* Au temps de *La Nouvelle Héloïse*, le paria, c'était le pauvre ou le plébéien; après 93, c'est le ci-devant qui n'a plus sa place sur la terre. Adolphe se décide à fuir la maison dans laquelle il s'est réfugié, parce qu'il ne se sent pas capable de maîtriser son amour; c'est d'abord de *La Nouvelle Héloïse*, sur le motif : « Il faut vous fuir, Mademoiselle, je le sens bien! », mais bientôt, même si l'on retrouve le thème des adieux de Saint-Preux, c'est autre chose : « Je vais traîner ailleurs mon amour et ma triste existence, *heureux si je rencontre en chemin la hache révolutionnaire* [3]. » Dramatisation amoureuse doublée d'une dramatisation *politique :* les Érinryes, pour tout un monde, avaient pris figure humaine. Mais qui ne verrait que, chez Balzac, cet épisode du roman n'a absolument aucune

---

1. Cf. *Aux sources de Balzac*, p. 356 sq.
2. *Lov.* A 296, f⁰ 195 sq.
3. *Le Vicaire des Ardennes*, II, p. 199.

étroite signification *de classe?* L'élégie ne se choisit qu'un style, non des motifs ou des causes. L'affrontement aristocratie-tiers état n'avait repris quelque netteté subjective que grâce aux anachronismes de la Restauration; mais, dès le XVIIIe siècle, la confusion était beaucoup plus grande, les divers sentiments d'exil trouvant quelque difficulté à s'expliquer uniquement par cet affrontement récemment redécouvert en ses apparences, en sa légende, et non sans coups de pouce de la part des banquiers, mais qui ne supprimait pas dans les profondeurs sociales les affrontements réels, et promis aux lendemains. D'où, s'il y a résurgence de parias aristocratiques sous la Restauration (et plus tard, à plus forte raison), comment ne pas voir que la seule explication en est la présence, au cœur du monde social, d'une obscure puissance qui fait de plus en plus des parias, et que n'a pas jetée bas la révolution coupeuse de têtes nobles? Après Saint-Preux, pauvre et plébéien, après les jeunes proscrits de 93, voici, portés par des jeunes gens qui ne voient, ni n'ont à voir, de différences réelles entre Rousseau et Chateaubriand, les héros, disons, d'un *post*-romantisme. Comment s'étonner que la parodie recule, et que le romantisme soit désormais quelque peu autre chose que ce qu'on repérait naguère chez les lecteurs de d'Arlincourt?

Si le romantisme sincère pousse sa pointe, toutefois, il s'agit encore de thèmes équilibrés par des contre-thèmes. De Villeparisis, Balzac parle à sa sœur de « notre coquin de gouvernement », et, contre Villèle, tout un arsenal voltairien demeure efficace et valable. Les choses sont simplement moins claires qu'autrefois. Balzac n'est pas à l'aise dans le simpliste anti-romantisme pour lecteurs du Marais, et il sent qu'il est autre chose à opposer au monde établi (mais qu'est-ce exactement que le monde *établi* : l'apparent, ou le profond?) que de courtes ironies, mais le genre sentimental demeure plein de périls. D'où, la significative dualité du *Vicaire des Ardennes;* Balzac conserve des distances par rapport à ce romantisme qu'il a toutes raisons personnelles et profondes d'adopter, de *réinventer*, mais qui heurte en lui sa formation intellectuelle et ses réflexes de classe. Cette distance se marque à la perfection dans la dissociation éditeur-héros, Saint-Aubin faisant contrepoint à Joseph, comme Matricante à Savonati. D'où, les railleries, d'où la préface et les notes. Donner sans réserve dans le genre sentimental, en 1822, expose à se retrouver pieds et poings liés, dans le même camp que les défenseurs de la Monarchie et de la Religion, deux « vérités éternelles » dont le Balzac d'alors n'a pas encore découvert la nécessité. *Balzac est certes de plus en plus Joseph, mais il tient à demeurer Saint-Aubin.* La tradition intellectualiste et gauloise demeure présente et vivante pour équilibrer André Chénier, les poussées sur-rationnelles n'ayant pas encore acquis suffisamment d'autonomie ni de justification par rapport à la réaction cléricale et bourbonienne pour qu'on puisse s'en remettre totalement à elles de l'expression et de l'affirmation du siècle et du *moi*. Mais, sur un autre plan, l'effort de contention n'apparaît pas nécessaire et c'est là que le nouveau romantisme prend vraiment corps : c'est que, *si les ultras peuvent annexer l'élégie, il leur est beaucoup plus difficile d'annexer la révolte.*

La mutinerie commandée par Argow à bord du navire qui ramène Joseph en Europe est l'occasion, sans doute, de la plus ancienne des *révélations* balzaciennes. Rastignac et Vautrin sont nés ce jour-là : « Ce fut le premier spectacle que me donna l'état social; cette scène avait pour acteurs les plus grossiers des hommes, et comme ils ne retenaient point l'expression de leurs passions, j'en vis le jeu à découvert [1] » : notons l'équivalence entre l'état social et les passions, l'état social étant passion et passions non leur intégration, leur absorption ou leur annulation, étant, même, passion et passions portées à un degré terriblement supérieur de virulence. Joseph arrivant d'une île à la Bernardin de Saint-Pierre (non encore de quelque province ou de quelque famille) commence à faire « le décompte de la vie, comme dira Gobseck ». La mise en œuvre est encore littéraire (lieu, personnages), mais la direction est déjà correcte. Que représente et que signifie Argow? Il suffit de l'écouter pour comprendre qui il vise, et *contre quoi* il a été créé :

> Triple bordée, mes amis, j'enrage lorsque j'envisage notre genre de vie : traîner sur les ponts cette (ici un juron) pierre infernale; toujours travailler, durement menés, sans consolation, sans avenir, sans pain, et (un juron), qu'avons-nous fait pour mériter un pareil sort? *Nous sommes venus au monde de la même manière que ceux qui sont riches*, et qui dorment dans de bons lits, sans être toujours séparés de la mort par quatre planches pourries. Lequel, à votre avis, vaut mieux, de risquer une ou deux fois sa vie pour être heureux, ou bien de trapiner une existence dont le plus grand bonheur est de dormir dans un entrepont et de gober l'air par le trou d'un sabord? Or, voici mon projet [2]...

1. *Le Vicaire des Ardennes*, II, p. 64.
2. *Ibid.*, II, p. 66-67.

On pourrait dire : littérature, et, déjà, scènes de la vie maritime [1], mais nous savons bien que la révolte, elle est là, depuis longtemps déjà chez Balzac, depuis les lettres à Laure de 1819 à 1821. Ce qui manquait encore? Une mise en œuvre littéraire de ce sentiment profond qui ne pouvait jouer *seulement* contre les ennemis officiels et avoués de la France libérale. Depuis la lettre Vomorel, en 1819, on sent gronder Balzac. Au mois d'août 1821, il écrivait à Laure :

> Je n'ai point eu les fleurs de la vie, et je suis dans la seule saison où elles s'épanouissent. Qu'ai-je besoin de la fortune et de ses jouissances quand j'aurai soixante ans? Est-ce quand on ne fait plus rien qu'assister à la vie des autres, et que l'on n'a plus sa place à payer, qu'il est nécessaire d'avoir les habits des acteurs? Un vieillard est un homme qui a dîné, et qui regarde ceux qui arrivent en faire autant. Or, mon assiette est vide, elle n'est pas dorée, la nappe est terne, les mets insipides. J'ai faim, et rien ne s'offre à mon avidité [2].

Alors, pour échapper à la « place » dont, à nouveau on le menaçait, le jeune homme n'avait qu'un moyen : s'indépendantiser et devenir libre à coups de romans. Parce qu'il n'avait pas 1 500 livres de rentes, il lui fallait les gagner. Il ne doutait pas d'y réussir. Il ne s'agissait que de faire un chapitre tous les matins. Sinon, « devenir un commis, une machine, un cheval de manège qui fait ses trente ou quarante tours, boit, mange et dort à ses heures, être comme tout le monde ». Et l'on appelle vivre cette rotation de meule de moulin! Ce texte célèbre, ce n'était pas de la littérature. Mais, justement, on peut se poser la question : pourquoi ce que Balzac écrit ne se nourrit-il pas, alors, de ce qui bout dans ses lettres? Et quand, comment et pourquoi s'est effectué le passage? La révolte était bien dans *Sténie*, mais encore assez sommairement philosophique, s'en tenant à des insurrections abstraites, et, si elle visait Dieu, laissant dormir, dans l'ensemble, et notable exception faite de l'épisode Plancksey (plus riche d'ailleurs de promesses pour nous que, sur le moment, d'autre chose) les maîtres de la terre. Mais il semble bien qu'elle prenne un autre cours, alors que Balzac sent monter en lui toute cette poésie, consécutive à la liaison avec Mme de Berny, aux premières tentatives littéraires, aux premiers

---

1. Titre d'une série de publications de Mame, en 1830 (dont le *Kernock* d'Eugène Sue). Les *Scènes de la vie privée* seront de la même eau, professionnellement parlant. L'épisode du corsaire dans *La Femme de trente ans* sera une *scène de la vie maritime*.
2. *Corr.*, I, p. 113.

échecs. Au mois d'août 1821, Balzac piaffe encore. Mais il
a des romans vendus ou à vendre; il va être imprimé. Un an
plus tard, certaines expériences sont faites. Les lectures,
alors, qui ne manquent pas, prennent une force inattendue.
Jean Sbogar, mais aussi une autre, que Balzac n'oublia jamais,
et qui dut le marquer de bonne heure. Dès le début de l'année
1822, il avait lu sans doute dans la collection des *Chefs-
d'œuvre du théâtre étranger* — à laquelle il devait prendre *La
Lune de miel*, de Tobin, pour *La Dernière Fée*, et la *Stella*,
de Gœthe, pour *Wann-Chlore*, — oui, il avait lu, sans doute,
cette *Venise sauvée*, d'Otway, si fréquemment citée dans *La
Comédie humaine*. C'est là qu'il dut trouver ce couple qui ne
cessa jamais de le hanter de Pierre et Jaffier. Pierre, le révolté,
ne pensant que justice et vengeance, l'amitié exaltée qui
l'unit à Jaffier, ravisseur de Belvidera, comme Othello de
Desdémone, la conspiration contre Venise : tout définissait
une atmosphère violemment héroïque, violemment transbourgeoise. De même, l'amour de Pierre pour la courtisane
Aquilina, malgré l'affreux vieillard qui la paie, donnait
l'exemple d'une de ces passions exceptionnelles qui trouvent
mal à s'insérer dans l'ordre établi. Mais surtout, entre Pierre et
Jaffier, le dialogue du premier acte sur la vertu et la probité,
dut attirer l'attention de l'auteur du futur dialogue entre
Rastignac et Vautrin :

> PIERRE : Comment cette maudite vertu qu'on appelle
> probité, et qui n'est propre qu'à faire mourir de faim,
> s'est-elle introduite dans le monde?
>
> JAFFIER : C'est le crime lui-même qui l'a inventée.
>
> PIERRE : La probité n'est donc qu'un vain mot [1]?

Formules littéraires et fatiguées, pour nous? Mais alors?
On sortait, ne l'oublions pas, du moralisme XVIIIe siècle, de
l'affirmation de valeurs, chez les bourgeois, face au nihilisme
aristocratique. Travail, honnêteté, fidélité à la parole donnée,
autant de piliers du monde nouveau. Il avait bien fallu que
quelque chose se faussât, ou grippât, dans l'univers bourgeois,
pour que de tels blasphèmes trouvent de l'écho dans les jeunes
cœurs! Qui est honnête est un jobard! A ce *fait*, Pierre et
Jaffier opposent l'amitié, d'homme à homme, cherchant
un fondement nouveau aux choses. Et ce ne sont point
hommes du passé, mais bien jeunes gens assoiffés d'avenir!
Et l'on veut séparer Balzac de Mme de Berny! Et l'on veut
le faire « travailler »! Écoutons-le, à son tour.

---

1. Otway, *Venise sauvée*, *Chefs-d'œuvre du théâtre étranger*, 1822, III, acte I,
sc. III.

Lors du séjour à Bayeux, les difficultés des premiers romans, le regret d'avoir dû quitter Mme de Berny, les découvertes sur la vie qui se précisent, une impatience qui se contient de moins en moins bien, ont sans doute inspiré cette étrange page, dans laquelle les souvenirs de collège, le style noble des dissertations, s'allient à des sentiments étranges :

Le beau monde bannit de son sein le malheureux comme un homme de santé vigoureuse expulse de son corps un principe morbifique. Le monde abhorre les douleurs et les infortunes; il les redoute à l'égal des contagions, il n'hésite jamais entre elles et les vices : le vice est un luxe. Quelque majestueux que soit un malheur, la société sait l'amoindrir, le ridiculiser par des épigrammes : elle dessine des caricatures pour jeter à la tête des rois déchus les affronts qu'elle croit avoir reçus d'eux; semblables aux jeunes Romains du cirque, elle ne fait jamais grâce au gladiateur qui tombe; elle vit d'or et de moquerie. Mort aux faibles! est le vœu de cette espèce d'ordre équestre institué dans toutes les nations de la terre, car il s'élève partout des riches, *et cette sentence est écrite au fond des cœurs pétris par l'opulence ou nourris par l'aristocratie.* Rassemblez-vous des enfants dans un collège? Cette image en raccourci de la société, mais image d'autant plus vraie qu'elle est plus naïve et plus franche, vous offre toujours de pauvres ilotes, créatures de souffrance et de douleur, incessamment placées entre le mépris et la pitié : l'Évangile leur promet le ciel. Descendez-vous sur l'échelle des êtres organisés? Si quelque volatile est endolori dans une basse-cour, les autres le poursuivent à coups de bec, le plument et l'assassinent. Fidèle à cette charte de l'égoïsme, le monde prodigue ses rigueurs aux misères assez hardies pour venir affronter ses fêtes, pour chagriner ses plaisirs. Quiconque souffre de corps ou d'âme, manque d'argent ou de pouvoir, est un paria. Qu'il reste donc discret; s'il en franchit les limites, il trouve partout l'hiver : froideur des regards, froideur des manières, des paroles, de cœur; heureux s'il ne récolte pas l'insulte, là où, pour lui, devrait éclore une consolation. Mourants, restez sur vos lits désertés, vieillards, soyez seuls à vos froids foyers. Pauvres filles sans dot, gelez et brûlez dans vos greniers solitaires. Si le monde tolère un malheur, n'est-ce pas pour le façonner à son usage, en tirer profit, le bâter, lui mettre un mors, une housse, le monter, en faire une proie? Quinteuses demoiselles de compagnie, composez-vous de frais visages, endurez les vapeurs de votre bienfaitrice, portez ses chiens; rivales de ses griffons anglais, amusez-la, devinez-la, puis, taisez-vous! Et toi, roi des valets sans livrée, parasite, effronté, laisse ton caractère à la maison, digère comme digère ton amphitryon, pleure de ses pleurs, ris de son rire, tiens ses épigrammes pour agréables; si tu

veux en médire, attends sa chute. Ainsi, le monde honore-
t-il tout malheur : il le tue, ou le chasse, l'avilit ou le
châtre [1].

Ce texte se suffit à lui-même et conduit à Argow. Où est la
prise de la Bastille, de *Jean-Louis*, et à quoi a-t-elle servi ?
Il n'y avait pas de drame de l'argent, de drame social, dans
les romans Hubert, et si *Jean-Louis* posait le problème de
l'ascension sans scrupule des robins et des fiers-à-bras du
Tiers, l'intérêt dramatique, humain, du roman, n'était pas
dans la souffrance des pauvres, des parias, *au sens du XIXe siècle*. Droit de jambage et petites maisons, « folies », oui, mais
c'était tout. On se rapproche, toutefois, et voici Argow. Et
voici cet autre texte étonnant, probablement écrit vers la
fin de l'année 1822, au plus tard aux premières semaines de
1823, dans la foulée même, en tout cas, de l'histoire du pirate.
Un jeune désespéré est sur le point de se jeter dans la Loire,
comme plus tard Raphaël dans la Seine. Il murmure :

> Malgré les grands mots d'humanité et de philanthropie,
> *la race humaine est pire qu'elle ne le fut jamais ; à quoi bon
> parler de l'abolition de l'esclavage ? Les pauvres ne sont-ils
> pas les nègres de l'Europe ?* Respect à la loi, dit-on encore...
> Respect ?... Crainte, à la bonne heure !... Et d'ailleurs, qu'est-ce
> que la loi ? *C'est l'assurance mutuelle des riches et des
> puissants.* Ils ont tous signé le contrat ; c'est naturel, ils
> en profitent ; mais ils l'imposent aux petits, qui n'ont rien
> à perdre, à la vérité, parce qu'ils n'ont rien, mais qui n'ont
> pas davantage à gagner... Cela n'est pas juste... Dans un
> tel état de choses, que veut-on que nous fassions de notre
> guenille, nous autres pauvres hères qui ne sommes appelés
> au banquet de la vie que lorsque les tables sont desservies,
> ou, ce qui est pire, que *lorsque toutes les places sont prises ?*
> N'avons-nous pas le droit de nous plaindre justement ?...
> D'abord de ce qu'on nous a laissés vivre, et ensuite de ce
> qu'on a joint à cette première inhumanité l'inhumanité
> mille fois plus cruelle de nous donner des besoins que nous ne

---

1. *Lov.* A 271 (photographie). Le texte manuscrit se trouve à la Bibliothèque
de Bayeux. Il n'est pas de la main de Balzac, du moins le semble-t-il, et il est
signé « de Balzac ». Il provient de la collection d'un certain Doucet. Il s'agit
donc, probablement, d'une copie faite sur un autographe. Lovenjoul ne met
pas en doute son authenticité, se référant au sérieux du collectionneur. On peut
penser qu'il s'agit soit d'un projet d'article pour journal, soit d'une inscription
sur un album, dont copie aurait été prise lorsque le jeune voyageur de 1822
était devenu un romancier célèbre. Le style, en tout cas, permet de dater cette
page d'un temps où son auteur était encore très proche de ses origines scolaires
et pseudo-classiques. On sent qu'il s'est guindé pour faire noble. On sent le parisien qui cherche l'effet. On sent, aussi, le « culot » balzacien de toujours. Mais
les tics et l'affectation ne doivent pas faire négliger l'essentiel.

pourrons jamais satisfaire, et des sensations qui doivent
causer le malheur de notre vie [1].

Ceci figure dans ce roman signé Viellerglé, qui parut en mai
1823, mais dont la rédaction remonte certainement, alors,
à de nombreux mois [2]. On a de multiples raisons de penser que
Balzac y a au moins collaboré [3]. Cette terrible tirade, si
moderne par quelques-unes de ses idées est mise dans la
bouche d'un jeune désespéré que le narrateur rencontre au
bord de la Loire, songeant au suicide, comme plus tard Raphaël.
On y trouve du Rousseau (le faux contrat social du second
Discours, imposé par les riches aux pauvres), mais aussi ce qui
sera du plus pur saint-simonisme (les prolétaires nouveaux esclaves de l'Europe). On aura sans doute, aussi, fait le rapprochement avec la lettre à Laure d'août 1821, sur l'assiette vide, sur la
faim, sur ce rien qui s'offre à l'avidité de la jeunesse. C'est
bien l'organisation bourgeoise de la société qui est ici directement et violemment mise en cause, l'aristocratie, comme
dans le texte de Bayeux, n'étant qu'un aspect particulier du
règne de la richesse. La noblesse n'est plus figure d'oppression en soi, non plus que l'Église. Le ton a bien monté, depuis
la lettre Vomorel, et ceci va beaucoup plus loin que *Sténie*,
ou que Pierre et Jaffier. Fin 1822, puis, en 1823, année terrible,
on va le voir, Balzac passe de l'autre côté de certaines choses ;
il a gagné sept ou huit mille francs en un an et demi, mais il
n'a acquis aucune notoriété ; il n'a rien gagné sur la scène
du monde ; et sa famille est là, encore, à montrer les dents.
D'où, ces colères, dans lesquelles passe l'accent de Vautrin.
Il manque encore, certes, les conseils, les recettes : ce n'est
encore que la révolte d'un jeune homme, et les conclusions
ne sont encore ni vues ni tirées des constatations ; mais le faux
contrat social, la duperie, la conspiration du silence, cette
plainte surtout, qui reviendra : on nous a donné des désirs
que nous ne pourrons pas satisfaire, nous sommes trop
nombreux, tout cela frémit de manière totalement neuve,
débouche dans des problèmes, *dans des émotions*, à quoi rien

1. Viellerglé, *L'Anonyme, ou ni père ni mère*, I, p. 6-7.
2. L'annonce à la B.**F**. est du 24 mai 1823, mais la déclaration de l'imprimeur.
Vaucluse est du 5 mars. La rédaction remonte donc au lendemain de l'échec
des deux romans Pollet, et le manuscrit peut être même plus ancien encore.
N'oublions pas les délais de *L'Héritière de Birague*.
3. Toute une partie de l'intrigue est tourangelle. Le choc psychologique final
utilisé pour rendre la raison à la malheureuse Flavie est le même que dans *Sténie*,
dans *La Dernière Fée*, et dans *Adieu* (1830). Surtout, dans les brouillons de
L'Excommunié, on apprend qu'Isabelle devait avoir un enfant de « l'Anonyme »
(*Lov.* A 158, f° 17), et une *Épitaphe* de la même époque commence ainsi : « Sous ce
marbre gît un homme/qui n'a connu ni père ni mère » (*Lov.* A 240, f° 49). La paternité ne fait aucun doute.

n'avait préparé le fils de Bernard-François Balzac. On comprend peut-être, maintenent, pourquoi la Révolution Française, pourquoi la guerre d'Indépendance américaine, avaient été présentées sous un jour aussi particulier, pourquoi Argow lui-même est un « héros » de la libération du Nouveau Monde : toute impureté romanesque exprime une impureté objective enregistrée par la conscience, mais qui n'a pas encore nécessairement pris une forme conceptuelle, l'accession au concept, d'ailleurs, risquant souvent de stériliser la puissance créatrice. C'est en romancier, en créateur de personnages, en répartiteur de valeurs dans le cadre d'une intrigue et d'une évocation d'histoire, qu'Honoré Balzac met en cause, pour la première fois, et de la manière la plus significative, l'univers de son père et de sa classe. Le passage à l'idée claire, dans la tirade d'Argow et dans celle de l'Anonyme, éclaire, rétrospectivement, les premiers porte-à-faux romanesques, leur donne une force qui n'appartient qu'à ce qui est appelé à devenir, à ce qui est saisie du devenir. D'autre part, ces porte-à-faux fournissent aux révoltes explicites une base objective solide, en font autre chose que des mouvements d'humeur et de nerfs, ou que des réactions irresponsables. L'idée, d'ailleurs, ne saisit pas encore tout ; elle date, pour nous qui y voyons mieux, alors que le roman, saisissant ce qui est en devenir, en puissance, est plus ouvert, plus « appelé ». L'esprit se satisfait des tirades du pirate et de l'Anonyme, qui mettent un sceau d'intellectualité à du senti, mais l'important est certes que ces tirades n'enferment pas tout Balzac, que le romancier déborde le philosophe, et montre plus, infiniment plus, suggère infiniment plus, parce qu'il y a toujours plus à montrer, plus à suggérer, dans les processus en cours que ce qu'en saisit une conscience claire, toujours nécessairement étrécissante, et toujours un peu en retard par rapport à ce qui continue, et va, de mutation en mutation, à ce qu'on n'attendait pas, et donc, est du ressort de la littérature. *Quelle littérature?* Il semble qu'en 1822, pour le jeune Balzac, les choses commencent à devenir plus claires.

Ainsi le siècle, ainsi toute une jeunesse, ainsi les forces vives, se trouvent barrés, non par des hobereaux et des curés, mais par des Vomorel ; or, ces gens-là étant classiques, au sens où l'inquiétude et la poésie n'ont pas de place en leur monde, tout un néo-romantisme n'irait-il pas sourdre de cette prise de conscience? Pour que Cartouche et Mandrin deviennent fraternels, après qu'on eut redécouvert Chateaubriand, Lamartine et Chénier, il faut qu'il se soit passé des choses. C'est pourquoi, on est en droit de dire qu'Argow sur le pont est loin de n'être *que* littéraire comme le voudraient les bons critiques. En toute bonne conscience, en toute bonne sûreté, le pirate, seulement protégé, introduit par sa légende, porte ici les révoltes vécues du jeune Balzac qui s'assoit à la table familiale à Villeparisis. Dans les lettres à Laure, le style à Laure équilibrait la révolte, mais ici, la pente de l'œuvre littéraire irait sans doute en sens inverse, et non sans complaisance. Aucun doute, en tout cas, n'est permis sur la nature des sentiments éprouvés et sur les raisons qui poussent à en faire du roman. D'autre part, la scène d'Argow complète le roman d'éducation : les choses sont plus complexes que ne le laissaient entendre la littérature sentimentale *et* la littérature libérale, la littérature des *deux* conservatismes. Joseph, en termes seulement moins tendus et moins dramatiques (mais c'est aussi que l'expérience n'est pas encore assez profonde, assez universelle) que Derville et Rastignac, découvrent qu'existent d'autres clivages que ceux, traditionnels, de « amour-pas amour », ou « naissance-pas naissance ». Or, ces nouveaux clivages, il faut, pour les dire, d'autres héros et d'autres hérauts. Balzac est allé chercher Argow.

Mais, si Argow est un porte-parole, il a aussi, déjà, une signification objective, et, par elle, continuent de s'éclairer les « mystères sociaux » qui étonnaient tant Joseph et Mélanie. S'il est un révolté, en effet, si, quoique personnage odieux, persécuteur d'une innocente, il incarne un incontestable vouloir-vivre, sa révolte, non plus lorsqu'on la vit, mais lorsqu'on la voit, ne prend tout son sens que par sa volonté de réintégrer l'ordre, de s'imposer comme citoyen respectable et respecté. Personnalité en vue, riche propriétaire d'une magnifique terre, devenue, de surcroît, M. Maxendi, Argow n'est en rien l'homme d'une révolte au contenu réellement critique, à plus forte raison révolutionnaire. Argow est un révolté qui aspire à s'intégrer à l'ordre bourgeois, comme, plus tard, Vautrin et Maxime de Trailles. Argow (assez différent, en ceci, du Jean Sbogar, de Nodier, qui lui a servi de modèle; mais tout ceci changera avec *Annette et le criminel* l'année suivante), ne poursuit nulle vérité intérieure; il n'est pas à la recherche de soi-même ni d'un sens de la vie. Ce n'est pas encore Pierrot le Fou; c'est Max le Menteur, ou Figon. Argow est bien en cour, ami des ministres, il défend la société. « Vous devez, explique au maire son complice et ami Vernyct, être attaché à la noble famille qui nous gouverne, à l'État », et il ajoute, pour justifier l'arrestation du Vicaire : « vous comprenez alors qu'il est important de déjouer toutes les trames des pervers qui en veulent au bonheur des amis de la légitimité [1] ». Et de dénoncer (cette fois, Balzac ne s'exprime plus, il peint) une conspiration sur le point d'éclater. Or, le 21 septembre 1822, les quatre sergents de la Rochelle avaient été exécutés; on était en pleine psychose de conspiration, de répression sanglante. Outre qu'on a là un intéressant témoignage sur les réactions de Balzac à l'actualité politique, comment ne pas voir dans les manœuvres d'Argow et de ses hommes une signification sociale très précise? *Les forbans, les truands, que ce soit le pirate de 1822*, comme *plus tard le pirate Nucingen jouent la carte de l'ordre établi*, et l'ordre établi, se sert, à l'occasion, des forbans, des truands. A partir du moment où les bandits sont « prolongés » au-delà de leur immédiat de violence et d'exceptionnel, à partir du moment où le romancier les replace dans une continuité et dans un devenir social, à partir du moment où ils cessent d'être de purs gestes, de purs discours, de purs individus, les bandits quittent leur apparence révolutionnaire pour devenir des conservateurs. Truands et polices parallèles; truands et groupements fascistes. C'est une vérité de notre temps, que Balzac découvre en 1822. Vautrin finira chef de la police de sûreté. Tout ceci juge l'ordre établi, en même temps que se trouve liquidée la fausse image, entretenue par une littérature trompeuse, du révolté, du hors-la-loi *révolutionnaire*. Max le Menteur, ses lingots d'or et sa belle Vedette, Georges Figon et ses relations gouvernementales, c'est, au niveau le plus simple, le plus visible, matière à découverte sur la vraie *nature*, et du pouvoir, et de tout le folklore anticonformiste. Les tenants officiels, traditionnels de l'ordre peuvent faire la petite bouche, et parler, comme Mme de Beauséant, de Nucingen qui « fait le royaliste » : Franchessini, le spadassin offert à Rastignac par Vautrin, s'est « fait » ultra, lui aussi. Il existe, subjectivement, des êtres qui *croient* à l'ordre, qui y sont attachés de manière élégamment (voire sincèrement) désintéressée, mais l'essentiel objectif demeure : *il n'y a pas incompatibilité entre les hors-la-loi et l'ordre établi.* Mettre Villèle sur un bulletin au lieu de Manuel, l'idée est déjà dans le roman de 1822, et il s'agit là de tout autre chose que de simples suggestions à des fonctionnaires qui veulent soigner leur carrière. Ce que cherche Argow — et l'on comprend qu'il rejoigne l'Ordre — c'est une revanche, une affirmation de soi, un sentiment de puissance pure, *indépendamment de toute vision rénovatrice du monde.* L'ancien matelot, qui se faisait sur le pont du navire de M. de Saint-André, l'avocat des misérables, n'aspire qu'à

---

1. *Le Vicaire des Ardennes*, IV, p. 63.

prendre rang parmi les maîtres, *non à changer la nature des rapports entre les hommes*. Argow, comme Vautrin, méprise ses semblables, ne voyant en eux que des moyens de sa propre liberté. La société est une jungle, où il s'agit d'être le plus fort. Expression d'un « idéal », prise de position fondamentale de Balzac, ou description? Mais Balzac avait sous les yeux, depuis 1789, suffisamment d'exemples de réussites arrachées par les moyens du « eux ou moi ». Qu'est-ce qui était interdit à qui depuis Napoléon, depuis Fouché, depuis Decazes, depuis Vidocq — ou depuis qu'un berger de l'Albigeois était devenu adjoint au maire de Tours? Cartouche et Mandrin, dans la littérature xviiie siècle, demeuraient dans un coin du tableau, tout au plus héros de complaintes, *mais jamais héros de roman*. Argow est au cœur des romans de jeunesse, comme Vautrin sera au cœur de *La Comédie humaine*. Sans confession ni confidence personnelle de l'auteur, le roman, parce qu'il raconte et fait voir, instruit le procès du siècle, et ceci en recourant à des arguments nouveaux, en faisant jouer à Argow, dans la démonstration, un rôle fort différent de celui défini plus haut.

Si la première apparition d'Argow, en effet, lors de la mutinerie qui lui livre le navire de M. de Saint-André, bien que relevant du simple roman d'aventures, permettait déjà à Balzac de faire transparaître plus d'une découverte, il ne s'agissait guère encore que de *révolte* violente, non de révélations portant sur le mécanisme secret, *économique* de la société. Le jeune héros découvrait la haine, dans un monde qu'il croyait idyllique. Il en va autrement de la seconde apparition, à l'Hôtel d'Espagne et chez l'évêque. L'ancien pirate s'est transformé en « un riche capitaliste de la chaussée d'Antin », qui fait ainsi son apparition dans l'œuvre de Balzac, bien avant que Rastignac n'y aille chercher Delphine de Nucingen. Si Argow est le premier Vautrin, il est aussi le premier de ces banquiers qui doivent leur fortune à un crime : Mauricey, Taillefer, le premier banquier anonyme de *La Peau de chagrin*, en 1831, l'assassin de *Croquis*, en 1830. Banquier signifie pour nous, aujourd'hui, homme de fonction, employé. Les banques sont de puissantes organisations collectives. Il n'en allait pas de même à l'époque de Balzac. Le caractère souvent insolite des aventures du banquier, de ses réussites, de sa puissance, l'inexistence, pratiquement, en France, d'entremêlement de réseaux, de dynasties, etc., l'aspect durement et spectaculairement individuel des réussites, tout explique cette dramatisation personnelle. Un Laffitte avait fait la loi pendant les

Cent-Jours. Une banque, au temps de Balzac, c'est Nucingen ou Mongenod, non une raison sociale, une aventure humaine, non une insaisissable abstraction, avec ses fonctionnaires. Le passé de nos banquiers est volontiers administratif ou universitaire ; celui des banquiers balzaciens doit davantage, et plus directement à la course sur les océans, quels qu'ils soient. Cinq millions, et douze hommes dévoués : telles sont les bases de la puissance de Maxendi-Argow. « *M. le contre-amiral, songez-vous qu'on ne pend pas un homme qui a cinq millions?* »[1] Le voilà, l'argument absolument nouveau : la solidarité entre l'argent et le crime, l'impossibilité, pour tout souverain, d'atteindre l'argent. Argow, de figure de la révolte contre l'argent, devient figure, figure possible, de la puissance de l'argent. Il est des révoltes (ou des révolutions) qui, menées contre l'injustice, finissent par renforcer l'injustice, par lui donner de nouveaux visages. Comment hésiter sur le nom de l'expérience historique qui se trouve à la base de ce retournement littéraire? Tout à l'heure, Balzac était Argow. Maintenant, il le regarde. Avec qui n'avait-on pas pris la Bastille et fait la Révolution? Et quelles suites n'en avait-on pas sous les yeux?

Ce procès, toutefois, en 1822, est encore, il faut le dire, un peu simple et à deux dimensions. Argow est un bandit, et le pouvoir qu'il sert est un pouvoir de coquins. C'est bien connu. *Mais c'est trop clair.* Si Balzac voit bien dans la société la loi de la jungle, il n'en voit pas le dynamisme, il ne le met pas au cœur de son roman, inséparable de ses tares et de ses impuissances. Argow n'est qu'un pirate ; Nucingen sera, de plus, un créateur. Du Bousquier, lui aussi exploitera les thèmes de la révolte (et de la révolte politique ; c'est lui qui hissera le drapeau tricolore sur la mairie d'Alençon en juillet 1830) contre les inégalités de fait, mais le démagogue de *La vieille fille* sera *aussi* le modernisateur de la Normandie, l'homme des manufactures et des grandes routes, au pays des mouchoirs à bœufs. Cette fondamentale ambiguïté de la sociologie balzacienne n'apparaîtra qu'avec la découverte des vertus de l'industrie et de la spéculation. Le monde d'Argow est un monde encore immobile, se définissant assez bien par ses fonctionnaires, sa police et ses petits-bourgeois. Le monde de *La Comédie humaine* sera un monde cruel, mais un monde qui avance et, qui, même lorsqu'il s'en sert, déclasse (ou paupérise) ses fonctionnaires, sa police et ses petits-bourgeois. Le monde de *La Comédie humaine* révolte, mais aussi

---

1. *Le Vicaire des Ardennes*, t. II, p. 189;

fascine. Il manque encore à Balzac, dans *Le Vicaire des Ardennes*, une connaissance assez profonde des mécanismes, certaines lectures plus approfondies (Lamennais, Saint-Simon), tout ce qui, quelques années plus tard, le mettra au fait de cette grande contradiction des sociétés libérales, à la fois jungles et chantiers. Le bien n'étant pas étroitement lié au mal, l'écrasement des autres à la promotion d'une économie nouvelle, le personnage d'Argow demeure un peu « terrifiant », opposé à quelque « bien » qui n'est pas nommé, mais qui s'incarne à peu près dans le couple des amants. C'est pourquoi, tant à considérer Argow comme porte-parole des grondements balzaciens que comme personnage caractéristique d'une société, si Argow est bien l'incarnation d'une découverte, il l'est d'une découverte encore un peu linéaire, procédant légèrement plus par affirmations que par création (ou par expression du réel). Ce qui comptera, ce n'est pas tant le *lyrisme* de Vautrin que sa présence, et sa connexion à tous les fils sociaux. Il serait inexact de dire qu'en Vautrin s'atténuera la confidence, que Vautrin ne sera qu'objectif, mais avec lui, les deux éléments seront plus imbriqués l'un dans l'autre, ce que ressent Vautrin, ce qu'il désire, étant plus inséparable de ce qu'il est lorsqu'on le regarde. Vautrin jouant son rôle dans une société qui repose sur la fraude et sur l'aliénation, sera lui-même victime et produit de la fraude et de l'aliénation. On comprendra, par lui, qu'être objectivement un élément du jeu d'ensemble de la fraude et de l'aliénation ne met ni au-dehors ni au-dessus de la fraude, et de l'aliénation, ressenties, autant qu'exercées, au plus profond de soi-même. Il n'y aura qu'un Vautrin. Il y a deux Argow : Balzac en est encore à cette pré-histoire dans laquelle lyrisme et réalisme, expression de soi et agression critique ne se sont pas encore rejoints. Il est important, toutefois, que ces *deux* éléments soient présents dans son roman. Il aurait pu, à la suite de Byron ou de Nodier, seulement s'exprimer. Il aurait pu, à la suite du mélodrame, seulement démasquer les grands et les maîtres, jouer les justiciers. M. de Berny, par qui il avait entendu parler de Vidocq et du monde des bagnes, lui avait fourni un thème objectif : mais, s'il n'y avait pas eu cette récupération, cette utilisation personnelle d'Argow, le risque était grand de tomber dans un romanesque trop simple. A l'inverse, une amplification lyrique sur le thème du pirate et de la révolte, non reliée à une ébauche de tableau social, n'aurait pas ajouté grand-chose à la vieille musique romantique. Le double regard, le double registre, *la double saisie*, l'*intus* d'*Une heure de ma vie* et le monde comme il va :

dès 1822, il serait absurde de ne s'attacher qu'à l'un des deux Balzac. Le vrai procès du siècle a commencé.

Mais qui le vit, et qui pouvait le voir? Stupidement, les représentants de l'Ordre ne virent dans tout ceci que les amours d'un curé. Dès le 12 novembre, *Le Réveil*, affreux contre-petit journal ultra qui s'essayait à combattre *Le Corsaire*, *Le Miroir* et *Le Pilote*, libéraux, avec leurs propres armes [1], dénonçait le roman de Saint-Aubin comme attentatoire à la religion. Malgré un effort de Balzac et ses amis dans le *Journal des théâtres* du 17 novembre (l'article louait dans *Le Vicaire* « la peinture des mœurs bourgeoises de la province »), ce fut la catastrophe. *Le Vicaire* fut saisi, les exemplaires détruits. M. de Berny, certainement, s'entremit, et l'on n'alla pas jusqu'au procès. Pigoreau dans une notice de son catalogue s'appliqua à disculper le bachelier. Du côté gauche, il n'y eut même pas l'ombre d'un geste en faveur de cette victime du pouvoir. Mais, encore une fois, qui pouvait vraiment comprendre, en 1822, la véritable portée de toute cette affaire?

---

1. Souvenir qui sera utilisé dans *Illusions perdues*. Balzac fondra alors deux séries de souvenirs : ceux se rapportant au *Réveil*, ceux se rapportant à Martainville et à son *Drapeau blanc*.

CHAPITRE V

Un début dans la vie (2)

Le Centenaire, qui devait d'abord s'appeler *Le Savant* [1] est le premier des ouvrages de Balzac qui ait, au cours de la rédaction et de la correction, littéralement « explosé ». Prévu en trois volumes par le contrat du mois d'août, il était certainement terminé au retour de Bayeux; le 14 août, l'imprimeur était déjà au travail sur le manuscrit, et six jours plus tard, Balzac corrigeait les premières épreuves [2]. Mais alors, se relisant, il décidait de faire un quatrième volume [3]. Pourquoi? *Certainement pas pour de l'argent.* Le contrat était signé, les droits touchés. Mais Balzac avait quelque chose à dire; en tête à tête avec ses épreuves commençait la première bataille du genre, celle qu'on retrouvera en 1832-1833, pour *Le Médecin de campagne.* Qu'importent les intérêts? Balzac n'écoute qu'une voix : celle de son inspiration, et, de fait, le quatrième volume est celui dans lequel certains thèmes plus personnels prennent le relais de ceux simplement pris à Maturin et à son *Melmoth, ou Homme errant* dans les trois premiers. Du simple conte fantastique, on passe au conte philosophique, et même à la scène de la vie privée, avec les malheurs de Marianine et de son père, avec le dévouement du sergent Lagloire, etc. Balzac bourre son livre de choses senties, pensées, vécues. Aussi, *Le Centenaire*, qui devait paraître en premier, ne parut-il qu'*après Le Vicaire des Ardennes.* Mais il portait aux lecteurs (ceux de l'avenir, en tout cas) un message d'une tout autre importance, d'une tout autre densité. On s'éloigne définitivement, fin 1822, des « cochonneries littéraires ».

1. *Corr.*, I, p. 133.
2. *Ibid.*, p. 199 et 204.
3. *Lov.* A 381, f° 181, v°.

Au centre du *Centenaire* se trouve l'étonnante figure non
tant du vieillard imité de Melmoth que celle du jeune Tullius
Beringheld, l'un des premiers portraits que Balzac fit de
lui-même dans ses romans. C'est à Tours, d'ailleurs, c'est au
bord du Cher, c'est sur la levée de la Loire, que se passent les
premiers chapitres. Ce que Balzac n'avait pu mener à bout,
dans *Sténie*, il le reprenait [1]. Paysages familiers, enracinement
du fantastique : Balzac imite *Melmoth*, mais il transporte
(et justifie) tout en Touraine. Et de là, tout suit : le réalisme
de Lagloire (première figure du grognard balzacien), la vie
en France sous l'Empire. Qu'importent les livres? *Le Centenaire* est déjà, par là, un ouvrage *direct*. Mais que dire de
Tullius! Tullius, descendant d'une noble famille passée au
service de l'Empereur, Tullius, qui finit général, héros des
grandes guerres, si loin, déjà, par sa noblesse, de Jean-Louis,
qui finissait général lui aussi, mais dans un tout autre registre!
Tullius, jeune homme ardent, impatient, travaillé de désirs
secrets, sensible, et *reployé!* Quelle évolution en une année!
Tullius est un être privilégié, sauvage, à part. Chasseur, coureur
de monts et vallées, il n'est qu'attente et jeunesse, *être de
choix*, comme un Calyste du Guénic, plus tard, il est infiniment disponible, et sa noblesse n'est qu'un moyen littéraire
pour l'isoler, pour lui conférer une *qualité* au-dessus du vulgaire et du bourgeois. Balzac commence à se sentir sérieusement différent. Tout travaille, en lui, à le mettre à part, lui
aussi, à creuser la lisière qui le sépare des siens, de leurs amis.
Tullius, comme le jeune Balzac, est un assoiffé de lectures;
il découvre la bibliothèque du château paternel avec une
ivresse qui est déjà celle de Louis Lambert découvrant les
livres du curé de Mer, ou celle de l'enfant maudit découvrant
ceux du château d'Hérouville. Comme Balzac encore, Tullius
n'est pas beau, mais « quand on causait avec ce jeune enfant
on oubliait la laideur originale et spirituelle de son étrange
figure pour admirer la vivacité de ses reparties [2] ». Savoir lire
les visages! Qui le savait, chez les Balzac? Tullius, lui, a une
mère, *et qui comprend.* Sensible, elle voit, en avant, ce qui
attend son fils : « Mme de Beringheld ne tarda pas à s'apercevoir que l'enfant qui, à six ans, volait de jeu en jeu, qui,
à huit ans, ne trouvait plus rien pour satisfaire son ardeur,
qui, à douze ans dévorait les sciences, à dix-huit ans serait
las de l'amour; qu'altéré de gloire, il finirait par convoiter

---

1. Il faut ajouter aussi, sans doute, vers la même époque, ce roman dont
Balzac est au moins l'un des responsables, *L'Anonyme, ou ni père ni mère.* Ainsi
se constitue, avec *Wann-Chlore*, le premier cycle balzacien de la Touraine.
2. *Le Centenaire*, II, p. 127.

la puissance; et qu'à trente ans, il mourrait de chagrin si quelque chose d'immense n'engloutissait alors son activité, *son ardeur pour l'inconnu et les grandes choses* [1]. » C'est déjà Victor Morillon, Lambert, Lucien, le Saint-Aubin de 1836. *Tullius est l'un de ces enfants que le siècle et leur jeunesse avaient habillés pour un autre destin :* figure d'impatience et d'ardeur à vivre, figure d'exigence, sans drame, mais quand même intense, figure de forces ne sachant trop à quoi se prendre, avec un trop-plein de soi, dans un monde où se raréfient l'inconnu et les grandes choses. Question de caractère? Mais un romancier ne choisit que des caractères signifiants et en relation avec ce qu'il cherche à dire. *Que faire de soi?* C'est déjà la question implicite qui structure le caractère de Tullius, non pas jeune loup, mais jeune homme dans un climat d'innocence, et qu'attend, on le devine, comme une sorte de *creux*. Il y a trop, en Tullius, pour que le monde l'accueille. Ce n'est pas dit explicitement, ce n'est affirmé ni par le lyrisme, ni par l'analyse, mais uniquement *par la manière d'être du héros, par la création.* Toute une nouvelle image de la jeunesse, beaucoup plus riche, beaucoup plus poétique, fait son entrée dans l'œuvre de Balzac. Del Ryès même, malgré son « sentiment », avait quelque chose de raide, et quant à Jean-Louis, il était la jeunesse telle, uniquement, que la voyait Bernard-François. Tullius est un héros *appelé,* un héros, aussi, porteur de forces neuves qui, chez lui comme chez son créateur, font craquer le vernis du monde.

Mais, inséparable de cette ardeur, de cette innocence et de cette aptitude, apparaît aussitôt le thème inverse : la révélation, l'initiation. Tullius, qui aimait naïvement Marianine, figure, elle aussi, d'innocence et de liberté, se laisse prendre aux artifices de Mme de Raventsi; il lui découvre un mari, des amants; elle raille ses scrupules et lui déroule un tableau de la vie sous des couleurs de scepticisme et de frivolité. La conjonction est capitale, et Balzac le souligne : « Le caractère que Beringheld manifesta dès sa plus tendre enfance le destinait à une vie malheureuse, et marchant de dégoût en dégoût, il devait arriver au milieu de sa carrière blasé sur tout, après avoir tout parcouru, tout essayé, tout apprécié. L'on juge bien qu'il dut être entièrement abattu par ce premier coup qu'il avait reçu sans défense, *et alors que ses facultés se développaient avec une énergie croissante* [2]. » Cette intervention, dans l'univers balzacien que venait d'éclairer Mme de

---

1. *Le Centenaire,* III, p. 23-24.
2. *Ibid.,* p. 229.

Berny, du mythe de la femme sans cœur, a-t-elle des bases biographiques? On ne saurait, dans l'état actuel des connaissances, valablement répondre. De toute façon, la marquise de Raventsi se soutient suffisamment par sa valeur symbolique pour *exister*. Elle répond à une réalité, à une nécessité objective du monde qui attend Tullius et dont Balzac prend la mesure : à l'ardeur infinie, correspond le fractionnement, l'éclatement du réel social, de la pratique sociale en une infinité de fragments. « La vertu peinte comme une chimère, l'amour comme une *coucherie perpétuelle* [1] », c'est l'unité du monde, appelée, supposée, par l'unité d'aspiration, qui vole en éclats. De manière encore très traditionnelle, c'est dans le domaine de l'amour que Balzac fait faire sa découverte à son héros, mais il est clair que la leçon est plus large que ne le laisserait croire l'anecdote. « [Il] avait parcouru une carrière immense, il se trouvait au bout et son âme vide éprouvait le malaise qu'un ambitieux ressentirait après avoir conquis la terre [2] » : Mᵐᵉ de Raventsi, c'est le monde, *c'est la société*, comme Fœdora, dans *La Peau de chagrin*, en 1831. Vivre, alors? Comment? On peut toujours. Lisons avec attention ce paragraphe, que rien, dans l'intrigue ni dans la présentation du personnage, n'obligeait réellement Balzac à insérer : « A quinze ans il [Tullius] comprit les mystères de la vie sociale; il s'aperçut que l'on gouvernait les hommes en leur mettant un frein comme à des chevaux, c'est-à-dire en se rendant maître de leurs goûts, en flattant leur amour-propre et en servant leurs passions. Il vit le monde divisé en deux classes distinctes, les grands et les petits. Il conçut que tout homme devait d'abord, pour son propre bonheur, et pour pouvoir faire celui des autres, s'efforcer de se ranger dans la classe des plus puissants [3]. » Ce n'est pas seulement une « physiologie de l'aristocrate », Tullius, avec ses rêves de gloire, avec sa gentillesse et sa poésie étant tout autre chose qu'un fils de hobereau. Il s'agit là d'une *constatation*, non de l'expression d'un idéal, encore moins d'une justification. Le monde est ainsi fait. *Le Centenaire* reprend et développe le roman d'éducation ébauché dans *Le Vicaire des Ardennes :* découvertes, illusions perdues, érosion des valeurs, sentiment d'un hiatus entre soi et le monde, cette prise de conscience est au cœur non seulement de la création et de l'aventure balzacienne, mais de toute la littérature et de toute la culture occidentale

---

1. *Le Centenaire*, II, p. 222. Le soulignement est de Balzac. Dans l'édition Souverain, en 1837, Balzac corrigera et mettra plus simplement « comme une illusion ».
2. *Ibid.*, II, p. 226.
3. *Ibid.*, II, p. 137-138.

alors que s'éclairent les conséquences des bouleversements apportés par la révolution bourgeoise. La vie n'est plus la même, ni en fait ni en droit. Mme de Raventsi appartient au xviiie siècle et à sa « corruption »? Mais comment expliquer sa résurgence dans un contexte de préoccupations modernes? Car qui affirmerait que Mme de Raventsi ne relève que du folklore Louis XV et du roman historique? Balzac oppose la corruption xviiie siècle à autre chose, mais cet autre chose, *il ne le nomme pas*, et il se garde bien d'un possible développement libéral, qui aurait dressé, comme dans *Jean-Louis*, une pureté révolutionnaire ou post-révolutionnaire face à une impureté désormais vaincue et dépassée. *Mme de Raventsi est demeurée actuelle*, et elle ne revient, à l'aube du xixe siècle, que pour dire sinon, une consternante continuité du moins, une consternante reprise. Les arguments sont loin d'être encore ceux de Vautrin, des arguments *modernes*, tirés de la vie sociale, non simplement de l'amour; il faut encore à Balzac une « justification »; mais le mouvement est déjà le bon : les yeux s'ouvrent sur un monde dont les lois sont des lois de possession et de division. L'abattement de Tullius n'est encore, certes, que consécutif à « un premier échec [1] »; il lui manque, pour être pleinement significatif, le relais d'autres découvertes, mais l'essentiel, la grande nouveauté, c'est que Balzac oppose aux leçons corrompues de la marquise non quelque réussite historique des classes plébéiennes, mais *seulement* les aspirations d'un jeune homme. Dans *Le Centenaire*, la Révolution, si importante dans *Jean-Louis*, se trouve comme gommée du réel et des perspectives morales; l'Empire, certes, mobilise les énergies et suscite enthousiasme, héroïsme; il opère entre classes sociales, une « fusion » dans laquelle Balzac voit déjà, comme plus tard en 1830, un coup de génie politique [2]; l'Empire, c'est le jeune général Beringheld, c'est le sergent Lagloire. Mais aussi, l'Empire, que boude le républicain Veryno, apparaît comme une immense entreprise de consolidation sociale. Ainsi porte ses fruits l'une des intuitions de *Jean-Louis* sur le caractère bourgeois de tout ce remue-ménage : Veryno, préfiguration du Niseron des *Paysans*, est là comme le témoin de l'idéal, alors que se développent les conséquences de ce que fut vraiment, dans ses structures, la Révolution. Alors, comment trouver, dans *cette* révolution, et dans ses conséquences, de quoi vraiment répondre à Mme de Raventsi? Le débat est dépassé, le recours n'est plus possible. D'où, le porte-à-faux du héros. D'où, aussi, sans

1. *Le Centenaire*, II, p. 229.
2. Cf. t. II.

doute, le fantastique, héritier de volontés prométhéennes qui ne peuvent plus jouer au niveau de la pratique politique telle que l'a façonnée la Révolution libérale. Le grand vieillard, les réunions du café de Foy, la victoire sur le relatif et sur la mort, puisque tout ceci demeure du domaine des rêves humains, des besoins humains, doit bien trouver un mode nouveau d'expression. L'absolu, l'intense, évacuant la vie du siècle, se réfugient là où ils peuvent, dans la mystique, par exemple, ou dans l'amour.

Pour l'amour, il apparaît le premier, dans le fil du développement du héros. Ayant perdu la marquise, et l'ayant vue partir comme avec un peu de sa jeunesse, Tullius découvre la pure et poétique Marianine, fille elle-même d'une pureté, qu'incarne son père, le républicain Veryno. Peut-être ici les sentiments de Balzac sont-ils complexes, ainsi que ses « sources ». Mme de Raventsi et ses révélations, n'était-ce pas l'une des faces de Mme de Berny ? Et Marianine, ne serait-ce pas, à la fois, Mme de Berny, en ce qu'elle avait de revivifiant, et les jeunes personnes qui l'entouraient ? Il y eut, paraît-il, projet de mariage, et l'on a vu, plus haut, l'incontestable ambiguïté de l'*Ode à une jeune fille*. N'y a-t-il pas, d'autre part, un peu de duplicité dans cette lettre où Balzac fait part à Mme de Berny de ce qu'il a noté ? Jamais il ne peut regarder Louise-Emmanuelle (seize ans), sans qu'elle rougisse, et quant à Laure-Alexandrine, c'est du mépris qu'il lit, à chaque fois, sur sa figure[1]. *Le Lys dans la vallée* récupérera, quatorze ans plus tard, ces souvenirs. Mais Balzac n'a-t-il pas, fût-ce fugitivement, un peu joué sur les deux tableaux ? Besoin de fraîcheur appelle la fraîcheur, et tout est possible ; Mme de Berny n'est peut-être pas la seule à avoir su déchiffrer certains messages du *Centenaire*. Quoi qu'il en soit, faisant contraste avec la femme sans cœur, le personnage de la jeune fille fait son entrée dans l'univers balzacien ; elle conduit à la jeune moissonneuse de *La Dernière Fée*, aux deux Pauline de *La Peau de chagrin* et de *Louis Lambert* ; à l'Evelina et à la Fosseuse, du *Médecin de campagne*. Marianine est la figure même de la vie qui retrouve un sens ; elle comprend que Tullius a été profondément blessé ; mais elle comprend aussi qu'il a cru aimer, plus qu'il n'a aimé. Prestige de la femme sans cœur, qui conduit à Raphaël et à Fœdora, au Saint-Aubin de 1836 et à Mme de Parthenay et, bien avant, au héros de *La Dernière Fée*, quelques mois après *Le Centenaire*.

---

1. *Corr.*, I, 182.

A l'initiatrice répond la consolatrice, à la femme du monde
l'ange, à une positivité critique une posivitité sentimentale
et poétique, une preuve que le monde ne saurait être totalement enfermé ni en droit, ni en fait, dans les termes définis
par les initiations et les révélations. Si, d'ailleurs, Mme de
Berny a pu désenchanter la vision du jeune Balzac, elle lui
a aussi, inséparablement, apporté cette expansion de l'être
que semblait devoir nier la future explication du monde à
Félix de Vandenesse par Mme de Mortsauf. André Wurmser
s'est beaucoup indigné du cynisme de l'héroïne du *Lys*,
et l'on peut s'étonner, peut-être, de cette contradiction entre
angélisme et expérience. Mais on retrouve ici le complexe
problème du droit et du fait qui est au cœur de l'expérience
romantique : le droit, c'est le cœur et tous les possibles de la
vie renaissante, le printemps de Clochegourde comme Mme de
Berny qui trouve la joie d'aimer; le fait, c'est le passé, c'est
« la vie », c'est ce qu'il faut savoir si l'on veut ne pas se gaspiller ou se briser. L'hymne peut donc très bien toucher à la
leçon, et l'on comprend que Balzac, avec Marianine, ait pu
dédoubler ses exaltations et découvertes auprès de Mme de
Berny. Il avait lu, dans *Melmoth*, une amplification sur la
définition du verbe *aimer* : « Aimer, belle Isidora, c'est vivre
dans un monde que nous avons créé nous-mêmes [etc] ».
Sans hésitation, il a commencé par utiliser ce morceau de
bravoure dans une lettre adressée à Mme de Berny; cinq
paragraphes commencent de la même manière : « Aimer,
c'est sentir autrement que tous les autres hommes, et sentir
violemment [...] Aimer, c'est quitter son existence passée et
future et présente pour en adopter une nouvelle [...] Aimer,
c'est l'exaltation de tout notre être, l'inspiration constante
d'un poète (etc) [1]. » Et, dans *Le Centenaire*, lorsque Tullius
entreprend d'expliquer à Marianine les mystères qu'elle
ignore, c'est le même thème, les mêmes expressions qui
reviennent : « Marianine, aimer, c'est n'être pas soi [...]
c'est vivre dans un monde idéal, magnifique et splendide
de toutes les splendeurs, car on doit trouver le ciel plus pur
et la nature plus belle. Aimer, cria Beringheld, le visage en
feu, et déployant toute l'énergie de son âme, c'est guetter
un coup d'œil comme le Bédouin guette une goutte de rosée
[etc] [2]. » On se serait passé du Bédouin, comme de l'Africain
de tel poème déjà cité, mais il faut voir surtout comment,
au travers d'une sorte de truquage, Balzac s'exprime. L'expé-

1. *Corr.*, I. p. 170.
2. *Le Centenaire*, III, p. 9.

rience Raventsi était l'expérience minorisante et restreignante; elle pouvait conduire à un meilleur emploi de soi, du moins à court terme, et à condition de prendre son parti de la mort de certains absolus. L'expérience de l'amour (comme, dans d'autres textes, celle de l'amitié) est une expérience majorisante et exaltante, preuve de l'aptitude humaine non seulement à s'adapter, mais à inventer et à mieux faire, non seulement à être quand même, mais à mieux être.

Le thème du grand vieillard reparaissant, de ses pouvoirs surnaturels, n'a aucun intérêt réel *direct*. Balzac n'arrive pas à renouveler vraiment Melmoth, encore que les voyages, la carrière militaire de Tullius, retrouvant le vieillard en Égypte, en Espagne, etc, en prennent une dimension qu'on n'aurait guère pu soupçonner dans les modestes et « réalistes » perspectives qui étaient celles de *Jean-Louis*. Le monde, l'histoire des hommes acquièrent une sorte d'ampleur, de mystère, qui déclassent les narrations simplement descriptives. Les relations entre Tullius et le vieillard sont déjà celles de Raphaël et du talisman, de Castanier et de Melmoth. Tullius *sait*, et le fantastique est ici un moyen, valant ce qu'il vaut, de conférer un caractère épique et étonnant, à la plate réalité. Mais l'essentiel est ailleurs : d'abord dans le fait que *Balzac ne traite jamais le thème de Melmoth sur le ton de la dérision*, ensuite dans le fait qu'il a utilisé le vieillard pour exprimer et communiquer des idées qui lui tenaient à cœur. D'Arlincourt et les thèmes féodaux n'avaient été utilisés que pour être impitoyablement raillés, et même, dans *Le Vicaire des Ardennes*, les thèmes du roman sentimental ne se tiraient pas absolument indemnes d'une aventure encore fortement marquée du sceau de la parodie. Or, mis à part certaines pages consacrées au Jésuite Lunada, *Le Centenaire* est un roman sérieux, et jamais Balzac ne recourt aux thèmes de Maturin pour les inverser ou les ridiculiser. Le voltairien qui s'était donné carrière dans les romans troubadours, que n'avait pas même toujours arrêté dans *Le Vicaire*, la profonde authenticité du sujet, cette fois se tait. N'est-ce pas dire que le thème fantastique, que tous les thèmes connexes de la connaissance, de la puissance, sont, pour Balzac des thèmes authentiques? En fait, il suffit de se souvenir de *Falthurne*, de *Sténie* et de mainte *Note philosophique* pour comprendre. *Melmoth* n'est que le véhicule de préoccupations d'un tout autre ordre que romanesque : aussi bien Tullius, au niveau le plus humble (richesse, grades, courage, culture encyclopédique dans les « sciences humaines »), que surtout le vieillard, au niveau le plus élevé, réunissent les deux richesses qui seront au cœur du fantastique balzacien : *savoir* et *pouvoir.* Tullius, certes, *sait* plus qu'il ne peut, d'où cette page étrange du troisième volume : « Il se voyait un des plus riches propriétaires de France, et il ne connaissait pas lui-même l'étendue de sa fortune, qui doubla, par l'effet de la prospérité et de l'agriculture; il ne connaissait pas de plaisir qu'il ne pût atteindre; il était rassasié de pouvoir; il ne prenait de l'amour que le plaisir, et son illustration lui donnait si fort à faire dans ce genre, que le dégoût arrivait au comble. Les sciences humaines ne lui offraient plus rien; il faut cependant excepter la chimie qu'il n'avait pas eu le temps de cultiver. Dans de semblables circonstances, et pour une âme comme celle de Beringheld, la vie n'était plus qu'un mécanisme sans prestige, une décoration d'opéra dont il n'apercevait que les ressorts et les machines; alors, lorsque toute curiosité est satisfaite, que l'on est au bout de ses désirs, le bonheur est mort, la vie sans charme et la tombe un asile [1]. » Prose peu adroite, mais qui cerne assez bien le problème des limites de la connaissance et d'un pouvoir d'apparence. Tullius est allé trop vite, et surtout, son *savoir* et son *pouvoir* ne valent que pour qui ne *sait* pas encore quelles sont leurs limites. Mais Tullius a été initié, et c'est là pour Balzac un moyen romanesque de faire du général Tullius Beringheld, homme supérieur et accompli selon le monde, un costume vide. Jean-Louis général n'avait pas cette intériorité, ce manque. L'idée se précise lorsqu'on passe au vieillard vainqueur de la mort et du temps. On peut, certes, sourire, et parler de verbiage ou de littérature, mais ces grandes notions, de *savoir*, de *pouvoir*, lorsque la pratique sociale ne suffit plus à les définir, comment n'apparaîtraient pas de nouvelles coordonnées, de nouvelles images, qui tendraient à les ressaisir, à les restituer? *Le vieillard est une figure antibourgeoise*, comme en fait preuve la scène du café de Foy; des bavards, des hommes de « raison », clabaudent ces « prétendues sciences, *dont les fripons abusent pour tromper d'honnêtes propriétaires* [2] »; le petit rentier habillé en noir, l'incrédule, défenseur des situations acquises (Balzac pense certainement à quelqu'un de son entourage, à Vomorel?) se voit interrompu et interpellé par le vieillard qui lui rive son clou comme le mérite l'habitant du Marais démasqué. Rien n'obligeait Balzac à donner cette coloration à l'algarade; mais il y insiste tellement que force est bien de voir là une intention précise. Ce sont les hommes de l'utile,

---

1. *Le Centenaire*, III, pp. 91-92.
2. *Ibid.*, IV, p. 71.

les hommes à maisons de campagne, à procès et à murs
mitoyens (quelle aventure!), ce sont les bourgeois qui veulent
tout bloquer, et opposent à tout leur naïve suffisance. L'éloge
des Rose-Croix que prononce le vieillard, ce qu'il dit sur le
« fluide vital », sur l'éternité trouvée, sur la « vraie médecine »,
sa transfiguration, qui humilie et rapetisse les assistants,
tout ceci est autre chose que friperie. *Balzac s'en sert,* ce qui
est bien différent. Le vieillard est « en avant » par rapport
à ces bourgeois. Raison et bourgeoisie sont pertes et gaspillage, et ce qu'évoque le vieillard, c'est un ordre dans lequel,
justement, rien ne serait perdu, dans lequel la synthèse et
la conquête seraient la loi de l'Humanité. « Thésauriser les
sciences, ne rien perdre des découvertes particulières, poursuivre avec constance, sans cesse et toujours, des recherches
sur la nature, s'emparer de tous les pouvoirs, parcourir tout
le globe, le connaître dans ses plus petits détails, devenir à
soi seul les archives de la nature et de l'humanité, être partout,
remplacer ainsi le destin, être presque Dieu... [1], qu'importe
le contenu positif de telles « rêveries »? Ce qui importe, c'est
que l'idée puisse en venir *contre* un fini d'une nature bien
particulière. L'absence de continuité et d'unité dans les sciences, les réussites incomplètes, le freinage de tout, les demi-
révolutions, les semblants de liberté, nature, humanité comme
oubliées en route, d'où sont nées ces idées, sinon de l'avortement partiel et de la perversion des Lumières en doctrine de
défense pour rentiers du Marais? Blocage et stérilisation
sociale correspondent à blocage et stérilisation théorique.
Le vieillard est certes une figure de rêve, une figure littéraire,
mais il dit des hantises nées de l'incomplet post-voltairien.
Résurrections et tour de passe-passe importent peu : il faut
bien faire un roman. Mais, jusque-là, le vieillard est une figure
de la revendication, de la révolte et de l'inquiétude balzacienne, avec les maladresses de l'âge et les faiblesses inhérentes
à l'initiation littéraire. Le vieillard, c'est l'intense et la totalité dans un monde où tout se feutre et se fractionne. Le
mariage, au dernier chapitre, de Tullius et de Marianine,
mieux, même, la suite promise par une note finale, c'est le
gibier pour mauvais lecteurs. Alors que la bourgeoisie et le
roman bourgeois se reconnaissent et s'expriment de plus en
plus en des figures modestes et modérées, falotes, peu exi-
geantes, fonctionnant et vivant *à l'intérieur* d'un système
bâtard même pas contesté, Balzac, dans le plus grave et le
plus sérieux de ses premiers romans, mobilise, pour dire son

---

1. *Le Centenaire,* p. IV, p. 77-78.

besoin d'absolu, d'étranges figures que ne sauraient revendiquer les obscurantismes de droite, ni s'intégrer les idéologies de la « gauche »; d'autres figures, celles de la « vie privée » viendront bientôt renforcer la cohorte. Sentiment, autobiographie, poésie, fantastique, vie privée : c'est la naissance d'un nouveau romantisme, propre à Balzac, et que bien peu soupçonnaient. Dès lors comptent moins les affleurements formels du genre de ceux déjà repérés dans les romans précédents. Le « vague ossianique » des impressions nocturnes aux premières lignes [1], divers essais de « nuits » à la Chateaubriand, tel passage si « lamartinien » : « Voyez-vous, sur ce rocher désert, couvert de feuilles mortes que l'automne laisse tomber de sa pâle couronne, voyez-vous ce jeune homme assis vers le soir sur une pierre antique? Il contemple tristement l'aspect de cette soirée dont les événements sont en harmonie avec l'état de son cœur [2] », perdent leur intérêt de forme dès lors que l'on sait qu'autre chose pousse de l'intérieur. *Le Centenaire*, œuvre soignée, reprise et perfectionnée, n'a plus guère besoin de recourir aux mêmes artifices que les romans qui y conduisent, ou ceux-ci, lorsqu'ils persistent, se font beaucoup plus discrets. Balzac se bat moins les flancs parce qu'il est davantage lui-même. L'attente nocturne de Mme de Beringheld (« Il est deux heures, la nuit est calme, la voix de l'orage s'est tue, la lune répand dans la vaste chambre une lumière pure qui efface la lueur rougeâtre de la lampe », le profond sommeil de la comtesse, l'univers qui dort, « excepté celui qui ne dort jamais [3] ») a quelque chose, même du simple point de vue artistique, d'assez bien venu et, preuve capitale, les scories qui encombrent encore trop souvent le texte gênent plus que dans les romans précédents. Balzac et ses amis s'attacheront avec un soin assez particulier, à en faire disparaître un grand nombre en 1837 [4], et, fait à noter, n'affadiront pas trop, contrairement à ce qui se passera pour les autres romans de Saint-Aubin, le texte juvénile de 1822. Aujourd'hui, *Le Centenaire* demeure, pour un lecteur non prévenu, le meilleur des romans de jeunesse. Cette réussite est à retenir : c'est dans le genre fantastique et lyrique à la fois que Balzac, après s'être essayé, dans *Le Vicaire des Ardennes*, à un certain réalisme, dépassait le plus nettement *Cromwell*, intégrait à un récit quelques-unes des préoccupations qui lui tenaient le plus à cœur. La première réussite balzacienne est du genre

1. *Le Centenaire*, I, p. 1 sq.
2. *Ibid.*, II, p. 231.
3. *Ibid.*, II, p. 54.
4. Cf. *Aux sources de Balzac*, p. 372 sq.

« passionné » et recherche de l'absolu. Comme la révolte d'Argow, cette passion, sous ses diverses formes, oriente et illumine le réalisme et la réalité qui le justifie. Les « raisonnables » eurent, d'ailleurs du mal à l'admettre : si on félicita Saint-Aubin d'avoir su utiliser les recettes du roman noir (*Courrier des spectacles* du 25 novembre), on lui reprocha (Pigoreau, toujours dans son catalogue) d'avoir été insérer son histoire fantastique en plein xviiie siècle français, dans une réalité sociale encore toute proche. C'était condamner, d'avance, *La Peau de chagrin*. On peut, aujourd'hui, penser que la valeur et l'intérêt, précisément, du *Centenaire*, sont dans cette première transmutation du monde et du décor modernes. Le *Courrier des spectacles* conseillait à Saint-Aubin d' « employer à la peinture des mœurs modernes une plume remarquable qui n'a besoin que d'un sujet choisi pour être tout à fait sans reproche ». Mais n'y a-t-il pas toujours, dans ce mot de *peinture*, cher aux raisonnables de tous les temps, quelque chose d'agaçant? *Peinture*, c'est compte rendu, reproduction, que l'on espère pouvoir *juger*, regarder comme si rien n'était changé par l'œuvre au monde. *Peinture*, c'est devoir consciencieux de bon élève. *Peinture*, c'est le réel mis en conserve. L'œuvre véritable n'est pas peinture; elle est drame; elle porte plus loin que le réel brut; elle trouble parce qu'elle saisit et exprime le trouble. Dans *Le Misanthrope*, Molière n'a pas fait la peinture de son temps : il a fait vivre la terrible misère des sociétés factices. Ce que tout le monde aurait aimé voir faire à Saint-Aubin, c'était la *peinture* des ridicules du siècle. Avec *Le Centenaire*, il prouvait qu'il *voyait* autrement les choses [1].

1. La vision, toutefois, n'est encore que philosophique, et un exemple montre quels progrès doit encore accomplir la conscience balzacienne pour rendre compte avec exactitude du drame social, concret, dans lequel est embarqué le monde moderne. Au chapitre II est contée l'histoire de la malheureuse Fanny, victime du Centenaire, et dont le père est un riche manufacturier de la ville de Tours : « Mon père, explique la jeune fille, est un des plus riches fabricants de la ville; il emploie beaucoup d'ouvriers, en sorte que son existence est précieuse à une foule de familles qui ne vivent que par lui. Son extrême bienfaisance, sa bonté, lui ont concilié l'estime de toute la ville, l'amour de beaucoup de personnes, et une grande popularité ». (*Le Centenaire*, I, p. 39.) Par la suite, on voit les ouvriers s'émouvoir et se déchaîner une émeute pour demander le châtiment du meurtrier présumé de la fille de leur bienfaiteur.

Peu importe la bienfaisance du père de Fanny : on peut être charitable sans être manufacturier. Mais, ce qui frappe, c'est l'absence de tout problème ouvrier, simplement de toute *présence* ouvrière; non seulement il n'y a pas conflit entre maître et ouvriers (ce qui peut se concevoir à ce stade de développement), non seulement les ouvriers ne sont-ils que braves gens sans problèmes, non seulement ne servent-ils que de repoussoir à la poétique figure de Fanny et d'instruments à l'intrigue, mais, surtout, ils n'existent pas pour et par eux-mêmes. C'est la première fois qu'on voit le peuple dans un roman de Balzac, autrement que par le

Le Centenaire ne dépassa pas les cabinets de lecture. Balzac, pour vivre, aida Le Poitevin à tirer un roman, *Michel et Christine* d'un vaudeville de Scribe, puis s'essaya lui-même au théâtre. Son mélodrame, *Le Nègre*, fut refusé, en janvier 1823, par la *Gaîté*. Intermèdes. Au début de 1823, le retour au roman s'imposait.

Aux sources de *La Dernière Fée* [1] se trouvent de lointains souvenirs de lecture du *Cabinet des fées*, le succès à l'Opéra, en 1822, d'une féerie d'Étienne, *Aladin ou la lampe merveilleuse*, deux parodies de cette féerie par Scribe et Mellesville, d'une part, et Merle et Carmouche, d'autre part, des réminiscences et des utilisations directes, enfin, de la pièce de Tobin, *La Lune de miel*, et de deux romans de Maturin, *La Famille Montorio*, et *Les Femmes ou rien de trop*. D'Étienne et du *Cabinet des fées* procède directement le thème merveilleux; de Tobin et de Maturin les thèmes de la jeune amoureuse qui se déguise en garçon pour approcher celui qu'elle aime; enfin, de Maturin seul, le thème de la discussion entre deux jeunes femmes sur le mariage et l'amour [2]. Qu'on ajoute *Tristram Shandy* et le remontage de l'horloge pour la conception et la naissance d'Abel, qu'on ajoute Balzac lui-même, à qui Saint-Aubin emprunte des éléments du dernier volume de *Wann-Chlore*, dont la publication vient d'être ajournée, et l'on aura une idée de l'extrême complexité de l'inspiration livresque du sixième des romans de jeunesse. Balzac continue à fabriquer. On notera seulement l'orientation moins intellectuelle, plus nettement poétique, des emprunts. On s'éloigne de Piron et de Pigault-Lebrun de manière décisive : *La Dernière*

biais des domestiques ou des paysans isolés; c'est la première scène de masse dans l'œuvre du futur auteur de *La Comédie humaine*, mais cette masse n'est porteuse de rien; elle *n'est* donc rien, et seule *est* l'exigence philosophique. C'est par-là que *Le Centenaire*, tout en *annonçant* du Balzac, date, pourtant, dans l'œuvre de Balzac.

1. Entre les romans Pollet et *La Dernière Fée*, se situe normalement, le début de la rédaction de *Wann-Chlore*, commencé sans doute à Bayeux, dont Balzac lit des passages à Villeparisis au mois d'août, et qu'il vend à Hubert avec promesse de livraison pour octobre. La longue mise au point du *Centenaire* fut sans doute cause de l'abandon de ce projet. Balzac dut se remettre au travail pendant l'hiver et au printemps de 1823, après avoir échoué dans sa nouvelle tentative dramatique *(Le Nègre)*; le manuscrit de *Wann-Chlore* fut proposé en mai à un libraire, qui n'en offrit que six cents francs. Balzac le mit de côté, pour le reprendre et, enfin, le publier, en 1824-25. Ces repères chronologiques nous imposent donc d'étudier le premier *Wann-Chlore* immédiatement après *La Dernière Fée*, puis à revenir sur les modifications apportées en 1825 lorsque nous en serons venus à cette époque de la vie de Balzac. Il faut avoir à l'esprit que, lorsque Balzac écrit sa *Dernière Fée*, il a également *Wann-Chlore* en chantier, et qu'il existe ainsi de nombreuses et explicables passerelles d'un roman à l'autre.

2. Pour une étude détaillée des emprunts de Balzac, cf. P. Barbéris, *Les mystères de La Dernière Fée*, A B 1964.

Fée s'inscrit parfaitement dans ce nouveau cycle de l'inspiration balzacienne dont les multiples essais poétiques de 1822, puis les romans Pollet avaient été le premier signe visible. *La Dernière Fée* connut l'honneur de deux éditions, mais il ne faut pas se tromper sur la nature de ce « succès ». Il est possible de reconstituer cette histoire compliquée dont voici l'essentiel : une première édition, en deux volumes, parut le 31 mai 1823, mais dès avant la mise en vente, Balzac avait repris son texte, avait écrit un troisième volume, allongé et compliqué l'intrigue, changé, surtout, le dénouement. Alors que dans la version en deux volumes, Abel épouse la duchesse après le suicide de Catherine, et connaît avec elle un bonheur qui « durera sans doute [1] », dans la seconde, Abel, malheureux auprès de sa femme, dont l'éducation est supérieure à la sienne, se languit, est attiré par un étrange valet qui n'est autre que Catherine déguisée après qu'elle eut échappé aux eaux de la Seine, tandis que la duchesse, ayant retrouvé un de ses anciens amoureux, le musicien Cinthini, commence à mesurer son erreur; brusque rupture, alors : on retrouve Abel en Écosse, prostré, Catherine veillant sur lui; un soir, on entend le son du hautbois; Abel retrouve la mémoire; cet air, c'était celui que jouait Cinthini, qu'il a tué dans un accès de rage; Abel est guéri; Catherine passe de l'eau sur son visage; il la reconnaît, et, désormais, ils seront heureux. Ajoutons que Balzac, qui avait dû bâcler la première version pour des raisons matérielles (d'où le dénouement un peu plat, un peu insuffisant), ne put écrire le livre dont il rêvait que grâce à Mme de Berny. C'est elle qui finança l'opération, et les exemplaires furent imprimés à compte d'auteur. Ils attendirent, toutefois, l'automne de 1824 pour être mis en vente, par Delongchamps, un nouvel éditeur avec qui Balzac était alors en relation pour la publication de *Wann-Chlore*. L'essentiel est, qu'aux yeux de Balzac, *l'édition en deux volumes ne compta jamais*. Elle ne figure pas dans la liste de ses œuvres qu'il communiqua à Quérard en 1827 pour sa *France littéraire* [2], et, en 1836, c'est la version en trois volumes qu'il fit corriger et réimprimer pour les œuvres complètes d'Horace de Saint-Aubin. Comme nous savons, à partir de documents d'archives, que cette version en trois volumes fut composée immédiatement à la suite de celle en deux volumes, nous

1. *La Dernière Fée*, 2e éd. en 3 vol., II, p. 254.
2. Cette notice donne comme étant de Balzac les huit romans « traditionnels », et cite le témoignage personnel de Balzac pour écarter C. *Pointel* et *Les Deux Hector*. Elle permet de faire le départ entre les romans qui sont entièrement de Balzac et les autres.

sommes fondés à l'étudier non à sa date de publication (fin
1824) [1], mais bien à sa date de composition (première moitié
de 1823). La comparaison, toutefois, des deux dénouements
peut donner certaines clés pour la philosophie du livre.

Le thème central de *La Dernière Fée*, repris de celui du
Centenaire, est celui du jeune homme entre la femme sans
cœur et l'ange. Abel, « jeune âme naïve », comme le Balzac
qui écrivait à Mme de Berny, se laisse fasciner par les sortilèges de la duchesse de Sommerset et dédaigne la pure Catherine, fille du village qui l'aime d'un amour profond. La
duchesse, elle, est romanesque et compliquée. Tombée amoureuse de ce jeune homme, découvert dans un village perdu,
elle a entrepris, pour le conquérir et se l'approprier, de
monter tout un stratagème qui justifie le titre. Elle le fait
enlever, lui fait traverser des souterrains, lui apparaît en
enchanteresse, etc. Abel, rêveur, lui aussi, et que les premières
pages nous montrent rêvant devant le foyer, y trouvant des
figures fantastiques, ne tarde pas plus que Tullius à céder
aux prestiges de l'extraordinaire et de la passion. Son père,
cependant, sage chimiste qui a bien dû récupérer certains
éléments quelque peu sacrifiés dans *Le Savant* (premier
titre, rappelons-le, du *Centenaire*) l'avait mis en garde.
Reprenant la théorie naguère exposée par maître Trousse
dans *Clotilde de Lusignan*, il professait que les passions
étaient dangereuses, qu'il fallait savoir s'économiser, préférer
un bonheur calme aux orages. Comme le vieillard du *Centenaire*, ayant fait le tour des connaissances et des possibilités,
il préfère la vie simple et cachée à celle de la « civilisation »,
gaspillage et folie, tissu d'intérêts et d'ambitions, non lieu
d'éclosion pour les âmes. L'huile de Macassar, lord Byron,
le gaz hydrogène? En quoi ceci définit-il un univers vivable [1]?
On s'éloigne décidément de la Babylone des philosophes, et
l'erreur d'Abel sera de ne pas avoir écouté les leçons du
chimiste, d'avoir voulu vivre vite et intense, lui aussi. Il y
a là un sillon balzacien qui commence à se creuser, et qui
conduit à *La Peau de chagrin* et à la retraite de David Séchard.
La civilisation est un piège; elle happe et pervertit notre
vouloir-vivre, elle fait appel en nous à ce qu'il y a de plus
légitime pour le faire, finalement se retourner contre nous
et le détruire. Prendre le problème au simple niveau psychologique n'est pas en oublier les profondes racines historico-
sociales.

Mais Balzac, pour exposer cette préoccupation, ne s'est
pas contenté de l'histoire d'Abel. Il l'a doublée du dialogue
qui oppose Mme de Sommerset à son amie Mme de Stainville,

et cet échange, qui conduit, lui, à celui des *Mémoires de deux jeunes mariées* présente sous une forme encore plus incisive le dilemme du chimiste. La preuve, d'ailleurs, de l'importance que lui accordait le romancier, c'est l'important développement qu'il a subi d'une version à l'autre. Dans la première, la parisienne Mme de Stainville se contentait de railler au passage les clichés sentimentaux à la mode, l'esprit romanesque de son amie anglaise, infiniment plus folle, selon un des canons de l'époque, que ces « intelligentes », mais frivoles françaises, en garde contre tout et sachant tirer parti de la « vie »[1]. Dans la seconde version, les lettres sont allongées, redoublées, et le débat s'engage à fond : faut-il chercher dans le mariage la passion et l'amour fou, ou bien le bonheur calme? La duchesse tient pour l'intense, et croit qu'il est possible d'en faire un élément du mariage, qui est stabilité et durée. Mme de Stainville, elle, tient que l'amour ne saurait être durable, et que c'est folie, absurde folie de faire comme s'il pouvait en être autrement. Que l'on s'amuse, que l'on aime mais le mariage est bien autre chose, une institution nécessaire; prétendre l'annexer à l'univers du bonheur est une erreur dont reviendra la duchesse :

> Avec vos grands yeux noirs, humides et fendus en amande, votre air de reine, votre taille de sylphide et votre spirituelle doctrine de l'esclavage en amour, vous ne valez pas mieux qu'une autre, et votre dévotion maritale ne vous empêchera pas de suivre le torrent, d'aimer toutes les fleurs qui se trouveront sur votre route et d'en respirer le parfum sans croire faire le mal [...]. Vous vous méprenez sur votre sentiment pour Abel, mais, bast, épousez toujours, nous verrons après[2].

La duchesse réplique par les arguments attendus :

> Je l'aime pour lui-même, je souffre lorsqu'il n'est pas là, et, d'ailleurs, « allez, petite laide, vous êtes jalouse de mon bonheur[3] ».

Ce qui ne saurait émouvoir Mme de Stainville : on ne veut pas vous manger votre petit Abel! « Ne dirait-on pas qu'il n'y ait plus de moustaches et de jeunes officiers dans le monde? » « Vous aimez Abel? Soit, mais que vous le chérissiez toujours comme à présent, Ah *nego* [...] En un seul mot, je

---

1. Thème pré-stendhalien, qui conduit à Mathilde de la Mole (en passant par les considérations sur les Parisiennes dans le *Courrier anglais*).
2. *La Dernière Fée*, éd. en 3 vol., III, p. 64.
3. *Ibid.*, p. 67.

vous niez que nous puissions aimer toujours la même personne. » Mais insister ne serait-il pas tomber à son tour, dans le genre « sérieux »? Aussi : « Adieu, ma couturière m'attend ».

Le grand intérêt de cette addition n'est pas dans l'échange d'arguments, *mais dans leur prolongement romanesque*. Car Mme de Stainville, d'interlocuteur abstrait, devient témoin, et la voici qui, le premier bonheur passé, reparaît pour faire à nouveau leçon à la duchesse, constater les premières lassitudes, bientôt tout uniment conseiller de céder à Cinthini. « Perfide conseillère », déjà, comme il sera dit dans *Une fille d'Ève*, en 1839, Mme de Stainville ne fait que dire ce qui est ; elle ne relève en rien d'une quelconque condamnation morale, que Balzac, d'ailleurs, en réaliste, n'esquisse même pas. *Il n'y a pas l'innocence et les corrupteurs : il y a les raisons d'être corrompu, ce qui est bien différent.* De même, Abel, face à son père et à ses conseils n'est pas « coupable »; il a pour lui le droit, sinon le fait, et si le droit est instinctif (d'où poésie), le fait requiert apprentissage et découvertes (d'où le roman). Le double dialogue, le double dilemme de *La Dernière Fée* nous conduit à nouveau au *roman d'éducation*, déjà entrevu dans *Le Centenaire*, et c'est le sens de ce roman d'éducation qu'il importe de déchiffrer pour marquer la place du double roman de 1823 dans l'histoire de la prise de conscience balzacienne, et dans celle, inséparable, de son expression.

On aura remarqué que, dans les deux cas, les problèmes de l'amour et du mariage sont au cœur du débat. C'est sans doute que l'Homme occidental, à tort ou à raison, investit *d'abord*, aux niveaux élémentaires de conscience et de développement, la majeure part de son vouloir-vivre dans cette aventure, que d'autres civilisations peuvent considérer comme secondaire. Toujours est-il que, *à propos seulement* de l'amour et du mariage, se trouvent posés les problèmes de fond du monde moderne, trente années après la révolution française. Quelles sont, en effet, les données? D'un côté, amour, passion, goût de l'extraordinaire et du grand, l'immense appel d'air de la vie. De l'autre, des morales qui enregistrent les difficultés du développement et de l'expansion de la vie dans le monde moderne. Pour bien comprendre, d'ailleurs, ce que pense et ressent Balzac en 1823, il faut recourir aux états postérieurs du thème dans *La Comédie humaine*, en particulier aux *Mémoires de deux jeunes mariées*. Aux folles ambitions, alors, de Louise de Chaulieu, Renée de l'Estorade opposera une conception de l'amour conjugal toute de sagesse et de mesure. Mais, vingt ans auparavant, ce qui s'oppose encore à l'amour et à la passion, ce n'est pas une morale de l'économie de soi : c'est seulement une frivole morale mondaine, et la position de la duchesse s'en trouve infiniment valorisée. Louise de Chaulieu, confrontée à Renée de l'Estorade, sera une folle et une excitée, un être qui se gaspille, alors que la duchesse, confrontée à Mme de Stainville, a infiniment plus de charme et de vérité. Quant à Mme de Stainville, elle a beau avoir, finalement, *comme tous les bourgeois*, « raison », elle n'en demeure pas moins une agaçante créature, sans grande profondeur. Les *raisons* et les *valeurs* ne sont pas les mêmes, si les rapports et les personnages se ressemblent. La raison est que sans doute, en 1823, Balzac croit encore à la passion et n'a pas encore découvert tous les secrets qui minent l'univers prométhéen. D'où la nature de la figuration. Balzac croit encore à la passion. Non seulement parce qu'il est encore jeune, mais parce qu'il est en pleine lune de miel avec Mme de Berny, parce qu'il vient de découvrir, dans le désséchant univers philosophique de son père, les richesses, aux incalculables répercussions, de l'amour et de la communion sentimentale [1]. Ce n'est que bien plus tard, ayant mesuré les limites de plus d'un espoir et de plus d'une pseudo-valeur, qu'il dénoncera, par la bouche de Gobseck, de Vautrin, puis de Renée, les dangers du vouloir-vivre sentimental et idéaliste poussé à l'extrême. Il fera Renée heureuse, dans sa « bastide », comme David retiré au bord de la Charente, après avoir montré les catastrophes qui guettent les chercheurs d'absolu et d'intensité. Et c'est

---

1. André Wurmser, dans son anti-Balzac, a sévèrement critiqué ces amours de Balzac et de Mme de Berny, tirant, non sans raison, argument des innombrables artifices du soupirant, et surtout de l'opération, un moment envisagée (?) d'un mariage avec Emmanuelle. Il fait, à juste titre, des rapprochements avec le cas Thiers-Mme Dosne, et ceux parallèles et conséquents, de *La Comédie humaine* (Mme de Nucingen, Mme de Mortsauf, lady Blessington, Mme d'Uxelles), où l'on voit des maîtresses donner, ou prévoir, pour femmes à leurs amants leur propre fille. Peu importe que Wurmser, entraîné par les *Lettres à l'Étrangère*, affirme que ce projet, ou ce bruit, date de 1824, alors que, la *Correspondance* l'atteste (I, p. 183), il s'agit bien, nous l'avons vu, de 1822. L'essentiel est le fond du problème. Or, que, dans ce contexte bourgeois, une union ait été envisagée, qui aurait permis, peut-être, à Mme de Berny de garder près d'elle son jeune amant, que celui-ci ait envisagé l'éventualité sans frémir (dans la lettre citée plus haut, du début de mai 1822, ou de la fin d'avril), ne faisant de réserves que concernant sa fortune actuelle (il n'exclut pas d'ailleurs seulement un mariage avec Emmanuelle, mais *tout* mariage), ne doit pas induire à trop d'erreurs. Après tout, il ne s'agit pas de racontars de voisins, qui ne soupçonnaient sans doute pas les réelles raisons de l'assiduité d'Honoré, et, d'autre part, il faut se garder de l'attitude moraliste, et comprendre ce qui est. Les manigances autour d'Emmanuelle n'empêchent sans doute pas que Balzac ait été profondément ému et *relancé* par sa liaison avec Mme de Berny. Du recul pris par rapport à ce genre de situation, et l'exemple Thiers, ont pu conduire aux dures dénonciations de *La Comédie humaine*, ceci est incontestable. Mais, *sur le moment ?* Et compte tenu des idées d'alors (*de la pratique* d'alors) sur le mariage ?

ici qu'apparaît, capitale, l'importance de la seconde version de *La Dernière Fée*.

Dans la première, en effet, la duchesse avait raison, et, en conséquence, Abel avait raison, lui aussi, de l'avoir choisie. Mais dans la seconde, elle échoue, puisqu'elle retrouve Cinthini et laisse Abel désemparé. Ce point sera fortement souligné dans la *Notice* de 1836 : la duchesse y deviendra une espèce de « femme sans cœur » (ce que ne laissait guère attendre son charme de 1823). C'est *dans le temps* qu'Abel et la duchesse, comme Théodore et Augustine dans *Gloire et malheur*, découvrent ce qui les sépare. Balzac semble fortement sensibilisé à ce qu'on peut appeler, déjà, le dilemme de l'Antiquaire. La première version s'achevait sur un espoir. La seconde montre ce que cet espoir devient au fil des jours. Liquidation d'illusions ? Mais nous savons que les deux versions se suivent de quelques semaines. Il ne saurait donc être question de faire état d'une évolution décisive de Balzac, d'expériences qui lui auraient ouvert les yeux. S'il a changé son dénouement, il a quand même laissé à la duchesse le beau rôle face à Mme de Stainville. Mieux même : en développant leur correspondance, il a encore accentué la sympathie que que l'on éprouve pour la romanesque Anglaise, et si le roman reprend ses droits sur le poème, celui-ci apparaît comme infiniment moins fou que dans les œuvres à venir. La duchesse n'est nullement un personnage diabolique, et sa fin est celle d'une victime de la fatalité. Elle s'est trompée, mais, un moment, face au « monde », elle avait raison. Et c'est probablement la leçon : c'est le « monde » qui, par son égoïsme et sa sécheresse, pousse les êtres d'élite à commettre de telles sottises, à se jeter dans de folles aventures. Possédant, comme Raphaël, « des trésors qui n'ont pas cours », l'homme dévie du chemin de raison et se perd. Tel est le sens de l'ambiguïté de la seconde version : *échec de l'aventure des amants, mais poésie quand même de l'aventure des amants*. Il y a là une dissonance révélatrice, très tôt, des tentations qui se partagent l'âme du jeune romancier et cette dissonance, elle se prolongera jusqu'à la fin de l'aventure balzacienne.

Car Balzac, quoique plaidant pour l'Antiquaire, ne pourra jamais, dans sa vie, s'empêcher de brûler la chandelle par les deux bouts. « *Avez-vous mesuré la peau de chagrin* depuis que votre appartement a été renouvelé ? », lui écrira Zulma Carraud [1], et lui-même confiera à George Sand qu'il aimerait mieux être tué par Louise que de vivre longtemps avec

1. *Corr.*, II, p. 115.

Renée [1]. Comme quoi toutes les tentatives de « reconstruction » du penseur (établir un équilibre vivant entre les forces *d'expansion* et les forces de *conservation*) se montreront étrangement impuissantes à modeler la vie de l'homme. En 1823, bien que, par l'intermédiaire d'une thématique romanesque, il fasse déjà vivre une éthique de prudence, il n'en demeure pas moins fasciné par les merveilles. Catherine, d'ailleurs, face à la duchesse, incarne moins une *morale* qu'une autre *poésie* : celle de la bonté, de l'angélisme protecteur et cette ambiguïté, en même temps qu'elle correspond à des contradictions vécues, se trouve extraordinairement propre aux développements romanesques en ce qu'il est impossible d'en tirer une conclusion péremptoire. Tous les personnages, toutes les situations qu'elle inspire, expriment chacun une face de la réalité, parce que la vie n'est pas faite d'une part d'ombre et d'une part de lumière, *parce que l'homme ne saurait, à lui seul, bâtir une morale définitive tant que le monde sera ce qu'il est.* D'où la fécondité des deux thèmes : Catherine est la première incarnation des anges-femmes, Pauline, Ève, Denise; la duchesse est la première incarnation, avec Mme de Stainville, de toutes les Diane de Maufrigneuse, de toutes les Fœdora, qui symboliseront une certaine élégance Restauration, faite selon les cas, de frivolité, d'esprit d'aventure ou de grâce. Même si Abel revient à Catherine, même si Tullius revient à Marianine, ils n'oublieront jamais tout à fait, sans doute, non plus que leur créateur, ces êtres de feu qui, une fois dans leur vie, leur ont ouvert la porte de ces dangereuses, mais séduisantes contrées où *l'intensité* apparaît, dans un éclair, infiniment préférable à la durée [2].

1. Cité par Roger Pierrot, C. H. XI, p. 386.
2. Cette idée balzacienne d'un mariage qui serait heureux parce qu'il aurait pour base non l'acceptation des « devoirs », mais l'équilibre et l'entente amoureuse des époux, ce *mariage d'amants*, nous paraît aujourd'hui d'une relative banalité. Voici ce qu'en pensait le grand bourgeois Thureau-Dangin à la fin du xixe siècle, commentant les *Mémoires de deux jeunes mariées* : « Peut-être est-ce pis encore quand, par exception, ces femmes mettent l'amour dans le mariage; elles n'y voient alors qu'*une volupté qui, pour être légale, n'en est pas moins impure*, et elles en dissertent entre elles avec d'étranges raffinements » (*Histoire de la Monarchie de Juillet* I, p. 322). Une femme honnête est nécessairement froide (ce qui ne veut pas dire que les froides soient honnêtes »; cf. *Une double famille*). D'où la nécessité des Rosanette face à Mme Arnoux. Un personnage comme celui de la duchesse de Sommerset avant Louise de Chaulieu, avant Ursule de Portenduère, avant Sabine de Granlieu, incarne déjà cette recherche révolutionnaire, au moins cette acceptation révolutionnaire, d'une vie conjugale normalement développée sur le plan sexuel. Reste à savoir, et c'est la grande question posée par Balzac, si un mariage de ce genre n'est pas plus exposé que les mariages « traditionnels » aux périls de l'usure et de la lassitude. D'où, tout le problème de la *valeur* de cet investissement de tant de volonté d'être dans l'amour et le mariage.

Le double dilemme, donc, correspond à un univers qui a cessé d'être simple et à deux dimensions : un univers qui requiert risque et pari, non qui, simplement, appelle à fonctionner dans un réseau de mœurs et d'institutions désormais lumineuses. Le degré d'expérience et d'expérimentation pourra nuancer, faire évoluer lignes de forces et proportions : il y a là, très tôt, la redécouverte, instinctive, *et donc, s'exprimant par le roman,* dans le mouvement du roman, non dans des analyses qui laisseraient échapper trop de choses et seraient déjà signe de certitudes, ou semi-certitudes, retrouvées. Nous avons mentionné la fécondité romanesque du thème : il ne faut pas se méprendre et tomber dans les interprétations formalistes. Si le thème conduit à des développements et enrichissements romanesques, ce n'est pas que Balzac l'ait délibérément, froidement, artificiellement choisi, parce que susceptible de ces développements et enrichissements. C'est le contraire qui est vrai : le thème, c'est la nature de la vie même, redevenue contradictoire et périlleuse, et qui donc s'impose à qui sent et exprime la vie, et qui donc conduit au roman. La descendance littéraire n'est donnée qu'en sus; elle ne faisait pas partie des prévisions. D'où, dans la suite, non des reprises à froid, mais bien une continuité diffuse, des affleurements significatifs, mais naturels. Dans *La Peau de chagrin,* Rastignac, faisant visiter à Raphaël l'appartement de Fœdora, le conduit dans la chambre à coucher et lui montre « sous un dais de mousseline et de moire blanche, un lit voluptueux doucement éclairé, *le vrai lit d'une jeune fée fiancée à un génie* [1] ». Dans *Illusions perdues,* c'est encore plus net. Une première fois, c'est au matin de la première nuit de Lucien avec Coralie, lorsqu'il est réveillé par Bérénice.

Elle alluma les bougies. Aux lumières, Lucien étourdi se crut dans un conte du *Cabinet des fées.* Les plus riches étoffes du *Cocon d'or* avaient été choisies par Camusot pour servir aux tentures et aux draperies des fenêtres. Le poète marchait sur un tapis royal. Le palissandre des meubles arrêtait dans les tailles de ses sculptures les frissons de lumière qui y papillotaient. La cheminée de marbre blanc resplendissait des plus coûteuses bagatelles. La descente de lit était en cygne bordé de martre. Des pantoufles de velours noir doublé de soie pourpre y parlaient des plaisirs qui y attendaient le poète des *Marguerites.* Une délicieuse lampe pendait du plafond tendu de soie [2].

---

1. *La Peau de chagrin,* éd. Allem, p. 117 (texte de l'éd. orig.).
2. *Illusions perdues,* éd. Adam, p. 366.

N'est-ce pas là un rappel direct? D'autant plus que, dans le manuscrit, au lieu de ce que dit Bérénice dans la version imprimée : « Quel lit arrangé pour les amours *d'un prince* », Balzac avait d'abord écrit : « Quel lit arrangé pour les amours *d'une fée* [1] ». Comme Abel, Lucien a été littéralement enlevé par l'amoureuse Coralie, et le voici, par-delà le sommeil et la volupté, qui se retrouve dans un univers irréel. Et ce qui, en 1823, demeurait assez gratuit, est ici admirablement préparé par la psychologie de Lucien, poète et prêt à tout croire.

Un second passage est encore plus éclairant, lors de la visite de Dauriat, après l'article contre Nathan :

> Il tira de sa poche un élégant portefeuille, prit trois billets de mille francs, les mit sur une assiette, et les offrit à Lucien d'un air courtisanesque en lui disant : Monsieur est-il content? Oui, dit le poète, qui se sentait inondé par une béatitude inconnue à l'aspect de cette somme inespérée. Lucien se contint, mais il avait envie de chanter, de sauter. *Il croyait à la lampe merveilleuse, aux enchanteurs*, il croyait à son génie [2].

Comme Raphaël, Lucien est moins étonné de l'accomplissement de ses souhaits que surpris de la manière naturelle par laquelle les événements s'enchaînent. La réalité venant au-devant des désirs ressemble fort à la magie. Et, plus que de simples souvenirs de lecture, il semble bien que nous tenions ici l'une des constantes essentielles de la psychologie balzacienne, et surtout, de la vision balzacienne du monde. Si rien n'est simple, si tout est risque, s'il n'est plus ni noir et blanc, ni raison-déraison, ni Nature-anti Nature, s'il n'est de soifs que dangereuses autant que justifiées, de bonheurs que mortels ou fallacieux autant que répondant aux plus profondes aspirations de l'être, c'est que les données mêmes de la vie ne sont plus les mêmes.

On retrouve, en effet, le dilemme fondamental : l'appel de la vie, d'une part, la foi en tous les possibles, mais dérationalisés, en quelque sorte, liés non à quelque logique et prévisible développement, mais bien à des bonds, à des miracles, à de subites découvertes, et ceci est témoignage de l'évolution fondamentale, dramatique, du monde post-révolutionnaire, toujours exaltant, mais avec moins d'équilibre, plus de fièvre; les inévitables découvertes, d'autre part, suggérées par la nature, encore une fois, *romanesque* du féerique. Comme les

---

1. *Illusions perdues*, éd. Adam, p. 336.
2. *Ibid.*, p. 827.

sortilèges de la duchesse de Sommerset, ceux d'*Illusions perdues* sont des sortilèges illusoires, *et le lecteur le sait*, beaucoup plus tôt, d'ailleurs dans le roman de 1839 que dans celui de 1823, qui, lui, selon les lois du genre fait attendre la révélation. Mais il ne s'agit, ici encore, que d'une évolution dans la prise de conscience, à quoi correspond une évolution dans la mise en œuvre. Dans les deux cas, il y a bien croyance, *puis* découverte. Psychologie balzacienne (psychologie d'enfant privé de mère, et qui, n'ayant pas eu cette certitude, cet appui, tend beaucoup plus que d'autres aux compensations, à l'imaginaire), vision balzacienne du monde, mais qui ne sont gratuites ni l'une ni l'autre. C'est la vie du siècle qu'on saisit ici, au niveau de l'ébauche d'une mythologie. L'expérience, l'aventure individuelle n'ont tout leur sens que reliées à la dynamique d'ensemble d'un moment d'histoire.

Oui, une femme, la fortune, la puissance, il semble bien que Balzac, l'un des Balzac au moins qui sont en lui, les ait toujours attendues de quelque miracle, et, d'Abel à Lucien, en passant par Raphaël, on suit aisément la trace de vieilles hantises : complexe mélange de foi en soi-même, de sentimentalité juvénile, de refoulements de toute sorte [1]. Que de fois, sans doute, il a, lui aussi, regardé la cheminée en s'attendant à y voir paraître la fée ? L'image se trouve déjà dans le premier *Wann-Chlore*, et devrait être mise au premier rang de ces « métaphores obsédantes » de l'œuvre balzacienne dont l'histoire est à faire : « Vous ne me verrez pas... Je ne serai jamais importuné à vos plaisirs. Laissez-moi la condition de *ces figures que nous voyons dans le feu* [2]. » Les deux romans se rejoignent dans une commune mythologie, et, en 1835 encore, Derville verra *des figures de femme dans ses tisons* [3]...

Mais ceci n'a pas empêché Balzac de *devenir* un écrivain réaliste, et son réalisme même ne serait pas ce qu'il est sans cet appel en lui de l'irréel, c'est-à-dire quelque chose de plus que le « bourgeois ». En 1823, il lui reste à parcourir, il est vrai, un bon bout de chemin : la Fée des Perles se révèle bien être une entreprenante duchesse, et ses sortilèges s'expliquent par les moyens dont elle dispose (fortune, relations à Paris, domestiques nombreux et dévoués) ; d'instinct, Balzac

---

1. Les psychanalystes auraient à dire, sans doute, sur les symboles de *La Dernière Fée* (jeune homme enlevé, monstres vaincus, souterrain, et ce qui attend, de l'autre côté des choses, le jeune héros vainqueur : volupté, mais aussi, et surtout, sans doute, irresponsabilité, délicieux sentiment de se sentir pris en main, *de se retrouver vraiment enfant ;* c'est exactement le sens de la nuit de Lucien avec Coralie).

2. *Wann-Chlore*, IV, p. 221 (premier jet du manuscrit, non corrigé). Cf. également *ibid.*, p. 65 : « Horace regardait machinalement le feu. »

3. Cf. t. II, pour ces thèmes du désenchantement dans *Gobseck*.

justifie son merveilleux. Mais il le justifie trop. On *revient* à la réalité, sans que, de la rencontre avec le rêve, elle ait acquis un rayonnement nouveau. Il manque encore cette impression de choc, de vertige, qui, dans *La Peau de chagrin* ou dans *Illusions perdues*, relèvera non plus du *merveilleux*, mais du *fantastique*; d'où alors, la subtile équivoque, dans la conscience d'un héros parti du réel et qui se trouve face à plus que le réel. On ne trouve pas encore, dans *La Dernière Fée*, cette ambiguïté pleine de leçons. On y trouve bien une *juxtaposition* du réalisme et du merveilleux, mais on *passe* mal de l'un à l'autre, et dans aucun des romans de jeunesse le manque d'unité n'est aussi sensible. C'est qu'à cette date, les rêves d'Abel et de son créateur font brèche dans un réalisme à la petite semaine hérité des conteurs « bourgeois » : Pigault-Lebrun, l'Hermite de la Chaussée d'Antin, Balisson de Rougemont. Ils l'ouvrent bien, certes, sur autre chose que le tableau de genre; un levain commence à travailler la pâte du roman « populaire » ; mais on voit trop l'effort du romancier qui s'efforce de tenir les deux bouts de la chaîne : *le dynamisme n'a pas encore pénétré le réalisme, et le réalisme n'a pas encore donné son poids au merveilleux*. C'est *en avançant* que Balzac dépassera cette contradiction, et son réalisme sera justement la conquête, *l'invention* de ce dépassement. *Présence* des êtres et des choses, mais aussi, inséparable, *mouvement* des êtres et des choses. Décor et désir. Le manque d'équilibre, en 1823, provient de la rupture qui s'opère, chez Balzac entre son « réalisme » de la veille et son cœur. L'unité ne se refera, une unité créatrice, que le jour où la peinture du monde réel sera l'intuition d'une dynamique, le jour où *la thématique réaliste sera devenue une thématique dramatique*.

Affaire de *métier*? Non. Affaire d'expérience des choses et de la vie. Si les merveilles de 1823 ont encore quelque chose d'assez puéril, c'est que Balzac ne *comprend* pas encore son sujet. En 1835, ayant vécu, et *comprenant* à la fois Derville et le papa Gobseck, il fera dire à ce dernier, qui reprendra spontanément la vieille image : « Vous êtes jeune, *vous voyez des figures de femmes dans vos tisons*, moi je n'aperçois que des charbons dans les miens [1]. » De même, en 1839, le romancier, s'il est Lucien, est aussi le créateur et le juge de Lucien, non au titre d'une morale transcendante, mais au titre de la connaissance du monde. Le palais enchanté s'explique par la fortune de Camusot, et l'allusion au *Cocon d'or* vient oppor-

---

1. *Gobseck*, C. H. II, p. 628 (addition dans *Le Papa Gobseck* de 1835).

tunément rappeler que Lucien rêve et qu'il faudra en revenir. Bérénice, d'ailleurs, le dit clairement : que Lucien « comprenne », qu'il ait le cœur de ne pas profiter de l'amour de Coralie pour lui faire renvoyer Camusot. Lucien préfère ne pas entendre. Ainsi, Balzac joue à la fois sur les deux tableaux ; *Lucien*, il montre les tentations d'une âme ; *romancier*, il montre le décalage qui sépare le rêve du réel. Cette leçon de Balzac à Lucien, comme les autres leçons de *La Comédie humaine*, il faudra que bien des années aient passé pour qu'elle soit formulée d'une manière aussi brutale. En 1823, le récit baigne encore dans une poésie moins impitoyablement mise en cause. La fée, certes, est bien une initiatrice, mais qui ne propose au jeune homme, face aux laideurs, que la poésie et l'amour partagé. Votre monde est donc un bourbier, pourrait déjà dire Abel, mais ce qui lui est offert n'est pas une leçon d'arrivisme : c'est l'acceptation des rêves. Dans les romans de la maturité, la fée s'identifiera avec les naïvetés du jeune homme, et c'est un étranger, railleur ou bourru, qui viendra dissiper les mirages dans le foyer. *Plus que dénonciatrice, en 1823, la fée est pourvoyeuse de merveilles. Plus tard, elle s'intériorise, se confond avec le romantisme « naturel » du héros. Balzac invente alors ce personnage de l'initiateur :* Rastignac I pour Raphaël, Vautrin pour Rastignac II [1], Gobseck II pour Derville. Et il n'y a plus, dans le monde comme il va, pour accorder momentanément, le rêve et le réel (mais à quel prix !) que Bérénice, ménagère et tireuse de rideaux, préposée à la marmite en même temps que protectrice des amours de cœur.

Initiation (prendre garde qu'il s'agit bien là d'une notion féerique, d'une notion magique et que voici, par un autre biais, justifiés titre et sujet), *révélation, éducation,* selon des modes plus ou moins rapides, plus ou moins brutaux, selon le moment de l'expérience et de la vie où l'on prend le roman balzacien, sont donc à la base d'une dramatique nouvelle, expriment la nature de la vie nouvelle non plus comme terre promise, mais comme *destin.* Dès la première version en deux volumes, c'était la Fée elle-même (la duchesse) qui expliquait à Abel, avec les secrets du mariage, les secrets de la vie politique, unions fondées uniquement sur des intérêts, conflits certes non susceptibles de passionner des âmes vraies.

> Ah ! [s'était écrié Abel [2]], l'amour est la fusion de deux âmes en une seule, c'est une sympathie qui réunit tellement deux cœurs que l'on n'a pas une seule pensée que n'ait l'autre :

1. Sur Rastignac I et II, cf. t. II. Sur Derville, cf. *supra*, p. 358, et t. II.
2. Comme Tullius !

c'est... mais non, ce sentiment perd à être défini, car je sens quelque chose d'immense qui me confond : et là je comprends que le langage humain cesse, et qu'on devrait parler avec l'âme seule : enfin, j'imagine (pour tâcher de dire quelque chose qui puisse rendre ma pensée) qu'une fois que l'on aime, l'amour s'empare si bien de vous et de la nature, qu'il n'y a plus que lui, le ciel et nous, comme lorsque on est sur l'océan dans une barque, il n'y a plus que la voûte céleste et l'eau [1].

Que la duchesse de Sommerset, habituée au langage des salons, ait été sensible à celui-ci, comme Mme de Berny aux bouillantes déclarations du jeune Honoré, quoi d'étonnant? Le romancier n'avait pas eu grand effort à accomplir pour faire parler Abel. Et de même, pour évoquer les premiers émerveillements des amants, il n'avait eu qu'à laisser parler ses souvenirs, et son cœur :

Tout le temps que dura le voyage, leurs yeux seuls parlèrent, et souvent un sourire charmant vint errer sur leurs lèvres et leur fit comprendre l'un à l'autre qu'ils s'entendaient. Connaît-on rien de plus délicieux que le langage de l'âme? Cette puissance sympathique, qui, sans le secours incomplet de la parole humaine, vous fait pressentir ce que pense, ce que souhaite, désire l'objet chéri que l'on aime? Dans cette région pure de la pensée dégagée des grossières sensations du corps, règne un charme subtil que nulle parole humaine, ne peut rendre, puisque nulle parole humaine ne peut donner l'idée d'un mystère qui ne doit être que *senti* par l'âme : il semble qu'en ces moments trop rares, une flamme légère aille d'un cœur à l'autre, y porter successivement le *jour* de la *pensée*, et une fraîcheur, un délice indicibles; enfin, peut-être est-ce ainsi que s'entretiennent les anges dans les cieux! Une fois que deux êtres ont ainsi mêlé leurs sentiments, et que leur accord parfait a rendu un son semblable, pour ainsi dire chanté le même hymne, il leur est impossible de concevoir une séparation, une absence; ils s'aiment! et toujours, à mille lieues de distance même, leurs âmes auront des mouvements pareils [2].

Seulement, en contrepoint à ces hymnes, à ce lyrisme généreux, il y avait l'expérience conjugale de la duchesse, ses souvenirs de jeune fille, son expérience de la société :

Eh bien, Abel, *dans notre empire, on ne s'inquiète nullement des sentiments:* aussitôt qu'un enchanteur a une petite fée à marier, on commence par la parer un peu mieux qu'à l'ordinaire, et l'on regarde combien, dans la famille, on peut

1. *La Dernière Fée*, 1re éd. en 2 vol., II, p. 48.
2. *Ibid.*, p. 49-53.

avoir de dragons volants à l'écurie et d'esclaves dans le
palais [...] Là-dessus un matin ou un soir, c'est tout un,
le père amène par la main un enchanteur tel [*N.B.* : aussi
riche, aussi noble], et lorsqu'il est resté une heure ou deux
auprès de la fille, et qu'il est parti, la mère, sur signe du père,
dit à la fée : « Mon enfant, ce génie est bossu, bien fait,
laid ou beau, cela n'y fait rien, ce génie, mon enfant, a
quatre hippogriffes, il possède une baguette de diamant,
il reviendra demain, tâche de lui plaire, car voilà ton mari.
Alors, la petite fée qui est curieuse et qui veut savoir pourquoi l'on la marie, n'y regarde pas à deux fois, et ignorant
ce qui constitue le bonheur ou le malheur, elle consent,
parce qu'elle ne peut pas faire autrement; alors, au bout
de quinze jours, elle devient l'épouse du génie, uniquement
parce qu'il a une baguette de diamant. Elle sera heureuse,
si le caractère du génie est bon, malheureuse au cas contraire;
cela est parfaitement égal, les baguettes sont du même genre;
c'est là l'essentiel. *Aussi, souvent, presque toujours même,
les fées sont malheureuses* [1]...
Alors, pour se venger, elles s'amusent à contrarier leurs
maris, tout ce qui vient de lui est toujours empoisonné,
par cela seul qu'il vient de lui : s'il a de bonnes qualités, on
en convient, mais il y a toujours quelque chose, quelque
vice qui les gâte; et la vie équivaut toujours à ceci : c'est
un mari.
L'enchanteur, de son côté, ne saurait aimer la fée, parce que
c'est toujours *la même fée* [souligné dans le texte], et qu'elle
n'a pas le bon esprit, comme le font quelques fées, de se
métamorphoser de mille manières, de sorte qu'elles offrent
mille fées en une seule, alors, la plupart des mariages sont
malheureux [2]...

Le ton, le contenu, qui annoncent tant de choses, disent déjà
qu'il ne s'agit pas d'une révélation mineure (du genre de celle
de Mme de Chartres à sa fille : qui ne met pas en cause l'ensemble du monde, et se contente d'être amère). Mais l'autre
volet le confirme. Ce n'est pas uniquement l'univers, à lui
seul assez étroit, du mariage et de l'amour qu'explique la
fée à Abel, c'est aussi celui de la politique, avec les génies
bleus, les génies blancs, les génies rouges; les blancs voient
tout en rose, les bleus voient tout en noir, les rouges ne voient
rien du tout. « Si les génies blancs n'étaient pas contenus
par le roi des Fées, ils auraient déjà mis en bouteille tous les
bleus et tous les rouges [3] ». Ceci a-t-il quelque sens? Aucun
doute n'est permis : par l'intermédiaire de la Fée, Balzac

1. *La Dernière Fée*, 1re éd. en 2 vol., p. 49-53.
2. *Ibid.*, p. 53-54.
3. *Ibid.*, p. 54.

récuse tous les clivages trompeurs, les partis figés et dépassés ;
il donne une force symbolique et systématique aux suggestions des romans précédents :

> Pour les premiers, l'aspect de l'eau qui prend partout son
> niveau est une chose horrible ; pour les seconds, la vue d'un
> palais et d'un char contenant des génies qui ne s'appellent
> pas génies tout court et qui vient d'un *de* est un tableau
> funeste ; enfin, la troisième classe de génies voudrait casser
> les baguettes de tous les enchanteurs et mettre tout sens
> dessus dessous afin de donner à chaque fée un pouvoir
> égal [1].

Immense et absurde Babel, vue d'un village simple et *demeuré*
pur (la pureté commence à cesser d'être en avant, et à se
définir en termes de passé, ou d'abstention), Paris et la
« civilisation » ne sont nullement ce qu'aurait pu imaginer
le naïf Abel, comme il imaginait l'amour et le mariage :
un lieu d'expansion et d'affirmation de soi. Les génies ventrus,
se disputant le « fonds de boutique du pouvoir » [2], c'est là
toute la sagesse, toute la *durée* de cet univers faux. La fée,
d'ailleurs, évoque ensuite les bals, les réunions où se retrouvent
« toutes les classes de génies », où l'on triche, où l'on s'ennuie ;
elle décrit à Abel ces jeux d'apparence, ces êtres qui dansent,
qui traversent des salles, etc... Ce sera le maître thème de
plus d'un conte en 1830-1831. Tel est le monde, et l'on retrouve
par un autre biais, les leçons du chimiste, mais avec plus de
mordant, plus de vécu. *C'est une femme qui parle*, et dans ses
révélations, comme dans l'échange de lettres sur le mariage,
il y a infiniment plus que dans les préceptes et admonestations du chimiste, beaucoup moins vibrant, beaucoup moins
chargé de drame et de poésie, et qui devait peut-être à
Bernard-François un peu de son « amorti ». Mais la duchesse !
Il s'agit de tout autre chose que de méditations sur le cocuage,
ou sur les inconvénients des grandes villes. *Il s'agit du fond
même de la vie*, et la révélation, pour enjouée qu'elle soit,
gagne infiniment en force d'être le fait d'un être sensible,
encore engagé, cherchant à vivre, en qui nous croyons. Ici
encore, le roman, la nature des personnages, sont inséparables
de l'efficacité des idées mises en circulation. La duchesse,
incarnation, nous l'avons vu, d'une certaine « erreur », et
maîtresse de malheur, finalement, pour Abel, est, elle aussi,
une victime ; elle a souffert de cette vie dont elle parle, et
elle a soif de revanche, de pureté. Point de manichéisme, mais

1. *La Dernière Fée*, II, p. 34.
2. *Ibid.*, p. 35.

(plus on avance, plus on s'en persuade) un monde divisé, déchiré, l'initiation ne pouvant y être le fait non de messagers supérieurs venus de quelque transcendance, mais d'êtres meurtris, marqués, nos semblables, nos frères. Mais Abel, étonné, scandalisé, comme le seront Derville ou Rastignac devant Gobseck ou Vautrin, a un mouvement d'amour et de pitié : c'est qu'on ne lui a pas proposé quelque marché, mais seulement d'être heureux selon le cœur. Gobseck, Vautrin, eux, se seront, à des degrés et selon des modes divers, *retirés;* ils ne seront plus réellement acteurs risquant réellement quelque chose, et leur ambition, comme leur efficacité, seront pétries de conceptions durcies; mais, initiatrice aux mystères du monde, la duchesse, insistons-y, propose *encore* une *poésie* que Balzac croit *encore* « supérieure » au monde, malgré tout l'avenir romanesque qui l'attend. Démystificatrices, la dénonciation du mariage, la dénonciation de la politique, si elles prennent date et permettent de situer exactement l' « optimisme » persistant (ou renouvelé) de Balzac, ne sauraient encore provoquer de profonds et durables ravages, ne sauraient être réellement démoralisatrices, dans la mesure où elles ont pour contrepartie une surenchère de l'espoir et de la confiance (un peu folle) en la vie. Il y a bien initiation, en 1823, et qui remet à leur juste place les naïfs élans d'Abel. Mais cette initiation, loin de bannir images et fantasmagories, ne fait, semble-t-il, que les relancer. Et l'on retrouve une fois de plus l'extraordinaire complexité de ce roman, *non binaire, mais ternaire :* Abel, l'initiation, la duchesse, chacun des trois termes ne tirant toute sa signification que des deux autres. La duchesse, en particulier, avec son équipée, refuse encore à l'initiation toute valeur absolue, mais l'initiation, grosse d'autres découvertes, permet, et sans que la duchesse en ait conscience, de déclasser légèrement l'équipée. Quant à Abel, il est valeur face au monde, mais il est promis à la déroute, soit qu'il ignore la vraie nature du monde, soit qu'il écoute la sirène. C'est pourquoi, *La Dernière Fée* n'est jamais un livre rose, et ne tourne jamais au livre noir. L'initiatrice, d'ailleurs, a-t-elle été réellement initiée, ou n'est-ce pas Balzac qui s'est un peu servi d'elle? Maladresse de débutant. Mais l'essentiel est dans cette double affirmation : lucidité, d'une part, sur le réel moderne, recherche, par ailleurs, de *valeurs* et de *moyens* à lui opposer. La duchesse se dégradera en Louise de Chaulieu, et le chimiste grandira en Antiquaire : quelle plus belle preuve imaginer du véritable « progrès » du siècle? Seul ce devenir romanesque permet de bien s'assurer de la connexion, non au niveau des dénon-

ciations anecdotiques, mais à celui des préoccupations profondes, de la psychologie, de la poésie et de leurs dérivés
sur le réel historique. Roman à vendre et vendu, *La Dernière
Fée*, plus nettement encore que les autres romans de jeunesse,
témoigne d'une *réaction* particulièrement riche et promet-
teuse au concret en évolution.

Ce concret — et c'est par là que, paradoxalement, il faut
conclure — ce concret le plus technique, il était au départ
de ce roman féerique. Les fragments de brouillon conservés
prouvent que Balzac voulait d'abord commencer, comme
dans *Le Vicaire des Ardennes*, par une assez forte mise en
situation géographique, historique et sociale de sa « scène
de village ». Pastorale? Certes non. La vie de campagne et de
province, dont Balzac donne ici l'une de ses premières esquisses,
est *celle du XIXᵉ siècle*, et c'est elle qui devait servir de
point de départ, non dans ses apparences, mais dans ses
problèmes et dans ses mécanismes. Voici le troisième roman
à la suite dans lequel poésie, lyrisme ou fantastique apparaissent inséparables du réalisme à part entière :

> *La Dernière Fée.* 1ᵉʳ chapitre.
> (Il existe en France de petits villages d'où jamais les vices
> et les malheurs de la civilisation n'ont approché; à peine
> si le maire y connaît le sous-préfet, et lorsque la cloche
> appelle les habitants pour payer leurs contributions, le
> fonctionnaire qui les reçoit[1]).

Balzac a barré ces quelques lignes, puis il est reparti ainsi :

> Il existe en France de petits villages tellement éloignés
> des villes si bien retranchés dans les montagnes, et défendus
> par leurs mauvais chemins, que les habitants de ces hameaux
> vivent dans une profonde ignorance des choses du monde.
> A peine s'ils savent le nom d'intendant, et si par hasard
> il se trouve un maire, comme il ne peut lire que les majus-
> cules, on n'a jamais eu connaissance de tout ce qui s'est
> fait en France depuis vingt ans. Je ne prétends pas qu'il
> y a beaucoup de ces lieux d'ignorance; il me suffit...

Or, au dos du même folio, on lit : « L'ancien receveur général
du Cantal m'a avoué qu'il avait même préféré en perdre la
contribution qui, au total, n'était pas de grande valeur [2] ».
Et il ne s'agit pas là d'une notation isolée, puisque, dans un
dossier d'anecdotes, se trouve un état plus élaboré du même
souvenir :

---

1. *Lov.* A 166, f° 14.
2. *Lov.* A 166, f° 14, v°.

L'ancien receveur général du département du Cantal m'a avoué qu'il avait toujours préféré en perdre la contribution, qui, au total, n'était pas de grande valeur. En effet, Monsieur, me disait-il un jour, il y a en France beaucoup de ces endroits-là, dans les Landes, *dans les Alpes, dans les Pyrénées*, mais je n'en connais pas d'aussi curieux que celui dont je vous parlais. Là, Monsieur, on est flanqué par une chaîne de montagnes [1]...

On voit comment Balzac entendait en venir à la présentation du village d'Abel, village vu non tant par un conteur que par un jeune homme déjà très attentif aux réalités sociales et politiques. Il est probable que réside dans cette anecdote, par deux fois notée, l'origine de deux courants de la thématique balzacienne. D'une part le courant « auvergnat », auquel se rattachent le séjour de Rapahël au Mont-Dore dans *La Peau de chagrin*, le Martin Falleix des *Employés*, le Sauviat du *Curé de village* et le Brezac de l'inédit *Un grand homme de Paris en province*. D'autre part, le courant des « départements sous-développés ». Nous avons souligné Alpes et Pyrénées : c'est que les premières, après avoir servi de cadre au *Centenaire* et à *Annette*, joueront le rôle que l'on sait dans *Le Médecin de campagne* avant d'être la patrie de Jean Faitout [2], et que les secondes se retrouveront dans *Une blonde* avant de donner naissance au Gazonal des *Comédiens sans le savoir*. Cette « France à part », qui ne connaît de la « civilisation » que ses fonctionnaires et ses percepteurs, ces régions où « l'on ne saura jamais qu'il existe une huile de Macassar, un Lord Byron, du gaz hydrogène, des marabous, des duchesses et des porteurs d'eau [3] », sera le *lieu* de tout un aspect de la politique balzacienne. Tel passage de *La Dernière Fée* annonce directement tels autres des *Lettres sur Paris* ou de *Gaudissart* :

> Ceux qui ont un peu voyagé savent qu'il y a en France des endroits reculés, de petits villages enfoncés dans les terres, loin des routes, où l'on vit dans une profonde ignorance des choses de ce monde, où l'on n'apprend les révolutions du monde politique que par le changement des armes qui se trouvent gravées en tête des taxes du percepteur, ou sur l'enseigne du débitant de poudre ou de tabac, enseignes qui, par parenthèse, contiennent l'histoire des vingt

---

1. *Lov.* A 58, fᵒ 68, vᵒ.
2. Cf. Pierre Barbéris, *Trois moments de la politique balzacienne*, A. B., 1965.
3. *La Dernière Fée*, 1ʳᵉ éd. en 2 vol., I, p. 30.

dernières années, écrites en six couches de peintures différentes de différentes couleurs [1].

Le thème figurait déjà dans *Sténie*, avec la rue principale
de Tours, qui s'était appelée successivement « républicaine,
impériale et royale [2] », première « preuve », pour del Ryès
et les enfants du siècle et de la liberté, de l'absurde moderne
et de l'insuffisance du politique tel que défini et façonné
par la crise bourgeoise de 1789-1815. On le retrouvera, en
particulier dans *Le Médecin de campagne*, avec comme corol-
laire naturel la recherche d'une authenticité ailleurs que
dans ce politique, en avant de ses conflits dépassés. La chronique de la « France à part » n'aurait qu'un médiocre intérêt
sans ses divers contrepoints romanesques ou romantiques
(d'un romantisme à définir, bien entendu, et bien éloigné
du romantisme simplement souffrant et rêveur), et romanesque aussi bien que romantique, ne seraient qu'artifice ou gra-
tuité s'ils n'étaient reliés à ces évocations précises de la
France concrète, de ses zones creuses, de ses manques, ou
de ce qui a pu y être accidentellement préservé. Le lien entre
réalisme et idéalisme chez Balzac se précise ici. L'attitude
d'ensemble est plus élevée que celle du *Vicaire des Ardennes*,
mais le point de départ réaliste était plus précis et plus lucide
encore. Les personnages symboliques prennent force et ambition, mais, *en même temps*, les personnages de fait, leurs
entours, leurs coordonnées s'accusent. A cet égard, il faut
faire un sort particulier à Granvani, héros antipathique dans
l'intrigue, mais d'une tout autre importance à regarder les
choses de près. Ce personnage de Granvani est, à lui seul,
preuve d'une découverte sociale d'importance déjà rencontrée :
la Révolution avait été occasion d'enrichissement, de *mutation* de propriété, sans que la *notion* de propriété donc d'appropriation, ait été mise en cause. Granvani est un personnage
peu sympathique, un bourgeois, *et* il a acheté des biens
nationaux. Or, dans la littérature et dans la pensée libérales,
ce genre d'acquisition avait toujours été présenté comme
un acte de courage, ou comme la manifestation d'aptitudes
à faire valoir, supérieures à celles des anciennes classes dirigeantes. Dans un ouvrage aussi tardif que l'*Isaurine* de
Victor Ducange [3], Jean-Polh, acquéreur du château de
Gît-au-Diable, dont il fait une manufacture avant que la

---

1. *La Dernière Fée*, 1re éd. en 2 vol., I, p. 29.
2. *Sténie*, éd. Prioult, p. 12.
3. Sur ce roman et sur la critique qu'en fera Balzac en 1830. Cf. t. II.

Restauration ne le reconvertisse de manière significative, en couvent, fait figure de héros, et, dans un ouvrage théorique encore plus tardif, l'*Histoire de la Révolution française*, de Michelet, paru en 1847, on pourra lire d'étranges développements sur la question :

> *Acheter, c'était un acte civique* qui servait très directement le salut du pays. Acte de foi et d'espérance. C'était dire qu'on s'embarquait décidément sur le vaisseau de l'État en péril, qu'avec lui on voulait aborder ou périr. Le bon citoyen achetait, le mauvais empêchait d'acheter, etc... [1].

Que de précisions et corrections Granvani, avant Grandet, apporte à cette vision lénitive! Pour un jeune libéral, en 1823, être capable de concevoir Granvani (comme, sur un autre plan, le demi-solde Joseph Bontemps, insupportable hâbleur, face négative de l'épopée, envers du sergent Lagloire) est la preuve qu'on ne suit plus exactement les enseignements des générations thermidoriennes. Une autre dynamique que la dynamique idéaliste révolutionnaire était à l'œuvre dans la grande affaire des biens nationaux. Mais l'admettre, c'était admettre du même coup que la Révolution française devait être jugée d'un point de vue scientifique, matérialiste, qu'elle avait remplacé des forces par des forces, des rapports de force par d'autres rapports de force. C'était renoncer à une grande lumière pour entrer dans le dédale désenchanteur de l'analyse politique, économique et sociale. Mais qui consent, chez les organisateurs de spectacles, à laisser visiter ses coulisses? Il est probable que, souvent, la vente avait permis la mise en exploitation de terres inutiles [2], mais cet aspect des choses s'atténue aux yeux de celui qui vient de découvrir que les acheteurs (ou leurs descendants, mais il y a là un phénomène d'éclairage rétrospectif aisé à comprendre) ne sont nullement des chevaliers de l'idéal. Le coup d'œil narquois du jeune Balzac à Granvani n'est nullement celui d'un jeune sceptique réactionnaire, mais bien celui de quelqu'un qui tient compte des leçons qu'on lui a données. Ne pas être dupe? Je refuse de l'être! L'instrument d'analyse déborde ici les positions de ceux qui s'en étaient servi. Agiles, dans leurs attaques de jadis, les voici fixés par leurs conquêtes,

---

1. Michelet, *Histoire de la Révolution française*, éd. Pléiade, I, p. 1147. Michelet, dans ce chapitre, *Le prêtre, la femme et la Vendée*, confond constamment deux choses : le *droit* qu'avait la Révolution à vendre, et les *mobiles* des acheteurs.
2. Encore que, dans *Le Curé de village* il sera dit que personne n'avait voulu acheter la terre de Montegnac, mise en vente par la Convention, parce qu'elle supposait investissements et esprit pionnier, et parce qu'elle n'offrait pas de profits immédiats.

notables autour de qui continue à couler la vie [1]. Professeurs
de liberté, les voici qui deviennent les victimes de leur enseignement. Ceci va loin, et l'on a marché depuis *Jean-Louis :*
en profondeur, et par le jeu des thèmes, il apparaît que la
vie moderne n'est plus, objectivement, *et surtout subjectivement* (car les structures aperçues en 1822-1823 étaient déjà
en place au temps où Bernard-François Balzac écrivait ses
brochures à la gloire du nouveau régime), cité de justice et
de raison.

La Dernière Fée est donc bien, en soubassement et en
renfort d'un roman du *moi*, un roman de dénonciation et
de mise en cause. Des forces, des exigences, des regrets s'y
manifestent, des au-delà s'y dessinent, sous la trame encore
lâche et la rédaction souvent artificiellement de bonne compagnie. Les mythes prennent forme, tous mythes du désenchantement, et mythes, *aussi*, du vouloir-vivre et de l'action.
Car le féerique, le merveilleux dans ce roman, ne sont pas un
féerique, un merveilleux, de complaisance ou de paresse. On
n'y rêve pas, on y fait. Il ne s'agit jamais d'espaces d'une
autre vie, de paradis de poètes. Il s'agit d'univers d'hommes,
de femmes, ardents et voulant vivre, d'un univers dont sont
données même les composantes sociales essentielles, et les
divers désenchantements, les divers échecs, sont vus sur un
fond précis d'appropriation bourgeoise et d'installation
d'égoïsmes. Que, d'ailleurs, ce livre ait été comme une somme
de réflexions, il n'est, pour s'en convaincre, que de lire ce
qu'en dira Balzac en 1836, lorsqu'il tiendra la plume à Sandeau :

> Le premier livre d'un écrivain est presque toujours un cri
> de douleur; toujours un premier livre est écrit sous une
> impression personnelle. Horace composa *La Dernière Fée*
> [...] Lisez *La Dernière Fée* : vous y trouverez aisément une
> tapisserie brillante dont cette biographie est l'envers.
> L'éducation d'Horace, les joies du jeune homme, ses espé-
> rances, ses déceptions, ses pressentiments, tout s'y retrouve.
> Abel, cet enfant élevé dans l'ignorance de toute chose,
> *c'est lui*, c'est Horace. Cette femme qui lui révèle le monde,
> qui l'appelle, qui l'attire, qui le trompe et le délaisse (N. B. :
> on voit combien est ignorée la première version; seule compte
> la seconde), c'est Flavia; cette jeune fille qui l'accueille à
> son retour au village, qui panse ses plaies, qui va rendre
> la vie à ce cœur endolori, c'est Denise [2].

---

1. C'était déjà le thème d'ouverture du *Vicaire des Ardennes*.
2. *La Dernière Fée*, éd. Souverain, 1836, I, p. CLVII-CLVIII.

Même arrangée pour les besoins de la cause, et de l'édition Souverain, la confidence est à retenir. En 1849, Balzac dira encore à ses nièces Surville :

> Hélas, j'ai cru que *La Dernière Fée* était le premier des livres, et une femme m'a aidé à imprimer les cinq cents exemplaires qui sont restés trois ans au fond d'un magasin [1].

Désavoue-t-il sa jeunesse? Plus simplement, il semble qu'en homme de métier, il rappelle à ses nièces que c'est le public seul qui décide. Mais l'*intus* avait-il tort? Et quant aux intentions, quant à la technique, quant à la visée, comme tout ceci est déjà balzacien! *Et vrai.* Peinture réaliste de la société, critique politique, méditation morale et philosophique, proclamation de valeurs, enracinement, au cœur du réel de l'individuel et du surnaturel, c'est-à-dire du plus que le plat conformisme bourgeois et que les mesquines satisfactions du tout est bien, quelle surface, sinon couverte, du moins que l'on voudrait couvrir! Hubert est loin, et Pigoreau. Cet enrichissement du roman, cet élargissement de ses ambitions, et de ses possibilités, correspond, d'ailleurs, à une prise de conscience de plus en plus aiguë des problèmes de la vie dans le monde moderne, et, de même qu'en écrivant *Sténie*, Balzac n'avait pas rétrogradé par rapport à ses premiers essais « libéraux », qu'il les avait seulement enrichis et dépassés, qu'il s'était montré toujours susceptible, *après*, de virulence et de lucidité à l'encontre de la réaction, du conservatisme les plus voyants, les plus immédiats, de même, après les romans « libéraux » parus chez Hubert, il est bien évident que les romans sentimentaux et romantiques parus chez Pollet ne marquent nullement une régression, puisque *La Dernière Fée*, à leur suite, brassait encore plus de matière, touchait aussi bien aux absurdités propres à la Restauration bourbonienne qu'à la profonde réalité bourgeoise de la société. Cette fois encore, mais avec plus de force, plus d'aptitude à tout saisir, le romantisme balzacien prouve qu'il est un autre romantisme possible et pensable que celui des hommes du passé. En acte, *La Dernière Fée* prouve qu'un livre dans lequel on se met tout entier, à condition qu'on soit un homme d'avant-garde, est nécessairement un livre exprimant l'ensemble du monde. Si des linéaments de roman d'éducation pouvaient être décelés dans les deux romans Pollet, il semble que ce genre, si profondément caractéristique de l'évolution des sociétés occidentales, trouve, avec *La*

---

1. L. F., p. 484-485.

Dernière Fée, une dimension décisive. La chronologie ne fait que confirmer, d'ailleurs, cette idée : *Wann-Chlore*, qui sera repris et publié bien plus tard, est en fait antérieur, pour l'essentiel de son inspiration, à *La Dernière Fée*, et se nourrira, de 1823 à 1825, à une expérience nouvelle : celle de Laurence. Dans le sens, donc, de l'histoire de Joseph, puis de celle de Tullius, c'est bien l'histoire d'Abel qui recueille et exprime, au début de 1823, l'essentiel du nouveau Balzac. Sa seule faiblesse est de demeurer une œuvre trop symbolique, de n'admettre le réel qu'au travers de fables, de stylisations, d'arabesques. Rançon des sources? En partie, sans doute. Mais aussi, et surtout, démarche encore trop « philosophique », trop survolante. Va se produire, alors, la même chose qu'en 1821-1822 : au Balzac conteur et philosophe, va succéder, pour les lecteurs, le Balzac complémentaire du roman réaliste intime et des scènes de la vie privée. On ne comprend vraiment les symboles de *La Dernière Fée* qu'en les rapprochant des confessions et des choses vues de *Wann-Chlore*.

Pour bien comprendre *Wann-Chlore*, celui des romans de jeunesse que Balzac aima et travailla le mieux, il faut savoir y mesurer la part respective de l'inspiration livresque et de l'inspiration personnelle. Du côté des lectures, la moisson est riche : Augustin Thierry (qui avait récemment attiré l'attention sur l'Irlande [1], un roman paru en 1819, intitulé *L'Irlandaise à Paris* [2]), Rousseau (pour « l'homme aux deux femmes », Saint-Preux entre Claire et Julie [3]), Gœthe (encore pour l'homme aux deux femmes, avec son drame de *Stella* [4]), Sterne (toujours « l'homme aux deux femmes », avec le sermon sur *Le Lévite et sa concubine* [5]), Sterne encore (dans le registre gai, avec le « siège » de la maison d'Arneuse, par Landon et Nikel, comme celui de la maison Wadman par Trim et Tristram), Jane Austen (la mystérieuse arrivée de

1. Cf. *supra*, p. 398.
2. Dont nous n'avons pu retrouver un seul exemplaire; signalé à la B.F.
3. En septembre 1822, Balzac parle longuement à Mme de Berny de « l'immortel tableau des deux femmes qui aiment le même homme » (*Corr.*, I, p. 208).
4. On sait que Gœthe, devant le scandale soulevé, a changé son dénouement (les deux femmes se partageant le même homme), et l'a remplacé par un autre, plus dramatique, et plus moral (mort violente du héros). Les traductions françaises, jusqu'en 1822, ignorent cette modification. On sait également que Balzac, en 1819, avait projeté d'écrire un roman qui se serait intitulé *Stella* (*Corr.*, I, p. 37), dont on ne sait rien de plus. Serait-ce un premier *Wann-Chlore*?
5. Sterne, *Œuvres*, éd. Ledoux et Tenré, 1819, IV, p. 54 sq. A noter que, si Balzac prend à Sterne un élément gai (le couple Nikel-Landon et le siège de la maison), il lui prend aussi le thème dramatique et sentimental du sermon : preuve tangible, au niveau des sources, du changement et de l'élargissement de l'inspiration.

Landon à Chambly, comme celle de Bingley, au début de
Pride and Prejudice), Maturin (le personnage du puritain,
et la longue agonie de Wann, qui viennent des *Femmes,
ou rien de trop*, ainsi que les noms d'Annibal et Horace, pris
à *La Famille Montorio*), Auguste Lafontaine (l'ami infidèle
qui truque une correspondance et tente de séduire celle à
qui il devait porter des nouvelles de l'aimé; ceci figure dans
un roman paru en 1819, intitulé *Le Suédois*, et qui, curieusement, avait pour sous-titre celui que Balzac voudra d'abord
donner à *Wann-Chlore: ou la prédestination;* une histoire
semblable se trouve également dans *Le Voyage sentimental,*
de Sterne). Et l'on pourrait sans doute trouver davantage
encore. L'intérêt de ce recensement est, non seulement,
tout à l'heure de pouvoir mieux mesurer l'originalité de
Balzac, mais aussi, dès à présent, de pouvoir repérer certaines préoccupations. « L'homme aux deux femmes »,
en particulier, est un thème de division, un thème tragique,
ainsi que celui de la trahison fatale de l'ami. Ce n'est pas
exactement un *retour* offensif du psychologique et du moral
par-dessus l'optimisme bourgeois; ce n'est pas une revanche
de l'éternel humain : *c'est le redimensionnement du monde
par la souffrance* et par l'absurde. Le bonheur, idée désormais
vieillie en Europe, apparaît désormais dépendre, dans un
contexte historique que nous allons voir se définir avec
précision, de conditions non historiques. C'est le moyen
littéraire type de dire l'appauvrissement de l'Histoire passée
et en cours. Les maîtres-thèmes de *Wann-Chlore*, pris à
Rousseau, à Gœthe, sont des thèmes de fatalité. Ils ne deviennent vraiment intéressants que recoupant les thèmes profondément personnels. Mais, surtout, ils sont mis en œuvre
dans un cadre qui leur fait subir un total changement de
résonance et de signification : celui de la vie privée.

Wann-Chlore s'organise autour de trois thèmes : les paysages, Eugénie d'Arneuse et Horace Landon. Les paysages,
c'est, par-dessus les romans précédents (avec un relais dans
Le Centenaire), le retour à l'inspiration directe et personnelle
de *Sténie*, la littérature *vraie:* la vallée de l'Oise, la Touraine,
Tours, entrent de plein droit, et comme éléments constitutifs, dans le roman. Eugénie d'Arneuse, c'est la vie privée
et ses drames sans éclat, la façade bourgeoise percée, la
révélation de souffrances inconnues. Horace Landon, c'est
del Ryès qui fait son entrée officielle, l'enfant du siècle, devenant, comme il peut, héros de roman. Pendant les premières
semaines de l'été 1822, puis au printemps 1823, Balzac construit une histoire (il en faut bien une !) selon des recettes

éprouvées, autour de ces éléments authentiques de son inspiration. Souvenirs d'enfants et de vacances, souvenirs des
dernières semaines de Laurence à la maison avant son mariage,
omniprésence de la mère, symboles personnels, mythes ven-
geurs, l'essentiel, dans *Wann-Chlore*, ce sont ces veines
multiples de l'inspiration personnelle qui traversent d'un bout
à l'autre ce qui nous est, tant bien que mal conté. *Wann-*
Chlore bénéficie incontestablement de la grande poussée de
sincérité qui date des débuts de la passion pour Mme de
Berny. Les questions que se pose Balzac nous parviennent
par l'intermédiaire de personnages et de situations à peine
transposés. Il faut savoir *lire* ce roman, *le déchiffrer* : Balzac
s'y livre sur tant de points.

Les « sources » livresques ne sont donc en rien une contre-
indication. Ce roman est doublement structuré : par des
personnages et des situations pris aux lectures, par des
impressions, souvenirs et expériences de l'auteur. L'examen
des manuscrits, une comparaison constante avec la *Corres-*
pondance, permettent de ne pas perdre le plus important des
deux fils. Alors que Balzac, de l'été 1822 jusqu'au printemps
1823, est engagé dans les deux romans Pollet et dans *La*
Dernière Fée, *Wann-Chlore* marque un autre élargissement de
son horizon romanesque, la conquête de nouvelles provinces.
Il y a là, incontestablement, enrichissement, affirmation
de l'écrivain. Le progrès a été rapide depuis *Charles Pointel*,
et 1822-1823, avec *Wann-Chlore*, marque pour Balzac une
étape capitale : l'écrivain accède à plus d'authenticité, parfois,
même, à une sorte de plénitude; à la fois, ce qu'il exprime
est plus vrai, et l'expression est une joie, une force, réponse,
en un sens, déjà, aux questions posées par la vie. Balzac
tenait à *Wann-Chlore* et refusa de livrer son manuscrit pour
une bouchée de pain : ce n'était sans doute pas *seulement*
besoin d'argent.

Une première preuve, éclatante, du sens que l'auteur attachait à son œuvre, de l'orientation qu'il entendait lui donner,
est fournie par les corrections mêmes du premier jet manuscrit.
Dans un mouvement assez naturel, Balzac avait d'abord
multiplié, comme dans les romans précédents, irrévérences,
astuces, ironies, équivoques et gaudrioles. Il en demeurera
dans le texte publié, mais l'émondage a été déjà poussé très
loin sur le manuscrit; preuve de la recherche d'une certaine
unité de ton. Quelques exemples :

1er *Manuscrit :*

M. d'Arneuse, fidèle aux bons principes, partit pour l'Allemagne.

Édition :

Fidèle aux principes qui dirigeaient l'aristocratie, M. d'Arneuse partit pour l'Allemagne [1].

2e *Manuscrit :*

en rétrogradant [N. B. il s'agit d'une manœuvre maladroite de Nikel, qui a ainsi laissé trop voir à Rosalie qu'il l'aimait, et s'est donc mis à sa merci], car cette manœuvre n'échappa pas à un coup d'œil oblique..., la malicieuse soubrette apprit qu'elle avait le dessus [...]. Une fois qu'une femme apprend une chose aussi précieuse, nous sommes battus [...] et le grand secret de l'art amoureux est de pouvoir déguiser à quel point l'on aime, veiller sur tous ses mouvements, et toujours dominer, tenir en alerte. Le maréchal, par son pas rétrograde perdit tout, et ce fut Rosalie qui fut la maîtresse, tandis que s'il n'avait pas rétrogradé, la Languedocienne aurait été vaincue, humble et toujours soumise, car (elle confia à plusieurs personnes dignes de foi) qu'elle descendait du grenier en apportant toutes les dispositions nécessaires pour adorer le maréchal en se laissant conduire à son gré ; elle s'était regardée comme perdue, et lâchant alors le gouvernail de la raison (elle l'abandonnait avec terreur), avait dessein de l'abandonner au hasard. En effet, son cœur s'était modifié à l'aspect des mouvements réitérés de la canne de Nikel, et elle l'avait considéré comme un vainqueur, et elle sentait en elle-même un doux frémissement qui l'entraînait à dire aussitôt : charmant maréchal, prends possession de mon cœur, je vous le donne. Ou, si elle ne l'eût pas dit, elle l'aurait pensé, et ses actions auraient été un miroir fidèle où cette idée se serait dévoilée. Pourquoi diable Nikel rétrograda-t-il ? Nous ne nous étendons là-dessus que parce que toute notre histoire tient à cette fausse manœuvre du chasseur, et en effet, tout, dans la vie, dépend du premier pas. Remarquons par exemple que dans le mariage, le bonheur dépend de la première nuit des noces, et que tel mari n'a été dominé que parce qu'il a fait, comme Nikel, un pas rétrograde, et de conséquence en conséquence, on est conduit à des résultats effroyables. C'est ce qui sera prouvé par la suite de cette histoire [2].

Édition :

En rétrogradant, ainsi le maréchal laissa voir son jeu : il permit à Rosalie de connaître l'étendue de son amour ; elle vit bien qu'elle était aimée ; et, tout en descendant de son grenier, elle changea de rôle. Elle venait au seuil de la

---

1. *Lov.* A 244, f° 2, v°, et *Wann-Chlore*, I, p. 17. Première rédaction conforme aux normes polémiques du libéralisme. Seconde rédaction plus simplement évocatrice d'une expérience humaine et d'une mentalité. Puis, exemple de relative revalorisation des émigrés, etc., à mesure qu'on réfléchit un peu mieux à ce qu'est le siècle qui les avait bannis.

2. *Lov.* A 244, f° 11 (texte soigneusement dissimulé sous papier collé).

porte, humble et soumise, livrer son cœur au valet de chambre; mais en arrivant elle en avait déjà fait son vassal,
décidée à déguiser son amour, à veiller sur tous ses mouvements, à dominer Nikel, à le tenir en alerte.

Toute cette histoire ne tient qu'à cette fausse manœuvre
du chasseur, car les plus grands effets ne dépendent jamais
que des plus petites causes : un ver microscopique a mis
la Hollande à deux doigts de la mort (etc. [1]).

Manuscrit :

[au moment où Nikel rapporte de Paris les papiers qui vont
permettre enfin le mariage de Landon et de Wann, et alors
que la température monte entre les deux fiancés] : « On voit
qu'il était temps que le chasseur Nikel arrivât avec les pièces
et les pouvoirs (etc.).

Édition :

Heureusement, le dévoué chasseur arriva bientôt, apportant, au grand contentement d'Horace les papiers nécessaires
au mariage [2].

Le Balzac d'*Une heure de ma vie* a eu, plus d'une fois, bien
du mal à résister. Mais enfin, il a senti certaines difficultés.
De même, il a souvent biffé d'intempestives interventions
et des commentaires de l'auteur-éditeur, qui rappelaient
par trop le style Matricante. Cette *dévoltairisation*, cette
délibéralisation du style correspondent à la poussée d'un
nouveau positif et d'un nouveau contenu. On pourrait citer
d'innombrables autres exemples, qui, tous, vont dans le
même sens : dans un roman de la jeunesse, de la vie privée,
de la prédestination, Balzac sent bien que certaines choses
sont « impossibles ». Traitant un sujet sérieux, il entend
faire sérieux. On est encore souvent gêné par le roman ancil-
laire Rosalie-Nikel, qui sent par trop son Sterne et son
Pigault-Lebrun, mais, dans l'ensemble, le poids et la pente
du roman vont du côté de l'émouvant, du pathétique. C'est
là que Balzac dit ce qu'il a à dire, et que nous devons l'aller
chercher.

Les sources essentielles de *Wann-Chlore*, sont des sources
vivantes. Balzac lui-même l'affirme à plusieurs reprises :
« c'est une histoire trop véritable », écrit-il dans son premier
manuscrit, alors que personne ne le lui demande [3], et, dans
la postface qu'il écrira en 1824, il dira encore qu'on « *appellera* » cette histoire un roman [4]. *Donc qui n'en est pas un.*

---

1. *Wann-Chlore*, I, p. 98-99.
2. *Ibid.*, IV, p. 82.
3. *Lov.* A 244, f⁰ 17, v⁰ (texte supprimé dans l'édition). Balzac avait d'abord
mis : « Je ne suis qu'un historien ». Il a barré, insisté : « C'est une histoire trop
véritable ».
4. Cf. *infra.*

Quelle histoire? Celle, incontestablement, de Laurence demeurée seule à la maison après le mariage de Laure, et de sa mère, avec peut-être l'interférence de quelques souvenirs concernant la sœur aînée. Il faut avoir à l'esprit que, pendant l'été 1822, les choses vont commencer à aller très mal entre Balzac et sa mère, qu'à l'automne, la situation va considérablement s'aggraver. La rédaction de *Wann-Chlore*, en 1822-1823 ressemble souvent à un règlement de comptes. Et ceci se décèle à plusieurs niveaux. Au niveau du portrait de Mme d'Arneuse d'abord, sèche, tyrannique, orgueilleuse au passé de coquette, rapide à prendre pour elle les hommages qui vont à sa fille, aimant gouverner, se voyant déjà régente du ménage de son gendre, etc. Tout ceci a des racines profondes et précises dans la correspondance, publiée ou inédite. La critique documentaire retrouve aisément modèles, incidents, détails. Mme Guérin, c'est la bonne grand-mère Sallambier. Quant à Eugénie, avec sa patience, mais aussi son amour de la vie, avec sa faiblesse physique, avec tout ce qu'elle subit de la part d'une mère acariâtre et jalouse, c'est évidemment Laurence, alors mariée, et déjà malheureuse depuis un an, mais dont Balzac charge le personnage de la jeune fille de tout ce qui attendait la jeune mariée. Ajoutons que Balzac a biffé le personnage de M. d'Arneuse : *le père est absent de Wann-Chlore*, absent, de manière significative, de cet univers cruel et clos de la vie privée. Ce choix est important : plus de philosophes, plus de sages, dans ce roman, sinon, à la fin, ce puritain, qui est évidemment d'un tout autre ordre. Plus de philosophe, plus de sage, mais la douleur, l'absurde, et les espaces d'un ailleurs qu'on prend où on le trouve; la longue agonie de Wann, la poésie des anges, la religion : quel autre chemin, depuis *Jean-Louis*... Et tout ceci avec, pour arrière-plan, la vie privée, les secrets des familles, tout un pathétique sans emphase, mais qui dévalorise radicalement et démystifie la vie bourgeoise. Ici encore, inséparables des « sources » et « modèles », les textes à citer sont nombreux.

L'autocensure, dans ce domaine encore, est presque à chaque page du manuscrit, preuve la plus évidente d'authenticité. Nous avons déjà cité un passage concernant Mme Balzac [1]. En voici un concernant Eugénie-Laurence. « S'il vient, suppute Eugénie songeant à l'effet de sa musique sur Landon, s'il vient, il est pris [2] ». C'est ce qu'on put lire en 1825.

1. Cf. *supra*, p. 182.
2. *Wann-Chlore*, I, p. 37.

Mais Balzac avait écrit, en 1822 : « Je ne crois pas que ce dernier mot ait été prononcé aussi affirmativement. D'après le caractère d'innocence, de douceur et de naïveté que la tendre Eugénie a toujours montré, il est présumable qu'elle s'est contentée de le penser. Enfin, *j'aime à imaginer que si elle eût été heureuse*, tous ces petits stratagèmes d'amour n'auraient pas eu lieu, et je les excuse par le désir que la nature nous a imprimé de chercher sans cesse le bien-être [1] ». En voici un second, après que Rosalie eut prophétisé que sa maîtresse deviendrait Mme Landon. On lit : « Rosalie, vous êtes folle, répondit-elle avec un sourire presque moqueur; gardez-vous bien de me compromettre avec vos idées [2] ». Balzac avait d'abord écrit :

> *Que le ciel vous entende, répondit-elle avec un sourire d'ange.*
> Insensiblement, Eugénie en était venue au point d'arranger tous les soirs dans sa tête un roman dont M. Horace et elle étaient les héros. Or, est-il rien de plus funeste pour l'innocence du cœur que cette méditation nocturne? On bâtit dans le silence un édifice qui plaît toujours, et dont les matériaux arrivent avec une singulière facilité. En s'habituant à penser à M. Landon, et sans le placer, comme les romanciers loin de la nature en disant qu'elle ignorait l'état de son cœur, il faut la voir s'avouant presque à elle-même que M. Landon ne lui était pas indifférent. Il lui semblait de jour en jour plus certain qu'elle serait heureuse avec lui. Ce sentiment pur grandissait cependant à son insu et avait envahi toute son âme lorsqu'elle répondit à Rosalie : Que le ciel vous entende. L'accent angélique qu'elle jeta dans cette phrase, le regard qu'elle leva vers le plafond sur son lit virginal, auraient séduit M. Landon, s'il se fût trouvé là [3].

En voici un troisième, toujours dans le même registre, alors qu'Eugénie, sachant que Landon a déjà aimé, hésite sur ce qu'elle doit faire :

> Elle ne pouvait douter qu'elle aimât M. Landon, que ce serait le seul homme qu'elle aimerait, et elle entrevoyait que cet être cher ne ressentait rien pour elle, si, comme elle le soupçonnait, il avait déjà aimé. Cependant, comme on s'aveugle toujours, elle espéra, et d'ailleurs, il y avait une telle force de sentiment dans son âme qu'elle songeait implici-

---

1. *Lov.* A 244, f° 4, v°. Le texte imprimé est beaucoup plus impersonnel (« au sein du bonheur », au lieu de « si elle eût été heureuse », par exemple). En 1836, dans l'édition Souverain, Balzac a supprimé « il est pris », et terminé le paragraphe par des points de suspension, ce qui n'est pas mauvais du point de vue romanesque, mais substitue une figure plus traditionnellement rêveuse à la vivacité enjouée de Laurence.
2. *Wann-Chlore*, I, p. 114.
3. *Lov.* A 244, f° 13.

tement à l'aimer indépendamment des sentiments qu'il aurait pour elle. Elle croyait naïvement qu'elle pourrait se réduire à la seule solution d'être laissée aimer (sic). *La cruauté de sa mère ayant laissé une trace profonde de douleur dans son âme, cette méditation nocturne eut un caractère de mélancolie qui souvent la fit pleurer* [1].

Et voici la synthèse des deux thèmes : fille sensible, mère cruelle, vues par un étranger. C'est au moment où Mme d'Arneuse intime à sa fille l'ordre de sortir afin de rester seule avec Landon. Un regard de la jeune fille dans la glace, puis... « M. Landon surprit un geste impérieux de la mère qui, sur le champ, le mit au fait de cette scène, et lorsqu'il aperçut le visage de Mme d'Arneuse quitter tout à coup les caractères de la plus extrême sévérité pour prendre ceux de l'affabilité quand elle se tourna vers lui, il jugea d'abord que Mme d'Arneuse jouait souvent la comédie et ressentit une peine très grande en songeant à ce que Nikel lui avait dit. Alors, il s'éleva dans son cœur un sentiment de pitié en faveur d'Eugénie [2] ». On comprend à quoi sert Landon, *pourquoi il a été créé*: il est celui qui arrive dans la maison, qui n'a pas de préjugés, *et qui voit*. Landon, c'est un Balzac qui aurait le droit. Et ce devient aveuglant de netteté, presque insupportable, lorsque, au moment de la catastrophe, Mme d'Arneuse, en révélant à Eugénie que Landon est déjà marié. C'est encore Landon qui intervient, et en quels termes : « Votre fille mourra... *Elle mourra, Madame, et elle sera heureuse*... Rien ne l'attache plus sur cette terre, car votre affreux caractère a étouffé dans son cœur l'amour filial [3] ». Cette addition marginale au premier jet manuscrit devait subir au dernier moment une modification importante, puisqu'on lit dans l'édition, à la place de la dure formule primitive (elle ne sera heureuse que morte) : « elle mourra et elle

1. *Lov.* A 244, f° 25. Ce passage a été soigneusement barré sur le manuscrit, et remplacé en marge, sans doute au moment de l'impression, trois ans plus tard, alors que se mourait Laurence, par cet autre, qu'on lit dans l'édition originale, au tome I, p. 227 : « S'avouant avec effroi sa naissante tendresse pour Landon, elle sentit en elle une conscience d'amour et de force qui lui montrait au déclin de sa vie Horace toujours debout dans son cœur [*sic!*]. Elle en était joyeuse, lorsque tout à coup d'autres voix terribles lui criaient que Landon ayant aimé, elle n'aurait jamais tout son amour. A travers ces combats, apparaissait la folle prodigue et folle espérance qui se levait dans son âme comme une aurore [...] Une pensée de Landon effaçait les sillons de toute douleur. Elle pleura, mais elle ne trouvait plus d'amertume à ses larmes ». Toute référence à la mère a disparu.

2. *Lov.* A 244, f° 16. Simples et légères variantes de style dans l'édition (I, p. 147-148).

3. *Lov.* A 244, f° 145.

ne sera pas heureuse[1] ». L'enfant du siècle vengeur des
drames cachés des familles : il y a là un registre qu'ignorait
absolument le roman intimiste anglais.

Wann-Chlore est donc le roman, on pourrait dire au fer
chaud, de la vie privée. Balzac lui-même, d'ailleurs, se relisant,
le dira expressément dans la postface qu'il écrira en novembre
1824 : « *cette esquisse d'une vie privée*[2] ». Interfèrent, certes, un
roman gai (le couple Nikel-Rosalie) et un roman noir (la
trahison de Salviati), mais ils constituent les annexes, la
partie morte de l'ouvrage. *Wann-Chlore* est l'histoire d'Eugénie, jeune fille au cœur sensible, mais de ferme personnalité,
rendue malheureuse par sa mère, et qui épouse, un peu par solitude et par détresse, un homme au passé chargé qui finira par
l'abandonner le jour où il aura retrouvé celle qu'il avait jadis
aimée. *L'intrigue, d'ailleurs, n'est rien.* Ce qui définit les
romans de la vie privée, c'est le matériel, la tonalité, les
moyens mis en œuvre. Épisodes, incidents, péripéties, lettres
échangées, qu'importe? Il faut bien raconter une histoire,
satisfaire le lecteur, et faire les quatre volumes. Pour bien
comprendre *Wann-Chlore*, il faut s'attacher à la matité, à la
discrétion de quelques pages, où Balzac est *naturel* et dit la
vie selon un mode dont tout le monde ignore encore la portée,
mais qui, on peut aujourd'hui le comprendre, plonge de profondes racines dans son expérience[3]. « Cette maison ressemblait à toutes les maisons du monde, calme à la superficie,
mais troublée à l'intérieur, et en proie à mille petites intrigues
domestiques *qui roulaient plutôt sur les sentiments que sur les
choses*[4] », ou encore : « Cette jeune fille, passive en apparence,
devait donc éprouver plus dépenser de peine et de soucis
pour un mot équivoque, un regard incertain, qu'une autre
femme pour un cruel abandon[5] », ou encore : « Mais la nature

---

1. *Wann-Chlore*, IV, p. 235. On ne saurait considérer comme une coquille
l'addition des *deux mots* de la négation. Elle sera d'ailleurs maintenue dans la
réédition Souverain, en 1836. La rédaction devient plus lourde, et comporte
même une anomalie. L'ordre devrait être : elle ne sera pas heureuse et elle
mourra. Mais Balzac tenait à cette modification.
2. *Lov.* A 244, f⁰ 125. Cf. *infra*, p. 682.
3. André Wurmser (*La Comédie inhumaine*, p. 81) dit que Balzac n'est devenu
« naturel » qu'en 1829. Il est exact — et nous le montrerons — qu'à Fougères,
Balzac a « ouvert les yeux » mais il est absolument faux de dire que, jusque-
là, il ne plaçait ses « élucubrations » que dans un lointain passé ou hors du réel.
Wann-Chlore, précisément, transposant Villeparisis à Chambly, est déjà réaliste.
Il est faux, également, de dire que nul ne se soucierait de découvrir les « clés »
des romans de jeunesse (en particulier les clés de *Wann-Chlore*). En fait, Balzac
a été « naturel » bien avant 1829, mais il faut savoir aller chercher le vrai, dans
du fatras. Seule l'érudition permet d'y parvenir. Ce qui — n'est-ce pas? — la
justifie.
4. *Wann-Chlore*, I, p. 27.
5. *Ibid.*, p. 198.

de l'âme d'Eugénie, sa chaste réserve, la peur et l'opinion qu'elle avait de sa mère, tout contribuait à en étouffer les développements. *Ainsi, les proportions ordinaires de l'amour, comme on nous le peint, n'existent pas dans cette histoire; un mot, un regard, un geste, sont de grands événements* [1] » : ce ne sont pas tant là déclarations de principes qu'expression spontanée de sentiments personnels. Balzac ne fait pas une théorie d'un quelconque « nouveau roman », ou, s'il le fait, c'est sans le vouloir. L'histoire qu'il a choisi de raconter, et qu'il faut bien faire passer (d'où, peut-être, le contrepoint « gai » Nikel-Rosalie; il ne faut pas oublier que l'œuvre devait être d'abord lue, écoutée, à Villeparisis; il fallait bien un paratonnerre) n'est pas une histoire comme les autres : par sa nature (un drame familial, sans éclat; mais sur ce point, Balzac pouvait s'abriter derrière le roman intimiste anglais) et surtout par ses origines (l'affaire Laurence). Qu'a ceci à voir avec *Cromwell*, avec *Falthurne*, avec *Corsino*, avec *Sténie*, c'est-à-dire avec les sujets reçus bardés d'ancêtres historiques ou littéraires? Pour toucher, pour intéresser, il fallait *passer* par ces archétypes : le sujet de *Wann-Chlore* les court-circuitait. Balzac, sans doute, ne s'en est pas vraiment aperçu tout de suite, et le roman gai, le roman noir, les nécessités de l'intrigue, toute une correspondance à fabriquer [2] ont pu lui masquer l'importance des éléments nouveaux de son œuvre; c'est à la relecture, en 1824 [3] qu'il en mesurera vraiment l'importance et le caractère *prophétique* : preuve d'efficacité, de fécondité. Il ne demeurera plus grand-chose alors, dans son esprit, de ce « reste » du roman, qu'il faudra quand même bien reviser pour l'éditeur. L'examen du manuscrit prouve, d'autre part, que l'immense majorité des éditions marginales (nettement antérieures aux additions et remaniements de pages ou demi-pages, sur papier collés, qui sont de 1825) relève d'une même intention : approfondissement de l'analyse des sentiments respectifs de Mme d'Arneuse et de sa fille, précisions sur le conflit domestique, sur le mariage, sur la vie de famille, etc. Sur une première rédaction, assez sèchement narrative, le plus souvent, Balzac a greffé des notations, des remarques, qui sont déjà d'un peintre des âmes, des drames cachés, de toute une dramatique neuve. Ce qui, constamment, relance son imagination et fait repartir sa plume, ce qui lui semble *mériter*, nécessiter, qu'on y revienne

---

1. *Wann-Chlore*, I, p. 200-201.
2. Cette correspondance sera considérablement écourtée lors de l'édition de 1825 (en particulier, disparaîtra toute la série, prévue (*Lov.* A 156, f⁰ 28), des lettres de Wann. Balzac avait commencé *Wann-Chlore* avec des recettes des *Sténie*.
3. Cf. *infra*, p. 681 sq.

et qu'on l'enrichisse, ce ne sont pas les événements, les pseudo-événements, qu'il prend aux livres, ce sont ces invisibles événements de la vie privée, qui ne peuvent concerner qu'une humanité dont l'essentiel de la vie se passe dans les maisons, au sein des familles, etc. Vie privée n'avait pas de sens dans la perspective noble ou picaresque, _dans la perspective des gens qui vivaient dehors._ Mais vie privée prend un sens absolument nouveau pour ceux et surtout celles pour qui tout se joue dans le périmètre limité des familles et des maisons. A cet égard, la mise en scène du début de _Wann-Chlore_ est importante : le salon de la maison d'Arneuse, les fenêtres qui donnent sur la place, les pièces du premier étage que l'on devine. Le resserrement, la sobriété des lieux suggèrent la tragédie domestique, le miroir, dans lequel, en s'en allant dans sa chambre, Eugénie regarde Landon, étant seul à étendre quelque peu, mais de manière illusoire et fugitive, cet espace clos [1]. Et qu'on ne s'y trompe pas : il ne s'agit nullement d'une micro-tragédie, d'une tragédie qui admettrait, qui continuerait d'admettre l'existence et la supériorité de l'autre (celle que presque parodiquement incarne Salviati, héros tragique dégénéré), qui aurait besoin d'entreprendre sa propre justification : on est à cent lieues soit des « scènes d'intérieur », soit du « drame bourgeois » du XVIIIe siècle. Il y a plénitude, et plénitude vraie : la vie est là, et s'exprime là. La mutation est totale, et tout ce qui n'est pas vie privée, dans _Wann-Chlore_, tout ce qui ne relève pas de la vie privée, est marqué du sceau de l'artifice ou du non-convaincant. La vie privée, ce n'est pas la petite tragédie pour un certain public étranger à l'autre, c'est _la_ tragédie du monde moderne, avec, déjà, ses figures significatives, ses mythes naissants, son langage qui s'élève : « _Une femme abandonnée_, lit-on en renvoi, a quelque chose d'imposant et de sacré. En la voyant, on frissonne et on pleure. Elle réalise cette fiction du monde détruit et sans Dieu, sans soleil, encore habité par une dernière créature, qui marche au hasard dans l'ombre et le désespoir; une femme abandonnée, c'est l'innocence assise sur les débris de toutes les vertus mortes [2] ». Ce style est résolument _majeur_, et, dans

1. Le découpage du début de _Wann-Chlore_ semble bien venir directement du théâtre (pièce unique, entrées et sorties de personnages, scènes successives, etc.). Ou bien Balzac utilise un vaudeville réel, ou bien, plus simplement, l'imprégnation théâtrale est si forte chez lui qu'il ne trouve pas encore spontanément la mise en page romanesque. Le même phénomène se retrouvera en 1829 avec le _Tableau d'une vie privée_ et _Le Dernier Chouan_.
2. _Lov._ A 244, fo 96, et _Wann-Chlore_, III, p. 286. Balzac pensait-il à une femme abandonnée réelle? Laurence n'entre pas encore dans cette catégorie, et d'ailleurs, si elle fut trahie et malmenée, elle ne subit pas le sort de Mme de Beauséant. Mais en 1822, à Bayeux, Balzac avait connu Mme d'Hautefeuille, retirée

ce troisième volume, alors que l'histoire a pris suffisamment
de poids, ce changement dans le langage même est très significatif : tout naturellement, on débouche dans une nouvelle
noblesse. Il en sera de même, un peu plus tard, avec la « femme
de trente ans ». Le drame d'Eugénie, le drame de la femme
abandonnée se rejoignent dans la commune définition d'un
univers de stérilité, dans un univers en creux, dans un univers
de moins-être, de dessèchement, d'inutilité de tout, à valeur
non pas seulement *psychologique*, mais bien *exemplaire*.
Balzac avait d'abord écrit « une femme abandonnée éprouve »,
puis il s'est repris, et il a mis « une femme abandonnée a
quelque chose d'imposant et de sacré comme la mort ».
« Comme la mort » a sauté sur épreuve, sans doute pour alléger,
mais il faut voir comment d'un texte qui s'orientait vers
l'*analyse*, on passe au *spectacle*, au *tableau*, à la *scène*. Ce
n'est pas le mystère unique, *le cas*. C'est bien le tableau
proposé à l'émotion, à la pitié, le nouvel Œdipe et la nouvelle
Electre. Même un nouveau roi Lear ? Pourquoi pas ? M. Guérin,
dès bien avant la révolution, avait donné une grosse dot à
sa fille pour lui faire épouser M. d'Arneuse « [il avait sacrifié]
une grande partie de sa fortune pour faire de sa fille une
femme de qualité. Si M. d'Arneuse ferma par cette mésalliance
la porte des chapitres à ses filles, il se ferma aussi la porte à
l'Hôpital où il était sur le point d'entrer. Il résulta de cette
union des choses fâcheuses. Mlle Guérin devenue Mme la marquise d'Arneuse, donna l'essor à l'orgueil, sa passion dominante. Elle punit sévèrement sa mère d'avoir désiré ce
mariage ; elle l'écarta de son hôtel, la bannit de ses réunions,
l'écrasa par son luxe, et la méconnut tout à fait. *Le bonhomme
Guérin pleura ses écus ;* Mme Guérin, la bonté même, pleura
l'aveuglement de sa fille sans se plaindre, et l'excusa même
quelquefois auprès de l'avare fermier général. *Mme d'Arneuse,
ivre de vanité, finit par ne plus voir son père* [1]. » Si Balzac,
dans la réédition de 1836, a corrigé : « finit par ne plus recevoir
sa famille », c'était sans doute qu'il ne tenait pas à ce qu'on
trouvât de trop lointains ancêtres à son *Père Goriot*. Il ne
s'agit pourtant, dans *Wann-Chlore*, que d'une ébauche et
d'une suggestion en début de roman, un gendre, d'ailleurs,

---

dans sa maison d'Agy, après que son amant, Guernon-Ranville eut épousé une
héritière. On s'accorde à peu près pour admettre que Balzac a probablement,
alors, tenté auprès d'elle la même chose que Gaston de Nueil auprès de Mme de
Beauséant (cf. Madeleine Fargeaud, *Sur la route des Chouans et de la Femme
abandonnée*, A. B. 1962, p. 55 sq). Ajoutons que, en 1829, dans le *Tableau d'une
vie privée*, Balzac mettra en scène une femme abandonnée sous le nom de...
Mme d'Hautefeuille.

1. *Wann-Chlore*, I, p. 13 (texte du premier manuscrit).

manquant encore aux effectifs [1]. Mais le thème est bien là, d'une tragédie domestique, avec pour ressorts et composantes l'argent, l'ambition, la vanité, l'égoïsme. Passer du fermier général Guérin au fournisseur accapareur Goriot, modernisera la situation, sans la changer au fond. La vie privée (il n'y a encore, bien entendu, ni Rastignac, ni Vautrin, pour tirer le sujet à la vie parisienne [2]) est le lieu d'exclusions et de meurtres non sanglants, le lieu de morts morales qui peuvent, désormais, se passer des tréteaux et des alexandrins de la tradition. Le passage au haut langage, au poétique et à l'épique, cette fois, n'est pas tant dans le style que dans la promesse balzacienne, dans cette aptitude à devenir, qu'ignorera toujours, nous l'avons dit, l'œuvre de tel romancier qui a commencé, à la même époque, par les mêmes in-12, par le même genre et par les mêmes éditeurs que Balzac. Ces familles d'après la révolution, libérées de la noblesse qui, les persécutant, les innocentait, dans *Clarissa Harlowe*, les voici asservies à bien d'autres maîtres, soumises à bien d'autres lois. L'argent, bien entendu, mais aussi, de manière plus subtile, moins immédiatement perceptible, les diverses volontés de puissance et de revanche, les puissances de l'égoïsme et de l'illusion, que déchaîne un univers dans lequel rien d'autre ne compte que le *moi*, dans lequel il est le seul levier d'efficacité, le seul refuge aussi. Pères qui se ruinent pour des enfants ingrats, filles martyrisées par leurs mères, femmes abandonnées, mariages bâclés, précipitations sentimentales, aussi, rançon du désir de s'évader à tout prix : telle est la vie, en l'an de grâce 1823, qui n'ose plus, depuis longtemps, s'appeler l'an XXXI de la liberté, et qui est allé, fort intelligemment, reprendre sa place dans les calendriers de l'homme éternel. Il demeurera certes longtemps de l'innocence, voire de la jeunesse de cœur, dans les familles bourgeoises, et Balzac pourra insister, dans *César Birotteau*, sur l'espèce de jansénisme des classes moyennes, qui se conjugue aisément avec leur simplicité, presque leur fraîcheur; et ce ne sera pas faux. Mais c'est que Balzac, alors, verra, fera voir, les familles bourgeoises *contre* les familles aristocratiques ou mondaines, plus compliquées, plus vicieuses. Tout étant, comme toujours, à double face, tout dépend de l'angle de vision, et d'utilité, d'utilisation. Mais, lorsque Balzac regarde les familles bour-

---

1. On sait que la pièce d'Étienne, *Les Deux Gendres*, fut considérée de bonne heure, comme l'une des sources du *Père Goriot*; cf. éd. Castex, p. xv.
2. Ce n'est que dans le Furne corrigé que *Le Père Goriot* est entré dans les *Scènes de la vie privée*. Dans *La Comédie humaine* de 1843, il faisait partie des *Scènes de la vie parisienne*.

geoises en songeant à ce dont elles avaient pu être la figure et
la promesse, alors, l'éclairage, les mises en valeur, changent.
Si le père a évacué la scène, dans *Wann-Chlore*, n'est-ce pas
d'ailleurs un signe? N'est-ce pas que la bourgeoisie perd, a
perdu, ce qui l'orientait? Et n'est-ce pas une catastrophe
économique, *une catastrophe bourgeoise* imputable à la seule
bourgeoisie, qui mettra fin à l'idylle des Birotteau, qui brisera
un père, présent cette fois, mais non innocent, ayant sacrifié,
malgré son dynamisme et son inventivité, aux dieux de la
fraude et de la spéculation? Absent ou compromis, le père,
dans les familles bourgeoises cède devant des forces dont il
avait incarné l'exact contraire. Alors commence, alors,
recommence, la tragédie, car alors, on se retrouve entre soi,
car alors sont livrés aux démons les êtres que gardait le Père.
Ce peut être la tragédie directe : soit la catastrophe qui fond
de l'extérieur, soit les hostilités intra-familiales, comme celle
qui livre à Mme d'Arneuse sa fille Eugénie. Mais ce peut
être, surtout, la tragédie indirecte, dans laquelle jusqu'à
l'instinct, jusqu'à la liberté, mystifiés, détournés, pervertis,
deviennent les instruments mêmes de la ruine de soi. Eugénie
d'Arneuse, par exemple, pourquoi se jette-t-elle à la tête
d'Horace Landon? *L'aime-t-elle?* Le roman permet de répondre : non. L'amour, le véritable amour, dans *Wann-Chlore*,
l'amour passion, plus fort que tout, c'est celui de Wann et
d'Horace. Mais, s'il est bien évident qu'Horace n'épousera
Eugénie que par sympathie, par pitié, parce qu'il pense aussi
qu'elle peut, avec sa douceur, lui apporter un reste de bonheur,
il semble au moins probable qu'Eugénie ne cristallise sur
Horace que pour échapper à sa mère, qu'elle n'idéalise et
n'embellit l'objet aimé que par réaction à sa mère. Ce sera
le maître thème des *Scènes de la vie privée*, en 1829-1830, que
cette folie passionnelle, que cette déraison sentimentale,
consécutives aux pressions, aux insuffisances, dans les
meilleurs cas, de la vie quotidienne. Laurence, amourachée de
Le Poitevin en juin, épousant Montzaigle en août, se prenant,
sans doute, à l'aimer, le défendant contre tous : c'est, pour
l'essentiel, la situation de la petite d'Arneuse à Chambly.
Et voici la tragédie : car Landon a un passé, ne peut pas ne pas
avoir ce passé, cet amour pour Wann que rien n'a éteint,
pas même cette trahison à laquelle il a cru, mais qu'il suffira
d'un rien pour biffer à jamais avec tous ses effets. Montzaigle aussi avait un passé, et, il est vrai, pas tout à fait le
même, mais Balzac dramatise admirablement son sujet,
lui confère une force étonnante, en donnant à Landon un
passé digne et légitime, un passé qui le rend non pas odieux

mais pitoyable. Dès lors, Eugénie, qui a besoin d'Horace,
souffrira par lui, et lui ne pourra pas ne pas la faire souffrir.
La boucle, ici déjà, est bouclée. Qui, en apparence, y est
pour quelque chose, sinon ce qu'il ne reste plus qu'à appeler,
une fois de plus, le destin? Ainsi se perd la trace des causes
premières. Ainsi se nouent les fatalités nouvelles. On ne saura
rien, en 1828-1829, du passé familial de l'héroïne du *Rendez-
vous*, follement amoureuse de son beau colonel d'Aiglemont.
Au moment, toutefois, de son mariage, alors que, jusque-là,
elle n'avait qu'un père, Balzac lui prêtera cette mère qui ressem-
blera étrangement à Mme d'Arneuse et à Mme Balzac [1]. Cette
mère, qui remonte des profondeurs, sera sans doute l'explication réelle, encore que prudemment biffée par le romancier [2],
de cet emballement pour le colonel, malgré les conseils de
prudence du père, qui conduira au malheur de toute une vie,
et à ce chef-d'œuvre, en 1834, *Souffrances inconnues* [3], archétype de toute une littérature de la femme. La lecture attentive
de *Wann-Chlore*, jusqu'en ses dossiers secrets, peut garder,
dès 1822-1823, d'une interprétation strictement moraliste des
Scènes de la vie privée, qui sont bien autre chose que conseils
aux jeunes personnes ou condamnation du sentiment et de la
spontanéité. Le mal du siècle féminin, le problème moderne
de la femme, ressortissent exactement à la même problématique que *La Peau de chagrin* et le mythe de l'Antiquaire :
la vie, en son dynamisme, en ses exigences les plus valables et
les plus justifiées, condamnée au poison, condamnée à être
son propre poison. Raphaël sera « libre » de vouloir et de
désirer, comme Eugénie est « libre » d'aimer Horace Landon
la première fois qu'il fait son entrée dans le salon de sa mère.
Mais qui ne verrait le caractère parfaitement illusoire de cette
« liberté » d'Eugénie? L'esclave, c'est bien connu, est toujours
« libre » de se révolter et de donner à sa révolte les formes
les plus absurdes, les plus mystificatrices. Mais les armes de
la révolte sont elles-mêmes en partie fournies par la situation

---

1. Pour *Le Rendez-vous*, rédigé en 1828 ou 1829, qui devait faire partie des
premières *Scènes de la vie privée*, en 1830, cf. *infra*, t. II. Le manuscrit révèle
que, contrairement à la donnée initiale qui ne fait pas état de la mère, mais
seulement du père, lors du mariage de Julie, c'est *sa mère* qui, au mépris de toute
vraisemblance et de toute cohérence interne, reproche à la jeune fille d'être trop
ardente et trop joyeuse. Ce lapsus établit un lien très fort avec l'inspiration de
Wann-Chlore.

2. Il aura, à ce moment, le plus grand besoin de sa mère pour se sortir de
l'affaire de l'imprimerie.

3. Chapitre qui parut dans l'édition de 1834 de *La Femme de trente ans*.

contre laquelle on se révolte. D'où, l'extrême importance, en
1822-1823, de ce roman qui laisse encore voir les racines des
choses. Toute une littérature réactionnaire a insisté sur l'aspect
pessimiste de la quête balzacienne du bonheur; elle a voulu
voir, dans ces êtres qui se cognent aux murs, qui tissent
parfois leur propre prison, comme une preuve de l'éternelle et
constitutive misère de l'homme; elle a voulu annexer Balzac
à cette littérature du désespoir qui innocente, nécessairement, les sociétés; mais comment, après avoir lu *Wann-
Chlore*, souscrire, par exemple, à telle formule, sur « cette
exigence d'absolu qui est comme la preuve de l'insatisfaction
que nous éprouvons à être ce que nous sommes, et qui a
tourmenté Balzac plus que nul autre [1] »? Être *ce que nous
sommes?* Certainement pas. Ce qu'on a *fait* de nous, ce que
sommes *devenus*, oui, et ceci met en cause, bien entendu, tout
autre chose que la nature humaine ou d'abstraites puissances.
Wann-Chlore est vraiment le premier roman balzacien en
ceci que c'est la première tragédie balzacienne. Les situations,
connexes, les sentiments, le style, n'étaient qu'une approche
de cette vérité fondamentale : Eugénie est prise au piège,
elle qui, au départ, était l'innocence même, et l'instrument de
sa souffrance sera cet autre être, fondamentalement innocent,
lui aussi, dont une situation d'ensemble, qui échappe aux
individus, qui commence, pour certains, mais pas pour Balzac,
à se confondre avec la *nature*, a fait, en se combinant avec le
hasard (la rencontre avec Wann) un bourreau. La fatalité,
dans *Wann-Chlore*, se comprend, comme elle se comprendra
toujours chez Balzac. Lucien de Rubempré, lui aussi, sera pris
dans un engrenage que l'on ne peut faire aller à l'envers [2].
Dans cette marche à la catastrophe, certes, tout en vrai,
rien n'est préfabriqué, et le roman va de gestes libres en gestes
libres, de gestes uniques en gestes uniques, à ce qui est la
négation de la liberté et l'alignement de l'histoire unique sur
une situation générale. Mais c'est par là, précisément, qu'il
est le roman, et une forme nouvelle — *épique* — du roman.
C'est par là que se justifie cette solitude de la femme abandonnée sous le regard de Dieu. Le roman intimiste anglais ne
prenait guère pour sujet que l'apparence. Balzac, dans
Wann-Chlore, pour la première fois dans sa vie, crée, fait

---

1. André Allemand, *Honoré de Balzac, création et passion*, p. 163.
2. « Une rage digne de Milon de Crotone quand il se sentit les mains prises
dans le chêne qu'il avait ouvert lui-même éclata chez Lucien » (*Illusions perdues*,
C.H. IV, p. 860-861).

mouvoir des personnages, en allant au fond des choses. Malgré les épisodes Nikel-Rosalie, le roman cesse d'être « comique », en ce sens qu'il aborde et exprime ce qu'abordait et exprimait seule, autrefois, la tragédie. Ce qui se passe dans la vie bourgeoise, dans la vie privée, est grave. C'est même le maximum de gravité pensable dans le monde moderne, c'est le point d'intensité le plus aigu du drame moderne. Ainsi se tiennent les deux extrémités : la vie feutrée, sans emphase, réelle et reconnaissable, d'une part; de l'autre, ces inextricables situations, ces aboutissements sans retour possible en arrière sinon pour le lecteur, qui comprend, mais n'est pas personnellement engagé, ces culs-de-sac où tout se dépouille, et où se dénudent les âmes. Bien entendu, ce passage ne serait ni possible ni concevable, si, dans la vie réelle du début du roman ne se manifestaient déjà des valeurs, des oppositions fondamentales, si les personnages n'étaient porteurs ou dépositaires d'expériences et d'aspirations essentielles. Ceci bien entendu, ne se comprend que rétrospectivement, à la relecture, mais n'est-ce pas la preuve de ce qu'on était vraiment parti de quelque chose?

Il faut bien voir, en effet, comment est constitué le personnage d'Eugénie d'Arneuse : sensible, fière, avec la digne fermeté, déjà, de l'Eugénie de Saumur. Lorsque sa mère lui cherche querelle, elle se tait; lorsque sa mère lui reproche sa discrétion à l'égard de son fiancé, lui suggère qu'il est des familiarités, grâce auxquelles un mariage ne saurait manquer [1], elle se tait. Lorsque, au moment du mariage, des nuages apparaissent et que sa mère, une fois encore, la rend responsable de tout, elle réagit avec une grande dignité :

> Soit qu'elle fût un de ces êtres doués d'un courage moral qui croît avec circonstances, soit qu'elle se sentît désormais un protecteur, elle regarda sa mère sans arrogance, mais sans timidité, et lui dit : « Ma chère maman, il ne s'est rien passé entre moi et M. Landon dont vous n'ayez été le témoin, et si quelque événement avait eu lieu secrètement entre lui et moi, par cela seul qu'il serait secret, je ne pourrais le dire à personne. » Eugénie embrassa sa grand-mère et s'assit [2].

1. Ici encore, texte très dur : « sachez donc causer, répondre, et l'attacher par mille petites familiarités permises qui font le bonheur des amants » (*Wann-Chlore*, II, p. 13). Mais Balzac avait d'abord écrit : « Est-ce qu'il n'existe pas *de ces familiarités furtives qui font le bonheur des amants et qui les charment?* » Mme Balzac cherchant à caser Laurence apparaît ici dans la lignée des marieuses-maquerelles de Zola *(Pot-Bouille)*.
2. Texte du manuscrit. Le texte de l'édition (III, p. 143) est plus discret, et Eugénie conclut en disant : « Ah! ma mère, pourquoi me tourmenter? » Balzac l'a donc faite, finalement, plus plaintive que dans le premier mouvement, qui

Toutes les serpettes de mon père c'est visible, n'y feraient rien. La *qualité* d'Eugénie s'impose, alors que sa mère se gaspille. Le personnage est riche et dense : le contraste avec Wann la sert, d'ailleurs et la définit, dans la mesure où Wann plus poétique, *plus traditionnelle*, est aussi moins riche, existe d'une manière différente. Dans la perspective romantique traditionnelle, c'est Wann qui eût été l'héroïne du roman, mais Balzac opère un total retournement en choisissant Eugénie. Wann ne surprend pas; Eugénie surprend. Wann n'oppose à l'injustice, à la méchanceté, que sa force aimante, sa passion, le sentiment, ou la sensualité, à l'état pur. Eugénie leur oppose quelque chose de plus têtu, de plus réel, de plus aisément reconnaissable par une immense humanité. Rien de plus significatif que la narration des mariages des deux héroïnes : pour Wann, Balzac n'a pas trop de toutes les suggestions, voire de toutes les équivoques, pour dire la fête, la folie sensuelle. « L'inépuisable source de volupté que Chlore versait comme une nymphe des eaux [1] », ce « caractère qui savait revêtir tous les rôles [2] », cette ressemblance avec la Fornarina [3], l'amour « fougueux, insatiable » d'Horace [4] : il n'y a pas à s'y tromper. Mais si l'on revient au lendemain des noces d'Eugénie, quelle discrétion : *fille*, avant d'être épouse, Eugénie sera *mère;* c'est comme mère qu'elle apparaîtra aux dernières pages du roman, avec son fils. Comment serait-elle (nous entendons, en termes de roman, comme création romanesque) *femme?* Il n'est jamais question des *plaisirs* du mariage d'Eugénie, mais, abondamment, de tous les entours bourgeois de la cérémonie (trousseau, conseils de la mère) et de ses prolongements sociaux (le voyage de noces à l'anglaise, l'installation, les rapports avec Mme d'Arneuse, etc.). Non, certes, qu'Eugénie soit insensible ou froide, simplement, ces plaisirs, cet amour, que toute une tradition opposait *seuls* à tout ce qui gêne et brime la vie, commencent à paraître un peu courts et insuffisants. Feu de paille et irresponsabilité : tel est le contenu réel de l'amour et du plaisir, impuissants à fonder, à durer, à signifier de manière un peu ferme dans un monde méchant *et qui dure*. Eugénie, elle,

---

correspondait mieux à la nature de Laurence, toujours prête, à partir du moment où les choses allèrent mal chez elle, à se défendre, et avec vivacité.

1. *Wann-Chlore*, IV, p. 93.
2. *Ibid.*, p. 93-94.
3. On sait que, dans la pensée de Balzac, la Fornarina est l'insatiable maîtresse qui a tué Raphaël. La Fornarina n'est que dans le manuscrit. Dans l'édition, elle a cédé la place à... la *Joconde (Wann-Chlore*, IV, p. 94).
4. *Ibid.*, p. 94.

toute fermeté, toute fidélité, se définissant non par éclairs,
mais par densités, témoigne non seulement d'une impossible
acceptation, mais d'une possibilité d'autre chose, d'autre
chose non pas fugace, mais durable et sur quoi fonder. Wann
est l'exception vengeresse. Eugénie est la vérité, la possibilité
de référence.

A cet égard, le dénouement du roman, tel qu'on l'aurait lu
en 1823 si l'affaire s'était faite, est des plus significatifs.
Certes, Laurence, alors, était en vie, et il n'était sans doute
guère pensable de faire subir à Eugénie *in fine* le sort traditionnel de tant d'héroïnes de roman. Mais, quelles qu'aient
été, alors, les raisons de Balzac, la *répartition* finale était des
plus éloquentes : alors que Landon, après la mort de Wann,
fait creuser une fosse à côté de la sienne, retourne chez elle,
brûle tout ce qu'elle a touché, offre un dernier repas à ses
amis, confie son fils à Eugénie et lui demande de vivre, puis
retourne au cimetière et descend dans la tombe qui l'attend,
Eugénie, elle, *continue* :

> Eugénie, à laquelle on apprit cette nouvelle terrible avec
> le plus grand ménagement, tomba folle. On a désespéré
> longtemps de sa vie et de sa guérison. Au moment où cette
> histoire est publiée, elle a recouvré la raison et s'est entière-
> ment adonnée à l'éducation d'un fils qui lui tient lieu de
> tout. Elle vit retirée à Lussy, le nom d'Horace n'est jamais
> prononcé devant elle, non plus que celui de Wann. Elle
> reste comme un monument de chagrin et d'amour, mais ceux
> qui la connaissent prévoient que lorsque son fils sera assez
> grand et instruit pour se conduire dans la vie, son pèlerinage
> sur cette terre de douleur sera fini. Elle est pâle et souf-
> frante, elle semble à peine exister et ne sourit au portrait
> d'Horace et à son fils. Sa mère est auprès d'elle, et ces affreux
> événements ont presque adouci son caractère. C'est elle qui
> reçoit à Lussy, car Eugénie n'y voit personne et habite un
> pavillon séparé [1].

Quelle éloquence simple! Alors que Wann et Landon s'en
sont allés vers les espaces de la mort et de la poésie qui attendent les héros et les héroïnes de la tradition, Eugénie vit,
comme plus tard sa sœur de Saumur, avec ses illusions mortes.
De Chambly à Lussy, du guet à la fenêtre de la retraite bour-
guignonne, la boucle est bouclée, le destin accompli. Mais
on reste dans le vrai. Eugénie, elle aussi, rejoindra, nous est-il
dit, le pur séjour, mais cette concession au romantisme
compte infiniment moins que le centrage du roman sur cette

1. *Lov.* A 244, f⁰ 123.

victime sans emphase. La mort de Wann, la mort de Landon,
c'est la mort selon un romantisme dépassé, et c'est la mort,
même, de ce romantisme. Mais Eugénie qui vit seule dans
un pavillon séparé, avec l'amorti de la finale, avec cette fin
sans éclat, mais pleine de force, *c'est la naissance d'une nouvelle
opposition.* Au temps de Mme de Staël et de Byron, à la laideur
et à l'inhumanité qui s'emparaient de l'Europe après le
tassement bourgeois de la Révolution française, alors que
l' « industrie » commençait à allonger ses ombres, ne s'opposaient encore que du style et de la noblesse blasée ; on n'avait pas,
alors, assez de racines dans le réel, *dans l'avenir ;* on puisait
à pleines mains dans les attitudes, les mots, les effets. Les vies,
les amours, les morts étaient autant de gestes, beaux et vains,
disant des révoltes, des affirmations et des valeurs singulièrement dépourvues de prolongements et d'efficacité. Orphi-
ques, les agonies se prêtaient au poème : elles ont, aujourd'hui,
dans l'ensemble, cesser d'intéresser. Avec Eugénie d'Arneuse,
Balzac a trouvé une forme d'héroïsme féminin moins spectaculaire que celui de *La Nouvelle Héloïse* (les choses vont vite :
dans *Le Vicaire des Ardennes,* Joséphine de Vauxelles imitait
encore Julie en tout...), mieux en accord avec les mœurs,
plus statistiquement valable, à valeur de témoignage peut-
être immédiatement moins frappante, mais, à long terme,
plus efficace. L'épopée, chez Balzac, comme chez Stendhal,
évacue le roman, du moins l'épopée de sur-figuration, celle
qui, au prix d'images et d'éclats, grandit les héros et les
héroïnes, en fait des êtres à grand spectacle. Corinne au cap
Misène, ou René dans les forêts du Nouveau Monde, c'était
la fin d'un art qui ne concernait qu'une humanité d'exception.
Désormais, même les condamnés à mort, même les femmes
abandonnées, même les rencontres avec le destin, avec les
tentateurs, se refuseront à hausser le ton. La tragédie moderne
ne traîne plus après elle des lambeaux de mauvaise conscience
littéraire comme le drame bourgeois du xviiie siècle : c'est
que l'aristocratie a définitivement quitté la scène de l'Histoire. Eugénie d'Arneuse est la preuve d'une « victoire » en
deux directions de la bourgeoisie : littéraire, puisqu'elle
fournit, désormais, à elle seule mythes et sentiments, style,
même (en déclassant les anciennes stylisations), mais aussi,
tristement, historique et sociale, puisqu'elle fournit désormais
à elle seule un contingent renouvelé de malheureux, de parias,
d'êtres sacrifiés. Siècle que l'on n'attendait pas ainsi, en vérité,
que celui qui permet, sur la toile de fond de la naissance d'un
monde neuf, la rencontre d'une Eugénie d'Arneuse et d'un
Horace Landon.

*

Le mythe d'Horace Landon est présent dans la conscience de Balzac depuis 1821 : c'est le même que celui de del Ryès. C'est le mythe du jeune homme qui assume et exprime, à la fois, le drame et les splendeurs de la jeunesse du siècle. Landon incarne les désirs de gloire, de beauté, de réussite (amoureuse et sociale), les exigences sociales et politiques d'une génération qui aborde la vie alors que tout a été mis en question, et promis. Faire de Landon le héros d'une lamentable histoire d'amour n'est pas seulement sacrifier aux besoins de la fabrication. C'est aussi suggérer tout ce qu'il a de frémissant, d'instable, de marqué. Comme del Ryès, Landon n'est pas un installé; on le voit mal lisant *Le Constitutionnel*. Ce sont des êtres qui attendent tout de la vie, sans disposer d'aucune certitude.

Horace Landon est d'abord enfant du siècle en ceci qu'il est fils de son histoire. Victime de la tourmente révolutionnaire, polytechnicien, héros des guerres de l'Empire, jeune pair de France de la monarchie restaurée, en lui se trouvent toutes les tensions, tous les héroïsmes, toutes les fiertés, qui ont façonné une nouvelle jeunesse. Landon n'est nullement une conscience naïve tournée vers l'avenir. Il est une somme de jeunes expériences, l'héritier d'un passé. C'est bien à tort qu'on ne verrait en lui, qu'un « beau ténébreux », un personnage poncif; l'exécution, certes, est souvent faible, mais en composant son personnage, Balzac a joué de tous les thèmes qui constituent la physionomie morale d'une génération.

A cinq ans, d'abord, Landon a dû fuir la France avec sa mère, tandis que son père était guillotiné. Peu après, sa mère mourait. On retrouve ici l'un des thèmes majeurs du mal du siècle sous sa forme première : « *A ce moment, nos biens étaient à l'encan, nos honneurs détruits, mon berceau proscrit, ma jeunesse sans guide* [1] ». C'est exactement le thème de Vigny :

Eating the bitter bread of banishment

et il s'agit d'une notation autrement forte que la simple situation romanesque de Joseph dans *Le Vicaire des Ardennes*. Balzac semble *comprendre* de mieux en mieux le romantisme aristocratique. Pourquoi? Pourquoi le personnage de Landon

---

1. *Wann-Chlore*, II, p. 162.

est-il ainsi commandé par l'exil révolutionnaire? Avec *Jean-Louis*, nous avions vu se dessiner une critique de l'un des aspects de la Révolution, et les notables du *Vicaire*, ceux de *La Dernière Fée* avaient pris le relais. Cette fois, il apparaît clairement que, non seulement la Révolution a, en fait, condamné, rejeté, de jeunes héros qui valaient mieux que d'être confondus avec un inacceptable passé, mais surtout qu'elle peut être, pour un romancier, moyen de dire et de mettre en valeur la solitude. Or, cette aptitude du thème révolutionnaire à être un thème non seulement d'exaltation, mais de frustration, en dit long sur la prise de conscience progressive du caractère « incomplet », comme disaient les saint-simoniens, de la Révolution française. La poésie de Vigny sera certes d'une autre âcreté que le roman balzacien, parce que Vigny aura vécu personnellement le drame des parias, alors que Balzac, beaucoup plus simplement, *s'en sert*. Mais *plus simplement* veut dire aussi plus *complètement*, plus objectivement, car si Balzac se sert des parias, dont il n'a pas été, dans cette utilisation (nécessairement consécutive à une découverte), il *saisit* et il *exprime* plus de réel que Vigny; il dépasse infiniment le cas particulier, minorisant, de l'aristocratie. Il se sert du thème pour mettre en œuvre un sentiment généralisé de *manque*. La Révolution a installé des maires de villages, promu des pédants, enrichi des acheteurs de biens nationaux, mais elle a sacrifié des êtres nobles qui, congénitalement (nous pensons non aux coordonnées sociales, apparentes, mais au message global qu'il est chargé de transmettre) ne doivent rien à ce que le passé avait de haïssable. Il est clair que Landon n'a pas été conçu en fonction de la jeunesse brimée des châteaux, mais en fonction de la jeunesse plus large, plus française, qui est celle de Balzac. Quoi de commun du point de vue de la résonance romanesque, entre Horace Landon et le marquis de Vandreuil, dans *Jean-Louis?* Cette « jeune tête dérobée aux bourreaux[1] », ce n'est pas un cliché dérobé à Nodier, à Brisset, ou à pis encore. Paria de quatre-vingt-treize, Landon se démarque ainsi, est ainsi démarqué par son créateur par rapport aux bourgeois profiteurs de la Révolution; celle-ci a fait de Landon un être lucide, marqué de bonne heure par la souffrance; elle l'a ainsi *ouvert*, alors que le libéralisme, en avançant, a *refermé* les êtres. Landon incarne et représente des souffrances qui, si elles ont été justes et nécessaires, si elles ont été la conséquence d'un mouvement d'ensemble juste, nécessaire et libérateur, n'ont pas été univer-

---

1. *Wann-Chlore*, II, p. 161.

sellement fécondes. C'est une fois encore cette action régressive
des conséquences de la révolution bourgeoise à cette révolution
même et à ses victimes immédiates. Or, cette action régressive
ne saurait en aucune manière être portée au compte de quelque
malice que ce soit. Elle résulte d'une expérience de solitude
et du besoin de l'exprimer. Joseph était encore trop commandé
par le thème de la mère et de l'amante pour tout dire ; psychologiquement, il manquait de cette consistance qui manque
toujours aux personnages voulus plutôt que vécus, enrôlés
plutôt qu'assumés. Joseph, d'ailleurs, se montrait incapable de
sortir de son cadre romanesque d'origine, alors que Landon
rejoint l'autre jeunesse.

Et, c'est là le pas en avant décisif. « Nos jeunes gens,
avait écrit Chateaubriand en 1814, *nourris dans les camps
ou dans la solitude*, ont quelque chose de mâle et d'original qu'ils n'avaient pas autrefois [1] ». Landon est de cette
race, et son histoire romanesque nous le montre, précisément, « dans les camps », *et* « dans la solitude », n'ayant plus
rien à voir, ni avec la jeunesse noble des boudoirs, ni avec la
jeunesse plébéienne vouée au subalterne à la Pigault-Lebrun.
Du creuset est sortie cette génération. Ni les camps ne rejettent
la solitude, ni la solitude ne récuse les camps. A la base de tout
ceci ne se trouve pas uniquement cette vérité triviale que plus
d'un noble avait pris du service dans les armées de l'Empire. Il y a
infiniment plus. Les camps et la solitude avaient eu, souvent, ce
qu'avaient de meilleur les deux jeunesses, la solitude récupé-
rant pour un avenir encore sans nom la noblesse la plus pauvre,
la moins engagée dans ce qui était déjà le monde moderne,
les camps mobilisant puissances et aptitudes que laissait
dormir l'ancien régime. La solitude, par ailleurs, avait eu ses
camps, et les camps avaient eu leurs solitudes. Une étude
objective et statistique du problème pourrait, peut-être,
apporter d'intéressantes précisions, mais l'essentiel est que de
jeunes intellectuels, comme Honoré Balzac, aient pu, après
tout ce qu'ils avaient appris de leurs pères et de l'Histoire,
commencer à voir les choses dans cette lumière, commencer,
même et surtout, à créer des personnages en tenant compte
de cet éclairage nouveau. *L'Héritière de Birague* et *Clotilde
de Lusignan* voyaient les choses et les êtres dans une optique
libérale d'*exclusion*. Il est vrai que ces deux romans n'étaient
écrits que contre *les vieux* du parti monarchiste et catholique,
contre ce qui n'en pouvait ni rayonner ni signifier. Mais ainsi,
Balzac se coupait de tout un potentiel romanesque et théo-

---

1. Chateaubriand, *Réflexions politiques sur quelques écrits...*, p. 104.

rique de contestation; avec son sens du global et du total, il ne pouvait en demeurer là. Comme tout processus d'exclusion, le processus mis en œuvre dans les romans anti- « romantiques » publiés chez Hubert en venait à exclure même son utilisateur d'une vision et d'une saisie vraiment totale. C'est le sort de toute polémique. Avec *Le Vicaire* et surtout avec *Wann-Chlore*, on en vient à une vision plus compréhensive, plus ouverte. Landon n'est plus coupé de rien; il peut aller à tout, et même dans *La Comédie humaine*. La phrase de Chateaubriand a pu, sur le moment, avoir des intentions suspectes : effacer les différences au nom d'une illusoire communauté, faire l'unité nationale de la jeunesse aux dépens, comme toujours, de sa gauche et de sa fraction progressive; mais, en profondeur, elle visait juste, et le héros de Balzac en est la vérification dans le fil même de la vie. L'au-delà de tout, la zone où se résolvent les contradictions et s'intègrent les différences *n'est plus* l'avant-garde libérale, puisque désormais est concevable une totalité qui lui soit supérieure et qui l'englobe. Le libéralisme et la Révolution Française font désormais partie de l'expérience du siècle, au lieu d'en être l'aboutissement. *Le roman le dit quelque peu avant l'analyse abstraite* : c'est que ces choses s'éprouvent avant de s'analyser, c'est qu'elles font partie de l'expérience intime avant d'être objet de réflexion. Horace Landon tire son être, dès 1822-1823, de cette découverte qui manque encore de manifestes et d'appels à l'action, de cette découverte qui n'a encore de conséquences que littéraires. Mais justement : la création dit spontanément le mal du siècle, et de manière bien plus vraie que l'analyse ou l'élégie, parce qu'elle ne fixe ni n'arrête rien, parce qu'elle draine et fait vivre au lieu de regarder, au lieu de figer en objet, au lieu de scléroser, dans un mouvement de bonne conscience et d'orgueil, tout ce qui est diffus, tout ce qui est en marche dans une existence dont personne ne se soucie encore. Ainsi, Horace Landon, héros des deux jeunesses, est un héros plus complet, et que les simples héros de droite, et que les simples héros de gauche, à prendre ces notions avec les réalités qu'elles recouvrent à l'époque où il est conçu. Enfant du siècle, Horace Landon l'est en ceci qu'il est double, ambigu, irrécupérable pour les factions, souffrant, aussi, d'être ainsi disponible *et* indéterminé, non classable, *mais* non classé, livré quelque peu à ses démons, faute d'être, faute de pouvoir être, l'homme d'un système ou d'une organisation. Landon, c'est la fin des êtres de certitude, qui, tous, sont des êtres sommaires et mutilés, puisque le siècle en son devenir ne peut plus se satisfaire d'aucune des certitudes mises en circulation par l'Histoire.

Ceci est conquête et progrès, du point de vue de la conscience
extérieure, mais ceci est difficulté à être pour toute une humanité qui ne se voit pas être, et donc ne peut que très imparfaitement se comprendre et se dépasser. De là vient le caractère
instable et souffrant de Landon. Tullius Lesecq, dans *Le
Vicaire des Ardennes*, était d'une autre « solidité », mais la
vanité d'un Lesecq se mesure mieux à présent, et celle de tout
ce qu'il représente.

Mais est-ce à dire que Landon se contente d'être ce à quoi
le siècle l'a forcé? Certes, le romancier le voit mieux sans doute
qu'il ne se voit lui-même, et pourtant, Landon se voit, lui
aussi, encore qu'incomplètement. Il n'est pas d'expérience
de cet ordre qui ne fasse naître quelque lucidité d'un type
nouveau. D'autre part, si Landon est un enfant du siècle,
il l'est selon le mode balzacien, qui est celui de la plus grande
exigence, de la moindre complaisance. D'une part, Landon
ne peut pas ne pas avoir réfléchi, ne serait-ce que lorsque ce
jeune aristocrate est entré dans une École Spéciale, ou lorsqu'il s'est engagé dans les armées napoléoniennes. D'autre
part, tiraillé, marqué, malheureux, Landon demeure d'un
dynamisme, d'une intelligence, d'une ouverture d'esprit qui
le classent à part dans la famille des fameux « héros romantiques ». Rien ne serait plus absurde, répétons-le, de ne
voir en lui qu'un « beau ténébreux» de tradition. Lorsqu'il
arrive à Chambly, porteur, visiblement, d'un lourd secret,
on peut le croire encore de la race connue; mais bientôt,
il se révèle observateur, bon, sensible; de plus, *il gêne*; il
voit clair; il a vite compris ce qui se passe dans la maison
d'Arneuse, et il force Mme d'Arneuse à la défensive, à la justification de soi. Va-t-il donner dans le genre satanique ou
incompris? En aucune manière. *Il n'a pas besoin de l'attirail
romantique*. S'il est romantique, lui, s'il est moderne, ce n'est
pas seulement par un habit noir, un col blanc, un teint pâle,
un secret (providence du romancier) ce n'est pas seulement
par une intensité pathétique qui s'oppose assez paresseuse-
ment au pseudo-sérieux du vulgaire bourgeois. Si Landon
se distingue du vulgaire, du bourgeois, par une qualité, c'est
par une qualité *active*. Les romantiques, les souffrants traditionnels (et même à venir) opposent à la pseudo-activité
bourgeoise, aux pseudo-entreprises bourgeoises, dont ils
contestent les valeurs qui les animent et les justifient, une
non-activité qui est leur refuge, leur liberté, leur moyen de
préservation. Mais Landon! C'est lui, qui est en avant, non
seulement par l'affirmation de droits, ce qui est un peu facile,
irresponsable, mais par la proclamation, sans équivoque — et

ceci est une révolution — de toute une idéologie du progrès.
Cette victime, en un sens, d'un progrès faussé, perverti,
sait que le faux progrès ne compromet pas l'autre. Et voilà
une lucidité qui en entraîne d'autres. Victime du siècle,
Landon en est aussi le bénéficiaire et le porte-parole; c'est
pourquoi il ne le maudit pas; c'est pourquoi, face aux bourgeois qui acceptent vite de se ranger et font grise mine à
l'élan, au rajeunissement qui fut le sien, celui de toute une
époque capitale, face à ces gens qui sentent obscurément,
dans tout progrès une menace, face à ces bourgeois devenus
petit-bourgeois, qui trahissent la bourgeoisie et ne la comprennent plus, Landon, qui pourtant aurait tant à dire sur ce
progrès et ses incertitudes, retrouve sa jeunesse, son innocence, celle du siècle. Quelle admirable preuve que, à cette
époque, rien ne semble encore vraiment joué!

C'est sans doute l'un des passages du roman auquel Balzac
tenait le plus. Face à Mme d'Arneuse, esprit chagrin qui
regrette le passé, à Mme Guérin, qui fait l'éloge de la jeunesse
d'autrefois, des hommes d'autrefois, face à ces deux femmes
qui entament le procès de l' « enseignement actuel »[1], Landon
réplique avec calme et fermeté. Plus de petits soins? Plus de
petits vers? Plus de tapisseries que l'on regarde? Plus de
timidités bienséantes?

> Mesdames s'écria Landon *avec cette douce chaleur que donne
> la raison*, je conviens que la jeunesse d'aujourd'hui n'est
> pas celle de 1779 [...] Mais les temps sont bien changés, et
> *ce siècle a reçu un baptême de gloire et de raison* qui donne
> une autre pente aux idées. Sans approuver les institutions
> présentes, qui, selon moi, tendent à imprimer à la nation
> un mouvement bien défini vers l'abstraction et les sciences
> exactes, ce qui prive l'individu de cette faculté de l'âme
> qui me semble précieuse, et qui consiste à pouvoir être poète et
> nuancer sa vie d'une foule de sentiments au risque de passer les
> bornes et d'être exalté, *je trouve que jamais l'instruction
> des temps modernes n'a été plus parfaite, et les institutions
> plus propres à répandre les lumières et à faire naître de pro-
> fonds génies. L'on ne saurait nier la supériorité des hommes
> fameux de ce siècle de gloire*. La peinture, les mathématiques, la
> guerre, la science administrative et commerciale ont agrandi
> leur sphère, et si la poésie est maltraitée, j'en viens d'indiquer
> les motifs [2].

---

1. Il faut évidemment entendre *éducation*, au sens le plus large du terme.
Mais Landon lui, va être plus précis.
2. *Lov.* A 244, f⁰ 18, v⁰. Il s'agit là de la toute première rédaction. Ce texte
ne figure pas dans l'édition, qui coupe après « une tout autre direction aux idées »,

On retrouve, mais nettement actualisé (il ne s'agit plus de l'humanité en général, mais du XIXᵉ siècle précisément) l'un des thèmes des œuvres philosophiques de 1818-1820. Balzac a probablement supprimé cette tirade parce qu'elle faisait digression dans une scène essentiellement romanesque, et en ceci, il se montre romancier plus avisé qu'au temps de *Sténie*, mais il est important pour nous que nous puissions retrouver le soubassement complet de la rapide et fière exclamation de Landon, qui n'a, dans le roman, de véritable intérêt que de « lancer » son interlocutrice :

> — Voilà bien ce dont nous nous plaignons, répliqua Mᵐᵉ d'Arneuse.
> — Quoi! vous regretteriez, madame, que Napoléon ait proféré en plein Sénat : là où est le drapeau, là est la France!...
> — La pensée est un peu nomade, repartit la marquise, enchantée de montrer tant d'esprit.
> — Vous regretteriez nos conquêtes?
> — Les ennemis sont en France.
> — Nos institutions.
> — Votre noblesse n'a qu'un jour [...][1].

Le tout dit sur un ton de profond dépit, qui n'empêche pas Mᵐᵉ d'Arneuse, un peu plus loin, de se dire « très disposée à croire aux perfections de la jeunesse d'aujourd'hui ». Landon peut alors boucler la boucle :

> Je n'ai pas prétendu, Madame, que nous fussions parfaits ; je m'étonnais seulement de vous entendre regretter le temps où nous étions constamment à vos pieds : *vous avez perdu des galants, mais vous gagnez des amants*[2].

Tout y est. Tout est intégré. Tout est récupéré. Tout est ouvert. Le « baptême de gloire et de raison », le progrès des lumières, la formation de profonds génies (on retrouve la notion non romantique du génie, non douloureuse, mais fonctionnelle, le génie-produit), les conquêtes objectives dans tous les domaines : c'est la part que pouvait revendiquer la révolution libérale, mais assumée, ici, avec plus d'exigences, avec moins d'esprit satisfait. Pour Landon, enfant du siècle, l'essentiel demeure en avant, dans une tension, non dangereuse, mais pleine de promesses, des êtres et de la société. Notre grand XIXᵉ siècle, de la *Physiologie du mariage* et de *Béatrix*, ses efforts de rénovation en tous genres, ses tentatives

et rend la parole à Mᵐᵉ d'Arneuse (*Wann-Chlore*, I, p. 177). L'inédit que nous citons ensuite était dissimulé sous un papillon collé. Ainsi dormait l'une des plus fières proclamations de foi de Balzac...
1. *Wann-Chlore*, I, p. 177-178. *Amants* est souligné par Balzac.
2. *Ibid.*, p. 180

immenses : c'est le vocabulaire lui-même qui déborde et entraîne les philosophies rassises. Dans ce baptême, dans ces conquêtes, Landon voit beaucoup plus que des acquis ou des résultats : des promesses. *Toute* la dynamique positive moderne est le bien de la jeunesse, quels que soient les périls encourus par la bourgeoisie. Mais Landon voit aussi non la *cause*, mais le *symptôme* de grippage : une formation trop abstraite, on dirait aujourd'hui trop utilitariste, qui néglige les puissances d'enthousiasme (mais, que menace l'enthousiasme ?). Balzac transpose-t-il quelque discussion avec son beau-frère Surville, homme de pratique *et* bourgeois ? Pourquoi cet éloge de la poésie ? La poésie est la seule chose qui n'aille pas dans le siècle : signe d'essoufflement de forces qui semblaient naguère infinies. Poésie est-elle, deviendrait-elle contraire à progrès ? Certainement pas, et Balzac marque ici nettement la distance qui le sépare des romantiques réactionnaires. L'ingénieur Gérard, en 1840-41, précisera la nature de cette poésie de la science, de l'entreprise, de la technique. Ce n'est certes pas à elle seule que pense Landon, mais aussi à une poésie plus littéraire : il est clair, toutefois, que, dans son esprit, il n'y a nulle incompatibilité entre puissance de la raison, de la technique, de la science et du sentiment. On retrouve ce prométhéisme total des essais de 1818-1820, qui conduira à Lambert, à Claës, mais avec cette fièvre, ce frémissement maladif, à partir du moment où se sera rompu le précaire équilibre des premiers espoirs. Ce contre quoi s'élève Landon, polytechnicien, ne l'oublions pas, c'est une *technocratie* qui fige et bloque l'élan du siècle, mutile son être et ses possibilités, dissocie ce qui devait aller et s'épanouir dans le même mouvement. La fin de l'échange avec Mme d'Arneuse le prouve : sérieux et sentiment, eux non plus, ne sont pas contradictoires. Au temps de la douceur de vivre, la *galanterie* n'était qu'artifice des sens ou de l'esprit ; aujourd'hui, l'*amour* [1] est à la fois grave et sincère. Seules peuvent le regretter les créatures attachées (pour des raisons non personnelles, mais de classe, ou de catégorie) à l'illusion, à l'artifice. Et ainsi, parti de considérations raisonnables (mais la *gloire* introduisait déjà émotion, partage, amour) on en vient à la

1. Cf. *Madame Firmiani* : « Ma nièce, autrefois, nous faisions l'amour, aujourd'hui, vous aimez » (C.H. I, p. 1047). Sur l'importance et la signification de ce passage au *sérieux* dans l'amour, inséparable du passage au sérieux dans la politique et dans tout ce qui touche à la vie (« La révolution nous a donc légué des mœurs sans gaîté, elle a donc empesté les jeunes gens de principes équivoques ? Tout comme mon beau-frère le jacobin, tu vas me parler de nation, de morale publique, de désintéressement », *Une double famille*, C.H. I, p. 961), cf. t. II.

formulation d'un humanisme complet, qui draine et valorise tous les éléments d'expansion de l'être (non de l'individu) dans le monde moderne.

On sent déjà, toutefois, la fêlure, et suffisamment suggérée par la mise en œuvre romanesque. Les malheurs devinés de Landon, sa retraite, l'incompréhension de Mme d'Arneuse, la solitude d'Eugénie, les regrets sur le caractère non poétique du siècle, sur son évolution vers trop de raison (non pas raison en soi, bien entendu, mais telle que la pratique et la compromet, en la limitant, la bourgeoisie, en en faisant un instrument non d'universalisation mais d'appropriation particulière), les ennemis qui sont en France (à ceci, Landon ne répond pas), la nouvelle noblesse qui n'a qu'un jour, tout ceci définit une atmosphère de *fragilité* et de fragilité *vécue*, *sentie*. Dans sa direction positive, Landon est l'être qui croit au progrès, aux Lumières, à l'amour; Landon poétise et intensifie l'héritage du xviiie siècle; il est de ceux qui ont participé aux victoires, qui ont été les artisans, non seulement les penseurs. A Mme d'Arneuse, recroquevillée dans ses souvenirs et dans ses regrets, ligotée par son manque d'amour pour le réel, il oppose une foi fièrement *moderne*. Par là, Landon est positif *et* anti-bourgeois. Mais, dans l'autre direction, c'est ce porte-parole du siècle neuf, ce même jeune homme à qui tout semblait promis, qui devient la victime du fatal amour de Salviati, qui s'embarque dans une nouvelle aventure avec Eugénie, puis retrouve Wann innocente et calomniée, alors qu'il est trop tard pour pouvoir être heureux, désormais, sans pouvoir faire de mal à personne. C'est lui qui, à Tours, se sachant déjà marié, prononce quand même les fatales paroles qui l'engagent à celle qu'il n'a cessé d'aimer, comme si, las de tant souffrir, et son innocence commençant à lui peser, il cherchait dans une fuite en avant, la solution de tous ses maux. Que de romantisme, ici, *et qui s'explique!* Une terrible fatalité semble peser sur tous, sur Landon comme sur Salviati, sur Wann comme sur Eugénie. *Qui est coupable?* Landon pardonnera à Salviati; Eugénie pardonnera à Wann. Une sorte de réconciliation, dans laquelle il serait absurde de ne voir que « bonne littérature » réunit les victimes, comme, sept ans plus tard, Lucien et Lousteau chez Flicotteaux, à la fin d'*Illusions perdues*. Sur la vie qui semblait s'ouvrir s'est abattue on ne sait quelle damnation. C'est Landon lui-même (Salviati le dira, et avec insistance) qui, en peignant son amour, a disposé lui-même dans l'âme de son ami les premiers germes d'une passion qui sera funeste à tous. Non, et Landon nous y conduit, dans cet univers, *il n'y a pas de coupables individuels.* Dans *L'Héritière de Birague* et dans *Clotilde de Lusignan*, Villani et Michel l'Ange étaient de *vrais* traîtres, des moyens de dire l'innocence fondamentale d'autres êtres, et donc, fondamentale aussi, du monde. Mais Salviati est un traître qui parvient à être émouvant. Le clivage bons-méchants, propre aux époques de certitudes, perd de sa signification. Il n'est de purs héros, il n'est de purs salauds, que dans les littératures, à tort ou à raison, s'appuyant sur une Histoire achevée. Dans *Wann-Chlore*, témoin du passage, qui n'est jamais facile, à une Histoire, et donc à une littérature dé-simplifiées, relancées vers l'inconnu, chaque être retrouve (mais pas nécessairement avec pour conséquence de la paralysie, au contraire, comme une richesse, comme une incitation nouvelle) à la fois irresponsable et responsable. Irresponsable, parce qu'engagé, embarqué dans un ensemble faussé. Responsable, parce que chaque geste, en un tel ensemble, fait de soi un criminel. Dès lors, le roman cesse d'être mécanique pour devenir thématique. A chaque thème (de personnage à personnage, ou à l'intérieur de chaque personnage) répond un autre thème complémentaire, indispensable à sa compréhension. Fatalité, donc, puisque chacun peut se retourner contre soi-même dans la recherche et l'identification des responsabilités, mais fatalité d'un type assez nouveau : si chacun est responsable, les autres le sont aussi, et le *moi* n'est pas coupable en sa profondeur, en sa *nature*, n'est pas *uniquement* coupable; les bases historiques encore perceptibles, d'autre part, de cette tragédie nouvelle, empêchent le passage total au métaphysique et à l'inexplicable. Le drame est ainsi retourné (facteur sinon de désespoir, du moins de réflexion, de nouvel effort) à l'ensemble humain, en même temps que chacun s'en trouve concerné. Eugénie n'est pas innocente : elle « aurait dû » ne pas tant croire à Landon. Landon n'est pas innocent : il savait ce que risquait Eugénie. Wann même n'est pas innocente : elle n'était pas assez réaliste. Quant à Mme d'Arneuse, le personnage de Mme Guérin dit assez qu'elle a été, elle aussi, prise dans un engrenage, que tout ne vient pas d'elle. Bien entendu, du point de vue littéraire, ceci a des conséquences capitales. Le monde se complique, se dramatise, et s'enrichit; le schématique devient impossible dans cet univers de l'ambiguïté. Mais ceci n'est intéressant qu'au second degré, comme témoignage de cette relancée de la vie dans les chemins du tragique, conséquence de l'apparition à sa propre conscience de la vie bourgeoise. La plus forte preuve, d'ailleurs, de ce que cet enrichissement littéraire, conséquence d'une complication et d'une dégradation humaine, conséquence d'affrontements nouveaux, met en pièces l'explication globale qui demeure celle de la bourgeoisie, est que Landon, qui vient de del Ryès, conduit au Gars. Or, del Ryès était l'adversaire déterminé du « chouan » Plancksey, alors que le Gars sera chef de Chouans. La continuité humaine, psychologique, *symbolique*, du héros de 1820 à celui de 1829 en passant par celui de 1823, continuité qui n'a rien de fabriqué, rien de forcé, mais qui sourd de la nature même des choses, continuité que rien ne peut valablement récuser ni mettre en cause, *continuité qui est la vérité* implique une rupture, une discontinuité de fait, dans ce que la bourgeoisie libérale s'obstine à tenir, à proclamer, à imposer, comme repères et comme valeurs. Que le héros anti-chouan de 1821 puisse finir en héros chouan de 1829, non seulement sans se trahir soi-même, mais encore en s'enrichissant, en gagnant en vérité objective (ce qui est plus important encore que la vérité simplement psychologique, subjective), que ce retournement politique extérieur, que cet abandon des positions schématiques du libéralisme, soit la conséquence nécessaire, heureuse, enrichissante, instructive, de la connaissance de plus en plus profonde, de plus en plus vraie, du monde moderne, que le héros, en suivant cette évolution, ne recule pas mais progresse, passe de l'abstraction philosophique à la réalité romanesque, voici qui dit clairement, et par les moyens de la vision, de la création par les moyens *du roman*, qu'il ne saurait plus être question de juger, d'évaluer, de classer, en s'en tenant aux normes et valeurs de la bourgeoisie. Souffrances, passions, enthousiasmes, dévouements, intensités de toutes sortes se définissent désormais, et de plus en plus, selon des lignes de force nouvelles, inattendues, et qui ne sont plus en rien celles de la bourgeoisie. Le drame du siècle n'est plus celui du seul combat libéral. Il est celui d'un combat encore terriblement ouvert et qui se cherche un langage. La littérature mourait de ce qu'avait de clos la conception bourgeoise de l'univers, de l'Histoire, de la vie. La littérature renaît de la réouverture de l'Histoire et de la remise en question de la vie, des structures et de l'organisation de l'univers malgré les affirmations de l'optimisme bourgeois. Comme on le verra à nouveau, en 1830, toute renaissance de ce genre, si elle regonfle et ranime l'histoire littéraire, doit être surtout interprétée comme un recul, et douloureusement sentie par des multitudes, de l'Histoire et des raisons de croire en elle. *Wann-Chlore*, ou la renaissance de la tragédie : une année auparavant, pour Honoré Balzac, en apparence il n'y avait que farce et polémique, sans ombre

ni mystère. Ce changement dans la manière d'écrire va plus
loin que toute imaginable élégie dans l'expression du mal
du siècle.

*

Annette et le criminel fut écrit pendant l'été de 1823, à
Vouvray, chez M. de Savary qui, décidément, prenait la
place de Villers-la-Faye depuis la mort de ce dernier, en
mai 1822. A Paris, Sautelet veillait à *La Dernière Fée*, qui
allait assez mal. *Wann-Chlore*, que son auteur avait refusé
de vendre à vil prix, était remisé dans un tiroir dans l'espoir
d'une occasion. En attendant, l'auteur, très éprouvé par les
durs mois qui venaient de s'écouler, avait grand besoin de
se refaire. Obéissant aux conseils de Nacquart, il était donc
allé se reposer en Touraine. Loin des salles de rédaction,
loin des coulisses, loin de tout, il se remettait à l'ouvrage,
n'ayant toujours rien réussi. Mais aussi, il se reprenait,
revenait, ou venait, à bien de l'essentiel qui demeurait
à dire en lui. C'est ainsi que, d'abord, il se lançait dans une
complexe opération poétique qui devait aboutir au long essai
de *Fœdora*, et, d'autre part, poser d'étranges jalons en vue
d'une poésie « romantique » et « moderne ». C'est ainsi encore,
que, creusant un sillon inattendu (mais annoncé par certaines
pages de *Wann-Chlore*), il allait, dans un tout autre sens,
en apparence, vers des thèmes religieux. On savait déjà
que cette année 1823, année d'épanouissement de l'amour
pour Mme de Berny, année de relative indépendance, puisque
Balzac a cessé de travailler pour Le Poitevin, et puisque ce
n'est que fin 1823 - début 1824, qu'il fera la connaissance
d'Horace Raisson, avait été une année de renouvellement.
Mais le séjour en Touraine et les diverses entreprises, de
l'été à l'automne, montrent un Balzac cherchant, par tous les
moyens, et toujours avec les mêmes difficultés, à saisir de
droit-fil un réel de plus en plus fuyant, de plus en plus
complexe. Justice, amour, patrie, société, notions naguère
imaginées comme simples, sont des notions complexes,
décevantes, controversées. La vie est-elle dans un accomplissement lumineux, fécond, positif, ou bien est-elle beau geste,
courage, attitude? Les puissances d'amour et de fidélité
qui sont en nous, comment peuvent-elles jouer, et au profit
de qui, et de quoi? L'image de la cité se dissout, et, en conséquence, s'affirment les individus, les histoires privées. Un
jeu complexe s'établit entre fidélité au réel (qui conduit à

la littérature du geste, de l'individu, de l'authentique saisi au niveau le plus secret) et nostalgies d'une unité, d'un ensemble. Les trois essais de chez Savary marquent assez bien cette avancée.

Fœdora est une œuvre ambitieuse, dont Balzac a soigneusement conservé le manuscrit, calligraphié avec amour. L'intérêt de ce long poème n'est pas seulement de faire apparaître un nom que rendra célèbre *La Peau de chagrin*[1]; il est surtout dans le thème : une jeune femme valse, à l'ambassade de Russie, avec un beau et jeune Français nommé Georges; mais celui-ci est rongé par une inexplicable mélancolie. Qui est d'ailleurs, Georges? Ils doivent partir ensemble, mais, la veille de leur départ, Fœdora, arrêtée en voiture par une foule immense, aperçoit sur l'échafaud celui qu'elle aime montrant au peuple une tête sanglante. Fœdora avait aimé le bourreau. Elle meurt subitement, foudroyée, et Georges la suit dans la mort.

A partir d'un résumé en prose, Balzac s'est efforcé à versifier, selon des recettes qui n'ont guère évolué depuis *Cromwell*. Faisons-lui grâce pour ces strophes insupportables d'artifice. Mais insistons sur la profondeur de l'imprégnation, sur la difficulté, encore, d'inventer un style. Voici les strophes du bal :

> *D'un messager des czars, la demeure sacrée*
> *Admire en ses lambris cette belle adorée*
> *Éblouir tous les yeux*
> *Par les brillants contours de sa robe flottante*
> *Le poli de ses flancs, leur souplesse élégante,*
> *Et l'or de ses cheveux*[2]
> . . . .
> *Assise avec amour dans les bras de son guide,*
> *Gracieuse elle glisse, et d'un pas si rapide,*
> *Qu'elle semblait aux yeux*
> *Une nymphe du soir menant le doux cortège*
> *Des trois grâces en chœur que Diane protège*
> *De ses plus tendres feux*[3].

Voici un passage de récit :

> *Il a quitté ses fers, il se glisse avec peine,*
> *Et tout souffrant encore, il retient son haleine,*

---

1. A noter que Fœdora, en 1823, loin d'être une « femme sans cœur », est une femme-ange et une victime. Le nom slave de Fœdora, ou Phédora, vient probablement de *La Jeune Sibérienne*, de Xavier de Maistre.
2. *Lov.* A 83, f° 23.
3. *Lov.* A 83, f° 3, v°. L'abbé Delille est certes battu par la périphrase qui désigne l'ambassade russe et l'immunité y attachée... On mesure bien ici quelle chappe de plomb faisait peser le style classique sur l'expression du réel.

> *Il gravit les rochers en silence et sans bruit,*
> *Car de la sentinelle, au milieu de la nuit,*
> *Il craint de réveiller la prudence endormie* [1].

Voici, enfin, une apostrophe :

> *Pourquoi de Fœdora l'épouvantable guide*
> *Soulevant un couteau justement homicide*
> *Ne fait-il pas rouler*
> *Cette tête où l'amour, où la beauté respire,*
> *Où son moindre regard fait éclore un sourire*
> *Plus doux que le parler* [2]*?*

Il arrive, toutefois, que Balzac tombe mieux, lorsqu'au lieu de simplement et platement décrire ou raconter, il exprime quelque chose comme le sentiment de la solitude et de l'exil :

> *Souvent, de son amie, éprouvant la tendresse,*
> *Succombant, disait-il, sous le fardeau d'un crime,*
> *Aurai-je ton amour?*
> *Offrant à l'Éternel mon âme toujours pure,*
> *Par mes larmes d'amour, j'effacerai l'injure*
> *Du livre du destin* [...]
> *Ton âme à Fœdora serait une patrie* [3].

Fœdora n'a pas connu l'amour, « son mari étant mort avant de franchir le seuil nuptial l'avait laissée vierge... ». Tout Moscou l'avait comparée à l'arche du Seigneur dont l'approche donnait la mort [4] », et, de sa froide solitude, elle a passé brusquement au désespoir et à la mort. Cherchant la vie, elle a trouvé celui qui donne la mort. Elle l'aurait aimé, sauvé, peut-être, et ce va être le thème central d'*Annette*. Mais le bourreau, dans nos sociétés, est pire qu'un criminel. « Il est ce que les hommes respectent le plus [5] », mais il est, personnellement, le réprouvé, Satan sur terre. La *Physiologie du mariage* relèvera une contradiction du même ordre : l'organisation sociale pousse à la débauche, mais ne saurait la reconnaître, assumer toutes les conséquences de ce qu'elle est. Fœdora est une autre figure de fatalité, de prédestination. Gracieuse et belle, aimante, prête au sacrifice, prête, aussi, en ce sacrifice, en ce dévouement, à s'y trouver, à s'y retrouver pleinement, fille du Nord à la recherche d'une patrie, elle est une figure féminine complexe et significative.

---

1. *Lov.* A 83, fᵒ 15.
2. *Lov.* A 83, fᵒ 23, vᵒ.
3. *Lov.* A 83, fᵒ 8, vᵒ.
4. *Lov.* A 83, fᵒ 1.
5. *Lov.* A 83, fᵒ 2.

Balzac n'a certainement pas composé le poème qui porte son nom uniquement mû par des mobiles « littéraires ». Il continuait certes, et *Fœdora* en est un témoignage, à rêver d'être autre chose qu'un romancier pour cabinets de lecture, mais le fond de l'inspiration, dans ce poème, trop guindé, souvent d'un faux insupportable, est la pitié pour les victimes sociales, pour les êtres qui méritaient autre chose que ce que leur réserve une société dure et hypocrite. Le thème du bourreau, de la peine de mort, la foule, la place, l'exécution capitale, tout ceci est bien encore un peu ennobli, décoré, mais c'est par là quand même que le réalisme s'introduit dans cette histoire distinguée. *Fœdora* incomprise, *Fœdora* liée aux symboles de solitude et de mort, c'est encore la vie qui se referme sur la beauté, la jeunesse.

Mais il est très important que, en même temps qu'il prenait acte de cette fermeture de la vie, Balzac ait songé à une autre entreprise poétique qui, elle, au contraire, aurait été toute d'ouverture et d'affirmation. *Fœdora* peut passer pour un poème romantique, et l'on voit bien ce que son inspiration peut avoir de commun, par exemple, avec l'*Eloa* de Vigny. Mais, précisément, au même moment, Balzac s'efforçait à définir un romantisme d'un type particulier, allant absolument en sens contraire du romantisme démissionnaire, et par là donnant à *Fœdora* son véritable sens.

Sur l'état du problème à cette époque, nous avons le témoignage direct de Delécluze. En mai 1823, à la veille de son départ pour l'Italie, la France bouillonne. L'opposition se déchaîne contre le pouvoir. La royauté semble menacée. « *Comme résultat secondaire de cette fièvre principale*, on était disposé à changer radicalement les principes sur lesquels avait reposé jusque-là la culture des lettres et des arts », et Delécluze de préciser, à propos des jeunes gens qui se réunissaient chez lui : « en deux mots, ils étaient, pour employer des expressions consacrées à cette époque, libéraux et romantiques, et, selon toute apparence, quelques-uns d'entre eux étaient affiliés au carbonarisme[1] ». Ces romantiques-là, ce n'est, évidemment, ni Lamartine, ni Vigny, mais Mérimée, Stendhal, qui publie son *Racine et Shakespeare*, Sautelet, Stapfer. Carel, Thiers et Mignet ne rejoindront le groupe qu'en 1826, lorsque le quartier général en sera devenu la librairie de Sautelet, place de la Bourse[2], mais, dès 1823, l'orientation « à gauche » ne fait aucun doute, tant en litté-

1. Delécluze, *Souvenirs...*, p. 225.
2. *Ibid.*, p. 450.

rature qu'en politique. Le romantisme de droite était une absurdité, un faux romantisme. Il fallait remettre le problème sur ses pieds. Or, c'est en cette même année 1823 que Balzac est en relations très amicales avec Sautelet : celui-ci, très lancé dans les milieux de la Presse, l'a aidé pour le lancement de son sixième roman, *La Dernière Fée*. Serait-ce alors que fut ébauché le projet de *Catilina?* Il y a, on va le voir, plus important, plus probant. Balzac a certainement participé à des discussions; il a certainement été frappé, lui aussi, par cette contradiction que signalera plus tard Lousteau à Lucien de Rubempré : « *Les écrivains royalistes sont romantiques, les libéraux sont classiques* [1]. » Il fallait une poésie nouvelle, nationale, expression non plus de regrets et d'impuissances, mais bien d'ardeurs et de solidarités tournées vers l'avenir. Se souvint-il d'avoir lu Thierry en 1820? Toujours est-il qu'à l'été 1823, dans le calme de la Touraine, reprenant tout ceci, il eut fermement l'idée de s'atteler à une œuvre peut-être impensable au temps où il raillait le romantisme à la d'Arlincourt.

Pendant qu'il travaille à *Annette et le criminel* et à *Fœdora*, il jette, en effet, sur le papier diverses ébauches poétiques consacrées aux gloires impériales et aux malheurs de la France :

> *Gloire au jeune sculpteur*
> *Montrant à des Français leur éternel honneur*
> *Sous les traits du soldat de la garde*
> *Et gravant sur son front échappé au cercueil*
> *Le mot sacré patrie et la patrie en deuil.*
> . . . .
> *Parler*
> *Pleurer sur Waterloo comme l'avait fait Homère*
> *Chanter*
> *Porter à l'avenir le nom de nos héros* [2].

Pleurer sur Waterloo comme l'avait fait Homère : le récit de Goguelat, en 1833, tiendra un peu cette promesse. Avant le bonapartisme anti-Juste-Milieu, il a existé, chez Balzac, un bonapartisme libéral, sentimental, anti-Villèle, dès 1823.

---

1. *Illusions perdues*, éd. Adam, p. 262-264. A. Adam explique que cette distinction ne vaut pas pour la date de l'arrivée de Lucien à Paris, soit 1821. La véritable querelle n'aurait commencé qu'en 1823. Or, nous l'avons vu, le débat avait été institué dès 1820. Peu importe que Lamartine ne soit pas alors considéré comme romantique, et d'ailleurs refuse de l'être. Au niveau de l'humble pratique de la lecture journalière, Brisset, d'Arlincourt, Nodier, définissent bien un romantisme de droite, alors que les journaux sont fermement classiques, et Balzac est ici parfaitement fidèle à ses souvenirs. Mais ceci n'exclut nullement l'*accélération* de 1823.

2. *Lov.* A 240, f° 68, v°. Ces vers figurent sur des enveloppes de lettres adressées à Balzac chez Savary, à Vouvray, en août 1823.

En 1833, libéré des servitudes absurdes de la prosodie, la prose ayant définitivement acquis ses lettres de noblesse, Henri Monnier et quelques autres ayant frayé le chemin, il trouvera dans le style populaire l'instrument qui lui manquait dix ans auparavant. Mais dès cette époque, l'idée de nourrir l'œuvre, la poésie, de thèmes modernes (thèmes de gloire, thèmes de frustration), est déjà là, qui est un dépassement des attitudes un peu sommairement « bourgeoises » des premiers romans. De nouveaux types de vibration ont fait leur apparition. Des perspectives s'ouvrent. Immenses, théoriques ou pratiques :

> Une muse nouvelle à chanter se prépare,
> *Dédaignant les couleurs dont une autre se pare.*
> *Jeune, elle ose vêtir de jeunes ornements*
> *Où des siècles nouveaux éclatent les talents.*
> *Autour de ses cheveux, pliant le cachemire,*
> *Dans un cristal fidèle elle-même s'admire*
> *Et sourit à son front étincelant d'amour* [1].

Cette Muse nouvelle ne serait-elle que la Muse de la beauté, de l'amour? Certes non! Il s'agit bien d'une Muse *politique*. Les quelques épaves sauvées ne laissent aucun doute à ce sujet :

> *Et mêlant*   *une voix mutinée*
> *Et mêlant*   *sa voix pure*
> *Et se mêlant aux cris d'un grand peuple irrité*
> *Elle dira cent fois liberté! liberté* [2]!

Balzac a ajouté, en marge :

> *Sans mépriser des Grecs la mythologie riante*

ce qui est un coup de chapeau donné à la culture traditionnelle, mais aussi un adieu; le temps du pseudo-classicisme s'éloigne, comme s'éloigne celui d'un romantisme catholique et monarchiste. Comment les diverses libertés, spontanément complémentaires, continueraient-elles longtemps à le combattre? Si la muse nouvelle sourit à son front dans le miroir, elle sourit aussi « à son luth éloquent »,

> *mais plus au troubadour*
> *Qui brûlant de lui plaire a secoué ses chaînes,*
> *Dont on chargeait Pégase, au lieu des nobles rênes,*
> *Au cuir souple et léger que les anciens chanteurs,*
> *Insouciants des lois, laissaient à son ardeur* [3].

1. *Lov.* A 240, fᵒ 68.
2. *Ibid.*, fᵒ 68. Selon son habitude, Balzac a laissé le milieu du vers en blanc, n'ayant trouvé que l'attaque et la rime.
3. *Ibid.*, A 240, fᵒ 68.

Mathurin Régnier, certes, et toute une tradition anti-Boileau, mais aussi, une réaction « libertaire », sous le coup de laquelle tombent aussi bien les académistes de la droite que ceux de la gauche. Libre inspiration : qu'est-ce exactement à dire, en 1823, la « Muse nouvelle », surtout, ayant été préalablement définie?

Faut-il invoquer un inspirateur proche, immédiat? Comment ne pas rappeler que, quelques mois auparavant, Stendhal avait publié la première page de son *Racine et Shakespeare* [1]? Certes, il condamnait fermement l'usage de l'alexandrin, « cache-sottise », et surtout au théâtre. On sait d'ailleurs que, sur ce point, les novateurs littéraires furent longtemps divisés, les uns, de Mme de Staël à Hugo, tenant pour la noblesse que seul donne le vers, les autres, de Stendhal à Mérimée, et plus tard à Balzac, tenant pour la vérité de la prose. Mais Balzac, demandant un retour à la nature dans l'expression, plaidant pour secouer le joug des lois, demandant, enfin, une poésie nationale, qui s'inspirât de l'Histoire récente, proposant, même, l'exemple des malheurs de 1815, même si, mal libéré encore, il ne conçoit de haute littérature qu'en vers (et quel succès de son œuvre en prose pourrait venir le persuader en sens inverse?) ne semble-t-il, sinon avoir lu, du moins être en total accord objectif, avec Stendhal? En fait, et Balzac le prouve, malgré quelques contradictions secondaires qui persistent, le problème romantisme et politique est en train de muter. La base sociale et culturelle du romantisme de droite est objectivement conservatrice, celle du romantisme de gauche objectivement progressive. Au prix de la liquidation de réflexes pseudo-critiques (désormais), et voltairiens à gauche; au prix de la réorientation des inquiétudes authentiques à droite, les choses commencent, non à coup de manifestes, mais au niveau de la recherche et des œuvres, à se recadrer. C'est le moment, alors, de relire cet étonnant prospectus de la *Société des Bonnes Lettres* qui, en janvier 1821, avait entrepris une croisade sans ambiguïté, tout en étant, et en se voulant, citadelle du romantisme [2]. « S'il est vrai que la littérature soit l'expression de la société, on peut se faire une idée de ce qu'a pu être la littérature française durant trente années de révolution. Pouvait-elle être autre chose que l'expression de la révolte, de la discorde, de l'impiété, de toutes tes passions furieuses qui troublaient la France? Que de lalents ont péri dans ce vaste naufrage! L'esprit humain

1. B. F. du 8 mars 1823.
2. Les frères Hugo, Lamartine, Vigny, Nodier, Soumet, Émile Deschamps, y côtoyaient Fitz-James, Vitrolles, etc. Chateaubriand fut président en 1822, après Fontanes.

se serait tout à fait égaré, et l'on ne peut savoir où nous aurait conduits *l'orgueilleuse barbarie du siècle*, si les âges précédents ne nous eussent laissé leurs importantes leçons et leurs impérissables modèles. Ce sont ces modèles et ces leçons qui serviront de flambeau et de guide à la *Société des Bonnes Lettres* pour faire revivre le goût des bonnes doctrines et des bonnes lettres [1]. » Où était, dans tout ceci, la moindre promesse de réelle ouverture? Nodier, sans le vouloir, et disant la même chose que Stendhal, faisait voler en éclats toute la boutique; il suffisait de s'entendre sur quelques contenus et quelques définitions : « Le romantique pourrait bien n'être autre chose que le classique des modernes, c'est-à-dire l'expression d'une société nouvelle, qui n'est ni celle des Grecs ni celle des Romains [2] ». Fœdora, Waterloo, la vie privée : la poussée des *sujets*, signe de la poussée de nouvelles expériences sociales, fait nécessairement craquer les formes. Tout se tient, tout avance, contre les mêmes adversaires, et les tentatives de Balzac, dans la seconde moitié de 1823, doivent mettre vivement en garde contre tout schématisme, contre toute simplification : progresser, ce ne saurait être seulement, de faire la littérature de Waterloo, de la littérature *directement*, anecdotiquement, engagée. Car, s'il est clair que Balzac songe alors, comme Stendhal et le groupe Delécluze, à une poésie romantique de gauche, en même temps, dans un même mouvement, cette récupération de la poésie par la liberté s'accompagne d'une possible réhabilitation de certaines figures « poétiques » naguère encore annexées par le romantisme de droite, et que va enrichir ce romantisme que l'on n'attendait pas. Figures de douleur, de solitude, d'exil : à mesure que la conscience libérale se marque de difficultés, de désenchantements, elle accentue sa redécouverte des aspects importants et féconds du romantisme. Poète national, libéral, patriote, poète de la jeune France et de ses souvenirs, de son patrimoine contre la gérontocratie (qu'elle soit explicitement celle du retour de Gand ou, déjà plus clairement, celle de tous les opportunismes bourgeois), Balzac se veut aussi poète de la vie émouvante, de l'amour, de la mort. Les créatures poétiques qu'on avait vues paraître avec *Le Vicaire des Ardennes* prennent consistance; elles se font héroïnes fraternelles. Balzac rédige, pour sa « grande machine », *Fœdora*, une dédicace qui complète sans aucune équivoque les fières déclarations versifiées ci-dessus :

---

1. *Société des Bonnes Lettres, Prospectus*, janvier 1821.
2. Cité par René Bray, *Chronologie du romantisme*, p. 69.

Les poètes anciens avaient autour d'eux de nobles divinités, des vierges au doux sourire, des âmes grandes, et lorsque leur imagination fascinée par son propre vol vers le ciel s'inclinait vers la terre, ils reprenaient un essor sublime, encouragés par des amis, des maîtresses. Beaux jours où ces hommes divins étaient écoutés, honorés avec enthousiasme, vous n'êtes plus, et lorsqu'un poète rencontre une de ces belles âmes, ne doit-il pas lui consacrer ses chants ? C'est à elle que sera dédié *cet essai d'une jeune Muse.*

Et voici, oui, dans un même mouvement, le Balzac romancier de l'Histoire moderne, et voici le Balzac « romantique », « fantastique », le Balzac fulgurant qui s'épanouira en 1830, et voici, inséparable, en cet été 1823, *Annette et le criminel,* scène de la vie privée, roman réaliste, roman-poème de la révolte et de la mort. Voici, vraiment, la littérature de la société nouvelle.

Annette avait été annoncé par une note en fin du *Vicaire des Ardennes.* Il n'est pas impossible que Balzac doive l'argument central à une histoire qui lui aurait été rapportée par M. de Berny. D'autre part, les sources littéraires sont claires : le *Jean Sbogar*, de Nodier (1818) et *Le pirate*, de Walter Scott (trois traductions en 1822) [1], avec le thème des amours d'un bandit et d'une jeune fille de la bonne société. D'autre part, il semble évident que Vidocq (même si Balzac ne l'a pas connu dès cette époque, il en a certainement longuement entendu parler par M. de Berny, qui lui avait fait obtenir, en 1818, des lettres de grâce, et depuis, le fréquentait assidûment) a fourni beaucoup à ce premier roman balzacien du « milieu » [2]. Par là, d'ailleurs, *Annette et le criminel*, d'un romanesque « romantique » a *pu* passer à un romanesque plus réaliste, posant des problèmes d'importance, comme ceux des rapports entre l'Ordre et les forbans. Chez Nodier, comme chez Scott, les héros sont nobles et distingués. Avec Vidocq, on prend la société à bras-le-corps, et le thème du brigand gagne en justification réaliste. A noter que la langue de la pègre, élimi-

---

1. Balzac a pris à Nodier l'amour de Sbogar pour Antonia, l'épisode de Sbogar déguisé dans la voiture de celle qui l'aime et révélant son identité lors d'une attaque menée par ses propres hommes, les discussions entre Sbogar et ses hommes sur cet amour qui compromet l'intérêt de la troupe, mais, alors que Sbogar est un jeune homme triste, un ange exilé dont la fatalité a fait un ennemi des sociétés décadentes, Argow sera un robuste champion, un homme du réel. Quant au roman de Scott, le héros de Balzac lui doit peut-être la moitié de son nom : Jean *Gow.*
2. Un détail important semble bien prouver l'existence de liens précis entre le roman de 1823 et l'histoire de Vidocq. Dans les *Mémoires* de Vidocq, il est question d'une femme qui fut une amie fidèle et dévouée pour le forçat en rupture de ban : *elle s'appelait Annette.* Cf. Paul Vernière, *La Genèse de Vautrin* (R.H.L.F., janvier-mars 1948) et Jean Savant, *Les Vrais Mémoires de Vidocq.*

nant peu à peu le langage convenu des brigands de la tradition littéraire, véhicule avec elle toute une signification neuve, et il semble, d'ailleurs, que se soit opéré, avec *Annette*, sur un large front, un véritable épanchement du réalisme dans le littéraire : le roman devait avoir, d'abord, trois volumes seulement, et avoir pour titre, simplement, *Le Criminel*; les Gérard n'étaient probablement pas au départ, et c'est le thème de la vie privée, de ses interférences avec l'exceptionnel et le dramatique, qui aurait entraîné cette explosion, la seconde depuis les débuts de Balzac. Mais alors que *Le Centenaire* s'était développé dans le sens d'une exploitation philosophique d'un thème au départ purement romanesque, *Annette* a dû connaître le même sort dans le sens d'une intériorisation du thème primitif. Argow, dans *Le Vicaire des Ardennes*, n'intervenait que de l'extérieur, l'essentiel de la lumière demeurant sur Joseph, Mélanie et Mme de Rosann. Cette fois, le voici directement au cœur du roman, tout ce qu'il est venant donner des reliefs inattendus à ce qui sommeillait chez Annette Gérard. D'un roman narratif on passe à un roman-rencontre, à un roman-invention. Le criminel échappe au spectaculaire et au coloré pour désormais relever de l'art de poser les problèmes.

Une fois de plus, le point de départ est réaliste, mais sans doute avec encore plus de force et d'exactitude. Balzac, semble-t-il, puisera dans ce roman, comme dans l'un des plus authentiques, l'un des plus « balzaciens » qu'il ait écrits en sa jeunesse. Ou, plutôt qu'il puisera, il *continuera* dans cette veine naturelle à laquelle il ne sera que d'ajouter, par cette mutation qui constituera le roman moderne, une dimension d'épopée. La famille Gérard, le vieil employé mis à la retraite, l'appartement du Marais, les promenades autour de la place des Vosges : autant de souvenirs. Annette elle-même peut être considérée comme le symbole des désirs d'évasion, des aptitudes au sacrifice, à l'héroïsme, à une vie plus pleine, qui travaillent la pâte bourgeoise. Tout ceci se retrouvera : Luc-Joachim Gérard remercié en faveur de M. de La Barbeautière, c'est déjà Rabourdin sacrifié à La Billardière (il suffira de renforcer l'anecdote des souvenirs de l'affaire Surville); la famille Gérard qui se serre autour de son chef ainsi frappé, Annette qui offre de faire de la dentelle pour aider à subvenir aux besoins de tous, c'est l'empressement de la famille Birotteau, le dévouement de Césarine; surtout, Annette, amoureuse de son cousin Charles, à qui elle remet son argent, la trahison de ce dernier, l'extrême et ferme dignité de la jeune fille bafouée, c'est bien *Eugénie Grandet*.

On peut aussi remarquer que ce petit coquillage blanc tacheté de brun que porte M. Gérard au bout de sa chaîne de montre, Balzac en avait déjà longuement parlé dans *Une heure de ma vie*, en 1821, se livrant à plus d'une équivoque au sujet de ses évocations féminines [1]. Balzac part du vécu, et d'un vécu qu'il fera revivre. Exactement comme dans *Wann-Chlore*, tragique et poésie ne viendront qu'ensuite, infiniment plus forts et plus intéressants d'être partis du réel le plus aisément reconnaissable. Balzac aurait pu, à partir de sa note du *Vicaire des Ardennes*, ne faire *que* du terrifiant. Le sujet « vie privée » a sans doute contribué à infléchir l'ensemble.

La note de l'éditeur, à la fin du *Vicaire des Ardennes*, laissait espérer des « aventures », et, de fait, le roman de 1823 fait une large place à celles d'Argow et de sa bande. La guerre à la société prend même, au dernier volume, une dimension exceptionnelle, avec une véritable bataille rangée, un défi aux magistrats et à la police, etc. Toutefois — et le titre le suggère suffisamment — l'essentiel de l'œuvre est dans le roman d'amour d'Argow et d'Annette. C'est dans la lumière de ce roman d'amour que l'histoire du criminel, de sa bande, et de son procès, prend son véritable sens. Il s'opère même comme un retournement total de l'histoire, et ce, par suite du glissement de l'intérêt du pirate à Annette. C'est elle le point de départ, c'est elle qui rencontre Argow, plus que lui ne la rencontre. On ne saurait dire à quel moment Balzac a opéré ce changement capital, mais on imagine aisément, d'abord un roman Argow, puis, de la rencontre avec Annette, tout un début refait, ajouté, Annette, désormais, conduisant à Argow, non le contraire. Ainsi, plus tard, dans la version définitive, du *Curé de village*, Véronique Graslin conduira à Tascheron, alors que c'était primitivement l'inverse [2]. Étant donné la parenté thématique des deux romans, l'hypothèse prend de la force. Or, qu'est-ce qu'Annette? Vidocq a pu fournir un personnage de femme dévouée jusqu'à la mort à son amant poursuivi. Mais Annette, au départ, chez Balzac, est tout autre chose. Dans le plat milieu des Gérard, Annette incarne une *qualité*. Sa fermeté, l'impression constante qu'elle

1. *Annette et le criminel*, I, p. 21, et *Une heure de ma vie*, H. H. XXV, p. 574 sq.
2. Le feuilleton publié par *La Presse* au début de 1839 commençait par le thème du curé de village, lié à celui du crime d'un de ses paroissiens. Arrivant à Montégnac, Balzac contait alors le passé de Véronique, bienfaitrice du village. L'ordre est inversé dans l'édition définitive et complète de 1841, la scène de la vie privée constituant le point de départ. C'est l'exacte reprise du schéma de 1823. Quant à l'amour de Véronique pour un criminel, on voit assez quelle en est la source balzacienne.

donne d'être d'une autre race, sa pudeur, tout ce qui, en elle,
rappelle et renforce le personnage d'Eugénie d'Arneuse, font
d'elle, *de l'intérieur* de l'univers bourgeois, une force silencieuse qui fait brèche. Son père est le bourgeois mécanisé,
sans horizon; son cousin Charles de Sérigné est le bourgeois
en action, qui découvre dans l'ordre social la grande loi
des raccourcis; Charles reprend Courottin, mais en plus
dur, en plus avide; Courottin grappillait; Charles de Sérigné
envisage de devenir l'amant de la maîtresse d'un haut
personnage et de voler, d'un coup, à tout. Mais Charles est
un pauvre être; il se force; il n'a pas d'envergure réelle. Faut-
il regretter que Balzac le convertisse finalement, qu'après
avoir profité de l'argent de sa cousine, il se jette à ses pieds et
se fasse son allié? Sans doute, cette résipiscence est-elle un
hommage rendu aux valeurs incarnées par Annette : Granville lui aussi, plus tard, se rendra à Véronique. On peut
penser, aussi, que, pour Balzac, le temps des grands monstres
et des réussites scandaleuses, *mais réelles*, n'est pas encore
venu? Que, également, une sorte de royauté du sentiment,
de la vertu, guide encore son inspiration? Peu importe,
d'ailleurs, car Charles de Sérigné n'est qu'une indication
intéressante par rapport à ce qui suivra. S'il *dure* moins qu'Annette, c'est que Balzac, par Annette, dit des choses plus importantes. Annette, sans phrases, sans éclat, Annette fille sage [1]
est présence, au cœur de l'univers bourgeois, d'exigences
qui dépassent la bourgeoisie. Balzac avait eu, certainement,
sous les yeux, de ces petites sottes appelées à devenir ce qu'ont
été leurs mères, de ces filles fades et mesquines, comme leur
propre classe, et contre lesquelles les poètes s'ingéniaient,
depuis longtemps, à refaire des héroïnes nobles. Mais la
noblesse d'Annette, instinctive, est symbole de tout ce que
contient, et de tout ce qu'ignore, la vie bourgeoise. Qu'Annette tranche sur les coteries de Valence, sur les cancans,
sur les soirées au coin du feu, sur les petites ambitions et les
petites économies, prépare sa transformation finale, sa fidélité
envers et contre tous à celui qu'elle a choisi, sa déclaration
de guerre à une société qui n'a rien compris, et ceci est d'une
tout autre portée que des jurons de forbans. La véritable

---

1. L'enfance, la jeunesse, sérieuse et pudique d'Annette, sa chambre, tout
ceci est préfiguration directe, évidemment, des mêmes éléments, en 1839, dans
l'histoire de Véronique Sauviat qui, elle aussi, fera brèche dans l'univers de ses
parents, de ses amis, et sera, elle aussi, une héroïne de la révolte sans littérature.
En faisant *durer* davantage Véronique, Balzac accentuera seulement le pouvoir
de silence et de fidélité de cette créature d'élite. On note un peu la même évolution
d'Eugénie d'Arneuse à Eugénie Grandet. C'est bien la *durée* qui fait passer vraiment au personnage de roman.

révolte, la révolte profonde, durable, significative, ce n'est pas, ce n'est plus Argow et sa pacotille qui l'incarnent : *c'est Annette*. Religieuse, Annette ? Certes, mais d'une religion qui ne saurait en rien être celle du vulgaire. Bigote, Annette ? Certainement pas, et qu'a-t-elle à voir avec les missions Villèle ? Non, mais sérieuse, fidèle. *Propre*. Balzac est ici nettement sur la voie de protestations qui n'auront plus besoin d'oripeaux et qui monteront directement du cœur même de la vie privée. Comme tout est misérable et plat, à côté ! Véronique elle aussi, plus tard, fera pâlir, de sa lumière mystérieuse, tous les installés de Limoges. La nouvelle opposition, la nouvelle résistance, inaugurée avec Eugénie d'Arneuse, se précise et prend corps. De nouvelles héroïnes naissent au siècle, encore trop engagées, finalement, dans le cas d'Annette, dans le roman noir (mais l'héroïne du *Capitaine parisien*, en 1832, la fuite en compagnie d'un autre pirate sur un bateau de rêve prouveront que Balzac sera long à se déprendre de ce genre de mise en œuvre), mais seulement en ce qui concerne l'intrigue, et ce qu'il faut bien encore que le roman apporte aux lecteurs, et absolument plus en ce qui concerne la *psychologie* et le *style* de présence, la constitution fondamentale et la manière d'être. L'ensevelissement final d'Argow dans l'île des peupliers, l'ensevelissement de Julien Sorel, l'île de la Vienne de Véronique : ces secrets et ces fidélités, ces ostentations qui ne sont que figure, au fond, de ce qui se passe dans l'âme, on y trouve, à la fois, l'héritage des « scènes » du romanesque traditionnel et la fidélité, la densité, d'un romanesque plus intériorisé [1].

Argow, dans cette perspective, change quelque peu de signification. Extérieurement, il demeure chef de bande, et, lorsqu'il faiblit, Vernyct est là pour assurer le relais. On peut même penser qu'il y a recul par rapport à 1822, Argow s'apprêtant, alors, à devenir pirate des salons, des châteaux, après l'avoir été des océans, Argow se « civilisant », alors qu'en 1823, l'affrontement avec la société constituée se fait à nouveau par les combats, les embuscades, les assauts donnés aux prisons, etc. Ce n'est plus le corps à corps silencieux, avec

---

1. Stendhal, qui connaissait peut-être Balzac depuis 1825-1826 (cf. *supra*, p. 330) avait-il lu *Annette et le criminel* ? Dans *Armance*, en tout cas, en 1828, Octave de Malivert demandera à Armance si elle l'aimerait même criminel, et celle-ci se déclarera prête à tout faire pour l'aider à se racheter, à se sauver. L'ensevelissement de Julien Sorel par Mathilde, d'autre part, rappelle étrangement l'ensevelissement d'Argow par Annette. Comme il est patent que Balzac avait lu *De l'Amour* pour écrire la *Physiologie du mariage*, comme on a déjà relevé une rencontre avec les théories littéraires de *Racine et Shakespeare*, on voit que l'admiration proclamée en 1830 pour *Le Rouge et le Noir* a d'assez profondes racines.

la complicité des institutions, c'est à nouveau, et au prix de quelles invraisemblances, le roman d'aventures avec son pathétique forcé. L'une des causes en est sans doute le transfert de la révolte véritable à Annette. Mais l'une des causes, aussi, est sans doute que Balzac, voulant faire une étude psychologique d'Argow, avait besoin de lui rendre ses entours un peu simplistes de brigand, d'assassin « classique ». Un Argow devenu Nucingen, plus engagé dans le siècle et ses entreprises, aurait été moins susceptible de crise et de « conversion »; davantage de son être aurait été misé, sans grand retour possible, sur tout un positif, à lui seul justification. Argow devait demeurer un « marginal ». D'autre part, ne recevait-il pas une sorte d'innocence relative de la prédication de l'abbé de Montivers? En pleine église, sont révélés les « crimes cachés » qui se font dans les familles, dans la « société » :

> Toi, tu as interprété les lois en ta faveur, tu as gagné un injuste procès, tu as ruiné une famille. Toi, tu as trahi ta patrie, vous, vous l'avez vendue. Toi [etc...] Ce sont peccadilles! vous n'en passez pas moins dans le monde pour sages et honnêtes; vous allez en voiture, on vous voit à la messe; vous n'avez fait banqueroute à personne, excepté à Dieu [1].

Lieu commun de prédicateur? Pas tellement :

> Toi, là-bas, si par un regard tu pouvais tuer, à la Nouvelle Hollande, un homme sur le point de périr, et cela sans que la terre le sût; et que ce demi-crime, dis-tu dans ton cœur, te fît obtenir une fortune brillante, tu serais déjà dans *ton* hôtel, dans *ton* carrosse; tu dirais : *Mes chevaux, ma terre et mon crédit!* Tu n'hésiterais pas à répéter : *Un homme d'honneur comme moi* [2]!

C'est le thème du mandarin dans *Le Père Goriot*. C'est l'appel, au plus profond, au plus caché de nous-mêmes, à notre complicité secrète, forcée, avec la société et ses lois. Nul n'est innocent. *La Comédie humaine* recensera tous ces crimes secrets, s'abstenant, parce que n'en ayant plus besoin, de mouvements lyriques de ce genre. Mais il faut voir que les apostrophes de l'abbé de Montivers constituent le passage à l'*épique* des *détails* déjà repérés et utilisés dans *Wann-Chlore*. La fille qui cesse de recevoir ses parents, la mère qui se revanche sur sa fille de ce que la vie a cessé de lui donner, les causes réelles de tant de souffrances, les voici rassemblées. Une fois encore, c'est l'innocence du siècle bourgeois, de la vie bourgeoise,

---

1. *Annette et le criminel*, II, p. 152-153.
2. *Ibid.*, p. 154-155.

qui est mise en cause. L'abbé de Montivers, notons-le bien, prêche dans le cadre des fameuses Missions, pour lesquelles Balzac n'a pas assez d'ironie ni de mots assez durs, mais, tout comme le Joseph de 1822, lorsqu'il parlait religion, parlait la langue du cœur et de l'humanité, cet homme, qui a été « l'instituteur » d'Annette, et « son père en Dieu » est tout autre chose que le simple messager de la Congrégation. L'Ordre, selon lui, est-il menacé par des barbares, par des idées nouvelles, par de scandaleuses inventions? Ou bien l'est-il, de l'intérieur même, par des pratiques uniquement fondées sur l'idée d'accaparement? En fait, la religion de l'abbé de Montivers, c'est tout simplement la morale, une idée très haute de l'Homme et de la vie, que bat en brèche ce que le siècle a d'*actif*. Dès lors, que pèsent les crimes d'Argow, littérairement parlant, de par leur nature, de par leur crédibilité, de par leur valeur statistique, infiniment moins *réels* que ceux dénoncés par le prédicateur? Argow vient en grande partie des romans; les crimes cachés viennent de la vie. On peut imaginer un monde moderne, à la rigueur, sans Argow; on ne l'imagine plus sans la vie privée. Dès lors, tout se réorganise. Argow, jadis, a combattu dans les rangs des insurgés américains (reprise d'un thème de *Jean-Louis*), et ses compagnons, lorsqu'ils sont las de « haricoter » sur les grandes routes, s'écrient : « il faut le forcer à se rembarquer et à recommencer la course. Allons nous mettre, jour de Dieu! au service des insurgés d'Amérique; nous ferons un métier de braves gens [...] Quelle vie, que de crever des chevaux à demander la bourse à des voyageurs sans le sou!... Risque pour risque, allons piller les possessions espagnoles, en vrais marins!... *Nous nous battrons en même temps pour la liberté*, et nous deviendrons quelque chose [1]. » Bolivar, pas plus que Washington, l'un comme l'autre incarnations de ce que le monde libéral a de meilleur à présenter, figures de leur bonne conscience, ne s'imposent purement à la critique balzacienne, alors qu'ils ont toujours été tout prêts à entrer, avec armes et bagages, dans l'imagerie d'un romantisme moins exigeant. Argow est ainsi comme enveloppé, sur sa droite et sur sa gauche, par une réalité moderne infiniment et plus profondément *marquée* que lui-même, dont la *dignité*, c'est le moins que l'on puisse dire, ne s'impose pas. Comme, d'autre part, Argow n'est pas à l'abri des surprises du cœur, comme sa sûreté est à la merci de sa sensibilité, comme son amour pour Annette (maladroite préfiguration des sentiments de

---

1. *Annette et le criminel*, I, p. 177.

Vautrin pour « le petit ») en font un être vulnérable, comme il essaie de retrouver une pureté dont il ne soupçonnait pas, jusqu'alors, l'importance, comme il y a en lui de la générosité, comment son affrontement avec la société aurait-il cette clarté que peuvent souhaiter les défenseurs de l'Ordre? Comme dans *La Dernière Fée*, on voit se compliquer le jeu de noir et blanc, et tout se complique.

★

Le procès d'Argow est le premier grand procès balzacien. Il annonce le procès de Tascheron et le procès des Simeuse. Il annonce aussi le procès de Julien Sorel. Tous ces procès ont ceci de commun qu'ils ne sont pas simple recherche de preuves pour faire déclarer coupable ou innocent un accusé, mais bien occasion de mettre en cause la justice et la société qu'elle défend. Dans une société classique, les juges, le bourreau, remplissent une fonction. On recherche, on juge, on condamne, on exécute au nom de valeurs indiscutées. Un procès peut alors, relever du pittoresque, non du dramatique. Il peut avoir une signification morale (d'où la publicité des débats et des exécutions). Il ne saurait avoir de signification critique. Mais, dans une société dont sont mises en cause les certitudes, dans lesquelles un droit nouveau commence à s'opposer au droit établi, un procès change de sens. Du moment où la société, ses bénéficiaires, ses exécutants relèvent du relatif, non de l'absolu, tout procès devient, peut devenir, dramatique; il peut opposer valeurs à valeurs. C'est le cas, évidemment, des procès politiques. Mais ce peut aussi commencer à être le cas des simples procès criminels. Pourquoi y a-t-il des criminels? Les criminels sont-ils seuls responsables? Une simple dévalorisation interne, déjà, du droit établi, consécutive à la dévalorisation des structures, rend possible, voire aisée, la valorisation des accusés. Devant la cour de Besançon, Julien Sorel parlera au nom d'un droit non écrit face aux tenants du droit de fait. C'est pourquoi le public se partagera, l'accusé n'étant plus une simple bête dangereuse, mais un être « intéressant ». Démythifié Valenod, Julien devient, ou peut devenir, un héros. La justice n'est plus sacrée : à partir de ce moment, la Justice devient un thème littéraire. Argow bénéficie de ce que perd la société qui le poursuit. C'est ainsi qu'au niveau du récit et de la dramaturgie, se repère l'érosion des certitudes. L'analyse sociologique, d'ailleurs, permet de comprendre ce phénomène.

On avait beaucoup condamné, beaucoup exécuté, depuis la fin du xviiie siècle [1]; des condamnés étaient devenus victimes, que ce soient les vierges de Verdun ou le maréchal Ney; sans remonter à Calas, le moins qu'on puisse dire est que la Justice ne pouvait plus prétendre parler au nom de l'Absolu. La montée de la criminalité, d'autre part, conséquence de la concentration urbaine, du déracinement rural et de la prolétarisation, le rôle croissant de la police, politisée, « socialisée », de plus en plus puissante, mais aussi de plus en plus instrument de défense des classes bénéficiaires des mutations historiques, toutes ces redoutables « nouveautés », inséparables du « progrès », et dont Balzac parlera bientôt avec une clairvoyante éloquence dans le *Code des gens honnêtes*, les voleurs comme les argousins devenant des personnages, tout ceci bouleverse l'image traditionnelle des relations entre l'individu et ses juridictions naturelles. Les critiques réactionnaires ont déploré l'intérêt porté, sous la Restauration, aux criminels, aux pirates, aux hors-la-loi; ils y ont vu mauvais goût, perversion. Mais *L'Ane mort*, de Janin, mais les *Mémoires de Samson*, de Balzac, mais *Le Dernier Jour d'un condamné* de Victor Hugo, mais *Cinq-Mars* de Vigny, s'ils attirent l'attention sur la peine de mort, ou si, plus directement, ils la mettent en cause, répondent à une authentique préoccupation : *de quel droit, dans ce monde tel qu'il est, tue-t-on légalement un homme?* En d'innombrables écrits, Nodier a rappelé ses souvenirs des guillotinades révolutionnaires : ce n'est pas simple et sensible horreur du sang; c'est conséquence de ce que la Révolution avait accouché de la bourgeoisie. Pourquoi tuer Cinq-Mars? C'est Richelieu qui le tue, personnification d'une volonté diabolique, non de la Justice. Il n'y a plus d'exécutions rituelles; il n'y a que des vengeances. Mais la vengeance tourne nécessairement le dos au relatif. La fermeté d'âme des grands criminels, qu'admirent Balzac ou la jeune Lamiel, devient valeur et repère, occasion de réfléchir, voire de se trouver soi-même, dans un univers que l'on conteste. Ce qu'il faut bien voir, d'ailleurs, c'est que, de cette mise en cause de la Justice, ne naît pas nécessairement un scepticisme, un détachement qui, finalement, rendraient service à l'ordre établi, mais bien un pathétique, une ardeur qui, loin de prendre leur parti d'une quelconque « faiblesse » humaine, loin de virer au pessimisme et à la démission, sont exigence de renouvellement

---

1. Sous la Restauration, on comptait une moyenne de trente exécutions annuelles en France, soit une tous les dix jours (statistique établie, d'après les journaux, par un séminaire de recherche de l'E.N.S. de Saint-Cloud, en 1966).

et promesse d'avenir. Ni Argow, ni Julien Sorel, ni leurs créateurs ne sont des contempteurs de l'Homme, « instruits » par les errements de l'Histoire. Ce sont les juges d'une justice de classe et, nécessairement, les alliés objectifs de ses victimes. Lorsqu'on a soi-même expérimenté l'injustice d'une société qui a encore, et plus que jamais des tribunaux, l'absurdité d'une société qui prétend avoir raison, comment ne pas se trouver embarqué aux côtés d'hommes en qui on ne peut plus voir seulement des monstres? Les romantiques sont allés chercher les pirates, les hors-la-loi et les criminels parce qu'ils en avaient besoin et parce que, eux aussi, au fond, se sentaient criminels, à parler le langage de la Justice. Où est le droit, à partir du moment où la société repose sur le vol, sur le meurtre légal ou légalisé? Oui, le procès d'Argow relève de bien autre chose que du pittoresque.

Argow ainsi rééclairé et « innocenté », Annette définie par sa pureté et sa calme énergie, les éléments sont réunis pour faire de ce roman un poème d'un type bien précis. On sait que, depuis longtemps, Balzac avait lu et admiré *Le Corsaire*, de Byron, ainsi que le *Paradis perdu*[1]. On sait qu'il avait lu passionnément, en compagnie de Mme de Berny, *Les Amours des anges*, de Thomas Moore[2]. Les sources littéraires sont donc évidentes, surtout si l'on songe encore à l'amour d'Isidora pour Melmoth, et aux terribles tentations d'Eva dans *Amour ou religion*[3]. Mais, une fois de plus, ce genre d'explication ne saurait suffire. Il est exact, comme le dit très bien Arlette Michel, que « *Annette et le criminel* et *Wann-Chlore* vont être de nouvelles *Amours des Anges* dans la vie moderne[4] » : cette insertion est une étape capitale pour le passage d'un romantisme littéraire à un romantisme de la réalité, et même, elle fait, à qui sait les relire, le charme profond, l'insolite de ces deux romans de Balzac, si profondément enracinés, et traversés, d'autre part, d'éclairs et d'appels qu'ignorait le réel tel que le transcrivaient les petits réalistes bourgeois. Alors que Vigny, dans *Eloa*, qui doit évidemment beaucoup aussi aux *Amours des Anges*, éprouvera le besoin de poétiser son sujet, de le *justifier*, Balzac poursuit l'effort de *La Dernière Fée* dans le sens d'une fusion, d'une rencontre dynamique de l'élément reconnaissable et de l'élément inquiétant. Comme

---

1. Traces de lecture relevées par A. Prioult, et un plan d'Opéra comique adapté du *Corsaire*, de Byron, et annexé au manuscrit de *Sténie* (*Lov.* A 214, f° 77).
2. *Corr.*, I, p. 235.
3. On a vu que ces romans de Maturin étaient aux sources du *Centenaire* et de *Wann-Chlore* et de *La Dernière Fée*.
4. Arlette Michel, *Aspects mystiques des romans de jeunesse*, A. B., 1966, p. 27.

dans *Le Centenaire* également, l'extraordinaire est au cœur
du réel, et ceci conduira, d'une part à *La Peau de chagrin*
et à *Melmoth réconcilié* (c'est-à-dire au fantastique appuyé
sur le réel), d'autre part au *Curé de village* (c'est-à-dire au
reconnaissable, mais traversé de mystères). Notons que, si
un sillon idéologique s'était creusé qui, des divers textes
philosophiques, par *Falthurne*, avait mené au *Centenaire*, un
autre sillon se creuse, à présent, qui tend à être un sillon de
création, un sillon d'expression et de style; ce n'est plus tant
le contenu explicite qui compte, qu'une forme, qu'une manière
d'appréhender et de transcrire, plus complète, plus conquérante. Et cette forme, cette manière d'écrire, donc, de voir
et de faire voir, elle va dans le sens d'une profonde signification : *entre Annette, de par sa qualité, hors la vulgaire loi
bourgeoise, et Argow, que poursuit la même loi bourgeoise, qui
l'aurait, sous d'autres formes, aisément accepté, entre l'être
d'exception et le maudit, l'alliance était inscrite dans la dynamique même du siècle.* La conversion d'Argow nous gêne,
mais ne nous y attachons pas trop; elle n'est qu'un incident,
et surtout compte la courbe d'ensemble. Réprouvés, condamnés, proscrits, qu'ils soient du registre noble ou du registre
discret, qu'ils soient épiques ou de la vie privée, ne sont plus
des monstres purs, dès lors que c'est la vie même, la vie
telle que la société la définit, qui n'est plus pure et évidente
vérité. C'est le procès d'Argow refait sur un autre plan. Par
l'intermédiaire d'Annette, Balzac dit, *à la fois*, l'attrait
qu'exerce sur elle un criminel malheureux, et l'espèce de
valeur à laquelle accède ce criminel face à la société démas-
quée. Le brigand Arbogab, dans *Zadig*, était un homme aimable, et récupérable. Entre Argow et le monde moderne, le
fossé est d'une autre nature et d'une autre largeur, parce
qu'il est également d'une autre nature et d'une autre largeur
entre Annette et son monde qu'entre Astarté et le sien.
Argow n'était concevable qu'à partir d'Annette, comme
Eloa et toutes celles qui y conduisent ne sont concevables
qu'à partir d'une redécouverte de Satan. Mais, justement, ce
parallélisme, en ce qu'il a d'inversé, donne la clé de l'originalité de Balzac.

On n'a pas marqué, en effet, que l'histoire d'Annette n'est
nullement, contrairement à ce qui se passe en des cas semblables, *l'histoire d'une chute*. Chez Moore, cinq anges périssent
pour avoir aimé des mortelles. Chez Vigny, Eloa périt pour
avoir aimé Satan. Le sens est clair : dans la poésie traditionnelle, sous-tendue par une vision plus ou moins aristocratique
des choses, l'ange ne peut que déchoir à se rapprocher du

maudit, comme une fille de bonne famille ne peut que déchoir
à aimer un homme du peuple; compréhension, pitié, n'y
changent rien; les castes et leur hiérarchie continuent à structurer le romantisme. Mais il en va tout autrement chez Balzac.
L'histoire d'Annette n'est pas celle d'une chute ou d'une déper-
dition de soi; c'est l'histoire d'une ascension et d'une densification. Annette, au début du roman, n'est qu'une petite-
bourgeoise du Marais. A la fin, elle est devenue une héroïne.
Qu'on remarque bien la différence avec les anges de la tradition, *anges*, *dès le début*, et d'une race supérieure, alors
qu'Annette y accède à partir de ce qu'elle portait en elle et
de ce qu'elle *était*, secrètement, sans emphase. Qu'on remarque bien, également, la différence avec la « vierge pure »
évoquée dans son sermon par l'abbé de Montivers : « marchant avec humilité dans le sentier des vertus, soumise à Dieu,
craintive, bienfaisante [...], elle fut aimée d'un homme indifférent en ses opinions, et sourd à la voix de Dieu [...] Dans les
cieux, les anges tremblaient à l'aspect d'une âme candide et
brillante du feu céleste souillée par le contact du proscrit
d'Eden [...] Il a traîné cet ange d'amour dans l'iniquité, elle
est morte dans l'impénitence finale, ... en vain elle a étendu
ses bras décharnés vers le ciel [1] » : ce destin, c'est le destin
traditionnel des anges qui aiment les réprouvées. Balzac en
réserve un tout contraire à Annette. Assez différente des autres
« anges », qui « glissent », elle proclame, elle, sa détermination :

> — Unie à moi, Annette, vous vous souilleriez comme l'âme
> dont a parlé M. de Montivers. Je ne suis plus digne de vous,
> et la vérité, en se montrant à moi, a emporté tout mon bon-
> heur. Ah! quelle est la femme qui, vertueuse et touchante,
> voudra s'allier à moi pour rester perpétuellement au sein
> de la douleur, sans connaître ni la paix ni le repos! Elle
> serait sans asile, sans foyer, repoussée partout à cause
> d'un époux qui porte sur le front une marque éternelle de
> réprobation. *Comme la femme de Caïn*, elle me suivrait
> dans les larmes et dans un perpétuel enfantement de rage
> et de malheur; elle verrait toujours le ciel d'airain, la terre
> deviendrait aride sous ses pas..., et ceci n'est rien? — Non,
> dit Annette, ceci n'est rien; car ceci n'arrêtera pas Annette [2].

et, d'autre part, le Caïn qu'elle choisit est très différent du
Caïn romantique. Celui-ci, même pris en main et assumé par
la révolte humaine, n'en demeure pas moins Caïn, nulle analyse, nulle présentation nouvelle de la vie, publique ou privée,
ne lui ayant restitué, comme à Argow, cette sorte d'innocence

---

1. *Annette et le criminel*, II, p. 148-151.
2. *Ibid.*, p. 178.

objective. Le Caïn romantique se sent innocent, mais demeure coupable et maudit; il tire même une grande partie de son prestige et de son pouvoir fascinateur de demeurer coupable et maudit; il reste un être de solitude, de destruction, de négation; il n'a amorcé d'aucune remontée, ni subjective, ni objective, vers un positif quelconque. Mais il n'en va absolument plus de même dans l'éclairage qu'institue Balzac, non tant poétique que romanesque : une fois le roman achevé, surtout, à la relecture, Argow, bénéficiant de cet immense procès qui s'ouvre du monde bourgeois, Argow, s'il est encore, formellement, de la race de Caïn [1] tend à devenir un être de positivité, et l'aventure d'Annette avec lui, loin d'avoir ces odeurs de complaisance dans le mal et dans le sacrilège, loin de mêler les douteux parfums de l'interdit à ceux de l'innocence, va être une aventure qui élève et fortifie. Annette n'aura pas à *découvrir* la malédiction qui pèse sur celui qu'elle a choisi; elle n'aura pas à faire la douloureuse expérience d'une descente aux enfers imposée par l'amour. Dès le départ, Annette n'est pas *entraînée;* elle *choisit;* la communion avec l'époux, le partage de tout, et la libre disposition de soi-même, biffent les métaphores attendues : « Jamais je ne verrai le ciel injuste, la terre ne sera pas stérile [2]... » Où est dans ceci la moindre surprise des sens, la moindre aliénation? Il n'y a jamais de vertige, dans *Annette et le criminel*, et ce serait le pire des contresens que d'aligner ce roman sur les byronneries banales. Argow réapprend à sourire [3], et, un temps, son amour pour Annette revient, très humainement, à la scène d'intérieur. Le fauteuil près du piano, Annette qui joue, Argow qui écoute et qui pense. « Voulez-vous bien sourire quand je vous parle [4]? » Non, la tonalité n'a rien de byronien. *Et pourtant, l'on demeure dans un registre élevé :* « Un poète a célébré l'accord de la musique, de l'amour et de la religion; en chantant cet accord, il chantait d'avance, et sans la connaître, Annette, la plus jolie de cette terre [5] ». Et voici qui, sans aucun doute, met cette scène d'intérieur bien au-dessus de celles qui ouvraient le roman : preuve que, si Balzac retrempe le poétique

---

1. Cf. le passage célèbre de *Splendeurs et misères :* « Il y a la postérité de Caïn et d'Abel... » (C. H. V, p. 1006).
2. *Annette et le criminel*, II, p. 182.
3. *Ibid.*, p. 193.
4. *Ibid.*, p. 191-192.
5. Cette théorie des correspondances « a été formulée par Thomas Moore dans ses *Amours des anges*, et Balzac s'y réfère à plusieurs reprises. Outre le passage ici cité d'*Annette*, cf. surtout *Wann-Chlore*, II, p. 61 [...] les trois vertus des âmes tendres [sont] l'amour, la religion et la musique ». L'attention sur cette filiation a été attirée par Arlette Michel dans l'article cité ci-dessus de A. B., 1966.

dans le réel, le réel a plus que ce qui lui est habituellement
réservé. Un univers fractionné accède à une sorte d'unité,
de dignité, en même temps que le couple Annette-Argow
accède à une sorte de paix. Les correspondances, de plus,
mettant le sentiment religieux au même rang que poésie et
musique, l'intégrant à une unité, à une continuité supérieures,
lui confèrent une qualité humaine, l'élèvent au-dessus des
dogmes et des formules. Nul défi, dans cette scène, mais
comme quelque chose de *retrouvé*. Les correspondances
n'auraient pas eu leur place sur quelque sommet, dans quelque lieu sauvage; mais dans un salon bourgeois, dans cette
atmosphère feutrée, là où l'on peut se regarder parce qu'on
n'est sollicité par nul univers en bas, dans la prose, parce
qu'on n'est pas donné en spectacle, mais bien saisi dans le
fil de la vie, là où nulle littérature, nulle morale manichéenne
et catastrophique ne drapent les héros, ne les hissent plus haut
pour mieux les faire choir, on sent bien quelle est leur signification profonde : elles sont une réponse à tout ce qu'a
de négatif, de critique et de divisé l'univers de fait de la vie
bourgeoise. Ni la sur-négation de la révolte, ni la fuite ou la
démission de l'élégie [1] : la durée a cessé d'être fatalité. Ce qu'on
pourrait appeler, après une courte lecture, l'embourgeoisement
d'Argow, est, en fait, tout autre chose. C'est l'accession
d'Argow à une sorte de « normal ». Son mariage, son entrée
dans le cercle des Gérard, les tableaux de genre à la fenêtre [2]
ne sont ni platitudes ni fadeurs, mais découvertes d'une autre
face de la vie, dont la *nature* n'est pas, comme le suggère
tout un romantisme, négation, solitude et refus, mais adhésion, *aptitude* à adhérer. Le dessin général est donc bien, dès
le second volume. sinon d'une *ascension* (ce qui suggérerait
peut-être trop de « poésie ») du moins d'une *accession*, et
toute la suite le confirme. Le romantisme des « correspondances » est, lui aussi, un romantisme positif, l'invention
d'un ordre qui trouve toute sa signification lors du second
séjour à Valence : les cancans, les petites jalousies de province,
marquent un retour offensif du rompu, du diviseur et du
divisé. Nouveau signe, un de plus, de ce qui lie les petites
méchancetés aux autres : haines de vieilles filles se tiennent

---

1. Toutes ces idées sur le caractère critique de la poésie et du romantisme
seront largement développées vers 1830 par les saint-simoniens. Cf. t. II.

2. « C'était un véritable tableau de genre que cette mère et cette fille assises
dans l'embrasure d'une croisée, et séparées l'une de l'autre par une petite table
à ouvrage » (*Annette et le criminel*, II, p. 115). Argow est là, en tiers, attentif et
brûlant d'amour. C'est, évidemment, le premier état du même tableau dans
Une double famille (Caroline Crochard et sa mère, la tapisserie, la fenêtre donnant
sur le tourniquet Saint-Jean, M. de Granville).

avec haines de l'Ordre pour tout ce qui est un peu noble.
C'est la petitesse qui entraîne la découverte d'Argow, les
intrigues d'une petite ville et les ambitions de petits hommes.
Nouvel éclairage significatif : Argow n'est pas retrouvé,
démasqué, par la Justice, par le Droit, mais uniquement
par des êtres infâmes ou mesquins. D'où le cri d'Annette :
« Dieu et lui [1]! »; c'est contre tout ce que le monde a de laid
et d'impossible à aimer, qu'elle va défendre son époux,
et le romancier, ici encore, par sa manière de choisir, de composer, d'organiser ses masses, suggère infiniment plus que tous
les lyrismes clairs. L'ascension continue. Les gendarmes ne
seront pas ceux de l'innocence menacée, mais ceux d'un
ordre odieux, ayant pour lui tous les impuissants, tous les
méchants, tous ceux qui ne comprennent pas et rampent
dans l'acceptation. Le Caïn romantique a contre lui un Dieu
qui reste Dieu, une idée du Mal et du Bien que n'ont modifiée aucune révision structurelle, aucun recensement des
valeurs. On comprend quelle est l'utilité des « petites » scènes
d'intérieur de Valence, de cette peinture du mesquin. Limoges
aussi cancanera plus tard, Limoges qui nous aura été présenté en ses salons, en ses intérêts, en ses infra-valeurs et en
ses infra-entreprises. Tasheron et Véronique y gagneront,
comme Argow et Annette, un type de présence contre quoi
ne pourra plus quoi que ce soit aucune *morale* venue du dehors.
L'univers est organisé par le romancier *de manière à* déboucher
dans cette signification. D'où sa solidité, son caractère beaucoup moins aisément récusable que les significations lyriques
ou les proclamations péremptoires [2]. L'aventure d'Annette
et d'Argow se trouve relancée, relayée, par ce relais de réalisme
dans la peinture de la bourgeoisie. Argow ne *redevient* pas
réellement pirate et criminel, puisque ceux qui doivent le
poursuivre, l'arrêter, le juger et le tuer, sont *devenus* de simples
instruments de l'imbécillité bourgeoise, et donc, où seraient
les éléments d'une chute d'Annette? Lors du procès, les sentiments du lecteur sont presque aussi nettement orientés
qu'ils le seront lors du procès de Julien Sorel. La lumière des
croisées, que le hasard a placées d'un seul côté de la salle,
tombe uniquement sur Argow [3]; lui-même ne cherche pas à
vraiment se défendre, et l'amour d'Annette achève de lui
donner le beau rôle. Que pèsent les arguties de procureur et
d'avocats, la recherche des « preuves »? Là n'est pas le vrai

---

1. *Annette et le criminel*, III, p. 193.
2. Évidemment, *de manière à* ne vise pas une intention froide et délibérée,
artificielle; il s'agit de *l'effet* de l'ensemble d'une démarche et d'une vision.
3. *Ibid.*, III, p. 240.

débat, et c'est Annette qui le sent et le dit. Argow n'est plus coupable, ou, du moins, n'*existe* plus en tant que coupable. « Tout avait disparu devant le malheur d'un époux adoré... et où la société voyait un criminel, elle voyait le plus sublime des hommes. Elle lui avait pardonné. M. de Montivers l'avait absous, elle ordonnait par ses regards à tout homme de l'imiter ; et si elle avait comparu devant la société entière, elle l'aurait persuadée [1]. » Argow n'est pas un homme que l'on juge, mais un homme qu'on va tuer [2]. Son exécution, la douleur d'Annette, puis, surtout, l'ensevelissement dans l'île des Peupliers du château de Durantal, achèvent le passage au mythe. Qu'il y a-t-il désormais de commun entre la petite bourgeoise du Marais des premiers chapitres, et cette jeune femme qui traverse le parc à la nuit ? « Elle regarde de sang-froid l'île des Peupliers, où elle vit briller de la lumière [3] » : c'est, bien évidemment, la première apparition de Véronique. Sans doute, comme une héroïne de roman, Annette meurt sur la tombe d'Argow après l'avoir enseveli ; comme une héroïne de roman encore, on l'avait vu, d'abord, monter dans sa chambre, baiser sa couche nuptiale et les objets que son mari avait coutume de toucher [4] ; on aurait aimé la voir *durer* après la mort d'Argow, comme durera Véronique après celle de Tascheron ; mais il ne faut point trop vouloir, et l' « ange », en Annette, exigeait encore quelques concessions. L'essentiel est bien cette montée. Comme Eugénie d'Arneuse, Annette, au travers des épreuves a gagné en force, en beauté. Il est significatif que ce soit son cousin Charles, incarnation, à lui seul, au début du roman, de tout l'opportunisme et de toute la petitesse bourgeoise, qui constate l'échappée définitive. « Oh! elle est morte! », s'écrie-t-il, alors qu'il la voit accompagner le corps d'Argow [5]. Oui, Annette, même encore vivante, n'est plus de *ce* monde, mais ce dont elle relève désormais, ce n'est pas d'un ailleurs poétique ou métaphysique, *c'est d'un ailleurs balzacien*, c'est d'une autre réalité

---

1. *Annette et le criminel*, IV, p. 169-170.
2. L'insistance de Balzac sur ces thèmes de la peine de mort dans les romans de 1822-1823, est troublante. Dans *Le Centenaire*, déjà, Butmel était un hors-la-loi, un rescapé de la Justice. Pourquoi, dans *Annette*, Balzac insiste-t-il si longuement sur le scandale des exécutions publiques ? (« Il y avait beaucoup de femmes!... en France!... au xixe siècle!... et cette scène, si elle ne se renouvelle pas souvent à Valence, se reproduit souvent dans le royaume pendant l'année », *ibid.*, IV, p. 185-186). Une explication s'impose : le souvenir de l'oncle Balssa, exécuté à Albi en 1819. Le mouvement philanthropique autour du scandale de la peine de mort et des exécutions publiques n'est pas encore lancé en 1822-1823. Le silence « officiel » de la famille explique sans doute l'importance du traumatisme et la force des résurgences. Tout ceci, bien entendu, conduit au *Curé de village*.
3. *Ibid.*, IV, p. 206.
4. Gestes semblables dans *Wann-Chlore*.
5. *Annette et le criminel*, IV, p. 207.

humaine, c'est d'autres droits, c'est d'autres possibilités offertes à la vie. *Contrairement aux anges romantiques, Annette n'est pas une évadée.* Elle ne quitte pas un univers fatal ; elle ne succombe pas à une folle tentation : elle choisit *et se fait ;* par là, elle est profondément humaine ; elle n'est pas une simple image des hantises de son créateur ; elle existe en elle-même, comme tant de femmes qui valent mieux que la condition qui leur est faite ; appartenant au réel, venant du réel, ayant valeur de type, presque valeur statistiquement vérifiable, socialement enracinée et caractérisée, plus on avance dans le roman, plus Annette *existe* en fonction de ses choix, de ses démarches, non de l'imagination de son créateur. Autonome et significative, Annette est une créature d'une poésie nouvelle. Elle crève, certes, les apparences, la grisaille ; elle connaît une destinée d'exception. Mais aussi elle ne quitte jamais la terre, et Balzac, même au moment où il la fait mourir sur la tombe d'Argow, ne juge pas nécessaire de la faire entourer de séraphins. *Le plus religieux des romans de jeunesse est donc, ainsi, de manière étonnante, le plus réaliste.* Et voici qui permet sans doute de définir avec assez de précision la nature de la « conversion » de 1823-1824 dont il va être question. Comme on le verra plus tard à propos de *Louis Lambert*, Balzac avance en creusant, en serrant de plus en plus près, des contradictions. Plus Lambert se rapprochera des combats concrets du siècle, plus aussi il s'enfoncera dans sa nuit de folie ; plus Balzac devient réaliste et vrai, plus, dans les romans de jeunesse, il devient religieux. On sait, à présent, qu'*Annette* est le dernier des romans d'Horace de Saint-Aubin, puisque le *Wann-Chlore* de 1825 ne sera qu'une mise au point (tragique, d'ailleurs) du manuscrit de 1823. *Annette* marque un sommet.

Dans les premiers romans, la religion (le plus souvent réduite à ses manifestations extérieures, à ses représentants temporels et « politiques ») était ridiculisée. Dans le *Vicaire des Ardennes* toutefois se profilait une religion nouvelle, celle du cœur, tranchant sur celle des notables et des dévots mécanisés, propre à fournir un langage et un style au besoin de communion et de totalité, que ne satisfaisaient plus ni la raison ni l'individualisme libéral. Dans *Le Centenaire* se précisait la nature, sinon une religion, du moins d'un sentiment religieux du monde et de ses continuités. Dans *Wann-Chlore*, pratique religieuse et sentiments religieux sont mêlés étroitement au thème romanesque en son développement. Wann, Irlandaise, est profondément religieuse, en même temps que sensible et poétique, et sa religion s'oppose à tout le formalisme, à toute la fausse vie de Chambly et de la famille d'Arneuse. C'est à l'église Saint-Paul que Landon la rencontre pour la première fois, et c'est à Saint-Gatien qu'il la retrouve. Saint-Gatien et le Cloître figuraient déjà dans *Sténie*, mais, cette fois le thème est exploité à fond. Saint-Gatien n'est plus un moyen, mais un *sujet*. Après Chateaubriand, mais avant Victor Hugo, l'une des premières cathédrales romantiques est balzacienne :

> La cathédrale de Saint-Gatien est un de ces grands monuments dont les architectes du Moyen Age ont embelli la France. Elle appartient à ce genre que nous avons improprement appelé gothique, les Goths n'ayant jamais rien construit. Le portail est assez beau, les deux clochers sont d'une hauteur prodigieuse, et la légéreté, le fini, la grâce des ornements leur ont attiré l'attention des connaisseurs. Le propre de cette architecture est de pouvoir allier l'abondance, la minutie, la bizarrerie même des ornements à la grandeur, à l'audace du sujet : où est le vrai Dieu, il semble que là soit le sublime et qu'il y ait place aux représentations les plus fantastiques des créatures. En effet, après s'être élevée jusqu'aux cieux avec les petites coupoles des flèches, si la vue s'abaisse sur la basilique, alors, les arcs-boutants nombreux qui semblent multiplier leurs arceaux, des piliers d'arbres assemblés qui se couronnent de leur feuillage en guise de chapiteaux, et une multitude d'animaux sculptés offrent à l'œil le spectacle d'une forêt enchantée : là sont toutes les créatures échappées de la pensée du Dieu vivant, leur foule est animée : les unes grimpent, d'autres rampent, tous jouent; ce n'est plus une pierre qui rejette les eaux du ciel, c'est un habitant du Nil; tous aussi sont rangés avec ordre, et l'on croit deviner qu'une pensée bizarre dominait l'architecte quand il éleva ce monument [1].

La page a quelque chose de consciencieux et d'appliqué : l'auteur n'a que vingt-trois, au plus vingt-six ans. Mais avec plus de force que Lourdoueix dans *Les Folies du siècle*, Balzac montre comment la conscience moderne peut se prendre à ce style, et se détourner des pseudo-temples grecs. Saint-Gatien, sous sa plume, est même assez différente, malgré quelques expressions plaquées, de la cathédrale de Chateaubriand, mystérieuse, mais encore relativement *pure*, avec ses lignes tendant vers le haut, avec son harmonie. Ici, c'est autre chose de plus riche, de plus tourmenté. C'est déjà — oui — le regard de Victor Hugo. Cette volonté de traduire une richesse, une grandeur, cette appropriation par l'observation, par la compréhension, surtout, cette redescente du regard,

---

1. *Wann-Chlore*, IV, p. 2-4.

cette manière de s'attacher au détail, aux composantes de l'ensemble, à la signification cachée, presque ésotérique, de cet extraordinaire ensemble à côté duquel on était passé, pendant des siècles, avec indifférence, cette double intuition d'une richesse et d'un ordre, d'une profusion et d'une idée, bien plus qu'une échappée vers l'infini, cette présence de la pierre, des formes, et de la pensée humaine, quels symboles! La première version était plus riche encore, d'ailleurs, plus significative. Balzac, au moment de l'impression, a poli, allégé son texte, sans doute pour ne pas trop ralentir ou briser la continuité narrative. Mais il avait d'abord songé à une sorte de morceau de bravoure, presque à la limite de la vision, de l'hallucination, et ceci annonce d'autres textes de l'époque 1830, *Le Dôme des Invalides, L'Église:*

> On croit deviner qu'une pensée originale dominait l'architecte qui ordonna ce monument; enfin, les feuillages dessinés sur les frises, la découpure des arceaux qui laissent passer mille jours différents saisissent l'esprit, et cette immensité des détails remplit l'âme. La teinte noire des pierres, les cris d'une multitude de corbeaux et la solitude du lieu vous plongent dans la mélancolie. Nous avons conjecturé plus d'une fois en examinant ce singulier monument dont le temps a écorné plus d'une figure, que l'architecte avait voulu représenter à l'extérieur le jugement dernier, ou sinon qu'il a fait allusion à quelque miracle ignoré de nous. En effet, nous avons remarqué que les personnages étaient tournés vers le haut du chœur. Des figures de damnés, de saints, semblent regarder Dieu [1].

> On croit deviner qu'une pensée bizarre dominait l'architecte quand il éleva ce monument. Tous les personnages de ce drame parmi lesquels on remarque les saints et les damnés, sont tournés vers le chœur. Ils semblent contempler Dieu, et probablement il y a quelque allusion à un miracle ignoré de nous. En remontant ainsi les temps héroïques de la France, on admire la profusion et la délicatesse des feuillages serrés sur les frises, les découpures des arceaux à travers lesquels le jour passe et produit mille teintes différentes. Cette immensité des détails remplit l'âme déjà remuée par l'antiquité, la destination de l'édifice, par la couleur noire des pierres, les cris d'une multitude de corbeaux, achèvent de vous plonger dans une mélancolie que la solitude du lieu fait croître à votre insu [2].

---

1. Premier manuscrit (1823), *Lov.* A 244, f° 142.
2. État intermédiaire entre le manuscrit de 1823 et la mise au net pour l'imprimerie, en 1825, *Lov.* A 244, f° 141. Ces deux amorces de développement et de réflexion ont disparu de l'édition. Dans le premier état, Balzac avait commencé cette phrase à la suite : « Nous livrons cette observation aux érudits parce qu'elle est [...] », ce qui était une phrase, évidemment, *non romanesque*.

Cette proximité du réaliste et du fantastique, ce spiritualisme humaniste dans la description (on préférerait encore parler de vitalisme), cette absence de toute tentative pour transfigurer, ces textes qui font de Saint-Gatien œuvre d'hommes, poème d'humanité, qui disent la richesse et la force de l'homme, non son néant ou son écrasement, son évanescence, tout ceci donne son plein sens à ce qui suit : « Il semble même que la nature ait pris soin de donner à la masse imposante de cet édifice *une expression toute romantique :* des nuées de corbeaux demeurent incessamment dans les cimes et leurs chants funèbres prêtent une voix terrible à cette habitation du Dieu vengeur [1] ». *Romantique* s'épure de ses consonances encore « féodales » de *L'Héritière de Birague* et du *Vicaire des Ardennes.* Romantique devient le bien de tous, et renvoie à l'intense richesse du réel, à tout ce que ne voient ni ne sentent les bourgeois. Cette cathédrale à pleine pâte et cette cathédrale inspirée, cette cathédrale qui grouille et qui pense, cette cathédrale tout en masse, tout en élan, tout en clochetons, annexes et arcs-boutants, cette cathédrale robuste et enchantée, c'est la cathédrale balzacienne. Ici encore, l'art de voir et l'art de dire, ici encore la création et le style manifestent l'évolution de l'humanité. Comment faire entrer Saint-Gatien dans les keepsakes ?

Quant au Cloître lui-même, c'est là que Wann s'est retirée. Le silence, l'herbe qui croît entre les pavés, les façades monastiques, les arcs-boutants, cette « espèce de Thébaïde » produit sur Landon, comme sur le lecteur, une impression profonde :

> Ainsi, l'habitation de Wann se trouvait gardée par une double enceinte de paix et de silence. Nul bruit ne troublait cette sombre solitude, si ce n'était les chants religieux qui, traversant les murs, arrivaient jusqu'à elle comme le bruit des flots du monde habité pour une âme qui, s'éloignant de la terre s'envole vers les cieux. Cette espèce de Thébaïde opérait sur la moindre créature, fût-elle dépourvue de réflexion, l'effet qu'elle produisit sur Landon. En traversant la rue latérale à la cathédrale qui menait au Cloître, il devint pensif, perdit l'espèce de gaieté qui l'animait, *et regarda ces bâtiments en pensant à Dieu, à l'éternité,* puis il ajouta en lui-même : « Il faut aimer pour vivre ici ! ». Il avait raison ; un sentiment immortel qui apporte avec lui une nourriture pour l'âme, la joie, le bonheur, pouvait

---

1. *Wann-Chlore,* IV, p. 4. Intéressante variante du premier manuscrit : « Il semble même que la nature ait pris soin de compléter *cet édifice vraiment romantique* [...] » De premier jet, donc, *romantique* encore un peu par nature et par origine, comme le château de Birague, puis, réflexion faite, romantique par le sentiment qu'inspire l'ensemble cathédrale et environnement.

seul soutenir et vivifier un être habitant en ces lieux. Il faut y être moine (c'est-à-dire mort) ou amoureux, pour y vivre[1].

Sanctuaire jadis, voici le Cloître à nouveau sanctuaire. Les textes sont formels, qui permettent de trouver la véritable clé de cette nouvelle inspiration balzacienne :

> *Il regarda la maison de Wann-Chlore, et la même voix lui dit:* *Là, elle est ensevelie.* Pour la première fois, le Dieu était dans le temple, *semblable au Dieu de Jacob, qui se montrait rarement*[2].

Le point de départ n'est pas du tout, comme on voit, le *credo* chrétien, mais bien la rencontre entre certaines dispositions intérieures, certains besoins de l'âme, et les pratiques, l'atmosphère religieuses. « *Le dieu de cette solitude* », est-il dit en termes clairs dans le manuscrit, est bien l'amour. « En entrant dans la cour sombre de la maison, ajoute Balzac, il [Landon] entra dans une vie nouvelle, ou plutôt, il se retrouvait à vingt et un ans, et joignait au charme printanier de la situation ancienne cette teinte de mélancolie qui lui rendait la jouissance plus vive. » Ce n'est pas là le dogme catholique en ce qu'il a de normatif et de *clos*, mais bien toute une fécondité, toute une capacité d'accueil, poétique et psychologique, du « génie » chrétien. Le Cloître est un endroit plus dense, plus riche, que Chambly, et la religion est ici annexe, expression du *moi*. De même, la cathédrale Saint-Gatien, des arcs-boutants aux clochers et aux corbeaux, avec ses innombrables figures, ses forêts enchantées et toutes ses créatures « échappées de la pensée du Dieu vivant[3] », tout ce baroque, figure toute la complexité, toutes les inspirations qui échappent aux « raisonnables ». *Libéraux et bourgeois ignorent l'hymne.* Or, qu'est-ce qu'une vie qui n'adore ni ne croit? Qu'est-ce qu'une vie qui ignore — afin de dissiper toute équivoque — *le don?* L'anticonformisme et l'insurrectionnisme sensualiste, dans leur situation concrète de 1823, peuvent-ils « comprendre » Wann? Fanchette ni son chat n'avaient *besoin* de cette dimension nouvelle de l'amour : leur opposition à Vandreuil suffisait à leur conférer valeur et, en un sens, poésie. Mais on n'en est plus là, et Fanchette est un peu simple. La simple allégresse, la simple jeunesse, ne recouvrent plus l'universalité

---

1. Ces éléments descriptifs seront à nouveau utilisés en 1832 dans *Le Curé de Tours*. Cf. le manuscrit de cette nouvelle, sous son premier titre prévu, *La Vieille Fille* (*Lov.* A II, f° 9 sq., en particulier).
2. *Wann-Chlore*, IV, p. 7.
3. *Wann-Chlore*, IV, p. 3.

des désirs et des possibilités. S'en tenir à Fanchette, c'était
s'en tenir aux ventrus et à leur courte philosophie. Tout ce qui
a été dit sur *Sténie* prend ici une force accrue. Nikel et Rosalie
appartiennent encore à cet univers simple, antérieur aux découvertes. Mais qui oserait faire de Wann et Landon des héros
réactionnaires et rétrogrades? Ils sont en avant, et nettement, de Fanchette, de Nikel et de Rosalie, *et donc*, sont en
avant, sinon formellement, du moins en ce qui concerne exigences et implications, leurs références et leurs justifications.
Seule une véritable réappréciation du thème littéraire et
psychologique religieux permet de ne pas commettre à
l'encontre de cette évolution de Balzac le pire des contresens bourgeois ou pseudo-progressistes. Il faut se rappeler le
héros des *Folies du siècle* : seules des raisons élevées et valables expliquaient l'attrait exercé sur lui par la cathédrale
gothique. Seule une expérience d'*appauvrissement* (pour
Balzac aisément localisable) explique l'attrait exercé, quel que
soit leur vêtement, par de nouvelles richesses. Seul le dépérissement des valeurs et prestiges de la révolution libérale
bourgeoise peut rendre compte de cette remontée de sève
en des thèmes qu'on pouvait croire à jamais déclassés par la
défaite des classes sociales qui en étaient porteuses et interprètes. Comment, dès lors que la vie, que la terre, apparaissent
de nouveau (c'est la leçon de la vie privée) comme une absurde
cellule, ne verrait-on pas refleurir ces équilibres et compensations qu'avaient naguère rendus inutiles, avait-il semblé, la
victoire sur le passé, et donc, semblait-il, sur tout ce que la vie
contenait d'absurde? C'est, cette fois, la leçon, non de la vie
privée, mais de la mort de Wann dans la première version.
Balzac, certes, imite, et de très près Maturin, mais
qu'importe? Il reprend à son compte le texte de Maturin, il
l'enrichit. Il ajoute, d'abord, ce sermon de Sterne sur l'homme
aux deux femmes : qu'on ne juge pas témérairement [1]! Landon
n'est peut-être pas aussi coupable que pourraient le laisser
croire les apparences; n'est-il pas comme « ce voyageur impru-
dent qui s'égare par mégarde et rétrograde sur ses pas dès
qu'il aperçoit son erreur »? Cette charité est, déjà, à contre-
courant de la sécheresse et de la bonne conscience bourgeoise.
Mais, presque aussitôt, il y a mieux, et plus fort :

> Elle était dans son lit, les mains jointes, la croix noire au
> col, et tranquille comme une vierge sainte. Ceux qui ont vu
> le tableau d'Atala ont une parfaite image de sa pose [2].

1. Sterne, *Œuvres*, Ledoux et Tenré, 1819, IV, p. 62 (sermon IV, *Le Lévite et sa
concubine*).
2. *Lov.* A 244, f⁰ 144.

« Mange-t-on dans *René ?* » Pourquoi le temps n'est-il plus à ces
questions? Pourquoi ces questions ne sont-elles plus oppo-
sables à *Atala ?* Au moment de la mort de Wann, le Puritain,
héritier du philosophe des premiers romans, mais ayant dans
sa poche de tout autres leçons, s'adresse à la jeune femme :

> Au-dessus des nuages et plus loin que les cieux, il est une
> contrée brillante. Ce n'est plus le soleil qui l'éclaire, c'est
> le soleil des soleils, l'éclat du trône céleste. Là des milliers
> d'anges agitent leurs plumes blanches comme la neige.
> Ils sont vêtus de la gloire de Dieu, et leurs ailes brillent
> comme le soleil à midi. Les étincelles jaillissent de leur
> moindre mouvement! comme la rosée d'une cascade. Là,
> tout est amour, et ces myriades d'esprit sont rangés selon
> leurs mérites. De cette noble assemblée s'échappe un air
> d'amour, et ils aiment toujours. Là, on est heureux, là
> volent les âmes des justes. C'est enfin cette Jérusalem céleste
> promise à nos âmes. C'est l'espoir d'y entrer qui nous sou-
> tient, qui, dans nos affictions, nous fait regarder le ciel
> qui console, les justes des outrages de la terre. Tu y vas,
> Wann, tu y vas brillante, comme ceux qui ont souffert
> et n'ont connu que les douleurs d'ici-bas [1].

Le chemin est long, parcouru depuis le quartier Saint-Paul
et depuis Chambly, depuis le chasseur et Rosalie! Depuis,
aussi, la lettre sur Lamartine! L'amour, lorsqu'il se heurte
à de multiples et omniprésentes impossibilités, réinvente
spontanément les vieux mythes. Lorsque l'Histoire, de transparente et de claire, redevient, ne serait-ce que momentanément, obscure, on voit resurgir des vocables, des images, qu'on
imaginait morts à jamais [2]. *Wann-Chlore* n'est pas *seulement*
un roman religieux, et nous avons vu qu'Eugénie était d'une
autre trempe, du moins de manière fugitive; mais *Wann-
Chlore*, roman réaliste, roman de la vie privée, est *aussi* un
roman religieux. Le « jeune marbre » d'Augustine Guillaume,
plus tard, au Père-Lachaise, l'image des humbles et modestes
fleurs « écloses dans les vallées [3] », seront également de ce
registre religieux « parallèle » que ne gêne en rien la bigoterie
des Mme de Granville [4]. Le libéralisme et son escorte idéologique avaient naguère violemment récusé la religion pour

1. *Lov.* A 244, f⁰ 146.
2. On note de même, et ce n'est pas recul, appauvrissement, mais enrichissement, dans la pensée marxiste contemporaine vivante, la découverte, l'« invention » de notions ou de vocables comme *tragique, dialogue, pluralisme*, etc. L'expérience libérale prouve qu'il ne s'agit nullement nécessairement de révisionnisme
mais de sens du *plus*.
3. *La Maison du chat-qui-pelote*, éd. Castex, p. 100.
4. Dans *Une double famille*.

être contraire à la vie, mais cette nouvelle religion qui apparaît dans l'œuvre de Balzac, est la vie même, dans le prolongement de la vie, exigée par elle, et ne devant absolument rien à des ralliements temporels, tout au plus, dans le pire des cas, y pouvant conduire [1]. Ce qui compte c'est le jugement porté, au fond, et sans que la conscience claire en soit toujours avertie, sur le monde. Il existe certes, on va le voir, d'autres coordonnées à l'évolution de Balzac en 1823-1824, mais il fallait réserver la primeur à l'évolution des réflexes, des images, de la philosophie. A l'évolution du style. C'est ici que nous retrouvons *Annette*.

Annette et le criminel, en effet, est un roman religieux, et ce d'une manière bien déroutante. Balzac y demeure l'anticlérical que nous connaissons. Il n'a pas de mots assez durs pour les fameuses missions prêchées à Paris au début du ministère Villèle. Il demeure gaillard, irrévérencieux. Et pourtant... Et pourtant, Annette, loin d'avoir la fraîcheur chiffonnée de Fanchette, a été élevée chrétiennement, sans que cette éducation semble avoir été dans un sens *contraire* à celui de la nature. La religion d'Annette est une religion qu'elle a choisie et qu'elle vit; c'est un prolongement d'elle-même. L'abbé de Montivers, disciple de Fénelon et de Mme Guyon, voyait « dans les prières autre chose que des mots lancés en l'air [2] »; aussi, la sensible jeune fille avait-elle été touchée par cette religion de l'âme. Ce qui ne l'empêchait pas d'avoir du caractère, éventuellement de la coquetterie. De la mélancolie, jointe à de la force : ayant une personnalité riche et marquée, Annette ne peut être, *dans le roman*, une marionnette pour « homme noir ». Qu'est-ce que son Dieu, sinon sa croyance en la vie, sa croyance dans le sens des choses? Le catholicisme n'est que langage. Balzac, créateur d'Annette, aide à comprendre comment une humanité insuffisamment armée se fait un Dieu à l'image de ce qu'elle porte en elle de plus élevé. Dieu, pour Annette, c'est la vie qu'elle attend, et qu'elle imagine simple, sans drame, avec ce cousin qu'elle ne connaît pas encore trop bien. Dieu, pour Annette, ce n'est pas encore le refuge, le Cloître et son silence; ce n'est pas la négation de l'Homme, ce n'est pas l'Ordre, au pire sens du terme : c'est la nature et la logique. Elle a, certes, entendu parler du péché, mais le connaît-elle? Annette est bonne, alors que les dévotes de Valence sont malveillantes. Quant au

---

1. On retrouvera, à plein, le problème, en 1832.
2. *Annette et le criminel*, I, p. 49.

sermon de l'abbé de Montivers, nous avons vu ce qu'il avait d'incompatible avec une religion de pur opportunisme social. Comment Annette (qu'aurait peut-être rebutée une mission trop congréganiste), ne comprendrait-elle pas la longue métaphore du début, sur les fiançailles de la jeunesse et de la vertu [1]? Le sens des dénonciations subséquentes lui échappe, mais le spectacle d'Argow bouleversé par les paroles de Montivers [2] donne à sa vie un sens nouveau. L'effort lui apparaît, une notion nouvelle du mérite. Elle aidera cet homme à se sauver. Le sermon a relancé les personnages et l'action : preuve de vérité. Et l'autre preuve, c'est Balzac qui la fournira lui-même, en 1837, en affadissant le texte du sermon, en faisant de Montivers non plus un dénonciateur, mais un abbé de cour [3]! *Toute une agressivité balzacienne, en 1823, avait passé par les paroles de Montivers et par le personnage d'Annette* qui, en plein drame, s'écriait : « Dieu et lui, voilà mon cri! », en même temps que la religion servait à constituer, à structurer des personnages en quête d'authenticité dans un monde en proie au calcul. Religion « progressive », donc, religion-apport, religion-découverte et affirmation. Les aspects « poétiques » de la religion de *Wann-Chlore* s'estompent même nettement, dans *Annette*, au profit d'une religion plus intériorisée, plus liée à la nature des personnages, et non seulement à leurs entours ou à leur présentation. Romancier, Balzac intègre à une vision romanesque ce qu'exprimaient de vérité un style et une littérature.

L'importance de ce courant mystique et religieux, qu'il semble bien préférable d'étudier en se plaçant *d'abord* du point de vue des besoins et des motivations, ne peut pas ne rien devoir à des lectures. Nous avons déjà rencontré Thomas

---

1. « Qui de vous, chrétiens, ne fut le fiancé d'une âme belle, pure, vierge et saintement candide? Qui de vous ne l'a vue, dans son printemps, brillante d'affections pures et généreuses » (*Annette et le criminel*, II, p. 151). Rastignac dira : « Moi et la vie, nous sommes comme un jeune homme et sa fiancée » (*Le Père Goriot*, éd. Castex, p. 133).

2. Scène fausse et forcée, mais il faut en retenir l'idée, plus que la mise en forme.

3. Un exemple : après « Dieu n'est pas! », qui provoque le châtiment, on lit, en 1824 : « ces deux squelettes sont la proie des remords, comme ils furent celle des voluptés criminelles. Ils brûlent, ils brûleront toujours » (*Annette et le criminel*, II, p. 151). Dans l'édition Souverain, on lit seulement : « Triomphant de ce réveil; de l'âme, il a étouffé dans son sein le repentir, et retenu l'absolution que l'Église réservait à ses remords » (*Argow le Pirate*, I). Et il en va toujours ainsi. Balzac a affadi son texte, en a raboté tous les angles vifs, en un temps où il aspirait à faire figure dans la bonne société, et à faire « passer » les romans de Saint-Aubin dans la littérature de l'in-8°. Cette entreprise est très significative du caractère « mal-pensant » du roman de 1824.

Moore et ses *Amours des anges*. Mais on sait que Balzac,
dès la rue Lesdiguières, s'intéressait au magnétisme [1].
On sait que, vers 1823, il lut sainte Thérèse, saint Martin, le
« philosophe inconnu », Eckartshausen. On sait que sa mère
croyait, dès cette époque, au magnétisme en tant que théra-
peutique [2]. Il faut, toutefois, garder la mesure, comme toujours, lorsqu'il s'agit d'influences écrites. Balzac lui-même
écrira dans *Louis Lambert :* « Il s'occupa surtout de magnétisme, *mais en cherchant à rassembler des faits et en procédant
par l'analyse, le seul flambeau qui puisse nous guider aujour-
d'hui à travers les obscurités de la moins saisissable de toutes
les natures* [3]. » Ceci est capital : face à des « croyants », Lambert
adopte une attitude critique, une attitude scientifique. Le
magnétisme (comme, on va le voir, la prière) est chose rencontrée, problème du réel; rassemblons les faits et analysons. Où
se trouve, en tout ceci, la moindre trace, soit de simple intérêt
mercenaire porté à des choses dont on peut faire des livres,
tirer des effets ou de la copie, soit d'adhésion irrationnelle
et démissionnaire? La mystification (volontaire ou spontanée)
du Balzac mystique est l'un des scandales de la critique balzacienne moderne. Soit intention délibérée de « récupérer »
Balzac, soit habitude prise, soit absence de toute idée de ce
que pourrait être une autre vision des choses que celle du

1. Selon le témoignage de Jules Pétigny (article paru en 1855 dans *La France
centrale*, de Blois, et reproduit par Lovenjoul, H. O. p. 377 sq.). Ce magnétisme
de la rue Lesdiguières, toutefois, semble bien relever au moins autant de l'esbroufe
et de la joyeuseté que de l'adhésion sérieuse à une « science » : « Oui [...] j'approche
du but. Encore quelques efforts, et je l'atteindrai. Le magnétisme n'est que l'ascen-
dant irrésistible de l'esprit sur la matière, d'une volonté forte et immuable sur
une âme ouverte à toutes les impressions. Avant peu, je posséderai les secrets
de cette puissance mystérieuse. Je contraindrai tous les hommes à m'obéir,
toutes les femmes à m'aimer. Voyez, continuait-il en s'échauffant de plus en
plus, cette jolie personne qui bâille près de cette table d'écarté... Eh bien,
par la seule fascination de mon regard, je la forcerai de traverser ce salon et de
venir se jeter dans mes bras » (p. 378). Ceci semble bien être de la même eau que
plus d'une lettre à Laure, dans lesquelles il n'est jamais question de magnétisme.
2. Sur tout ceci, consulter Philippe Bertault, *Balzac et la religion*, p. 12-19, et
l'*Introduction au Traité de la prière*, du même auteur, puis deux articles parus
dans A. B. *1965 :* Madeleine Fargeaud, Mme *Balzac, son mysticisme et ses enfants*,
et Robert Amadou, *Balzac et Saint-Martin*. Également l'article cité plus haut
d'Arlette Michel dans A. B. 1966.
3. Ce texte est *celui du manuscrit* (*Lov.* A 160, f° 28, et éd. Pommier, p. 106).
Dans le texte imprimé, il n'est plus question de magnétisme, et c'est à l'ana-
tomie comparée, à la physique, à la géométrie et à ses sciences annexes que
Lambert est dit avoir appliqué la double méthode du rassemblement des faits
et de l'analyse. Pourquoi ce repentir? C'est en 1831 que se situe la « conversion »
de Mme Balzac et sa rencontre, à Nantes, avec le swedenborgien et magnétiseur
M. de Tollenare (cf. Madeleine Fargeaud, article cité *supra*, note 1). Balzac
a-t-il reculé, au moment où il a besoin de sa mère, devant une sorte de censure?
Ou bien, a-t-il voulu accentuer le caractère mystique de Lambert, quelque peu
effacer certains aspects plus scientistes et plus matérialistes qu'il avait d'abord?
On retrouvera ce problème au chapitre IX.

monde établi, il est admis que, s'il existe un Balzac réaliste, il existe aussi *un autre* Balzac, que l'on n'explique pas, que l'on explique mal, mais qui est là, comme pour ennuyer et contre- dire ceux qui tirent de *La Comédie humaine* trop de choses concernant le fonctionnement de la société capitaliste. Et pourtant, en la circonstance, les textes sont clairs : l'analyse est le seul flambeau, cette même analyse qui, dans un autre contexte, appliquée à d'autres objets (le donné social), opposée à l'enthousiasme, à l'innocence, à l'esprit de commu- nauté et de participation, devenue instrument non de la recherche de la vérité, mais de la recherche de l'intérêt, sera dénoncée, dans *La Peau de chagrin* et dans les œuvres circon- voisines comme le fléau majeur du monde moderne. Mais l'analyse dont parle Lambert est l'analyse saine, l'analyse matérialiste, celle qui libère et aide à progresser, celle qui n'exclut rien mais conquiert. Ce texte du manuscrit de 1832, convenablement cité et mis en valeur [1], permet de situer plus correctement les fameuses expériences et lectures de 1823. Que Balzac ait découvert (ou continué à découvrir) avec intérêt, avec passion, même, tout un continent que lui avait laissé ignorer son père, que l'exigence d'une connaissance plus complète de l'Homme, que l'enrichissement et le dévelop- pement de sa propre personnalité, que la renaissance du pathétique, du tragique, dans l'univers bourgeois, que tout ceci ait contribué à valoriser des textes qui prenaient un sens nouveau, plus riche, quoi de plus facile à imaginer? Mais que tout ceci soit anomalie, épisode bizarre, enclave déroutante, que tout ceci, surtout, soit régression, ou signe qui permette quelque peu de déclasser le réalisme ultérieur, non. Balzac a lu des écrivains mystiques et religieux, c'est un premier fait. Balzac — c'est lui-même qui le dit — s'est préoccupé de ces questions dans un esprit de compréhension objective, c'est un second fait. Ce désir de compréhension objective s'appuie sur un besoin affectif, sur un débordement de la conscience par-delà les étroites limites de l'idéologie libérale, c'est un troisième fait. Balzac, enfin, qui n'est ni un savant sec, ni un mécaniste, mais quelqu'un ayant le sens du vivant et l'apti- tude à l'exprimer, a nourri, dans le fil même de sa découverte

---

1. Ce texte est cité par Madeleine Fargeaud (A. B., 1965, p. 22.) Mais, 1° sans qu'il soit mentionné qu'il s'agit du manuscrit, donc d'un premier mouvement, et qui livre, au moins autant qu'un simple *rensei- gnement*, une *réaction* de Balzac, 2° sans, surtout, que soit soulignée l'importance des mots : *faits, analyse, seul flambeau*, évidemment destinés aux magné- tistes, disons sentimentaux. Il reste, ainsi, simplement, que Balzac, comme Lam- bert, a dû *s'intéresser* au magnétisme. Et alors? Car, que signifie, *s'intéresser*? Et le mot ne peut-il avoir bien des significations, chacune recouvrant toute une philosophie?

de la vie et de ce que la fait le monde moderne. Son œuvre naissante en marche vers plus de vérité de ces lectures et découvertes *assimilées*, c'est un quatrième fait. Sur cette quadruple et ferme base, l'étude de l'épisode religieux de 1823 peut se faire de manière saine, échappant à la fois aux gauchissements moralistes et spiritualistes (ou, plus banalement, traditionalistes et bien-pensants) et aux exécutions sommaires d'amateurs de réalisme à courte vue. Lectures, soit, mais gardons à l'esprit que nulle lecture n'a jamais rien tiré de rien, non plus que nulle rencontre, que seule est créatrice la rencontre d'un tempérament avec la vie, la lecture avec d'autres instruments que ceux du vulgaire, du réel. Balzac a lu bien des choses, rencontré bien des gens dans sa vie qui ne lui ont pas inspiré la moindre ligne, qui n'ont en rien contribué à la constitution de sa vision du monde. Ce qui importe, c'est bien, pour reprendre ses propres termes, l'*intus*, dans une histoire, comme dans l'Histoire. Par là seulement se résolvent les contradictions apparentes, par là s'expliquent les diverses manifestations de l'activité réflexive ou créatrice. Deux textes demeurés longtemps inédits permettent de vérifier que les affleurements ou développements dans la production publique et avouée ne sont pas simples accidents, encore moins simples habiletés ou travail de fourniture. Le premier, plus purement « littéraire », sorte de poème en prose, livre la chose à l'état « pur »; il manifeste la naissance, en Balzac, d'un romantisme, d'une aptitude au romantisme, impensables quelques années auparavant. Le second, plus « intellectuel », permet de retrouver les racines du phénomène.

Le premier est ce qu'il est convenu d'appeler aujourd'hui le « second » *Falthurne* (ou, pour nous, compte tenu des deux *Falthurne* de 1820-1821, *Falthurne* III), que Balzac envoya, en 1835, à l'Étrangère avec le manuscrit de *Séraphita*, en prétendant qu'il datait de 1820. En fait, comme deux allusions à *La Dernière Fée* figurent dans le texte, comme certains passages sont rédigés sur des brouillons du même roman, aucun doute n'est permis, et ce nouveau *Falthurne* est bien de l'année 1823 [1]. On peut même pousser plus avant, et préciser. On relève également, dans le second fragment du manuscrit, une allusion à l' « Histoire de l'Excommunié [2] ». Or, c'est au début de 1824 que Balzac rassemblera une documentation pour un roman sur les Armagnacs et les Bourguignons qui devait s'intituler *L'Excommunié*, mais qu'il n'acheva

---

1. Démonstration faite dans l'édition Castex, p. 147 sq.
2. Voir ce passage dans la même édition, p. 173.

pas [1]. *Falthurne III* est donc probablement des derniers mois de 1823, postérieur en tout cas, à *Annette et le criminel.* Quant au second texte, le *Traité de la prière,* les allusions de la *Correspondance* avec Thomassy prouvent qu'il fut entrepris entre octobre 1823 et janvier 1824 [2].

Falthurne III se présente comme une suite de rêveries destinées aux jeunes filles (toujours Emmanuelle?). On mesurera le chemin parcouru depuis les romans anti-d'Arlincourt :

> C'est pour les jeunes filles que, parmi des flots de rosée et à la lueur amoureuse que distillent les étoiles naquit dans le calice d'une fleur des nuits cette nouvelle muse dont les accords s'échappent du sein des nuages; *muse du romantisme, doux génie du ciel qui présidez à la grâce et au sentiment,* redites alors vous-même l'aventure mystérieuse de Falthurne; léger comme un lutin, glissez-vous furtivement dans ma plume ou voltigez autour d'elle en agitant vos ailes de neige.... Vous, jeunes filles, sachez que c'est pour vous seules que j'écris ces rêveries [3].

On venait de traduire *Les Amours des anges,* de Thomas Moore, cités à la fin de *Wann-Chlore,* et que paraphrase Mme de Berny: « O oui, je t'aime tu es pour moi plus que l'air pour l'oiseau, plus que l'eau pour le poisson, plus que le soleil pour la terre, plus que la nature pour l'âme [...]. Un auteur a dit que le bonheur s'engendre toujours, et ne se trouve jamais; moi, je dirais, mon divin chérubin, que tu le produis sans cesse; il émane de toi, comme l'odeur de la fleur, pour piller Thomas Moore; je dirai : Tu parais, *il est là!* O, oui, c'est à flot que tu le verses sur cette tête que tu aimes, merci, mille fois merci [...] [4] », et c'est l'une des sources (ou des incitations) de *Falthurne III.* Les lectures, on le voit, continuent de s'infléchir en un sens bien précis. Dans cette sorte de poème en prose, Balzac évoque une humanité idéale, dans une vallée elle aussi idéale : « On n'y flétrissait jamais *un lys de la vallée,* on y respectait une jeune vierge comme une espèce de divinité visible [5]. » Au sein de cet univers vit un être mystérieux,

---

1. *L'Excommunié* sera achevé, en 1837, avec la collaboration de secrétaires, et publié dans l'édition Souverain des *Œuvres complètes* d'Horace de Saint-Aubin.
2. Thomassy parle à Balzac de son *Traité* dans deux lettres du 30 octobre et du 7 janvier (*Corr.,* I, pp. 228 et 243).
3. *Falthurne,* éd. cit., p. 159.
4. *Corr.,* I, p. 234-235. Compte tenu des dates de publication de l'œuvre de Moore (12 avril et 31 mai), cette lettre doit être de mai-juin 1823. Le souligné *il est là* est dans le texte; on en trouve de nombreux semblables dans *Wann-Chlore* et dans *La Dernière Fée.*
5. *Falthurne,* éd. Castex, p. 162.

Falthurne; on le dit l'Espérance, on le dit le roi des Amours; il est lumière et poésie; il apparaît et parle aux âmes seules. Qui est-il? D'autre part, Balzac nous présente une douce et mystérieuse jeune fille, Minna, qui vit seule dans une chaumière, où elle veille sur un lépreux, ancien Croisé qui déclasse brusquement les railleries de *Clotilde de Lusignan* : « C'était un de ces guerriers qui, désertant leur patrie, et décorant leur sein de la croix rouge, allèrent en Judée délivrer le tombeau de celui qui naquit dans une crèche [1] ». Le texte rédigé s'interrompt, et l'on ne saura pas par le détail ce que furent les relations (attendues) entre Minna et l'être mystérieux. Mais deux pôles apparaissent avec certitude : celui d'une présence spirituelle, d'une part, et celui de l'ange-femme, d'autre part. Principe masculin, principe féminin, c'est déjà le maître-thème de *Séraphita*. Falthurne devait apparaître en songe à Minna [3], et la jeune fille, « fille de lumière et non du néant [4] », ange terrestre, déjà, par sa charité, devait connaître une assomption qui l'aurait conduite à la demeure des anges. Les brouillons conservés développent les deux thèmes : d'une part, l'accueil fait à Minna dans le pur séjour, d'autre part, l'hymne d'amour (largement inspiré du *Cantique des cantiques*) de Minna à Falthurne. « L'étoile sur le front de Falthurne. L'étoile au-dessus du front de Minna [5] » : « l'apothéose de Minna [6] » devait être l'apothéose de l'amour, unité humaine devenue unité du monde, l'amour devenu religion. « *La religion, c'est l'amour appliqué à Dieu [7].* » Dieu n'est pas donné, révélé, mais trouvé, conquis, à partir de l'Homme et de ses forces d'amour, et ceci est capital, parce que, malgré les apparences, malgré le vocabulaire (souvent irritant), il n'y a pas réellement rupture, trahison, par rapport aux *Notes philosophiques*. D'autre part, la « religion » de *Falthurne III* est parfaitement hétérodoxe, et Falthurne apparaissant dans le vallon, la nuit, alors que les bergers gardaient leurs troupeaux, la grande lueur qui l'environne [8], ceci n'a pas été choisi au hasard. *Falthurne* n'est pas une « capucinade ». Point de sang, point de folie de la croix, mais la lumière, la

---

1. Les jeunes filles pensent que ce peut être un jeune seigneur qui habite « les tours orgueilleuses et noircies d'un vieux château qui se trouvait au loin » (*ibid.*, p. 164). C'est exactement le thème du *Solitaire*, et voici une autre preuve de l'évolution de Balzac par rapport aux thèmes « romantiques ».
2. *Falthurne*, éd. Castex, p. 167.
3. *Ibid.*, p. 174.
4. *Ibid.*, p. 176.
5. *Ibid.*, p. 186.
6. *Ibid.*, p. 187.
7. *Ibid.*, p. 179.
8. *Ibid.*, p. 183-184.

musique, une sorte d'ascension et de salut qui n'ont pas besoin de recourir au drame, à la souffrance. « Le visage de Minna resplendissait d'une beauté intérieure dont son âme était le foyer [1] » : c'est Annette et c'est Eugénie, c'est la promesse au cœur même de l'Humain. La poétisation de l'univers, ou l'accession de l'univers à la poésie n'impliquent nullement un déclassement de l'Humain. S'il y a rupture, c'est surtout au niveau du vocabulaire, du style et des apparentements littéraires, mais l'enrichissement est incontestable sur le fond. L'univers balzacien gagne en profondeur, en intériorité. Le coup de pouce de l'expression, dans *Falthurne III*, ne doit pas aveugler; trop de lys, trop d'étoiles, trop de concerts, trop de chérubins et de trônes, oui, mais n'allant en rien dans le même sens que chez les Canalis d'alors et de naguère. Poésie de sacristie, *Falthurne III*? Qui le soutiendrait? Balzac y éprouve encore le besoin de vêtir de littérature et de légende, d'images et de formules consacrées, une vision plus complète, ou cherchant à l'être, des êtres et des choses. Lectures, donc, une fois encore, et un peu de complaisance, mais, dans l'ensemble, et pour qui replace le texte dans la suite de l'œuvre, *Falthurne III*, sans renoncement, fait passer d'un optimisme encore « scientiste » dans *Falthurne I* (avec les exigences et les frémissements signalés, qui orientent ce scientisme vers quelque chose de moins sec et de moins sommaire) à un optimisme plus complet dans *Falthurne III*. « Les deux *Falthurne* traduisent, dans leur diversité, les errements d'une conscience qui, tantôt sur les chemins de la Connaissance, tantôt sur ceux de la Charité, marche, avec un juvénile enthousiasme, à la recherche de l'Absolu [2] ». On peut souscrire, sauf pour le « tantôt » et pour « errements » : il y a *progrès*, indiqué par la chronologie, indiqué surtout par le contenu et les entours romanesques, non *hésitations* entre termes semblables ou parallèles. *Falthurne III* enveloppe et dépasse le premier, tous les éléments d'amour et d'ardeur impliqués dans la première quête se développant dans le sens d'un dépassement de plus en plus net de l'utilitarisme et du rationalisme appauvris. Lumière de la science, lumière du cœur brillent dans un univers à inventer, par-delà les limites, de moins en moins supportables, de l'univers libéral et bourgeois.

Le *Traité de la prière*, œuvre surprenante par son titre

1. *Falthurne*, éd. Castex, p. 169.
2. P.-G. Castex, éd. de *Falthurne*, p. 156 (importante mise au point et réfutation des interprétations qui, soit, identifient les deux *Falthurne*, soit les déclarent absolument hétérogènes, l'un à l'autre).

même, est l'aboutissement plus systématique des lectures qui avaient conduit à *Falthurne III*. Balzac s'en entretint avec Thomassy, qui lui prodigua conseils et mises en garde [1].

On s'est efforcé [2] de montrer quels liens existaient entre cette prise de position aussi nette et les œuvres ou ébauches antérieures; on a rappelé, surtout, le « dualisme » de Balzac, à la fois voltairien et rousseauiste, capable d'aller dans le sens de l'*Essai sur les mœurs* comme dans celui du *Vicaire savoyard*. Mais il faut insister sur la distinction qu'opère Balzac dès les premières lignes de son manuscrit, entre *religion* (institutions, rites, « rapport public de l'homme à Dieu »), et *prière* (langage universel, « rapport particulier [3] »). La prière préexistait au christianisme, et le besoin auquel elle répond survit aux formes et à l'Histoire chrétienne proprement dite. L'individu permet de retrouver l'unité humaine, que mutile ou sclérose toute « civilisation ». « La religion catholique a peu de fêtes pompeuses [4] » : ce peut être une pierre dans le jardin de Chateaubriand, et un moyen de bien comprendre la « religion » de Balzac. Pour le restaurateur du *Génie du christianisme*, le problème se posait en termes de culture, d'institutions, d'encadrement social; le christianisme était inséparable d'un certain « style » temporel. Pour Balzac, il s'agit de tout autre chose : d'un besoin, d'une poussée, qui conduisent à des institutions, à une culture, mais n'en sont point le produit. L'Homme se fait ses Dieux dans la ligne de ses aspirations et de ses besoins : c'est reprise et approfondissement d'une des idées centrales des *Notes philosophiques*. Le christianisme de Chateaubriand, trop lié à des entours, à des mœurs, à des nostalgies concrètes, manque d'intériorité, de valeur d'expression humaine; il s'arrête au seuil des êtres; il n'a pu, en conséquence, nourrir aucune *création*. Chateaubriand a pensé et senti, d'abord, en gentilhomme bien plus qu'en authentique homme religieux; d'où la poésie troubadour, mais non l'apparition de nouvelles figures. Chateaubriand est le d'Arlincourt du riche. La religion balzacienne, comme besoin, conduit, au contraire, à des découvertes. De même que, plus tard, la vie élégante ou la démarche, ou les excitants modernes [5], la prière est

---

1. *Corr.*, I, p. 228 et 243.
2. Cf. l'édition procurée par Philippe Bertault, la thèse du même auteur sur *Balzac et la religion* (p. 143-169), et l'*Introduction* de Maurice Bardèche (H. H. XXV, p. 301 sq.).
3. *Traité de la prière*, éd. Bertault, p. 86.
4. *Ibid.*, p. 90.
5. Cf. t. II, pour les *Traités* ou *Théories* que Balzac écrira plus tard sur ces sujets.

l'un de ces éléments dont on peut entreprendre la *description*, presque la physiologie, pour aboutir à une science de l'Homme et, par-delà, au roman — connaissance —. Vie élégante, démarche, excitants, prière, sont des manifestations soit de tendances, soit de secondes natures, qui livrent des clés de l'Homme et de la vie sociale. Tout a un sens, la Prière comme le reste. Balzac insiste beaucoup sur cette idée : la Prière est une passion comme d'autres passions, et elle est intimement liée à des problèmes d' « organisation »; or, « *les passions des hommes ont toutes leur code*, et nous ne croyons pas qu'il y en ait une seule qui n'ait des raisons solides en apparence pour base ». Nous voici bien, à nouveau, en plein positivisme : « *Pourquoi la passion des choses saintes n'aurait-elle pas les siennes?* [1] » Le *Traité* ne sera donc absolument pas une œuvre lyrique, une modulation de motifs sentimentaux ou purement subjectifs. Il sera bien, oui, dans la tradition de Lavater et des idéologues, une *Physiologie de la prière*, et l'on tient là, semble-t-il, les deux bouts de la chaîne : d'une part, l'unité humaine, les convergences, le rationnel, d'autre part, la possibilité de rendre compte de tout, d'établir une correspondance entre l'unité de fait et l'unité de méthode. L'Homme, le monde, sont uns et continus, et aussi, l'esprit peut les comprendre. La prière n'est pas un irréductible mystère; elle est un phénomène descriptible et classable de la vie intérieure comme de la vie sociale. Balzac se souvient peut-être ici de l'une des idées-mères de Cousin : la conscience, et tout ce qu'elle a de mystérieux, tout ce qui en elle trouve mal sa place dans les systèmes étroitement matérialistes du xviiie siècle, sont des *faits*, au même titre que ceux des sciences concrètes. De même que le doute, le mysticisme, seront, plus tard, dominés, dans *La Comédie humaine*, soumis à une vision scientifique, situés à leur place, comme *faits* de la vie moderne, non donnés ou envisagés comme réalités suprêmes, de même, la prière, en 1823, n'est pas un acte qui annule ou rende vaine l'entreprise descriptive, la dépasse, voire la ridiculise; elle est, au contraire, l'une des *données* du réel. Les phrases citées plus haut prouvent que, pour Balzac, faire un *Traité de la prière* ne conduit nullement à une quelconque liquidation de son prométhéisme : des hommes trouvent, ou ont trouvé, dans la contemplation, des plaisirs que ne l'on ne saurait soupçonner de fausseté, d'intérêt, etc. On a retiré leurs immenses biens aux moines, successeurs des solitaires? Balzac approuve. Il y avait eu perversion,

---

1. *Traité de la prière*, H. H., p. 310.

déviation. Mais ceci n'a rien à voir avec ce qui conduisait, et peut encore conduire, à la méditation, à la recherche d'une communication, etc. Il n'est pas question, insiste Balzac, de demander le rétablissement de « ces ordres réellement dévorants[1] »; il n'est question que de « consacrer le principe religieux », « *mais individuellement* ». Les plans sont donc bien séparés, en même temps qu'est fermement maintenu le propos. La prière avait été conquête, avancée. Ses avatars historiques, ceux des institutions qu'elle inspirait, ne doivent pas aveugler. Il en ira de même pour l' « industrie ». Balzac se débarrasse ainsi des trahisons, des fourvoiements, de tout ce qui est mort, de tout ce qui bloque, mais il conserve le souci du besoin, du droit : de deux manières, donc, il sauve l'Homme en ce qu'il a d'authentique et de total. Redemander des monastères et remettre en cause leur fermeture ou leur dépouillement, c'était tomber dans le piège du faux humanisme de droite, incapable de séparer les valeurs de leurs compromettantes mésaventures dans l'univers théologico-féodal. Nier le besoin de la prière, c'était tomber dans le faux humanisme de gauche, dans le faux humanisme libéral, qui proclamait l'Homme définitivement *satisfait* et « compris » par la Révolution bourgeoise. « Notre doctrine sur la prière aura un mérite : c'est d'être, nous le croyons, *un besoin du siècle*[2] ». C'est la négation même de l'une des prétentions libérales : il existe un subjectif qui déborde l'objectif, des désirs qui excèdent le réalisé. Toute résurgence religieuse, sentimentale, irrationnelle, est preuve ou suggestion d'échec (dans les meilleurs cas, d'insuffisances ou de difficultés) de la dernière révolution en date. Les références ne sauraient en aucune manière être des références formalistes ou rétrogrades. Un seul mot, explique Balzac, est souvent plus une prière que les formules consacrées, « qui renferment l'âme dans un espace où elle souffre[3] » : « bourgeoise » est donc à cet égard une religion que les bourgeois voudraient bien n'être que nobiliaire et d'ancien régime. La femme du comte de Granville, dans *Une double famille*, en 1830, ignorera cette prière authentique que fera renaître le roman balzacien. Le « O mon père!... » de sainte Thérèse va plus loin et dit plus que les innombrables *Pater* de chaque jour de la France catholique. Il y aura une prière, en ce sens, d'Eugénie Grandet, une prière de Lucien, une prière de toutes les âmes nobles ou exaltées, dans *La*

1. *Traité de la prière*, H. H., p. 311.
2. *Ibid.*, p. 311.
3. *Ibid.*, p. 312.

Comédie humaine. Que ce soit par l'intermédiaire de Chénier ou de la simple confiance, la prière est effort pour sortir de sa solitude, pour trouver l'autre, ou le sens des choses. Il y a prière, il y a religion, dès lors qu'il y a refus du fractionnel, et du mutilant. La « véritable cause de l'indifférence que les peuples de certaines parties de l'Europe avaient naguère en fait de religion [1] » vient de la sécheresse des prières officielles ou reçues, de leur intégration, *nolens volens*, à un ordre établi, appauvrissant et étrécissant. Ici encore, des barrières sautent, des clivages perdent de leur signification. La contradiction vie bourgeoise-religion perd de son intérêt, mais la contradiction libéralisme-absolu apparaît, riche, et allant loin. Une nouvelle prière, une nouvelle religion (Balzac ne dit pas un nouveau christianisme), *une nouvelle sensibilité*, sont possibles et nécessaires dans un univers desséché par la pratique et par l'intérêt. Le reste (les allusions à un renouveau catholique, les « confidences » sur une « initiation » de l'auteur, sur les délices qu'il aurait trouvées dans les effusions mystiques), c'est décor et arrangement, mise en forme, avec tout le « chic » de quelqu'un qui connaît bien, désormais, les astuces de rédaction. Tout va à l'encontre de l'hypothèse d'une authentique expérience mystique de Balzac en 1823. Ce qui est vrai, c'est qu'il semble bien avoir pris la mesure d'une vie plus large, encore à la recherche de son vocabulaire. Le coup de chapeau à Lamennais ne peut tromper : l'indifférence a une autre portée que simplement religieuse. L'indifférence en matière de tout gagnait la France entière à mesure que s'assurait le règne de l'utilitarisme libéral. Or, formellement, la prière est le contraire de l'indifférence; la prière est recherche et besoin d'autre chose; la prière est le contraire même du repli sur soi, du fonctionnement en vase clos, le contraire de la pseudo-hygiène positive. Eugénie d'Arneuse, de par sa position même, est religieuse, quoique jamais le romancier n'insiste sur cet aspect de son existence. Quant à Annette, sa piété pratique n'est que l'expression, la manifestation de sa profonde *qualité*. Le *Traité de la prière* se veut à la fois diagnostic et affirmation. Balzac voit et participe. Comme il ne saurait être question, pour ce texte demeuré manuscrit, comme celui de *Falthurne III*, de faire état de tractations intéressées, de « littérature marchande », comme le personnage d'Annette est la preuve, le garant de la fécondité, de la vérité, de cette vision nouvelle [2], comme la réflexion théo-

---

1. *Traité de la prière*, H. H., p. 313.
2. Une preuve, entre autres, de la filiation d'une œuvre à l'autre : l'abbé de Montivers voyait « dans les prières d'habitude autre chose que des mots lancés

rique aussi bien que la spontanéïté créatrice se rejoignent et se renforcent mutuellement, il faut bien constater que l'authentique, chez Balzac, après avoir eu un moment des aspects libéraux, est en train de prendre une autre figure. Nous avons parlé de désirs qui débordent le réalisé : ne commettons pas l'erreur de voir là quelque insatisfaction diabolique ou fondamentale. Ces désirs sont nés des réalisations interrompues ou dégradées de l'Histoire. Incapable d'inventer un quelconque matérialisme susceptible, lui, d'assurer une authentique relève philosophique ou simplement sensible (entendons de l'inventer explicitement, de le formuler, car ce matérialisme est en marche sans s'en clairement douter dans la pratique et dans les réflexions du romancier), la conscience retrouve les chemins de l'unité par ceux des croyances disponibles. Ce que sépare et désunit la bourgeoisie tente de se retrouver par l'intermédiaire de thèmes et de vocabulaires qu'il ne faut pas juger trop vite uniquement parce que nous en avons moins grand besoin.

Deux romans (trois, même, si l'on tient compte de certaines suggestions du *Vicaire des Ardennes*), un poème en prose, une œuvre plus théorique : assez impressionnante série d'ouvrages religieux, ou touchés de religion, ou qui recourent à des thèmes, à une mise en œuvre religieuse, pour dire ce qui est à dire. Comment parler de fabrication ? La série, les inédits pieusement conservés, la lettre à Mme Hanska (« *Falthurne*, tyrannie de la lumière, est le manuscrit de l'enfant. Puis vient le manuscrit de *Seraphita* [1] ») rendent impossible ce recours. Alors ? Que penser de cette « conversion » ? Elle a surpris, d'autant plus que la publication, en 1824, de deux brochures en faveur des Jésuites et du droit d'aînesse, semble durcir politiquement une position d'abord uniquement morale et littéraire. Avant les détails, il faut tenter de comprendre le fond.

Il faut pour cela relire, par exemple, le *Génie du christianisme*, en se plaçant non du point de vue de Chateaubriand, mais du point de vue des lecteurs. Religion égalait sentiment, générosité, liberté, non toujours formellement et par référence à un dogme, mais dans un mouvement spontané contre tout ce qui était cruel, contre tout ce qui était mesquin, étroit, étrécissant. Des hommes en prison ? Certes, ç'avait été, d'abord, des aristocrates, des ci-devant. Mais, qui se sentait,

en l'air » (*Annette et le criminel*, I, p. 49). Une hypothèse : le 5 mai 1823, Thomassy parle à Balzac d'une œuvre à faire plus ou moins en commun; une quinzaine de travail, et quatre volumes (*Corr.*, I, p. 219; inédit donné pour la première fois par Roger Pierrot). S'agit-il du *Traité de la prière*, ou d'*Annette et le criminel* ?
1. *Falthurne*, éd. Castex, p. 147.

à mesure que le siècle avançait, emprisonné, devait comprendre le langage de ceux à qui les geôles de la Terreur avaient appris à chanter. Relisons, dans cette optique, cette page du maître-livre : « Ce n'est pas sous le feuillage des bois, avait écrit Chateaubriand, et sur le gazon des fontaines, que la vertu paradait avec le plus de puissance : il faut la voir à l'ombre des murs de prison et parmi des flots de sang et de larmes. Oh! combien la religion est divine, lorsque au fond d'un souterrain, dans le silence et la nuit des tombeaux, un pasteur que le péril environne, célèbre à la lueur d'une lampe, devant un petit troupeau de fidèles, les mystères d'un Dieu persécuté [1]. » Quiconque eut, au xixᵉ siècle, dans sa vie, « un Dieu persécuté », put comprendre ce style et ce langage, sans nécessaires et références à des textes, à une obédience, à un catéchisme. « Esclave, il sent un cœur né pour la liberté [2] » : alors que les représentants attitrés, alors que les défenseurs de la liberté, commençaient à perdre de leur rayonnement et de leur force de conviction, comment tout langage, comment toute dynamique de la liberté, n'auraient-ils pas parlé aux âmes? *Un style, un langage, sont déjà des semblants de liberté, des libertés qui commencent.* L'univers libéral se *referme ;* malgré certaines manifestations apparentes, l'univers romantique et religieux, sous la pression des faits, parle un langage *d'ouverture.* Nous disons bien : malgré certaines manifestations apparentes, car il est certain que c'est l'univers romantique et religieux qui se referme, *et qui referme*, dans le cas des Missions, dans le cas de tous les terrorismes privés, dans tous les cas où il est *bourgeois*, c'est-à-dire conservateur, ennemi de la vie. Mais est-ce toujours le cas? Alors que se vide de son contenu la liberté des hommes du *Constitutionnel* (appuyés non sur des exigences, des idées, mais sur du concret, *sur du en marche*), la Liberté se réfugie dans une poésie qui tend à se libérer de ses compromettantes attaches. « Idéologie? » Certes. Manque de bases sérieuses? Oui. Mais, *pour les hommes d'alors*, révélation d'un pouvoir mobilisateur nouveau, alors que s'en dissolvait un autre dans l'opportunisme affairiste ou technocratique. Toute la suite de l'œuvre de Balzac aide à comprendre ce virage, et bientôt l'accrochage au train menaisien : l'Église, dans *La Comédie humaine*, l'Église en tant que corps, et en tant que représentée par des personnages de premier plan, ne sera jamais réactionnaire, liée au pire des Ordres, comme dans *Bel Ami*. La Grande-Aumônerie intriguera contre

---

1. Chateaubriand, *Génie du christianisme*, 4ᵉ édit., de l'imprimerie de Ballanche, 1804, I, p. 91.
2. Lamartine, *Méditation II, L'Homme.*

Rabourdin, c'est vrai, mais la Grande-Aumônerie, comme la Congrégation, dans *Le Curé de Tours*, ce n'est pas (à en rester aux termes balzaciens, aux termes du roman) l'Église. De même pour Gabriel de Rastignac. Il est, au contraire, une Église balzacienne, aux contours mal définis, qui semble gardée comme *en réserve* pour mieux que ce que le siècle réserve à l'Église de fait. Ses pionniers, ses éclaireurs, l'abbé Janvier, l'abbé Bonnet, Mgr Dutheil, s'ils sont quantitativement peu représentatifs, le sont qualitativement et pour un nombre à venir. Balzac, malgré ses convictions et sa volonté, n'a jamais engagé massivement l'Église du côté de l'argent, malgré les désirs, aussi, de la duchesse de Langeais, et de tous ceux qui voyaient dans la foi un rempart pour le Capital. Potentiellement, l'idée religieuse reste inséparable, chez lui, de quelque justice, de quelque liberté. Ce Mgr Guillon, qu'il accrocha de manière aussi sèche en 1836 [1], *il ne l'a pas fait passer dans ses romans*. Pourquoi? Pourquoi pas d'*Anneau d'améthyste* dans *La Comédie humaine*? La réponse est double. D'une part, comme pour Nucingen et pour l'argent, Balzac ne retient et n'exprime du siècle que ce qu'il a de dynamique, de créateur et d'ouvert. D'autre part, le mouvement de féroce réaction de la seconde moitié du siècle n'a pas encore profondément perverti l'Église, ni les raisons d'être, sous des formes diverses, religieux. Un temps viendra où toute foi, où toute adhésion rappellera des bruits de crosse. Alors viendra le temps des abbés Bournissien et des bénédictions de *Bel Ami*. La relative ouverture de l'Église balzacienne témoigne de ce que l'espoir, dans la première moitié du siècle, est encore possible et permis. Il faut qu'une société, il faut qu'une culture, aient terriblement vieilli, ne recèlent plus en elle grande puissance de fraîcheur, de critique ou d'invention, pour confondre totalement la religion de fait avec le besoin, avec les valeurs religieuses. Toute littérature qui ne montre ses prêtres que comme ombres vides ou simulacres, que comme complices ou ganaches, est une littérature qui, elle-même, n'exprime plus qu'ombres vides et acceptations. Balzac, au contraire, et ceci est sensible dès les œuvres de jeunesse, s'il se montre impitoyable et lucide à l'encontre des pouvoirs et des hiérarchies, si l'ironie comme la philosophie de l'Histoire le gardent bien de jamais resacraliser le personnel, les institutions et la politique, n'en reprend pas moins à la religion de fait ce qu'elle exprime mal, abandonne,

---

1. *Entretiens sur le suicide* (O.D. III, p. 189).

ou trahit. On a les curés qu'on mérite, et qu'on est capable
d'imaginer : car on ne se contente jamais de *décrire*; on habille
de ce qu'on porte en soi (psychologiquement, certes, mais aussi,
historiquement) les personnages que l'on rencontre et que
l'on fait mouvoir. C'est pourquoi, il faut bien juger à sa juste
valeur la religion balzacienne, ne la pas réduire à ses faux
airs bien-pensants et ralliés. Il faut s'attacher à tout ce qui
a pu « passer » par là, et ne pouvait, alors, passer que par là.
L'apparition des thèmes mystiques ou religieux est inséparable, on l'a vu, du développement du courant sentimental
et personnel, lui-même ayant, on l'a vu également, une profonde signification critique par rapport à l'utilitarisme libéral.
Mais l'affirmation, le développement du *moi*, vont de pair
avec le développement de la prise de conscience historique.
Toutes les exigences se tiennent, en ces époques et chez ces êtres,
qui sont non de bilan, de parti qu'on prend comme on peut,
ou de digestion, mais d'avenir et d'aptitude. La littérature
libérale nourrissait de plus en plus son opposition à la religion d'inaptitude à l'humain, de moins en moins d'exigences
prométhéennes. La relève antilibérale devait, inévitablement,
récupérer tous les éléments de poésie, d'affectivité, d'enthousiasme. Que cette relève soit encore inorganisée, qu'elle ne se
fasse par des œuvres, plus que par des entreprises, comment
s'en étonner? Mais, dès 1823, Balzac vérifie cette loi : nulle
culture nouvelle n'abandonne les éléments positifs des cultures
du passé. Le progrès, la liberté, ne sont pas la mort de la
poésie, mais bien les conditions d'une poésie nouvelle et plus
complète [1]. Comprend-on, maintenant, ce que signifie, en
profondeur, cette assertion dont il fallait soigneusement
définir le *contenu* : Balzac, en 1823, tourne au *romantisme?*
L'expression, les formes, ne doivent pas induire en erreur,
pour avoir des points communs avec d'autres expressions,
avec d'autres systèmes de forme. On s'en convaincra plus
aisément encore à la lecture des deux brochures [2] plus concrè-

---

1. Cf. les remarquables analyses de Michel Verret : « Le monde socialiste ne
renoncera [...] ni à l'affectivité, ni à son usage culturel [...]. La poésie anime le
monde; elle met l'homme en correspondance avec la nature; elle humanise le
milieu; bref, elle constitue un acte *d'appropriation affective* [souligné dans le texte]
du monde [...] Aucune des fonctions positives accomplies dans le passé par la
religion n'est et ne sera négligée par la culture ni par la vie moderne. Mais c'est
précisément pourquoi la religion y tient, et y tiendra, de moins en moins de place »
(*Les Marxistes et la religion*, 3e éd,. 1965, p. 229-230).

2. Ces deux brochures, qui ont fait couler tant d'encre, parurent le 7 février
et le 7 avril 1824 chez un nouvel éditeur, Delongchamps (la première fois avec
Dentu, l'un des éditeurs attitrés des publications de droite, la seconde avec Canel)
qui va jouer un rôle important dans les mois qui suivent. C'est lui qui, finalement,
publiera *Wann-Chlore*, en 1825. C'est lui qui, déjà, en novembre 1824, reprendra

tement engagées que Balzac publie aux premiers mois de 1824. *Du droit d'aînesse* et *Histoire impartiale des Jésuites*, travaux, certainement, de librairie, n'en furent pas moins pour leur auteur l'occasion de préciser (d'une manière toute désintéressée, car qui le vit?) certaines de ses découvertes et de ses conceptions naissantes.

*

En apparence, *Du droit d'aînesse* n'est qu'un texte destiné à soutenir certaines prétentions ultra, fouettées par l'installation de Villèle au ministère. En fait, il s'agit de tout autre chose. Confronté à un problème économique et social, Balzac se prend à réfléchir, à réagir (ou l'inverse?) dans un registre tout nouveau pour lui. Réactions et réflexions sont des plus significatives. Rien n'empêchait un rédacteur soldé de se contenter d'aligner les lieux communs de la droite sur la question. Mais il n'en alla pas ainsi.

Le droit d'aînesse maintient et concentre, alors que l'égalité des partages atomise peu à peu le corps social, sans être capable de lui offrir autre chose que l'anarchie des intérêts libérés. Certes, Balzac se place ici dans un cas assez particulier : celui d'une société stable, non dans celui d'une économie en expansion. Un père qui a cent mille livres de rente et quatre enfants verra sa fortune partagée en quatre, et ainsi de suite jusqu'à la disparition de toute fortune. *C'est écarter la possibilité de la création de nouvelles richesses*, à partir, précisément, de la répartition égale des héritages. C'est raisonner sur une base essentiellement foncière de revenus fixes. C'est ne pas tenir compte des forces créatrices du commerce et de l'industrie. C'est que Balzac, qui n'a pas encore découvert le monde de la spéculation, en est encore au monde administratif, terrien et boutiquier, qui est celui de sa famille, des Berny, etc.; mais n'est-ce pas *aussi* que la France qu'il a sous les yeux ne lui offre que modestement le spectacle d'un pays lancé dans la course à l'entreprise et à l'industrialisation sur la base de la liquidation du féodalisme? Il était assez intelligent, assez intuitif, en effet, pour avoir vu, au passage, le problème : à propos des cadets, et pour défendre le droit qui les frustrait; il explique que, poussés par le besoin, ils devenaient souvent d'excellents officiers, entraient dans

l'édition en trois volumes de *La Dernière Fée*. Il est probable que Balzac ait été introduit auprès de lui par Horace Raisson. Il est également probable que Raisson ait joué dans cette affaire de brochures royalistes un rôle important.

l'Église, *ou choisissaient le commerce*. Idée capitale, et aux retournements inattendus! *L'aîné continuait et durait; le cadet inventait*. La société, *à la fois*, continuait et progressait. Couple qui hantera Balzac, comme il a hanté le siècle. Durée et progrès. Durée sans laquelle il n'est de progrès que folies et agitations; progrès, sans lequel il n'est de durée que de mort. Développer et faire durer, sans renoncer ni à la vie, ni aux chances de changer la vie. Vue de l'esprit? Mais, pour Balzac, un exemple s'impose : celui de l'Angleterre, qui a su « ouvrir de vastes débouchés à l'impétueuse activité de sa jeunesse [1] ». La France, confrontée à des problèmes de même nature (poussée démographique, décentrage [social), en est aux expédients. Elle ne s'est pas « créé de semblables ressources [2] ». Alors que sa jeunesse se presse aux portes, la France n'a su qu'inventer des règles *restrictives* pour tenter de résoudre le problème. Ici prend place un texte capital :

> Aujourd'hui, il se trouve en France, *par suite de cette facilité de participation aux bienfaits de l'instruction*, une masse effrayante de jeunes ambitions qui impriment de concert une marche ascendante d'autant plus énergique qu'elle est plus difficile à satisfaire, et que cette volonté unanime est soutenue par la vigueur morale de la jeunesse.

Dans les sociétés stables de jadis, le fils prenait l'emploi du père, mais, aujourd'hui, tous veulent s'élever, et les pères même souhaitent voir leurs fils occuper dans l'état social une place supérieure à la leur. Seulement, il y a déséquilibre entre l'offre et la demande. Le gouvernement ne sait qu'improviser des barrières : « Avertis du défaut de places et de carrières pour cette masse ambitieuse [3], par le renchérissement des charges de toute espèce, et l'envahissement des bancs du barreau, le gouvernement a eu la singulière pensée de mettre le plus d'entraves possible aux professions de médecin et d'avocat [4] ». Balzac affirme, pour son compte ou pour celui

---

1. *Du droit d'ainesse*, O. D. I°, p. 5.
2. *Ibid.*, p. 5.
3. *Ambitieuses* renvoie ici à des ambitions *légitimes*, non à l'idée de trouver le chemin de traverse. L'ambition de Rastignac est *d'abord* de cet ordre; elle n'implique pas séparation d'avec les autres. Elle change ensuite de *nature*, lorsque Rastignac a pris conscience de ce qu'est, en réalité, le monde dans lequel il lui faut vivre.
4. *Ibid.*, p. 5. Il est possible que les carrières de ce que nous appelons aujourd'hui le *tertiaire* soient encombrées, et qu'il y ait, dans l'absolu, avantage à réorienter vers les autres secteurs. Mais Balzac voit que, si, d'une part, les jeunes gens se précipitent vers les carrières du tertiaire, c'est qu'il n'y a pas de place ailleurs, alors que les contestations inséparables de l'évolution capitaliste, assurent de beaux profits à Derville, et que si, d'autre part, le gouvernement prend des

d'autrui, que seul le rétablissement du droit d'aînesse peut mettre fin à ce scandale. Mais peu importe. Ce qui compte, c'est bien cette grande idée : *la société capitaliste est incapable d'employer toute sa jeunesse, d'assurer des débouchés à toutes les forces qu'elle a libérées.* Dès lors, à quoi bon les avoir libérées ? Nous sommes au cœur du problème du mal du siècle, et l'on retrouvera ces réflexions, mûries, en 1830, dans les *Lettres sur Paris,* en 1836, dans la polémique avec Mgr Guillon, dans la douloureuse histoire du polytechnicien Gérard. Il y a dissonance entre le vouloir-vivre de la jeunesse et les possibilités *objectives* de la société chargée de l'accueillir et de l'utiliser. Le problème du mal du siècle est un problème de goulet d'étranglement. La bourgeoisie incapable d'assurer le développement, il ne reste, à formellement parler, qu'à rétablir les réglementations qui avaient rendu possible l'ascension bourgeoise. L'esprit systématique de Balzac, son penchant pour les solutions coercitives (caricature, ou signe, des solutions organisation- nelles) peuvent bien se montrer ici en plein jour, avec tous leurs défauts. Il a toujours été pour une politique autoritaire [1] : reste à savoir, si l'on se refuse au formalisme, *au nom de quoi* s'exerce *une* autorité. Les saint-simoniens le diront avec force : l'idée d'autorité a été compromise, rendue odieuse, par les théologiens et les féodaux, mais elle répond à une nécessité profonde, à un besoin des sociétés. Nous avons l'autorité invisible des intérêts, mais, lorsque Balzac loue les anciens Égyptiens d'avoir imposé au fils de suivre l'état du père, lorsqu'il semble suggérer que de telles mesures seraient bénéfiques en France, ne nous hâtons point de voir en lui un corporatiste, un traditionaliste, un aveugle. Nul n'a plus demandé que lui la libération des forces créatrices, mais,

---

mesures conservatoires, cela ne résulte pas d'une politique, mais bien d'un empi- risme qui court après le réel au lieu de se l'approprier. Faute d'avoir prévu, on est obligé de freiner. Il est évident que toute planification de l'emploi doit tenir compte de l'attrait facile exercé sur la jeunesse par les professions du profit rapide (avocats, etc., dans les sociétés commerciales) ; mais, si ce facteur psycho- logique ne saurait être négligé, il n'en demeure pas moins que des situations du genre de celles que peint Balzac résultent, pour la plus grande part, d'une *impuis- sance* sociale, et, en dernière analyse, d'un sous-développement économique. Grande administration, administration créatrice, commerce, industrie, *pourraient* happer les capacités. S'ils ne le *peuvent* pas, il est inutile de mettre en cause les individus. C'est le système qui fabrique des ratés, des mal-contents. On retrouvera cette idée reprise en 1828 par Drouineau.

1. Cf. l'exposé de Maurice Regard au colloque Balzac (numéro spécial d'*Europe,* janvier 1965, p. 110 sq.). Mais n'y a-t-il pas quelque peu de formalisme à mettre dans le même sac *toutes* les formes d'autorité ? Une tradition anti-autori- taire libérale française ne s'attache qu'à l'autorité sous sa forme policière, etc., mais néglige la forme *économique,* les conséquences anti-malthusiennes et anti-poujadistes de l'autoritarisme progressiste.

dans la société qui est la sienne, la liberté, la seule liberté
possible, armée, aboutit au gaspillage, et, faute de pouvoir
en imaginer une autre, plus complète (où en seraient les
bases concrètes?), comment un esprit exigeant, « totali-
taire », ne plaquerait-il pas sur le réel immédiat un thème
qui n'est, certes, vraiment valable que dans un autre contexte,
mais qui a pour lui l'attrait de l'absolu? Que cette coercition
risque de jouer en faveur de forces plus malthusiennes encore
que celles contre lesquelles se dresse Balzac, c'est nous, surtout, qui sommes capables de le voir, parce que nous bénéficions du recul, parce que, aussi, notre pratique a profité
d'innombrables expériences; mais Balzac, lui, le nez sur l'immédiat, formule des idées, plus que des recettes; elles n'ont
aucune chance de passer dans les faits, et, y passeraient-elles,
qu'elles aboutiraient à des résultats inverses de ceux qu'il
souhaite; mais, c'est bien là l'une des caractéristiques du
drame romantique : une idéologie absolument incapable de
déboucher dans une action juste, mais dont on ne saurait se
passer, sous peine de tomber dans le conformisme bestial. Même
en tenant compte du gauchissement partisan dans un texte de
commande, Balzac ne peut pas, avec les intentions les meil-
leures, avec l'orientation (la suite le prouvera) la plus valable tomber juste, mécaniquement juste en ce qui concerne
un immédiat déjà joué. Il ne retrouve une lucidité, une
efficacité réelle, qu'avec ce qui est en cours et ce qui viendra,
avec ce qui accouchera de *La Comédie humaine*. L'abolition du droit d'aînesse devait aboutir à libérer l'économie :
l'école primaire de la Troisième République capitaliste nous
l'a répété. L'abolition du droit d'aînesse a abouti à la frac-
tionner et à la ligoter. Est-ce à dire qu'il ne fallait pas,
d'abord, la libérer? Certes non. Mais toute la littérature anti-
droit d'aînesse s'est bien gardée d'insister sur les conséquences
et sur les prolongements de la fameuse victoire, sur ses limites,
et sur son caractère essentiellement petit-bourgeois, libre
entreprise, libre concurrence, et surtout, à long terme, malthusien. Il faut, pour juger sainement *Du droit d'aînesse*,
se libérer des a priori du romantisme révolutionnaire, et y
voir, essentiellement, l'une des premières manifestations
(alors possibles) de la critique de l'économie libérale.

Autant et plus, donc, que l'objet principal de l'exposé,
compte l'exposé des motifs. Une société bourgeoise harmonieuse, fonctionnelle, aurait, par avance, désamorcé les critiques de la brochure de Balzac. Celle-ci n'a été rendue
possible que par l'existence objective, et vivement ressentie,
de déséquilibres, de disharmonies, au cœur du monde libéral.

Si Balzac s'est demandé ce qu'il allait bien pouvoir dire pour
la défense de cette gothique coutume, il faut reconnaître
qu'il ne s'est pas servi d'arguments uniquement plaqués,
pris à d'autres. Il a regardé, jugé, proposé une solution.
Certes, un pessimisme social de défense trouve à s'exprimer.
Il proclame que, dans toutes les sociétés, il y a une masse
de peuple « qui demeure éternellement dans l'état où elle est
depuis le commencement des sociétés humaines », que, « sur
trente millions d'hommes, il y en a vingt millions qui restent
en stagnation morale et politique[1] », et ces lignes en annoncent d'autres de la même eau, en 1829 dans la *Physiologie
du mariage* et, en 1830, dans le *Traité de la vie élégante*, mais,
déjà, s'agit-il de la proclamation d'un idéal accepté, ou d'une
constatation? Raisonner juste sur des figures fausses, voire
sur des idées fausses insuffisantes[2], est évidemment refusé
aux mécanistes, qui ont besoin de prendre un double déci-
mètre et de tout rapporter à l'échelle officielle. Mais les
écrivains de la prospective? Mais ceux qui voient non ce
qu'a déjà donné l'Histoire (et qui n'intéresse plus que les
archivistes, ou les propagandistes du Conservatisme qui
s'amorce) mais ce qu'elle est appelée à donner? On nous a
dit et répété — ce sont là souvenirs précis — que, depuis
l'abolition du droit d'aînesse, le bonheur régnait dans les
sociétés. Mais ceux qui n'ont rien, à la mort du père, à partager? L'abolition du droit d'aînesse n'avait libéré qu'une
partie de l'humanité, et devait en enfermer toute une autre.
Que Balzac, écrivain révolutionnaire, comme le reconnaîtra
Hugo, ait été l'un des premiers à le dire, c'est la première
preuve tangible de la fragilité libérale.

La brochure de Balzac avait été annoncée par la *Bibliographie de la France* du 7 février. Le 20, un article du *Drapeau
blanc*, passant en revue les griefs libéraux, écrivait : « Il
reste encore l'épouvantable grief de la renaissance prochaine
du droit d'aînesse. Or, ces mêmes libéraux font semblant de
confondre deux choses : le droit d'aînesse et les majorats ».
Puis, on précisait : « Non, jamais le désir le plus vif de relever

1. *Du droit d'aînesse*, O. D. I⁰, p. 8-9.
2. La note « économique », qui figure au début de la brochure donne une bonne
idée de ces insuffisances : la France étant essentiellement un pays de vignes et de
forêts, le morcellement lui serait fatal (*ibid.*, p. 3). Cette idée se retrouvera dans
Les Paysans. Balzac ne voit pas que le morcellement a parfois permis de passer
de la jachère à la culture, mais, tenant à sa vision *globale* des choses, Balzac
s'embarrasse peu des cas particuliers, qui auraient intéressé, par exemple, un
Paul-Louis Courier, vigneron tourangeau. Quels que soient les services économiques partiels, locaux, rendus par le morcellement, Balzac y voit *surtout* une
gangrène petite-bourgeoise. Son information, sa problématique, ne sont pas irré-
prochables, mais leur orientation *d'ensemble* est juste. Juste, non dans l'immédiat,
mais juste dans un devenir. Balzac saute l'étape petite-bourgeoise.

ce que la Révolution a renversé, n'a fait naître dans l'esprit d'aucun royaliste l'idée de rétablir cet usage inique, contraire à la loi de la nature, qui enrichissait un enfant aux dépens de tous les autres ». L'institution des majorats, par contre, permettait de concilier la justice avec la nécessaire conservation des grandes fortunes. Que l'on constitue donc en majorat le tiers de la fortune de tous les pairs de France!

Martainville, qui connaissait les journalistes, avait-il subodoré quelque provocation dans la brochure du 7? Drouin, de son côté, futur collaborateur, en 1830, du saint-simonien Charton pour des *Lettres sur Paris* que nous retrouverons, n'avait guère eu de mal, dans une autre brochure signée M.M.H.D.[1] à mettre en pièces la démonstration de Balzac, au nom de la plus simple et plus immédiate « raison ». Mais l'homme de droite qui veut désamorcer une provocation, comme l'homme de gauche qui défend les conquêtes révolutionnaires ne voient pas loin. Ils réagissent et raisonnent le nez sur le réel immédiat, l'un pour sauver une équipe qui n'a pas de lendemains, l'autre parce qu'il s'illusionne encore sur les vertus du libéralisme et parce qu'il ne peut voir, dans toute critique de l'ordre post-révolutionnaire qu'entreprise de la droite la plus obscurantiste et la plus rétrograde. En fait, Balzac, sautant à pieds joints par-dessus un immédiat sur lequel il raisonne mal, pose, à long terme quelques problèmes d'une manière correcte. Surtout, au lendemain de textes « romantiques » poétiques et littéraires, il prouve que son romantisme ne signifie pas solitude et complaisance, mais réflexion et recherche. La brochure sur le droit d'aînesse dit déjà assez bien dans quelles directions Balzac va chercher des solutions à un désordre qui, s'il engendre drames et tristesses, n'en relève pas moins, à ses yeux, de la science et de l'action. L'impression se confirme avec la brochure sur les Jésuites.

Cette seconde brochure, intitulée de manière assez provocante, en apparence, *Histoire impartiale des Jésuites*, parue en avril 1824, est encore, à première lecture, plus explosive que la première. Mais il convient, elle aussi, de la lire avec un regard neuf. Comment et pourquoi, Balzac a-t-il pu être fasciné par la Compagnie? *Impartiale* n'implique-t-il pas une intention de plus saine compréhension? N'est-ce qu'arti-

---

[1]. On a cru longtemps que cette brochure pouvait être du père de Balzac, hautement indigné par la lecture de la première, dont il ne savait pas que son fils était l'auteur (cf. Bernard Guyon, *op. cit.*, p. 732 sq.). Bruce Tolley (A. B., 1963, p. 41), après avoir consulté les dossiers d'imprimeurs aux Archives nationales et ainsi identifié l'auteur, a mis fin à cette séduisante légende.

fice de polémique? De la part d'un autre, on ne se poserait guère la question. Mais cette brochure est l'œuvre non d'Horace Raisson, non de Victor Ducange, mais d'Honoré Balzac. Un de ses plus récents biographes écrit :

> Une vérité étouffée sous les préjugés et les plaisanteries libertines, lui apparut brutalement. Tout ce que la France comptait de grand, de noble, d'audacieux, devait quelque chose à l'Ordre. Et il admirait aussi cette organisation discrète, la modestie d'hommes qui renoncent aux apparences du pouvoir, aux signes extérieurs qui flattent la vanité, pour posséder plus sûrement la véritable puissance, celle qui agit, celle qui modèle le monde. Et le fondement de cette puissance : la science, la lucidité [1].

Il doit y avoir du vrai dans cette « reconstitution ». Au départ, une brochure bien payée, puis, chemin faisant, une pensée qui se cherche. Et qui se cherche contre les jugements tout faits mis en circulation par la propagande bourgeoise. Balzac a toujours été un grand réviseur de procès : les Jésuites, en 1824, d'Aiguillon, en 1829, Catherine de Médicis en 1830; il entreprendra même de réhabiliter Polignac. Anticonformisme systématique? Pas seulement. Il semble qu'il ait toujours été irrité par les simplifications polémiques et sentimentales de l'esprit partisan, non par esprit de « modération », mais bien parce qu'il avait conscience des insuffisances des partis dans cette France post-révolutionnaire où tout avait deux faces. Les simplifications de droite ignorent la dynamique du siècle, et les simplifications de gauche ignorent les contradictions internes de la bourgeoisie. Balzac refuse d'accepter comme indiscutables des classifications léguées et maintenues par une classe dont il a toute raison de se méfier. Les Jésuites, comme le droit d'aînesse, vont en « bénéficier »? A qui sait lire, aujourd'hui, il reste de cette brochure comme de l'autre, une dure analyse, une dure réfutation du libéralisme.

Balzac part d'un thème que nous connaissons : l'éloge du gouvernement constitutionnel et la condamnation du despotisme de la fin de l'Empire. Pas de libertés, alors, et surtout pas de liberté de la Presse : « le triomphe d'une force toute militaire [2] ». *Des* ultras avaient pu parler ainsi, comme Thomassy, mais *les* ultras? Il existe une solidarité spontanée

---

1. Léon Thorens, *La Vie passionnée de Balzac*, p. 104. Comme toutes les « vies romancées », cet ouvrage, souvent très approximatif, trouve parfois le ton juste et la bonne piste, comme ici.
2. O. D. I⁰, p. 10. Cette construction du « toute », familière à Balzac, est une preuve interne de paternité.

entre tous les despotismes et tous les régimes d' « ordre ».
La protestation de Balzac, assez nouvelle sous sa plume, ne
saurait avoir une consonance blanche. Le sergent Lagloire
est-il pour autant répudié? Que non pas, mais il n'est plus
seul à incarner l'Empire. L'avait-il d'ailleurs jamais été?
Et le sergent Lagloire, dans *Le Centenaire*, n'avait-il pas
pour vis-à-vis romanesque tous les enrichis, et la politique
d'enrichissez-vous? Le point de départ de la brochure, à
regarder les choses aujourd'hui, ne va que bien difficilement
au gouvernement de Louis XVIII en ses intentions les plus
visibles.

Pour ce qui est des « tartines » destinées, peut-être, à mettre
le feu aux poudres et, elles, d'apparence plus aisément gouvernementales, il n'est pas nécessaire d'aller bien loin pour
comprendre. Balzac n'avait nullement besoin de se forcer
pour les écrire : elles viennent tout droit des pages qu'il
couvrait de son écriture chez Guyonnet-Merville. Lorsqu'il
écrit, par exemple : « Le retour d'une dynastie auguste au
trône de ses pères, l'établissement du système constitutionnel,
en France, et la liberté de la Presse qu'il consacre, en tant
que les opinions émises ne blessent aucune des lois de l'État
[etc...] [1] », il n'invente pas, *il se souvient*. L'année suivante,
il expliquera, dans le *Code des gens honnêtes*, qu' « il existe
un art de phraser et de paraphraser qui est vraiment chose
curieuse; par exemple, ce sont des louanges sur les législateurs, des considérations nouvelles, des aperçus d'une finesse,
et en même temps d'une longueur qui font rire les juges eux-
mêmes. Par exemple, en 1814, lorsque la paix ramena les
Bourbons, Louis XVIII fit en décembre une ordonnance qui
restituait aux émigrés tous leurs biens non vendus. Il y eut
une foule d'oppositions de la part de certains créanciers.
Eh bien, nous parions que cette phrase, *sacramentelle et
populaire dans les études*, se retrouve assurément dans un
nombre incommensurable de requêtes : lorsque dans sa
sagesse, Dieu faisait peser une main de fer sur la France [...],
c'était pour rendre les Bourbons plus chers à la France, pour
les lui rendre environnés des bienfaits de la paix [...] et le
roi législateur qu'appelaient nos vœux, tout en concédant
cette immortelle Charte, etc... [2] ». Balzac réutilisera ce texte
dans *Le Colonel Chabert*, où nous verrons Godeschal en train
d'amplifier au sujet de la fameuse Ordonnance : « Mais, dans
sa noble et bienveillante sagesse, Sa Majesté Louis XVIII [...]

---

1. *Histoire impartiale...*, O. D. I°, p. 10.
2. *Ibid.*, p. 134 et 324.

au moment où elle reprit les rênes de son royaume, comprit
(qu'est-ce qu'il comprit, ce gros farceur-là?) la haute mission
à laquelle elle était appelée par la divine providence... (point
admiratif en six points : on est assez religieux au Palais pour
nous les passer) et sa première pensée fut, ainsi que le prouve,
etc...[1] ». N'est-ce pas lumineux? Avec quelle irrévérence ce
maraud d'Honoré Balzac dut, plus d'une fois, faire le chœur
autour d'une affaire opposant quelque Mme de Grandlieu à la
Chancellerie de la Légion d'Honneur! Le jour où il lui fallut
enfler son style pour évoquer la Compagnie et le retour des
Lys, oui, il n'eut qu'à se souvenir. On peut aisément l'imaginer, rédigeant son *Histoire impartiale* et faisant les mêmes
remarques que Godeschal, ou que Bixiou rédigeant la notice
nécrologique de La Billardière. Ceci aide à le situer par
rapport au conformisme de droite, au fond, d'ailleurs, parfaitement bourgeois. L'épopée blanche de 1814 vue au niveau
des salles d'études! La satire d'un style est le refus d'une
pensée, le refus de valeurs. Vous voulez du Trône et de l'Autel?
En voici! Et comprenne qui voudra, ou qui pourra. L'*Histoire impartiale* ne sera pas lamartinienne.

Pour ce qui est de la politique, l'*Histoire impartiale* est encore
plus nettement révélatrice des préoccupations unitaires de
Balzac que la brochure précédente. Il est probable qu'il y ait
intention délibérée de provocation dans les développements
presque parodiques sur l'Édit de Nantes, que les Jésuites
eurent le tort de ne pas demander et encourager : « C'est
une tache à leur gloire [...] Là, pour la première fois, ils ont
manqué à leur mandat[2] ». Mais ce qui importe, c'est la
conclusion *vivante* dont est complété ce passage *mort:* tout
absolutisme se doit d'aller au bout de ses propres principes.
« *Quand un gouvernement admet le principe, il doit vouloir les
conséquences*, et si quelque écrivain eût reproché à la compagnie une sorte de coopération à cette mesure, et l'eût accusée
du malheur des protestants, *nous lui répondrions* ici que,
lorsque dans des temps plus récents, la France s'est soulevée
contre ses rois et a fait périr une grande partie de la noblesse
française, il fut reconnu qu'il fallait tout sacrifier pour maintenir les principes ». Dira-t-on, aujourd'hui, qu'il s'agit là
d'un « totalitarisme » inquiétant? Mais il faut bien voir *contre
qui* et *contre quoi* Balzac formule de telles propositions, et
vient à unir dans une même approbation théorique l'unitarisme à la Bossuet (songe-t-il déjà à Catherine de Médicis,

---

1. *Le Colonel Chabert*, C. H. II, p. 1087.
2. *Histoire impartiale...*, O. D. I°, p. 32.

comme dans *Les Deux Rêves?*) et l'unitarisme à la Robespierre.
L'idée revient et reviendra sans cesse chez lui, comme chez
les saint-simoniens, comme (bien que d'une manière plus
diffuse, moins systématique) chez tous les contemporains :
on doit gouverner au nom de principes et se tenir à ces principes. Mais d'où vient-elle, cette idée? La source la plus
immédiate, c'est l'inadéquation entre la théorie constitutionnelle et la pratique constitutionnelle, le sentiment couramment éprouvé que le régime de liberté né en 1814 ne tenait
pas ses promesses, se trouvait faussé par l'intervention d'éléments sur lesquels on ne comptait pas (les intérêts privés, les
tentatives de revanche de la Droite). La source la plus profonde, c'est le sentiment plus diffus d'un décalage entre les
promesses du monde moderne, et les réalités qui se développent. L'illogique est la règle, semble-t-il, d'une Histoire et
d'une vie sociale auxquelles on ne peut échapper. D'où, ces
réclamations si fréquentes en faveur d'une logique rigoureuse,
d'où cette fascination exercée par les pratiques, dans le passé,
d'un logique rigoureuse de gouvernement. Bien entendu,
tout système politique est *toujours* logique, en ce qu'il obéit
aux forces réelles qui le sous-tendent, mais cette logique de
fait (que décrira *La Comédie humaine*) n'est pas nécessairement la logique vécue, la logique de droit, dans les périodes
de révolution trahie. Balzac développera avec éloquence, en
1831-1832, le thème de la *Politique de deux ministères :*
résistance ou mouvement; *il faut choisir*, et il faut se tenir
à ce qu'on a choisi. Mais il s'illusionnera, alors, sur la possibilité qu'ont les hommes et les sociétés de choisir, ainsi, dans
l'abstrait. En fait, la monarchie de Juillet et Casimir Perier
auront choisi mais au nom d'intérêts, au nom de valeurs qui
ne sont ni ceux ni celles de la jeunesse, ni de la France nouvelle, etc. Il en va déjà de même sous la Restauration. Le
régime *est* logique, comme le montrera, en 1830, *Le Bal de
Sceaux*, ou encore *Les Dangers de l'inconduite ;* il a *sa* logique.
Lorsqu'il fera mine de vouloir se départir par trop de la logique d'ensemble de la société nouvelle, les banquiers, en
juillet 1830, le renverseront. Balzac, comme ses contemporains, oppose donc une logique sentimentale, prenant ses
racines dans des besoins, dans des souvenirs, dans des désirs,
à une logique établie qui n'est illogique que par rapport à
une autre logique, profonde, intense, mais non réellement
pratiquée ni implantée. Ainsi se durcit et s'idéalise le dialogue : la critique balzacienne, la critique romantique, se
peuvent voir répondre par les progressistes au pouvoir que
nul rêve ne prévaut contre les réalisations, voire même,

en ces temps où le peuple, tenu à l'écart des victoires libérales, se trouve, objectivement et subjectivement guetté
par une extrême droite habilitée à exploiter toutes les insuffisances de la gauche, que toute critique de l'Ordre est objectivement réactionnaire. Dans l'autre sens, incapable de se
connecter sur une « raison », sur une pratique quelconque,
coupée des responsabilités, condamnée à tourner en rond
dans l'univers des exigences et des idées, virant à l'absolu
faute de pouvoir se colleter avec le relatif, la critique balzacienne et romantique en vient nécessairement à se chercher
et à se définir des points de repère, à se constituer des mythes
qui nous font peut-être aujourd'hui sourire, mais qu'il nous
faut comprendre. On en était encore, alors, formé par la
tradition moraliste, qui voyait dans l'Histoire une suite de
« catastrophes », ou de « révolutions », spectaculaires, saisissantes, mais sans nécessaire portée scientifique. La notion,
par exemple, aujourd'hui si claire, d'anticapitalisme réactionnaire [1] n'avait aucun sens. D'abord parce que n'existait
nulle force réelle de contestation ni de remplacement. Ensuite,
parce que, en conséquence, n'existait aucun outil idéologique
susceptible d'aider à penser « en avant », et non « en arrière »,
du moins en ce qui concerne les références, susceptible d'aider
à déclasser à la fois le passé ultra *et* le présent libéral, le présent libéral *et* le passé ultra. Le saint-simonisme n'est pas
encore constitué. La charge affective, donc, de toute critique
unitariste risque d'être forte, les synthèses et les découvertes
d'être d'un surprenant formalisme. Mais, et ce n'est pas la
dernière fois que nous butons sur cette difficulté; il faut
chercher à comprendre le pourquoi, la nature des questions
qu'on tente de résoudre. Les réponses que fournissait la
science sociale et l'expérience moderne, les perspectives
qu'elles ouvrent, non seulement sont plus réalistes, mais
encore et surtout gardent l'âme de donner dans ces vertiges, dans ces constructions qui laissent *quand même* l'Homme
seul. Logique comme elle le peut, la conscience balzacienne
tire de l'expérience moderne, de sa culture, de l'état où se
trouve alors la science sociale, ce qui lui permet de vivre
et d'affirmer, de retrouver une logique supérieure à celle du
monde moderne, de définir les conditions d'une efficacité
satisfaisante pour l'esprit. Le manque de points d'amarrage

---

1. L'exemple le plus frappant est celui de Péguy, s'adressant, contre le capitalisme, non au socialisme, mais à l'artisanat, au peuple de jadis, etc. Cf. Pierre
Barbéris, *Actualité et signification de Péguy* (N. C., mars 1963), et *La notion de
peuple chez Péguy* (Actes du Colloque international Charles Péguy, Orléans, 1964).

au réel, le manque de bases d'action, l'absence de forces
objectivement capables d'incarner, de *faire*, cette révolution
logique, tout ceci fait que cette même conscience balzacienne,
pour être réintégrée à un système, à une vision logique des
choses, n'en est pas pour autant réintégrée à une humanité,
à une collectivité. C'est ce que pourrait souligner avec lour-
deur et injustice une critique aujourd'hui trop exigeante,
schématique, et qui « reprocherait » à Balzac de ne pas avoir
raisonné ou senti comme on le peut un peu moins mal aujour-
d'hui. C'est ce que s'efforce simplement de comprendre une
critique scientifique qui ne cherche des leçons dans le passé
qu'à partir de son acceptation, tel qu'il fut, à sa place, et tel
qu'il ne pouvait ne pas être. Il est vrai que nous sommes
(et que nous serons) en présence d'une *politique imaginaire*,
chargée de fournir, tant bien que mal, réponses et compensations. Mais, s'il est vrai que cette politique imaginaire,
en 1832, avec *Le Médecin de campagne*, se cherchera une
inspiration, une technique des plus réalistes [1], il est déjà
vrai, en 1824, que, loin d'être un rêve de jadis, comme dans
le roman de Brisset, loin de se tourner vers le passé *en tant
que passé*, en tant que néantisation du présent (non seulement
ratés et *passifs*, mais aussi *promesses* comprises), cette politique
imaginaire est intégralement tournée vers l'avenir, qu'elle
se propose non un retour au néant, mais un dépassement,
de la révolution libérale. Brisset regrettait le vieux prêtre au
pied du perron, le vieux château : pures et *impuissantes*
images ; lui, contre l'éclectisme, contre l'opportunisme,
contre, finalement, le tassement de la lutte des classes et ses
conséquences, contre le ralentissement, contre l'enlisement
bourgeois de l'Histoire, mobilise, dans un mouvement global,
tous les absolus du passé. L'intention, la volonté, *les besoins
profonds*, sont non de refuge ou de retrouvailles, mais sur
une base critique précise (dans un mouvement, insistons-y,
global de contestation du désordre libéral) de progrès et
d'achèvement. Ainsi cette brochure de 1824 voit naître l'un
des grands mythes de l'idéologie balzacienne. Comme les
romans d'Horace de Saint-Aubin, elle intéresse en ce qu'elle
annonce et préfigure. Elle est un ensemble, plus que de propositions, de réactions. Il est certes aisé de constater que
certaines des propositions absolutistes de Balzac s'y trouvent
exprimées pour la première fois : mais ce repérage documentaire serait vain et de simple curiosité, si l'on ne s'attachait
aux mobiles profonds. Par l'intermédiaire du problème

1. Pour les problèmes du réalisme et de l'utopie dans *Le Médecin de campagne*;
cf. t. .I.

des Jésuites et de leur politique, c'est le siècle que Balzac
met en cause. Que deviennent, même, les Jésuites? Aussi
bien le vieux problème du xviiie siècle, que le problème
Montrouge qui passionne alors les journaux libéraux [1],
passent au second plan. En voici une preuve décisive.

Balzac a utilisé, pour écrire sa brochure, le factum de
Cerutti, *Apologie générale de l'Institut et de la doctrine des
Jésuites*, qui datait de 1763, mais avait connu, en 1822 et
1824 deux réimpressions significatives. Or, s'il est vrai que
Balzac a su rendre vivante une indigeste compilation, la
lecture parallèle des deux ouvrages permet surtout de déceler
ce qui, dans la brochure, ne vient pas de Cerutti, et que Balzac
a bien dû aller chercher ailleurs, pour des raisons qu'il importe
de définir. Il rappelle, en effet, au début de son historique,
que les Jésuites se heurtèrent, dès le xvie siècle à une Université
jalouse qui, « ayant le monopole de l'Instruction publique,
avait de nombreux partisans, une puissance colossale et se
rattachait à mille liens privés et politiques [2]». Un peu plus loin,
toujours à propos de cette querelle, il ajoute : « Ils commen-
cèrent, en effet, à donner de vives inquiétudes à l'Université,
car Charles IX et son conseil, frappés des avantages que
présentait un corps religieux chargé de l'instruction publique,
reconnaissant que ce corps par ses principes et ses talents,
ne formerait que des générations savantes, chrétiennes et monarchiques, *et pourrait opposer une barrière bien plus puissante
au calvinisme que l'Université, composée de laïques, sans unité
d'esprit et de vue*, puisqu'ils avaient chacun des intérêts particuliers, permit en 1579 à la Société [etc...] [3]. » Or, tout balzacien doit « reconnaître » ces lignes : l'idée de la faible résistance des « laïcs », des libéraux, des intellectuels, aux doctrines
dissociatrices du calvinisme, celle du bien-fondé de l'entreprise de résistance de Charles IX, fils de Catherine, homme
de la Saint-Barthélemy, bête noire, depuis l'aîné des Chénier,
de l'intelligentsia libérale — aux forces qui menaçaient l'unité
nationale, celle, enfin, de la supériorité des systèmes unitaires
sur les systèmes pluralistes, tout ceci, c'est du Balzac, certes, et
c'en sera de plus en plus. Mais d'où ceci lui vient-il? De la lecture
de Saint-Simon, peut-être, mais, plus précisément, sans doute,
de celle, récente, de Lamennais. Celui-ci, dans ses *Réflexions
sur l'état de l'Église en France*, avait déjà pris la défense de la
Compagnie en ces termes : « En abolissant les Jésuites, on

---

1. C'est à Montrouge que se trouvait, sous la Restauration, la maison mère des
Jésuites.
2. *Histoire impartiale...*, O. D. Io, p. 14.
3. *Ibid.*, p. 17.

abolit en France l'éducation publique, car ce n'était pas une éducation publique que celle qu'on recevait dans ces collèges, *où il n'y avait ni unité d'esprit, ni unité d'enseignement*, parce qu'il ne peut y avoir d'unité d'aucune espèce que dans un corps dont les membres, obéissant à une seule pensée, concourent à une même action [1] ». *Le passage sur l'Université n'est pas dans Cerutti!* Il vient donc d'ailleurs, et il a fallu que Balzac aille l'y chercher. Pourquoi ? Notons que cette adjonction de Lamennais à Cerutti diminue déjà quelque peu le caractère de simple et paresseux démarquage qu'on pourrait être tenté d'attribuer à l'*Histoire impartiale*. Balzac y compose, et donc y pense. Mais, quelle portée donner à cette attaque contre l'Université ? Écartons immédiatement une motivation bassement réactionnaire du genre de celles qu'on trouvait, dès 1814 dans certaines attaques dirigées contre l'Université « de Buonaparte ». « Il y a des prêtres mariés, des apostats, des intrus, écrivait par exemple l'abbé Léautard ; il y a des francs-maçons décriés, des déistes, des incrédules, des joueurs de profession, des banqueroutiers, des divorcés », et il ajoutait : « l'esprit de l'École Normale est irréligieux et immoral [...] il est impossible de concilier le système de l'Université avec un enseignement catholique [2] ». Lamennais lui-même n'était pas tombé si bas, et Balzac, de toute façon, n'avait pas ce genre de préoccupation. Mais comment l'étudiant enthousiaste de 1817 a-t-il pu écrire ces lignes de 1824 ? Comment l'une des institutions les plus brillantes du modernisme bourgeois peut-elle être ainsi mise en cause par l'un de ceux qu'elle avait, en partie, formé ? L'avenir peut ici expliquer le présent. En 1835, en effet, dans une réédition de *Louis Lambert*, Balzac fera reprendre par son héraut, le procès de l'Université :

> Le haut enseignement est nul, sans méthode générale, sans une idée d'avenir. J'ai été entendre un Monsieur que l'État paie pour dire à cinq cents jeunes gens que Corneille est un génie vigoureux, que Racine est élégiaque et tendre, que Molière est inimitable, que Voltaire est spirituel, Bossuet et Pascal désespérément forts. Ces aperçus sont paraphrasés durant quelques heures aux applaudissements de la foule. Il y a un professeur de philosophie qui se fait un grand nom en disant que Platon est Platon, et ainsi de trois ou quatre philosophes. Depuis trois ans, il n'en a pas expliqué plus de deux.

1. Saisies en 1808, les *Réflexions* avaient été réimprimées en 1819, augmentées de *Mélanges religieux et philosophiques*, chez Tournachon et Séguin. Ici, p. 60-61.
2. Abbé Léautard, *Mémoire sur l'Université*, pp. 5, 11 et 19. Cf. également la campagne contre Andrieux, professeur de littérature à l'École Polytechnique, dont nous avons déjà parlé.

Il dit ce que tout le monde peut savoir en lisant quelques volumes. Mais quant à rassembler les œuvres de ces philosophes, les choquer entre elles, abattre les cloisons que pendant deux mille ans chaque esprit supérieur s'est plu malheureusement à établir, entre chaque vérité, puis faire écouler les acquisitions dans le fleuve et conduire le public devant l'océan, point! [...] *Ce qui frappe, surtout, c'est l'absence d'unité. Tout a été brisé avec la papauté, l'Université n'a pas de chef.* Il manque un homme supérieur qui rassemble les professeurs, qui leur dise à tous : votre enseignement doit porter sur la lumière du feu que vous prendrez à ce brasier, chacun de vos cours sera le développement du thème progressif que nous avons adopté pour étendre les conquêtes de l'humanité[1].

Quels souvenirs dictèrent ce premier jet fiévreux, écrit entre 1833 et 1835? Quels souvenirs précisèrent, accusèrent la pensée, dans le texte imprimé? « La science humaine marche donc sans guide, sans système, et flotte au hasard, sans s'être tracé de route[2]. » « *Il me semble que nous sommes à la veille d'une grande bataille humaine; les forces sont là, seulement, je ne vois pas le général*[3]. » Il est impossible que Balzac, à cette époque, ait écrit ces passages si lourds de signification à la lumière de ce qu'il fait et pense *alors*. Le langage saint-simonien qu'il prête à Lambert[4] le ramène, incontestablement, à des années bien antérieures, et même si sa haine pour Cousin, pour Villemain, pour ce que sont devenus, sous la monarchie de Juillet, les idoles de son adolescence, guide sa plume, il puise à pleines mains dans ses souvenirs, dans les impressions de jadis. Or, à quelle date Balzac s'est-il dépris, a-t-il commencé à se déprendre de l'Université? En 1822, dans *Le Vicaire des Ardennes*, il chantait encore avec ivresse la découverte de la Sorbonne par Joseph. Il y a là un « trou » dans son « histoire intellectuelle », la lecture de Lamennais n'ayant pu être déterminante, et n'ayant pu qu'alimenter, encourager, une idée déjà en formation, à partir de zones plus « laïques ». Peut-on parler de Saint-Simon? Il est probable. Le thème d'une absence d'unité dans les sciences est un thème familier du maître : ces faits « ne sont liés par aucune théorie, ils ne sont point enchaînés dans l'ordre des conséquences[5] ». Or, si les traces d'une influence de Saint-Simon sur Balzac avant 1828 sont peu nombreuses, elles n'en sont pas moins réelles,

---

1. *Louis Lambert*, éd. Pommier, texte du manuscrit, p. 223 et 224.
2. *Louis Lambert*, C. H. X, p. 412.
3. *Ibid.*, p. 418.
4. Sur ce « devenir » philosophique de Lambert, cf. chap. x.
5. *Mémoire sur la science de l'homme*, 1813.

et nous avons pu en relever au moins deux, et très significatives, dès les années 1819-1821. La rencontre de 1828 avec l'équipe du *Gymnase*, puis celle de 1830, avec l'équipe du *Feuilleton des journaux politiques*, a sans doute été préparée par bien des lectures antérieures. Mais, dans le cas de cette brochure de 1824, ce qui importe au premier chef, c'est cette conjonction, dans la conscience balzacienne, de l'influence de Lamennais avec celle de Saint-Simon. Quelques années encore, et l'on verra l'auteur de l'*Essai sur l'indifférence* saluer les « libéraux » de Saint-Simon, cependant qu'on lui retournera sans difficulté son coup de chapeau. Balzac avait senti que cette rencontre était inscrite dans la dynamique même de la critique du siècle et de la recherche d'un nouveau positif, et l'intérêt majeur de son *Histoire impartiale* n'est-il pas que le sujet à traiter lui ait donné l'occasion de déclencher ce réflexe? Entre deux recopiages de Cerutti, on sent toute une pensée qui fonctionne, *toute une culture qui remonte*, et cette culture, on la sent puisée à des sources alors peu communes, surtout conjuguées. Ordre, *qui serait progrès*, dans le domaine intellectuel, dans le domaine universitaire, l'Ordre véritable, sans l'ombre de quoi que ce soit de commun avec l'« ordre » de ceux qui payèrent la brochure, l'Ordre qui est réfutation de ce qui guettait l'éclectisme [1], voilà ce que la réflexion sur le problème jésuite a sans doute aidé à prendre corps pour Balzac. Mais, comme il n'est d'Ordre dans la pensée qui n'ait son correspondant nécessaire dans la vie sociale, dans les relations inter-humaines, sur ce point encore, les Jésuites fournissaient des références.

Oui, ce qui dut frapper Balzac, dans la vie temporelle de la Société, ce fut l'unité, la continuité, l'organisation. Curieusement, Balzac retrouve, à propos des Jésuites, certains des arguments de Bernard-François. Quelle fut, en effet, la grande pensée de Loyola? Une pensée d'organisation universelle, supra-nationale, dégagée des antiques liens d'obédience fractionnelle. En instituant la société, [il] n'avait pas eu en vue le bonheur de tel ou tel peuple; il considéra « *la grande famille humaine* dans son ensemble [2] ». Voici une expression déjà

---

1. Cousin avait été révoqué en 1820. Balzac était-il revenu de ses enthousiasmes dès cette époque? On manque totalement de documents sur ce point. Ne peut-on penser que ce serait la lecture de Saint-Simon qui aurait contribué à détacher Balzac d'une philosophie qui, de toute façon, avait donné tout ce qu'elle pouvait donner? Les exigences qu'elle avait éveillées, seule une authentique philosophie du dépassement des antagonismes, seule une philosophie, également, branchée sur une pratique, sur une politique hardie, pouvait les satisfaire.

2. *Histoire impartiale...*, O.D. I°, p. 25.

textuellement rencontrée sous la plume du voltairien. Mais
pourquoi ce transfert? Les philosophes avaient vu dans les
progrès des connaissances, inséparables d'une évolution laïque
des sociétés, la grande force qui liquiderait les particularismes. Les églises, comme les monarchies, avaient tout
tenté pour retarder cette marche à l'unité, s'accrochant aux
privilèges que leur conservait la division. Incontestablement,
la *théorie* bourgeoisie, en sa période de combat, avait été
une théorie de l'universel. *Mais qu'en était-il advenu?*
Fallait-il insister, en 1824, sur les résultats les plus visibles
de la poussée révolutionnaire? L'humanité n'était-elle pas
plus divisée que jamais? Des nationalismes insoupçonnés
n'étaient-ils pas nés du récent effort? Et, même sur le plan
théorique, le libéralisme ne s'installait-il pas dans un état
de division, dont il tirait, à son tour, des privilèges? Rétrospectivement, Loyola, avait pensé sa société et les rapports entre
les hommes selon un mode d'universalité qui faisait de lui un
symbole objectif d'opposition à l'anarchie libérale. Il faut bien
suivre, ici, l'exposé de Balzac, qui, sur ce point encore,
s'écarte de la plate compilation narrative de Cerutti : Loyola
a su tenir compte du réel, tout en œuvrant pour un avenir
qui le dépasse : « il avait eu soin, en traçant ses mémorables
constitutions de les *coordonner* [expression saint-simonienne
déjà rencontrée dans *L'Héritière de Birague*] d'une manière
générale avec l'esprit des lois des différents royaumes [1] ».
Alors que les abstractions des philosophes avaient vite buté
sur les différences spécifiques, avant de se replier sur un néo-
particularisme, le pragmatisme de la compagnie, toujours
guidé par ses visées « catholiques », donnait un exemple
instructif de ce que devrait être une authentique et capable
pensée d'organisation universelle. N'oublions pas l'admiration portée par Saint-Simon à l'idée de Sainte-Alliance européenne. Il y voyait la preuve que la Révolution, malgré les
apparences, pouvait accoucher d'une unité, que celle-ci était
inévitable. L'idée continuait à cheminer, comme on voit,
par des chemins que n'auraient guère soupçonnés les philosophes. Ils n'avaient vu, par exemple, dans les Jésuites, que
les instruments d'un quelconque impérialisme. D'où le Paraguay. Mais, explique Balzac, guidé beaucoup plus par son
désir de réfuter le libéralisme que par son adhésion positive
au jésuitisme, alors que les penseurs « pré-libéraux », en
particulier les jansénistes, n'envisageaient que l'individu,

---

1. *Histoire impartiale...*, O. D. I⁰, p. 25.

creusant et creusant toujours les raisons de le séparer, de miner les pouvoirs, les Jésuites, en théorie comme en pratique, cherchaient l'association. « Quelque vaste que fût le génie de Pascal et d'Arnaud, ces grands hommes n'entrèrent pas dans la pensée de l'homme qui conçut l'Institut [1] »; ils ne virent que malice et conspiration dans une entreprise qui dépassait leur siècle. Ils récusaient les rois; ils récusaient, aussi, plus haut, le Pape. Mais « Ignace, embrassant par la pensée tous les gouvernements de la terre, avait été forcé de créer un Ordre qui, *comme une véritable république*, eût ses lois, son chef, ses administrateurs, sa marche, sa police, son gouvernement, et fût enfin semblable à un véritable vaisseau flottant librement sur les mers. *A cette nouvelle manière d'envisager la société, l'esprit humain trouve encore de nouvelles raisons d'admirer Loyola* [1]. » Pascal comme Voltaire sont ici renvoyés dans les ténèbres. Loyola n'est pas une monstruosité. Il est un moment de la marche en avant de l'esprit humain. Il témoigne du besoin d'unité, en même temps qu'il donne un premier exemple de réalisation. Formellement, Balzac trouve dans son œuvre une vivante critique de ce qu'il constate autour de lui. Non que les Jésuites aient détourné à leur profit la grande idée des philosophes : ils ont, les premiers, donné le signal, et, dans cette affirmation d'antériorité, il faut voir une preuve supplémentaire de défiance à l'égard de cette philosophie qui n'a pas su tenir ses promesses. Non que la « gauche » se soit fait voler le contenu et la technique de « sa » révolution par la droite, encore que ce ne serait ni la première ni la dernière fois qu'on verrait une droite « moderne » faire plus avancer la maturation du problème de l'efficacité du pouvoir, que les hommes d'une « gauche » diviseuse et divisée, nantie de prébendes et de satisfactions, repliée sur sa théologie, ses souvenirs et ses intérêts. Balzac se place plus haut que le simple plan tactique et polémique. Il se laisse peut-être abuser. Il ne voit pas les liens que nous voyons, nous, entre les diverses forces de conservation sociale en 1824. Mais, dans sa quête d'autre chose que l'amoralisme libéral, il prend ce qu'il trouve, non sans cultiver le paradoxe, non sans se donner le plaisir de scandaliser ces bourgeois libéraux qui entendent monopoliser l'humain, l'idée de progrès, et tirent de leur rivalité avec l'Église de fausses raisons pour justifier leur politique et leur morale de division. Puiser dans ce que la droite *exprime* de positif de quoi faire pièce à une gauche qui

1. *Histoire impartiale...*, O. D. I°, p. 25.

démissionne de ses ambitions : phénomène qui se retrouvera[1], et qui témoigne bien, sous la Restauration, d'un désenchantement profond dans certaines consciences bourgeoises. Une histoire « impartiale » des Jésuites *doit* souligner ce côté constructif, novateur, de leur charte fondamentale : mais, que l'on éprouve ce besoin de justice, qu'on le pense possible, simplement, n'est-il pas la preuve de l'affaiblissement de la confiance qu'on faisait à ceux qui se présentaient depuis longtemps comme les adversaires les plus valables des Jésuites? Toute réhabilitation implique une baisse de cote du vainqueur du premier procès. Une fois de plus, nous voyons Balzac raisonner en tenant compte des *deux* côtés des choses. Il n'exalte pas dans les Jésuites une force contre-révolutionnaire, mais une force d'organisation et d'éducation; il n'exalte pas les Jésuites comme *fait*, mais comme *droit*. D'autre part, il n'est pas sensible, en eux, à quelque ténébreuse et romanesque puissance, de bien ou de mal. Il ne les simplifie ni vers l'hagiographie ni vers la caricature. L'*idée* Jésuite est pour lui un besoin, une nécessité. Le libéralisme est l'envers de cette idée. Les libéraux attaquent le *fait* Jésuite parce qu'ils en veulent à l'*idée*, qui suppose leur propre dépassement. C'est sur cette ambiguïté de la polémique que Balzac fait porter son effort. Peu importent les tartines payées[2]. Ce qui compte, c'est ce qui, au passage, s'exprime d'analyse critique du *fait* libéral. Dans *Illusions perdues*, Claude Vignon dira aux journalistes, figures de division, incarnations, pour Balzac, de tout le désordre libéral : « Vous serez les Jésuites, *moins la foi, la discipline et l'union*[3] ». N'est-ce pas clair? Balzac, qui ne croit ni en Dieu ni au Diable, Balzac impitoyable pour les missionnaires, Balzac qui sait ce qu'est le *fait* Jésuite et ecclésiastique, Balzac qui *sait* ce que peuvent être des

---

1. Certains aspects de la politique de Péguy, et tout le phénomène intellectuel fasciste. Les fourvoiements de l'esprit révolutionnaire prendront un aspect plus dur, plus dramatique, au XXᵉ siècle, parce que les urgences ne seront plus les mêmes. En 1824, il y a encore beaucoup de jeu dans le système.

2. Ceux qui avaient payé la brochure ne durent pas avoir à se plaindre. Balzac, qui connaissait déjà l'art de tirer à la ligne, leur en donna pour leur argent. Mais le caractère « hénaurme » de l'accumulation, par exemple, ne sent-il pas la parodie, la moquerie impalpable, dans cette page vigoureuse : « Mais venez déposer vous-mêmes, dans votre cause, savants qui préparâtes un siècle de gloire [suivent environ quatre-vingts noms, dont la majorité d'inconnus]. Levez-vous aussi, grands hommes de guerre, dont ils formèrent l'esprit et le cœur [vingt et un noms]. Faites entendre votre éloquente voix, ornements de l'Église sortis de leur sein [quatorze noms]. Vous aussi, illustres interprètes des lois, plaidez la cause de la justice [vingt-deux noms]. Et vous, grands hommes dont les noms immortels sont l'honneur des lettres et des sciences, faites rendre hommage à vos instituteurs; que votre gloire rejaillisse sur leurs fronts [vingt noms].» (*Histoire impartiale...*, O.D. Iᵒ, p. 36)

3. *Illusions perdues*, éd. Adam, p. 449.

Jésuites de simple *fait*, de simple *forme*, sent aussi que la foi, la discipline et l'union, loin d'être des valeurs de régression ou d'oppression sont les valeurs nécessaires de tout progrès et de toute libération. Certes, il voit mal que, dans la société bourgeoise, il y a foi, discipline et union, mais ces concepts, il les définit à partir de l'universalisme originel de la révolution libérale, et il refuse à les reconnaître dans les pratiques mutilées, dans la foi en l'argent, dans la discipline des intérêts, dans l'union qui divise. Toute critique a bien du mal à se passer d'une humanité, au moins d'images, de références, de symboles à assener à l'immédiat, et dans lesquels puiser de quoi habiller les idées, ou les désirs. C'est ainsi qu'on parvient à priver l'immédiat du privilège d'être seul à *être*.

Ces brochures posent tout le problème de la sincérité de Balzac, théoricien de l'Ordre face au désordre. Les a-t-il tout platement écrites pour de l'argent? S'agit-il d'une provocation? On l'admet, en général, tout en faisant remarquer que certains thèmes de la future politique balzacienne se trouvent déjà dans ces textes mercenaires. Mais ce qui semble le plus important est la présence d'une problématique, d'un réseau de problèmes, la conscience de tensions et contradictions qui sont celles mêmes du siècle, et qui reflètent, au niveau des idées, certains des problèmes concrets de la société française contemporaine. Balzac est parfaitement capable d'avoir vendu sa plume un jour de besoin, ou de l'avoir prêtée à des Machiavel de salle de rédaction. Mais, après tout, est-ce si important? La *pratique*, dans cette société, est nécessairement faussée, et la critique ferait fausse route, si elle se lançait à la recherche de comportements *purs*, exemplaires. Non qu'il faille tomber dans le laxisme : notre tâche n'est pas de situer les écrivains dans une gamme de *satisfecit*, mais bien de les comprendre. La formulation, l'aboutissement concret ne comptent pas tant que la recherche, que la réflexion, que la question posée. Une brochure, si mercenaire soit-elle, a intérêt à être intelligente, à être autre chose qu'une collection d'insultes. Dès lors, son auteur *ne peut* faire abstraction de ce qu'il est, vraiment. Balzac a défendu le droit d'aînesse et les Jésuites avec des arguments qui ont une autre importance que l'objet au profit duquel ils sont mobilisés. S'interroger, en 1824, sur la signification de l'abolition d'un droit qui laissait le champ libre aux proliférations bourgeoises, sur l'interdiction d'une compagnie qui était un exemple d'organisation face à l'anarchie libérale, *pouvait* être un moyen de s'interroger sur la validité du libéralisme bourgeois. Tout ce que le

fameux droit et la fameuse compagnie avaient pu avoir de
néfaste, de malthusien, pesait moins, la révolution accomplie,
que les malfaçons et les néo-malthusianismes qui les avaient
remplacés. On retrouve ici cette impuissance à critiquer le
présent avec d'autres armes que celles du passé, tant que ne
s'est pas dessiné un avenir solide. Il y a, certes, comparaison,
entre le présent et le passé, mais il faut voir *en quels termes*,
au nom de quelles exigences, est faite la comparaison. Le
discours superficiel, en ces deux brochures, ne compte pas
plus que les tiroirs ou l'affabulation dans les romans d'Horace
de Saint-Aubin. Ici encore, il faut *déchiffrer*, en tenant compte
de ce que le devenir livre des premiers états d'une forme et
d'une pensée. Ceci dit, les deux brochures posent le problème
des engagements concrets de Balzac en 1824. Cette année
capitale et mystérieuse (la seule trace manuscrite qui en soit
restée est une courte postface à *Wann-Chlore*, en novembre,
que l'on trouvera plus loin ; aucune lettre n'a été conservée),
dans l'histoire de laquelle on peut quand même établir quelques
piliers, contient peut-être la clé de bien des choses.

Après les dures déceptions de 1823 (abandon de *Wann-
Chlore*, échec de la première édition de *La Dernière Fée*),
l'année 1824 avait dû, d'abord, se présenter sous de meilleurs
auspices. Balzac avait terminé *Annette* et fait la connaissance
d'Horace Raisson, deuxième édition de Lepoitevin, homme
fort répandu dans la petite presse et dans les milieux littéraires, négociant en manuscrits, prêteur aux amis à ses
heures[1], etc. L'espoir demeurait, d'autre part, de finir par
trouver un éditeur à *Wann-Chlore*[2]. Au début de l'année
1824, enfin, Balzac avait fait son entrée (certainement piloté
par Raisson) dans l'équipe du *Feuilleton littéraire*, et, comme on
va le voir, il avait ses entrées au *Diable boiteux* et au *Corsaire*,
autres petits journaux spirituels, aboyeurs, férocement anti-
gouvernementaux et anti-romantiques. La panoplie se renforçait. Allait-on vers des réussites ? L'examen du *Feuilleton
littéraire*[3] prouve que Balzac et ses amis y sont influents :

---

1. Une liste de sommes dues datant de 1824 fait figurer en tête « 40 — Raisson »
(*Lov.* A 158, f⁰ 19, v⁰). On relève encore 30 francs de livres, autant de chapeau
(on a bien lu : au singulier), autant de bois, 15 de relieur, etc. Même à cette
époque sombre, Balzac ne se prive pas.
2. « *Wann-Chlore* est-il vendu ? », demande Thomassy, le 7 janvier 1824 (*Corr.*,
I, p. 242).
3. C'est Maurice Bardèche qui a, le premier, attiré l'attention sur le *Feuilleton
littéraire* (*Balzac romancier*, p. 195 ; voir ensuite l'*Introducion à Illusions perdues*
dans H. H. VIII). Le *Feuilleton* avait commencé à paraître en décembre 1823 ;
preuve de succès (ou d'appuis), de bi-hebdomadaire, il était devenu quotidien à

il ne paraît pas une seule de leurs œuvres, même anonyme
ou pseudonyme, sans que paraisse un compte rendu, soit
habilement élogieux, soit non moins habilement réservé, et
piquant la curiosité. L'*Histoire impartiale des Jésuites* elle-
même sera l'objet d'un article pas tellement hostile dans ce
journal pourtant plusieurs fois saisi, fréquemment censuré,
paraissant avec des blancs importants pour offense à l'Église
et au pouvoir! Mais l'aventure a dû se terminer en tragédie
de salle de rédaction. Balzac a vécu là l'une des plus authentiques aventures de Lucien de Rubempré. Qu'on en juge.

Le 16 avril, *Le Corsaire* annonça la prochaine sortie
d'*Annette*. Le 17 avril, annonce similaire dans *Le Diable
boiteux*. Le 20 avril, c'est le *Feuilleton littéraire* qui annonce
la mise en vente la veille. Le 24 avril, le même *Feuilleton*
donne un long compte rendu, qui est plutôt un résumé, de
ton très lyrique, et qui ressemble souvent de façon frappante
au canevas en prose de *Fœdora*. Il ne semble pas faire de doute
que ce texte soit de Balzac lui-même. Le même jour, c'est
Le Diable boiteux qui y va, lui aussi, de son compte rendu,
très élogieux, et reprenant parfois presque les mêmes expressions que le *Feuilleton!* L'opération était remarquablement
montée. Puis, il semble bien que ce fut, pour des raisons qui
échappent en partie, la catastrophe. Le 12 mai, le *Feuilleton*
publie un second article. Mais, cette fois, le ton change :
« M. Horace de Saint-Aubin n'est pas tout à fait sur notre
route, et nous avons été forcés de nous détourner un peu
pour le rencontrer. *Demi-romantique*, il exploite à petit bruit

partir du 1er avril 1824. Du point de vue littéraire, il offre un très intéressant
exemple d'anti-romantisme de gauche. Le 14 janvier 1824, par exemple, une
comparaison entre la *Messénienne* de Delavigne et la *Méditation* de Lamartine sur
la mort de Napoléon, donne la palme à la « bonne et simple citoyenne, un peu
pédante, un peu républicaine, mais qui du moins s'explique sans détour et dit
naïvement ce qu'elle pense », sur la « grande dame au ton précieux, au langage
romantique ». « Le cygne du noble faubourg », comme on l'appelle (Canalis doit
sans doute beaucoup à ce genre de littérature) se voit sèchement renvoyé à sa
clientèle. Le 11 mars suivant, à propos des *Nouvelles Odes*, de Victor Hugo, on
regrette de voir ce jeune poète, *renonçant tout à fait aux doctrines conservatrices
de* (on n'a pas peur, à « gauche »!) *la pureté de la langue et du goût*, s'épuiser en
d'inconcevables efforts pour donner à ses vers un air de nouveauté, de hardiesse,
dans lequel, malgré toute notre bonne volonté, nous ne pouvons apercevoir que
de la prétention et une vaine affectation d'originalité ». Et de lui reprocher,
comme exemples de mauvais goût, ces deux verbes à l'hémistiche :

> *La mort qui partout* pose *un pied victorieux*
> . . . .
> *Et le morne oubli* cache *à ton œil curieux* [...]

Pas d'étonnement, donc, si, trois jours plus tard, on lit un vibrant éloge de
l'*Épître aux Muses sur le romantisme*, de Viennet! Pas d'étonnement si, le 2 mai,
on publie *in extenso*, le fameux discours d'Auger, à l'Académie, qui devait provoquer la seconde partie de *Racine et Shakespeare!* Il est important de savoir que
Balzac a continué à baigner là-dedans, après qu'un certain romantisme authentique eut commencé à se faire jour en lui.

la *littérature marchande,* et nous nous faisons scrupule de toucher aux affaires d'intérêt. » Lorsqu'on connaît le sens du mot « romantique » dans ce milieu [1], la portée qu'on a voulu donner à la phrase ne fait aucun doute. Quant à « littérature marchande », c'était méchamment rappeler, pour les retourner contre leur auteur, et une phrase de la préface, du *Vicaire des Ardennes* [2], et une autre, qui la reprenait, de celle d'*Annette* [3]. On admettait bien, sans doute, la littérature marchande, au *Feuilleton,* mais à condition que ce fût celle de la maison. Et, précisément, à propos du malheureux *Vicaire des Ardennes,* suivait une allusion à la saisie de l'année précédente. Pourquoi? C'eût dû être un titre de gloire? Ne cherchait-on pas à mettre Saint-Aubin en contradiction avec lui-même? L'auteur du *Vicaire* saisi, écrivant un roman religieux! Et, au fait, sur quelle route ne se trouve pas Saint-Aubin? La suite de l'article est un impitoyable éreintement d'*Annette.* On souligne, non sans raison, les faiblesses et invraisemblances psychologiques (la trop soudaine irruption de l'amour dans le cœur de l'héroïne, la trop soudaine conversion d'Argow), mais on comprend bien mal « la capucinade convertissante de votre missionnaire », et l'on parle de « platitudes mystiques »; on accuse également (ce qui est bien dans le goût libéral et classique d'alors) les imitations anglaises (en particulier la Grève, le bourreau, etc.). Tout n'est pas faux, dans cet article, et Balzac l'aurait sans doute admis s'il se fût contenté d'être uniquement *littéraire;* mais après l'insertion du résumé poétique du 24 avril, il ne pouvait s'agir là que d'un coup de Jarnac. Ce jour-là, on avait annoncé une suite, un examen du style. La suite n'était pas celle que faisait attendre la promesse. *Pourquoi?* Seules des raisons extra-littéraires ont pu jouer. Il faut y regarder de près.

L'*Histoire impartiale* parut dans le cadre d'une campagne orchestrée par *Le Drapeau blanc,* auquel répondit, du côté libéral, *L'Argus.* Le 10 mars, un mois avant que ne parût la brochure de Balzac, on lisait dans le journal de Martainville, dans un article intitulé *Les Jésuites, encore les Jésuites, toujours les Jésuites :* « Ce n'est pas dans un journal qu'il convient de réviser le grand procès des Jésuites, procès intenté par la

---

1. C'est exactement le sens dans lequel Balzac le reprendra en 1839, dans *Un grand homme de province à Paris :* devenir romantique, alors, ce sera, sans équivoque aucune, devenir royaliste et passer du côté du Pouvoir.
2. «[...] un pauvre bachelier qui commence ses premières expériences de *littérature marchande* » (*Le Vicaire des Ardennes,* I, p. XXIX-XXX) souligné dans le texte).
3. « Mes chers lecteurs, dans la préface du *Vicaire des Ardennes,* je vous avais sollicité de protéger mes petites opérations de littérature marchande... » (*Annette et le criminel,* I, p. 5).

haine, poursuivi par la haine, jugé par la haine, et dont le
résultat fut de priver la France et la chrétienté d'une pépi-
nière d'hommes distingués dans toutes les parties des connaissances humaines, et la religion une de ses plus fermes
colonnes. » Puis, le 18 mars, un autre article, intitulé *Les
Jésuites jugés par les faits*, abordait les problèmes concrets :
régicide, Ravaillac, Lavalette, Paraguay. On citait Cerutti.
Du côté de *L'Argus*, le 3 avril, c'était un *Henri IV et les
Jésuites*, qui rappelait l'affaire Jean Chastel et la condamnation des Jésuites par le Parlement. Le 18 mai, après la sortie
de l'*Histoire impartiale*, *Le Drapeau blanc* revenait à la
charge avec un grand article signé de Martainville : *Sur les
Jésuites*. C'est que le 15 mai *L'Argus* avait publié *Les Jésuites
et les Jacobins*. Le 26 mai, il redoublera avec *De Loyola et ses
disciples*. On notera avec intérêt que *L'Argus* est toujours
très bienveillant envers le *Feuilleton littéraire*, dont il cite
volontiers les commentaires, reproduit les articles, etc. On
notera également que Balzac, dans *Illusions perdues*, fera un
vif éloge de Martainville, « le bravo royaliste [1] », il montrera
Lucien, après sa « conversion », s'enrôlant dans la phalange
de ceux qui voulaient faire « la restauration du journalisme», puis empoigner La Fayette et les héros du *Constitutionnel* [2]. « Devenu royaliste et romantique forcené, de libéral et
de voltairien enragé qu'il avait été dès son début, il se trouva
donc sous le poids des inimitiés qui planaient sur la tête de
l'homme le plus abhorré des journaux libéraux à cette époque, Martainville, *le seul qui le défendît et l'aimât* [3]. » Il y a
du vécu dans ces lignes, que ne saurait, malheureusement,
venir préciser aucun document. Un passage souvent cité
d'*Illusions perdues* semble bien prouver qu'une équipe de
joyeux garçons avait contacté pour écrire, au profit de la
gauche, quelque factum incendiaire qui servirait sa lutte
contre le Pouvoir.

Mes enfants, dit Finot, le parti libéral est obligé de raviver
sa polémique, car il n'a rien à dire en ce moment contre le
gouvernement, et vous comprenez dans quel embarras
se trouve l'opposition. Qui de vous veut écrire une brochure
pour demander le rétablissement du droit d'aînesse, afin
de faire crier contre les desseins de la Cour? La brochure
sera bien payée [4].

---

1. *Illusions perdues*, éd. Adam, p. 526.
2. *Ibid.*, p. 495.
3. *Ibid.*, p. 500.
4. *Illusions perdues*, éd. Adam, p. 448. Cf. Arrigon, *Les Débuts littéraires
d'Honoré de Balzac*, p. 165-166 (qui a le premier fait le rapprochement), et Bernard
Guyon, *La Pensée politique...*, p. 193).

Ce texte n'invente certainement rien, et transcrit sans aucun doute et des souvenirs précis de Balzac, et un trait de mœurs littéraires de l'époque. Mais trop d'authentique a été repéré dans les deux brochures pour que cette explication suffise. D'autre part, l'inspiration néo-chrétienne des œuvres de 1823, et l'hommage à Martainville dans *Illusions perdues*, permettent de penser qu'il a dû se produire, alors, un rapprochement théorique partiel, accompagné probablement de rapprochements de personnes avec la Droite [1]. On l'a peut-être un moment toléré, au *Feuilleton*, comme une simple « opération »; d'où le caractère bénin de l'article consacré à l'*Histoire impartiale*. A-t-on jugé que les choses devenaient trop sérieuses? A-t-on voulu casser les reins à un transfuge? Comment aurait-il pu leur faire comprendre, à ces libéraux, à ces marchands, les mobiles profonds, fuyants, contradictoires, que plus d'un siècle de critique balzacienne parvient à peine à éclairer?

Mais est-ce là tout? Et n'y avait-il pas pis encore, et qui ne se pardonnait pas? Il semble bien que Balzac, en compagnie de Raisson, se soit lancé dans une entreprise rien moins que de torpillage, ou de remplacement, du *Feuilleton littéraire!* Celui-ci disparut, en septembre, absorbé par *Le Diable boiteux*. Or, le 10 septembre, l'imprimeur Plassan qui, fait important, avait tiré sur ses presses au début de l'année l'*Histoire impartiale des Jésuites*, et qui donc avait partie liée avec Balzac et Raisson, annonçait qu'il allait imprimer « pour M. Horace Raisson, homme de lettres, rue de l'Odéon, n° 27 », un *Feuilleton de la littérature, des sciences, des beaux-arts, des spectacles et des mœurs* [2]. Ce *Feuilleton* ne parut jamais, et l'entreprise n'eut sans doute pas de suite [3]. Seulement, dans la

---

1. Antoine Adam (note dans son édition d'*Illusions perdues*, p. 448), s'il accepte sans peine l'idée d'une brochure payée, écarte catégoriquement l'idée d'une provocation. Mais, en 1839, Balzac étant officiellement et ouvertement royaliste pouvait-il ainsi présenter sous un jour ridicule et odieux des idées qui devaient alors lui être chères? A-t-il pu *inventer* cette affaire de provocation? ou bien a-t-il voulu suggérer que toutes les propositions fanatiques et déraisonnables de la Droite, sous la Restauration étaient de la même nature, c'est-à-dire forgées par la Gauche? La question demeure obscure. Il reste certain que Dentu était un éditeur patenté de la Cour et des politiciens ultra : donc, la « sincérité » est probable du côté de l'éditeur du moins, et de ceux qui commandèrent et payèrent. Mais ne pourrait-on imaginer, du côté des rédacteurs une opération machiavélique qui aurait consisté à « en rajouter » dans le texte qu'on leur demandait? Ne peut-on non plus les imaginer « téléguidés » par les politiciens libéraux pour ce genre de travail? Les positions étaient moins tranchées alors qu'aujourd'hui, les structures politiques plus fluctuantes. Ce qui semble certain, c'est que l'on n'aurait jamais demandé quoi que ce soit de ce genre à Balzac s'il n'avait eu quelques contacts avec la Droite.

2. *Archives nationales*, EF 18, 104.

3. On n'en trouve trace ni dans la *Bibliographie de la France*, ni dans aucune bibliothèque.

correspondance Balzac-Thomassy, on relève cette curieuse allusion : « Je vous félicite de votre *Feuilleton littéraire*. Je ne doute nullement qu'il ne soit écrit avec beaucoup d'esprit et de goût », et il promet de lui faire de la réclame auprès de la *Société littéraire du Berry* [1]. Cette lettre de Thomassy est du 2 juin. Or, il est absolument invraisemblable de penser que le catholique et monarchiste Thomassy ait parlé en ces termes d'un journal si souvent censuré pour les raisons que l'on sait, et d'une inspiration si évidemment contraire à ses propres opinions. D'autre part, le *Feuilleton* dont il parle semble bien être *un projet;* il ne l'a pas encore lu, et répond à des explications élogieuses de Balzac. Or, ce dernier aurait-il fait l'éloge d'une feuille qui venait de le déchirer? Non, il doit bien s'agir de ce projet Raisson de nouveau *Feuilleton*, pour lequel Balzac cherchait des appuis. Les détails de l'opération manquent, mais on imagine aisément une scission, des haines, des vengeances. Comme, depuis les brochures du début de l'année, comme depuis *Annette*, Balzac semblait, extérieurement, avoir viré cap pour cap vers le Trône et l'Autel [2], n'y aurait-il pas là, en mineur, la première version de l'aventure Rubempré? Quel Finot, quel Lousteau décidèrent de « punir » Horace de Saint-Aubin? Il est caractéristique, en tout cas, que, à l'automne, lors de la publication de la seconde édition de *La Dernière Fée*, *Le Corsaire* fut muet, et que *Le Diable boiteux* ne publia qu'un article mi-figue, mi-raisin. On était loin de la grande opération du printemps pour *Annette*, de ce feu roulant d'annonces et d'articles. Balzac se retrouvait absolument seul, après avoir été, un moment, l'homme qui monte en flèche d'une coterie bien organisée. Encore une année pour rien. Et il y avait plus de deux ans qu'avait été écrite la lettre à Laure sur le petit brisquet d'Honoré qui devait arriver en équipage, la tête haute, le regard fier et le gousset plein...

Maintenant, il faut bien essayer de chercher le sens de cette aventure. Si l'année 1823 avait vu Balzac flirter avec un groupe romantique-libéral, 1824 le voit, semble-t-il, faire un tour de conversion à droite vers les romantiques-monarchistes, et, semble-t-il encore, le payer cher. Comment comprendre? Il est d'abord absolument certain que Balzac, pendant ces années 1824 et suivantes est resté, intellectuellement et affectivement, un homme de gauche. Le recueil

---

1. *Corr.*, I, pp. 244-245.
2. Précisons bien : à voir les choses de l'extérieur, car pour les motivations profondes, nous savons ce qu'il faut en penser.

composé par lui-même, *Caractères, maximes, anecdotes, mots de société*, dans lequel ont déjà été puisées quelques indications concernant sa famille, et qui est nécessairement postérieur à l'année 1824[1] contient de multiples preuves non équivoques de ses allergies et sympathies. On l'imagine racontant ces histoires, probablement recueillies dans les journaux libéraux, dans un salon voltairien du Marais. Par exemple : « Dans une des séances les plus chaudes, le côté droit, se levant en masse contempla le côté gauche; M. Casimir Perier se levant, répondit pour toute l'opposition : regardez-vous nos têtes pour les faire tomber? Comptez! ». Et Balzac ajoute : « Je trouve ce mot digne de la postérité ». Ou bien : « Un des plus beaux mouvements oratoires que j'aie admirés, c'est celui du général Foy. Dans une séance, le garde des Sceaux (de Serre) avait insulté la gauche en la présentant à la France comme un foyer de sédition que la justice ne pouvait atteindre. Le général monte à la tribune et s'écrie : « Je condamne le garde des Sceaux à regarder en passant les statues du chancelier de L'Hospital, de Sully et de Malesherbes ». Ou ceci, enfin, qui nous ramène au bon temps d'*Annette et le criminel :* « Dans ce temps (1822), le ministère envoya des missionnaires pour convertir Paris et le régénérer. *Tout le peuple et la partie saine de la nation* s'y opposa en formant des attroupements, qui furent dissipés par d'honnêtes charges de cavalerie, et les bons pères furent protégés par la gendarmerie, de manière que le parvis et toutes les avenues de l'église étaient saturés de troupes. Aux petits pères, un missionnaire entremêla son discours de citations de Bossuet, et une vieille bonne femme s'écria : c'est du Bossuet tout pur. Oui, comme je suis Turenne, répondit l'officier de service[2] ». Le temps n'est pas encore venu, comme on voit, des railleries adressées aux « grands orateurs de la gauche », et la continuité est peu contestable avec les lettres de 1819-1821. Qu'en conclure, sinon que l'évolution intérieure, qualitative, qui s'est manifestée dans les écrits religieux de 1823, n'a pas entraîné de modification en ce qui concerne l'attitude pratique de Balzac envers la Droite de fait? Pour lui, certaines choses demeurent simples, et l'on a ainsi une preuve de plus que son évolution « romantique » n'est nulle-

---

1. *Lov.* A 158. Balzac y parle *au passé* de sa grand-mère, morte en 1824, et il évoque l'année où son père, né en 1746, *avait* soixante-dix-huit ans. A propos de l'année 1822, il écrit : « Dans ce temps », ce qui laisse supposer qu'il la considère comme déjà assez éloignée.

2. *Lov.* A 158, fo 79. Le général Foy étant mort en 1825, le texte, nécessairement postérieur, est une belle preuve de fidélité de Balzac à ces attitudes d'opposition.

ment une régression, bien au contraire. Mais alors, comment faire cadrer cette fidélité avec les « capucinades » de l'œuvre, avec les relations probables Balzac-Martainville ? A part l'explication par l'argent qui, bien sûr, n'est pas à écarter, mais qui de toute façon ne saurait répondre à toutes les questions, il n'en est qu'une qui nous semble valable : cette conversion est l'aboutissement de la découverte du libéralisme et des milieux libéraux, commencée en 1819, et dont nous avons suivi le développement. Rédigeant *Illusions perdues*, Balzac écrira d'abord, de premier jet : « Moi, dit Nathan, je me charge des héros du *Constitutionnel*, du sergent Mercier, des Œuvres complètes de M. de Jouy, des illustres orateurs de la Gauche [1]. » Se relisant, il a corrigé pour l'impression : « *Moi, dit Lucien* [2]. » Pourquoi cette appropriation ? Lucien est évidemment, en grande partie, du point de vue des événements, Balzac. Or, quelle raison aurait eue Balzac, en 1824, de *ne pas* s'en prendre au *Constitutionnel*, à M. de Jouy, aux grands orateurs de la Gauche, tout en continuant de les applaudir contre la Droite ? Oui, lesquelles ? Il ne lésait rien de profond en lui en réagissant ainsi, bien au contraire. Comment, une fois de plus, alors qu'il n'y a pas encore de saint-simonisme constitué, alors qu'il n'existe pas d'instrument idéologique ni pratique à dépasser le conflit droite-gauche, oui, comment réagir contre ce qu'on hait, sinon à gauche, du moins dans la Gauche ? On aimerait connaître le détail de ce qui s'est passé entre Balzac et ses amis du *Feuilleton littéraire*, mais une chose semble absolument sûre : en même temps que l'orientation de sa propre pensée vers le positif l'éloignait des théoriciens et des praticiens du négatif, on a tout fait, concrètement, à gauche, pour le jeter dans les bras de Martainville, lequel avait pour lui, ne l'oublions pas, d'être, à l'intérieur de la Droite, un homme d'avant-garde, un isolé, contre qui eurent à réagir les « raisonnables » du parti. Il existe une imprescriptible dynamique de la bataille politique, comme une fatalité (domaine du roman, ici encore !) de la critique lorsque rien ne lui permet de sortir du cercle qu'elle supporte mal en tant que cercle. Seulement, et c'est l'essentiel, Balzac, lui, à la différence de Lucien, *ne s'est pas laissé enfermer*, et c'est pourquoi, dans *Illusions perdues ;* il montrera les journaux de droite, de cette Droite à laquelle s'est rallié Lucien par ambition, par faiblesse aussi, et par incertitude, attaquer le Cénacle de l'Arthez. Voilà la protes-

---

1. *Illusions perdues*, éd. Adam, p. 849.
2. *Ibid.*, p. 495.

tation de Balzac! Voilà par où il échappe. Le romancier, l'homme d'expérience, en 1839, vengent le jeune homme incertain, et condamné à l'incertitude, de 1824. Il n'avait pas, alors, de Cénacle, de véritable Cénacle à sa disposition; il l'a, depuis, créé, à partir de multiples rencontres, souvenirs, lectures; ce cénacle diffus d'un siècle qui se cherche, il n'a vraiment pris consistance que dans la création romanesque, dans la vision unificatrice de l'écrivain. Balzac voulait non une *restauration*, au sens sentimental et revanchard du terme, mais bien, pour parler comme Péguy, une *instauration*. Les contradictions du siècle faisaient que, pour instaurer, il était difficile de ne pas tomber dans les pièges de ceux qui ne voulaient que restaurer; les contradictions du siècle faisaient que les exigences de positif et de dépassement de la bourgeoisie ne pouvaient se manifester sans s'allier à d'autres exigences qui, en fait, étaient, elles aussi des exigences de négatif. Les contradictions du siècle faisaient, d'autre part, que, pour défendre la liberté, il fallait épouser la querelle des thermidoriens ou ne rien trouver à redire aux petits journaux. Est-ce pour rien que Balzac comparera Lucien à Milon de Crotone, se sentant les mains prises dans le chêne qu'il avait lui-même ouvert[1]? Milon, Sisyphe; figures de l'absurde. Le romancier, en pleine possession de ses moyens, présentera Lucien comme un pur instinctif, comme un faible, comme un indécis, comme un être sans grandes idées : manière non tant de le dévaloriser, lui, Lucien, que de dévaloriser ses ralliements et prises de position, d'*en empêcher la totale valorisation*. D'Arthez et le Cénacle *servent* à replacer correctement la gauche et la droite, et surtout l'idée aberrante d'un remède de droite aux trahisons de la gauche. « Il existe, écrira Chateaubriand en 1831, deux sortes de révolutionnaires : les uns désirent la Révolution avec la liberté, les autres veulent la Révolution avec le pouvoir; c'est l'immense majorité[2]. » Remarque pénétrante! La Révolution avec le pouvoir, c'est l'aliénation continuée, *reportée*, car il n'est de pouvoir que sur quelque chose ou quelqu'un. Cette Révolution est de celles dont parle Péguy, faites au nom de la seule *égalité*. La Révolution avec la justice c'est la Révolution qui n'en suppose plus d'autres après elle, la Révolution non au profit d'une classe, mais au profit de l'universelle humanité, et cette fois, Péguy recourra exactement au même vocabulaire que Chateaubriand.

---

1. *Illusions perdues*, éd. Adam, p. 513.
2. Chateaubriand, *De la Restauration et de la monarchie élective, ou réponse à l'interpellation de quelques journaux sur mon refus de servir le nouveau gouvernement*, 24 mars 1831, p. 9.

La revendication d'égalité est une revendication typiquement bourgeoise, la bourgeoisie (que Tocqueville confond un peu vite avec les hommes) ne haïssant pas tant l'inégalité en soi que la forme précise d'inégalité dont elle était elle-même victime. Or, Balzac, dès ses premiers contrats, avait pu voir ce que cachait Finot, ce que voulait Finot. La jungle du *Feuilleton littéraire*, lieu de pouvoir, et de recherche du pouvoir, non de justice ni d'effort vers la justice, avec, bien entendu, ses affaires d'intérêts (« Finot, mes cent sous ! ») avait pu démultiplier des impressions qui remontaient à la période Le poitevin. Le mouvement vers le catholicisme, vers certains thèmes politiques de la Droite, la permanence des réflexes et amitiés de gauche, toute cette incertitude, *le non-engagement final de Balzac à droite malgré la catastrophe à gauche*, son repli sur lui-même, son retour à *Wann-Chlore*, la préparation du *Code des gens honnêtes*, qui paraîtra au début de 1825, et qui est le type même de l'œuvre critique, aux accents souvent d'une grande âpreté, impitoyable envers « les indemnités d'émigrés », tout ceci, qui « sauve » Balzac d'être Lucien, comme on l'a déjà vu sauvé d'être Lousteau, mais qui le sauve sans lui donner enfin de certitude ni de point d'appui, tout ceci qui, s'il aiguise la conscience, n'en assied pas pour autant l'être, ne le réintègre pas, tout ceci met Balzac à la fois en avant et à l'écart. L'aventure de 1824, c'est, vraiment matérialisée pour la première fois, toute l'absurdité du siècle pour qui se refuse à être de l'une quelconque de ses féodalités. Non pas, d'ailleurs, absurdité paralysante, mais, malgré de graves moments de solitude et de difficulté, absurdité qui pousse, qui peut pousser en avant. A distance, on le voit bien aujourd'hui, Balzac est reparti, a pu repartir ; armé de ses expériences et de sa lucidité, en éprouvant, sans doute comme une fierté. Le même genre de situation psychologique se retrouvera en 1832 : cette lucidité, cette conscience intacte, mais aussi (et comment en faire abstraction, ne pas la vivre, ne pas en souffrir ?) cette solitude. Il n'est, en ce siècle, de pureté, d'efficacité à long terme, que dans la solitude. Le seul positif non compromis, la seule liberté non compromise, sont le positif du créateur, la liberté de l'artiste. A l'automne 1824, c'est à son œuvre que va revenir Balzac, c'est elle qu'il va, pour la première fois, interroger, c'est en elle qu'il va trouver les problèmes posés de manière enfin exacte et complète, avec une ouverture sur autre chose que des mystifications. Ainsi s'achèvera une année commencée dans le tumulte illusoire des camaraderies : c'est bien le premier moment des *Illusions perdues*.

Échec d'*Annette*, affaire avec le *Feuilleton*, échec du nouveau *Feuilleton*, coup de Jarnac des camarades, solitude,
Wann-Chlore toujours en portefeuille, il y avait là de quoi
désespérer. On ne possède aucune lettre de Balzac pour cette
période, mais, dès le 2 juin, une réponse de Thomassy, confident, en ces mauvais jours, fournit une indication sans équivoque : « *La vie, dites-vous, vous pèse*; je le crois; pour un être
qui pense, c'est un fardeau qu'on ne soulève qu'avec le levier
de l'avenir, et point d'avenir proprement dit sans croyances. »
Thomassy pouvait ajouter : « pardon de cette capucinade,
j'en reviens toujours à mes moutons », il avait dû toucher
juste [1]. Il avait certainement reçu une lettre fort sombre,
écœurée. Lui, faisait carrière à la préfecture du Cher, en
attendant une nomination à Paris. Il eut pitié de ce camarade qui s'usait à chercher fortune dans la littérature. Il
l'invita à venir le voir à Bourges, et il lui conseilla, de plus,
de « prendre une direction utile », de ne faire de la littérature
« que par surcroît ». Thomassy voyait clair. Il se gardait bien
de répéter ses conseils de janvier. *Wann-Chlore* était abandonné, le *Traité de la prière* abandonné, *Alceste* abandonné.
Annette, si religieux que fût le roman, n'était pour Thomassy
qu'une « peccadille », et quant aux brochures il n'y avait pas là
de quoi sauver un homme. Sans doute, Balzac, par fierté, défen-
dait-il encore le genre de vie qu'il avait choisi, puisque Thomassy, à propos de Sautelet, qui, paraît-il, « engraisse de
jour en jour », se permet ce commentaire : « lui, du moins,
sait employer son temps et tirer quelque profit de ces tant
douces heures de paresse *dont vous me parlez*, et que je ne
connais pas ». On devine aisément, dans la lettre perdue de
Balzac, une apologie quelque peu provocante du *farniente*,
de la vie à la Lousteau, inoccupée, sans but, sans résultats,
mais à laquelle il est bien difficile de renoncer. C'est dans cette
lettre, pourtant, que Balzac demandait à son ami de « travailler » pour son *Feuilleton* auprès de la société littéraire du
Berry. Dernières branches? Mais aussi aptitude à toujours
repartir? On est loin, en tout cas, du dynamisme, de la belle
confiance de 1819-1821. Mauvais choix des moyens, dirait
Mme Balzac? Rançon du refus des platitudes bourgeoises.
La littérature était « dangereuse », comme l'avait bien
vu Thomassy; elle était arme mortelle, souvent, pour celui
qui s'en servait. Elle n'en était pas moins une activité qui
mettait en jeu des valeurs d'un autre ordre que les ambitions
ordinaires. Thomassy est un noble cœur, mais Thomassy

---

1. *Corr.*, I, p. 246 (première publication intégrale).

est sans génie, sans relief, un homme du système. Balzac, si bas soit-il, en cet été 1824, se sent incapable, soyons-en sûrs, de se donner tort. Les dés sont pipés, mais il ne regrette pas d'avoir joué. Et il jouera encore. Son *droit* est net. Le *fait*, il est vrai, ne l'est pas moins. Il faut tenir compte des deux niveaux. Balzac avait le droit de vouloir autre chose qu'être notaire. Mais il crevait de faim, et n'arrivait à rien. D'où le désarroi. La société n'est pas une machine à vous prendre, à vous fortifier, à vous développer. Elle est là, sans cesse, *contre*. Thomassy ne dissimule pas qu'il n'y a que de faibles chances d'intéresser la société littéraire du Berry au nouveau *Feuilleton*. La tentative sera reprise six ans plus tard [1]. En attendant, que devenir? Autant d'entreprises, depuis trois ans, autant de coups d'épée dans l'eau. Et, au même moment, des difficultés avec la famille. Bernard-François, d'abord, est gravement malade. Thomassy, dans sa lettre de juin, tente de rassurer son ami et l'on devine l'inquiétude de la lettre qu'il avait reçue. En 1821, lors de l'affaire du coup de fouet, le brillant avait cédé, d'un coup, dans une lettre à Laure, à l'émotion, à la panique, même. Et le « reste », alors, allait relativement bien... En même temps, c'était un conflit avec Mᵐᵉ Balzac. La famille venait de racheter la vieille maison de Villeparisis. Tout le monde retournait là-bas. Honoré refusa, sautant sur l'occasion pour « s'indépendantiser ». Il loue un petit appartement, rue de Tournon, réalisant le rêve caressé en 1821. C'est le coup de hache au cordon ombilical. Mᵐᵉ Balzac voit clair. Il s'agit de pouvoir se retrouver en toute tranquillité avec la dame du bout du village. Dans une lettre furieuse à Laure, elle exhale sa rancœur, sa fureur. « Il s'est enfui de chez nous avec elle, elle a passé trois grands jours à Paris, je n'ai pas vu Honoré; il savait que je venais pour lui. » Cette « désertion », comme elle dit, l'outrage au plus profond. D'autant plus que Mᵐᵉ de Berny, dans les inévitables rencontres, la comble de politesses, affectant de venir par le village, et de ne pas éviter la maison Balzac. Bref, conclut-elle, « je fume [2]! » Et je fume d'autant plus que Honoré a des dettes, qu'il a pu puiser dans la bourse familiale comme il a voulu, que, dernièrement encore, je lui ai proposé de payer toutes ses dettes si cela pouvait être nécessaire *pour donner essor à son génie et pour enfin produire quelque chose qu'on pût avouer* ». Sur quel ton a-t-elle écrit « son génie »? En tout cas, Honoré a refusé. Niche, pâtée, « compréhension », largeur

---

1. Cf. t. II, pour le *Feuilleton des journaux politiques*, en 1830.
2. Cf. *supra*, p. 291.

d'esprit : qu'en aurait-il à faire, du moment qu'il s'agirait, au fond, de triompher de lui? De le mettre « dans son tort », comme aurait dit Péguy? Bourgeoise Atride, que cette Mme Balzac. « Nos bras restent ouverts, notre bourse à son service » : bras que l'on fuit, bourse qu'on refuse, nécessairement, sauf à renoncer à soi-même. Bras que l'on fuit d'autant mieux, bourse que l'on refuse d'autant mieux que l'on devine, dans l'offre, un piège. Mme Balzac n'est pas un simple monstre de pharisaïsme. « S'il peut déployer un peu d'énergie, je serai bien heureuse » : n'y a-t-il pas là, outre une indication précieuse sur cette période « Lousteau », sur un Balzac quelque peu avachi, se complaisant non sans défi dans sa stérilité, un peu de pitié, d'émotion, mais de pitié, d'émotion, pour soi, non pour l'autre? L'échec d'Honoré est honte pour Mme Balzac. Pour nous, le *témoignage* importe, essentiellement. Où est celui qui devait illustrer le nom Balzac? Où est le frère de Mme Surville, qui devait caracoler, le gousset plein devant les populations ébahies? Une certaine quantité de vie, déjà, derrière soi, irrécupérable — sinon à condition d'y puiser du roman, et ce sauvetage ira bon train, de 1833 à 1850 —, le sentiment de quelque chose qui vous a fui des mains. Mais pour Balzac, en 1824, qu'est-ce qui surnageait? *On* avait apparemment « raison » contre lui, dans sa famille, du côté de sa mère, mais avait-il tort? Il avait enfourché de drôles de chevaux, certes. Mais avait-il le choix? En société bourgeoise, à l'intérieur de la société bourgeoise, il n'existe d'alternative qu'entre une acceptation bestiale de la noria et des révoltes nécessairement irréalistes. Révoltés, mais sans cause. Sinon sans causes. On ne le plaignait que pour le récupérer. Pour nier toute validité à sa désertion, la vraie, celle qui datait de 1819. Et, au même moment, alors que ne se levait pas l'astre Honoré, un autre, peut-être, allait commencer une ascension selon les règles : le 27 mai, Bernard-François avait écrit à sa fille : « Ta mère, par sa lettre d'hier, ma chère Laure, me marque que l'ordonnance pour votre grande affaire est signée. Je crois, en vérité, que si elle m'avait annoncé pour ton mari un million, elle ne m'aurait pas fait plus grand plaisir, parce qu'une pareille somme n'aurait jamais pu lui procurer autant de considération, ni autant de satisfaction intérieure qu'il lui en reviendra constamment pour l'exécution d'un monument éternel, et dont l'utilité publique se fera sentir et admirer dans tous les temps[1] ». C'était, à propos d'une réussite *privée*, emboucher bien aisément la trompette de la « civilisation ». Muté, enfin,

1. *Lov.* A. 379 f° 42.

de Bayeux à Corbeil, en septembre 1822, Surville venait de
bénéficier d'un brillant avancement en étant nommé à Versailles. C'était le rapprochement avec la famille, c'était un
traitement plus important. C'était, surtout, la perspective
de travailler au canal de l'Essonne, qui dut évidemment
réveiller en Bernard-François de vieux réflexes civilisation-
nistes [1]. Honoré admira-t-il? Envia-t-il? On ne dut pas se
refuser de lui faire remarquer que certaines comparaisons,
peut-être, s'imposaient. Et ceci se passait, insistons-y, au
mois de mai 1824, alors qu'*Annette* subissait le sort que l'on
sait. Prendre une direction utile! N'était-ce pas là un autre
argument, et Thomassy ne se voyait-il pas renforcé de tous
côtés? Et pourtant, Balzac ne renonça pas à la littérature.
Parce qu'il avait encore suffisamment en réserve pour faire
offre aux marchands et pour signer quelques contrats? Ce
genre de raison ne suffit jamais. Il fallait, pour résister, un
ancrage plus profond. Au travers des pires déguisements, des
pires artifices, Balzac avait déjà dit beaucoup. Beaucoup
que nous seuls, aujourd'hui, avec les documents dont nous
disposons, avec, aussi, le recul, sommes capables de déchiffrer,
alors que les contemporains n'y voyaient goutte. Mais beaucoup pour lui, en tout cas. Restaient à tirer quelques dernières
cartouches, et pas seulement pour survivre. Il restait en
Balzac cette idée de réussir, d'être soi autrement que Thomassy, autrement que Surville, autrement que ceux qu'ap-
prouvait sa mère. Le grouillement affairiste autour du canal,
à partir de l'année suivante, sera, déjà, une vérification
a priori des intuitions de *La Comédie humaine*, une preuve
contre l'idéalisme « philosophique » de Bernard-François.
Une preuve que son fils avait raison de refuser de s'engager
dans cette « fausse civilisation ».

Il disposait encore de deux cartes : *La Dernière Fée* et
Wann-Chlore. Le libraire Delongchamps, qui avait publié
les deux brochures politiques, avait été contacté, et il avait
accepté de prendre en compte les exemplaires tirés par Bobée
l'année précédente. On ferait seulement de nouvelles pages
de titre et de faux-titre, et l'on mettrait

> seconde édition, revue corrigée
> et considérablement augmentée, à Paris
> Delongchamps, libraire
> 1825 [2]

1. Un an plus tard, en 1825, Surville demandera à ses chefs l'autorisation de
s'occuper du canal *à titre personnel*. Il sera d'abord fraîchement reçu. Cf. A.-M. Meininger, *Surville, modèle reparaissant de La Comédie humaine*, A. B., 1963, p. 208.
2. Selon la coutume d'alors, paraissant fin 1824, le livre était daté de 1825
pour faire plus longtemps figure de nouveauté.

Le 29 octobre, la mise en vente avait lieu, avec annonce dans
Le Diable boiteux. Le « premier des livres » affrontait enfin
le public comme il le devait, complet, avec toute sa signification. On n'avait pas compris une première édition, fâcheu-
sement tronquée. Justice allait-elle être rendue? Après l'affaire d'*Annette*, Balzac avait de quoi se méfier. Raisson avait
quitté *Le Diable boiteux*. Rien n'était sûr. Tout manquait,
même un nouveau *Feuilleton*, qui n'aurait pas fait défaut,
lui. La casque Delongchamps allait-elle se montrer bénéfique?
Le 27 novembre, *Le Diable boiteux* publiait un étrange
compte rendu :

> Il y aurait de l'injustice à dire que je n'ai rien compris à
> ce roman : je me trompe fort, ou l'auteur est un homme qui
> ne manque ni d'esprit, ni même d'imagination, mais ce qu'il
> a voulu faire, le but qu'il s'est proposé, l'intention qu'il avait
> en écrivant *La Dernière Fée*, voilà ce que je n'ai pu pénétrer;
> et je me demande encore, à présent que j'ai lu les trois
> volumes de son ouvrage avec un sentiment assez vif de
> plaisir et de curiosité, *ce que cela prouve* [souligné dans le
> texte].
>
> Cependant, *La Dernière Fée* en est à sa seconde édition,
> et cela prouve ordinairement quelque chose pour un livre
> de ce genre, qui jouit bien rarement des honneurs de la
> réimpression lorsqu'il est tout à fait insignifiant ou mal
> écrit. J'en conclus qu'il y a du bon, beaucoup de bon dans
> *La Dernière Fée*, et qu'on peut très bien avoir de l'esprit
> tout en manquant de raison.

Après avoir noté que le caractère de la duchesse était « à la
fois romantique et romanesque », on concluait, poli : « On trouve
dans ce roman de jolies descriptions, des pages bien écrites,
du style, de l'esprit, de l'imagination, mais on y chercherait
vainement de la raison. » Peut-être ne pouvait-on, au *Diable*,
absolument refuser certaines bonnes paroles qui n'engageaient
pas trop? L'essentiel, en tout cas, n'était pas vu, et ne pouvait
l'être, puisqu'il était encore à exprimer. Balzac, d'ailleurs,
savait-il clairement *tout* ce que contenait et impliquait le
mythe de *La Dernière Fée*. Il ne fut, peut-être, sensible qu'à
l'échec commercial, encore que la confidence de 1849 prouve
qu'il *croyait*, sur l'heure, à son roman. C'était, en tout cas,
une autre salve pour rien.

Restait une dernière chance. *Wann-Chlore* avait dû être
montré à Delongchamps, qui n'avait pas dit non. Des tractations durent être engagées. Balzac, en vue d'une impression
désormais proche, reprit son œuvre, la relut. Deux ans avaient
passé depuis sa première rédaction. Tout ce qui s'était exprimé

dans cette première *Scène de la vie privée* n'avait-il pas pris un poids nouveau ? Et ce roman, dernière chance d'un écrivain de vingt-cinq ans, dernière pièce d'or sur le tapis de la spéculation littéraire, n'était-il pas autre chose qu'un « roman »? Balzac l'avait écrit à partir de sa sœur, de sa mère, de Villeparisis. Laurence était mariée depuis trois ans, malheureuse et malade; lui-même était sur le point de lâcher. A moins que... Il fallait, en tout cas, reprendre ce manuscrit, le relire. Balzac ne put s'empêcher de lui trouver des accents prophétiques : « En méditant sur la fatalité qui gouverna la vie de Mᵐᵉ Landon, l'on finira par remarquer qu'il ne se rencontre que trop fréquemment des êtres pour qui tout est malheur dans la vie, et qui semblent *prédestinés* [souligné dans le texte], qu'ils le méritent ou ne le méritent pas [1]. » Ainsi commence une postface, à *Wann-Chlore* écrite le 19 novembre 1824. L'œuvre anticipe sur la vie, qu'elle commente et explique sans l'avoir recherché. Écrite, « dans le mouvement », elle avait acquis une signification inattendue. Des intuitions, matérialisées en personnages et situations romanesques, avaient pris corps. Imagination ? Double vérité ! Balzac savait qui étaient Mᵐᵉ d'Arneuse et Eugénie. Mais aussi, plus en profondeur, il savait, et mieux à présent qu'en 1822, d'où venait et ce que signifiait l'affabulation. *Wann-Chlore* avait été donné pour un roman; Balzac n'avait pas osé, face à Eugénie, y faire voir un scélérat réussissant en tout, alors qu'il n'en était pas digne. Mais, explique-t-il dans sa postface : « Si je fais apercevoir ce vide dans la composition, l'on me rendra au moins la justice de croire qu'il m'eût été possible de réaliser ce cruel contraste, et, si je n'ai pas voulu l'entreprendre, les raisons du bachelier sont toutes simples : c'est qu'un tel contraste, qui se rencontre trop fréquemment dans le monde, est déjà assez triste à rencontrer dans la vie pour être vu avec plaisir dans une histoire qu'on appellera un roman, et j'ai cru, du reste, que l'action simple et touchante de *cette esquisse d'une vie privée* en eût été affaiblie et le pathétique moins entraînant [1] ». Quelle claire conscience, et de ce qu'est, réellement, la vie privée, la vie tout court, et de ce qu'est la transposition d'art ! Organiser en vue de convaincre et de toucher suppose une connaissance aiguë du réel dont on part, et ce réel, redécouvert en détail, à partir non d'une philosophie, mais de la vie quotidienne, non littéraire au

---

1. *Lov.* A 244, fᵒ 125. Publié par nous dans A. B., 1963, p. 9. Cette postface est le seul manuscrit de Balzac que l'on possède pour 1824.

départ, est à lui seul récusation de certaines prétentions à
changer la vie. Échappant à l'immense réorganisation du
monde, la vie privée apparaît comme un continent ignoré,
intouché, où tout, même, a peut-être été *aggravé*. « En voyant
ces créatures divines, ainsi choisies pour porter plus de douleurs que leurs forces ne le permettent, une grande pensée
saisit l'âme, surtout en reportant les yeux sur les grands de la
terre qui souvent se montrent indignes de leurs richesses... ».
Une grande pensée saisit l'âme : marque d'un retour sur soi,
sur des confiances dépassées. Il y a du glacial dans cette
postface, comme une tétanisation de la conscience. Où
sont les élans ? Le mouvement de retrait s'accentue, d'ailleurs,
d'une manière très émouvante, lorsque le romancier fait ses
adieux à ses lecteurs (et à une partie de lui-même) :

> Que cette pensée consolante naisse au cœur de l'infor-
> tuné, qu'elle naisse au cœur du riche et que chez elle l'un
> apporte l'espoir comme chez l'autre celle du bienfait est d'une
> humilité craintive pour l'avenir; alors, j'aurais, dans l'âme
> la satisfaction de celui qui paye une dette : si je n'ai point fait
> un ouvrage de quelque beauté, *si je n'ai point marqué ma trace
> par quelque chose de brillant,* au moins j'aurai ému, et content
> de cette seule idée d'avoir causé des sensations douces et
> amené le bienfait et l'espoir là où ils n'étaient pas, *je crois
> avoir terminé ma carrière de romancier encore mieux que je
> ne l'espérais.* Je sais encore que mon livre peut n'avoir
> aucun succès, mais j'avoue que je serais bien trompé s'il
> ne se rencontrait pas parmi la centaine de lecteurs qu'il
> aura, une personne qui, en tournant quelques pages, n'essuie
> une douce larme. Oh! si cela n'arrivait pas, je baisserais
> humblement la tête, me regardant indigne de toucher une
> plume, même pour écrire une lettre d'invitation. On dira
> d'après cette postface qu'Horace Saint-Aubin a de l'amour-
> propre, mais ma foi qu'on dise ce qu'on voudra, car c'est
> la dernière fois qu'on en parlera. *J'ai trop besoin de silence
> pour faire du bruit, même avec mon nom.* Adieu donc, me
> donne qui voudra une poignée de main d'ami [1].

Comme on est loin du premier bachelier pirouettant, spirituel!
Parce qu'on est loin du premier Balzac, des plaisanteries de
1819 à 1822, des milliers de francs assurés sur le public par
des dizaines de romans, des œuvres rêvées, de la puissance
escomptée. Le romancier prend congé. On va publier *Wann-
Chlore*, quitte à le corriger, mais c'est juré : Balzac n'écrira

---

1. Date sur le manuscrit : « Isle Saint-Louis, le 1er 9bre 1824 ».

plus de romans [1]. C'est donc la fin de la grande aventure
commencée en 1819. L'échec de *Cromwell*, c'était l'échec d'un
héritage, et le dommage n'était pas grand. L'échec du roman
était peut-être d'un autre ordre. Le nom Balzac s'arrêterait
là ? C'est en cet automne de 1824 qu'aurait eu lieu une tentative de suicide. Le récit d'Étienne Arago est des plus supects [2],
mais la crise de désespoir est psychologiquement vraisemblable. Balzac est au plus bas. Tout lui manque, et voici que
se trouve définitivement liquidé le style libéral. Où est, même,
la « Muse nouvelle » de l'été 1823 ? Rupture, ou presque, avec
la famille, échecs sur tous les plans, solitude, adieux à la
littérature, peut-être, maladie, et Laurence, chez qui tout va
de mal en pis : tout ceci était-il seulement soupçonnable,
qualitativement parlant, au temps de la rue Lesdiguières ?
Les mois qui suivent sont terribles.

Chose extraordinaire, et qui n'arrive qu'aux plus grands,
à ceux qui voient, tout ce qui avait été écrit devenait vrai,
se mettait à vivre d'une vie sauvage, faisant se volatiliser
la vie fausse, « officielle ». Le roman, rejoint par la vie, bientôt
dépassé par elle, s'annulait tragiquement, cessait d'être
avancée et maîtrise pour jeter à la face du romancier une
réalité certes entrevue, mais bientôt insupportable. Le dénouement du premier *Wann-Chlore* préservait Eugénie-Laurence,
liquidant, avec le romantisme, la poétique Irlandaise et son
amant. Mais, au début de l'année 1825, les choses se mettent
à aller de plus en plus mal. Ce ne sont plus seulement les
souffrances récapitulées et mesurées de novembre 1824.
C'est bientôt la mort qui menace. Pour le jour de l'an, malade,
loin de tout, Laurence repense à Villeparisis, à son frère.
Elle le sait « en belle passe » (sur quelle vantardise, ou sur quelle
illusion d'Honoré se fonde-t-elle ?) ; elle voudrait lire un de
ses romans. Elle voudrait être à nouveau enfant, retrouver

---

1. Preuve formelle, outre cette postface, une lettre adressée à Balzac le 19 mai
1831 par son ancien camarade, installé à la Martinique, Vautor des Rozeaux, et
dans laquelle on lit : « Il est certain que tu te multiplies d'une manière qui tient du
prodige. *Malgré ton serment de ne plus faire de romans, serment que j'ai par écrit
dans certaine lettre écrite à certain ermite de Crillon (?) en 1824*, je vois qu'il ne se
passe pas une année sans que tu n'enfantes 4 ou 5 volumes » (*Lov*. A 316, fº 223-
234).

2. *Le Temps*, 28 mai 1892 (article de Jules Claretie, qui rapporte des confidences que lui aurait faites Arago ; la chronologie est hautement fantaisiste :
Arago aurait rencontré Balzac sur les bords de la Seine après la fondation du
Figaro, soit en 1826, et, un peu plus loin, les événements semblent se dérouler
avant *L'Héritière de Birague !*). Il est certain, toutefois, que Balzac a été hanté,
dans ses romans, par la noyade (L'Anonyme, Raphaël, Athanase Granson, Lucien
de Rubempré). Quel est le sens profond, dans *La Comédie humaine*, de cette fascination de l'eau, liée à la mort ? Souvenir ? Ou symbole ? L'eau, c'est l'élément
féminin, la réintégration...

la joie, l'innocence des étrennes : « vraiment, on serait bien heureux de toujours rester en bas âge! [1] ». Laurence est déjà à distance, bien différente de l'héroïne retirée dans son pavillon de Lussy. Elle demeure enjouée; elle s'inquiète aussi des « entreprises commerciales » d'Honoré (ses projets d'édition d'un Molière et d'un La Fontaine); elle a bien ri lorsqu'il lui lisait les épreuves du *Code des gens honnêtes* [2]. C'est que le monde continuait d'aller autour d'elle, indifférent. La santé, par exemple, de son propre père, prenait des allures insolentes. Elle commençait à n'être plus seulement optimisme et ouverture à la vie, mais fermeture aux autres, aux malheurs, à un monde qu'il *fallait*, de plus en plus, voir sous les couleurs du malheur, au moins, de la solitude et de la difficulté. Le 27 mai 1825, Bernard-François écrit à Laure : « Je vois d'ici ta sœur sur la route du grand voyage. Heureusement qu'elle ne s'en doute pas et qu'elle prend pour des succès tous les grands signes qui l'avancent à grands pas vers les hautes régions, tel par exemple que ces crachats gros comme des huîtres [3]. » Lui, a trouvé moyen de vivre, alors que d'autres meurent. Le 25 juillet, alors que Laurence va de mal en pis, minée par la tuberculose, l'alerte bonhomme commente ainsi son anniversaire, le soixante-douzième : « Je suis entré dans mon année de grâce comme dans toutes mes précédentes *pensant moins à l'autre monde qu'à celui-ci, et surtout à la santé qu'il faut conserver* [4]. » Laurence, d'ailleurs, ajoute-t-il, ne saurait aller à la chute des feuilles. Mais Bernard-François Balzac, incarnation de toute une société, de toute une vision de la vie, Bernard-François Balzac, point mauvais homme du tout, et qui même, à la grande colère de sa femme, avait aidé Laurence, avait accepté de la garantir pour un emprunt, s'était, comme le lui reprochait tout sec Mme Balzac, « laissé avoir », non tant, sans doute, par ignorance et faiblesse que par bonté, Bernard-François Balzac allait son train. Le roman prenait à la gorge le romancier. Et, cependant, il fallait vivre. Delongchamps avait accepté de publier *Wann-Chlore*. En mars 1825, de compte à demi avec Urbain Canel, il faisait affaire avec l'imprimeur Rignoux [5], et le manuscrit était mis à la composition. Au fur et à mesure que Balzac relisait et corrigeait les épreuves, Laurence s'acheminait à la mort. De

1. *Corr.*, I. p. 253.
2. *Corr.*, I, p. 255-256. Sur cet ouvrage, paru en mars. Cf. *infra*, p. 701 sq.
3. *Lov.* A 379, f⁰ 42, v⁰.
4. *Lov.* A 379, f⁰ 44-45.
5. *Archives nationales*, F 18, 109.

plus, Canel demandait des modifications, la refonte du troisième volume, le plus faible. Balzac se mettait au travail; il remplaçait le récit de Salviati par une longue lettre, il supprimait toute une partie de correspondance. Ce n'était là que métier. Comme ce n'était aussi que métier (mais Balzac dut éprouver un pincement au cœur) lorsqu'il fallut accepter de renoncer au pseudonyme Saint-Aubin (et donc, seconde raison, à la postface qu'il avait signée). Trop d'échecs marquaient le bachelier. Mieux valait l'anonymat. Mais il y avait beaucoup plus grave. Laurence à la mort, certaines pages, certaines phrases, devenaient impossibles. Balzac en atténua ou supprima plusieurs, qui mettaient trop directement en cause sa mère, la désignaient trop directement comme responsable. De plus, le dénouement fut modifié. Quand? Les documents manquent. Le 11 août, Balzac écrit à Mme d'Abrantès, qui intervient alors dans sa vie : « Les souffrances de ma pauvre sœur sont finies [...]. Ayez un peu de compassion pour moi à défaut de tout autre sentiment, et ne m'accablez pas *au moment où toutes les douleurs semblent fondre sur moi* [1]. » C'est, mais avec beaucoup plus de maturité, avec beaucoup plus de vraies raisons de parler ainsi, à nouveau le ton des premières lettres à Mme de Berny. L'amie, le guide, l'assurance. Le refuge. La mère. Le bon à tirer était-il donné? Laurence morte, pouvait-on finir le roman sur la retraite d'Eugénie à Lussy? Et la mort, cette mort des anges, naguère encore thème littéraire? Mais faire ainsi mourir Eugénie, trop aisément reconnaissable? L'annonce dans la *Bibliographie de la France* est du 3 septembre. Le nouveau dénouement, sur le manuscrit, est d'une écriture bousculée, à grands interlignes, sans ratures, la plume allant de plus en plus vite. Ce n'est pas là un texte soigné, fignolé à tête reposée. On inclinerait volontiers à croire que ces dernières pages ont été refaites dans la hâte [2]. Après le 11 août? Pourquoi pas? En tout cas tout près. Dans cette nouvelle version, après la mort des amants, Balzac a supprimé, au risque même de mettre en péril la cohérence interne du roman, tout ce qui concerne Eugénie. On ne sait ce qu'elle est devenue. Son destin reste suspendu.

1. Inédit, publié par Roger Pierrot (*Corr.*, I, p. 271-272), et par Madeleine Fargeaud, *Laurence la mal aimée* (A. B., 1961, p. 24).
2. *Lov.* A 244, f° 121 sq. La différence est frappante avec le premier dénouement (*ibid.*, f° 144, 146 et 123), soigneusement mis au net. On jurerait que le compositeur de l'imprimerie Rignoux attendait, à côté, la copie de Balzac, et c'est ce qui emporte notre conviction concernant un dénouement modifié à la toute dernière minute.

Demeure la sortie de Landon à Mme d'Arneuse : « Que cette terrible leçon ne soit point perdue pour l'avenir ? Sachez adoucir la froideur et la sécheresse qui forment l'atmosphère de votre cœur pour faire désormais le bonheur des êtres qui vivront auprès de vous. Ne voyez plus de malheurs dans les moindres événements de votre vie ; après celui que vous avez ourdi, il n'en est plus au monde... [1]. » Devait comprendre qui pouvait, et qui voulait. Mais on ne pouvait raisonnablement aller plus avant en ce qui concerne Eugénie. Restait Wann, et c'est sur elle que, de manière bien significative, allait se terminer le roman. Son agonie, sa ressemblance avec Atala, les appels d'une autre vie, tout ce séraphisme était écourté par rapport au premier manuscrit (probablement pour des raisons techniques), mais l'accent final était mis sur cette mort qui : 1° n'était pas celle d'Eugénie-Laurence ; 2° était quand même une revanche de l'idéal, de la poésie, sur les platitudes et les égoïsmes. Balzac repartit : Laurence mourant ainsi (comme pouvait le faire attendre la première version) était par trop direct et trop clair. Mais Wann, deux ans auparavant créature de second rang, accédait au premier (rendant du même coup impossible et inutile la postface de novembre 1824!) et *servait* à dire et faire dire ce que ne pouvait ni dire ni faire dire Eugénie au moment de la mort de Laurence. « Wann-Chlore ne voyageait pas seule de ce brillant édifice de la création vers un édifice plus brillant et plus spacieux encore [2] » : ici encore, devait comprendre qui pouvait et qui voulait.

Une lecture rapide et mal informée pourrait ne voir dans les dernières pages de *Wann-Chlore* que littérature. En fait s'y modulent certains des motifs les plus authentiques, les plus explicables du premier Balzac. Et il faut surtout insister sur ceci ; le dernier publié des romans de jeunesse, mais l'un des plus anciens [3], dont les premiers feuillets avaient contenu cet hymne au siècle de Landon, s'achevait sur cette « poésie », sur cette « évasion », et ce, dans un mouvement parfaitement, terriblement *naturel*. La première carrière littéraire de Balzac atteint à un point de perfection dans l'expression, soit au direct, soit par transpositions ou réponses, des dissonances, des fêlures, des absurdités, des horreurs peu à peu découvertes.

---

1. *Wann-Chlore*, IV, p. 235-236.
2. *Ibid.*, p. 244.
3. On a vu que la première rédaction est de 1822 (pendant le séjour chez Laure, en mai-juin). Mais, on a vu aussi que dès 1819, rue Lesdiguières, Balzac avait songé à une *Stella* (Laure Surville, *op. cit.*, p. 40)!

Ce siècle a reçu un baptême de gloire et de raison, et c'est ainsi que va la vie. Que sont devenues, en ce siècle de gloire et de raison, la jeunesse, la joie, l'amour? Landon, dans le salon de Mme d'Arneuse, parlait déjà un peu au passé, comme sur la défensive, et ne croyant plus qu'à moitié en ce qu'il disait. Le roman, celui de la vie réelle, celui que terminait enfin Balzac, apportait de terribles confirmations. Il ne manquait plus qu'un dernier échec. Cette fois encore, Horace de Saint-Aubin fut servi. Malgré l'intervention de Latouche, rencontré chez Canel, et qui fit un article aimable dans *La Pandore* du 18 septembre, qui fit annoncer la sortie de l'ouvrage dans son *Frondeur impartial* du même jour et promettre un compte rendu, le succès fut absolument nul. On tenta alors de recourir à un artifice : une seconde édition, fictive, bien entendu, parut, signée, cette fois, Horace de Saint-Aubin, et appuyée d'un second article de Latouche dans *La Pandore* du 19 novembre. Entre-temps, le bon camarade n'avait pu empêcher (?) *Le Frondeur impartial*, dont il était directeur, de consacrer à *Wann-Chlore* une longue étude qui en ridiculisait non seulement l'inspiration, mais aussi et surtout le style. Autre épisode à la Rubempré? Ou opération destinée à provoquer une réplique qui ne vint pas? En tout cas, en quelques semaines, le destin du dernier roman d'Horace de Saint-Aubin était scellé.

Il avait eu droit, pour finir, à ce long, très long et très sérieux article du *Frondeur*. Le premier du genre. Il avait eu droit, pour se faire achever, à l'accusation qui n'était pas nouvelle : « une infinité de détails qui visent à l'originalité, des phrases à prétention, une teinte mystérieuse, des sentiments disséqués, *pour me servir d'une expression romantique* [...] ». M. de Saint-Aubin a voulu copier Scott et les Allemands, mais il n'a, lui et ses pareils, ni « cette originalité », ni « cette mélancolie vague », ni « ces images énergiques », qui appartiennent à d'autres mœurs, à un autre climat, et qui fait pardonner tant d'écarts « aux muses étrangères ». Wann est pâle : plus de « ces amantes à l'œil vif, au teint frais »! Quant au héros, Horace Landon, « il se présente sur la scène comme il convient, la chevelure en désordre et l'air égaré [...]] La lune, comme on le pense bien, joue un rôle dans ce roman ». Mais on relève aussi des « expressions triviales », des « images forcées », des « émotions désordonnées qui se succèdent » : « *et voilà l'exemple que M. d'Arlincourt a donné* »! Mais M. de Saint-Aubin est loin d'approcher le vicomte! Qu'il corrige son roman, et alors, la comparaison prendra-t-elle quelque sens...

On comprend que Balzac ait été atterré. Tout ce qui était poussée, conquête, dans son roman, était vu comme caricature, comme cliché. Et puis, que signifiait, au juste, cette accusation de romantisme? Il semble bien, d'abord, que les implications politiques aient été moins nettes que l'année d'avant, dans le *Feuilleton littéraire :* signe des temps, peut-être. On accusait et suspectait encore les « muses étrangères », mais en leur reconnaissant, dans leur domaine propre, certains mérites. On ne fourbissait plus les foudres politiques. On s'en tenait au goût. Autre signe des temps qui venaient. Le romantisme de *Wann-Chlore* n'est plus exactement, même aux yeux de libéraux, celui d'*Annette et le criminel*. Alors?

Alors, cette accusation de *romantisme*, adressée à un jeune écrivain dont le moins que l'on puisse dire est que ses sympathies n'allaient guère au Trône et à l'Autel, a de quoi faire réfléchir. Il est bien évident, en effet, que *Wann-Chlore* est un roman romantique, *mais dans un sens nouveau :* roman de la vie privée, chronique des écrasés, hymne réaliste, dès sa première version, aux victimes de la vie bourgeoise. Point n'est besoin d'avoir à pleurer sur des châteaux pour créer Eugénie d'Arneuse. Il suffit d'avoir regardé autour de soi, et de dire. Mais alors, la vieille association romantisme-ultra n'est-elle pas en train de voler, potentiellement, en éclats? Et Balzac n'est-il pas, dans le fil même de son expérience d'homme et d'écrivain, d'en faire, et d'en constater, la preuve? Or, il se trouve que, au moment même où s'imprimait *Wann-Chlore*, Latouche publiait une seconde édition de sa satire, *Les classiques vengés*, qu'il faisait suivre d'une note signée dans laquelle on lisait : « On s'étonnera peut-être un jour des contrastes qu'auront présentés à cette époque qui est la nôtre, nos habitudes et nos besoins poétiques. Comment croire que les esprits les plus ouverts à l'amour de la liberté et du pays, soient précisément ceux qui opposent la plus longue résistance à toute tentative de nous affranchir d'une vieille tyrannie, et de nous donner un autre théâtre que celui des nations païennes [...]? On répète assez vulgairement que l'on ne peut, selon la dénomination des partis, être à la fois Libéral et Romantique. *Il nous semble que ce double caractère devrait, au contraire, appartenir, en 1825, à qui marcherait avec deux idées de son siècle* [1]. » On ne peut être à la fois libéral et romantique : c'est ce que dira Lousteau à Lucien [2]; c'est

---

1. Latouche, *Les Classiques vengés*, 2ᵉ éd. (B. F. du 6 août 1825), p. 30.
2. *Illusions perdues*, éd. Adam, p. 263-264.

l'insupportable contradiction d'une époque qui se cherche et
où tout est faussé. Mais il est important que, près de Balzac,
Latouche, le premier sans doute, ait aussi vigoureusement
souligné le scandale. Sa note ne devait pas, d'ailleurs, échapper
à la sagacité du *Globe*, lui aussi à la recherche d'une nouvelle
définition du romantisme, et, cinq ans avant la fameuse
formule de Hugo sur « le libéralisme dans la littérature »
le journal de Dubois, commentant Latouche, le félicitait
d'avoir relevé « d'une manière piquante le petit ridicule
d'être à la fois libéral et ultra-classique [1] ». Comme quoi
mûrissait le problème... Et tous, et tout y contribuait. Mais
si, précisément, montait un *nouveau* romantisme, un romantisme non politiquement suspect, *un romantisme d'origine
bourgeoise*, n'était-ce pas le plus probant de tous les signes
de l'évolution, précisément, de la vie et de la société bourgeoises? L'ambiguïté (ou la richesse) politique de Landon
préparait ce décollement, ce glissement de deux imageries
l'une sur l'autre. Mais, sur le moment, qui y gagnait? Certainement pas le romancier, en tout cas, qui ne savait même
où, exactement, il allait. Il ne savait qu'une chose : *où il en
était*.

Alors, il n'y avait plus, une fois encore, qu'à tenter d'aller
retrouver un peu de paix, un peu de santé, dans cette chère
Touraine.

Balzac alla passer deux mois à Tours et à Saché, en compagnie de sa mère et d'Henri (qu'on allait sans doute un peu
montrer à M. de Margonne). Puis, il rentra à Versailles, retrouver Mme d'Abrantès. Mais qu'y faire? Il semble que la blessure ait été profonde, les fondements ébranlés. A la fin de
l'année, Mme Balzac écrit à Laure :

> Honoré, le pauvre Honoré est arrivé ici dans un état de
> souffrance que l'on peut dire horrible. Sans exagérer,
> depuis quelques jours, je suis les ravages que le chagrin
> fait sur sa santé. Chez les hommes, il est souvent bien dan-
> gereux. Mon cœur saigne, et je souffre tous les tourments
> d'une mère malheureuse. *A Tours, j'ai été frappée du chan-
> gement de sa figure;* il ne se remet pas, il s'en faut. Il m'ap-
> pelle pour son tric-trac, ce jeu le distrait un moment, il
> trouve que je joue très mal il gagne, et pour un instant
> ses idées tristes le quittent [2].

1. *Le Globe*, 3 septembre 1825.
2. *Lov.* A 381, f° 157.

Et, sur ce désespoir de Tours, il existe un témoignage précieux, aussi précieux, sans doute que la postface de *Wann-Chlore* l'année précédente. Le 9 décembre 1830, Balzac publiera dans *La Caricature* un texte intitulé *La Danse des pierres*. En voici les premières lignes :

> J'étais fatigué de vivre, et, si vous m'eussiez demandé raison de mon désespoir, il m'aurait été presque impossible d'en trouver la cause, tant mon âme était devenue molle et fluide. Les ressorts de mon intelligence s'étaient détendus sous la brise du vent d'ouest... Le ciel versait un froid noir, et les nuées brunes qui passaient au-dessus de ma tête donnaient à toute la nature une expression sinistre. L'eau jaune de la Loire, les peupliers décharnés de ses rives, tout me disait : — Mourir, aujourd'hui, — ou mourir demain!... il faudra toujours mourir... — Et alors... — J'errais en pensant à un avenir douteux, à mes espérances déchues. En proie à ces idées funèbres, j'entrai machinalement dans la sombre cathédrale Saint-Gatien, dont les tours grises m'apparaissaient alors comme des fantômes à travers la brume [...].

Or, Balzac n'a pas revu la Touraine entre 1825 et 1830, lors du joyeux voyage qu'il fit alors en compagnie de Mme de Berny. Il semble donc assez évident que le texte de 1830 parte d'un souvenir précis de 1825. Les espérances déchues, l'idée de la mort, l'entrée machinale dans Saint-Gatien, ce ne peut être que de cette année-là. Balzac a-t-il réellement eu, *alors*, cette hallucination à l'intérieur de la cathédrale, telle qu'il la décrira dans *La Caricature?* Comment l'affirmer? Depuis le premier manuscrit de *Wann-Chlore*, on sait que les méditations dans l'église de l'enfance, méditations volontiers envoûtantes, sont familières à Balzac. Il est probable, toutefois, que ce n'est qu'en 1830 qu'il donnera toute son extension au motif fantastique, qu'il lui découvrira, aussi, toute sa signification symbolique, tous ses prolongements, dans un contexte historique qui en changera, qualitativement, toute la portée [1]. Mais reste ce témoignage psychologique et moral, ce caractère si personnel d'un texte postérieur de cinq années. La marque avait dû être profonde, pour que le brillant et spirituel journaliste ait pu ainsi reprendre les souvenirs de Saint-Aubin. Les relais de 1830 et de l'« école du désenchantement » n'expliquant pas tout.

Pour l'instant, il ne restait plus, le fond une fois touché, qu'à se tourner vers autre chose. Certainement plus la litté-

---

1. Cf. t. II, pour la signification de ce texte, et de cette reprise, en 1830.

rature. Balzac avait en train une spéculation de librairie, depuis le printemps. Dès avant la dernière tentative de « littérature marchande », c'est un signe. Et, comme tout se tient et s'entremêle, dès avant *Wann-Chlore*, le *Code des gens honnêtes* avait commencé d'empoigner le monde moderne avec d'autres armes que celles de la narration, du pathétique romanesque ou de l'analyse psychologique. Roman : c'était, et ce sera, ce restera, l'une des prises de Balzac. Tableau scientifique, description, traité, c'est, ce sera longtemps, l'autre, avec des *sujets* que change la manière de les traiter. Les années d'apprentissage sont terminées : le *Code des gens honnêtes* le dit, avant même que tout n'en soit publié, et oublié.

CHAPITRE VI

Le monde moderne en question

Il se mit à écrire ses rêves.

BALZAC, Avertissement *du* Gars

*Ce ne sera pas sa faute si les choses
parlent d'elles-mêmes et parlent si haut.*

BALZAC,
Introduction *au* Dernier Chouan.

1825 : année-tournant, pour Balzac, puisqu'il abandonne la littérature et se lance dans les affaires. L'échec de *Wann-Chlore* est celui de toute sa jeunesse : échec du roman commercial, mais aussi échec du roman sincère. Écœuré, malade, ce jeune homme de vingt-six ans n'a pas encore trouvé sa voie royale.

1825 : « *La plus belle année de la Restauration* », dit Charles de Rémusat. C'est l'année de transition du règne des Bourbons. Chateaubriand, depuis un an, a rejoint l'opposition intellectuelle. Il n'est pas encore question de la loi Vandale, et, contre les ambitions réactionnaires de Charles X et de ses amis, les partisans de la liberté semblent bien organisés. La prospérité est générale. Le mouvement littéraire est en plein développement. *Le Globe* a un an. « Je parle des gens de mon âge, écrit Rémusat. *Nous jouissons vivement de tous ces biens* », et il raconte comment, chez Mme de Raguse (!), dans cette « maison agréable » où il allait « souvent », il regardait le monde et se regardait avec satisfaction : « A l'aspect de cette société choisie et distinguée qui m'entourait, je me comparais à tous les assistants, et la pensée me vint que je n'avais point là de supérieur, ni, le dirai-je, d'égal [1]. » Il n'y a là rien de forcé ni de sot. Rémusat est riche, lancé; il a de la culture, de l'éducation; il participe avec une passion modérée à cette vie si « intéressante » du siècle. Il avait eu, en 1814, à peu près l'âge de Félix de Vandenesse. Le voici, au *Globe*, s'épanouissant avec ce que la jeunesse bourgeoise éclairée compte de meilleur, ayant discrètement mais sûrement, l'avenir pour lui. Il n'a pas, lui, à faire des brochures.

1. *Mémoires de ma vie*, I, p. 152-154.

La distance est immense, qui sépare le jeune Balzac de ces
beaux jeunes gens. Il y a là quelque chose dont il ne sera
jamais, lui, qui appartient à cette « deuxième vague » de la
bourgeoisie, la bourgeoisie sans assises réelles, aux traditions
encore fraîches, sans cette « mesure » que donne seule une
prospérité de bon aloi.

Fin janvier 1826, Bernard-François écrit à Laure, à propos
d'Honoré, arrivé à Villeparisis dans un état « tout à fait désespéré, sans ressources » : « Que veut-il ? Que fera-t-il ? Je n'en
sais ni n'y entends rien, si n'est qu'*à vingt-sept ans il en a usé
peut-être plus de quarante de ses facultés* sans faire le premier
pas dans le monde utile [1]. » Admirons comme deux univers
se rencontrent ici ! « Que veut-il ? Que fait-il ? Je ne sais ni n'y
entends rien » : c'est le cri du bourgeois, comme, à la fin,
l'allusion au « monde utile ». S'agiter pour rien était le fait,
jadis, des aristocrates, mais un Bernard-François Balzac
n'accomplissait, lui, que des mouvements utiles et féconds.
Le fils semble duit (ou conditionné) par quelque chose qui
échappe. Le fils est-il responsable ? Ou le monde n'est-il plus
le même ? A vingt-sept ans, que diable, on doit être déjà en
passe de quelque chose ! Ne lui a-t-on pas, à ce petit, donné
« toutes les chances » ? Ne s'est-on pas donné les gants de lui
« garantir », le cas échéant, une carrière littéraire ? Solidement
installé dans sa bonne conscience, Bernard-François erre.
Le monde utile ? Mais qu'est-ce, en 1826 ? Quelles sont ses
conditions ? D'accueillant, le voici, on le devine, hostile,
hérissé de difficultés. Le père est bien près de s'en prendre
au fils. Mais nous savons qu'il touche juste, lorsqu'il expose
le thème de *La Peau de chagrin :* avoir, à vingt-sept ans,
dépensé, usé, les facultés de quarante, et ce, pour rien :
quelle lucidité et quel aveuglement ! Lucidité, parce qu'il
est vrai, parce qu'il est *devenu vrai*, qu'à jouer selon les lois
du monde, on se gaspille, on arrive trop tard, lorsqu'il n'y
a plus rien à brûler. Aveuglement, parce que Bernard-François ne voit absolument pas que ce sont les lois constitutives,
fondamentales, de la société qu'il a tenue sur les fonts baptis-
maux, non les individus, qui sont à l'origine de ce gaspillage,
de cette aliénation. Lui, en est resté à cette conception à la fois
respectable et progressive d'une carrière selon le mérite, le
travail et les capacités. Il ne sait pas qu'il y a, parfois, souvent, désormais, distorsion. Œuvrer dans le monde « utile »

_____

1. *Lov.* A 379, fº 70. C'est l'échec de *Wann-Chlore* et la dure fin d'année 1825
bue Balzac traîne encore ici.

sera l'œuvre des Camusot, caricature, dégénérescence, de ce qu'avait entrepris et rêvé Bernard-François; ce sera gibier, aussi, de romancier réaliste, critique d'une bourgeoisie devenue classe parasite ou classe obstacle. Mais user à vingt-sept ans la vie de quarante années, ce sera gibier de romancier philosophe, juge, par l'intermédiaire de mythes, de la loi nouvelle faite à la vie.

★

Cette année même où Balzac, dans le *Code des gens honnêtes*, aborde la description de Paris comme il va, paraît un ouvrage dans la lignée des petits réalistes de l'Empire : *Le Provincial à Paris*, de L. Montigny. Écrit d'un ton léger, se plaçant d'emblée sous le patronage de l'Hermite de la Chaussée d'Antin, *Le Provincial* évoque *sans drame*, ce Paris alors surprenant pour les habitués d'une France de tradition. Le passage des Panoramas (avec son magasin de gants de *La Lampe merveilleuse*), le boulevard de Gand (ou de Coblentz, dit méchamment Montigny), Pollet éditeur exclusif de Scribe, une pension bourgeoise, les constructions nouvelles, « espèce de fièvre monumentale [1] », les 376 suicides dans l'année, dont 298 par immersion dans la Seine [2], le Palais-Royal, qui rapporte 25 000 francs par jour au fisc, Flicotteaux, place de la Sorbonne, *où le pain est à volonté* (comme dans *Illusions perdues*), et où l'on dîne pour 22 sous, l'importance des coteries dans la vie parisienne, etc. : c'est tout un univers balzacien qui défile, mais qui ne le sait pas encore. Ce Provincial, curieux, fouineur, découvre avec étonnement ce Paris qui ne ressemble à rien, où tout semble aspiré dans une énorme spirale ascendante. « L'on parle d'une région... » : il ne s'agit plus de la Cour; il s'agit de la ville. Mais Montigny se garde bien de dépasser le croquis, de poser des problèmes. Son *Provincial* demeure un ouvrage de bonne compagnie, destiné moins aux authentiques provinciaux qu'aux Parisiens, ravis de lire sous une forme piquante la description de leur vie de tous les jours. *Montigny n'ajoute rien à l'idée que se fait un Parisien du Paris de 1825.* Ladvocat peut avoir un cabriolet d'ébène : on ne parlera pas de la commercialisation de la

1. *Le Provincial à Paris, Esquisses de mœurs parisiennes*, par L. Montigny, II, p. 131.
2. *Ibid.*, II, p. 22. Subdivisions par causes : amour, 25; crainte des reproches, 12; dégoût de la vie, 116; inconduite, 52; révocation, 93.

littérature. C'est le monde infra-voltairien qui continue,
avec ses Hurons polis.

Pourtant, Montigny n'a pu s'empêcher de jeter un coup
d'œil sur des espaces qu'ignoraient les Hurons. Au luxe des
beaux quartiers correspond nécessairement la misère des
quartiers ouvriers. Or, en 1825, un bourgeois éclairé ne saurait
faire un tableau de Paris sans faire leur place, déjà, aux
ouvriers. Seulement, Montigny, qui se considère comme obligé
de parler de la condition ouvrière, Montigny, homme de cœur,
qu'indigne le scandale du Palais-Royal (« mais, dit-il, les
réflexions morales et philanthropiques sont réputées sédi-
tieuses ») « surpris » par le phénomène ouvrier, conclut, après
une excellente description, *qu'il n'y a rien à faire :*

> La classe opulente n'a qu'une idée imparfaite des souf-
> frances inouïes qui assiègent presque sans cesse un pauvre
> ouvrier [...]. Le marchand qui se trouve partie intermédiaire
> entre l'acheteur et l'ouvrier qui confectionne, absorbe à
> lui seul les dix-neuf vingtièmes du bénéfice [...]. Un marchand
> *adroit* [souligné dans le texte] ne fait pas établir la mar-
> chandise qu'il débite par un riche manufacturier, c'est
> à l'artisan malaisé qu'il s'adresse ; une avance qu'il sait faire
> à propos lui livre à discrétion l'ouvrier qu'il emploie. Il
> spécule sur ses besoins et gagne sur sa nourriture ; il achète
> et paye d'avance le produit de sueurs de toute une famille...
> et l'on s'attendrit sur le sort des esclaves des colonies [1]!
> Qu'on juge des tourments d'un pauvre ouvrier qui compare
> sa situation à celle de l'homme qui le fait travailler ! il
> sait que l'ouvrage qui sort de ses mains, qu'il vient d'achever
> avec tant de peines, et pour une si petite somme d'argent,
> rapportera vingt fois autant à celui qui n'a eu que la peine
> de le commander. *Il est affreux de songer qu'un meilleur
> ordre de choses est impossible* [2].

Ne nous récrions pas : une autre attitude ne pouvait alors
relever que du moralisme. Le monde ouvrier n'avait pas
encore bougé, et le rush bourgeois qu'il nourrissait et rendait
possible, était encore dans sa fraîcheur, *dans sa légitimité*,
faute d'une autre qui s'affirmât. Toucher au système, c'était
le chaos. Qu'imaginer d'autre ? Le tableau n'est pas absolument noir. Lorsque Montigny constate qu' « une coterie n'est
jamais détrônée par la raison ou la justice, mais bien par une
autre coterie [3] », il sourit, indulgent. Ce libéral, que la dyna-

1. Cette remarque semble viser un certain philanthropisme inconséquent
qui avait cours dans certains milieux libéraux. Mais Montigny, bien sûr, ne voit
pas toute la portée de sa remarque.
2. Montigny, *Le Provincial à Paris, La Classe ouvrière*, II, p. 204-208.
3. *Ibid.*, p. 217-218.

mique de son opposition au pouvoir légitimiste conduit au bord de la compréhension des problèmes populaires et à porter au compte de l'ordre noble ce qui est, en fait, au compte de l'ordre bourgeois, se tire d'affaire grâce au style demi-narquois des petits réalistes. Censure, auto-censure d'élans qu'il ne saurait s'agir de suivre jusqu'au bout. Pour la bourgeoisie, les choses sont claires et nettes : le peuple doit être tenu à l'écart. Seule la démagogie ultra put en venir à parler de suffrage universel, de démocratisation. Il faut avoir à l'esprit les admonestations de Villemain en 1816 : « On a vu quelques personnes demander des élections tellement démocratiques qu'ils descendaient jusqu'aux hommes de travail et de journée, et regretter que la France ne fût pas divisée en classes et rangs inégaux [1]. » La misère, une forme nouvelle de l'inégalité, l'aliénation par l'argent, font partie, normalement, et c'est vu, et c'est dit, très tôt dans l'histoire de la Restauration, de la « France nouvelle » chère aux hommes du *Globe*. Ceci, Balzac le savait. Il va le mieux savoir, et le dire.

En un sens, et l'on n'y a pas manqué [2], on pourrait dire qu'il avait bien tardé. Le problème de l'argent, de sa puissance, des distorsions et perversions qu'il engendre, si tout ceci était déjà présent dans la vie de Balzac, ni R'Hoone ni Saint-Aubin n'en avaient guère parlé dans leurs romans. *L'Héritière de Birague* et *Clotilde de Lusignan*, romans historiques, ont recours à d'autres ficelles. *Jean-Louis*, roman moderne, pose bien le problème de l'ascension des fiers-à-bras du Tiers, mais l'intérêt du roman n'est pas dans l'annihilation, dans la souffrance des pauvres; l'argent, dans *Jean-Louis* est encore innocent, et encore du côté des héros. Quant aux héros du *Vicaire des Ardennes*, du *Centenaire*, de *La Dernière Fée*, de *Wann-Chlore*, ils se meuvent toujours dans l'atmosphère abstraite des romans traditionnels; Landon est riche, tout naturellement, tout innocemment, lui aussi, et la relative pauvreté d'Eugénie, de Wann, ne sont que moyens de rendre plus émouvantes ces figures de jeunes filles. Il y a bien quelques percées dans Annette, roman bourgeois (la mise à la retraite du père, les économies de la fille), mais vraiment toujours en mineur. Pourquoi?

Rien ne sert d' « accuser » Balzac. Mieux vaut tenter de comprendre et de rendre compte. Or, d'une part, s'il sait, ce qu'il sait, il ne le sait encore qu'incomplètement, d'une manière vague. Il n'a pas encore éprouvé de grands échecs,

1. Villemain, *Le Roi, la Charte et la monarchie*, p. 5.
2. Notamment André Wurmser.

il n'a pas vécu suffisamment *longtemps*, et le siècle, en ce qu'il a de plus violemment et de plus durablement frustrateur, ne lui est pas encore entré dans le sang. Le drame social, le drame de l'argent, demeurent enfouis, loin du langage, parmi les rancœurs dont on ne fait pas encore de la littérature. Quelques affleurements témoignent seulement de la montée, en lui, de quelque chose. Pour le moment, la vérité semble résider encore dans le sentiment, dans les scènes dramatiques, qui correspondent aux aspirations vagues du jeune homme. Seule une expérience plus large, plus dure, seules des responsabilités plus étendues, donneront force et consistance à des impressions encore fugitives, feront apparaître comme plus pauvres les sentiments traditionnels, et feront sentir comme seule possible, parce que seule vraie, l'expression de ce qui fait la trame des jours.

D'autre part, il faut tenir compte de ce que ces romans de jeunesse courent après le public. Or, ce public, comme tous les publics, a des habitudes et des goûts qui retardent sur les réalités, ou, plus exactement, sur les nouvelles *proportions* de la réalité. Même devinant des sujets nouveaux, Balzac ne pouvait que difficilement les offrir à des lecteurs dressés par Scott et Byron. On était bien préparé à goûter le réalisme : sous forme de pochades inoffensives, mais non sous forme de visions. La vie quotidienne des lecteurs n'avait que fort peu de rapports avec les poncifs romanesques, mais soupçonnaient-ils que tout ce qu'ils subissaient pouvait devenir matière à pathétique imprimé ? Il faudra l'espèce de viol littéraire de la *Physiologie du mariage* et de *La Peau de chagrin*, cet amoureux qui suppute ce que va lui coûter un fiacre, ces analyses de la femme, pour que, d'un coup, on se *reconnaisse* en ce qu'écrira Balzac. Un accord s'établira, alors, entre auteur et public, qui portera l'auteur à de nouvelles révélations. Le passage du vécu à l'exprimé sera, pour tous deux, libératoire. Rien ne sera changé, objectivement, mais l'auteur comme son public, ayant acquis style ou conscience, seront comme libérés, moins soumis en tout cas. Une voie royale s'ouvrira, qui sera celle du roman réaliste, avec tout ce que comporte une voie royale de plaisir à aller vite et juste. Le porte-à-faux des romans de jeunesse est celui d'un auteur insuffisamment conscient, insuffisamment informé, et d'un public qu'on n'a pas encore mis face à sa propre condition. Il n'est d'efficacité que dans le droit-fil d'une entente entre analyste et auditeurs, le premier perfectionnant à mesure dans le second ce qu'il lui a appris, mais dont la substance première résidait dans leur commune expérience. Dans ses romans de jeunesse, malgré l'importante poussée des thèmes de la révolte et de la vie privée. Balzac, souvent, s'essouffle. Aucun, d'ailleurs, plus tard, ne lui inspirera de véritable admiration *en tant qu'œuvre*, et seul *Le Dernier Chouan* trouvera grâce. Il y avait donc là, pour Balzac lui-même, *un seuil*, comme il y aura un autre seuil avec la *Physiologie du mariage*, avec les *Scènes de la vie privée*, avec *La Peau de chagrin*. Les romans pseudonymes, de 1821 à 1825 sont en deçà, en raison de la nature de son expérience, mais aussi en raison de ce qu'on se croit alors en droit d'attendre et de recevoir par l'intermédiaire d'un roman. Il faudra, pour approcher le seuil, une densification, une dramatisation de l'expérience personnelle, et il faudra aussi la découverte d'un nouvel instrument propre à l'exprimer. Une autre forme romanesque, alors, pourra naître, qui transportera, au prix d'un efforcement encore, mais désormais plus supportable, dans des intrigues et dans des personnages, dans un romanesque nouveau, ce qu'avaient engrangé des modes d'expression transitoire : les *Codes* et les *Physiologies* vont fournir à une expérience nouvelle à la recherche de son instrument la transition qui lui permettra de venir animer le nouveau roman du siècle.

Cette « France nouvelle », dont parle Montigny, envers nécessaire de l'autre « France nouvelle » dont parlent tant doctrinaires et libéraux, et qu'on retrouvera aux dernières années de la Restauration, plus exaltée que jamais, plus mise en question, aussi, que jamais, Balzac la connaissait et la connaissait de mieux en mieux. Mais il lui était difficile d'en parler *directement*. D'où, le hiatus entre la *Correspondance* et l'œuvre écrite, jusqu'en 1825. C'est la rencontre avec Raisson, le génial inventeur des *Codes*, qui a donné au jeune écrivain, pour la première fois, la possibilité de s'exprimer *directement*, sans avoir à faire le détour par les souvenirs de lecture ou les styles obligés. Toute une expérience, sept ou huit années de souvenirs, qui attendaient à la porte, se sont déversées, et organisées, dans le *Code des gens honnêtes*, paru au mois de mars 1825. Négation, en apparence, du genre romantique, le *Code des gens honnêtes*, livre alerte, amasse, en fait, les matériaux d'une nouvelle inquiétude, et, surtout, de dénonciations inattendues. Quelle était donc l'arme ?

Parallèlement à la littérature « noble », ou s'essayant (comme dans les romans de Saint-Aubin) à en utiliser certains moyens contre l'ordre établi, se développait depuis longtemps toute une littérature « réaliste » et familière, qui ne se limitait pas à celle des Hermites. Petits articles, scènes d'intérieur, proverbes, prolongeant ou doublant comédie de mœurs ou roman romanesque (on sait l'importance qu'attachait Stendhal au *Sous-préfet*!), Étienne, Jouy, Dittmer et Cavé, Monnier, Balisson de Rougemont, Loève-Véimars, Romieu, avaient habitué, ou habitueront, le public à d'innombrables croquis et choses vues, auxquels il manquait encore, et, toutefois, manquera longtemps encore, pour s'élever à la haute littérature, ce que Balzac appelera *le drame*. Le genre des *Codes*, inventé, en tout cas exploité et popularisé par Raisson [1] devait, toutefois, déjà lui conférer une éloquence supérieure à celle du simple impressionnisme. Comme toujours, c'est par la parodie, forme élémentaire de la critique et de la liberté, mais, à terme, forme mystifiante, également, que tout commence. La littérature infra-réaliste était sérieuse. Elle découvrait et faisait découvrir. Le Code est le genre du bilan, des conclusions tirées. Les Codes napoléoniens, en effet, auxquels songent évidemment tous les auteurs, avaient été organisateurs et libérateurs; ils avaient fait de la loi l'instrument du maximum alors pensable (?) de vérité, de justice et d'efficacité. C'est ainsi que les évoquera Balzac aux pages d'ouverture de la *Physiologie du mariage*. Les *Codes* de Raisson entendent donner des « trucs », livrer des secrets. Le choix même de la forme correspond à une prise de conscience, avec une double suggestion : la *loi* n'est pas celle de la *Justice*, mais celle du *fait*, et le fait a ses lois objectives. On ne saurait mieux dire l'installation dans le fait d'un monde moderne qui s'était voulu celui de la Loi. La Loi était exploratrice et enrichissante. Le fait referme et aliène. Qu'on y pense bien : dans un monde connu, admis, naturel, il n'est nul besoin de modes d'emploi; c'est l'éducation qui, tout naturellement, prépare à la vie. Il n'est de « clés » que dans un univers truqué, à la fois « en avant » par rapport au donné traditionnel, « moderne », et en deçà par rapport aux idées qu'on s'en faisait. Dans tout *Code* (et même dans un simple *Art de mettre sa cravate*) se trouve l'idée d'arrangement, l'idée de ruse, l'idée de raccourci, qui s'oppose à celle des longs et trompeurs chemins que prennent les naïfs ou les maladroits. En profondeur, le *Code*, comme la *Physiologie*, témoigne de la perversion, de la corruption profonde de la notion de *fait*, de la notion de *réel*. Les faits, le réel, pour une pratique et pour une philosophie conquérante,

---

1. On a vu Balzac travailler avec Raisson en 1823-24. Leurs relations seront durables, et, en 1832, dans la préface d'*Une blonde*, publiée sous son nom, mais qui est de Balzac Raisson fera comme un bilan de ces années de jeunesse; cf. *infra*, p. 755.

ce sont les domaines de l'énergie humaine; c'est le monde à
s'approprier et à transformer. Pour une pratique et pour une
philosophie, au contraire, de l'adaptation et du désenchantement, pour une pratique et pour une philosophie de la découverte (découverte non de la *nature*, qui n'est jamais, en soi,
décevante, mais de la société, qui le peut être profondément),
les faits, le réel, c'est la prison, c'est le destin, c'est ce qui
condamne soit à l'évasion, soit à la complicité, soit à l'action
truquée. Sous leurs apparences désinvoltes, rien de plus
triste que les *Codes*, non tant, d'ailleurs à cause des sujets
dont ils traitent qu'à cause de la manière même de les aborder
Le *Code* n'est concevable que dans un monde dépourvu de
toute générosité, de toute ouverture. Il est la forme moderne
de la satire : une satire, qui, dépassant le simple impressionnisme de jadis, a pris conscience du caractère global et contraignant des lois d'une société. Les *Codes* ne procèdent plus par
images, mais par définitions d'ensembles; il y avait des
« trous » dans les tableaux de la satire; il n'y en a plus dans
ceux des *Codes*. Les *Codes* sont la caricature du rationnel et
de l'efficace, la caricature du social et du *socialisant* (le psychologique, l'individuel, n'y ont plus guère de place). Comme les
Physiologies, dont ils sont proches parents, s'ils décrivent, s'ils
démontent des fonctionnements et conseillent des recettes, c'est
toujours à contre-courant du spontané, non en s'étonnant,
et en faisant s'étonner devant tant de richesses, non en
inventant, dans un mouvement créateur et enthousias-
mant, des règles d'action. Le globalisme des *Codes*, comme
celui des *Physiologies*, est un globalisme non d'ouverture,
mais de contrainte, et il traduit, dans ses ambitions parodiques
et bouffonnes, dans sa pose au scientifique et au sérieux, la
prise de conscience non de la richesse, non de l'immensité, mais
bien de l'étroitesse et de l'étrécissement du monde moderne [1].
L'idée de civilisation se retourne contre soi : s'il y a *des* civilisations, si le rêve universaliste se fractionne en cellules impi-
toyables, on n'en conserve pas moins cette idée d'*ensemble* social,
mais douloureuse et absurde, désormais, non pas incluant les
individus, les promouvant, mais bien les enfermant et les utilisant, provoquant en eux le désir d'ailleurs. Que ce désir,

---

1. Sinon la forme, du moins l'idée maîtresse des *Codes* (décrire le monde
moderne dans un style pseudo-objectif destiné à en souligner les absurdités ou la
cruauté), apparaît de bonne heure dans la littérature critique. On peut en trouver
un exemple chez La Bruyère décrivant la Cour : « L'on parle d'une région..., etc. ».
Mais la grande originalité des *Codes* est de retourner contre le monde moderne
son arme la plus ambitieuse, et d'en tirer, contre elle-même, les plus sûrs effets.
La Bruyère n'obtenait que des traits et des impressions. Les *Codes* forcent à
conclure.

loin d'être sentiment antisocial, apparaisse comme légitime et concevable, qu'il se conjugue avec l'impossibilité pratique pour l'individu de vivre hors de la sphère impitoyablement définie, c'est le message le plus authentique de ces petits livres qui démontrent admirablement qu'en fait, malgré les premières illusions du siècle, le monde moderne ne repose nullement sur un *droit* nouveau, mais bien uniquement sur de nouvelles *coutumes*. Ici, l'on est en plein Balzac [1].

Le *Code* est le premier texte balzacien qui pose directement le problème moderne :

> L'argent, par le temps qui court, donne la considération, les amis, le succès, les talents, l'esprit même, ce doux métal doit donc être l'objet constant de l'amour et de la sollicitude des mortels de tout âge, de toute condition, *depuis les rois jusqu'aux grisettes*, depuis les propriétaires jusqu'aux émigrés [2].

Ne limitons ni ne chargeons inconsidérément un tel passage : satirique, il ne prétend pas formuler une loi du matérialisme historique, mais il n'en formule pas moins la découverte d'une sorte de *transparence* des lois, des structures et des valeurs. Ce n'est plus à la mort des amplifications malherbiennes que sont déclarés soumis les monarques, en ces temps d'emprunts, mais à l'universelle relativité de l'argent. Et c'est bien une capitale avancée de l'absurde que ce recul

1. Non seulement le *Code des gens honnêtes* plonge de profondes racines dans le jeune passé de Balzac, mais il est un véritable réservoir de thèmes et personnages pour l'œuvre à venir. Preuve supplémentaire d'authenticité : on y trouve un premier portrait de Maxime de Trailles (« Personne ne mène plus dextrement un cabriolet, ne monte aussi bien un cheval [...]. Soutenu par un fameux diplomate, soutenu par le jeu, soutenu par l'amour, on pense que cet Alcibiade des fripons doit son illustration aux services tacites de tous genres qu'il a rendus à un homme d'État célèbre... », qui ne s'appelle pas encore Rastignac, bien sûr, p. 83-84. Ceci sera repris dans *Le Député d'Arcis*), le thème de Grandet et de l'or enfermé dans la maison (« un avare très distingué », p. 92), le thème des « parents pauvres » (p. 99), l'huile de Macassar (p. 107), le jeune homme qui conduit une femme au théâtre et se trouve obligé de lui offrir une voiture parce qu'il pleut (p. 108), « la fleur des pois » (p. 119), les Gascons au pouvoir (p. 120), le jeune avoué qui va dans le monde (p. 121), la requête — déjà signalée — de style « Restauration » du *Colonel Chabert* (« Lorsque dans sa sagesse, Dieu faisait peser sur la France... », p. 134), les « ombres de Dante » autour de la table de jeu (p. 325-326, texte supprimé en 1854). On notera surtout l'hypertrophie des chapitres consacrés aux vols opérés par les avoués, notaires, avocats, etc.

2. O. D. I⁰, p.64-311. Les remarques sur les rois, les grisettes, les émigrés et les propriétaires ne figurent plus dans les rééditions de 1829 et 1854. Le texte de l'édition originale est beaucoup plus agressif que celui qu'on lit couramment aujourd'hui.
Le mot « doit » ne constitue ni un conseil ni une injonction, mais bien une constatation : les rois mêmes ne peuvent faire autrement que... Il y a dissociation entre la description et l'éthique. On notera l'opposition entre *propriétaires* et *émigrés*.

décisif de l'indiscuté[1]. « Nos révolutions », « nos désastres » :
thèmes alors courants, admis donc beaucoup moins, déjà
générateurs d'inquiétude, que celui abordé en 1825 par Balzac.
Quoi de plus fuyant que l'argent? Quoi de plus soumis aux
caprices? Quoi, surtout, qui échappe plus totalement aux
catégories d'une morale ferme? L'argent est devenu fin en
soi. Qu'il y ait eu démoralisation par suite de cet avènement,
ou que cet avènement ait été rendu possible par la démoralisation, peu importe *pour la conscience*. Le *Code* fournit le tableau
d'un univers qui s'atomise et se divise à l'infini. Qu'on ne se
laisse pas abuser par le style snob, par les conseils donnés aux
riches et aux dandys : c'est déjà la méthode de la *Physiologie
du mariage*. Le *Code* n'est pas un manuel d'égoïsme ou de
stratégie mondaine, un art de se préserver des voleurs et des
profiteurs : c'est une mise en forme d'une expérience de
surprise, conjuguée avec l'esquisse d'un système de défense
pour vivre quand même. Que l'on sache bien que la morale
reçue, formelle, laisse échapper des vols et des crimes. C'est
le thème des « crimes cachés », qui figurait, dès 1823, dans le
sermon de l'abbé de Montivers. A s'en remettre aux certitudes
courantes, on se retrouve victime : la morale courante *couvre*
donc des immoralités. Un éclatement général du tableau
social est en germe dans ces constatations : *il n'y a rien à
quoi un jeune homme entrant dans la vie puisse valablement
s'accrocher*. Il sera victime ou complice. Il ne s'accomplira
pas selon les lois de son cœur; c'est dans le monde du *Code
des gens honnêtes* que vont débarquer Raphaël, Bennassis,
Lucien; c'est dans ce monde que va prendre place — à quel
prix! on le verra — Rastignac.

On voit la signification profonde de ce catalogue des diverses
formes de vol dans la société moderne. Il ne s'agit plus seulement de pittoresque ou de picaresque. Il y a *accélération*,
par quoi on sort de *Gil Blas*, de *Moll Flanders* ou de la peinture des bas-fonds : le voleur n'est pas seulement un cas
psychologique, il est un produit de la société nouvelle. Cette
puissante organisation, cet Annibal, ce Catilina, ce Marius,
ce César sont victimes d'une fatalité, « car enfin, la société
ne donne pas du pain à tous ceux qui ont faim; et quand ils
n'ont aucun moyen d'en gagner, que voulez-vous qu'ils
fassent? *La politique a-t-elle prévu que le jour où la masse des
malheureux sera plus forte que la masse des riches, l'état social
se trouvera tout autrement établi? En ce moment, l'Angleterre*

---

1. Les rois de Voltaire à Venise constituaient déjà un *signe*, mais surtout politique (instabilité des pouvoirs, etc.). On avance ici.

est menacée d'une révolution de ce genre[1]. » Ce sont de telles
phrases qui donnent leur vrai sens à cette œuvre d'un brillant
parfois insolent. Il y a paupérisation de zones de plus en plus
vastes dans une société qui n'assure pas un développement
harmonieux à tous ses éléments constitutifs. La criminalité
galopante au début du xixᵉ siècle, comme le phénomène
du gangstérisme dans l'Amérique de la prohibition, relève
non du roman d'aventures, mais de l'analyse sociologique.
Mais d'une analyse qui ne saurait encore déboucher dans
aucune pratique autre que de défense. Pourtant, elle a surtout
une valeur critique. Portant non sur des à-côtés du réel mais
sur son orientation même, elle met en cause, de proche en
proche, l'*ensemble* social. Les voleurs qui forment une république
à part et respectent entre eux des lois ignorées des gens
honnêtes, ce peut être, encore, du pittoresque, encore que
fasse ici son apparition le thème de la bande, c'est-à-dire celui
de la vie tentée « parallèlement » à l'ordre établi. Mais le pas
fait est considérable lorsqu'on se pose la question : il aurait
mieux valu ne pas commencer ! « *Un marchand qui gagne cent
pour cent vole, un munitionnaire qui, pour nourrir trente
mille hommes à dix centimes par jour, compte les absents, vole
les farines, donne de mauvaises denrées, vole* » ; un autre
embrouille les comptes d'une tutuelle, celui-là brûle un
testament ; celui-ci invente une tontine, etc [2]. On entend de
nouveau la voix de l'abbé de Montivers, c'est-à-dire la voix du
romancier. On entend aussi la conclusion de *Pierrette* : « La
légalité serait une bonne chose pour les friponneries sociales,
si Dieu n'existait pas [3] ». Oui, on comprend d'avance la fameuse
« démoralisation » des *Confessions* de *La Comédie humaine*.
Le monde rajeuni issu de la Révolution est un monde où
grouillent les ferments d'une misère morale, où s'élèvent des
barrières de peut-être plus de conséquence que les anciens
« préjugés » vaincus par les philosophes. Les émigrés sont bien
mis en cause au passage, dans le *Code des gens honnêtes*,
mais seulement en tant que participants à la grande foire
moderne, en tant que « ralliés » à la « France nouvelle ». Que
deviennent, dès lors, les belles certitudes libérales ?

On comprend que le ton se hausse aisément, que devant
l'ampleur des constatations, Balzac quitte parfois le style
journaliste. De l'irrévérence on passe à la vision. Chiffon-
niers, balayeurs, charlatans, musiciens des rues :

---

1. O. D. Iᵒ, p. 68.
2. *Ibid.*, p. 69.
3. C. H., III, p. 782.

les avez-vous vus?... Avez-vous eu le courage de les questionner, de creuser leurs fronts ténébreux pour trouver la vérité?... Vous frémiriez en questionnant une femme aux yeux caillés, au visage effroyable, à peine couverte de vêtements qui, bariolés de boue, tombent en se déchiquetant. Ses pieds sont autant sur le pavé que dans ses souliers, son rire est hideux, sa chevelure grise tombe par mèches longues; sa voix est rauque, ses mains sont noires. Elle a eu ses beaux jours; elle a été une des belles femmes de Paris; ce pied, jadis mignon, chaussé par la soie, reposait sur l'édredon, elle avait une voiture superbe, mangeait dans le vermeil, causait avec des princes; on payait son sourire, ses dents appelaient le baiser, sa chevelure était ondoyante et son organe était divin; elle avait ses gens, dédaignait les mets les plus délicats. Elle boit de l'eau-de-vie aujourd'hui [1].

De tels tableaux sont rares, mais ils ne sont possibles que dans une vision déjà hautement dramatisée de cet univers familier, jusqu'alors citadelle de la littérature rassurée. Joseph Delorme, Baudelaire et tous les poètes des *Tableaux parisiens* passeront par cette brèche ouverte. *L'intensité* de la vision des choses de la ville ne se conçoit que dans une prise de conscience *globale* d'une aliénation qui ne doit plus rien au vieux conflit aristocratie-bourgeoisie. Malgré son aspect détaillé, le *Code* fournit bien un tableau d'ensemble qui conditionne l'amertume des réflexions localisées. Chez Étienne, il n'y avait que détail, chez les romanciers « nobles », il n'y avait qu'ensemble : ici, Balzac tient fermement les deux bouts de la chaîne. Paris n'est plus ni juxtaposition de spectacles pour flâneurs, ni donné abstrait. D'où la profondeur. De la montre volée à la porte d'un théâtre au dépouillement d'une famille par la complicité d'un notaire, tout se tient. Il n'y a même pas, pour faire contrepoids à la découverte, l'esquisse de quelque chose de neuf et de fort qui montrerait de la réalité nouvelle : la lutte oppose des individus, non des classes, dont l'une serait porteuse d'avenir. Les « voleurs » de Balzac ne sont pas des « travailleurs », mais des « pauvres », des « déchus », des « ratés ». Le prolétariat n'est encore ni force, ni unité. D'où l'absence de cette idée éminemment optimiste, dont disposeront les enfants du siècle suivant, d'une classe *frustrée* mais *capable*, instrument nécessaire d'une mutation à venir. Nulle autre solution, en 1825, que celle, répétons-le, de la préservation ou du choix « plutôt complice que victime ». Aucun souffle de transformation sociale n'anime ce livre, dont les héros comme les victimes, ne sont que des aspirants-bourgeois.

1. O. D. I⁰, p. 94.

D'où le « eh bon Dieu, quelle caverne [1] ! », c'est déjà celle de
Rastignac : « Votre Paris est donc un bourbier ? ». Mais
« si le sentiment se courrouce, la loi est muette [2] : » n'est-ce
pas dans la laideur du présent, inséparable de l'absence
d'avenir, que réside la cause fondamentale du mal du siècle
que nous offre la société ?

Est-ce à dire que le *Code* soit un livre qui fasse voir la nature
humaine « sous un aspect triste [3] » ? Dans l'ensemble, le livre
se veut amusant, et même si l'on tient compte de la nécessité
de faire le détour par là pour attirer l'attention du public,
il faut songer aussi que l'expérience de Balzac est encore
incomplète ; il n'a pas encore passé par la rue des Fossés-
Saint-Germain. Travaillant pour Raisson, enfin, il a bien dû
se plier à certaines règles du genre. Aussi le flâneur, à part
quelques coups de sonde significatifs, s'attache-t-il surtout à
montrer « l'intérêt » de l'envers du monde social ; l'homme de
lettres, qui a déjà un certain métier, se plaît à arranger les
éléments fournis par l'observation. Dans cette intervention
de l'esthétique, comment ne pas voir un élément possible de
solution ? « Pour vouloir décrire les nuances imperceptibles
qui l'ont fait déchoir [il s'agit de cette femme tombée des
hauteurs du demi-monde dans l'alcoolisme], *il faudrait
composer un livre entier, et quel livre [4] !* ». L'écrivain frémit
devant un sujet possible, à l'idée d'un livre auquel le monde
semble fait pour aboutir. La découverte, en un sens, lorsqu'on
est écrivain, peut servir d'aiguillon plus que de poignard [5].
Paris et le monde peuvent bien infliger à l'idéalisme de
cinglants démentis, le créateur en prendra son parti. Par-delà
les cochonneries littéraires, le *Code* a peut-être donné à Balzac
sa première joie d'écrivain. La vie afflue. Il s'engage dans une
voie qui est celle du vrai. On ne le comprendra pas tout de
suite, parce qu'on n'est pas habitué à ce style, mais bientôt,
on le *reconnaîtra*. C'est pourquoi il est parfaitement inexact
de voir, avec A. Billy, dans le *Code* un « point final à la première série de la production balzacienne [6] ». Le jour où il a
rencontré Raisson, Balzac a pu donner à son activité littéraire,
et donc à sa pensée, une direction nouvelle. La rechute de
Wann-Chlore, quelques mois plus tard ne doit pas abuser,

1. O. D. II, p. 92.
2. O. D. I, p. 135.
3. *Ibid.*, p. 65.
4. O.D. I, p. 94.
5. Cf. la confession du *Médecin de campagne*.
6. *Vie de Balzac*, I, p. 64.

puisqu'il s'agissait de vendre enfin un manuscrit qui traînait dans les tiroirs. Il est par contre de la plus grande importance que l'homme qui avait fait et formulé les découvertes du *Code des gens honnêtes* soit celui qui, dans les années qui suivent, devait faire l'expérience des affaires, de la faillite, de la guerre au couteau dans la jungle commerciale. Il y a vraiment des prédestinations. L'armée de Condé attendait le René de Combourg. L'imprimerie attendait le Balzac de l'atelier Raisson.

On comparera utilement cette apparition des hommes d'argent dans l'univers balzacien avec leurs affleurements correspondants dans l'œuvre poétique de Victor Hugo. L'auteur des *Odes* sait bien, lui aussi, que l'argent règne, mais, d'abord, que lui oppose-t-il? Uniquement les souvenirs, la France des Lys et de la chevalerie, la Vendée. Le « traître enrichi [1] », les hommes de *la bande noire* [2], sont récusés uniquement au nom du passé, et c'est ce passé seul, avec sa noblesse, avec son vocabulaire, avec son style, qui semble bien leur faire obtenir droit de passage en littérature. Ils ne sont pas réalité première; ils ont besoin de se faire excuser. Le meilleur témoignage en est, en 1822, année balzacienne de première importance, l'ode consacrée à *L'homme heureux :*

> *Des détroits de Léandre aux colonnes d'Alcide,*
> *Mes vaisseaux parcourent les mers ;*
> *Mon palais engloutit, ainsi qu'un gouffre avide,*
> *Les trésors des cités et les fruits du désert* [3].

L'homme heureux, ennuyé, ne croit pas aux dieux, alors même que meurent les premiers martyrs : on voit certes l'idée, mais Hugo a eu besoin de ce Celsus de la tradition, avec tout son cortège de métaphores et de clichés (« l'ingrat parasite »!); il n'a pas osé la chaussée d'Antin. Il se moquait bien, certes, de Celsus et de Rome; lorsqu'il lui faisait dire :

> *Je vois les grands me craindre et César me sourire*

on voit assez à quoi il songe, et point n'est besoin de faire le détour par La Bruyère. Mais pourquoi décidément, toute cette littérature? L'innovation esthétique, chez Balzac, est inséparable de l'innovation dans l'analyse et dans la vision;

1. *Si, pauvre et délaissé, le citoyen fidèle,*
   Lorsqu'un traître enrichi se rirait de sa foi,
   Entendait au Sénat calomnier son zèle,
   Par celui qui jugea son roi [...]
(*La Vendée, Odes,* I, 1819).
2. *Odes,* 1822-1823, ode troisième (« O murs! ô créneaux! ô tourelles! »).
3. *Odes,* livre IV, ode 8.

elle témoigne, précisément, d'une réelle innovation dans
l'analyse et dans la vision, dans l'importance attachée au
phénomène de l'argent. Hugo passe encore par une culture
pré-moderne (valeurs et style). Balzac en fonde une nouvelle.
Mais, à distance, les élégances de Hugo apparaissent avec
leur vraie valeur : ce sont des litotes. Mais qui dit litote ne
peut dire qu'inconscience, ou esquive.

Balzac a été un moment libraire; puis il a été imprimeur.
Il a donc pu constater *de visu* ce qu'était le *commerce* de la
librairie, à un moment, précisément, où cette branche de
l'activité économique connaissait des difficultés inséparables
de l'évolution du régime restauré et de la société française.
L'année même où il s'installe rue des Marais-Saint-Germain,
un chapitre de *Vie publique et privée des Français* consacre
aux *Imprimeurs et libraires* un chapitre spécial. Avant 1789,
le nombre des imprimeurs à Paris était limité à trente-six.
Il leur fallait obtenir un brevet et prêter serment. Quant aux
libraires, leur nombre n'était pas limité, mais ils devaient être
préalablement examinés par un membre de l'Université.
Il leur fallait, en particulier, traduire le latin en français et
lire le grec. « *Presque tous les imprimeurs étaient libraires* [1] »,
et leurs boutiques se trouvaient pratiquement toutes au quartier latin. Les « bouquinistes » n'avaient pas le droit de vendre
des livres neufs. Donc : extrême concentration de la profession, avec, comme conséquence, protection contre la spéculation et haute valeur intellectuelle et morale d'hommes qui
n'étaient pas encore des « industriels ». « Les imprimeurs et
les libraires étaient en général dignes de la considération
dont ils jouissaient, soit par leur instruction, soit par leur
probité. Il était extrêmement rare de voir l'un d'entre eux
traduit sur les bancs du parlement [2]. » La censure, certes,
existait, mais elle n'avait rien pu contre l'*Encyclopédie*, ni
les *Liaisons dangereuses*. Avec la Révolution, qui vit disparaître barrières et limitations, la liberté ne tarda pas à « se
changer en un véritable dévergondage [3] ». « Une ignorance
complète fut le partage du plus grand nombre [4]. » L'Empire
rétablit certaines entraves, en frappant d'une taxe les ouvrages
considérés comme tombés dans le domaine public. En 1810,
il limita le nombre des imprimeurs à Paris, ce qui entraîna
un certain nombre de fermetures [5]. Louis XVIII supprima

1. *Vie publique et privée des Français*, par Legrand d'Haussy, p. 159.
2. *Ibid.*, p. 161.
3. *Ibid.*, p. 164.
4. *Ibid.*, p. 165.
5. Cf. Michelet, *Mémorial, Écrits de jeunesse*, p. 198-199.

la fameuse taxe, ce qui permit d'innombrables rééditions d'ouvrages classiques qui n'avaient pas été réimprimés depuis des décennies. Balzac lançant un *Molière* et un *La Fontaine* pouvait penser viser juste : ces auteurs avaient été peu réimprimés depuis l'ancien régime! Il y eut ainsi aux premières années de la Restauration un véritable « boom » dans la profession, dont avaient profité, en particulier, ces ouvriers imprimeurs, qu'on retrouvera sur les barricades, en 1830, lorsqu'ils verront leur gagne-pain menacé par les ordonnances de Polignac. [1] Progrès! Expansion! Et, sur le moment, on porta tout ceci, avec d'autres choses, au crédit du nouveau régime : « Lors de la rentrée des Bourbons, les nouvelles habitudes politiques, les relations étrangères, firent naturellement croître le commerce, joint encore à cette avidité qui règne chez les Français pour s'approprier toutes les espèces de livres [2]. » Pour la librairie, la Restauration avait été une conquête de la liberté. Daru, lors des grandes empoignades de 1827 au moment des lois sur la Presse, insistera déjà, toutefois, sur certaines distinctions : « Il m'a semblé qu'un tableau de tout ce qui est sorti des imprimeries françaises pendant une suite d'années présenterait en quelque sorte une statistique intellectuelle et ferait connaître la direction de l'esprit public. C'est bien ici qu'il faut rappeler ce mot si connu : la littérature est l'expression de la société [3]. Dans ce genre de consommation *comme dans tous les autres* [4] la fabrication se conforme au goût du consommateur; d'où il suit que si l'on est mécontent de la Presse, il ne suffit pas de lui donner des entraves, c'est l'esprit public qu'il faut changer. » Et Daru, s'en tenant volontairement aux seules impressions *de livres*, donne les chiffres suivants (feuilles imprimées, en millions) :

1. Cf. le témoignage postérieur de *L'Artisan* du 10 octobre 1830 *(Statistique des ouvriers imprimeurs en 1830)*. En 1814-1815, les ouvriers imprimeurs « manquèrent au travail »; les salaires montèrent; on multiplia les apprentis, qui débouchèrent sur le marché du travail au moment où l'on commença à utiliser les premières presses mécaniques. On sait que le premier journal parisien à se moderniser fut *Le Constitutionnel*, libéral.

2. Imbert, *Biographie des imprimeurs et des libraires, précédée d'un coup d'œil sur la librairie*, 1826, p. VII-VIII. Imbert note, comme Legrand, que « jadis, pour être libraire, il fallait avoir fait quelques études, et connaître le français, le latin et le grec » *(Ibid.*, p. 114-115).

3. On saisit sur le vif comment cette formule de Bonald est en train de prendre un contenu matérialiste.

4. Autre témoignage d'évolution de la pensée et des techniques d'approche concernant les choses de l'esprit! La librairie relève de l'étude des marchés. Ce sera le point de vue de Balzac dans son grand article du *Feuilleton des journaux politiques* en mars 1830. Cf. t. II.

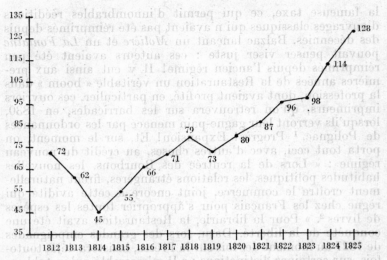

On voit nettement, sur cette courbe tracée à partir des données chiffrées de Daru [1] la chute rapide qui correspond aux années noires de l'Empire, la remontée à partir de 1815, et surtout l'accélération à partir... du ministère Villèle (1822)! Ce que Daru appelle « *les produits de l'intelligence* [qui] sont sortis des presses françaises depuis 1811 jusqu'à nos jours », ce qu'Imbert appelle « le commerce le plus important de la France [2] », ce qui est pour Dupin également le signe le plus sûr du développement du pays [3] se trouve rapidement affecté d'un signe contraire à celui du pouvoir et de son exercice. Très vite, le flot avait buté sur des épis. Sous Villèle, le pouvoir se fit tracassier, et Imbert, en 1826, accuse nettement l'Inquisition ministérielle de ruiner la librairie; Daru, de son côté, énumère les professions qui seraient touchées par un recul d'activité. C'est ainsi que, de « grâce à la Restauration », on en venait à penser, et à dire « malgré la Restauration ». Retraits de brevets, saisies, signalés par les spécialistes, sont un autre aspect de cette « trahison » des « espoirs » de 1815 qui est à la base du désenchantement romantique.

Mais peut-être cette dégénérescence *externe*, administrative et policière, n'était-elle que peu de chose comparée à la dégénérescence *interne*, capitaliste et spéculative, de la pro-

1. *Notions statistiques sur la librairie pour servir à la discussion des lois sur la presse, par M. le comte Daru*, F. Didot, 1827.
2. *Op. cit.*, p. VII.
3. Cf. *supra*, p. 78.

fession. L'élan de la librairie n'était pas qu'un élan de l'esprit. Il était aussi un élan du libéralisme économique, et, s'il butait sur les résistances gouvernementales (qui lui confèrent une sorte d'innocence), il se défaisait peu à peu aussi, aux yeux de l'esprit, en vertu des lois mêmes de son « libre » développement. Tant qu'elle avait été protégée par les lois anciennes, la librairie était bien, en un sens, malthusienne ; mais elle préservait une certaine *qualité*. Comme toujours en régime capitaliste, la libération des forces économiques s'accompagnait d'une démoralisation, d'une déshumanisation qui allait engendrer des nostalgies d'une librairie jadis plus « pure ». 1814 avait bien donné du travail aux imprimeurs, en développant la Presse et en multipliant les éditions de Voltaire et de Rousseau. Mais 1814 avait *aussi* permis l'essor de libraires purement commerçants qui, sans pour autant négliger la qualité, donnèrent la priorité au rendement. Deux noms, très vite, devinrent célèbres : Gosselin et Ladvocat, hommes, certes, d'avant-garde, mais aussi, hommes d'argent. Voici le dialogue que leur prête *L'Argus* du 1er juillet 1824 :

> GOS. : Il est vrai que nous faisons assez bien nos affaires ; les journaux annoncent nos drogues comme des élixirs.
>
> LAD. : Cela nous coûte un peu cher, mais ce qui ruinerait les trois quarts de nos honnêtes confrères est ce qui nous enrichit. Je mène à la fourchette *Le Constitutionnel* et *Le Drapeau blanc* ; je jette *Le Courrier français* et les *Débats* sur une cloyère d'huîtres ; j'offre mon cabriolet à *La Quotidienne* et au *Mercure* ; je fais sauter *Le Diable boiteux* sur le rocher de Cancale ; je campe une anguille à la tartare sous le nez du *Corsaire* ; je mets le *Journal de Paris* dans la guinguette, et la *Gazette* dans la bière.
>
> [...] Nos trois ou quatre cents confrères n'y entendent rien ; ils imprimeraient pour la première fois du Voltaire, du Racine et du Jean-Jacques, que la France aurait *motus* dans tous les journaux tandis que, s'il nous prenait envie de publier du Cousin d'Avallon ou du Grand Simon de *La Quotidienne* bâtarde, nous aurions cinquante bonnes annonces, vingt extraits fastueux, et des éloges à n'en plus finir.

Et les deux compères d'expliquer comment les annonces sont rédigées par eux, comment ils tiennent rédacteurs et directeurs : « Le public est trompé, berné, dans la politique par plusieurs, *dans la littérature par tous*. » Est-ce immoral ?

> GOS. : C'est à nous de diriger l'opinion.
>
> LAD. : Dites mieux, *c'est à nous de la faire* [1].

---

1. Les abréviations *Gos.* et *Lad.* sont dans le texte de *L'Argus*.

Avant-garde parce qu'argent? Argent parce qu'avant-
garde? Seul l'argent peut réellement et durablement conquérir, et il n'est d'avant-garde qui puisse être efficace autrement
que *par* et *pour* l'argent.

A part, toutefois, le scandale moral (parti, comme toujours
en ce genre de circonstances, des souvenirs et du passé, d'une
« pureté » bafouée, bousculée par l'expansion moderne et
bourgeoise), l'industrialisation de la librairie ne soulève
aucune vague revendicative, à plus forte raison révolutionnaire, pour l'excellente raison qu'elle draine énergies et capacités. Seuls des « intellectuels », qui ont le temps et ne bénéficient pas directement du mouvement d'ensemble, portent
de ces jugements acerbes, mais, et l'on saisit ici à plein l'une
des composantes du mal du siècle, *ils sont seuls*, avec leurs
valeurs, avec leurs illusions, avec, parfois, leur moralisme,
leur passéisme, seule réaction concevable contre les empiéte-
ments et démoralisations imputables aux pionniers de la
révolution nouvelle. Quelle force sociale appuie leur critique?
Tout au contraire, autour d'eux, joue encore, joue à fond, une
solidarité que rien, objectivement, ne peut ni ne vient encore
mettre en cause, entre ouvriers et maîtres. *Classes industrielles!* Dans aucune autre branche d'activité, sans doute,
l'expression n'a alors plus de force et plus de vérité. Quel
relais imaginer, des insurrections idéalistes et isolées de ces
intellectuels à un mouvement historique quelconque, ayant
les moindres chances, et porteur des moindres valeurs? Il
faut bien alors s'y résigner : ce progrès n'est jamais mis en
cause, de l'intérieur, par le peuple ou la classe ouvrière. Et,
ceci, il faut bien le comprendre, pour mesurer comme il
convient l'importance des analyses de Balzac en 1830, plus
tard, dans *Illusions perdues* [1]. C'est dans un sorte de vide
historique et social momentané que se sont élaborées les
premières critiques du système libéral, à partir d'exigences
ou de certitudes elles-mêmes d'abord libérales, uniquement
libérales, mais non encore viciées par une pratique ou des
intéressements capitalistes. Comment, en l'absence des appuis
qu'auront, dans la seconde moitié du siècle, les réflexions
théoriques [2], s'étonner des déraillements utopistes de cette
première vague anti-bourgeoise, qui prenait appui sur des
révoltes et insatisfactions internes à la bourgeoisie? Qu'il a
été difficile, à ces hommes, à Balzac le premier, de trouver
un début de fil dans ce labyrinthe! Voyons bien ce qui se

1. Cf. t. II, *De l'état actuel de la librairie.*
2. Par exemple, le 18 brumaire de Louis-Napoléon, pour Marx.

passe au moment où Balzac, en homme de métier, achève de faire connaissance avec l'imprimerie et la librairie. Par nécessité vitale, Presse, édition, imprimerie, étaient de gauche; il leur fallait l'expansion, la liberté. D'où bien avant les prises de position décisives de 1830, dès 1827, d'autres signes non équivoques de « choix », lors du vote, puis du retrait de la fameuse loi de justice et d'amour. Le 22 avril 1827, *La Malle-poste, journal des villes et des campagnes*, éditée par Baudouin, et imprimée par Balzac [1], reproduit un article du *Courrier français* sur les réjouissances qui ont suivi la reculade de Villèle : plusieurs centaines d'ouvriers imprimeurs — dont les intérêts sont ceux, ici, évidemment, de leurs patrons — ont dansé autour de la colonne de la place Vendôme. Un banquet a ensuite réuni « plusieurs chefs des maisons de librairie, d'imprimerie et de papeterie; parmi eux, Baudouin et... Ladvocat. Des toasts ont été portés : « au Roi, aux députés, aux journalistes qui nous ont défendus, etc. ». Et comment aurait-il pu en être autrement? Ladvocat-Dauriat fêté par les ouvriers [2] : on ne disposait pas, alors, de ce levier que sera, pour une conscience moderne plus avancée, la naissance d'une critique d'origine ouvrière *et* progressiste. Par ailleurs, il était indiscutable que Ladvocat-Dauriat contribuait au progrès, et que les adversaires de la Presse bourgeoise étaient des régresseurs. On n'a pas les états d'âme de Balzac pendant cette période. On a surtout de nombreuses lettres professionnelles, lettres de comptes, de réclamations, contrats, etc., puis lettres de catastrophe, lettres d'homme qui tente de se sortir d'une sale affaire, certainement mal gouvernée, mais la suite de son œuvre, que ce soit l'imprimerie des Séchard, dans *Illusions perdues*, que ce soit les articles du *Feuilleton des journaux politiques*, en 1830, que ce soit, d'une manière générale, tous les textes qui montreront les deux faces du progrès libéral, étrangleur et pionnier, démoralisateur et créateur, tout prouve la force persistante des impressions et des souvenirs. D'autant plus, et ceci est capital, que *Balzac n'était quand même pas un imprimeur comme les autres*

1. *La Malle-poste* est un journal de nouvelles, d'échos, etc.; destiné aux voyageurs de commerce; elle donne les adresses d'hôtels recommandés (comme un peu plus tard ce *Code du commis-voyageur* dont nous reparlerons). Sa tendance politique est vivement libérale. Balzac y a glissé des fragments des *Mémoires anecdotiques de Bausset*, qu'il avait publiés cette même année 1827 (cf. Bruce Tolley, *Un ouvrage inconnu de Balzac*, A. B., 1962).
2. Dauriat exploiteur non d'ouvriers, notons-le, dans *La Comédie humaine*, mais « seulement » d'intellectuels et de poètes : ceci aide à comprendre comment et pourquoi la protestation des intellectuels et des poètes s'est fait entendre la première.

Bien que n'étant pas homme de lettres professionnel, bien
que d'esprit pratique, il était quand même venu à son nouveau métier avec des idées, avec des préoccupations, avec
des exigences, qui lui fournissaient, par rapport au simple
exercice de la profession un recul certain. Il dominait et
jugeait, alors même qu'on aurait pu le croire tout entier
pris par ses multiples tractations. On sait aujourd'hui avec
certitude que Balzac n'a pas cessé d'écrire, de penser à écrire,
rue des Marais-Saint-Gervais. Articles, insertions de toute
sorte pour ses propres publications (*La Malle-poste*, *Album
historique et anecdotique*, dont il est sans doute le seul rédacteur), emprunts de livres, restes de collaborations du passé,
qu'il faut revoir, sans doute, pour la publication *(Le Corrupteur)*, romans entrepris *(Une blonde)*, et surtout, cette première *Physiologie du mariage*, à laquelle il tenait tant que
c'est le premier ouvrage qu'il déclare au ministère de l'Intérieur avoir l'intention d'imprimer, le premier, peut-être, qui
sortit de ses presses neuves! Et puis, il est des choses qu'on
n'oublie pas. En 1827, Balzac écrit à Loève Véimars, qui, pour
des raisons qui échappent, lui demandait la collection de ses
romans, une lettre poignante :

> Votre lettre, Monsieur, est extrêmement flatteuse pour
> moi et je vous remercie bien vivement de votre bonne
> volonté; *mais il y a longtemps que je me suis condamné
> à l'oubli, le public m'ayant brutalement prouvé ma médiocrité.*
> Aussi, j'ai pris le parti du public, et j'ai oublié l'homme
> de lettres, il a fait place à l'homme de plomb. Ce que vous
> me faites l'honneur de me demander est impossible à vous
> offrir pour le moment. Mes romans, mes feu romans, ne sont
> que chez mon père [...] [1].

L'amertume est profonde, et cette référence au père signifi
cative. L'homme de plomb est quand même un prisonnier,
ou quelqu'un qui juge et voit sa prison. Que ce regard, que
cette distance, plus tard, aient pu engendrer cet autre regard,
cette autre distance qu'est l'œuvre, quoi d'étonnant? L'expérience de l'imprimerie, pour Balzac, a pu terriblement préciser
certaines intuitions de la première période littéraire et marchande, leur apporter ces vérifications que seules donnent
vraiment la pratique en profondeur d'un métier, l'exercice
d'une activité liée à celle même du siècle. Cette expérience
manquera toujours à d'autres, demeurés, qu'ils l'aient voulu
ou non, écrivains, et uniquement écrivains, ne pouvant parler

---

1. *Corr.*, I, p. 317. Lettre inédite publiée pour la première fois, en 1950, par
Jean-A. Ducourneau (B. D. XVI, p. 31). C'est l'unique témoignage de ce genre
qu'on possède sur cette période de la vie de Balzac.

de l'« industrie » que par ouï-dire, et indirectement. Mais, d'autre part, cette expérience, loin de l'engluer, l'a relancé. Le métier, comme jadis, dans l'étude de Mᵉ Guyonnet-Merville, a fait progresser les idées. Les idées ont gardé le métier de l'enfoncée et des ralliements de fait, *des pertes de perspectives*, qui guettent souvent ce genre de « réalisme ». Si Balzac a vu plus loin dans le siècle que David Séchard, c'est sans doute, qu'avant d'entrer dans son imprimerie, il avait, par-devers lui, sa *Physiologie du mariage*.

Depuis plusieurs années, Balzac avait abandonné ses premières tentatives philosophiques, mal exploitables en littérature marchande. Ainsi ses romans avaient-ils bénéficié de ses préoccupations industrielles et vivrières. Toutefois, ils n'abordaient les vrais problèmes que de biais. Et les années avaient passé, les réflexions, alimentées d'expériences nouvelles, creusant leur lit un peu plus profond. Le roman, d'autre part, avait fait son temps. Balzac se remit-il à philosopher dès qu'il eut repris pied après le quasi-naufrage de décembre 1825-janvier 1826? Bernard-François, en tout cas, le 22 janvier, parle à Laure d'Honoré, malade, à Villeparisis, qui ne peut avaler que de l'eau, qui souffre d'un abcès, et il ajoute : « Il ne peut travailler à cause de cette enflure, ce qui le dépite à cause d'un ouvrage *qui est à la fin*, et qui est par là arrêté [1]. » Donc, Honoré s'est remis, sérieusement, au tra-

---

1. *Lov.* A 379, f⁰ 54. Cette *Physiologie* dite *préoriginale*, puisque l'ouvrage ne paraîtra sous sa forme définitive, et d'une étendue double, qu'en 1829, découverte par Marcel Bouteron, a été étudiée par Albert Prioult, par Bernard Guyon (qui a retrouvé la déclaration de l'imprimerie Balzac aux Archives Nationales), et publiée par Maurice Bardèche. Il ressort des travaux de ces auteurs qu'elle ne put être composée avant 1824 (malgré les affirmations de Balzac lui-même selon lesquelles la conception première remonterait à... 1820, mais on verra plus bas qu'il s'agissait sans doute surtout, pour lui, de s'assurer le privilège d'avoir le premier employé le mot de *Physiologie*) et imprimée pendant l'été 1826, la déclaration étant du mois de juin. La lettre ci-dessus citée de Bernard-François, alors qu'il semble exclu que Balzac puisse s'être remis au roman, permet de compléter le schéma et de cerner le problème, sans plus avoir recours, d'ailleurs, à l'année 1824. L'ouvrage fut sans doute tiré à titre expérimental, et ne fut pas mis en vente. On imagine aisément Balzac, fier de ses presses neuves, tirant lui-même, sa première « commande ». A combien lui revint l'opération? C'était bien mal commencer, en tout cas, commercialement parlant, que par ce travail à compte d'auteur jamais mis en vente. On a beaucoup discuté le point suivant : Balzac a-t-il le mérite de l'emploi, un peu inattendu, du mot *Physiologie* dans ce titre? La *Physiologie du goût*, de Brillat-Savarin, avait paru fin 1825 (B.F. du 10 déc.), mais Balzac a prétendu, en 1839, dans une note à son *Traité des excitants modernes* (O.D. III, p. 769), avoir commencé sa *Physiologie*, sous ce titre, en 1820! On s'est méfié, à bon droit, de cette prétention, tout au moins quant au titre, car, pour ce qui est des problèmes du mariage, nous avons vu qu'ils étaient présents à la conscience du jeune romancier dès *Sténie* et *La Dernière Fée*. On peut faire remarquer que, 1⁰ en janvier 1826 avait paru la *Physiologie des passions*, d'Alibert, 2⁰ en mai, juin et juillet 1826, surtout, *Le Producteur*, saint-simonien avait publié trois grands articles de Buchez, *De la physiologie*. Buchez

vail, et cette lettre permet de vérifier ce qu'on soupçonnait assez d'après l'"examen des dossiers et brouillons : il serait absurde et faux de penser qu'il y ait eu totale coupure entre 1825 et 1828. Seulement, quel est cet ouvrage qui requiert l'énergie encore défaillante, mais déjà résurgente du jeune écrivain? Une réponse s'impose, semble-t-il. En juin, en effet, le jeune imprimeur, sitôt installé, fera sa première déclaration, et il annoncera son intention d'imprimer, tout simplement... la *Physiologie du mariage.* L'opération, effectivement, aura lieu, et l'ouvrage sera tiré au début de l'été. Il en reste un exemplaire, peut-être le seul. Il permet de définir une étape importante de l'évolution de Balzac et de sa prise de conscience.

L'ouvrage plongeait de profondes racines dans ses préoccupations antérieures, dans les leçons du père. Il se présente sous un aspect cynique, léger. Mais il convient, en le lisant, de ne pas faire le contresens si fréquent selon lequel Balzac est un misogyne, un stratège éhonté du maintien de la femme en esclavage. On avait lu, dans *La Dernière Fée*, des pages qui montraient que le problème du *bonheur* féminin était l'un de ceux qui, à la différence de Bernard-François, hantaient le jeune Balzac. Et puis, surtout, en 1826, il convient de voir quelle décisive et significative mutation Balzac fait subir au mot *Physiologie*. Il a beaucoup tenu à marquer son originalité par rapport à Brillat-Savarin : mais le vrai problème est-il de *forme?* L'adjonction du mot *Physiologie* au mot *goût* n'avait absolument rien de révolutionnaire. L'importance donnée aux descriptions anatomiques et physiologiques se rattachait à des préoccupations caractéristiques de la tradition matérialiste du xviiie siècle, mais cela allait-il bien loin? Brillat-Savarin s'attachait à tout l'aspect physique des opérations gustatives et gastronomiques; il décrivait la diges-

y faisant l'histoire de la physiologie expérimentale, montrait comment elle s'était séparée de la psychologie, comment, avec Locke, puis surtout avec Cabanis et Destut de Tracy, elle s'était consituée en science de l'homme total, comment elle était appelée à « fournir une base positive à la morale individuelle », à « organiser et à surveiller l'hygiène publique » (*Le Producteur*, III, p. 132). La physiologie était donc présentée comme l'une des conquêtes majeures de la pensée moderne en quête d'une explication systématique du réel humain, en même temps que comme un moyen de fonder de nouvelles règles de vie. Cette vision avantgardiste du problème devait donner un lustre assez nouveau à un mot jusqu'alors l'apanage des hommes « spéciaux ». On peut donc dire, 1o qu'il y avait de la physiologie dans l'air depuis plusieurs mois au moment où Balzac déclare qu'il a l'intention d'imprimer une *Physiologie du mariage*, 2o que la notion même de Physiologie a acquis une force nouvelle d'impact et d'explication. Balzac s'en empare (car il nous paraît totalement improbable qu'il ait songé à ce *titre* dès 1820), exactement comme il s'était emparé, en 1819-1820, de certaines notions de la philosophie moderne, dans un esprit de progrès, d'analyse constructive, de démystification. En ceci, il est encore parfaitement anti-romantique.

tion, l'obésité, l'appétit, en homme qui sait que lui et ses semblables ne sont pas de purs esprits, mais bien des machines soigneusement agencées. Il mettait l'espèce humaine au-dessus de l'espèce animale en soulignant l'importance du choix, du plaisir, des perfectionnements dont nous sommes capables d'y apporter, mais il n'oubliait jamais la base de toute cette architecture compliquée, et qui se complique encore avec la civilisation. Seuls pouvaient être surpris, choqués, ceux qui tenaient à envisager la gastronomie d'un point de vue idéaliste. Au fond, le succès du livre était surtout venu de la manière scientifique, ou para-scientifique, dont était présentée une question qui n'avait encore fait l'objet d'aucune étude systématique. Par ailleurs, le livre du magistrat de Belley, loin de mettre quoi que ce soit en question, était un livre parfaitement bourgeois et bien-pensant. C'était l'œuvre d'un homme riche, aimant le confort et le bien-être, au courant des bonnes adresses et des bons fournisseurs. Financiers, abbés, ministres, capitaines, voyageurs cossus, en étaient les protagonistes. Jamais Brillat-Savarin, évoquant un dîner de financier ne songeait aux accents de La Bruyère, et peu lui importait qu'on y pût dévorer le revenu d'une province. Seul l'intéressait le menu. Sur quelques points précis, d'ailleurs, on peut bien mesurer ce qui sépare la *Physiologie du goût* de quelques analyses balzaciennes, de quelques expériences balzaciennes. Venant à parler, par exemple, des *Gens de lettres*, dans sa *Méditation* XII, *Des Gourmands*, il écrivait : « Sous le règne de Louis XIV, les gens de lettres étaient ivrognes; ils se conformaient à la mode, et les mémoires du temps sont tout à fait édifiants à ce sujet. Maintenant, ils sont gourmands : en quoi il y a amélioration. » « Jamais, ajoute notre auteur, la position des gens de lettres dans la société n'a été aussi agréable. Ils ne logent plus dans les régions élevées qu'on leur reprochait autrefois; les domaines de la littérature sont devenus plus fertiles; les flots de l'Hippocrène roulent aussi des paillettes d'or; égaux à tout le monde, ils n'entendent plus le langage du protectorat; et, pour comble de biens, la gourmandise les comble de ses plus chères faveurs [1]. » A l'aube du siècle de *Chatterton*, ces lignes

---

1. Brillat-Savarin, *Physiologie du goût*, éd. orig., p. 306-307. La *Physiologie* fut éditée par Sautelet, qui avait été, au début, l'éditeur du *Producteur*. Il y a là un ensemble de relations dans lequel il faut replacer Balzac. Sa pensée a joué non d'abstraction en abstraction, de livre en livre, mais bien, le plus souvent, de camarade à camarade, de connaissance à connaissance. Brillat-Savarin, dans le groupe « de gauche » Sautelet, pouvait séduire par son sensualisme, qui le mettait loin de Mme Cottin; mais il devait, aussi, servir de réactif à plus d'un jeune ambitieux *pauvre*.

donnent à penser. Et l'enterrement de Coralie? On voit
bien que Brillat-Savarin songe aux hommes de lettres de
l'Empire et du *Constitutionnel*, censeurs bien rentés, fonctionnaires de tradition, non aux pauvres jeunes gens frais débar-
qués sur le pavé de Paris. Visiblement, pour Brillat-Savarin,
les étudiants dans les mansardes, les apprentis-poètes, les
Lassailly, les Lucien, attirés de leur province, tout cela, littéralement, *n'existe pas*. Quoi d'étonnant à ce que les bourgeois
de *L'Opinion* aient salué comme il convenait cet ouvrage de
bonne compagnie? Il n'y a pas de drame pour cet homme bien
nourri; il y en aura, chez Balzac, dans l'œuvre de Balzac,
parce qu'il y en aura eu dans sa vie. De l'agréable, on passe
au sérieux.

La gastronomie, en effet, n'était pas un sujet reçu, un
sujet « noble ». Le mariage, par contre, en était un, et à quel
degré! Le mariage était l'un des sujets tabous de l'Occident.
Or, que fait Balzac, en 1826? Il en fait une valeur relative.
Il l'étudie dans une perspective matérialiste, statistique;
il le juge comme institution, non comme sacrement. Il le
juge quantitativement, non qualitativement, et, de la quantité, fait sortir une nouvelle idée de la qualité. Le mariage,
comme le servage, comme l'obéissance aux lois, comme la
mode, devient *un produit*, un effet, une technique, soumise à
des impératifs chiffrables, mesurables. Il y a plus de mariage
en soi. On se retrouve face à face avec les faits. Comment!
« L'administration s'est occupée depuis dix ans à chercher
combien le sol de la France contient d'hectares de bois, de
prés, de vignes, de jachères [...], et personne ne s'est encore
avisé de l'intérêt des gens à se marier, de la morale et de la
perfectibilité des institutions humaines, d'examiner le nombre
des femmes honnêtes. » Si, continue Balzac, « le Roi s'avisait
un jour de chercher son auguste compagne parmi ses sujettes,
l'administration ne pourrait pas lui indiquer ce gros de brebis
blanches au sein duquel il aurait à choisir [1] ». Étant données
l'étendue des terres cultivées, l'importance des jachères, etc.,
on peut déterminer, à peu près, les « chances » qu'offre à ses
habitants l'agriculture d'un pays. Pourquoi, *compte tenu des
conditions dans lesquelles se font les mariages*, des conditions
dans lesquelles hommes et femmes sont mis en relation,
ne pas chercher quelles « chances » le mariage offre à ceux qui
cherchent le bonheur? Tout *phénomène*, qu'il concerne la
fortune publique ou la vie privée, ressortit des chiffres, des
prises de mesure, de la prévision. Des impératifs chiffrables

---

1. *Physiologie pré-originale*, p. 71.

pèsent sur une institution que l'on croyait du seul ressort de la morale et de la psychologie. Des chiffres! Des conditions! Hors de là, il n'est que confusion, illusion, volonté de s'illusionner. « *La morale, la religion souffrent à de pareils calculs* [1]? » Mais seuls peuvent ainsi penser, calculer, des esprits qui pensent la vie *possible* en dehors des cadres de la morale et de la religion traditionnelles. Jadis aussi, la morale et la religion souffraient aux calculs de Galilée, comme elles souffriront, plus tard, aux observations et inductions de Marx et de Freud concernant les superstructures intellectuelles et morales. Il est toujours pénible de voir *expliqué* ce qu'on pensait *donné* ou *révélé*. Parce que, alors, on se sent nécessairement plus responsable. L'Homme ne se résout jamais aisément à la mort de Dieu, qui l'investit nécessairement de charges nouvelles. Le mal du siècle, ce sera, souvent, l'idée qu'il ne valait pas la peine de faire mourir Dieu, ou, plus exactement, que Dieu est mort pour rien, puisque l'Homme, se retrouvant seul, découvre qu'il l'est au pire sens du terme. Mais il s'agit là d'une seconde étape. Balzac est de ces hommes qui n'ont pas craint, qui n'avaient aucune raison de craindre, de franchir la première. Un million, au maximum, de femmes « comme il faut », c'est-à-dire ayant les moyens de l'être; et, en face, trois millions de célibataires, à trois aventures de moyenne par personne; de plus, les maris courent de leur côté et les femmes mariées sont d'un autre attrait que les professionnelles. Alors? *Alors*, il faut bien admettre, compte tenu des mensonges, des vantardises et des performances de chacun, que l'amour illégitime puise à pleines mains dans ce vivier d'un million de femmes comme il faut. *Alors*, il faut bien admettre que, fatalement, le mariage moderne a pour complément nécessaire l'adultère. Et il n'y a pas moyen d'échapper. Balzac, ici, démystifie, traque, accule. On peut *toujours* discuter le qualitatif; on ne peut *jamais* discuter de la même manière le quantitatif, qui est l'arme de ceux qui n'ont aucune raison d'en avoir peur. Il n'y a peut-être pas d'*acte* plus moderne, plus courageux, plus optimiste, dans l'histoire de la pensée balzacienne que cette empoignade avec la réalité du mariage en 1836. Ce que Fontenelle avait défié jadis les cartésiens de faire : porter la méthode scientifique dans l'Histoire, Balzac défie les moralistes bourgeois aussi bien qu'aristocratiques de le faire aujourd'hui : appliquer le calcul au réel social, qui est non pas somme, juxtaposition, d'histoires individuelles, et que les écrivains s'obsti-

---

1. *Physiologie pré-originale*, p. 80.

nent à voir comme des histoires individuelles, mais réalité
qualitativement différente. A compter et à regarder l'ensemble,
on passe de l'autre côté de la *nature*. Sophismes? Ainsi diront
ceux que désarçonnent ces calculs, mais « dans ce siècle où la
civilisation a fait des progrès si rapides, où l'on nous apprend
la moindre science en vingt-quatre leçons, tout a dû suivre
cet élan vers la perfection. Nous ne pourrions plus parler la
langue mâle et grossière de nos ancêtres, et l'âge dans lequel
on fabrique des termes aussi fins, aussi brillants, des meubles
si élégants, des porcelaines si riches, devrait être l'âge des
périphrases et des circonlocutions [1] ? » Il ne faut pas se laisser
prendre à l'enjouement du ton. Il est des choses qu'on ne
peut dire autrement qu'avec un peu d'ironie. Et que signifie,
exactement, cette ironie? Nous l'avions déjà rencontrée,
dans les premiers romans. La voici qui ressourd. Balzac
prétend renouer avec la franchise d'autrefois. Qu'est-ce à dire,
contre qui, contre quoi, cette franchise et cette ironie? C'est
toute la signification de la première *Physiologie* qui est en
jeu.

L'ironie voltairienne s'adressait aux nobles, aux prêtres,
aux puissants d'ancien régime. L'ironie balzacienne s'adresse
nécessairement aux puissants de nouveau régime, aux institutions et aux mœurs bourgeoises. Mme de Staël avait cru
pouvoir écrire que l'ironie, *depuis la liberté*, était une arme
inutile; l'ironie, pour vivre, avait besoin des abus qu'elle
raillait. Mais quatre-vingt-neuf a clarifié la situation, et s'en
tenir toujours à l'ironie, c'était, au fond, regretter les abus,
ne pas tenir compte de la révolution, briser des élans nouveaux
et possibles, bref, se comporter exactement comme le révolté
que définit Sartre dans son *Baudelaire*. « Le secret de la plaisanterie est, en général, de rabattre *tous les genres d'essor*, de
porter des coups de bas en haut, et de déjouer la passion
par le sang-froid. Ce secret sert puissamment contre l'orgueil
et les préjugés; mais il faut que la liberté, il faut que la
vertu patriotique se soutiennent par un intérêt très actif
pour le bonheur et la gloire de la nation; et vous flétrissez
la vivacité de ce sentiment, si vous inspirez aux hommes
distingués cette sorte d'appréciation dédaigneuse de toutes
les choses humaines, qui porte à l'indifférence pour le bien
comme pour le mal. *Lorsque la société marche dans la route de
la raison, c'est le découragement surtout qu'il faut éviter;*
et ces plaisanteries qui, après avoir utilement détruit la force
des préjugés, *ne pourraient plus agir que sur la puissance des*

---

1. *Physiologie pré-originale*, p. 96-97.

sentiments vrais, ces plaisanteries attaqueraient le principe d'existence morale qui doit soutenir les individus et les hommes. Ainsi donc, *Candide* et les écrits de ce genre qui se jouent, par une philosophie moqueuse, de l'importance attachée aux intérêts les plus nobles de la vie, de tels écrits sont nuisibles dans une république, *où l'on a besoin d'estimer ses pareils, de croire au bien qu'on peut faire, et de s'animer aux sacrifices de tous les jours par la religion de l'espérance* [1]. » Un tel texte, très « lendemains qui chantent », condamnant la « littérature de fossoyeurs », ne prend-il pas, en 1829, une allure terriblement vieillie ? Tous les genres d'essor, la société qui marche sur la route de la raison, les sentiments vrais, estimer ses pareils, le bien qu'on peut faire, les sacrifices de tous les jours, et la religion de l'espérance : qu'est-ce qui, de tout ceci, tient un peu contre l'expérience et le réalisme ? Contre de nouveaux despotes, contre un nouvel absurde, comment éviter la renaissance de l'ironie ? *La Peau de chagrin*, en 1831, ce sera « *Candide* avec des notes de Béranger [2] », et qui pourrait oser dire que ce *Candide*-là soit né de la seule fantaisie d'un homme ? Tout ce que la révolution libérale bourgeoise avait attendu de son propre triomphe se trouvait durement contré, mesuré, par les habitudes critiques qu'elle avait elle-même consacrées. Plus de nobles, plus de prêtres, d'autres puissances, et, toutefois, une humanité aussi ligotée, aussi condamnée à la dérision ! L'ironie voltairienne avait perdu en allégresse, gagné en amertume lorsqu'il s'était avéré que la fin du règne des imbéciles n'était pas pour demain. Mais que dire, en 1826, *et avec les moyens d'investigation, d'expression*, du monde moderne ! Il n'était vraiment plus facile de s'aveugler ! Faisant le décompte des femmes comme il faut de la masse des femmes vivant en France, Balzac procède par élimination : « Nous commençons par retrancher de cette somme totale environ neuf millions de créatures qui, au premier abord, semblent avoir assez de ressemblance avec la femme, mais qu'un examen approfondi nous a contraint de rejeter. Nous reconnaissons bien qu'elles ont dans la figure deux yeux, un nez, une bouche, mais elles sont continuellement courbées vers la terre, à la manière des animaux, ont les mains noires comme celles des singes, la voix rauque, l'intelligence nulle. Cette singulière espèce de femmes se trouve en abondance en Basse-Bretagne, vers les Ardennes, dans la Lorraine, etc. Pères, mères, enfants, tous habitent

1. Mme de Staël, *De la littérature...*, *Œuvres*, Lefebvre, 1838, II, p. 367-368.
2. Cf. t. II.

pêle-mêle avec les bestiaux, dans des trous recouverts de
paille : peu leur importe d'où pleuvent les enfants ; en produire
beaucoup pour en livrer beaucoup à la misère et au travail
est la seule affaire de ces créatures. Le Législateur, le Percep-
teur, le Magistrat, le Sacerdoce, peuvent voir des âmes et des
administrés dans ces sortes d'êtres, mais l'homme à sentiment, le philosophe, tout en mangeant le petit pain de gruau
que ces êtres-là ont envoyé à Paris, ne les admettront jamais
comme des femmes [1]. » Ne nous hâtons pas, comme on le fait si
souvent, de nous scandaliser. L'idée se trouvait déjà dans la
brochure sur le droit d'aînesse et se retrouvera dans le *Traité
de la Vie élégante*, en 1830. Il est faux de dire que Balzac
admet ce qu'il *constate*. Ceux qui l'admettent, ce sont ceux
qui n'en parlent jamais, qui pensent, vivent, écrivent, comme
si ces exclusions n'existaient pas, comme s'il allait de soi que
l'Humanité se réduise à sa frange supérieure. Balzac, lui, *dit*
que l'Humanité des philosophes exclut toute une masse
d'autre humanité. *Et donc cela ne va plus de soi.* Qu'on lise
les souvenirs, les correspondances des Barante, des Rémusat,
des Guizot, etc. : pour ces hommes, la question est simple,
très simple, et Homme égale homme de leur milieu. Pour
Balzac, il y a dissonance, rupture. Certes, il ne pleure pas, il
ne pousse pas de cris, il n'appelle pas au secours. Il ne parle
pas le langage qui sera celui du romantisme sentimental.
Mais il dit et montre la division sociale, le rejet hors de
l'humain des neuf dixièmes de la population. COMMENT,
DÉSORMAIS, LE RÉEL BOURGEOIS POURRAIT-IL AVOIR
A SES YEUX LA MÊME INNOCENCE QU'AUX YEUX DE
SON PÈRE ? Sa phrase écrite, il n'y a pas chez lui prostration.
Mais est-ce la prostration, le dégoût personnel qui importent,
ou l'efficacité d'un texte ? Il n'y a pas ici mal du siècle verbal,
décoratif, mais mal du siècle structural, profond, prise de
conscience d'une fracture ? L'ironie, d'autre part, nous avertit
que Balzac ne dit pas ce qu'il dit avec la tranquillité d'esprit
qui serait celle d'un bourgeois bien tranquille. Toute une
importante minorité de la société française, issue de la Révolution, vit de la mise à l'écart de la majorité. *Jamais* Balzac,
dans ce texte de 1826, n'oppose nobles et non-nobles ; jamais
il ne parle de titres, mais *uniquement* de fortunes. N'est-ce
pas à dire que la ligne de partage, en un temps où l'on croit
encore qu'elle est entre partisans et adversaires de Villèle,
passe *à l'intérieur* de l'ensemble social qui s'oppose à Villèle,
et qui, dès lors *n'est plus un ensemble ?* L'un des thèmes fonda-

---

1. *Physiologie pré-originale*, p. 72.

mentaux de la dramaturgie balzacienne sera celui de la séparation et de l'isolement, de la séparation infinie et de l'isolement infini, de la séparation d'avec les autres, de la séparation
d'avec soi-même, de l'isolement au milieu des autres et au
milieu de soi-même. Aliénation : le mot n'existe pas encore,
mais Balzac est le premier, peut-être, à avoir montré la chose.
Il ne restera plus qu'à la nommer. Mais que demeure-t-il,
dès lors, des proclamations de Mme de Staël? Et fallait-il
être, objectivement comme subjectivement, complice de
l'ancien ordre de choses, pour recourir à l'ironie? Qui décourage
et démobilise? L'analyste, ou la chose analysée? Mais qui,
d'ailleurs, continuait à parler de révolution, de progrès,
du côté de ce que démasquait Balzac? On n'en était plus,
depuis longtemps, et sur ce point essentiel, qu'à *défendre*.
L'ironie devenait, *redevenait* instrument de liberté : il n'y aura
plus, en 1829, en 1830 et en 1831, qu'à développer le thème.
   Notre société, donc, ne vit qu'en excluant, et toutes ses
superstructures intellectuelles et morales ne se comprennent
valablement que replacées dans cette perspective. Le mariage
est le don, le plus souvent, fait d'une fille à un homme en
pleine force. Lui aussi repose sur la loi d'exclusion. Il suppose
l'infériorité de la femme. *La Révolution n'a pas émancipé la
femme*, puisqu'elle a renforcé, justifié, les lois bourgeoises de
l'appropriation. Seulement, il est une loi des êtres qui les
pousse au bonheur, à la liberté. Comment le mariage va-t-il
« tenir »? Nous sommes au cœur de cette méditation que
Balzac reprendra et renforcera en 1829. Sitôt en contact avec le
monde, la femme cherchera l'amant. Comment l'en empêcher?
Il y a, explique Balzac, progrès en tout; il a bien fallu inventer
un code, un langage, une casuistique, pour ce genre de problème.
L'adultère est l'une des fatalités de la société bourgeoise; il a
bien fallu vivre avec. D'où ces ruses : on dit qu'une femme est
« inconséquente », lorsqu'elle n'a pas su mener de front son
plaisir et sa réputation. Transparente litote! Être « consé-
quente » est donc avoir su s'adapter, avoir été *logique*. Chacun
sait que l'adultère est règle courante, mais chacun *fait* comme
s'il en était autrement. Où est la grande lumière des philosophes? Où sont les mythes des lumières? Est-il encore besoin
des filles d'Opéra? C'est au cœur même de ce que Balzac
appellera la *vie privée* que ronge le cancer. Le supprimer?
Il faudrait d'autres types de rapports sociaux, à tous les
échelons. La vie n'est possible que par la résignation, l'acceptation lente [1], ou par le truquage, c'est-à-dire par une seconde

---

1. Ce sera le thème de plusieurs romans de *La Comédie humaine*.

exclusion. On sait, mais, n'y pouvant rien, on continue, on se durcit, on s'émousse. Ou bien, on ne saura jamais, parce qu'on aura été entouré d'un réseau sans failles, un réseau d'ignorances, de précautions. Ce va être l'objet du long et foisonnant exposé « stratégique » de la *Physiologie du mariage*.

Il est du plus haut intérêt de constater que Balzac, lorsqu'il explique par quels moyens un mari peut empêcher sa femme d'avoir des tentations ou d'y succomber, établisse un parallèle assez serré avec le système parlementaire et le régime constitutionnel. Dans les deux cas, il s'agit d'octroyer une liberté toute formelle, fictive, et de conserver pour soi l'essentiel du pouvoir. « Vous commencerez par octroyer solennellement au sein de votre ménage une espèce de constitution en vertu de laquelle votre femme sera déclarée entièrement libre [1]. » Une contestation surviendra-t-elle? « Serez-vous plus coupables que les ministres quand ils demandent effrontément : Que veut la France? N'est-elle pas libre? A quelle époque a-t-elle été plus heureuse [2]? » En d'autres termes, un mariage ne « marche » qu'à condition d'être aussi truqué, aussi illusoire pour la femme qu'une Charte l'est pour la France. On est loin, comme on voit, des glissades toutes « naturelles » de 1814 à la liberté selon les Bourbons. Combiner « les divers moyens de la tyrannie conjugale », ou combiner ceux de la tyrannie politique : où est la différence? Tout se tient. Ainsi, « vous préluderez dans votre ménage aux mystères de la politique [3]. » Être habile, modéré! Ne pas déplacer les lignes! Éviter que se posent trop vivement les problèmes ou qu'éclatent au grand jour les contradictions. NIER LE MOUVEMENT RÉEL, LE CONFLIT QUI EST A LA BASE DE LA VIE. « Vous vous garderez bien de commettre ces grosses balourdises politiques qui amènent ou la *Révolution* [souligné dans le texte], ou la *Contre-Révolution* [souligné dans le texte], et dont vous avez plus d'un exemple en Europe; ainsi, aucune fausse mesure, aucune loi maladroite [4]. » Et Balzac couronne son impitoyable analyse en concluant que *le bonheur, en ménage comme en politique, est un bonheur négatif* [5]. Il ne s'agit que de durer et d'empêcher qu'un « malheur » arrive. Il ne s'agit pas de construire ou de créer. Tel est le lot d'une

1. *Physiologie pré-originale*, p. 137.
2. *Ibid.*, p. 143.
3. *Ibid.*, p. 144.
4. *Ibid.*, p. 145.
5. *Ibid.*, p. 145.

société replâtrée, ou tout tire à hue et à dia. Tel est le lot d'un mariage fondé sur l'aliénation de la femme.

C'est ici qu'il faut, très fermement, souligner non ce que *constate*, mais ce que *pense* Balzac. On a voulu faire de lui un théoricien de l'autorité, un fanatique, dès sa jeunesse, du *carcere duro* des lettres à Mme Hanska. Rien n'est plus faux. Dans ce texte d'apparence désinvolte de 1826, le jugement que porte l'auteur sur la condition faite à la femme — et partant sur la condition faite aux peuples, aux hommes —, pour se parer d'ironie, n'en est pas moins absolument net. « Et voilà bien l'ingratitude des femmes et des peuples. On leur assure une belle existence dans un beau pays. Un gouvernement se donne toutes les peines du monde, avec des gens d'armes, des chambres, une administration, et tout l'attirail de la force armée, pour empêcher un peuple de mourir de faim, pour éclairer les villes par le gaz aux dépens des citoyens, pour chauffer tout son monde par le soleil du quarante-cinquième degré de latitude, et pour interdire, enfin, à tous autres qu'aux percepteurs de leur demander de l'argent, rendre les routes libres, aucun des avantages d'une aussi belle *utopie* n'est apprécié; on veut autre chose! On réclame encore le droit de se promener à volonté sur ces routes, celui de savoir où va l'argent donné aux percepteurs, enfin, la facilité d'habiller en rouge, en bleu ou en blanc, des idées aussi vieilles que le monde, et que font jouer comme des polichi-nelles une troupe de soi-disant patriotes, gens de sac et de corde, qui tous voudraient vendre leur conscience pour un million, une femme honnête ou une couronne ducale [1]. » N'est-ce pas net, encore que, une fois de plus, à deux faces? Balzac condamne au passage, comme il l'avait déjà fait dans ses premiers romans, les profiteurs « patriotes » du constitu-tionnalisme, eux que *verra* Stendhal, dès le *Rouge*, ceux que Stendhal et Balzac retrouveront en 1830, mais, *en même temps*, il ne fait pas mystère de la légitimité, à ses yeux, des revendi-cations anti-pouvoir des femmes et des peuples. Il prend bien garde de mettre dans le même sac l'opposition des femmes et des peuples, c'est-à-dire de la vie, et celle des politiciens, c'est-à-dire de l'escroquerie à la vie. Ce sont ces politiciens qui fournissent des justifications aux tenants du pouvoir de fait. Ce sont les libéraux qui compromettent la liberté. Comme malgré lui, Balzac sort un peu de son sujet, et le problème du

---

1. *Physiologie pré-originale*, p. 136. Avec quelques variantes de style, ce pas-sage, en 1829, deviendra une diatribe antilibérale placée dans la bouche d'un gentilhomme réactionnaire (C.H. X, p. 741). On aura remarqué que les considéra-tions tricolores reprennent un passage de *La Dernière Fée* de 1823.

mariage n'est plus, un temps, que le prétexte nécessaire à
traiter du problème du pouvoir. D'où, une autre ambiguïté :
Balzac est loin d'être contre l'*idée* de pouvoir, et il se sépare,
sur ce point, des libéraux « classiques »; mais, d'autre part,
il n'a sous les yeux que *des* pouvoirs, tant dans les États que
dans les ménages. D'où, une description qui hésite entre la
formulation d'un idéal et la constatation de tares. Balzac
voit que les femmes, comme les peuples, ont raison de revendiquer, malgré les pseudo-libertés qu'on leur accorde; seulement, il voit aussi que ces poussées libertaires ont quelque
chose de négatif, de destructeur, qu'elles heurtent, dans leur
légitimité, l'idée saine de pouvoir; en d'autres termes, que
les rapports sociaux tels qu'ils sont constitués dans la société
bourgeoise, condamnent les revendications libertaires à être
désorganisatrices, et le pouvoir à être étouffeur de liberté.
La liberté féminine met en péril la famille. La liberté des peuples
met en péril l'État. L'autorité maritale met en péril les droits
de la femme. L'autorité gouvernementale met en péril la liberté
des peuples. Il est pratiquement impossible de sortir, concrètement, de cette antinomie. Il y a là un aspect frappant de
l'absurde moderne. « Un pouvoir est un être moral aussi
intéressé qu'une poule, et même qu'une poule mouillée [sic]
à sa conservation; le sentiment de la conservation est dirigé
par un principe essentiel dont voici la formule : ne rien perdre.
Pour ne rien perdre, il faut croître, car un pouvoir station-
naire est nul; s'il rétrograde, il est un pouvoir entraîné par
un autre [1] » : description formellement juste, mais qui, d'une
manière significative, reste « en l'air ». Ceci est-il vrai de tous
les pouvoirs, ou, plus exactement, est-ce vrai *de la même
manière* pour tous les pouvoirs? L'essentiel pour Balzac,
semble être ceci : tout pouvoir est un *fait*, qui implique la
négation de certaines *libertés ;* un pouvoir est donc, nécessairement, quelque chose d'attaqué, et qui se défend. Ceci reflète
la situation faite au pouvoir en société bourgeoise, où le
pouvoir a pour base l'usurpation féodale, la sanctification d'un
fait accompli. *Un pouvoir ne peut être que restrictif, alors, que,
dans l'idéal, il devrait être créateur.* Ce sera, en dehors du cadre
de la société capitaliste, le cas du pouvoir de Bennassis,
draineur d'énergies, au lieu d'être policier. Mais il faudra,
pour cela, *sortir* du réel quotidien. Les poussées libertaires
tirent leur justification de ce caractère tronqué du pouvoir
de fait, et quelques ironies de Balzac, sur ce point, nous
mettent parfaitement au fait de ce qu'il pense en 1826.

---

1. *Physiologie pré-originale*, p. 138.

MM. de Metternich et de Gentz n'aiment pas « le siècle »;
ils « ont trouvé de spécieuses raisons pour interroger un siècle
poussé par la manie des constitutions, comme le précédent
l'avait été par la philosophie, et celui de Luther par la Réforme
des abus de la religion romaine; car il semble vraiment que
les générations soient semblables à des conspirateurs; elles
marchent séparément au même but et se passent le mot
d'ordre [1] ». La continuité critique qui, du xvie au xixe siècle,
a tant irrité les pouvoirs *de fait*, n'apparaît pas à Balzac
comme une monstruosité; comme les saint-simoniens, il sait
bien qu'elle correspondait à une nécessité, et il retient mal un
peu d'énervement devant les réactions des pouvoirs qui n'y
voient que malice. Mais, en même temps, sensible aux impératifs valables pour tout pouvoir (du moins le croit-il, incapable qu'il est d'imaginer réellement un autre type de pouvoir
que celui de fait) il *comprend* qu'un homme de gouvernement
soit irrité de critiques *irresponsables*, dans la mesure où elles
songent à l'affirmation, à l'intensité vécue, au vouloir-vivre,
non à l'organisation et à la durée. Seuls les pouvoirs parlent
en termes de durée, et seules les libertés parlent en termes
d'authenticité. *Mais ces deux aspects complémentaires du réel
ne parviennent pas à se rejoindre.* Plus tard, Balzac infléchira
son analyse en faveur de l'un des deux termes du problème;
il jouera l'Ordre contre le Désordre. Il n'en est pas encore là
en 1826, et, si ses préoccupations d'Ordre sont déjà assez
fortes pour lui faire « comprendre » le point de vue des pouvoirs, ses sympathies spontanées vont, d'une manière encore
assez juvénile, à tout ce qui rue dans les brancards et
réclame sa liberté. En d'autres termes, en 1826, alors que
la France est engagée dans l'aventure Villèle, laquelle commence à montrer des signes d'essoufflement, alors, que
du « système » Metternich, partout plus ou moins au pouvoir,
n'apparaissent que les absurdités, ce qui nie le réel et la vie,
Balzac, dans le fil même de l'opposition libérale, penche
plutôt vers une [sorte de gauchisme sentimental, tempéré
par des exigences intellectuelles d'ordre et d'organisation.
Ni l'un ni l'autre ne mordent vraiment sur le réel, n'impliquent
des devenirs précis, logiques. Mais comment en pourrait-il
être autrement? Depuis que les sociétés occidentales se sont
mises à vivre selon un rythme d'expansion, d'accroissement,
de liquidation du passé, depuis qu'il existe une notion d'avenir,
puisque demain ne sera plus nécessairement semblable à
aujourd'hui, depuis que l'on sent et que l'on pense à cloche-

1. *Physiologie pré-originale*, p. 137.

pied, tout pouvoir, qu'il soit du passé, ou de ce pseudo-
modernisme qui a intérêt à ralentir le cours des choses, est
freineur, tout accomplissement, qu'on soit réactionnaire ou
progressif, est victoire sur un mieux auquel, au fond du cœur,
on ne saurait se refuser tout à fait. *Il n'est de bonheur que
négatif :* non seulement parce que, objectivement, tout
bonheur implique l'écrasement, le refus de quelque chose qui
est toujours quelque peu valable, mais aussi parce que,
subjectivement, on ne se sent pas réellement fondé, de tout
soi-même, à nier et refuser. Le mari qui surveille et dupe sa
femme pour la sauver d'elle-même, ne peut retenir un petit
sourire : il sait qu'il préserve, mais qu'il ne crée pas. Il est
au-delà de son entreprise, et celle-ci ne reçoit que l'adhésion
d'une partie de lui-même. Oui, tel est bien le lot de l'homme
condamné à « réussir » selon le faux. Telle est la condition de
l'Homme moderne, pour qui il n'est de « réussite » qu' « en
creux », de « succès » qu' « à la rigueur ». Surtout, ne pas laisser
éclater les virtualités, les forces centrifuges d'un *ensemble*
infligé par l'Histoire, dont on a hérité, mais dans le cadre
duquel il faut bien vivre.

Or, ceci est d'une autre importance que les irrévérences
journalistiques à quoi on a souvent réduit la *Physiologie*.
Lorsque Balzac écrit : « Enfin, avouons à l'avantage du siècle
que, depuis la restauration de la morale et de la religion,
et par le temps qui court, on rencontre éparses quelques
femmes si morales, si religieuses, *si attachées à leur devoir*
[souligné dans le texte], si droites, si compassées, si roides,
si vertueuses, si... que le Diable n'oserait seulement pas y
regarder; elles sont flanquées de rosaires, d'heures et de
directeurs... chut [1]! », il se contente de faire de la satire
traditionnelle, à fleur de peau, et ce texte n'a vraiment pour
nous d'intérêt que dans la mesure où il signe la première
apparition, dans l'univers balzacien, de Mme de Granville [2].
Les coups de patte, les attaques formelles contre la Restauration sont chose courante, dans ce texte de 1826, mais cet
aspect *voyant* de la critique balzacienne compte moins que la
dichotomie sans phrase opérée en profondeur. Faire sceller
des grilles dans les cheminées, occuper toutes les heures du
jour d'une femme, lui multiplier les distractions, l'habituer
aux nourritures amollissantes, aux coussins qui affaiblissent,
surveiller les entrées et les sorties : autant de calfatages d'un

1. *Physiologie pré-originale*, p. 81.
2. Non seulement ce portrait de dévote annonce celui d'Angélique Bontemps,
l'insupportable épouse du comte de Granville dans *La Femme vertueuse* (premier
titre d'*Une double famille*, dans les *Scènes de la vie privée*, en 1830), mais encore,
l'expression soulignée dans le texte de 1826, le sera de nouveau dans celui de 1829.

vaisseau qui fait eau de partout, autant d'épuisantes illusions, puisque aucune, puisque même pas leur somme, n'est capable de résoudre à fond le problème? A ce jeu, le mari n'est pas plus libre que la femme, puisque, maître en apparence, il est soumis à cette loi qui l'oblige à tromper pour ne pas l'être. Balzac a beau nous conter tout cela sur un mode badin : on devine aisément comment, dans la vie, comment, *dans un roman*, ce jeu du chat et de la souris pourrait tourner au drame. Les *Scènes de la vie privée*, en 1830, seront données comme autant d'illustrations de la *Physiologie*. Or, toutes les *Scènes de la vie privée* seront des drames. Où est la « grande famille » de Bernard-François Balzac? Où est l'unité reconquise? Au niveau du problème du mariage, Balzac saisit parfaitement la loi fondamentale, constitutive, de la société moderne : les hommes sont condamnés, pour survivre, à s'épuiser en mesures conservatoires; ils ne *croient* pas à la valeur de ce qu'ils font; ils le font uniquement pour ne pas périr; leurs actions relèvent d'un éternel relatif; ils se retrouvent nécessairement, un jour, avec sur les bras un inépuisable sentiment d'échec, sans même l'idée consolatrice, compensatrice, qu'autre chose aurait pu être tenté. Il n'y avait pas de moyen plus radical de vider le mariage de sa substance, de sa valeur, d'en montrer les contradictions, que d'exposer à quelles conditions absurdes, cruelles, décevantes, il pouvait, tout au plus, conserver une façade d'unité. Or, qui dit *mariage* dit *union*, et si cette union élémentaire, primaire, n'en est pas une, est impossible, qu'en sera-t-il, de proche en proche, de tout ce qui est supposé, dans la société, unir les hommes? *C'est le pacte social, finalement, ce sont les raisons qu'ont les hommes de continuer à vivre ensemble, qui se trouvent ainsi désintégrés par ces variations sur le cocuage.* La *Physiologie*, en 1826, reprend et complète le *Code des gens honnêtes* de l'année précédente : la société française moderne n'a plus son innocence. A laisser s'épanouir la vie, elle risque de mourir.

Cette vision impitoyable fait-elle de Balzac un être sans cœur, dont la logique arase l'intuition, la capacité d'être ému? La version de 1826 est beaucoup plus « voltairienne » que ne le sera celle de 1829, quant au ton, du moins. Toutefois, cette vie qui nous est décrite n'étant pas près de devoir changer, une fois l'ensemble vu, le Balzac psychologue, sensible à l'individuel, à l'humain, connaisseur en effort personnel et en vie privée, sachant que l'on ne vit qu'une fois, et qu'il faut bien s'organiser dans les limites qui nous sont données, se « retrouve », en quelque sorte, et c'est par là qu'il se distingue de purs « philosophes », comme les saint-simoniens. Eux aussi

ont vu et montré que les hommes étaient soumis à une loi
de division, mais ils en sont restés à l'abstrait; ils nous l'ont
fait concevoir, ils ne nous l'ont pas fait toucher du doigt.
Balzac, lui, ne l'oublions pas, lorsqu'il compose cette première
Physiologie a déjà derrière lui une expérience de romancier.
Il a peint Annette et Eugénie d'Arneuse. L'intelligence qu'il a
des *causes* ne l'empêche pas d'être sensible, dans le détail,
aux *effets*, d'être capable, aussi, de les rendre, de les interpréter. Alors que les analyses du *Producteur* sont froides, une
chaleur court dans celles de Balzac, parce que ce sont des
analyses de romancier. D'où, des remarques, au passage,
comme celle-ci : « la conservation du bonheur demande plus
de peine que la conquête du bonheur même [1] ». Félix de Vandenesse sauvera sa femme de Nathan et d'elle-même. L'épou
ser n'était rien. La garder est mieux. Et demande des qualités
d'un autre ordre. Les dimensions individuelles de la responsabilité, du déterminisme passionnel, du conditionnement
familial, de l'inventivité, du vouloir-vivre, Balzac ne les
oublie pas pour avoir vu les dimensions d'ensemble qui sont
celles de la nature des rapports sociaux. Les réactions d'une
fille élevée dans un pensionnat, la découverte de sa neuve
liberté, les lendemains immédiats du mariage, l'influence des
lectures de romans, etc., autant de notations individuelles,
qualitatives, que, certes, l'analyse quantitative éclaire,
mais qui n'en sont pas moins des présences et des promesses.
La *Physiologie*, dès 1826, fourmille en thèmes et situations
de roman. Elle est l'œuvre d'un psychologue autant que d'un
philosophe. Par là, elle est particulièrement apte à faire voir
la déshumanisation qu'implique la vie selon la société bourgeoise. Elle saisit la solitude et le mal du siècle au niveau
de l'Idée en même temps qu'au niveau de l'irremplaçable
expérience individuelle. A tout moment, on sent Balzac prêt
à partir, à quitter le ton didactique pour prendre celui du
conteur. Et c'est pourquoi une lecture attentive révèle plus
de pitié, plus d'humanité, qu'on pourrait croire dans ce
texte sec et brillant. Balzac n'a pas, comme les saint-simoniens, utopistes, les yeux fixés sur une société nouvelle, qui
n'existe que dans leur tête. Il a les yeux fixés sur le réel
immédiat, dont il voit les lois, mais dont il n'oublie ni le
poids ni la présence. Ce réel immédiat, pour les saint-simoniens, est une formalité implexe, puisque comprise, et mise en
comparaison avec un avenir. Pour Balzac, il est une réalité
complexe, comprise, certes, mais sans référence à une Idée

---

1. *Physiologie pré-originale*, p. 99. Cette remarque a disparu en 1829.

simplificatrice. *Critique*, donc, et *réalisme*. Balzac ouvrira
moins de portes, peut-être, que les les saint-simoniens, fera
moins penser, mais il fera mieux voir. Dès 1826, il nous montre
une humanité pas à pas. Que le *conjungo* soit truquage pouvait
se dire en deux phrases. Qu'il y fallût un livre ne relève pas
que du désir d'en écrire un, mais bien de cette double
conscience de l'ensemble et du détail qui fait qu'un romancier
peut faire penser, et qu'un philosophe peut émouvoir.

Voilà pourquoi, à tous égards, la première *Physiologie*
est un texte capital dans l'histoire de Balzac. Elle marque
la prise de conscience, l'avènement à l'expression claire,
du sens d'expériences anciennes de plusieurs années. Tout
s'organise, en restant irradiant. Tout s'incarne, en restant
général. Dès 1821, Balzac pensait qu'il existait de subtils
rapports entre la puissance vitale et l'usage qu'on en fait.
Mais le docteur Trousse n'était qu'un fantoche, et ce qu'il
exposait ne se nimbait d'aucune urgence. Il n'en va plus de
même, en 1826. « L'homme a une somme donnée d'énergie [...].
Presque tous les hommes consument en des travaux nécessaires
ou dans les angoisses des passions funestes cette belle somme
d'énergie et de volonté dont la nature leur a fait présent ».
Ceci demeure abstrait, « philosophique ». Mais voici que
Balzac ajoute : « les femmes ne savent qu'en faire [1] ». Entendez, les femmes inoccupées telles que les fait notre société.
D'où un combat, entre une volonté, une énergie distraite,
gaspillée, chez l'homme, et une volonté, une énergie accumu-
lée, conservée de côté, chez la femme. Nous sommes loin
de la fantaisie historique ou satirique, du « dada » et de la
manie. En 1821, Balzac ne savait trop quoi faire de cette idée
qui le séduisait, et il la plaquait sur cette histoire de Lusignan
qui n'en avait besoin. En 1826, il lui trouve un point
d'application concret, et, du coup, elle en acquiert une force
neuve : « En principe, reconnaissons que l'homme influe
sur l'homme par plus ou moins de vigueur et de puissance
projective de sa volonté [2]. » Balzac n'en est pas encore à
ajouter, comme en 1829 : « là enfin est le principe d'une science
en ce moment au berceau [3] »; parti de la « théorie », le voici
à la « pratique », avant de passer à une nouvelle « théorici-
sation », solidement appuyée sur la pratique. L'expérience,
de diverse, se resserre en une formulation plus nerveuse,

1. *Physiologie pré-originale*, p. 126.
2. *Ibid.*, p. 123.
3. Cette addition pourrait faire penser que le fameux *Traité de la volonté* ne
daterait pas de Vendôme, mais bien des années 1829-1830; nous verrons comment Balzac, en 1829, « durcira » dans sa *Physiologie* définitive, tout ce qui
a trait à la volonté et à sa concentration.

avant de s'épanouir, de retrouver le divers, mais soutenue par une pensée plus explicite. *Wann-Chlore* disait bien la solitude et le désenchantement, mais *Wann-Chlore* manquait de bases idéologiques. Balzac y avait bien fait se rejoindre — ce qui était déjà beaucoup — le réel et la poésie, mais toute sa philosophie restait quelque peu à l'écart du roman. L' « efforcement » pratiqué dans *Clotilde* n'était plus concevable dans un roman aussi sérieux. En 1826, une nouvelle synthèse s'opère, roman et philosophie se rejoignant comme naguère réel et poésie. On voit se constituer ainsi une conscience plus complète, mieux armée, de ce qu'est le monde moderne.

Mais ce monde moderne, au fond, qu'est-il, quant à l'essentiel? En quoi est-il *moderne?* C'est dans la *Physiologie* de 1826 que Balzac répond pour la première fois explicitement à cette question. Les premiers romans et les premiers essais contenaient des indications, mais pas de vision claire et consciente; Balzac s'y contentait, le plus souvent, de satire des mœurs ou de formulation d'inquiétudes subjectives. Il allait en ordre dispersé. Cette fois, abordant, avec plus de recul et plus d'expérience, une question d'ensemble, traitant du problème du mariage comme d'un fait social lié à un état précis du développement social, il mesure exactement ce qui sépare, qualitativement, le xixe siècle de ses prédécesseurs. Extérieurement, il existe toujours un pouvoir, des cadres, etc. Mais — et nous retrouvons ici l'une des données fondamentales du romantisme — il y a changement *de rythme.* Jadis, il n'existait aucune raison de croire que le futur serait différent du présent. *Le monde continuait, et continuerait.* La réflexion s'exerçait donc sur une sorte d'immobilité. Il n'y avait pas de mouvement de bascule d'aujourd'hui vers demain, parce qu'il n'y en avait pas eu d'hier vers aujourd'hui. *Il y avait commune mesure entre hier, aujourd'hui et demain.* Partant, il n'y avait espoirs, ambitions, regrets, que dans le cadre, strictement, de l'existence individuelle, bornée par la mort. Ni politiquement, ni techniquement, la société à venir n'était porteuse d'autre chose que de la répétition de celle qu'on avait sous les yeux. D'où, pas d'attentes, pas d'inquiétudes, pas d'illusions perdues. Pas de sentiment d'instabilité, de transition, de fil fragile sur lequel on avançait. Tout était dense, parce que tout était situé et défini. L'Homme se retrouvait en l'Homme, qu'il regardât derrière ou devant lui. Mais aujourd'hui! L'Homme ne se retrouve pas dans l'Homme du passé, et ne peut s'appuyer sur celui de demain. Tel est le sens profond de l'opposition entre l'*ignorance* de jadis, et l'*instruction*, la *science*, d'aujourd'hui. Il ne s'agit pas tant des connaissances positives que de la dévalorisation relative qui s'est opérée dans les consciences. Tout est jugé, pesé, analysé? « *De l'instruction en ménage. Vaste et importante matière!* Les avantages du xie siècle et les malheurs du xixe sont là : entre ces deux abîmes, le roi Louis XVIII assis au centre d'une bascule politique contemple à un bout l'ignorance crasse d'un frère lai, l'apathie d'un serf, le fer étincelant des chevaux d'un Banneret; il entend : France et Montjoie Saint-Denis!... puis il se retourne et sourit en voyant la morgue d'un manufacturier, capitaine de la garde nationale, l'élégant coupé de l'agent de change, la simplicité du costume d'un pair de France devenu journaliste *écrivant un ouvrage*, et mettant son fils à l'École Polytechnique, et les étoffes précieuses et les journaux et les machines à vapeur; et il boit enfin son café dans une tasse de Sèvres où brille encore un N couronné [1]. » Moralité : ne pas instruire les femmes, faire comme en Espagne, etc. Mais l'antiphrase, qui livre, une fois de plus, le secret du « cynisme » de la *Physiologie*, compte moins ici que ce rapide tableau de deux réalités qui ne relèvent plus du même réel. Elle compte moins, même, que la constatation des difficultés de l'autorité en un siècle aussi intelligent; les difficultés des Bourbons avec les manufacturiers en possession du pouvoir politique, ou avec l'aristocratie « moderne », les périls qu'il y a à vouloir maintenir un pouvoir semblable à celui de jadis dans un monde qui jaillit dans toutes les directions, tout ceci est bien vu, et sera repris. Mais l'essentiel est cette présentation dichotomique de ce qui était jusqu'alors continuité. La Restauration avait proclamé le retour à la tradition forgée par quarante Rois : il ne s'agissait pas tant du retour formel à la monarchie que du désir d'effacer le sentiment de rupture né de l'interrègne révolutionnaire. Il y avait eu folie. On revenait à la normale. Et ce n'était pas là *que* pensée réactionnaire. Seulement, cette réception au sommet ne changeait rien à ce qui se passait, et continuait à se passer dans les profondeurs, à ce que l'on découvrait jour après jour, avec fierté, mais aussi avec un total manque d'habitude. On n'était pas encore accoutumé à raisonner, à sentir, dans le relatif et le devenir. Le sens même du mot *réel* était en train de changer, mais on continuait à vivre sur l'ancien. Pesons bien les mots employés par Balzac : *ignorance, apathie*, d'un côté, *morgue*,

_____

1. *Physiologie pré-originale*, p. 145 (soulignés dans le texte).

élégance, de l'autre, inséparables de la finance, des Écoles, du journal, de l'industrie. A un bout de la chaîne, un univers stable, à l'autre, un univers où tout s'inverse et cherche. Il n'y a pas vertige, dans cette description de 1826, parce que, ce modernisme, Balzac, en un sens en est fier, parce qu'il témoigne pour les jeunes. Un peu d'ironie, seulement, marque qu'il en connaît les limites. Bientôt, il fera de son manufacturier, de son agent de change, des personnages de roman, et il nous fera découvrir tout ce que ces nouvelles figures de proue signifient de pouvoir d'écrasement. Il n'en est pas encore là.

Cette corruption profonde d'un univers qui perd son innocence, corruption non pas constitutive, immobile et de toute éternité, mais corruption *et mouvement,* corruption qui s'aggrave, et dont on prend une conscience de plus en plus dramatique, elle trouve son expression, justement, dans ce roman du *Corrupteur,* paru en 1827 sous la signature de Viellerglé, et dont on sait par Lacroix, que le premier volume est de Balzac[1]. Les origines lointaines conduiraient peut-être à Restif de la Bretonne[2], mais une « source » n'est que peu de chose comparée à tout ce qui, dans le monde d'alentour, justifie ce thème capital. L'INITIATEUR SE FAIT CORRUPTEUR. Naguère protecteur, possesseur de refuges et de remèdes, le voici homme du système qu'il explique et dénonce. La fée, le chimiste, opposaient au monde réel des trésors d'amour, de sagesse, de poésie. L'usurier Joseph Fulbert, lui, parle le langage des faits, le langage de l'acceptation et du jeu :

> Quiconque est riche est estimé, recherché, fêté partout; le vicieux, c'est le pauvre. Sois donc riche, mon fils; ne néglige rien pour parvenir à cet état heureux : peines, soins, flatteries, et ce que le vulgaire appelle bassesses, emploie tout. *Les richesses, Édouard, sont les véritables titres de noblesse.* Ne crois pas que jamais on vienne te reprocher les moyens qui te les auraient fait obtenir. Une fois que tu les posséderas tu auras un talisman qui t'enchaînera toutes les amitiés, tous les amours, toutes les estimes du monde. Et, d'ailleurs,

---

1. Paul Lacroix, *Simple histoire de mes relations avec Honoré de Balzac, Le Livre,* 1882, p. 157-159, et aussi une lettre à Michel Lévy de 1874, souvent citée (*Lov.* A 363, f⁰ 133). Le second volume est d'Arago et Flatters, le troisième de Lacroix et Le poitevin. Le troisième volume aurait été écrit bien postérieurement aux deux premiers. On peut penser que, en 1827, Le Poitevin avait en main le manuscrit de Balzac depuis longtemps déjà. Mais on ne saurait préciser davantage.

2. Dans *Le Paysan et la paysanne pervertis,* Gaudet d'Arras s'attache à corrompre Edmond et lui porte une affection qui appelle celle de Vautrin pour Rastignac. Cf. Paul Vernière, *Balzac et la genèse de Vautrin,* R.H.L.F., 1948.

Édouard, puisque la fortune est reconnue généralement pour la seule chose désirable sur la terre, qui peut te faire un crime de la manière dont tu auras su l'acquérir? Qui veut la fin veut les moyens. Sois donc riche, mon enfant, et moque-toi du reste [1].

Les véritables titres de noblesse: il ne faut pas prendre l'expression au sens étroitement institutionnel et nobiliaire, mais bien au sens largement moral. Ce ne sont pas seulement les hochets de l'aristocratie qui se trouvent déclassés (qui s'en plaindrait vraiment?), mais les valeurs de toute jeunesse, de tout idéalisme. On mesurera, d'ailleurs, le « progrès » accompli, le chemin parcouru, en tout cas, depuis *Sténie:* Édouard, initié par son père l'usurier [2], entreprend de corrompre son ami Ernest; il s'attaque à ses idées morales, philosophiques, essaie de lui désenchanter l'univers, d'en détruire le sens. On reconnaît aisément Vanhers et del Ryès. La Religion? « Cette fiction nécessaire dans l'établissement des sociétés ne pouvait servir tout au plus, au point de perfectibilité où nous étions parvenus, qu'à amuser la canaille qui engraisse de ses sueurs nos sillons et nous fournit les moyens de coucher sous la plume et de corrompre leurs filles [3]. » D'autre part, « le mot Dieu, Deus, Gott, God, présente-t-il à ton esprit une idée plus claire [4]? ». Il y a beau temps que Balzac fait ses gammes sur ce sujet, et l'on reconnaît aisément des motifs vieux de plusieurs années. Mais l'élément absolument nouveau, c'est la connexion établie entre cette corruption philosophique et la corruption sociale, la corruption sociale par l'argent. Il n'y avait pas d'usurier dans *Sténie.* Il y avait déjà la révolte des sens, les traces du libertinage xviiie siècle, la guerre au mariage, à la morale sexuelle reçue, et ceci se retrouve encore dans *Le Corrupteur.* (« Les lois de la nature existaient avant celles qu'il a plu aux hommes d'établir. Quelque chose que ceux-ci aient pu faire, ils ne sont jamais parvenus à détruire cet instinct qui existe en nous, et qui sauve le monde des caprices absurdes de nos législateurs civils et religieux. Cet instinct assure la reproduction des êtres; y obéir est non seulement un plaisir, un besoin, mais un devoir. Quand un homme et une femme ont l'un pour l'autre une passion violente, il faut toujours que, quels que soient les obstacles qui les séparent, comme

---

1. *Le Corrupteur*, I, pp. 15-16.
2. Il est bien évident que Joseph Fulbert annonce directement le Gobseck de 1830, lui aussi initiateur de Derville.
3. *Le Corrupteur*, I, p. 107.
4. *Ibid.*, p. 110.

un mari, des parents, des vœux religieux, etc. etc., il faut toujours dis-je, que ces amants soient l'un à l'autre, de par la nature; il faut enfin qu'ils s'appartiennent de droit divin, malgré les lois et les conditions humaines [1] »); mais l'essentiel a cessé d'être là; la corruption d'Ernest par Éros est encore, à considérer l'économie générale du roman, importante, et surtout spectaculaire, mais la ligne de rupture est autre que dans les romans de la libération bourgeoise. La loi immuable à laquelle est soumis le monde, explique Édouard, *c'est la loi de la force; mens agitat molen*, et non l'esprit de Dieu, du Dieu à barbe blanche, entouré de nuages et de petites têtes d'enfants, mais bien un principe impitoyable qui se révèle à chaque niveau de la connaissance ou de l'entreprise. *Le principe du monde n'est pas, n'est plus, un principe rationnel rassurant*, et l'on sent bien que ce qu'Édouard met en cause, ce n'est pas seulement le bon Dieu d'ancien régime, mais aussi le Dieu des philosophes, et donc la société philosophique, la société bourgeoise. Il va bien chercher des justifications dans les anciens mystères (Éleusis, les Illuminés d'Allemagne, les Lettrés chinois, les brahmanes de l'Indoustan, etc.), pour en venir à cette idée que ce sont-là choses à ne pas révéler à tous : « la société serait renversée dans ses plus intimes fondements et il faudrait la rebâtir sur de nouvelles bases. Respectons, si tu veux, les emblèmes qui la dérobent à la multitude; mais nous, ne la repoussons pas [l'idée de force] de nos croyances; elle suffit pour tout expliquer [2] ». Mais les explications et conseils de Fulbert remettent toute chose à leur juste place. Si la force mène le monde, *le monde moderne*, c'est en vertu de la loi de l'argent, et le reste n'est que coloration, illustration historico-philosophique; le moteur premier de cette théorie, c'est bien la *constatation* (domaine du roman) d'un *mens agitat molen* d'un type très précis : le monde moderne est immoral, mais orienté; s'il vit, c'est qu'il est soumis à la force, et le reste, les morales traditionnelles, *les morales qui ont pour objectif et effet de masquer la véritable nature du monde moderne et des rapports sociaux*, sont des ruses ou des illusions. Ne pas croire au bon Dieu à barbe, proclamer les droits imprescriptibles de l'amour, tout ceci était devenu rhétorique, dont s'accommodait assez bien le monde moderne : Nucingen ne sera difficile ni sur un point ni sur l'autre, non plus que toute la Bourgeoisie du siècle. Mais révéler le pouvoir de l'argent, la transforma-

---

1. *Le Corrupteur*, p. 62-63. Il peut y avoir là des souvenirs de lecture de Sade.
2. *Ibid.*, p. 110.

tion d'un âge d'or en âge de l'or, chasser de l'univers non
seulement le Dieu de Bossuet et de M. de Maistre, mais encore
le Dieu des bonnes gens et la caution philosophique de l'organisation libérale, mettre en pièces l'unité de croyance et la
confiance des hommes dans les lois fondamentales et dans
la pratique de l'univers libéral, voilà le pas en avant décisif.
Balzac ne mobilise à nouveau le matériel de ses *Notes philosophiques*, de *Sténie*, que parce qu'il a avancé dans la connaissance concrète de la vie en système capitaliste. N'est-il pas
étonnant de constater que deux commentateurs du *Corrupteur*, s'ils citent longuement les passages « philosophiques »,
ne citent pas la tirade sur le pouvoir de l'argent [1]? C'est
pourtant bien là que se trouve l'intérêt du livre; sans cette
tirade, ce n'est que reprise, et sans grand intérêt, de vieux
refrains fatigués. L'absurde et le cruel du monde, au temps
de la mansarde et des *Notes*, c'était encore en très grande
partie, l'absurde de l'univers et de l'héritage théologico-
féodal. Locke et Descartes, alors, au prix de quelques renfor-
cements, étaient des armes de choix. Mais à présent? Il est
exact qu'Édouard, dans sa dénonciation, dans sa définition
de la force, en vient à une sorte d'exaltation, qui est bien celle
de quelqu'un qui a trouvé droit-fil et secret, moyen d'action
qui échappe au vulgaire; c'est le vieillard du *Centenaire*
modernisé; mais il faut voir le sens et la portée de cette
exaltation. Dans les *Notes philosophiques* et dans les textes
d'entour, déjà l'Homme était seul, maître de tout faire, de
tout inventer, mais la nature de l'exaltation, de l'enthousiasme, était alors fort peu différente. D'abord, Balzac
les plaçait dans la bouche ou sous la plume de personnages
sympathiques, ou proches de lui. Édouard est davantage
vu; il existe; il fait partie du monde et des êtres rencontrés;
si de l'enthousiasme paraît en lui, si des perspectives s'ouvrent et l'exaltent, ce sont beaucoup plus des perspectives de
destruction et de négation, d'affirmation par la destruction
et la négation, que des perspectives de construction et d'adhésion. Dans les *Notes*, dans *Falthurne* et dans les *Discours* et
Dissertations, l'enthousiasme prométhéen était inséparable
d'une vision scientifique conquérante de l'ensemble des
choses; dans *Le Corrupteur*, il ne s'agit plus que du *moi; il ne
s'agit plus que d'une caricature du prométhéisme.* Cet enthou-

---

1. A. Prioult (*Balzac avant La Comédie humaine*, p. 348) fait le rapprochement
avec Gobseck, mais s'en tient à une rapide indication sur l'avidité de l'usurier;
s'il parle de ses « principes », c'est pour n'en rien préciser. Bernard Guyon (*La
Pensée politique et sociale de Balzac*, p. 225 sq.) ne dit rien de l'usurier et s'en
tient à Édouard, personnage « moral ».

siasme d'Édouard a quelque chose d'un peu malsain, de
replié, d'amer. Pourquoi, d'ailleurs, chercher à corrompre
Ernest sinon pour ne pas être seul dans l'univers du mal,
pour entraîner avec soi un innocent dont l'innocence est un
reproche ?

Certes, à demeurer avec ses illusions, Ernest ne serait
qu'un niais, et c'est la force, la beauté de la vision balzacienne,
celle qui conduira à Vautrin, à Rastignac et à Lucien, de
montrer dans le Corrupteur, quel que soit son nom, non un
pur et simple monstre (il n'intéresserait pas), mais quelqu'un
qui a raison, qui souffre, que le monde a marqué, etc., bref,
quelqu'un de *vrai*, non quelque démon parachuté. Une vision
objectivement exacte du monde comme il va conduit à ce
personnage qu'on ne saurait juger à partir d'une morale,
nécessairement marquée des préoccupations et intérêts du
monde établi, mais bien à partir de la science et de la connaissance. Balzac, en donnant la parole au corrupteur, ne fait
pas un choix moral, « libre »; il enregistre et il exprime. Par
l'intermédiaire d'un personnage dont on connaît les origines,
mais qui se renforce et change de signification, il poursuit
ce dénudement du monde moderne, cette analyse et cette
mise en accusation du siècle neuf, jadis commencée avec les
moyens du bord et l'expérience tout abstraite de la jeunesse.
Balzac était totalement le prophète de la science dans *Falthurne* et dans les *Notes;* il n'est plus engagé de la même
manière dans *Le Corrupteur;* Vautrin, ce sera Balzac, mais
aussi Rastignac et Lucien, et cette dissociation, que seul
peut traduire le roman, correspond à la rupture de l'unité,
à la perte des illusions. L'enthousiasme de *Falthurne* et des
Notes était unitaire, et par là même, à nos yeux, naïf et
simpliste. C'est que nous avons quelques années et quelques
expériences de plus que le Balzac de 1821; mais lui-même
n'a pas mis longtemps à nuancer, à renverser, à inverser
cet optimisme qu'alors il partageait avec le siècle. Il ne
reste à ses enfants, que cette forme très particulière d'enthousiasme et de connaissance initiatique qui repose non
sur l'accès à des vérités universelles supérieures, mais sur le
désenchantement. Les secrets du grand vieillard étaient des
secrets d'éternelle jeunesse. Les secrets du corrupteur sont
des secrets d'hommes vieillis avant l'âge, et vieillis non de
manière enrichissante, mais de manière appauvrissante,
étrécissante, qui n'ont plus comme arène que celle où l'on
dégrade, ou l'on s'approprie d'autres hommes, et donc, où
l'on se dégrade, ou l'on s'aliène soi-même. A la royauté, à la
maîtrise, succède la tyrannie. Dans la tyrannie, chacun est le

tyran de chacun, et de soi-même. Fini, avec le corrupteur,
le temps des gestes lumineux et des mots chuchotés en
confidence, des remèdes contre la laideur. Le plus efficace,
désormais, est celui qui frappe le plus fort, non celui qui
voit le plus loin, ou qui « comprend » le plus. Le corrupteur,
succédant à l'initiateur, est une figure du dépérissement et
de l'étrécissement du monde et des êtres. Le réel est moindre,
dimensionnellement et qualitativement, que l'idée qu'on s'en
faisait. Lovelace était une figure du passé, l'initiateur, puis
le corrupteur, sont des figures du seul avenir permis aux
hommes, du seul avenir possible, et pensable. Enthousiasme,
donc, et réalisme, peut-être, mais il faut s'entendre. Si le
fait libéral et capitaliste est confondu avec le droit, avec la
nature, alors, dans ce cadre, *et dans ce cadre seulement*, il y a
enthousiasme, il y a réalisme. Mais autrement, si le *fait* libéral
et capitaliste est considéré comme il le doit être, c'est-à-dire
comme un recul, comme une mutilation, par rapport au
droit qu'il avait fait naître, et qui continuait, et qui continue
à revendiquer, alors, l'enthousiasme et le réalisme du corrupteur apparaissent comme ce qu'ils sont, profondément :
comme des trahisons auxquelles on est bien forcé, si l'on veut
« vivre ». Traquer ensuite la misère du corrupteur-corrompu,
parler des échecs de Prométhée, devient chose facile. Mais
les échecs et mésaventures de l'Homme en régime capitaliste compromettent-ils nécessairement tout l'Homme, et
son avenir? Le corrupteur balzacien est un sous-héros, comme
est un sous-roman celui de la corruption, mais y aurait-il eu
un roman des espoirs réalisés de *Falthurne* et des *Notes philosophiques?* Il n'est de roman que de la dissociation, des deux
nations, des deux humanités, des deux sciences. Le héros de
Restif ne parlait qu'en son nom propre, et a pu, tout au plus,
donner naissance à un scénario, à une situation, à un dialogue. Mais scénario, situation, dialogue, chez Balzac, ont une
portée universelle et universalisante qu'ils n'avaient et ne
pouvaient avoir chez Restif. C'est d'ailleurs d'autant plus
frappant que le style demeure, de manière étonnante, celui
du xviiie siècle pseudo-classique, avec ses métaphores, ses
mots nobles, son refus de parler naturellement des choses
de tous les jours [1]. L'accord n'existe pas encore entre style
et sujet, le dialogue, en particulier, demeurant prisonnier

---

1. Le florilège serait affligeant. Limitons-nous à deux. « Le vieux Fulbert,
volé par son fils, se consola en augmentant l'intérêt de l'argent qu'il prêtait
aux malheureux qui avaient besoin de ses funestes services » (*Ibid.*, I, p. 18).
« Ces louanges perfides ne surent que trop bien trouver le chemin du cœur d'Ernest » (*Ibid.*, p. 61-62).

des traditions [1]. Mais ce retard n'est, au fond, que de seconde importance, étant donné ce qui suivra. Le style peut toujours rattraper les sujets, l'efficacité du parlé tenant lieu, à la rigueur de l'efficacité de l'Homme dans l'Histoire et dans la vie.

Le Corrupteur, par ailleurs, aide à comprendre la *Physiologie*. Dans celle-ci, c'est l'auteur, c'est le guide et le praticien qui se font initiateurs du lecteur. Mais comment initier au monde tel qu'il est, corrompu, et voué à une corruption croissante, comment être un initiateur réaliste, sans se faire soi-même corrupteur? Et puis, ce faux prométhéisme du *Corrupteur*, on le retrouve également dans la *Physiologie*, avec ses recettes d'apparente efficacité. Dominer une question ou une situation, mais au prix de la domination d'êtres, donc de soi-même, ne donne que caricatures de sécurités et de satisfactions. Le monde moderne, plus il avance, ne propose, de plus en plus, que des pseudo-maîtrises. Mais en est-il, en sera-t-il, nécessairement, toujours ainsi? Si pseudo-maîtrises et pseudo-efficacité sont l'envers du développement de la « France nouvelle », toute l'énergie qu'elles mettent en jeu n'a-t-elle pas, elle aussi, son envers et son complément? Renverser de la France nouvelle au *Corrupteur* ne saurait être esquivé, mais *Le Corrupteur* lui-même ne s'entend correctement que dans sa liaison dialectique avec l'idée de ce que serait une authentique révélation des possibilités du monde rendu à l'authenticité, de ce que serait une authentique efficacité.

*

C'est au printemps de 1828 que Balzac fit une rencontre au moins symbolique, après la publication du *Corrupteur*: il devint l'imprimeur des saint-simoniens. Ou, plus exactement, d'un groupe de jeunes libéraux qui comprenait quelques saint-simoniens [2]. C'est Hippolythe Auger qui prit contact avec le jeune imprimeur, et qui a rapporté le fait dans ses *Mémoires* [3]. Comme il est probable que Balzac avait déjà lu du Saint-Simon et eu, notamment par Delécluze et Sautelet, des relations avec des saint-simoniens, comme il est

1. A.-M. Meininger a montré, *Balzac et Henri Monnier*, A. B., 1966, ce qui était une évidence, la part importante d'Henri Monnier dans l'introduction du dialogue dans le roman balzacien.
2. Découverte due à Bernard Guyon (*Le Gymnase: une revue romantique inconnue*, R. L. C., 1931). A. B.
3. Hippolythe Auger, *Mémoires*, p. 353.

également raisonnable d'admettre que Balzac ne saurait être enrôlé systématiquement sous les bannières de tous ceux pour qui il a travaillé, comme il est exact qu'il n'a imprimé que les trois premiers cahiers, sur les douze que compte *Le Gymnase*, comme, après avoir quitté l'imprimerie, et alors que *Le Gymnase* poursuivait sa courte carrière, il avait sans doute d'autres soucis en tête que de méditer de la philosophie politique, il ne saurait être question de donner à cet épisode plus d'importance qu'il n'en eut sans doute. Mais il ne saurait être question, non plus, de ramener, au nom d'une idéologie, qui, visiblement, n'aime guère les idéologies, et surtout progressistes, ce contact d'un intellectuel-imprimeur avec d'autres intellectuels au rang d'épisode sans importance ni signification. Balzac, il est vrai, n'a imprimé que les trois premiers cahiers du *Gymnase* [1], et ce n'est que dans les cahiers suivants que cette publication devint ouvertement saint-simonienne. B. Tolley affirme que le premier article saint-simonien serait *Les Académies*, qui n'apparaît qu'au troisième volume, soit longtemps après que Balzac eut cessé d'imprimer la revue [2], mais une telle affirmation relève d'une lecture bien superficielle. Il est vrai que c'est à la fin seulement du second volume que les rédacteurs déclarent qu'ayant voulu être trop libéraux, trop ouverts, leur ligne idéologique a été, aussi, par trop fluide; en conséquence, ils se présenteront désormais à visage plus ouvert. Mais avaient-ils attendu jusque-là pour que qui voulait — ou pouvait — comprendre, comprît? En aucune manière, et surtout pas pour le lecteur d'aujourd'hui qui voit plus clair, et dispose de plus de recul. Plusieurs affleurements en tout cas sont suffisamment explicites pour qu'on ne puisse pas dire que *Le Gymnase*, dans ses premiers cahiers, n'était qu'une incolore revue parmi d'autres. Dans le second cahier, un article de *Mélanges* s'en prend au *Globe* en des termes, qui, en 1828, ne peuvent tromper : *Le Globe* reproche à la Chambre de n'avoir pas de « croyance unitaire, d'être le champ de triomphe du *moi* et de l'indifférence ». Mais le même *Globe* n'encourage-t-il pas des manifestations de particularisme local dans les provinces? Il faut « des croyances fortes » : la Chambre est jugée, mais *Le Globe* également [3]. *Qui*, alors, écrivait ainsi? Qui usait de ce vocabulaire? Second affleurement : la discussion, proposée dès le premier cahier, sur

1. Le premier cahier fut annoncé à la B.F. du 17 mai 1828. Les autres suivirent à intervalle, vraisemblablement, d'un mois.
2. *Le Gymnase*, III, p. 212-228.
3. *Le Gymnase*, I, 2, p. 197-199.

l'inégalité [1]. Le sujet avait vieilli, depuis Rousseau et, surtout, depuis la réduction d'*une* certaine forme de l'inégalité. Il reprenait de l'intérêt à la veille de la naissance de *L'Organisateur*, et, surtout, il se présentait sous des formes, avec des attendus nouveaux : « les connaissances spéciales enseignées sous la direction de l'Université répondent-elles à la condition sociale à laquelle sont appelés ceux qui reçoivent cet enseignement [2]? » Des liaisons problématiques nouvelles existent. On les trouve dans *Le Gymnase*, ainsi que les thèmes essentiels du jeune-libéralisme (« nous avons une Charte, une chambre élective et un côté gauche », ironise le Juif Errant à l'adresse d'un sectateur du *Constitutionnel* [3]) ainsi que les thèmes majeurs de la jeune philosophie (*Un moraliste au cours de M. Cousin :* le professeur se répète, au lieu d'avancer; il n'invente plus, il accorde [4]), ainsi que les thèmes (pourquoi pas?) du jeune fantastique, du jeune roman : on vend, aujourd'hui, des *idées* [5]! Quant à *Contre la tendance industrielle* du siècle, ce n'est en rien un morceau de bravoure rétrograde, même plus, comme dans le cas de Stendhal quelques années auparavant, un morceau de conscience involontairement progressiste, mais bien un témoignage de l'évolution de tout le saint-simonisme, pour qui la notion d' « industrie » cesse quelque peu d'être univoque. Balzac ne pouvait ignorer qu'il imprimait une revue saint-simonienne, même si tout n'était pas encore ouvertement dit.

Ceci est certainement assez important, parce que des idées latentes ont pu cristalliser, prendre de l'acuité, qui ne l'auraient jamais fait à demeurer dans le secret d'une unique conscience, livrée à elle-même. Balzac, nécessairement, a lu ces textes qu'il a composés, corrigés; il a connu, sinon tous leurs auteurs, du moins leurs responsables, leur porte-parole, qui ne lui parlaient pas n'importe quel langage. Alors que tout se divisait et s'atomisait, les saint-simoniens, eux, relançaient l'idée de nouvelles avancées, de nouvelles synthèses; seuls, ils apportaient l'instrument idéologique qui permettait peut-être, en pleine période de confusion, de dégradation, de difficultés (quelle différence avec la période de certitudes de 1819-1821!) de fortifier le souvenir de

---

1. Dès son *Prospectus*, *Le Gymnase* proposait à ses lecteurs des sujets de discussion de ce genre. Les réponses étaient insérées.
2. *Le Gymnase*, *Prospectus*. C'est l'une des questions auxquelles tenteront de répondre, chez Balzac, *Louis Lambert*, l'*Analyse des corps enseignants* et *Le Curé de village*.
3. *Le Gymnase*, I, I, p. 165.
4. *Ibid.*, I, 3, p. 258 sq.
5. *Ibid.*, I, 3, p. 236-237. C'est l'un des maîtres-thèmes de *Gaudissart*.

lectures remontant à des années. On a d'ailleurs la preuve que Balzac s'est vivement intéressé au *Bouillon de saint Mégrin*, scène dramatique d'Auger, parue dans le premier cahier [1], texte non certes saint-simonien, mais qui pouvait orienter la curiosité dans un sens précis. Et ce même premier cahier ne s'ouvre-t-il pas sur un dialogue des morts qui permet au czar Alexandre, face à Alexandre de Macédoine, de défendre sa politique unitaire, ses « immolations » dans l'intérêt de la civilisation, l'utilisation, devant laquelle il n'avait pas reculé, des mouvements démocratiques en Allemagne [2]? La figure de Catherine n'a-t-elle pas alors commencé de se former? Le lecteur pénétré de Balzac découvre à plusieurs reprises des filières, des amorces.

Mais, par ailleurs, J.-H. Donnard a cru pouvoir détecter dans *Le Gymnase* des annonces précises des déclarations féministes de la *Physiologie du mariage* [3]. On peut, cette fois, suivre Bruce Tolley, et contester formellement la filiation. Le féminisme du *Gymnase* est des plus conventionnels et des plus plats. « Les voilà donc condamnées, par la nécessité ; de maîtriser leurs penchants, à une éternelle contrainte, à des larmes amères. En petit ou en grand, les voilà autant de Sapho, de Didon, de Nina, d'amantes délaissées, consumant leurs jours dans une noire mélancolie, ou gémissant, comme Phèdre, sous les coups de la fatalité [4]. » *Balzac est parti de là*, de ces phrases. *Le Gymnase* ne manque certes ni de courage, ni même de pertinence, dans sa croisade. Seulement, il n'a pas encore trouvé l'instrument, et il en demeure au lieu commun moraliste. *Le Gymnase*, très prudent, semble-t-il, avait l'intention de pénétrer dans des milieux intelligents, cultivés, mais peu ouverts aux idées d'avant-garde. D'où sa démarche essentiellement « non choquante », alors que Balzac, dans sa *Physiologie*, cherchant, lui, le choc, recourra, volontairement et spontanément, à d'autres moyens. *Le Gymnase* demeure l'une de ces nombreuses petites revues de bonne volonté mais sans génie qui proliférèrent à l'époque romantique, et ceci permet de mesurer l'importance de l'apport balzacien. Mais il n'empêche qu'il faille donner toute son importance au *sérieux* de cette fugitive publication. Le *Code des gens honnêtes*, la première *Physiologie*, *Le Corrupteur*, étaient des témoignages de cette universelle dégradation, que l'on ne pouvait équilibrer, souvent, en un sens, qu'en

1. Cf. Bruce Tolley, art. cit., A.B., 1966, p. 50 et 63.
2. *Le Gymnase*, I, 1, p. 13 sq.
3. J.-H. Donnard, *Réalités économiques...*, p. 62-65.
4. *Le Gymnase*, I, 1, p. 112.

ayant l'air d'en jouer, d'en prendre son parti, d'en tirer effets et brillant, de la conduire en l'exprimant. *Le Gymnase*, c'est la preuve de la présence, et de l'affleurement, dans la conscience balzacienne, d'autre chose qui manque alors à beaucoup. Le saint-simonisme, ne l'oublions jamais, prend le relais d'un libéralisme incapable de rendre compte du monde qu'il a engendré. Il serait absurde, et facile, d'accorder à la rencontre avec Auger trop d'importance anecdotique[1]. Il serait absurde et dangereux de ne pas tenir compte de ce contact, qui renforce d'anciens liens, et prépare à comprendre la suite. D'autant plus qu'intervient ici un autre élément, qui donne toute son importance et toute sa signification à la rencontre.

C'est, en effet, pendant cette période de « cynisme » que se fit la rencontre entre Balzac et l'un des grands mythes balzaciens du dépassement des problèmes individuels. C'est au moment où Balzac déduisait la stratégie obligée de qui veut vivre quand même dans le cadre des usages et institutions de la bourgeoisie, que commença à cristalliser en lui l'image d'un homme qui sortirait du système, non pour s'évader, non pour *vivre* ailleurs, mais pour *faire* autre chose. Le *Code des gens honnêtes*, comme la *Physiologie du Mariage*, donnait des recettes négatives. Un positif était-il pensable? Pouvait-on vivre, et trouver un sens à sa vie, pouvait-on communier, se retrouver avec d'autres hommes, pouvait-on s'enthousiasmer, se sentir être, et à quelle condition? Plus d'une interrogation en suspens dans sa conscience dut trouver des débuts de réponse lorsque Balzac imprima, fin 1827, un roman moralisateur de Mme Guizot, *L'Écolier*. Il put y lire, au milieu de berquinades et de discours édifiants, un chapitre consacré au pasteur Oberlin, qui s'était fait le défricheur des villages alsaciens du Ban de la Roche[2]. Il y avait développé l'agriculture, rebâti les maisons, construit un pont, des chemins, relevé les écoles, trouvé du travail à tout le monde, introduit l'industrie, fixé et augmenté une population jusquelà très malheureuse. Mme Guizot donnait Oberlin en exemple

---

1. Au moins un élément anecdotique demeure de la rencontre, et il revient à Bruce Tolley de l'avoir signalé le premier. Auger était un homosexuel notoire, et sa carrière de journaliste présente des ressemblances avec celle de Lucien de Rubempré. Il était très actif en milieu buchezien. En 1832, il se brouilla bruyamment avec Buchez et quitta *L'Européen*. Il finit, d'ailleurs, par se retrouver seul, à l'écart de tous ses anciens amis (*art. cit.*, p. 62 sq.).

2. Sur la question Oberlin avant Balzac, voir déjà l'article de André Lefebvre, *Dans l'ascendance de Benassis*, C.B., n° 7, puis l'ouvrage de Bernard Guyon, *La Création littéraire chez Balzac*. Nous indiquons ici quelques « sources » supplémentaires, afin de suggérer les dimensions réelles du « mythe ». Cf. également t. II.

à un homme qui rachetait, finalement, les fautes de sa jeunesse par la charité et le dévouement actif aux autres.

Ce faisant, l'habile femme de lettres ne se trompait pas. Elle choisissait un homme alors célèbre, et dont la personnalité devait donner naissance à un mythe assez comparable à celui, aujourd'hui, du docteur Schweitzer. En 1819, Oberlin avait été décoré par Louis XVIII, bien qu'ami de l'abbé Grégoire. De partout on venait visiter son village, comme en témoigne le « reportage », en 1822, de M. de Jouy, qui devait être recueilli en 1826 dans son *Hermite en province* [1] Oberlin était mort en 1826, et, cette année-là avait paru une *Note sur Jean-François Oberlin, pasteur à Walbach, au Ban de la Roche*, par Lutteroth [2], étroitement inspirée du rapport qu'avait fait, pour la Société Royale d'agriculture, en 1818, François de Neufchâteau, lorsqu'on avait pensé décerner au pasteur une médaille d'or [3]. En 1827 enfin, Mahul, auteur, en 1819, du *Curé de village*, dans ses *Annales biographiques*, lui avait consacré une longue notice, suivie d'une impressionnante bibliographie [4]. Dans tous ces textes se retrouve à peu près le même scénario : arrivée au village, paroles recueillies de la bouche des habitants sur l'amour porté au pasteur, visite du presbytère, rencontre avec l'intéressé, visites et promenades dans les chaumières des paysans, exposé de l'œuvre, tant sur le plan agricole qu'industriel et moral. La lecture du *Médecin de campagne*, qui ne sera rédigé qu'en 1832-1833, prouve que Balzac avait, incontestablement, lu autre chose que les chapitres qu'il avait imprimés pour Mme Guizot. Comme beaucoup de ses contemporains, il dut être frappé par cette étonnante aventure de ces cinq hameaux alsaciens, coupés du reste du monde pendant les trois quarts de l'année, sans chemins, où la vie, depuis le XVIIe siècle croupissait dans la misère et le sous-développement; les champs étaient ravinés par l'eau de ruissellement; depuis la guerre de Sept Ans, la population, tombée presque à rien, s'était résignée à sa propre déchéance. Au printemps, lorsqu'il n'y avait plus de seigle, plus de choux, on mangeait des herbes cuites dans du lait; les seigneurs, catholiques, se

---

1. Jouy, *L'Hermite en province*, XI, 1826, p. 277 sq. L'article est daté du 15 août 1822.
2. Chez Servier à Paris, chez Heitz à Strasbourg.
3. *Rapport à la société royale et centrale d'agriculture sur l'agriculture et la civilisation du Ban de la Roche*, Huzar, 1818 (accompagné des pièces justificatives de l'enquête menée sur place).
4. Cette présence d'Oberlin chez Mahul, comme chez, bien sûr, les Hermites, est une sûre preuve de popularité. Il n'est pas non plus sans intérêt de repérer, côte à côte, médecin de campagne et curé de village.

désintéressaient de cette communauté protestante ; les autorités civiles de Strasbourg n'y songeaient pas davantage.
Nommé très jeune dans ce village, Oberlin, esprit ardent et
religieux, avait compris que les consciences ne pourraient
commencer à s'élever un peu, que le jour où la vie serait moins
inhumaine. Il s'était mis au travail, devant lutter, d'abord,
contre les préjugés, l'inertie, le scepticisme des paysans. Il
construisit un pont, le fameux pont de la Charité, puis une
route, pour relier les villages à Strasbourg. Il renouvela les
semences épuisées de pommes de terre, commença l'expor-
tation vers les villes. Il fit creuser des canaux, relever quelques
maisons, rouvrit les écoles, envoya des jeunes gens en apprentissage à l'extérieur, qui devinrent des artisans habiles dans
le village à leur retour ; bientôt, les filateurs d'Alsace, et
même de Bâle, donnèrent du travail aux habitants du Ban-
de-la-Roche ; l'un d'eux y installa une petite filature. De
l'argent liquide commença un peu à circuler ; la population
augmenta. On commença à parler du miracle du Ban-de-la-
Roche. On venait voir les villages, constater les transformations. Oberlin était adoré comme un père. Le grand agronome
François de Neufchâteau avait conclu, en 1818 : « un modèle
de ce qu'on pourrait faire dans toutes les campagnes pour le
bien de l'agriculture et celui de l'humanité [1] », et il avait
déclaré qu'il y avait place, en France, pour 5 000 villages nouveaux, pour 5 000 « colonies intérieures », du type de celle
organisée par Oberlin [2]. Perspectives immenses, et bien faites
pour retenir l'attention d'une époque ayant le goût et le
besoin de l'entreprise, et qui jugeait de plus en plus que
l'entreprise selon le siècle n'était que caricature et fourvoiement d'énergie. L'aventure Oberlin était un magnifique
exemple d'échappée hors de l'étouffant univers du profit.
La vie, au Ban-de-la-Roche, avait refleuri, parce que quelqu'un
s'était occupé des hommes, parce qu'on avait mis un terme
au laisser-faire. Une volonté s'était imposée. Et cette philanthropie n'était nullement entachée de cette auto-satisfaction
bourgeoise qui révoltera Balzac dans la philanthropie de la
Monarchie de Juillet. Elle était simple, et, par là, littéralement, héroïque. « Il n'a fallu que cinquante ans et un seul
homme », écrivait Mme Guizot [3] : cette phrase dut accrocher
Balzac, lorsqu'il revit les épreuves. L'imprimeur pensait.
Un héros de l'utile ! Un roman de l'entreprise ! Le narrateur

---

1. François de Neufchâteau, *Rapport...*, p. 3.
2. *Ibid.*, p. 7.
3. Mme Guizot, *L'Écolier*, III, p. 3.

de Mme Guizot arrivait au Ban-de-la-Roche, entrait dans une chaumière, se faisait raconter par les habitants l'œuvre du pasteur. On lui racontait la construction de la route « *avec l'enthousiasme d'un soldat pour son général* [1]. » On ne tarissait pas sur « notre père Oberlin [2] », qui avait su forcer la main au préfet, faire trancher le problème des vaines pâtures en faveur de la commune, etc. [3]. Le sang battait dans les veines. La vie qui, à Paris, se traînait, se recroquevillait, dans la méfiance et dans la vanité, s'épanouissait, dans ce village, si lointain qu'il en paraissait mythique. On pouvait faire de grandes choses, changer le monde et soi-même, sans aller au loin, avec des pirates, des aventuriers, des héros de l'idéal, ou sans accepter le jeu épuisant des ambitions modernes. L'œuvre des législateurs, des organisateurs, des bâtisseurs, avilie par les bourgeois tels qu'en eux-mêmes ils s'étaient finalement changés, était encore possible. Le Champ d'Asile, auquel Balzac fera si souvent allusion dans *La Comédie humaine*, infâme spéculation qui avait entraîné en Amérique d'infortunés « soldats laboureurs », avait donné la mesure de ce qu'était capable d'entreprendre le libéralisme. Oberlin était le signe d'autre chose. On serait tenté, aujourd'hui, de sourire, et de parler de paternalisme. C'est que la « charité » et la philanthropie ont quelque peu pâti des conquêtes de la justice. Mais, dans le contexte du *Code des gens honnêtes*, alors que nulle porte ne s'ouvrait que la bienfaisance éclairée, on comprend que l'aventure Oberlin ait pu frapper les esprits. Un milieu non touché par les idées « socialistes » charge toujours du maximum de justice dont il est capable des entreprises qui, si elles ne mettent pas en cause les fondements de la société, en condamnent, toujours, certaines pratiques courantes insupportables aux cœurs justes [4]. Dans l'univers immobile du profit, Oberlin relançait l'idée d'entreprise, avec ce qu'elle avait d'exaltant, d'humain, ouvrant d'autres

1. Mme Guizot, *L'Écolier*, p. 12.
2. *Ibid.*, p. 16.
3. On ne trouve pas, chez Mme Guizot, le voyage en compagnie du pasteur, la tournée des chaumières, que Balzac reprendra dans *Le Médecin de campagne*. Mais cet épisode capital se trouve dans les pièces justificatives jointes au rapport de François de Neufchâteau ; il s'agit du récit d'un pasteur qui avait visité le Ban de la Roche en 1817. Signalons qu'on trouve aussi, dans la *Notice* de Lutteroth une affaire de bois volé, dans laquelle Oberlin, tout en désapprouvant vivement le méfait, conseille de ne pas pousser les villageois « à des excès de violence, fruits du désespoir », qui peut bien être à l'origine d'un épisode capital des *Paysans*. Ces deux rapprochements prouvent bien que Balzac a sûrement lu autre chose que le roman de Mme Guizot.
4. Aujourd'hui, Oberlin est demeuré une grande figure dans certains milieux américains. Il existe un Oberlin College dans l'Ohio. Pour le destin du mythe Oberlin, cf. chapitre x.

perspectives que d'enrichissement et de promotion individuelle. Quelle mystérieuse réaction commença dans l'esprit
de Balzac? Nous en sommes réduits à repérer quelques témoignages extérieurs. Mais quelque chose dut se passer, dont on
trouvera bientôt les premières traces.

La mort d'Oberlin, et le renouveau de curiosité pour le
pasteur alsacien furent suivis d'une autre mort, d'autres
commentaires, qui alimentaient des pensées du même ordre.
Le 30 mars 1827, en effet, avait disparu un autre homme qui
avait été l'idole des pauvres et des ouvriers, dans son village,
d'abord, qu'il avait transformé, enrichi, puis dans la France
entière, qu'il avait emplie de son exemple, de ses idées. Le
duc de La Rochefoucauld-Liancourt, l'homme du Conseil
général des manufactures, du Conseil des prisons, des caisses
d'épargne et de l'enseignement mutuel, avait été destitué par
Villèle en 1823, et ses obsèques furent l'occasion de saisissantes
manifestations de piété. Malgré l'interdiction gouvernementale (tout était bon, alors, contre un ministre de plus en plus
exécré), une foule d'étudiants et d'hommes du peuple fit
cortège au cercueil, porté à bras d'hommes. Il y eut des heurts
avec les forces de l'ordre, ce qui fit scandale. Le 1er avril, on
put lire dans *La Malle-poste*, imprimée par Balzac : « La vie
de M. de La Rochefoucauld-Liancourt est un témoignage de
ce que peuvent les vertus bienfaisantes dirigées par les lumières
et fécondées par l'industrie [...]. *Il a fait tout ce qu'une administration malfaisante ne l'a pas empêché de faire.* M. de La
Rochefoucauld a été le Vincent de Paul de notre siècle;
il l'a égalé en vertus; mais le philanthrope a eu sur l'apôtre
l'avantage que devait lui assurer la philosophie et le savoir :
ses travaux ont produit des fruits plus abondants et plus
salutaires. » Il est impossible d'affirmer que l'article soit de
Balzac, encore que, pour *La Malle-poste* comme pour l'*Album
historique et anecdotique*, l'imprimeur dut se faire souvent
rédacteur. Balzac, en tout cas, a connu cet article, comme il a
certainement connu l'important discours que prononça
Charles Dupin devant l'Académie des Sciences : la commune
de Liancourt, en Picardie, de huit cents habitants en 1795,
a passé à mille trois cent quinze en 1825; les entreprises
industrielles, les écoles, ont changé la face de ce territoire
de deux lieues sur quatre; la mendicité a disparu; les ouvriers
sont devenus petits propriétaires; les terrains sont mieux
cultivés; on a introduit les méthodes modernes de culture
alterne et d'assolement, d'irrigation, etc.; mais il y a mieux :
l'expérience de Liancourt est « la preuve irrécusable qu'il est
possible d'allier les progrès de l'industrie au progrès des

bonnes mœurs [1]. » En termes modernes, on peut concevoir
un développement économique sans prolétarisation, démoralisation, déracinement, un développement qui, au contraire,
intègre et promeuve. Pour qui avait le spectacle de Paris,
de son accumulation, déjà, de misérables, de ses cabarets [2],
Liancourt, le réel Liancourt, faisait figure d'utopie critique.
Le bonheur était concevable dans le cadre non plus d'un
retour en arrière fénélonien, mais bien dans le cadre de l'expansion. On sautait hors de la contradiction. Quel exemple, et
quelle suggestion! Une population plus nombreuse, plus
sage, plus prospère, une production plus importante, une
richesse qui s'accroît au profit de tous : autant de choses
impensables, à s'en tenir à l' « industrie » selon les libéraux.
Dupin, le sage, le mathématicien, se met à calculer, à rêver :
« Si la France entière possédait une égale industrie, propor-
tionnée à l'étendue de son territoire, elle emploierait dans ses
ateliers seulement 24 000 000 d'individus qui recevraient
par an douze milliards... »; les gains suivraient, et le produit
industriel total serait de quarante-huit milliards. *Si dans
chaque arrondissement il y avait un homme comme La Rochefoucauld-Liancourt...* Comment contester que ces déploп-
pements ne soient à l'origine de ceux, semblables, du *Médecin de campagne,* cinq ans plus tard? Bennassis rêvera d'une
législation à l'échelon national, d'une influence qui dépas-
serait le cadre étroit de son village, d'une organisation d'ensemble. Le réalisme du romancier maintiendra Bennassis
dans le cercle étroit de sa vallée montagnarde, mais La
Rochefoucauld avait conquis une audience nationale. En ces
temps de ténèbres libérales, il avait dit et montré, concur-
remment avec Saint-Simon, que les progrès de l'économie
ne *devaient* pas fatalement entraîner la paupérisation du
plus grand nombre. Il ne savait pas, certes, non plus
que son panégyriste Charles Dupin, que l'élimination des
causes de la paupérisation devait nécessairement entraîner, pour le moins, une transformation profonde du capitalisme, sinon une révolution. Mais quand même, quelle
ouverture! Aragon, dans *La Semaine sainte,* fera, précisément, de La Rochefoucauld-Liancourt l'une des figures
d'ouverture de l'univers fermé qui est celui de son roman : avec

1. Charles Dupin, *Éloge du duc de La Rochefoucauld-Liancourt,* Institut royal
de France, p. 5.
2. « Dites-moi si l'on peut regarder les 900 000 habitants de Paris comme ayant
tous atteint la perfection de l'état social? » demande Charles Dupin en 1827
(*Tableau comparé de l'instruction populaire avec l'industrie des départements,
d'après l'exposition de 1827,* reproduit dans le premier numéro de la *Revue tri-
mestrielle,* en 1828).

la nuit des arbrisseaux, pendant laquelle Géricault découvre saint-simoniens et babouvistes, avec la peinture, susceptible d'exprimer les richesses et contradictions du réel, l'œuvre de La Rochefoucauld est l'une de ces inclassables réalités qui permettent d'autres réflexions, d'autres passions et d'autres prises de positions que les pseudo-conflits de la politique apparente.

Le plus important, peut-être, avec La Rochefoucauld, est l'aspect *laïque* et *moderne* de l'entreprise. A Liancourt, le curé n'a été que le second d'un homme de technique : Dupin insiste sur ce point. On est donc loin de toute « charité » aux consonances bondieusardes. *La Malle-poste* insiste sur cet aspect du problème, mettant le « philosophe » au-dessus du saint. On peut rappeler également qu'Oberlin était protestant et qu'il disposa toujours de solides sympathies à gauche. Toute « cristallisation » sur ces deux exemples devait donc aller dans un sens bien précis : le bienfaiteur quelque peu révolutionnaire, bousculeur de routines et d'intérêts, ouvreur de routes, utilisateur de techniques nouvelles, réintroducteur dans la vie d'un peu d'humanité par l'action directe sur les conditions de la vie, porté par tout le matérialisme pratique du siècle, découvreur de perspectives neuves dans le sens même de ce matérialisme. Un nouveau type de « despote éclairé » s'imposait sur ce fond d'égoïsme et d'anarchie qu'était le xixe siècle industriel. Un second Faust était en gestation un peu partout, des destins s'accomplissaient, exemplaires, sinon dans le cadre, du moins dans les perspectives d'une économie nouvelle. L'année même où éclatait la première grande crise du capitalisme français, pris à la gorge par son propre développement, l'attention de tous était attirée par ces œuvres-signes.

Il importe, toutefois, que ces grands mythes naissants, mobilisateurs d'émotions et d'enthousiasmes, s'appuient sur une technique, sur un ensemble de mesures, sur ce que Balzac appellera, dans son *Médecin de campagne*, en 1832, un *Traité de civilisation pratique*. Or, ce *Traité* existait, à de multiples exemplaires, et le public cultivé, sous la Restauration, ne pouvait ignorer les recherches de Benoiston de Chateauneuf, de Mathieu de Dombasle, en sa ferme de Roville [1] : l'agronomie, les « améliorations », sont à l'ordre du

_____

1. Cf. *infra* pour ces préoccupations et l'aggravation des soucis que cause, à la fin de la Restauration, l'état de l'économie, et en particulier de l'agriculture française. Nous ferons alors un bilan, correspondant au recul qu'on commence à prendre par rapport à ce nouvel aspect du réel. En 1827-1828, on n'en est encore qu'aux reproches.

jour. Mais, parmi les agronomes, parmi les pionniers, il en
est un troisième, après Oberlin et La Rochefoucauld, que
Balzac avait des raisons de connaître, et qui nous conduit
à bien des choses : de l'imprimerie de la rue des Marais
était sorti, en 1827 la *Politique religieuse et philosophique, ou
constitution morale*, du baron Bigot de Morogues, qui n'est
sans doute pas sans importance pour rendre compte de certaines idées politiques de Balzac [1]. Or, Bigot de Morogues
s'était fait, depuis de nombreuses années, un nom comme
rénovateur d'un canton de Sologne et comme théoricien du
renouveau agricole. Propriétaire du château de la Source
il avait tenté d'arracher à son sous-développement une région
particulièrement déshéritée, victime, aussi, de l'immobilisme moral qu'avait engendré sa misère. Il avait publié, en
1821 un *Essai sur les moyens d'améliorer l'agriculture en
France, particulièrement dans les provinces les moins riches, et
notamment en Sologne*. « Aujourd'hui, expliquait-il, les habitants des pays pauvres vivent en général apathiques, souvent
immoraux et abrutis par la misère, suite de l'ignorance où
ils sont plongés [2] », et il proposait tout un programme, très
précis, œuvre d'un homme de pratique et de métier, mais
homme, aussi, de cœur, ayant réfléchi sur la civilisation,
cherchant à tirer du modernisme de quoi relancer ce qui
s'endormait, ou n'avait même jamais été éveillé : assainis-
sement, drainage, assolements, création d'écoles. repeuple-
ment, abolition de l'usure par la généralisation des crédits,
création d'industries locales, construction de chemins,
recherche de débouchés. « Retenir le numéraire, l'augmen-
ter, même, en accélérant la circulation, faire consommer des
productions presque sans valeur, en élever le prix, enfin,
diminuer l'indigence et bannir les vices qui l'accompagnent
en éloignant l'oisiveté, telles seraient les suites heureuses de
tous les établissements que nous venons de proposer [3]. »

1. Cf. t. II, à propos du *Bal de Sceaux*.
2. Bigot de Morogues, *Essai sur les moyens...* I, p. 1.
3. *Ibid.*, II, p. 302. En ce qui concerne l'industrialisation, Bigot distinguait
entre les « usines », qui devaient être installées dans les villages (distilleries,
moulins à râper la fécule, poteries, fabriques de vinaigre, tanneries, métiers
à tisser) et les « manufactures », relevant des plus grands centres, et qui
donneraient à sous-traiter. Agronome, Bigot, ne se méfie nullement de
l'industrie, dont il fait un vibrant éloge (« C'est un bonheur inappréciable pour un
pays de posséder des manufactures dans un état florissant. *Elles étendent l'empire de
l'Homme*, et sont pour toutes les parties du corps politique, un principe de lutte
et de vie », *ibid.*, II, p. 295), et dont il ne craint nullement qu'elle n'enlève de la
main-d'œuvre à l'agriculture : il se place en effet dans une perspective dynamiste
et expansionniste; le développement augmente la population, et la production
engendre la production. C'est là une tentative très intéressante pour sortir de la
vieille contradiction (avec tous ses prolongements moraux) entre agriculture et
industrie. Dans *Le Médecin de campagne*, on retrouvera exactement la même

En plus de cinq cents pages avait été exposé par le détail un programme de sauvetage matériel et de promotion morale : trop de ressemblances s'imposent avec le futur *Médecin de campagne* pour qu'on ne voie pas là une source possible, au minimum une convergence. Le propriétaire qui ennuie ses hôtes avec ses « améliorations », ses mérinos et ses espaliers, est une figure familière au vaudeville ou de la « chose vue » sous la Restauration (Balzac lui-même y fera allusion, en 1830, dans *De la vie de château* [1],) mais il ne faut pas confondre la caricature et le snobisme avec les efforts réels et leur signification. Avec plus de « poésie », sans doute, car on ne se libère pas en un tournemain d'habitudes et de prestiges qui remontent à l'origine de la mise en valeur de la terre par l'Homme, avec plus de beauté que le capitaine d'industrie, le pionnier d'une agriculture rénovée, entraînant dans son sillage le développement de toutes les autres activités, s'impose comme l'un des héros positifs d'une période en train de s'enfoncer dans une dure expérience de négations, de frustrations, d'échecs. Peut-être aussi faut-il tenir compte de ce que l'industrie est déjà trop marquée par la spéculation, par la loi d'airain du profit, par la dureté de la concurrence, pour pouvoir bénéficier des mêmes prestiges. La mise en valeur agricole demande plus de désintéressement, ne suppose que des profits à long terme : l'élément « moral » y joue un rôle plus grand, et, enfin, l'immense majorité du peuple français est encore composée de paysans, les ouvriers des manufactures n'étant que des transportés, des déclassés, de misérables victimes, qui ne forment pas encore une nouvelle positivité, une force valable en soi. Une figure donc se précise aux alentours de 1828, et il se trouve que Balzac est le premier à lui avoir donné un commencement d'*existence*. Elle correspond en lui tant à des rencontres fortuites, à des lectures, encore moins à de la « documentation », qu'à un profond besoin. Elle répond aux grimaçantes ou douloureuses figures du *Code* et de la *Physiologie*.

C'est cette année-là, en effet, qu'il dut composer un roman intitulé *Une blonde*, qui racontait, au travers d'innombrables péripéties, l'histoire d'une jeune fille chassée de chez elle par son père, Frédéric Maranval. Celui-ci, torturé par le souvenir

---

manière de résoudre le problème et de faire avancer les choses. Ajoutons que certains titres de chapitres de l'*Essai* conduisent droit au roman de 1832, (par exemple, *Chemins, débouchés et foires, Manufactures et usines*). Bigot, enfin attache beaucoup d'importance au drainage, problème que Balzac reprendra, avec les transpositions nécessaires, dans *Le Médecin de campagne* et *Le Curé de village*.

1. *La Mode*, 26 juin 1830, O. D. II, p. 58.

de sa propre dureté, désespérant de retrouver son enfant, allait s'installer dans un village perdu des Pyrénées, s'en faisait le bienfaiteur, payait les impôts des habitants, réparait leurs maisons, et mourait entouré de l'amour de tous. Il avait, auparavant, retrouvé sa fille [1].

Une blonde est une œuvre souvent exécrable, et l'on serait tenté de croire que Balzac n'y a pas travaillé seul. Certaines platitudes d'intrigue et de style ne se trouvent dans aucun de ses romans de jeunesse. Les tiroirs, les péripéties, les lettres qu'on se communique pour expliquer le passé, les identités perdues, les reconnaissances, l'absence de tout héros vraiment intéressant : on se croirait chez Lepoitevin. De plus, le dénouement a tous les défauts du « happy end » traditionnel. Visiblement, le schéma romanesque a été le plus fort. Les remarques même sur la Révolution [2] ne sont guère originales. Balzac serait-il devenu sot? Plus probablement, ce que nous lisons n'est peut-être qu'une ébauche, qu'un travail rapide sur un canevas donné, peut-être « amélioré » par Raisson en dernière minute. Mais, quoi qu'il en soit, il faut retenir deux choses. D'une part, Balzac a été suffisamment frappé par l'aventure Oberlin, renforcée par l'exemple de La Rochefoucauld, pour que la figure de *l'organisateur* rural s'impose à lui comme figure de *solution* de certains problèmes. D'autre part, cette figure ne lui apparaît pas encore comme suffisamment *digne* pour être placée au centre d'une composi-

1. *Une blonde* ne parut qu'en 1833, sous la signature d'Horace Raisson, mais précédé d'une *Notice* qui en attribuait la paternité à Balzac d'une manière transparente. De nombreuses comparaisons internes permettent de repérer des correspondances entre *Une blonde* et *Le Dernier Chouan, Adieu, Le Contrat de mariage*, etc. : « reconnaissance » de l'héroïne, au passé scandaleux, au cours d'une soirée mondaine ; « montage » d'une scène destinée à faire revenir de sa prostration une malheureuse créature choquée par une catastrophe (ceci se trouve déjà dans *La Dernière Fée*); usurier juif du nom de Elie *Cadus* (ce qui est presque Elie *Magus*). Le roman s'ouvre, de plus, sur une description de la chaussée de la Loire, à la sortie de Tours, face à La Roche-Corbon, comme dans *L'Excommunié*, et sur un sauvetage, comme dans *Sténie* et *Wann-Chlore*. Balzac n'a pu composer *Une blonde* en 1831-1832, et sa collaboration avec Raisson remonte à bien avant 1830. Raisson dut garder, pour des raisons qui échappent, un manuscrit qui lui fut remis avant le retour officiel à la littérature. Le rapprochement avec la mort d'Oberlin et celle de La Rochefoucault invite à le dater de 1828. Cf. notre article *Les adieux du bachelier Horace de Saint-Aubin*, A. B., 1963, et, dans ce même numéro, l'article de Bruce Tolley, *Les œuvres diverses de Balzac*, où nous nous rencontrons dans nos conclusions.

2. « Comme tous les hommes probes et éclairés, mon père en épousa avec ardeur les généreux principes, bien éloigné de prévoir à quels excès on se porterait, en abusant du saint nom de la liberté pour organiser une tyrannie sanguinaire » (*Une blonde*, p. 171), et : « La révolution venait d'éclater, cependant. Quel était le noble enthousiasme qui s'était emparé de la France et de l'Europe entière à l'aspect de ce grand progrès, opéré sans secousse, sans efforts ! Qui pouvait prévoir les maux qui en résulteraient bientôt? « (*Ibid.*, p. 301). Ce sont là, alors, des lieux communs du libéralisme intelligent.

tion. Ce qui deviendra le thème majeur du *Médecin de campagne*, n'est encore qu'élément secondaire. Mais il ne faut pas négliger l'un des termes au profit de l'autre. Car l'histoire de Maranval dans les Pyrénées ne s'imposait pas. Il pouvait retrouver sa fille sans, d'abord, trouver une sorte de paix dans son action en faveur des villageois. Balzac a tenu à insérer ces quelques pages avant de dénouer son histoire. Pourquoi? Les malheurs d'une « vie privée », même décrits selon les poncifs du roman traditionnel, conduisant à une retraite où l'on trouve enfin à s'employer : c'est une situation de liquidation du romantisme et du romanesque, et dans une perspective qui ne doit rien à la charité chrétienne, au sens courant du terme, mais uniquement dans une perspective humaine. Maranval se contente, il est vrai, de « faire le bien »; il n'entreprend pas de bouleverser les conditions de vie dans son village. Mais il fallait oser, il fallait commencer, et cette affabulation de 1828, montre que Balzac s'oriente de plus en plus nettement vers des solutions actives. Est-il seul? Certes non. Les saint-simoniens du *Producteur* voyaient dans le développement des entreprises et de l'industrie *la* solution à l'absurde et à l'incomplet moderne, et, à peu près exactement à l'époque où Balzac écrit *Une blonde*, Stendhal, dans *Armance*, montre le polytechnicien qui s'ennuie, Octave de Malivert, s'intéresser vivement à l'œuvre de La Rochefoucauld-Liancourt [1], et surtout se demander s'il va « marcher au secours de la Grèce, et aller se faire tuer à côté de Fabvier », ou « *faire obscurément des expériences d'agriculture au fond d'un département* [2] ». *Childe Harold* et *Les Orientales*, d'un côté, *Le Médecin de campagne* de l'autre, : c'est bien la plaque tournante du romantisme [3].

1. Stendhal, *Œuvres*, I, p. 102.
2. *Ibid.*, p. 115. Ces deux solutions apparaissent également insipides à Octave, qui se trouve dans la situation mal du siècle-type : Que faire? Il n'empêche qu'il les envisage bien comme des solutions.
3. On vient de suivre Balzac pas à pas, des premiers romans à la veille du *Dernier Chouan*. La *Physiologie* tient encore à la première période de son expérience et de son œuvre. *Une blonde*, et ce qui y touche, marque la transition vers l'avant. L'intérêt porté à Oberlin, à La Rochefoucauld, aux problèmes de l'organisation, du développement, et de l'économie en général, correspond à des faits nouveaux qui se produisent dans la société moderne, à des articles, livres et brochures très nombreux qui, entre 1827 et 1830, sont comme l'examen de conscience d'une société jusque-là satisfaite et prospère. Pour des raisons de clarté, et parce qu'il s'agit là de tout autre chose que ce que Balzac avait vu ou vécu de 1815 à 1827-28, nous réservons l'exposé pour l'ouverture du chapitre consacré à 1830. Tout classement comporte des servitudes, mais il faut bien voir qu'un écrivain continue toujours un peu à penser et à écrire sur une lancée, et qu'on peut ainsi quelque peu décaler la présentation des nouveautés historiques, sociales, politiques, vers l'avant, par rapport aux œuvres. Celles, toutefois, qu'inspire ce qui est en train de passer n'en retiennent pas moins, souvent, des éléments du nouveau qui émerge (soit les faits, soit les problèmes, soit le voca-

La genèse du *Dernier Chouan* est de la plus grande importance pour comprendre comment Balzac a pu passer d'une inspiration encore relativement personnelle à quelque chose de plus objectif et de plus « pensé ». Roman *historique*, *Le Dernier Chouan* raconte et décrit, mais aussi pose les problèmes de manière neuve. Ce n'est plus un roman du *moi*, comme *La Dernière Fée*, comme *Annette*, comme *Wann-Chlore*, et c'est bien plus qu'un *Traité*, comme le *Code des gens honnêtes* ou la *Physiologie du mariage*. La vie y est saisie d'une manière plus large que dans les premiers romans, et moins abstraite que dans les *Traités*. « Magnifique poème », dira plus tard Balzac : pas seulement parce qu'il en fera, alors, un hymne à Mme Hanska, le rendant, par là presque méconnaissable [1] : parce que beaucoup plus s'y exprime que dans tout ce qui le précède. *Le Dernier Chouan* est l'œuvre d'un jeune homme d'idées « progressives », marqué par ses fréquentations saint-simoniennes; celle, aussi, d'un amant du romanesque; celle, enfin, d'un écrivain mûri qui a découvert l'épaisseur de la réalité. Dernière des œuvres de jeunesse, parue dans le même format que celles de R'Hoone et de Saint-Aubin, mais chez le même éditeur que celui, déjà, de *La Peau de chagrin* [2], première de Balzac à être signée, première à devoir entrer dans *La Comédie humaine*, soigneusement travaillée, mais sans « remplissage », sans « rechutes », achevée, conduite à terme « naturellement », bruissant de la présence authentique des êtres et des choses, c'est l'œuvre d'une maîtrise enfin obtenue. Balzac courait après lui-même depuis dix ans. Faute de se réaliser dans le siècle et selon ses promesses, faute de pouvoir être *totalement*, sans arrière-pensée, homme de son siècle, la littérature lui avait offert un moyen de s'exprimer, de s'employer, de gagner, peut-être, sa vie. Le succès du *Dernier Chouan* fut maigre, mais peu importe. La signature prouvait que Balzac assumait enfin son œuvre. Il émergeait. Quelques lignes resteraient de del Ryès [3].

bulaire). *Le Dernier Chouan*, par exemple, va être, à la fois, le dernier des romans de jeunesse et le premier roman de *La Comédie humaine*. Interférences et décalages, non seulement, sont de nécessité matérielle, mais encore expriment un peu la réalité des échanges œuvre-réalité.

1. En 1834 (édition Vimont), Balzac a donné à Marie de Verneuil plus d'un trait de Mme Hanska, et à l'idylle bretonne plus d'un trait de celle de Neuchâtel. Mais, faisant de Marie une héroïne plus sentimentale, il l'a mise souvent en contradiction avec son personnage d'aventurière, qui fait sa beauté en 1829.

2. Canel, rappelons-le, avait édité *Wann-Chlore*, avec Delongchamps, en 1825. Il éditera *La Peau de chagrin*, avec Gosselin, en 1831. Balzac, entre-temps, avait travaillé pour lui comme imprimeur.

3. Bien qu'intégrés à *La Comédie humaine*, *Les Chouans* sont d'une inspiration toute différente, et ne se rattachent au grand ensemble que de manière assez

L'idée d'écrire *Le Dernier Chouan* est inséparable de la
promotion du roman historique, elle-même inséparable de la
promotion du roman tout court. Mercier avait salué dans le
roman le genre de l'avenir. Le romantisme, avant ou après la
révolution, y avait trouvé un instrument de choix pour exprimer la dissonance individu-société. Sous sa forme voltairienne, il avait tourné court. Balzac avait d'abord publié
des anti-romans, par réaction contre le roman romantique
de droite. Puis, il s'était servi du roman pour exprimer, lui
aussi, à son tour, certaines difficultés. Joseph, Tullius, Abel,
Landon, marquaient une avancée très nette par rapport à
Jean-Louis. Ils renouaient avec del Ryès. *Annette*, toutefois
bien que disant encore, et même plus fort, l'inquiétude et la
révolte, se signalait par une peinture plus large des milieux,
par un centrage moins individualiste. Fin 1823, début 1824,
Balzac avait fait un pas décisif : il avait commencé à rêver
d'une série de romans sur les grandes époques de l'histoire
de France. Les notes prises pour *L'Excommunié*, pour *Le
Capitaine de Boutefeux*, pour un ouvrage sur Catherine de
Médicis [1], prouvent que, de l'expression du moi, il comptait
passer à l'évocation objective du passé. Ce fut alors l'abandon
de la littérature, l'imprimerie. Balzac continua à lire, à se
documenter. En 1828, il apparaît certain qu'il a repris ses
dossiers vieux de quatre ans, qu'il s'est lancé dans la rédaction de nouvelles ébauches [2]. Il y a donc, chez lui, de 1824 à
1828, permanence d'une préoccupation portant sur le roman
historique. Pourquoi? Et quelle en est la signification?

Il faut, une fois de plus, écarter l'éternelle explication par la
mode et les influences. Le succès de Walter Scott a pu inspirer
des désirs d'imitation aux « scribouilleurs [3] », mais le roman
historique était un mode d'appréhension et d'expression du
réel, une forme littéraire ayant sa « philosophie », et qui cor-

artificielle, par des reparutions de personnages, arrangées, pour la plupart, dans
l'édition Furne de 1846. Ils ne s'intègrent guère mieux à ces étiques *Scènes de la
vie militaire*, que Balzac projeta longtemps, et n'écrivit jamais. Roman pré-balza-
cien donc, si l'on tient compte du point d'arrivée. Par ailleurs, il faut dire que *Le
Dernier Chouan* est étranger aux grandes intuitions qui charpenteront *La Comédie humaine*. C'est que, ces grandes intuitions, présentes dans plus d'une
œuvre de jeunesse, de 1821 à 1826, Balzac les écarte, pour la majeure partie, de
son roman breton. Il pratique encore la « séparation des genres ». La fusion viendra
quelques années plus tard.

1. *Lov.* A 158 et A 159. Contrairement à ce qui est généralement admis, *Le
Capitaine de Boutefeux* semble bien avoir été commencé en 1824, et repris en
1828.

2. *La Fille de la reine* (H. H., p. 667 sq.), *Le Roi des merciers*, publié par
Madeleine Fargeaud, A B., 1960. La date de cette dernière ébauche est
attestée par le manuscrit (*Lov.* A. 209) : un folio écrit sur un bordereau de la
fonderie Laurent et Balzac.

3. *Maurice Bardèche*, H. H., XV, p. 260.

respondait à un type de réalité et à des besoins réels de la conscience européenne au début du XIXᵉ siècle. Il deviendra, vers 1830, ce que Balzac appellera « bricabracomanie », procédé, chez des hommes qui *fabriqueront*, parce qu'ils auront cessé de *penser*. La crise post-révolutionnaire avait fait naître une Histoire nouvelle, qui relevait d'autre chose que du pittoresque : du besoin de comprendre et de *retrouver* un sens aux choses. Tous les témoignages concordent : ce que les lecteurs intelligents ont aimé dans les romans de Scott, c'est, bien entendu, le décor, le réalisme, mais c'est surtout la reconstitution d'une société *dans ses problèmes*. Le *folklore* scottien était orienté par une *explication*, ce qui mettait bien loin du roman historique à la mode de *La Princesse de Clèves* [1]. De l'Histoire-prétexte, on passait à l'Histoire-sujet. Il fallait bien qu'elle fût devenue sujet majeur de préoccupation. Le roman historique est inséparable de l'interrogation romantique sur le sens de la vie.

En mai 1820, Augustin Thierry avait consacré à *Ivanhoé* un article retentissant dans *Le Censeur européen*. L'histoire traditionnelle avait été incapable de voir, n'avait pas voulu voir, dans l'histoire de l'Angleterre, le grand phénomène de la lutte entre conquérants et conquis. Elle avait tout ramené à de plates affaires de rivalités personnelles ou dynastiques. Or, s'écriait Augustin Thierry, « un homme de génie, Walter Scott, vient de présenter une vue réelle de ces événements si défigurés par la phraséologie moderne; et, chose singulière, mais qui ne surprendra point ceux qui ont lu ses précédents ouvrages, *c'est dans un roman* qu'il a entrepris d'éclairer ce grand point d'histoire [2] ». D'un coup, se trouvaient déclassés tous les travaux des historiens portant enseigne. En Cédric, fier, mais finalement vaincu, Scott avait incarné tout le destin d'une classe [3]; il y avait « plus d'histoire dans ses romans sur l'Écosse et l'Angleterre, que dans les compilations philosophiques fausses qui sont encore en possession

---

1. On a vu comment, dès *L'Héritière de Birague*, et malgré le caractère burlesque de ce roman, Balzac avait éprouvé la tentation d'y introduire certaines considérations de « philosophie de l'histoire ».

2. Recueilli dans *Dix ans d'études historiques*, p. 173.

3. Thierry n'emploie guère l'expression « classe », dangereuse pour la conscience bourgeoise, et qui risquait d'entraîner la « reconnaissance » d'une autre « classe », « après » la Bourgeoisie. Mais, pour nous, le mécanisme dont il a plus qu'amorcé l'analyse, est bien un mécanisme de classe. Simplement, Thierry s'est arrêté en route, risquant de retomber dans le folklore par refus d'une explication totalement scientifique. D'où le caractère ambigu du mouvement néo-historique romantique. L'idée de rapports de masse se fait jour, mais se fait jour seulement.

de ce grand nom [1] ». Engels dira exactement la même chose
de *La Comédie humaine* : « J'ai plus appris dans Balzac que
dans tous les livres des historiens, économistes, et statis-
ticiens professionnels de l'époque pris ensemble [2]. » Par l'intermédiaire de personnages significatifs, le roman montre à
l'œuvre les dynamismes fondamentaux que négligent ou
récusent les bénéficiaires des situations de force. Les serfs
de Cédric, avec leurs colliers de chanvre, aiment et soutiennent Cédric *contre* les Normands, et leur relative *liberté*
passe par lui, comme celle des paysans, chez Balzac, *passera*
par le clan Rigou-Gaubertin contre les féodaux des Aigues [3].
Satisfaction pour l'esprit : les choses s'expliquent. Il y a
une conquête là-dessous : Scott le prouvait en action, au niveau
des aventures individuelles. Le roman, grâce à lui, engrenait
sur le réel d'une manière nouvelle.

Thierry devait revenir sur cette question quatre ans plus
tard, et dans des termes encore plus forts : « Walter Scott, simple
romancier, a porté sur l'histoire de son pays, un coup d'œil
ferme et plus pénétrant que celui des historiens eux-mêmes.
Il a curieusement étudié, à chaque période, la composition
essentielle de la nation écossaise, et c'est ainsi qu'il est parvenu à donner aux scènes historiques où figurent ses personnages, quelquefois imaginaires, *le plus haut degré de réalité.*
Jamais il ne présente le tableau d'une révolution politique
ou religieuse sans le rattacher à ce qui la rendait inévitable,
à ce qui doit, après elle, en produire d'analogues, au mode
d'existence du peuple, à sa division en races distinctes, en
classes rivales et en factions ennemies [4] », et, en cette même
année, Barante, présentant son grand ouvrage, écrivait :
« le roman, *ce genre autrefois frivole*, a été de même absorbé
par l'intérêt historique, qui lui a insufflé une éloquence
nouvelle. On lui a demandé non plus de raconter les aventures
des individus, mais de les montrer comme témoignages vrais
et animés d'un pays, d'une époque, d'une opinion. On a voulu
qu'il nous servît à connaître *la vie privée d'un peuple ;* ne forme-
t-elle pas toujours les mémoires secrets de sa vie publique [5] ? »
Il y avait de quoi laisser les *Werther* et passer à autre chose.

---

1. *Dix ans d'études historiques*, p. 180.
2. Engels, lettre à Miss Harkness, avril 1888.
3. Cf. Pierre Barbéris. *Note sur une édition récente des Paysans*, R. H. L. F.,
oct.-déc. 1965.
4. Augustin Thierry, *Sur l'histoire d'Écosse et sur le caractère national des
Écossais* (*Dix ans d'études historiques*, p. 188). On voit le mot *classe* faire son
apparition, mais *sur le même plan* que *race* et *faction*, non les commandant.
5. Barante, *Histoire des ducs de Bourgogne*, I, p. xxi (préface). On a vu plus
haut la signification qu'assignait Barante au goût moderne pour l'Histoire et la
problématique historique.

En 1826, Bazard, dans *Le Producteur*, écrivait à son tour, à propos de la crise de l'Histoire traditionnelle, et des romans de Walter Scott : « cet auteur, en associant les passions individuelles aux passions sociales, en les localisant, en leur imprimant fortement la teinte des circonstances physiques, des événements politiques et des *mœurs au milieu desquelles* il les faisait agir, avait su leur donner un nouvel aspect, une nouvelle vie [...]. Le romancier Walter Scott doit être considéré comme le fondateur et le chef de la fraction la plus considérable et la seule correcte de l'école historique moderne [1] ».

En 1828, enfin, tout près du *Dernier Chouan*, *Le Progresseur* écrivait : « Les romans n'arrivent à ce but [*N.B.* cesser d'être un genre frivole et ne visant qu'au divertissement, à ces soirées à la campagne, dont parlait Mercier et qu'illustrèrent les nombreuses réimpressions de la *Bibliothèque d'une maison de campagne*] qu'en se faisant les interprètes des doctrines généreuses, ou en donnant à l'histoire un moyen d'être mieux comprise ou plus facilement retenue. » Walter Scott avait donné l'exemple. Pouvait-on revenir en arrière? « C'est à l'inspiration des nouvelles idées qu'il faut que les romanciers se retrempent, s'ils veulent que leurs travaux méritent d'exercer quelque influence sur l'avenir de la société [2] ». Un élément nouveau s'ajoutait, on le voit : l'histoire « scottisée », devait se faire, en plus, militante. Il fallait *expliquer*, en vue de *prendre parti*.

C'est dans ce contexte qu'il faut comprendre l'ambition de Balzac d'écrire « *des* ouvrages historiques », de peindre « les mœurs nationales », comme il le dit à Pommereul dans sa lettre du 1er septembre 1828 [3], et surtout la gigantesque ambition dont il fera état dans un *Avertissement* qu'il ne publiera pas : « mettre l'histoire de son pays entre les mains de tout le monde, [...] la rendre populaire par l'intérêt de la composition, [...] inspirer le goût des études historiques par l'attrait de livres qui satisferont, avant tout, au besoin qu'a créé la civilisation actuelle de nourrir l'esprit comme on nourrit le corps [...], présenter des tableaux de mœurs où l'histoire nationale soit peinte dans l'histoire ignorée de nos mœurs et de nos usages [etc]. » « Dessiner tous les immenses détails de la vie des siècles », « configurer les rois par les peuples, les peuples par certaines figures plus fortement

1. Bazard, *Considérations sur l'histoire*, *Le Producteur*, 1826, p. 393.
2. *Le Progresseur, recueil de philosophie, politique, sciences, littérature, et beaux-arts, commerce, industrie*, 1828, I, p. 167 (compte rendu très sévère du roman de Mme Hortense Allart de Thérasse, *Gertrude*, dans le goût de ceux de Mme Cottin).
3. *Corr.*, I, p. 336.

empreintes de leur esprit », faire que l'histoire cesse d'être
« un charnier, une gazette, un état civil de la nation, un
squelette chronologique [1] » : mirage de l'imagination, pichro-
colisme, ou benassisme avant la lettre? Peu importe que
Balzac ait « fabulé » à partir de quelques projets. Ce qui
compte, c'est *l'idée*, l'idée qu'il se fait de l'histoire et de sa
mise en œuvre romanesque. Il ne s'agit nullement, comme dans
la perspective « troubadour », de retrouver, en sautant par-
dessus la Révolution Française, une époque poétique et bénie.
Il s'agit de retrouver la logique du passé, qui conduit jusqu'à
nous. Cette première *Comédie humaine*, cette première
Physiologie de la vie sociale, devait rendre compte à « toutes
les intelligences » des « contrecoups que ressentaient les
populations entières des discordes royales, des débats sur
la féodalité, ou des vengeances populaires », « offrir le résultat
d'institutions de lois érigées au profit d'intérêts particuliers,
de besoins éphémères, ou des systèmes royal et féodal aux
prises ». Elle devait être écrite, de plus, sous un patronage
non équivoque : moins majestueuse, moins ennuyeuse que
« la Clio classique », elle aurait droit « à l'estime publique tout
autant que [l'œuvre] de ces courageux jeunes gens, qui s'en
vont, à travers mille écueils, étudier l'esprit des époques les
plus sombres de notre histoire, essayant de retrouver la vérité
cachée par le sacerdoce, mutilée par l'aristocratie, *frayant
ainsi la route à ceux qui, avec une imagination plus hardie
viennent sculpter et décorer le monument dont ils ont posé les
premières pierres* [2] ». Thierry, Guizot, Mignet, Thiers :
« patrons » d'une histoire « ouverte », qui n'avait aucune raison de s'effrayer de l'avenir. Tout avait un sens, et tout avait
travaillé pour aujourd'hui. Les saint-simoniens pensent alors
de même. Les romans historiques auxquels songe alors Balzac
ne seront pas des dénonciations, l'expression de nostalgies,
mais bien des actes philosophiques. Martignac vient de
remplacer Villèle, et c'est une victoire pour la liberté. Les
ultras restent menaçants, et il faut veiller. La critique de
l'immédiat, l'analyse de l'immédiat, s'impose moins que la
compréhension de ce dont il résulte. Cet immédiat de la vie
privée, de la vie politique, parisienne, de province, etc.,
Balzac en a déjà en lui plus qu'amorcé l'inventaire et la
compréhension. Mais il s'agit là de quelque chose mis provi-

---

1. *Avertissement*, éd. Regard des *Chouans*, p. 423. Demeuré manuscrit, cet
Avertissement a été publié par Pierre Abraham, en 1931, dans *Créatures chez
Balzac*.
2. *Avertissement*, p. 424.

soirement entre parenthèses. Nous sommes en avant, par rapport à ceux que nous avons dépassés autrement que par la chronologie. Le *nous* mis en question, ce sera *La Comédie humaine* et tout ce qui y conduira.

Balzac était parti, cependant, d'ambitions beaucoup plus humbles, et c'est à partir d'un mince schéma dramatique qu'il en est venu à écrire un roman de la « civilisation ». En mai 1828, en effet, on le voit jeter sur le papier l'ébauche d'une pièce de théâtre, *Tableau d'une vie privée* [1] : une jeune fille pauvre et romanesque s'ennuie à Alençon, auprès de sa mère, solitaire, et dont on apprendra qu'elle a été, jadis, abandonnée. Elle rêve la grande vie, voudrait « être ce nuage qui passe »; il lui arrive de se lancer à corps perdu, « dans le tourbillon de ses désirs » : « J'ai soif du monde, il m'appelle, me réclame. Ce que je connais n'a point de charme pour moi ». On voit aisément d'où viennent ces thèmes. Dans ce Rastignac, ou ce Rubempré féminin, que de choses exprimées! « Les applaudissements d'une foule, les regards concentrés sur moi, le roulement des voitures, la musique des fêtes!... ». Mᵐᵉ Camusot, elle aussi, à Alençon, s'ennuiera, mais pour d'autres motifs, et sur un autre ton [2]. La « femme supérieure » exilée est un thème pour après, *supérieur* renvoyant à une supériorité à conquérir dans le cadre des supériorités bourgeoises. Pour l'instant, Balzac tire des exils qu'il a pu connaître, ce qui est de la même résonance que l'exil de del Ryès : social, poétique et partout retrouvé.

Nathalie veut donc sortir de prison. L'occasion lui en est bientôt offerte. Dans une seconde scène, en effet, qui se passe onze ans plus tard, Balzac nous montre le ministre de la police rendant visite à Nathalie dans son grenier. Elle accueille fièrement sa pitié, lui rappelle que, l'année précédente, il

---

1. Publié dans A. B. 1962 par Madeleine Fargeaud. Il existe deux versions du *Tableau*, l'une, plus complète, avait été publiée par Milatschich dans son *Théâtre inédit de Balzac*. Mais l'autre, publiée par Mˡˡᵉ Fargeaud, contient les indices révélateurs de la filiation avec *Le Dernier Chouan*. Le plus important est celui qui porte la paternité naturelle du duc d'Aumale, qui avait abandonné la mère de Nathalie. Or, dans le manuscrit du *Dernier Chouan*, Mˡˡᵉ de Verneuil devait d'abord s'appeler Mˡˡᵉ d'Aumale... Balzac, de plus, se souvient ici, évidemment, des *Espagnols au Danemark*, de Mérimée (la belle espionne tombant amoureuse de celui qu'elle doit perdre), parus en 1825. Leur succès est attesté par la représentation, le 1ᵉʳ juin 1829, au Vaudeville, de la pièce de Dartois et Dupathy, *L'Espionne, épisode de 1808, remake* de la pièce de Clara Gazul (compte rendu dans *Le Trilby* du 2 juin).

2. Mᵐᵉ Camusot doit beaucoup, sans doute, à Laure Surville et à son exil à Bayeux (cf. A.-M. Meininger, *Eugène Surville, modèle reparaissant de La Comédie humaine*, A. B.. 1963), elle aussi rêvant de faire nommer à Paris un mari peu reluisant. Il est significatif que le personnage de la « femme supérieure » soit ainsi mis en réserve.

l'avait éconduite. Mais un Fouché attend un peu qu'on ait besoin de lui, lorsqu'on vient lui demander secours. Et voici la proposition : « Avez-vous entendu parler de la guerre de Vendée? ». Le cœur royaliste de Nathalie bondit : « Oui, on y meurt encore, comme on mourait ici naguère, mais les victimes y sont plus pures, et les débats plus nobles », et elle rembarre durement le ministre, qui se lamente de ne pouvoir extirper la rébellion des départements de l'Ouest. Mais Nathalie finira par « y aller ».

Il est bien évident que l'on est ici en présence de la cellule-mère du *Dernier Chouan* [1] : une jeune fille pauvre qui accepte, pour de l'argent, d'aller servir la police en Bretagne. Balzac est parti d'une donnée psychologique et d'une intrigue policière. Avait-il l'intention de greffer sur ce tableau de la vie privée une fresque d'histoire? Que se serait-il passé entre la première et la seconde scène? Le ministre tutoie Nathalie comme s'il la connaissait, et, dans la liste des personnages figurait Danton... Aurions-nous assisté à un double développement : l'histoire de deux femmes, et celle du tribun d'Arcis et de Fouché? Il y avait, en tout cas, matière à un drame serré, riche en effets. Manquait seulement... la Bretagne, qui n'est encore représentée, dans la liste des personnages, que par le paysan Pinau, utilité de théâtre. *En mai 1828, Balzac ne songe encore qu'à une littérature de héros, d'intrigue et de situation, non à une littérature de problèmes.* On est encore dans le domaine des romans de Saint-Aubin. Les réminiscences littéraires sont innombrables, et, symbole, mais non réalisme, « poésie », mais non vision, le destin de Nathalie semble s'inscrire dans un geste prophétique : une enfant jouant avec un jeton brillant. Littérature [2]! Balzac cherchait un second souffle, mais il y arrivait mal, et le *Tableau* serait peut-être demeuré à l'état d'ébauche sans lendemain, comme tant d'autres pièces de théâtre, si Balzac n'avait décidé de passer du théâtre au roman. Il avait, en ce domaine, une expérience certaine. Par contre, en dépit de nombreux essais, il n'avait jamais réussi au théâtre. Choix, donc, encore tout formel, plus dicté par la nécessité que par le sujet. Qu'est-ce, d'ailleurs, qui n'était pas formel, dans ce *Tableau?* Le ministre de la

1. Une preuve, outre le nom de l'héroïne : « Ma mère, lit-on dans le manuscrit, expia sa faute par quinze années de larmes et de misère. *Elle mourut à Alençon* » (*Les Chouans*, éd. Regard, p. 524).
2. Exemple d'inspiration livresque du *Tableau* : toute la discussion entre mère et fille sur le thème « Bien belle... Bien bonne, ma fille, voilà ce qu'il faut être », vient droit de la scène entre Suzanne et Marceline dans *Le Mariage de Figaro*. Homme de théâtre, Balzac fonctionne en habitué du répertoire, ou des boulevards, selon le cas.

police, qui devrait être informé, parle d'abord des guerres de la *Vendée*, puis des haies de la *Bretagne!* Pour un Parisien, toutes les révoltes de l'Ouest se valent, lorsqu'il s'agit de faire « du drame ». Mais Balzac opta pour le roman. Conséquences, peut-être, incalculables. Il fallait à un roman un décor, un peu de calme, aussi. Pommereul, fils du vieil ami de Bernard-François, habitait Fougères. Quelque chose d'important allait se passer.

Balzac écrit au vieil ami. Le désastre de son imprimerie, qu'il attribue aux « événements financiers qui troublent la place de Paris [1] », l'obligent à reprendre la plume, pour vivre, et pour rembourser sa mère. On est loin de l'installation rue Lesdiguières. Mais, on lui a présenté, par hasard, un fait historique fournissant la matière d'un ouvrage facile à exécuter [2]. Il ne s'agit donc toujours pas de littérature « libre ». Balzac a besoin d'argent, et il tient un sujet dont on peut tirer quelque chose. Il est plus que probable qu'il avait connu Mérimée chez Delécluze, ou chez Sautelet. Émulation ! Deux semaines plus tard, nouvelle lettre à Pommereul : *des* ouvrages historiques sont en train, c'est-à-dire, en même temps que *Le Gars*, qui deviendra *Le Dernier Chouan*, ce *Capitaine de Boutefeux*, frère de *L'Excommunié*, de 1824, et qui sera annoncé dans l'*Avertissement* comme une autre œuvre à paraître incessamment de l'auteur fictif, Victor Morillon. Mais il ne s'agit encore que d'excitation « professionnelle » de l'imagination, loin de tout. Balzac était-il si las de Paris, où le cousin Sédillot s'appliquait à liquider au mieux ? Ou pensait-il que, si un drame pouvait se satisfaire de chambres, de greniers, de salles d'auberge, de chaumières de carton, avec le paysan Pinau, peut-être, pour apporter un peu de couleur locale, un roman avait besoin de fenêtres ouvertes sur la nature ? Il fallait ces fameuses « descriptions » chères à Scott. C'est là que Balzac bifurque. Il ne lui faut plus seulement des personnages et des situations, mais, comme il l'écrit à Pommereul, des « localités ». D'où, le départ pour Fougères. Détour, en apparence, à cette époque où Hugo, et d'autres, se moquent bien d'aller sur le terrain ! Mais on retrouve, aujourd'hui, les sentiers, les chaumières, tout ce

---

1. *Corr.*, I, p. 336. Birotteau, lui aussi, sera victime de la mauvaise organisation du crédit sur la place de Paris.
2. La source première des *Chouans* (historique ou littéraire) demeure aujourd'hui encore mystérieuse. On sait que de nombreux ouvrages sur les révoltes de l'Ouest parurent sous la Restauration. Malgré la différence des sujets, signalons, par exemple, à cause du titre, ce roman en 1819, *Les Amants vendéens*, par Gosse. Balzac choisissait un sujet « dans le courant ».

qu'a vu Balzac en 1828, et qui a passé dans son roman [1].
Le petit brouillard sur la Pèlerine, les bleus qui marchent
dans le matin, l'ennemi invisible, la fusillade qu'on attend,
dans ce décor merveilleusement présent : quelle conquête,
quel achèvement, quel dépassement de soi! *Le Dernier Chouan*
va rendre à la vie toute une réalité qui l'ignorerait sans
l'œuvre d'art. Ce livre sera, souvent, une admirable réussite,
représentant, par là, une possible et partielle liquidation du
mal du siècle. Mais on n'en est pas encore là, au moins au
début de l'été 1828, lorsque Balzac rédige son *Avertissement* [2]. Il n'y a encore que la grande idée, enthousiasmante,
mais idée quand même, d'un cycle historique selon une vision
progressive et libérale du passé. Il y a aussi cette fièvre qui
saisit un Balzac sur le point de recommencer à écrire, sérieusement. Reprendre la plume, comme reprendre le volant,
ou la raquette, est une volupté qui mobilise tout un acquis
impatient. L'histoire policière, l'histoire d'amour, l'Histoire,
sont des occasions, comme les kilomètres ou la partie attendue.
Balzac souffre de littérature rentrée. Ce qui compte, c'est lui.
C'est lui qu'il veut affirmer, c'est de lui qu'il veut parler.
Et, comme *Je* est un autre, *Je* sera un personnage. *Je*, exilé
dans la vie, sera exilé dans le roman par un pseudonyme.

Mais Saint-Aubin est mort, et pas seulement comme pseudonyme : comme *style*. La postface de *Wann-Chlore*, en
1824, l'avait tiré, déjà, vers autre chose, mais il était trop
marqué par la rue de la Femme-sans-Tête, par la basoche et
par Sterne. Balzac avait vécu d'autres difficultés que celles
d'un fils de famille à l'esprit vif s'essayant à l'insolence dans
un monde réservé. Tout ce qui, depuis Vendôme, vivait en
lui de pathétique, de souffrant, avait trouvé, dans les années
1825-1828, d'amples vérifications. Certaine petite musique
intérieure ne se trompait pas, qui disait, depuis l'enfance,
l'hostilité du monde, malgré les apparences héritées. Plus
de Matricante, plus de R'Hoone, plus de Saint-Aubin gami-
nant, en 1828, mais un nouveau venu, Victor Morillon, qui
sera donné comme l'auteur du roman, et dont la préface,
ou l'avertissement donnera, selon une règle désormais établie,
la biographie. Victor Morillon, dont le nom vient de Ven-

---

1. *Avant* ce passage, il faut rappeler que le thème « vendéen » se trouve déjà
dans *Sténie*, M. de Plancksey, mari de l'héroïne, ayant, jadis, commandé quelques
bandes dans l'Ouest, et Job del Ryès prenant violemment parti contre l'insurrection. Maurice Regard, dans son édition, a reconstitué minutieusement l'itinéraire de Balzac : il y a donc double filiation, comme toujours, « industrielle »,
d'un côté, réaliste, de l'autre.
2. Le titre primitif, *Le Gars*, sera changé pendant le séjour à Fougères, pour
plaire à Mme Pommereul. L'*Avertissement* a donc été rédigé *avant* le départ pour la
Bretagne.

dôme [1], sera un enfant génial, un voyant. Il sera infiniment
plus Balzac que ses prédécesseurs, laissant loin le jeune homme
faraud des études d'avoué, le petit tourangeau rigolard
de la préface de *L'Héritière de Birague*. Il sera l'autre face
de Balzac, le liseur, le contemplatif, le volontaire secret. Il
le sera tellement que, au fil de sa plume, dans ce texte qu'il
ne revit pas, puisqu'il renonça à l'imprimer, Balzac se laissera
entraîner, parlant de Morillon comme d'une personne qu'il
connaît, puis, oubliant sa fiction, parlera comme s'il s'agissait de lui-même, directement. Un exemple flagrant se trouve
à la fin du développement sur les rapports entre la Muse
secrète (la vraie!) et la vie : « Combien est plus ravissante
et plus belle la muse chaste dont les pieds délicats ne sont
pas sortis de l'enceinte des cœurs! Avec quel bonheur les
esprits recherchés ne pensent-ils pas à ces saintes poésies
échappées à mille poètes inconnus! [...]. Quelle supériorité
a sur la création entière, cet oiseau qui chante pour lui seul
une ravissante mélodie [etc.]. *Diis ignotis.* » On comprend
que Balzac fait allusion à tout ce qu'il porte en lui et qu'il
n'a pas publié. Mais la fiction demeure. Puis, tout à coup :
« *Je* suis pour les tableaux signés, la littérature est une arène,
où l'on ne veut plus de visières baissées [2] ». Or, ce *je*, gram-
maticalement, ne peut renvoyer à Morillon, présenté à la
troisième personne depuis le début du texte, et Balzac, parlant
en éditeur, avait toujours, jusqu'alors, employé le *nous*
traditionnel. Lapsus révélateur de l'écriture spontanée!
En ce mois d'août 1828, alors que son roman n'est pas écrit,
ce dont a envie de parler Balzac, c'est de lui-même. Le voilà,
le sujet, et bien plus que celui fourni Dieu sait par qui, et dont
on se fait réclame auprès de Pommereul pour se faire inviter :
je viens pour travailler! Comme Matricante, comme R'Hoone,
comme Saint-Aubin, avaient plus d'importance et de présence,
jadis, que « héros » dont ils transmettaient l'histoire, Victor
Morillon, dans ce texte destiné à demeurer inconnu cent trois
ans, mais que Balzac écrivit avec son sang, s'il n'est pas une
création, s'il n'est qu'*expression* [3], témoigne de tout ce qui

---

1. Comme Louis Lambert (Louis-Lambert Tinant, nom d'un élève du collège,
ou Louis Lambert, tout simplement selon Moïse le Yaouanc — *Louis Lambert à
Saché*, A. B., 1963 — comme un habitant de Saché), Morillon n'a pas été forgé,
en effet, par Balzac.

2. *Les Chouans*, éd. Regard, p. 412.

3. *Création* implique composition dynamique d'un personnage *distinct* du
créateur, et qui *exprime*, lui aussi, l'expérience du créateur, mais par l'intermédiaire de complexes *libres*, apparemment non déterminés, ouverts, objectifs.
Création implique recul, domination, maîtrise par rapport à soi, amorce, au moins,
de dépassement d'une crise. *Expression*, ou confession (c'est-à-dire sans l'écran
d'une fiction) n'implique pas le passage par des situations, et se tient dans deux

avait continué à vivre sous les apparences de la littérature
industrielle, de l'imprimerie, des affectations de toute sorte.
Il y a dix ans, Balzac était un jeune étudiant passionné,
et les facéties du clerc de notaire n'étaient déjà que le masque,
l'attitude plus commode pour vivre avec les autres. Depuis,
il a passé par tant de choses que l'on a pu croire[1] qu'il se
réduisait à son personnage apparent. Mais la preuve est là,
en 1828, que, sous l'écorce, avait continué à vivre, à attendre,
un autre Balzac, irréductible à l' « homme d'affaires ». L'erreur
inverse, serait, parce que Balzac tire de lui Morillon, de ne
plus voir *que* Morillon, et d'oublier l'expérience de dix années
de la société bourgeoise. La tension balzacienne est là, entre
des *exigences* d'absolu aussi anciennes que l'éveil au monde,
et une *pratique* si intense de la réalité bourgeoise, qu'à force
d'accumuler, elle a littéralement *changé* la nature de l'expérience et les conclusions que Balzac en a tirées. L'affaire du
Dernier Chouan est, d'ailleurs, parfaitement significative
à cet égard : ce livre d'ouvrier, ce livre entrepris pour manger,
ce livre terminé, nous l'allons voir, dans les pires conditions
de « fabrication », ce livre est *aussi* précédé des plus hautes et
des plus frémissantes ambitions, est aussi, à bien des égards,
une remarquable réussite esthétique. Ni Mᵐᵉ Balzac, ni Henri
de Latouche n'ont compris *Le Dernier Chouan*. Auraient-ils
compris Morillon ? En 1828, Balzac se saisit à l'intersection
de deux poussées : celle, synthétique et dynamique, de son
génie, de sa sensibilité, de sa soif personnelle, celle, analytique, de l'expérience et de la connaissance du monde par
le détail. Il n'y a pas encore naissance d'une œuvre d'un
type nouveau à partir de la rencontre des deux turbulences.
Morillon reste significativement séparé du roman aussi bien
que de cette *Physiologie du mariage* qui va bientôt ressortir
des cartons. L'œuvre ne montre pas encore « l'idéal » se cherchant et jouant au niveau du réel moderne, et le réel moderne
est encore coupé de l'idéal. Mais les *deux* éléments, pour ne
s'être pas encore rejoints en une synthèse créatrice qui sera

dimensions. L'auteur s'engage beaucoup moins dans la création que dans la
confession, mais aussi y dit davantage, parce qu'il dépasse son cas personnel.
Lucien sera plus « complet » que Morillon, et vivra séparément de Balzac. Morillon
(comme Lambert) est inséparable de Balzac, et n'a de sens que par Balzac. Le
passage à la création sera la démarche décisive, significative, d'une conscience
ayant cessé de vivre *directement*, sans recul, le mal du siècle.

    1. André Wurmser, par exemple, dans sa *Comédie inhumaine*, ne voit, ne veut
voir, ou ne peut voir, pendant toute cette période, que le Balzac ambitieux,
trafiquant, homme d'argent, etc. Le voit-il suffisamment *soumis* à l'argent ?
Le voit-il suffisamment *dominant* cette expérience de l'argent ? André Wurmser
ne parle nulle part de Morillon. Gênait-il à ce point sa thèse ? Il est vrai que d'autres en ont par trop parlé, mais une schématisation n'est pas une réponse à une
autre schématisation.

le signe de leur double liquidation en tant qu'éléments séparés, le signe d'une compréhension idéale du monde, et d'une réalisation de l'idéal, n'en *existent* pas moins. Morillon sous Martignac est bien « romantique », en ce sens qu'il affirme la permanence de l'idéal. Mais le travail qui mène au bon à tirer, mais les innombrables « combines », inévitables, du « métier », venant après tant d'autres, éclairées de tout un passé, parce que nous savons que tout ceci va nourrir, bientôt, une nouvelle mythologie, tout ceci donne au « romantisme » de Morillon un poids, une résonance bien différente de celui des « confrères ». Le mal du siècle balzacien, en 1828-1829, l'inquiétude balzacienne (au sens où un Raisson, par exemple, n'est pas inquiet, n'est pas *double*, et fait, sans problème, son « travail ») c'est cette dualité. Pour s'exprimer dans Morillon, Balzac ne *s'installe* pas pour autant dans Morillon, et demeure prêt à reprendre sous une forme ou sous une autre, sa *Physiologie* ou son *Code des gens honnêtes*. Il demeure prêt au sarcasme à l'égard des « romantiques », dont il est, sans l'être comme eux. Mais il demeure prêt au sarcasme aussi à l'égard des plats « réalistes » qui simplifient tout [1]. Il a le sens du mystère, c'est-à-dire de quelque chose de plus pur, de plus vrai que le présent, mais il a le sens du présent (il faut bien qu'il l'ait! comment ne l'aurait-il pas, et à un autre degré que ses contemporains, plus fortunés ou moins exigeants), c'est-à-dire de ce qu'on ne peut oublier en faveur d'un idéal littéraire et abstrait. Par là, Balzac est ouvert à infiniment plus de choses que Raisson, d'une part, et que Hugo, de l'autre. Plus que de plaintes, son inquiétude est lourde d'œuvres. Plus que de révoltes ou d'éclats, elle est chargée de connaissances qui deviendront durables. Morillon ne doit rien à Byron, à Faust; il a un nom de paysan. Il vient du Vendômois, et ce n'est pas la chanson du Roi des aulnes qui l'accompagne. Marche-à-terre : cet admirable nom qui sera au centre du *Dernier Chouan*, Morillon le comprend, l'annonce. Mais aussi, quelle distance par rapport aux héros de Victor Ducange, naïvement satisfaits dans leur petit anticléricalisme! Oui, qui pouvait comprendre Morillon, en 1828 [2]?

On sait que ce nouveau pseudonyme a eu un destin qui préfigure celui de Lambert : enfance vendômoise, études chez les Oratoriens, goût immodéré de la lecture et la solitude, puissance contemplative et visionnaire, etc. Un professeur du collège de Vendôme qui le rencontre dans la campagne,

---

1. Cf. *infra* pour les attaques contre Ducange et Cottu.
2. Et qui comprendra *Louis Lambert*, en 1832? Cf. t. II.

est frappé de ses dons. Jusque-là, il avait poussé comme une plante, à l'écart. Ce trait sera repris pour Vandenesse, et renvoie, sans aucun doute aux solitudes enfantines de Balzac. Morillon, de plus, qui vit en double (avec les autres, et en lui), est « épuisé par cette intuition profonde des choses [1] ». Ce qui ne l'empêche pas, lorsqu'il s'abandonne à ses démons, de *voir* des choses qui sont d'un monde bien précis : « les plaisirs d'une immense fortune », « les ivresses ressenties au sein des bals, où il avait admiré la nudité des femmes, leurs toilettes, leurs fleurs, leurs diamants, leurs danses et leurs regards enivrés », « le luxe des appartements [...] leurs ameublements, la richesse des porcelaines, la beauté des tableaux, les dessins de la soie et des tapis [...], les chevaux arabes, les voitures somptueuses, les cannes, les bijoux, etc. [2] ». Tout ceci, il l'a eu, il en a joui. Il en parle comme d'expérience, alors qu'il l'a rêvé. Peu importe que le brave professeur le prenne pour un imposteur qui a beaucoup voyagé. Ce qui frappe, c'est la *nature* des visions de Morillon. Non tant leur nature *mondaine* (il serait facile d'ironiser sur ce « mystique » qui voit le luxe, ou sur la vraie nature des rêves d'un Balzac qui ne peut encore se permettre d'être dandy) que leur nature *concrète*. Ce que Bellessort appelait si bien la cordialité de Balzac pour le réel trouve ici une preuve éclatante. Alors que l'exotisme romantique se déchaîne, Balzac, *sans périphrases*, fait de la « vie parisienne » l'objet des visions de son enfant prodige. Pas de mosquée à toit bleu, pas de rouge couchant, pas de « camps », pas de « coursiers », pas de « sphérique empire », mais, déjà, le langage de *La Peau de chagrin* et des *Dangers de l'inconduite*, les merveilles solides, réelles, *dignes*, par elles-mêmes. C'est du monde immédiatement moderne que Morillon est exilé. C'est sur ce monde que prend appui sa vision. Les « fêtes de l'Empire », les « batailles de Napoléon », les « pompes nationales de la Révolution », les « accidents de la vie sociale [3] » : ajouté à ce qui précède, n'est-ce pas toute une grande partie de *La Comédie humaine* qui s'annonce ici? C'est bien en vain que l'on essaierait de tirer Morillon à une quelconque vision « métaphysique » des choses, que l'on essaierait de se servir de lui pour récuser, par avance, une certaine « vulgarité » du Balzac qui va suivre. Cet enfant est un enfant de la terre, et ses facultés au-dessus de la moyenne semblent bien résulter d'un refoulement,

1. *Avertissement...*, éd. Regard, p. 414.
2. *Ibid.*, p. 415.
3. *Ibid.*, p. 415.

aisément compréhensible, de ses désirs. Il a beaucoup lu, beaucoup entendu dire, beaucoup imaginé. Morillon est pauvre et seul, inculte, « semblable aux ronces qui l'entouraient [1] ». Il a puisé au hasard, dans les livres « *et dans les journaux* [2] ». Rien que de parfaitement vraisemblable dans tout ceci, et le vieux professeur représente bien cette raison trop souvent oubliée lorsqu'on parle du Balzac « mystique » : il explique « le don particulier de cet être merveilleux pour lui, comme les athées et les médecins philosophes expliquèrent la tentation de saint Antoine, l'Apocalypse de saint Jean, et les extases de sainte Thérèse, par les ameublissements dont la chasteté enrichissait leurs cerveaux [3] ». Balzac prend certes ses distances par rapport à cette explication matérialiste, mais ce n'est pas qu'il tienne à l'opposée. C'est seulement qu'elle est étrécissante, bourgeoisement étrécissante, en ceci qu'elle implique un « au fond, tout s'arrangera, le jour où... ». C'est que la chasteté de Morillon est plus qu'une chasteté d'amour. C'est une chasteté de tous les désirs, aussi bien ceux de l'esprit. Raphaël lui aussi, dans sa mansarde, évoquera saint Antoine, Raphaël, homme sans femmes et sans argent. Raphaël rêvant d'écrire une grande œuvre. Morillon n'est pas *né* tel que le rencontre le professeur. Ses dons se sont exacerbés d'avoir été frustrés. Il avait une imagination supérieure à celle des gens qui n'en ont « que ce qu'il faut pour faire le soir ou le matin, en se couchant ou en s'éveillant, cette rêverie délicieuse nommée un château en Espagne [4] », aussi la vie lui a-t-elle été un « réactif » d'une autre intensité. Cette vie, essentiellement, a été absence, non-événement. Rien ne s'y est produit. Il faut peser cette confidence : « pas une pierre jetée dans l'eau n'a troublé la surface de cette vie pleine, limpide et profonde, semblable à un lac tranquille et inconnu où viennent se réfléchir des milliers d'images, et où s'élèvent aussi les vagues de la tempête [4] ». La biographie de Balzac n'est-elle pas, cependant, bien remplie, à la date qui nous occupe? Mais qu'est-ce qu'un *fait*? Rien de ce qu'attendait Morillon, rien de ce pour quoi il était fait, ne s'est produit. Pourquoi Balzac l'a-t-il fait naître en 1788? Pourquoi

1. *Avertissement...*, éd. Regard, p. 416.
2. *Ibid.*, p. 416. Ce trait capital disparaîtra de l'histoire de Louis Lambert, plus « noblement » mystique. On est bien loin, ici, de toute kabbale et de toute initiation.
3. *Ibid.*, p. 417.
4. *Ibid.*, p. 417. Balzac insiste : il existe une imagination qui met en cause le cours « normal » de la vie, et une autre, sans danger, bourgeoise. Raphaël parlera de ces trésors qui n'ont pas cours qu'il possède depuis son enfance.

ce vieillissement de dix ans? N'est-ce pas manière de dire que
les années se sont traînées? J'ai plus de souvenirs que si
j'avais mille ans. Et pourtant je n'ai pas vécu. De ces souvenirs, je tirerai plus tard *La Comédie humaine*, mais je ne
le sais pas encore. L'image du lac, de l'eau pure se retrouvera
dans *La Peau de chagrin*, et Raphaël, lui aussi, sera montré
au bord de la tempête. Raphaël, lui aussi, pourra être accusé
d'ambitions vulgaires mais sa défense commence avec celle
de Morillon : le monde et ses splendeurs n'est que le signe de
ce dont a besoin l'individu, pour se sentir être. Plus exactement, pour se sentir *en être*. La communauté humaine,
alors, ce n'est pas l'humanité : c'est *ce qu'on appelle* ainsi, c'est-
à-dire la société à qui l'argent permet la culture. Or, il est
plus d'un homme, culturellement né dans les rangs des classes
« humaines » qui se sent, pourtant, rejeté hors de l'humanité.
La beauté, le luxe, le plaisir, accaparés, interdits : le peuple
s'en moque, qui ne songe qu'à manger. Mais ceux, à qui leur
culture permet, comme à Morillon, comme à Raphaël, bientôt,
de vivre « de pain et d'eau [1] »? Nous faisons la moue lorsque
nous entendons parler d'un jeune « intellectuel » rêvant, en
1830, de pénétrer dans un salon : mais, pour lui, c'était « le
monde ». Il devait vite en revenir, d'ailleurs, mais, subjectivement, « avant » la conquête, être exclu, c'était l'être de tout
ce que le modernisme, la paix, les victoires de l'industrie,
de la philosophie, avaient naguère promis au « plus grand
nombre », comme disaient les saint-simoniens. Morillon est
incontestablement de cette jeunesse tenue en lisière de splendeurs qu'elle ne met pas encore en cause. Cet esprit religieux
(en ce sens qu'il est exigeant, qu'il se place au-delà des accommodements et des demi-solutions [2]) est devenu sauvage
parce qu'on n'a pas voulu de lui, parce qu'il a vécu par
procuration. Qu'eût-il fallu, pour que Morillon prît une voie
féconde, pour que sa pensée, cessant de se détruire elle-même
et de le détruire, s'investît de manière positive? Qu'il ait eu
accès aux « fruits de la civilisation » et à ses bienfaits, auxquels
les « spéculations de l'intelligence sont intimement liés [3] ».
Grâce à M. et Mme Buet, c'est, paraît-il, chose faite, et l'on
doit à leur sollicitude la publication du *Gars*. Le jeune homme
s'est mis à « ÉCRIRE SES RÊVES [4]. » Délivrance? Ce qui est
sûr, en tout cas, c'est que, pour se mettre au *Gars* ou au

1. *Avertissement...*, éd. Regard, p. 417.
2. *Ibid.*, p. 417, « c'était un solitaire de la Thébaïde, un vrai Chartreux, mais
de religion?... pas l'ombre, en ce sens qu'il n'allait pas à la messe.
3. *Ibid.*, p. 418.
4. *Ibid.*, p. 419.

Capitaine de Boutefeux, Balzac ne l'a fait revenir de nul
voyage au bout de la nuit. Quant au livre de lui qu'il nous
propose, s'agit-il de quelque méditation swedenborgienne?
Pas le moins du monde. Il s'agit de la « première assise »
d'une « œuvre immense » consacrée à l'histoire de France!
« Solitude », « silence de la province », habitude de créer, pour
le plaisir, « des personnages, et des événements au milieu
d'une imagination luxuriante », conjuguées avec « *de longues
études historiques* faites avec bonheur [1] », ont abouti à ce début
de monument. *Morillon est un réaliste inspiré.*

Mais c'est parce que, probablement, cet inspiré est un
réaliste, au sens le plus fort et le plus complet du terme, qu'il
ne voit quand même pas dans l'œuvre d'art *la* solution à tout.
Elle capte, certes, beaucoup, de la volonté d'être; elle est
susceptible d'ouvrir les plus éclatantes perspectives. Mais
d'où viennent, alors, les étranges louvoiements de cet *Avertissement*? Pourquoi cette valse hésitation, d'abord entre
Balzac et son pseudonyme, ensuite, entre la solution de l'anonymat et le courage de signer? Pourquoi cette phrase douloureuse : « *Si l'on est condamné à monter sur les tréteaux*, il faut
se résoudre, il est vrai, à faire le charlatan, mais sans emprunter
de mannequin [2] » Adieu, s'écrie Balzac, à « ces préfaces, où
l'on s'efforce de faire croire à l'existence d'abbés, de militaires, de sacristains, de gens morts dans les cachots, et à
des trouvailles de manuscrits [3] ». Il avait de l'expérience, de
ce côté. Mais, pourquoi, oui, pourquoi, cet acharnement :
« S'il a pu exister quelque grâce dans le mystère dont un
écrivain s'enveloppe, si le public a respecté son voile comme le
linceul d'un mort, *tant de barbouilleurs* ont usé du rideau,
qu'à cette heure, il est sali, chiffonné, et qu'il n'appartient plus
qu'à un homme d'esprit de trouver *une ruse nouvelle* contre
cette prostitution de la pensée qu'on nomme la publication [4]? »
Souvenirs de l'époque Miatricante-R'Hoone-Saint-Aubin. Mais
aussi, certainement, mpressions fraîches : pendant que le
cousin Sédillot voyait les créanciers, Balzac se préparait
à « monter sur les tréteaux ». On venait de lui sauver son
nom, « le nom Balzac » de 1819. Le seul moyen de ne pas
sombrer définitivement à ses propres yeux, n'était-il pas de
signer? Ne pas signer est une élégance dépassée. D'autre part,
le courage politique exige un aveu ouvert de paternité [5].

1. *Avertissement...*, éd. Regard, p. 424.
2. *Ibid.*, p. 410.
3. *Ibid.*, p. 409.
4. *Ibid.*, p. 410.
5. *Introduction* à l'édition originale, *ibid.*, p. 429 : « Les considérations politiques qui viennent d'être exposées ont engagé l'auteur à mettre son nom à un

Mais comme Balzac feinte, tourne autour de la question!
Est-ce si compliqué? La réponse nous paraît limpide : si
Balzac avait eu conscience que *Le Dernier Chouan* était le
livre de sa vie, celui dans lequel on se met tout entier, il
n'aurait pas ainsi tergiversé. Morillon regrette que « les images
qui ne devaient pas sortir de son âme », soient livrées au public ;
« cet oiseau qui chante pour lui seul une ravissante mélodie »,
va chanter pour les autres. D'où, une sorte de remords, et
une précaution. « L'auteur de ce livre, longtemps partisan
des amants qui poignardent leurs maîtresses, n'a pas consenti
sans de longs débats, et ces raisons forcées en sont la preuve,
à se laisser imprimer — *L'indigence est le secret des sacrifices*[1]. »
« Combien plus ravissante et plus belle, la muse chaste dont
les pieds délicats ne sont pas sortis de l'enceinte des cœurs[2] ! ».
Vieille expérience, ici encore, que ces ouvrages secrets, plus
beaux que les autres, chargés de plus d'espoirs, où l'on dit
tellement plus de soi que dans ceux qu'il faut bien fignoler,
rendre agréables, si l'on veut les vendre! De *Falthurne* à
Fœdora, en passant par *Sténie*, Balzac avait rêvé d'une
« grande » littérature. Malgré les immenses perspectives
développées en fin d'*Avertissement, Le Gars* n'en serait-il pas?
Pourquoi Morillon conclut-il : « semblable au Hollandais
qui se décide à vendre ses tulipes, les plus belles resteront
dans mon trésor »? Est-ce seulement parce que les plus beaux
vers sont ceux qu'on n'écrira jamais? Est-ce parce que toute
réalisation dégrade? *Depuis des années, Balzac se réservait,*
ne se livrait que partiellement, ou sans le savoir. « Allez où
vous voulez, filles de mon âme, je vous ai tant possédées que
vous pouvez bien passer dans la circulation, vous êtes pour
moi des feux d'artifice éteints, je vous abhorre[3] » : n'est-ce
pas un peu, à nouveau, le ton de la postface de *Wann-
Chlore*, en 1824? Quitte ou double, d'ailleurs, une fois de
plus : « Enfin, j'apprendrai bien vite, par la publication du
Gars et du *Capitaine de Boutefeux*, si je ne suis qu'un ménétrier de village, ou un artiste digne de vos concerts — une
seule considération m'attirera quelque estime, *même dans
ma chute* : le ménétrier doit apprendre les mêmes éléments

ouvrage qu'une défiance bien légitime pour un premier livre lui eût conseillé de
cacher. » Ne peut-on penser que, dans la flambée libérale qui suivit le départ de
Villèle (janvier 1828, après les succès de l'opposition aux élections de novembre
1827), Balzac, comme d'autres, ait songé à s'affirmer hautement? Ainsi s'explique-
rait son salut aux jeunes historiens, en même temps que la signature de son
roman.

1. *Avertissement,...* éd. Regard, p. 412.
2. *Ibid.*, p. 411.
3. *Ibid.*, p. 425.

de science que les Lafond, les Baillot, les Jarnovick... [1]. »
Ne croit-on pas réentendre Saint-Aubin? Quelle commune
mesure y a-t-il entre les hautes ambitions de refaire Walter
Scott en français, et ces craintes mêlées de demi-mépris à
l'égard de la première assise de l'œuvre? Le public peut ne
pas apprécier, mais aussi Balzac est-il sûr que son *Chouan*
soit une *grande* œuvre? Ne se sent-il pas un peu en porte-à-
faux? Il explique qu'il veut ajouter à Scott l'amour, élément
dramatique qui manque aux romans de l'Écossais, introduire
ainsi un pathétique, un sens de l'individuel, par lesquels on
mesurera mieux le retentissement de l'Histoire dans les
destinées, mais n'y a-t-il pas, au départ, cette « tare » de
l'inspiration policière, cette anecdote pour « roman »? Certes,
ce pouvait être, et c'était même, un gage possible de nouveauté.
Il manquait à la lyre de Scott « les cordes sur lesquelles on
peut chanter l'amour, *qu'il nous présente tout venu*, et qu'il ne
montre jamais naissant et grandissant ». Une espionne
devenant amoureuse de sa victime! Beau sujet! Mais Balzac
ne semble pas avoir une totale confiance. Serait-ce à cause
d'un départ d'inspiration pris un peu « à froid »? On est ici
au cœur du problème balzacien. Reprenant la plume, l'écrivain, qui a beaucoup appris, beaucoup confirmé, sentait se
réveiller en lui bien des choses, de hautes ambitions philosophiques. Mais la nécessité le forçait à raconter une histoire.
D'un premier mouvement, susceptible de significatifs prolongements, il était Morillon, l'enfant génial, celui qu'on
avait tiré du lot, au lieu de le laisser enfermer. Mais donner
comme *preuve* deux romans, laborieux, une fois de plus, sur
la police en Bretagne ou sur les Armagnacs et les Bourguignons! L'échappée, l'ouverture de l'amour suffisait-elle?
Morillon, tel qu'il était présenté, pouvait être l'auteur d'un
nouveau *Falthurne*, d'une *Pathologie de la vie sociale :* il
aboutissait, tout au plus, à essayer de faire un peu mieux
que les autres dans un genre aux ficelles bien connues. On
peut donc sans péril affirmer que, avant de partir pour la
Bretagne, Balzac, obligé de revenir à la littérature, le fait,
à la fois, avec enthousiasme, lorsqu'il songe aux grandes
idées qui sont en lui, et avec dégoût, lorsqu'il songe au cadre
dans lequel il lui faudra nécessairement œuvrer. Où est la
lumineuse simplicité dans laquelle il envisageait, en 1819,
l'acte littéraire? Tout s'est horriblement compliqué. Faire
passer dans un livre à vendre toute une conception dynamique du monde, des relations sociales, voire de l'histoire uni-

---

1. *Avertissement...*, éd. Regard, p. 424. Allusion à trois violonistes célèbres
d'alors.

verselle : il y a contradiction, *contradiction vécue*, avec les
nécessités. Comme rien n'est ni noir ni blanc, le côté « fabriqué » même d'un livre s'éclaire, peut s'éclairer, s'animer de
vérités; on peut, à partir d'une situation de roman, dire des
choses qui comptent. Mais l'innocence de l'installation rue
Lesdiguières est loin. Ces gestes, jadis purs, se sont empâtés.
Le Dernier Chouan ne sera pas une cochonnerie littéraire,
mais il lui aura manqué d'être conçu dans la liberté. On dira
que c'est bien fait pour Balzac, qu'il aurait dû mieux gérer
son imprimerie, etc. qu'il n'avait qu'à, après tout, se conduire
en bourgeois « régulier ». Mais, derrière cette cause immédiate,
n'y a-t-il pas la longue chaîne des causes lointaines? Il y a
sept ans, en 1828, que Balzac a commencé de faire connaissance avec la commercialisation de l'art et de la culture, qu'il
a appris, ce que personne ne lui avait jamais appris, dans son
milieu, que l'art et la culture *passent* par des conditions qui
ne sont ni artistiques ni culturelles. Cela ne les empêche pas,
toutefois, de demeurer en partie humains, prométhéens,
d'être des « chances » de s'exprimer et de s'affirmer. Mais
quelque chose ne va plus, en ce sens que la culture et l'art,
dans le monde bourgeois, après avoir bénéficié de l'extraordinaire prestige du siècle précédent, ont acquis une sorte d'opacité. Jeu pipé! Le thème reviendra plus d'une fois : écrire,
comme vivre, au fond, c'est, en même temps, participer du
grand élan moderne *et* se perdre, se compromettre, dans l'avilissement récemment découvert de cet élan. On *peut* écrire en
ayant de grandes idées, en dépassant les bourgeois, mais
on ne peut écrire en n'ayant que de grandes idées. Jusqu'au
cœur même de l'inspiration, de l'acte d'écrire, a pénétré la
corruption. Après neuf ans de *pratique* littéraire (incluant celle
de l'imprimerie), Balzac sait qu'écrire est impur. Le besoin
immédiat n'aurait rien mis en cause s'il n'avait apporté
une touche complémentaire à l'expérience. Morillon ne lâche
au public qu'une ébauche, eu égard à ce qu'il porte en lui.
Au lieu d'être triomphale, la présentation qu'en fait Balzac
est ambiguë. Elle comprend des éléments conquérants (et
se distingue par là de celle, toute proche, de Joseph Delorme),
mais aussi des éléments de désenchantement. Balzac n'est ni
enfermé dans son « romantisme », ni enfermé dans ce qu'il
conserve d'optimiste de son héritage bourgeois. La valse-
hésitation de l'*Avertissement* est bien celle d'un esprit qui non
seulement *voit*, mais *vit* les deux côtés des choses.

Comme la postface de *Wann-Chlore*, l'*Avertissement* du
Gars ne fut pas publié. Sans doute, n'était-il pas très « commercial » : il y a maladresse à ne livrer une œuvre au public

que sur un ton lassé. L'*Introduction* sera d'une autre eau. Mais c'est aussi qu'elle aura été écrite *après* le séjour en Bretagne, après les bonnes causeries au coin du feu, après les beurrées, les craquelins, la chanson de M. Alexandre : « *Allons, partons ma belle* », le joli petit vin de Graves, après les courses dans la campagne [1]. A Fougères, Balzac a trouvé une euphorie revigorante. Tout a pris forme, tout s'est gorgé de vie. L'*Avertissement* avait été écrit en tête avec soi-même et ses souvenirs. Fougères, c'est l'intrusion de la nature, du réel. A ce contact, une mutation s'opère, en Balzac. La chambre calme, la petite table verte où Louise vient avertir qu'on a servi, la vallée du Couesnon qu'on voit par la fenêtre, tout ce cadre dans lequel « *les travaux ôtaient la mémoire des maux* » : Morillon y était devenu moins « urgent ». Il avait été le héros d'une lutte avec l'Ange. *A Fougères, Balzac a comme liquidé Morillon.* Maturation ! En 1824, les adieux de Saint-Aubin avaient été renfermés uniquement par tactique : on allait sortir *La Dernière Fée*, on allait publier *Wann-Chlore*, et bientôt, Balzac s'associait avec Canel pour faire de l'édition ; ce n'était pas, alors, une expérience concrète, profonde, qui avait dicté le retrait de ce texte pathétique. En 1828, plus en possession de ses dons d'écrivain, plus apte à s'emparer de ce qu'il voit, plus apte à *créer*, c'est d'une manière plus intérieure qu'il dépasse le dialogue avec soi-même. Il n'avait finalement pas donné la parole à Saint-Aubin, en 1824-1825, parce qu'il restait à écouler des fonds de tiroir. Il ne la donne pas à Morillon, en 1829, parce que *Le Dernier Chouan* est supérieur à ce que risquait d'être *Le Gars*. Balzac commence à laisser derrière lui certaines de ses difficultés parce que son pouvoir créateur le désaliène partiellement. Repartir sur la base des notes prises en 1824, ou sur celle de lectures faites pendant l'imprimerie, c'était de l'abstrait ; on retrouvait à chaque ligne, on retrouverait à chaque ligne, le sens du faux ou de l'incomplet. Telle est la signification de l'*Avertissement*, préface à un roman à écrire [2]. Mais, le roman écrit, et dans un

1. *Corr.*, I, p. 387, lettre pleine de bonne humeur à Pommereul du 11 mars 1829. Lettre de remerciements, certes, mais dont le ton ne saurait tromper.
2. Pierre Abraham datait l'*Avertissement* du *Gars* de 1827. Prioult (*op. cit.*, p. 337 sq.) pensait que Balzac avait commencé un *Gars* très tôt (1821!), et que, en 1826-1827, à la suite d'un certain nombre de lectures, il avait étoffé son premier projet. Il aurait donc, après sa faillite, repris un manuscrit *achevé*. Pourquoi ne l'aurait-il pas publié immédiatement? Les réponses de Prioult étaient bien vagues sur ce point. Maurice Regard, dans son édition, a fait justice du mythe d'un *Gars* antérieur à 1828 (p. XI : le reste du *Gars* primitif — un passage sur les réquisitions — est, en fait, un brouillon d'un folio de 1828). Mais il y a plus. La publication, par Mlle Fargeaud, du *Tableau*, daté de mai 1828, achève la démonstration. L'*Avertissement* est antérieur à la rédaction du roman et peut être daté du début de l'été 1828.

registre qu'on ne soupçonnait pas, la préface n'a plus de sens. Son abandon est un signe que quelque chose est en marche.

L'euphorie de Fougères, toutefois, ne recouvre pas toute l'histoire du *Dernier Chouan*. Au milieu de novembre, Balzac était de retour à Paris. Il tombait en pleine crise avec sa mère. Celle-ci n'avait pas du tout compris la nécessité du séjour à Fougères. Il prenait bien son temps [1]! Il fallait s'occuper de liquider la faillite. Et terminer le roman. Il fallait avancer dans la rédaction, avec mille soucis sur le dos, avec Latouche, impatient d'avoir sa copie. Les affaires ressaisissaient Balzac, et la littérature marchande. Fermée, la parenthèse! En janvier 1829, Balzac se sent suffisamment avancé, toutefois, pour rédiger une *Introduction*, fier morceau qui reprendra ce qu'avait de fier et de progressif l'*Avertissement* abandonné. Sa fierté, d'ailleurs, s'exprime à un autre niveau : il voudrait, par son roman, les honneurs de l'in-8o, le format de la haute littérature [2]. L'in-12o, on le comprend, avait été celui de R'Hoone et de Saint-Aubin; or, Balzac avait conscience d'avoir écrit autre chose. De plus, commençant une seconde carrière, il entendait repartir un cran plus haut. Il attendra, toutefois, pour l'in-8o, la *Physiologie du mariage* et les *Scènes de la vie privée*, c'est-à-dire, symbole à nos yeux, ses deux premiers ouvrages qui poseront vraiment les questions en termes neufs. Le 15 janvier, le traité est signé avec Canel, pour mille francs, soit la moitié de ce qu'avait rapporté *Clotilde de Lusignan* [3]! Latouche continuait à avancer de l'argent, comptant sur une bonne affaire [4]. Le 11 février, Balzac écrit à Laure, et se plaint de ce que sa mère le tracasse, alors qu'il a besoin de paix. Il semble s'être installé richement (bibliothèque, reliure, meubles conservés d'avant sa « catastrophe », tentures, pendule, rideaux, deux flambeaux à quinze francs, qu'il a, paraît-il, « sur le cœur », tapis, « changé contre l'ancien, avec quelque misère de retour »), incapable de prendre tout à fait au sérieux ce que, dans la famille, on devait appeler « la situation ». Il fallait en finir : encore dix à douze jours de travail [5]. Mais quel travail! Le manuscrit rapporté de Fougères, revu avec l'esprit critique à Paris, avait été démantelé, littéralement *refait* [6], cinquante placards,

---

1. *Corr.*, I, p. 348.
2. *Ibid.*, I, p. 366.
3. *Ibid.*, p. 369. Canel était l'associé de Latouche, et co-acquéreur.
4. *Ibid.*, p. 368 et 369.
5. *Ibid.*, p. 380.
6. *Ibid.*, p. 378. C'est ce qui explique l'état très compliqué du manuscrit où se trouvent de nombreux brouillons et premiers états. Balzac travaille très sérieusement, plus encore que pour *Wann-Chlore*.

quarante épreuves : « Oh Laure!... Laure!... je pleure [1]. »
Et Latouche s'impatiente, ne comprend pas. Les épreuves,
trop surchargées [2] reviennent trop cher; et puis, pourquoi
ces infimes corrections de style? Pourquoi mettre « il dit en
murmurant », pour « il murmura », alors qu'on laissait « les
terres où le citron fleurissent [3] »? Visiblement, malgré ses
années d'apprentissage, Balzac a encore à apprendre, et Latouche se montre là bon professeur. Balzac s'attache au style;
lui pense en industriel, en fabricant. Entre eux deux, l'incompréhension semble totale. Balzac écrira quelques mois plus
tard à Levavasseur : « Il y a en moi je ne sais quoi qui m'empêche de faire consciencieusement mal [4]. » C'est déjà vrai au
moment où s'achève *Le Dernier Chouan*. Balzac a des soucis
de *qualité* incompréhensibles à son nouveau manager. Il a
bien la pratique de ce commerce, auquel il livre de la marchandise, mais il n'y voit pas *le normal* des choses. Entre les deux
hommes, c'est un véritable dialogue de sourds qui se poursuit
jusqu'à la sortie du livre. Balzac voit par-dessus l'épaule de
Latouche. Le 11 mars, enfin, on peut annoncer à Pommereul
l'envoi des quatre volumes. Désormais, Balzac sera M. Honoré
Balzac, auteur du *Dernier Chouan* [5]. La boucle était bouclée.
Restait à obtenir un succès, des articles. Sur ce terrain, on
pouvait retrouver de vieilles habitudes. L'homme qui,
malgré Latouche et ses intérêts, corrigeait, refaisait, se met
en quête. *La Gazette, Le Figaro, La Pandore, Le Corsaire,
Le Constitutionnel, La Quotidienne!* « En avant, donc [6]! »

Ainsi, pris à la gorge, mais aussi fidèle à de vieilles curiosités, Balzac a demandé, fin 1828, à la littérature, ce que les
affaires lui ont refusé. Il ne demande même pas la fortune,
mais seulement un peu d'oxygène. D'un drame historico-
sentimental, il fait un roman. En Bretagne, il découvre un
univers. L'intrigue cesse d'être l'essentiel. Dans son *Introduction*, il expose des réflexions que le drame de mai 1828 ne lui
aurait probablement pas suggérées. Il empoigne un grand
sujet social et politique. Le livre sort, enfin, après une dure
période de mise au point. Nous en conclurons donc que
Le Dernier Chouan n'est pas un livre de loisir. Balzac n'a pas
le temps. A cette époque, Lamartine, à Florence, secrétaire
d'ambassade, prépare ses *Harmonies*, et Musset, chez papa
et maman, songe aux *Contes d'Espagne et d'Italie*. Balzac,

1. *Corr.*, I, p. 378.
2. *Ibid.*, p. 383.
3. *Ibid.*, p. 383.
4. *Ibid.*, p. 417.
5. Cf. le titre des *Scènes de la vie privée*, **en 1830**.
6. *Corr.*, I, p. 390.

s'il rêve, rêve les mains liées, et la qualité de son rêve s'en
ressent. *Dans le bon sens.* La description de la Pèlerine au
matin est l'une des plus belles pages de la prose française
d'alors [1]. Pourquoi? Parce que Balzac ne fait pas seulement
« du paysage », parce qu'il a vu et senti, mais aussi, parce
qu'il écrit à partir d'une pensée. Intrigue, impressionnisme,
pittoresque, comptent moins pour lui que ce qui anime et
structure un réel qu'il *comprend* en sociologue, en penseur
politique, en homme du total. Sa Mlle de Verneuil n'est pas
une héroïne de roman noir ou rose, son Hulot, son Montau-
rant, ne sont pas des héros décoratifs. Tous signifient. *Le
Dernier Chouan* est un livre responsable. Le verbalisme n'y
joue aucun rôle. Ne serait-ce pas la raison de la dédicace de
1846 : « Au premier ami, *le premier ouvrage* [2] »?

Bien des choses ont été dites sur la signification politique
du *Dernier Chouan*, inséparable, bien entendu, de son *Introduction.* On y a vu, dès longtemps, un roman « de gauche »,
un éloge de la civilisation, de la centralisation, une condamnation des obscurantismes locaux, etc, et tout ceci est vrai.
Cependant, il faudrait voir *de quelle gauche*, de quel progressisme, on parle. Balzac est-il exactement de la même gauche
que les historiens libéraux qu'il avait pensé invoquer comme
patrons dans son *Avertissement*? Il existe, alors, une bonne
conscience libérale que Balzac va bientôt pourfendre.
Pourquoi? En aucune manière, *Le Dernier Chouan* (et son
Introduction) ne peut être aligné sur les œuvres des doctrinaires, non plus que sur celles des jeunes-libéraux. L'attitude
de Balzac au moment de la Révolution de Juillet et dans la
période qui suit se comprend mal si l'on n'a pas mesuré
l'exacte signification du roman de 1828-1829.

Tout d'abord, faisant la part du positif, Balzac salue les
conquêtes de l'ère constitutionnelle. Nous avons signalé
l'importance de la remarque sur « le Gouvernement actuel,
qui nous a conquis la liberté », du manuscrit, devenant, à
l'impression, « l'opinion publique, qui nous a conquis la

---

1. Chez Balzac même, 'elle n'a pas faibli, à côté de certaines descriptions
du *Lys dans la vallée* et des *Paysans.*
2. Il est curieux de constater que, dans la notice Sandeau de 1836, après les
romans de jeunesse *(La Dernière Fée)*, il ne sera question que de la *Physiologie
du mariage* et des *Scènes de la vie privée.* Ce sera ces deux œuvres qui feront le
désespoir de Saint-Aubin, confronté à Balzac. Pourquoi? C'est sans doute que
ces deux œuvres furent les premières à obtenir du succès, alors que le *Chouan*
tomba à plat. Plus en profondeur, Balzac savait sans doute que la *Physiologie*
et les *Scènes* apportaient un frisson nouveau, alors que le *Chouan*, malgré sa densité, s'inscrivait assez facilement dans une tradition. L' « exclusion » de 1836,
toutefois, sera sans influence sur l'admission dans *La Comédie humaine.*

liberté [1] ». Comme pour les soldats bleus, il est des conquêtes
qui font partie de l'humanisme nouveau. Il n'est pas question
de revenir dessus. Mais pourquoi Balzac a-t-il barré son
« gouvernement actuel »? A-t-il craint qu'on n'interprêtât :
Martignac? Plus simplement, a-t-il réfléchi qu'il existait un
monde, entre la Restauration, telle qu'on l'avait attendue,
en 1814, et telle qu'elle était devenue, malgré la concession
consécutive au coup électoral de 1827? Des élections changent-
elles quoi que ce soit à la vie, en ses profondeurs, en son
conditionnement? Un Balzac de vingt ans pouvait le croire,
au temps de Grégoire. Mais après des années de Lepoitevin,
de Raisson, d'imprimerie, de Latouche? Restauration et
jeunesse : le divorce est accompli depuis longtemps, et même
entre jeunesse et système constitutionnel.

Un autre passage de l'*Introduction* va dans le même sens.
C'est celui dans lequel Balzac explique qu'il a eu soin d'atté-
nuer l'horreur d'une multitude de faits par respect pour
« *beaucoup de gens dont il est inutile d'indiquer les hautes positions sociales, et qui ont miraculeusement reparu sur la scène
politique* [2]. » C'est contre ces gens-là que Bianchon, en 1836,
souhaitera une révolution qui nous en débarrasse à jamais [3].
L'impression s'accentue, d'ailleurs, à la lecture de la fin du
paragraphe, lorsque Balzac explique qu'il aurait pu, mais n'a
pas voulu utiliser les archives de quelques tribunaux révolutionnaires de l'Ouest, lesquelles auraient pu fournir de belles
et bonnes preuves des atrocités commises à l'inspiration du
Clergé et de la Noblesse. Ces « preuves légales », il eût été
« odieux » de « les faire sortir de l'enceinte des greffes », quoique,
pour plusieurs familles, certains jugements soient devenus
des « témoignages de dévouement et des titres de gloire ».
Balzac, ne l'oublions pas, revient de Bretagne, où il a pu voir,
dûment guidé par Pommereul, ce qu'avait été, sur le terrain,
l'insurrection. Toute contre-attaque blanche, il la juge, alors,
d'abord, à la lumière non de mobiles « idéologiques » anti-
bourgeois, comme il le fera sous la monarchie de Juillet,
mais à la lumière des faits brutaux, tels qu'ils pouvaient
apparaître sous la Restauration. Sur ce point encore, *Le
Dernier Chouan* fait un peu figure de roman de défoulement,
après des années de « Villéliade [4]. » N'oublions pas, d'autre

1. *Les Chouans*, éd. Regard, p. 427 et 546. *Gouvernement*, avec une majuscule,
semble bien impliquer « système de gouvernement ». Dans la seconde édition
(Vimont) « l'opinion publique » deviendra simplement « l'opinion ».
2. *Ibid.*, p. 428.
3. Dans l'*Interdiction*.
4. Cf. Le poème de Barthélémy et Méry portant ce titre, paru en 1827.

part, que « la Bretagne en 1800 », ce n'est pas la Bretagne
« révolutionnaire », mais la Bretagne du Consulat ; les insurgés
apparaissent donc comme les ennemis de l' « ordre ». Que
Balzac aligne les tribunaux de Bonaparte sur ceux de la
Convention, en dit long sur ses sympathies et allergies. La
liberté, en 1828-1829, se définit *d'abord* contre la droite catholique et monarchiste. D'autant plus que cette droite ne
pouvait espérer se maintenir que grâce à ce que Balzac exècre
au premier chef : le sous-développement. C'est sur ce point,
que *Le Dernier Chouan* est vraiment, et à long terme, un livre
« de gauche » : anti-ultra, sur le moment, certes, mais surtout
anti-bourgeois, pour cette essentielle et fondamentale raison
que les responsabilités du sous-développement breton, du maintien de la Bretagne dans l'état de sous-développement, il faut
aller les chercher dans la véritable nature, même, de la révolution bourgeoise.

La Bretagne que Balzac vient de voir, en effet, et qui n'a
plus rien de commun avec la Bretagne littéraire du paysan
Pinau, Balzac porte sur elle un jugement sans nuance :
« Depuis trente ans environ, la guerre civile a cessé d'y
régner, mais non pas l'ignorance. L'agriculture, l'instruction,
le commerce, n'ont pas fait un seul pas depuis un demi-
siècle. La misère des campagnes est digne des temps de la féodalité, et la superstition y remplace la morale du Christ [1] ».
La référence à la féodalité ne surprend pas sous la plume de
l'auteur de *Sténie* et de *L'Héritière de Birague* [2], non plus
que sous celle, pourtant, d'apparence plus favorable, de la
brochure sur le droit d'aînesse ; mais l'éloge du pacte constitutif était alors celui de la féodalité naissante, et il s'agit ici de
la féodalité telle qu'elle est devenue, de la féodalité embour-
geoisée, malthusienne, telle que voudraient la ressusciter les
politiques de l'extrême-droite. Seulement, a-t-on donné toute
son importance à la chronologie ? *Depuis plus d'un demi-
siècle :* voici qui nous ramène aux années 1700 et suivantes,
soit *avant* la Révolution. Celle-ci, victorieuse dans les villes,

---

1. *Les Chouans*, éd. Regard, p. 430. Il est très caractéristique que, dans le chapitre
II, Balzac donne une description de la Bretagne au présent, sans faire de différence
entre celle qu'il vient de voir et celle qui sert de cadre à son histoire de 1800 : « Les
efforts tentés par quelques bons esprits pour conquérir à la prospérité et à la
vie sociale cette belle partie de la France, si riche de trésors ignorés, meurent
au sein de l'immobilité d'une population vouée à une immémoriale routine »
(*éd. or.*, I, p. 41). L'attaque contre l'esprit routinier des populations est peut-être
un souvenir de conversation au coin du feu chez Pommereul, gentilhomme
éclairé.
2. Rappelons : « Qui conteste que la servitude et la féodalité ne soient d'horribles crimes ? » (*Sténie*, éd. cit., p. 136), et : « le gouvernement féodal, gouvernement
absurde... » (*L'Héritière de Birague*, I, p. 1).

ayant profondément transformé le visage du pays « moderne », n'a donc rien changé à la réalité des campagnes? Un voyage à Fougères suffit à se persuader que le cadastrage, que tous les progrès chers à Bernard-François et à la génération précédente, n'avaient pas mordu sur les hommes, sur leurs conditions de vie, sur leur mentalité. L'insurrection chouanne s'explique par la misère, par l'ignorance. Sur place, Balzac l'a compris. Les doctrinaires distingués pouvaient bien faire la petite bouche : ils avaient profité de la Révolution, et Barante, préfet à Nantes, pouvait bien avoir des condescendances pour les paysans fourvoyés du bocage : c'est eux qui, potentiellement, représentaient, face à lui, une force révolutionnaire. Balzac semble prendre conscience de cette dissonance, mal perceptible, alors, aux bourgeois. Sous la monarchie de Juillet, encore, Ducange ne voudra voir dans la chouannerie qu'une manigance de politiciens « au sommet [1] ». Balzac poursuit, creuse, certaines intuitions de ses premiers romans : il existe un au-delà, un résidu de la révolution bourgeoise. On s'est satisfait d'une remise sur pied de tout ce qui était grossièrement illogique, absurde. Mais l'ensemble social n'a pas été « traité ». Lorsque Balzac élèvera la voix, en 1832-1833, en faveur des campagnes, il faudra se souvenir de ce qu'il avait écrit en revenant de chez Pommereul. Il y a là un bel exemple de ces « déceptions » engendrées par la Révolution, mais déception fortement enracinée dans la connaissance du réel français, et surtout, déception conduisant à une mise en accusation de la bourgeoisie, non à une mise en accusation des droits de la Révolution. Mais on peut être encore plus précis.

1770, en effet, c'est la date à laquelle le duc d'Aiguillon dut être innocenté par lettres patentes à la suite du procès qui lui avait été intenté pour avoir suborné des conseillers du parlement de Rennes. Victoire, ce procès des « franchises » contre les envahissements! Victoire, en réalité, de libertés rétrogrades sur la nationalisation de la Bretagne. Or, depuis le xviiie siècle, l'affaire d'Aiguillon-La Chalotais était l'une des « tartes à la crème » des « philosophes » et amis des « lumières ». D'Aiguillon incarnait le despotisme ministériel, La Chalotais les libertés locales. Comme le premier avait soutenu les Jésuites (qu'il considérait comme instrument de pénétration et de civilisation), alors que le second avait fait fermer leurs collèges, comme, de plus, il avait été accusé de louches manœuvres lors de son procès avec les parlementaires bretons, l'affaire

---

1. Cf. *Marcot Loricot, où le petit chouan de 1830* (paru en 1836).

s'était envenimée et compliquée à plaisir. Or, explique Balzac, le procès est à réviser. Il est fort possible que les « progressifs » n'aient pas vu clair, qu'ils se soient laissé entraîner par leurs préjugés anticléricaux, et qu'ils n'aient pas vu les bases mêmes du conflit. La Chalotais, c'est « cet étroit patriotisme de localité, si funeste au progrès des lumières [1] ». Nous avons déjà rencontré cette idée dans *Sténie*. Quant à d'Aiguillon, si ce fut peut-être un homme qui ne cherchait à « faire le bien qu'au profit du fisc et de la royauté », il incarnait « le patriotisme national [2] », le progrès économique par la centralisation et l'unification. Pourquoi en avait-on voulu à d'Aiguillon ? Il « avait tenté d'abattre les haies de la Bretagne, de lui donner du pain en introduisant la culture du blé, d'y tracer des chemins, des canaux, d'y faire parler le français, d'y perfectionner le commerce et l'agriculture, enfin d'y mettre le germe de l'aisance *pour le plus grand nombre*, et la lumière pour tous [3] ». Seulement d'Aiguillon avait pour lui la force, et l'on avait mal raisonné. « La victime [La Chalotais] défendait les abus, l'ignorance, la féodalité, l'aristocratie, et n'évoquait la tolérance que pour perpétuer le mal de son pays ». Il y avait, poursuit Balzac, en des termes soigneusement pesés, deux hommes en lui : « le Français qui, dans les hautes questions d'intérêt national, proclamait d'une voix généreuse, les plus salutaires principes ; le Breton, auquel d'antiques préjugés étaient si chers, que, semblable au héros de Cervantès, il déraisonnait avec éloquence [4] ». On a passionné un problème technique, un problème de « prospérité », les passions locales s'ajoutant aux passions parisiennes, inspirées par des intérêts qui n'étaient pas ceux des paysans bretons. « L'entêtement du caractère breton est l'un des plus puissants obstacles à l'accomplissement des plus généreux projets [5] » : contre cet immobilisme, il faut qu'intervienne, *de l'extérieur*, une force, une pensée armée, et seul l'État est qualifié pour le faire. Quel État ? C'est oublier l'ambivalence de celui d'ancien régime, à la fois agent d'exécution d'un certain modernisme centralisateur et des intérêts d'une aristocratie rétrograde. Les philosophes, théoriciens, souvent, d'une liberté négative, centrifuge, alors qu'en d'autres circonstances ils avaient loué l'œuvre d'un

1. *Les Chouans*, éd. Regard p. 431.
2. *Ibid.*, p. 431.
3. *Ibid.*, p. 431.
4. *Ibid.*, p. 431.
5. *Ibid.*, p. 430.

Pierre de Grand, d'un Louis XIV, s'étaient montrés, à l'occasion du fameux procès, les précurseurs des libéraux modernes, partisans du laisser-faire. « Le ministre avait raison, mais il opprimait; la victime avait tort, mais elle était dans les fers » : à partir de là, on avait réagi en termes de sentiments, d'irresponsabilité. « En France, le sentiment de la générosité étouffe même la raison. L'oppression est aussi odieuse au nom de la vérité qu'au nom de l'erreur [1]. » Ce sera, bientôt, le thème central des *Deux Rêves*, et l'on reconnaît aisément l'inspiration de la brochure de 1824 sur les Jésuites [2]. Balzac pense en termes d'organisation créatrice, non en termes de résistance au pouvoir, et ceci, *parce qu'il appartient à la bourgeoisie en ce qu'elle a d'intellectuel, non en ce qu'elle a de possédant.* Un Rémusat, un Barante songent à continuer, à préserver. Un Balzac songe à créer. Il n'a rien à préserver que l'idée qu'il se fait de la société selon l'héritage de l'idéologie bourgeoise. Les autres raisonnent à partir d'un acquis, lui, à partir d'exigences. D'où, sa sympathie pour ce « despote éclairé » qu'était le duc d'Aiguillon, et pas seulement « despote éclairé » selon le XVIIIe siècle, mais bien selon une philosophie toute moderne, et déjà rencontrée : « les germes de l'aisance pour le plus grand nombre » *est une expression saint-simonienne.* Or, c'est le 8 mai 1828 qu'était sorti des presses de l'imprimerie Honoré Balzac le premier Cahier du *Gymnase.* Ce n'est donc pas tant le « libéralisme » qui inspire le « progressisme » du *Dernier Chouan*, qu'une idéologie qui met en cause, précisément, le laisser-faire libéral. D'Aiguillon, c'est, au niveau national, Bennassis se battant, déjà, contre les particularismes paralysants, c'est l'homme qui *prévoit*, au lieu de vivre à la petite semaine. « Tels étaient les résultats *éloignés* des *mesures* dont la pensée donna lieu à ce grand débat [3] » : toute la « prospective » balzacienne, qui se développera largement par la suite, tant sur le plan de l'analyse politique que sur celui de la création romanesque, est en germe dans ces remarques de 1829. Le sentimentalisme partisan a faussé le procès fait à d'Aiguillon, comme celui fait aux Jésuites, envisagés formellement comme un modèle

---

1. *Les Chouans* éd. Regard, p. 431.
2. *Les Deux Rêves*, parus en mai 1830, seront datés de janvier 1828, ce que rien ne l'oblige à admettre. De même, Balzac datera *Les Chouans* de 1827, alors qu'il avait d'abord daté le manuscrit de... janvier 1828! Quelque séduisante que soit l'hypothèse d'une rédaction simultanée des *Deux Rêves* et de l'*Introduction* du *Dernier Chouan*, rien ne peut l'appuyer sérieusement. On peut noter tout au plus la convergence d'œuvres écrites à des dates proches.
3. *Les Chouans*, éd. Regard, p. 431.

d'organisation. Ce que la bourgeoisie affairiste n'aime pas, comme ce que n'aime pas non plus une aristocratie qui manque à ses devoirs, ce sont les hommes qui planifient et passent au bulldozer un paysage où certains trouvaient leur compte. Balzac, certes, comprend encore cet égarement sentimental : on a eu pitié d'une victime. Plus tard, l'anarchisme et le laisser-faire libéral ayant révélé toutes leurs vertus, il se fera plus impitoyable lorsqu'il plaidera pour un pouvoir fort. Moins d'urgence explique plus de souplesse dans son attitude. Mais l'orientation fondamentale est là : on ne sortira l'humanité née de la Révolution (héritière de la Révolution) de son désordre que par l'organisation. En apparence, *Le Dernier Chouan* est un roman anti-bourbonien; en réalité, c'est un roman antilibéral. Que, peu à peu, la présence de la Révolution en Bretagne soit devenue une présence purement *politique*, policière, que les grands principes aient fini en queue de Corentin, quelle magnifique expression *romanesque* d'un devenir social ! Par réaction, l'amour de Marie pour le Gars acquiert de la beauté, de la signification. Balzac voulait introduire l'amour dans le roman historique pour faire « mieux» et plus complet que Walter Scott ? Mais l'amour de Marie et de Montauran est bien autre chose qu'un placage littéraire, et manifeste une autre intervention que celle de la volonté littéraire. Cet amour n'aurait pas été concevable, n'aurait pas eu de sens, si les soldats bleus avaient apporté à la Bretagne en 1800 plus que des ordres de réquisition. Marie et Montauran auraient pu, dans un roman « romantique », à la mode de 1820, être un couple symbolique des souffrances et martyres royalistes sous la Révolution. Dans le roman de Balzac, Marie et Montauran sont le symbole d'une vie que l'aventure révolutionnaire, progressivement dégradée, ne parvient pas, ne parvient plus, à exprimer complètement. Marie et Montauran, comme del Ryès, comme Falthurne, comptent en ce sens non qu'il leur « arrive » bêtement quelque chose, mais en ce sens que ce sont des *figures*. Le brave Hulot est déjà dépassé par l'Histoire. Il se croit encore le soldat du progrès, alors qu'il est déjà le soldat des prébendes, des belles situations, d'une nouvelle féodalité. Corentin est là pour le dire. Alors, *Marie et Montauran gagnent ce que perd le mythe révolutionnaire. Ce sont des figures du désenchantement politique.* Tout se tient : on avait brisé d'Aiguillon; les Bleus, de missionnaires, sont devenus fonctionnaires; Corentin s'est répandu; les bourgeois ont fait des affaires; la Bretagne est restée sous-développée; Montauran et Marie, de couple-brigand, sont devenus couple-héros. L'insuffisante lumière d'une « civilisation » voilée par la Bourgeoisie libérale [1], la castration d'une révolution par les castes bénéficiaires, tout conduit, *et* à l'affirmation de grands principes organisateurs, donc, malgré les apparences et malgré le contexte politique provisoire, à l'affirmation d'une politique antilibérale, *et* à la valorisation sentimentale de certaines des victimes de cette révolution. Nous avions déjà rencontré ce phénomène au moment du *Vicaire des Ardennes*, mais, cette fois, il s'agit de bien plus que de vagues correspondances entre élégies. Il s'agit de quelque chose qui monte d'une expérience directe, en pleine pâte, dans les chemins creux. On a pris les hommes, on n'a pas changé le pays. Il n'y aurait jamais eu, chez Balzac, ce mythe du *Réquisitionnaire* [2], si les réquisitions n'avaient été l'essentiel des relations entre la révolution bourgeoise et la France qui, en 1829, attendait encore sa révolution [3]. Mme de Dey, dans la nouvelle de 1831, sera la sœur de Marie de Verneuil, une mère malheureuse, non une vieille égoïste qui ne comprend rien à l'Histoire. Pour qui et pour quoi lui prendrait-on son fils? Pour qui et pour quoi la colonne Hulot emmenait-elle les requis de Fougères? A nouveau, des hommes (et qu'importe que ce soient des « Blancs »?) servent de matériaux à d'autres hommes (et qu'importent que ce soient des Bleus?), *là-bas*, comme dira Zola, au lieu d'être associés à une œuvre de transformation globale. Cette faille dans l'unité révolutionnaire, cette Révolution qui devient un fait, une fatalité, cette faille que marquent bien, dans le roman, les réserves du lieutenant Gérard, point trop content de voir Bonaparte se muer en chef absolu [4], seul pouvait la montrer, la dénoncer, sans risque de tomber dans les apologies réactionnaires, un écrivain bourgeois qui, par ailleurs, manifestait sans équivoque son opposition aux féodaux, aux émigrés, et à leur idéologie. Mais cette garantie empêchait-elle de trouver une amère saveur aux retombées de la Révolution?

C'est par là que *Le Dernier Chouan* ne doit, en aucune

1. Il lui a bien fallu, un moment, être autoritaire, pour s'installer, mais il est manifeste que Corentin sert aussi bien le laxisme constitutionnel que l'énergie consulaire ou impériale. Le devenir balzacien du personnage est là pour le prouver.

2. Le récit qui porte ce titre paraîtra en février 1831. Ce sera, alors, surtout une « étude philosophique » (« une mère tuée par la violence du sentiment maternel », dira Davin dans l'*Introduction* aux *Études philosophiques*)», mais sur un fond de souvenirs politiques. A. Prioult pensait, avec raison, semble-t-il, que le thème du réquisitionnaire pouvait être très ancien chez Balzac (*op. cit.*, p. 340), peut-être à la suite de lectures. Le voyage à Fougères a dû « recharger » ces souvenirs.

3. C'est la France que l'on a rencontrée dans *La Dernière Fée* et que l'on retrouvera dans *Le Médecin de campagne*.

4. Veryno, déjà, en 1822, manifestait son opposition à la transformation du consulat en monarchie. Le thème se retrouvera avec le Niseron des *Paysans*.

manière, être considéré comme un livre « rouge », comme un livre « populaire », ni même comme un livre libéral. Ou c'est, alors, qu'on ignorerait tout (et, sur ce point, ignorer, vouloir ignorer, refuser de voir, sont bien proches parents) de ce que signifie, en 1829, le mot *libéralisme*, de ce qu'il y a, derrière le libéralisme et sa phraséologie. Balzac reproche aux chefs royalistes d'avoir fait appel « aux masses peu civilisées », c'est-à-dire à une spontanéité négatrice, purement destructrice, alors que le but de toute action sociale véritable est entreprise et construction. Suggestion de ce que la Bourgeoisie éclairée était plus efficacement progressive qu'un peuple encore sommeillant et docile à ses anciens maîtres? Cette idée est, incontestablement, en filigrane dans *Le Dernier Chouan*. Mais ce manichéisme ne doit pas remplacer l'autre. La Presse de gauche insistait volontiers, alors, sur la conjonction des obscurantismes, mais Balzac, lui, « sauve » le progressisme révolutionnaire initial en faisant de ses armées des instruments de civilisation. Mais en 1799? Comment ne pas songer, à propos de la colonne Hulot, aux centurions de bonne foi des guerres coloniales, aux « salopards » d'Édith Piaf et de la chanson populaire? On est progressiste, hélas, comme on peut, et quelle école républicaine n'a vanté et les soldats de Corentin et ceux de Mangin? Mais qui pouvait vraiment savoir? Balzac, ici, rend impossible le noir et blanc des mécanistes. Il n'y a pas d'interrogations, pas d'inquiétudes, dans ces livres simples et simplistes, qui voient l'Histoire comme un grand combat lumineux entre bons et méchants, purs et impurs. Dans *Le Dernier Chouan*, rien n'est aussi simple. Il est question de la « lutte de la monarchie contre l'esprit du siècle [1] »; il est dit que « la Révolution, adoucie par le 9 Thermidor, allait peut-être reprendre le caractère de Terreur, qui la rendait haïssable aux esprits modérés ». Phrases toutes faites, peut-être, clichés? Il est possible. Mais aussi, double aspect du réel. « Allons, danseur d'opéra, avance donc, que je te démolisse! », s'écrie Hulot à l'adresse de Montauran [2], mais Montauran n'en est pas pour autant un ridicule, et il échappe aux critiques faites par Marie à l'esprit cynique du xviiie siècle finissant [3]. C'est toute l'ambiguïté politique de *La Comédie humaine* qui se dessine ici, ambiguïté dynamique qui n'a rien à voir avec un éclectisme quelconque, et qui est l'expression dramatique, lucidement dramatique, de l'ambiguïté

1. *Les Chouans*, éd. Regard, p. 61.
2. *Ibid.*, p. 49.
3. *Ibid.*, p. 320.

du réel historico-social en société post-révolutionnaire.
Rappelons-nous la remarque de Nodier sur l'absence de romanesque « dans les sociétés bien organisées ». Balzac ne renvoie
pas dos à dos des adversaires avec qui il n'aurait rien à voir.
Il vit avec eux tous, dans la mesure où chacun dit une part
de la vie, des rêves, des besoins. Que Révolution finisse par
signifier police, que pureté monarchiste finisse par signifier
ambitions personnelles, rivalités de chefs, barbarie [1], que
tout porte avec soi son contraire, sa négation, et que la vie
soit, précisément, faite du jeu de ces contraires, c'est là qu'est
la force de la vision balzacienne, vision qui récuse tous les
manichéismes, tous les schématismes. Gérard trouve que le
premier Consul parle un peu trop de lui, mais Balzac écrit,
à propos du retour d'Égypte : « La France, dont le jeune
général était l'idole, tressaillit d'espérance. L'énergie de la
nation se renouvela [2] », et l'une et l'autre phrase sont vraies.
Vive le coup d'État, contre l'assouplissement de la Restauration. Vive la liberté et les grands souvenirs, contre ce qu'est
devenu l'Empire. *C'est au niveau de l'évocation, de la reconstruction objective du réel, que Balzac exprime, en 1829, l'impossibilité de s'engager totalement dans l'un des deux camps en
présence.* De quel poids seraient ici, des confidences directes,
des plaintes sur la dureté idéologique des temps, sur l'incertitude morale? Balzac le dit autrement. « Ce ne sera pas sa
faute [à l'auteur] si les choses parlent d'elles-mêmes et
parlent si haut [3] » : l'erreur serait de voir *seulement* dans cette
phrase bien connue, une proclamation antiroyaliste. Elle est
d'une portée infiniment plus large. L'auteur peut s'effacer,
personnellement: il est des vérités qui ne dépendent pas de
lui. C'est sans doute pourquoi Balzac, malgré son évolution
politique ultérieure, n'a pas réellement corrigé *Les Chouans* [4].
C'était ainsi. Ce qu'il a vu, en Bretagne, ne relève pas de ces
prises de position incomplètes familières aux purs politiques,
aux purs partisans. Son livre va parler un autre langage,
puisqu'il exprime une autre réalité. Ce n'est pas éclectisme,
ce n'est pas modération au-dessus des partis, que ces premières
lignes de l'*Introduction*. Respecter les convictions? Ce n'est

---

1. Par exemple, les querelles au château de La Vivetière, après le massacre
des soldats bleus. J.-H. Donnard a montré que Balzac s'inspirait directement,
ici, de textes contemporains (*op. cit.*, p. 54).
2. *Les Chouans*, éd. Regard, p. 78.
3. *Introduction* de la première édition (*Les Chouans*, éd. Regard, p. 427).
4. Les corrections porteront, en 1835, essentiellement sur Marie de Verneuil,
poétisée pour plaire à Mme Hanska, et, dans *La Comédie humaine* sur les noms
des personnages, afin de les faire « reparaître ». Mais Balzac ne « tripotera » pas
son texte de manière à lui faire rendre un autre son *politique*.

pas appauvrir le roman, c'est l'ouvrir sur d'autres richesses,
sur d'autres perspectives, puisque les problèmes du réel, les
problèmes de la Bretagne vue avec des yeux neufs, comme
ceux de toute la société française vue avec des yeux neufs,
ne relèvent plus de cette insuffisante et schématisante échelle
de valeurs qu'était celle des partis, *c'est-à-dire celle de la
bourgeoisie libérale* [1].

Il faut aller très loin en ce sens. Le témoignage, en effet,
du *Dernier Chouan*, par-delà tout pittoresque, tout romanesque, est un témoignage *global* sur le monde moderne, ensemble
contradictoire de forces naguère totalement révolutionnaires,
aujourd'hui frustratrices, mais toujours détentrices du pouvoir, et de forces naguère totalement réactionnaires, mais qui
tendent à assumer, par réaction contre le fait révolutionnaire,
un certain rôle de pureté. Une vision partisane ne retiendrait
que l'un de ces aspects du réel, et le roman tomberait dans ce
que Bernard Shaw appelle le fait divers crapuleux [2] : le pur
est assassiné par l'impur, celui qui a totalement tort tue
celui qui a totalement raison. L'intérêt dramatique de la
composition vient du dialogue de sourds qui s'instaure entre
adversaires également, quoique à des titres divers, « désinté-
ressés », et dépassés par les forces dont ils sont les porte-
parole. Une telle vision globale, qui suppose d'ailleurs la
mise en scène non des acteurs de premier plan (Bonaparte,
Fouché, les chefs de l'émigration, les princes), mais de la
piétaille [3] de l'histoire, est critique dans la mesure où elle met
en cause non l'un des deux termes de la contradiction, mais
bien l'ensemble de la contradiction même, c'est-à-dire le
monde moderne. A la différence de Stendhal, qui peint le
réel immédiat, sans recul (*Armance, ou quelques scènes d'un
salon de Paris en 1827*, paraît en 1827, *Le Rouge et le Noir*,

---

1. On verra plus tard que c'est l'un des moyens les plus efficaces de la démystification balzacienne que la substitution au jeu de catégories libéral (les méchants
nobles, les méchants curés, et les bons « industriels », et les bons « philosophes »)
d'un nouveau jeu, sinon de catégories (le mot implique, déjà, fixation) du moins,
d'exigences, dans le travail d'analyse, de jugement et d'expression du réel
moderne.

2. Préface de *Saint Joan*. C'est en faisant de Cauchon un porte-parole valable
et sincère de la catholicité et de la féodalité menacées par le protestantisme et
le nationalisme, que Shaw transforme son combat contre Jeanne de simple
assassinat juridique en tragédie.

3. Pour Lukacs, qu'on ne peut ici que suivre, l'originalité de Scott est également d'avoir vu l'*ensemble* du réel historique, et de l'avoir rendu sensible en
prenant pour acteurs le peuple, les figurants anonymes ou secondaires, ceux que
les « grands » ne font que traduire et exprimer, au sommet. Balzac agira exactement de même dans *Une ténébreuse affaire*, Napoléon n'apparaissant que fugitivement à la fin, mais les problèmes de la société impériale constituant la trame
du roman. C'est exactement la technique inverse de celle de Vigny dans
Cinq-Mars.

chronique de 1830, paraît en 1830; de même *Lucien Leuwen*, composé en 1834-1835, peint la monarchie de Juillet en 1833-34), Balzac semble chercher dans un proche passé les racines du présent. *La Bretagne en 1800*, c'est le recul nécessaire pour comprendre l'état confus de la vie en 1829, dont compte ne saurait être rendu par les simplifications libérales. A partir du moment où la Révolution et son œuvre, où la Bourgeoisie, ne sont plus *le* total, mais font partie d'*un* total, elles sont dépassées; elles perdent leur vocation d'instruments de fin de l'Histoire. Stendhal (et c'est là une autre méthode réaliste), montre les aristocrates jouant le jeu bourgeois de l'argent, et les libéraux méprisant le peuple, menés uniquement par des mobiles de classe, en aucune manière par des mobiles universalistes, mais il les montre avec moins d'arrière-plans, les individus semblant compter au moins autant que les classes, que les grandes forces historiques, etc. Chez Balzac, Hulot et Montauran sont plus des *types* (tout en restant individuellement vivants) que Julien ou le marquis de la Mole; Balzac est moins curieux de psychologie individuelle, moins « détaché », et ne récupère cette psychologie individuelle que par l'intermédiaire d'une problématique historique qui lui restitue son importance. Toute une invisible humanité se presse, on le sent, derrière Hulot, Marie et Montauran. Ils sont intermédiaires entre les « grands », qui ne paraissent pas, et la masse immense, que le roman ne saurait faire vivre que grâce à eux. Donner la préséance aux grands serait tomber dans l'idéalisme (les grands hommes seuls font l'Histoire, et c'est la faute à Richelieu s'il n'y a plus de noblesse), et seuls les philosophes peuvent parler des forces collectives. Le romancier réaliste, conscient, douloureusement conscient, de ce qu'explique le proche passé du présent, de ce que, aussi, ce présent existe, impitoyablement, comme tout, comme destin, comme cadre non choisi dans lequel il faut bien vivre, ne laisse échapper aucun des éléments qui composent cet ensemble, et s'attache, de plus, à en repérer l'origine. Le roman poétique ou polémique, manichéen, suppose que le bonheur serait possible, que la vie serait autre, si disparaissait, par miracle, l'un des deux groupes d'acteurs de l'Histoire. Le roman réaliste met en pièces cette prétention, en refusant à chacun des deux camps le statut de totalité, bénéfique ou nuisible, en leur niant tout droit à engendrer des certitudes. L'impression est d'autant plus forte que Balzac n'a pas placé, entre ses deux camps, un personnage « moyen », qui témoignerait pour une sorte de « sagesse », comme on en trouve chez Scott ou Cooper. Il n'a pas non plus suggéré, comme le feront un Dumas, un Sacha Guitry, qu'une certaine France « éternelle », France de tous, France réconciliée, France sans problèmes et sans contradictions dramatiques, France des rassemblements, des amnisties et des unions sacrées, France de la négation des révolutions, France profondément conservatrice, serait le « résultat » de ces oppositions, généreuses, mais non fondamentales [1]. Montauran et Hulot peuvent *se retrouver contre* la Bourgeoisie; ils ne font en aucune façon partie d'une France qui inclurait la Bourgeoisie, et la légitimerait. La vision globale scientifique de Balzac rend impossible toute ineptie du genre : « Au fond, tous Français [2] ». L'impitoyable dramaturgie du *Dernier Chouan*, la solitude des protagonistes, l'absence radicale de tout « triomphe » final, le sentiment de porte-à-faux qui persiste et s'aggrave, tous ces morts pour rien alors que Corentin se dirige vers *La Comédie humaine*, tous ces morts qui ne pouvaient ne pas être des morts pour rien, c'est la redécouverte du tragique, avec la redécouverte, au sein du monde des hommes, de profonds conflits. On pousserait aisément la comparaison : ces amants que cernent les soldats au matin de leur première nuit, ce chœur muet et universel des paysans bretons et des soldats de la République, Hulot qui tue sans être bien sûr d'avoir raison, Corentin qui sait et qui voit, l'immense public du siècle, n'est-ce pas la tragédie moderne? Balzac l'a retrouvée non à partir de recherches formelles, mais bien à partir de la connaissance et de la découverte des grandes contradictions post-révolutionnaires. Or, qu'est-ce, en son fond, que le romantisme, que le mal du siècle, sinon une vision tragique de la vie, après le délabrement des certitudes des lumières? Un roman comme *Le Dernier Chouan*, plusieurs

1. Sur le personnage « moyen » chez Scott et Cooper, cf. Lukács, *op. cit.*, chap. I. Dumas, dans la série des *Mousquetaires*, suggère clairement que le conflit qui oppose Richelieu à la noblesse, Mazarin aux Frondeurs, n'est que fourvoiement de bravoures; tout le monde finit par se réconcilier, l'ancien adversaire chevaleresque de Richelieu devenant maréchal de France. Il en va de même dans *Les Compagnons de Jéhu*, Morgan, le chef royaliste, Roland, l'officier républicain, se trouvant, eux aussi, réconciliés, conciliés au sein d'une générosité « française » qui les transcende; la synthèse est d'ailleurs fermement assurée (?) par l'amour que porte à Morgan la propre sœur de Roland. Quant à Sacha Guitry et à ses évocations historiques, on sait assez à quoi elles tendent. C'est ainsi que la Bourgeoisie, menacée par l'Histoire, s'applique à vider l'Histoire de ses conflits objectifs. Les œuvres « mineures », « populaires », sont ici aussi importantes et significatives que les œuvres de premier plan.

2. Que l'on trouve chez l'aristocrate, et, malgré tout (?) défenseur de l'ordre *bourgeois*, Vigny, en juillet 1830, lorsqu'il lui faut bien admettre, avec la bravoure des ouvriers, l'apparition de forces et de valeurs neuves. « Français partout », écrit-il au sujet de la Garde Royale et des insurgés (*Journal d'un poète*, *Œuvres*, II, p. 911). Claire manière de dire que l'apparition de forces et valeurs neuves ne met pas en péril l'idée qu'on se faisait de l'Histoire, que celle-ci n'est jamais déconcertante, mais récupérable.

journaux le remarquèrent dans leurs comptes rendus, à la différence de ce qu'eût été un roman de Scott sur ce sujet (à la différence également de ce que suggère bien malencontreusement le titre définitif de *La Comédie humaine*) n'était nullement l'affrontement de grandes forces *pures*, dont il aurait fallu faire comprendre origines et composantes. Balzac n'avait pas entrepris de rendre compte d'un grand combat, à son point de plus haute maturité, de plus haute signification : *il avait pris son sujet au moment de la fin d'une époque*, alors que nul des acteurs n'était plus vraiment et totalement porté par quelque chose de plus grand que soi et suffisant à le définir. Que des hommes hésitent à tuer pour une cause, qu'ils s'interrogent, c'est, certes, de toujours, mais cette incertitude manifeste, mais ces actions qui continuent, alors que ne sont plus vraiment là les certitudes de départ, mais cette chouannerie qui n'a plus ni perspectives ni plans, mais cette République qui va finir en queue d'Empereur, mais cette évolution générale qui ne va nullement, comme le suggèrent de manière très démagogique l'Histoire officielle et ses romanciers, à une France plus forte et réconciliée, mais bien à une France dégradée, installée de plus en plus profondément dans l'arrivisme et les satisfactions, tout ceci explique la remontée du tragique individuel et du romanesque. Si Marie vient d'un mélo dans lequel est reconnue une belle espionne ou, plus simplement, une jeune personne au passé scandaleux (cette situation figure déjà dans *Une blonde*), si le Gars vient de *Wann-Chlore* et de la tradition romanesque, si tous deux tirent leur être de bien plus que l'Histoire immédiate, le choix du sujet historique apparaît dans toute sa signification : une *qualité* personnelle déborde le pseudo-historique et témoigne pour après lui, pour plus que lui.

La meilleure preuve s'en trouve dans le dialogue Hulot-Montauran. Hulot est un naïf, et un naïf respectacle, *intelligible*. Il se réjouit de ce que Fouché soit là, pour assurer la survie de la République [1], et le lecteur de Balzac sourit. Mais Fouché, en 1799, c'est encore la Montagne. Hulot n'est donc pas ridicule; il est berné, déphasé, par rapport à la nouvelle réalité révolutionnaire qu'il ne comprend pas. Il en est encore, comme plus d'un qui l'entoure, au bonnet de la République une et indivisible, aux chapeaux mis au bout des baïonnettes [2]. Hulot est petit, comme étréci, par rapport à l'immensité du réel : à preuve son isolement dans l'immense paysage de la Pèlerine et de Fougères. Dans cette belle matinée, alors que les premiers rayons percent le brouillard, cette guerre a quel-

---

1. *Les Chouans*, éd. Regard, p. 40.
2. *Ibid.*, p. 40.

que chose d'absurde. Elle relève d'un réel partiel, dépassé :
on n'oppose pas la nature à la guerre lorsque la guerre est
sentie universellement comme juste et bonne, lorsqu'elle
mobilise et retient tout l'Homme. A Fougères, Balzac a vu se
lever le soleil; il a repensé à Hulot, à sa poignée de soldats.
Dérision! « Depuis la lutte commencée entre la France et
l'Europe, leurs idées n'avaient pas dépassé leur giberne en
arrière et leur baïonnette en avant [1] » : « la langue pittoresque
du soldat » n'est que le témoignage le plus visible de cet isolement progressif au milieu d'un monde qui évolue. « On va
leur siffler un air de clarinette, mon commandant [2]! » : cette
phrase eût été belle et eût sonné plein, en 1793, lors de l'empoignade entre la vieille Europe et la jeune révolution, mais
qu'exprime-t-elle d'autre aujourd'hui qu'une illusoire liberté?
Car jouer un air de clarinette à qui? Et qui est *eux?* Qui est
l'autre? Et donc, qui est *je?* Hulot sera le bourreau de Montauran : bourreau de soi-même! Car Montauran, avec son idéalisme, avec sa noblesse native, est aussi déphasé par rapport
aux « politiques » de son parti, par rapport aux paysans farou-
ches, par rapport aux hobereaux ambitieux et cupides, par
rapport aux chauffeurs, que Hulot par rapport aux « musca-
dins ». N'est-il pas, d'ailleurs significatif qu'il ressemble à
Horace Landon? Il apparaît vêtu de l'uniforme des poly-
techniciens; il a, « sous ce costume sombre, des formes élégantes », du « je ne sais quoi », et un menton à la Bonaparte [3].
« D'irrésistibles enchantements » font de lui, comme personnage de roman, tout autre chose qu'un simple envoyé des
émigrés de Londres. Montauran est d'une autre race. Il
incarne, comme Landon, une jeunesse pure et belle, en quoi
se retrouvent aisément tous les éléments « purs » de la réalité
contemporaine. Qu'il devienne le héros d'un roman d'amour
n'a certes rien pour surprendre : l'essentiel du marquis de
Montauran n'est pas, loin de là, dans son appartenance au
camp des Blancs. Mais, dès lors, ceci ne rend-il pas impossible
tout classement intégral de Hulot dans le camp des progressifs réels, objectifs? *On ne sait plus très bien où l'on en est*, et ce
non de par une perverse volonté de tout rendre confus, de
tout mettre arbitrairement sur le même plan, mais uniquement, fondamentalement, parce que l'Histoire, dans la
société libérale, évoluant selon ses propres lois, aboutissait
à sa propre dissolution comme facteur de mise en ordre du
passé. D'où ceci, évidemment capital :

1. *Les Chouans*, éd. Regard, p. 35.
2. *Ibid.*, p. 35.
3. *Ibid.*, p. 102.

La matière première romanesque du Dernier Chouan, c'est un certain pourrissement historique. En 1793, le sujet n'eût point été romanesque. Mais, en 1799, comme le portent les premières lignes, année — le trait est significatif — de la naissance de Balzac, il y a beau temps que le calendrier révolutionnaire, bien que toujours en usage, est chose dépassée. L'automatisme le porte encore, non une vie nouvelle. D'où, prennent relief, ces costumes d'avant la révolution, ces peaux de bique, tout cet immobilisme. Dans la masse bretonne, seuls bougent les « avocats », les intellectuels ralliés, bonne graine de Courottin, appelés à peupler les *Scènes de la vie de province* et les *Scènes de la vie parisienne.* Carrières à faire, pour les robins de Bretagne! Mais les paysans? Le résultat, c'est qu'en l'an VIII, à l'unification, qu'avait fait espérer la Révolution, le roman oppose, sans effort, d'infinies différenciations, des nuances, toute une revanche de l' « humain » sur une Révolution qui s'est révélée incapable de l'assumer en entier. Les lois reçoivent « dans leur application l'empreinte des circonstances au lieu de les dominer [1] ». Barras est au courant des révoltes qui couvent [2]. Barras n'est plus qu'un individu. Les révolutionnaires ne poursuivent plus que le mirage de réussites individuelles. Les révolutionnaires rapetissent, et, au milieu de cet immense paysage découvert par Balzac, il y a, après la petite troupe de Hulot, cette turgotine, anachronique aussi bien qu'éloquente, et qui chemine, plus mince encore que le coche de La Fontaine. La Révolution n'est plus là que sous forme de lambeaux, de gestes, de mécanismes, de puissances réduites à leurs moyens, mais sans irradiation. Qui s'étonnerait que les destins individuels, que les vies privées, comme dans le *Tableau* originel, reprennent de l'importance, toute — ou presque — l'importance? L'Histoire, n'étant plus tout l'Homme, devient Destin, toile de fond. Le jeu Hulot-Marie-Montauran, se joue en des zones autres que purement historiques et politiques. Frustrée, Marie joue un jeu qui n'est pas le sien. Mais Montauran, mais Hulot, même, sont-ils totalement dans leur propre peau? Ne pour-

---

1. *Les Chouans*, éd. Regard, p. 11.
2. *Ibid.*, p. 72 et 453. Dans le manuscrit, c'est bien Barras, en effet, qui engage Montauran à la prudence. Dans l'édition imprimée, c'est Pichegru, ce qui est plus vraisemblable, mais moins intéressant. On lit, de même (p. 40) que c'est Fouché qui a fait avertir Hulot de l'imminence de l'insurrection. Il est certes normal qu'une police soit renseignée, qu'elle laisse éclater un mouvement subversif afin de mieux l'écraser, mais l'éclairage romanesque, ici, compte plus que la vraisemblance objective : tous les acteurs du drame, manipulés par Fouché (qui, peu de temps « après », manigancera le complot qui sera à la base d'*Une ténébreuse affaire*), perdent de leur signification politique, de leur densité historique.

raient-ils devenir les protagonistes d'un drame à dimensions
morales et métaphysiques? La Puissance et la Gloire : alors
que les héros de Scott remplissaient tout leur personnage
historique, historiquement déterminé, ceux de Balzac, en
1829, sont d'une autre portée. Un peu d'absurde se glisse dans
cette histoire où vont s'entre-tuer des êtres que ne saurait
mouvoir aucune raison absolue de se poursuivre. Le lien, si
important, entre le roman d'histoire et le tableau d'une vie
privée est là : *dans la redécouverte d'une solitude*. « Dans ces
temps de discorde [1] » : le temps a passé, qui a aussi affadi
la politique. Est-on plus uni, aujourd'hui? Non, certes, mais
l'on se divise sur d'autres problèmes. Et, de cet ensemble,
de cette continuité d'une confusion à l'autre, se dégage une
immense impression de vanité, d'efforts gaspillés, de souffrances perdues. Il faut relire les pages de Guttinger sur la politisation de la vie privée [2] : politisation qui n'est pas ouverture,
libération, mais bien cause supplémentaire de difficultés,compli-
cation. C'est « déjà » ce qui se passe dans *Le Dernier Chouan*.

Finalement, Balzac n'aura pas été trop infidèle à son premier projet, et ce pour l'évidente raison que, l'Histoire aidant,
il l'avait *retrouvé*. Parti des aventures d'une espionne au grand
cœur, il s'était attaqué aux immenses problèmes d'une époque.
La dame, et tout ce qu'elle traînait après elle, ne s'était pas
dissoute en route; elle n'avait pas été dépassée par un « sujet »
historique qui, déclassant l'individuel et le romanesque, aurait
fait accéder la conscience du lecteur comme celle de l'auteur,
à quelque chose de plus fort et de plus complet, pour recourir
au langage du *Globe*. Tout ramenait aux héros, au sauve-qui-
peut des existences, que ce soit chez Hulot, inquiet, beaucoup
moins « intégré » que les soldats de 92, et surtout, vu par le
lecteur comme une dupe, que ce soit chez Montauran, seulement un peu mieux intégré, lui, parce que héros anti-bourgeois, mais, au fond, terriblement seul, que ce soit chez
Marie, femme, et essentiellement femme. L'Histoire passant
et ayant passé, il restait ceci au fond du creuset, *ceci de vrai*.
L'orientation romanesque, individualiste du roman n'est pas
trahison du réel et des valeurs, mais bien fidélité au réel, proclamation, même dérisoire, des valeurs. *Le Dernier Chouan*
et les premiers héros de *La Comédie humaine* : qu'il l'ait voulu
ou non, Balzac, dès 1828-1829, a bien écrit le premier livre
de l'« école du désenchantement [3] ».

1. *Les Chouans*, éd. Regard, p. 9.
2. Dans *Amour et opinion* (1827). Cf. t. II.
3. Cf. t. II, pour l'importance de cette notion et de cette expression après
la révolution de Juillet.

Balzac fut-il, pouvait-il être compris? D'une part, la grande Presse, sur laquelle on avait compté, fut muette. D'autre part, *Le Figaro* (Latouche) et *Le Corsaire* (Lepoitevin, toujours là) publièrent des articles de complaisance. *L'Universel*[1], *Trilby*[2], le *Mercure de France au XIXe siècle*, plus tard la *Revue ency-clopédique*, parlèrent du nouveau roman. D'une manière générale, on signala l'intérêt qu'il y avait à traiter ce sujet qu'aurait aimé Walter Scott; pourquoi le théâtre l'avait-il négligé? Mais, comme on aimait à le répéter, après Augustin Thierry, n'était-ce pas aujourd'hui au roman de prendre la relève? *L'Universel* écrivait même : « Aujourd'hui, qu'est-ce qu'un roman? *Un drame imprimé.* » Il y avait là une belle récompense, une belle confirmation pour le choix qu'avait fait Balzac de son moyen d'expression. Il faisait nouveau, et il faisait vrai, ce qui ne s'était jamais produit au temps de Saint-Aubin. Mais aussi, disait-on, pourquoi n'avoir pas traité le *vrai* sujet : l'affrontement total de la République et de l'Ouest, cet affrontement en sa jeunesse et en sa force, alors que le problème avait toutes ses dimensions? On pensait, évidemment, à Scott, à ses Saxons et à ses Normands. Per-sonne ne vit le réel intérêt de Corentin, non plus que la signi-fication profonde de cette résurgence du romanesque sur le fond du dépérissement et de l'avachissement de l'Histoire. On se contenta de reprocher à Balzac d'avoir, avec sa Marie de Verneuil, trop visiblement imité M. Mérimée et ses *Espagnols au Danemark;* seule la *Revue encyclopédique*, dans son article bien tardif de mars 1830, rendra hommage à l'héroïne, la proclamant bien supérieure à celle du *Théâtre de Clara Gazul.* Tout ceci est très significatif : Balzac, avec son *Dernier Chouan*, prenait à contre-pied les amateurs et les spécialistes du roman historique. On ne voyait pas que ce qui changeait, c'était la substance même de l'Histoire peinte et choisie, la manière de voir l'Histoire et de s'en servir. Les *Scènes de la vie privée* bientôt allaient montrer, elles aussi, dans un décor de lendemain d'Histoire, ce que devenaient les êtres. Mais qui pouvait, alors, vraiment voir cela? Comme pour Marie et Mérimée, on ne sut (surtout l'*Universel*) que se montrer sévère pour le style, pour les descriptions trop longues. M. Balzac est « romantique »; il écrit avec trop d'images[3],

---

1. Sur l'importance de *L'Universel* à la veille de 1830, cf. t. II.
2. Petit journal, de tendance libérale, spécialisé en littérature, théâtre, etc., imprimé sur papier rose, et paraissant alternativement sous le titre de *Le Sylphe*, *Trilby*, *Le Lutin*.
3. On lui reprochera : « une lueur rougeâtre paraît sur les sommets à l'est ». « Et voilà, concluait le *Trilby*, ce que d'obscurs classiques attribueront à la nouvelle école! Je vous le demande : est-ce là du romantisme? ce n'est pas même

etc. Mais ne soyons pas trop exigeants : *Les Chouans* tirent beaucoup, aujourd'hui, des liens qui les unissent à *La Comédie humaine*. Mais alors ? Retenons surtout ceci : que ce soit *L'Universel* (tendance royaliste), que ce soit *Trilby* (libéral), l'on admettait, à droite comme à gauche, que le combat des Bleus et des Blancs, que le drame des Bleus et des Blancs, étaient désormais concevables, intéressants, susceptibles d'émouvoir, en dehors des données de la simple controverse. Bleus contre Blancs, ça n'avait pas été Ciel contre Enfer, Enfer contre Ciel, mais un combat humain qui pouvait émouvoir par son existence même, *par sa possibilité*. Mais, si l'on pouvait prendre ce recul par rapport à des vérités partielles, désormais enkystées, si les victimes pouvaient toutes intéresser, n'était-ce pas que l'unité que l'on cherchait dépassait infiniment, et la pseudo-unité des Blancs attardés et fidèles, et l'illusoire unité des Bleus progressifs et dupés ? *Trilby* comme *L'Universel*, en s'accordant sur la réalité de ce nouveau pathétique, même s'il les a moins touchés que la grande fresque qu'ils attendaient, déclassent, politiquement parlant, les batailles et les clivages de naguère. *Le renouveau du roman passait par ce déclassement des certitudes*, et, de toutes les certitudes, celles qui, incontestablement, sortaient le plus éraillées de cette aventure, de cette *prise de conscience* étaient les certitudes libérales. Car, pour les autres, qui gênaient-elles ? Ce roman libéral était un roman sombre, et le renouement avec le thème Bleu n'allait pas sans le renouement avec toute une terrible thématique. Hulot et ses hommes n'avaient pas extirpé le mal ni l'absurde du cœur même de la vie.

Un autre texte capital de juin 1829 montre bien cette aptitude profonde pour le thème libéral à être non plus un thème d'espoir — ce qui, dans le contexte néo-moderne, revient à être un thème démobilisateur — mais un thème d'amertume et de dérision. Balzac, en effet, publia, dans Le *Mercure de France au XIXe siècle* de juin 1829, un article consacré à la *Fragoletta* de Latouche. Article de camarade, qui lui fournit l'occasion de se livrer sur ce problème du monde moderne : des zones entières d'humanité croupissent dans la misère, pourquoi ? C'était le sujet du *Dernier Chouan*. Pourquoi ces « creux » de la vie ? Naples était un autre bon exemple, plus dramatique encore, peut-être. « L'espèce

du classicisme, c'est tout bonnement du galimatias ». Sans l'avoir voulu, Balzac se trouvait embarqué dans la grande querelle. On va bientôt retrouver ces échos au moment de la *Physiologie* et des *Scènes de la vie privée*.

humaine semble y être dépouillée de son énergie morale; elle
n'y a plus depuis des siècles de liberté : la main de fer de
l'esclavage y pèse sur l'esprit humain, qui ne se débat plus
qu'avec ces efforts d'un instant, ces éclairs d'énergie, symptômes affligeants des derniers paroxysmes de l'agonie [1]. »
Comment la vie peut-elle continuer ainsi? Quelles « compensations » peuvent fixer sur ce sol « de misérables esclaves? »
« Magie du sol natal », « idolâtrie du foyer paternel », charme
du climat? Que ne peut-on faire des hommes! « Je l'avouerai,
j'en veux à M. Latouche d'avoir enraciné dans mon esprit
ces considérations désolantes. *Il a rendu plus insoluble encore
le problème que je cherchais à résoudre.* Il m'a courbé sur cette
plaie napolitaine qui me faisait trembler; et, comme si j'avais
encore quelque haine à acquérir contre les crimes du pouvoir
absolu, il m'a fait toucher du doigt le sang noir et extravasé
qui a jailli de ce corps politique sans mouvement et sans vie.
Ma colère contre l'auteur sera contagieuse, car son livre est
un cri de désespoir, un chant de malédiction; *c'est le rire
amer d'un homme qui ne croit ni au bonheur ni à la liberté, et qui
les a passionnément rêvés l'un et l'autre. Il y a du Voltaire et du
lord Byron dans son âme.* » Naples prouve que l'humanité
peut perdre, dans les fers, jusqu'au souvenir même et
à l'idée de la liberté. L'humanité éveillée, l'humanité consciente
n'est qu'exception et c'est la plus laide victoire de l'absolutisme et de l'obscurantisme que cet oubli de l'homme
par l'homme. Un Français peut avoir aimé « ces généreux
esprits qui ne se vengeaient des anciennes persécutions
de la Cour [pendant l'éphémère victoire de la Révolution]
que par le rire et la comédie [2] », mais un Français aussi, ne
peut toujours se satisfaire de ces maigres revanches. Naples
est une terre de colère, comme la Bretagne. Il est très caractéristique que Balzac ne s'attache guère à l'histoire de cet
hermaphrodite qui fait jalon sur la route qui conduit à
Mademoiselle de Maupin et à bien d'autres [3]. Ce qui l'intéresse, c'est le sujet *politique*, c'est la trahison, c'est la
répression, ces « saturnales de la victoire qui se parjure [3] ».

1. L'article du *Mercure* est reproduit dans O. D. I°, p. 204. Le roman
de Latouche avait paru en janvier. *Le Dernier Chouan* lui doit évidemment
quelque chose de son sous-titre (*Fragoletta ou Naples et Paris* en 1799). Balzac,
pour des raisons qui échappent, semble avoir été en assez bons termes avec le
Mercure, qui publia des comptes rendus du *Dernier Chouan*, de la *Physiologie du
mariage* et des *Scènes de la vie privée*. L'article sur la *Physiologie* était d'ailleurs
de Balzac lui-même.
2. O.D. I°, p. 204.
3. Henri de Latouche, *Fragoletta*, réédition des frères Tharaud, en 1946, p. 42.
De manière très curieuse, les frères Tharaud ont réduit le roman de Latouche
à l'histoire de Camille, Adriani et d'Hauteville. Toute la partie historique a
été supprimée.

Comme d'autres pleurent sur les ruines des empires, le poète moderne peut pleurer sur les ruines de la Liberté. Byron et Voltaire : l'éloignement de Naples, la possibilité de ne pas trop avoir à voir quels sont les libéraux de là-bas (alors qu'en France on les croise dans la rue, et on les juge), de s'en tenir au combat contre les puissances triomphantes de l'absolutisme, une possibilité, en somme, d'idéalisation de la lutte sociale et de ses conditions concrètes au début du xixᵉ siècle, tout ceci fait que Balzac peut, dans ce texte de juin 1829, voir les choses d'une manière plus simple que lorsqu'il écrit sur Paris. Les libéraux français, dans leur ensemble, sauf les jeunes, ne sont guère chauds pour une croisade en Europe, et la non-intervention de Louis-Philippe, après la Révolution de Juillet, est assez bien préfigurée, dès la fin de la Restauration, par la semi-indifférence des classes politiques responsables à l'égard des opprimés européens. L'année suivante, dans le *Feuilleton des journaux politiques*, Balzac, à propos de Don Miguel, « le Néron portugais » reprendra le même thème : « La population du Portugal est trop peu éclairée pour que Don Miguel n'y trouve pas des satellites complaisants, et des admirateurs fougueux de ses cruautés. On a prétendu que ce pays avait une foule d'hommes distingués : quoi qu'il en soit du plus ou du moins de lumière de la classe moyenne, il est certain que la basse classe du Portual languit dans la plus grossière ignorance. Ceci explique surtout les obstacles rencontrés par la constitution dans le pays, et la facilité avec laquelle elle a été renversée [1]. » « Profonde superstition », « asservissement à un clergé riche, oppressif, corrompu, sans aucune lumière, ayant sa racine à la cour, et organisé comme une grande organisation [2] » : voilà ce qui caractérise le peuple du Portugal. Qu'on y ajoute l'absence de tout sentiment religieux sincère, la course constante aux prébendes et aux sinécures, l'entretien de la misère sous toutes ses formes pour garder les privilèges, l'appui, enfin, de l'Angleterre, à un régime qui sert si bien ses intérêts dans la péninsule : l'Europe moderne vit de cela. Que fait, dans tout cela, la France ? En 1799, les patriotes napolitains attendaient d'elle leur liberté [3], mais la politique consulaire, puis impériale fut dictée par bien d'autres considérations. L'expédition d'Alger, en 1830, devait bien vite tourner à ce qu'évoquera *La Cousine Bette*. Mais il faudra se rappeler, pendant l'été 1830, lorsque Balzac prendra position en faveur d'une poli-

---

1. *Feuilleton des journaux* politiques, 17 mars 1830, O.D. Iᵒᵒ, p. 286.
2. *Ibid.*, p. 287.
3. O.D. Iᵒ, p. 204.

tique d'intervention en Pologne, en Belgique et en Italie, ces frissons de 1829-1830. Il faudra se rappeler, aussi, tout ce que le climat d'alors avait de désespéré : aucune chance ne s'offrait. Peuples amorphes, gouvernements étrangers complices, régimes policiers tout puissants, soulèvements sans lendemain, espèce humaine comme « dépouillée de son énergie morale », acharnement de la fatalité. Malgré la guerre révolutionnaire, les Bourbons sont revenus à Naples, et y sont encore. Comment songer au Pausilippe, à la mer de Sorrente, et aux diverses graziellades de la littérature distinguée? Un moment, le Balzac de la fin de la Restauration a été effleuré par un pessimisme politique qui se retrouvera dans *La Peau de chagrin*, après que, les peuples s'étant levés, un gouvernement libre ayant été mis au pouvoir en France, un souffle nouveau eut semblé passer sur l'Europe. Mais il ne faut pas trop accorder à l'inspiration *directe*. Balzac, en 1829, comme en 1830, *regrette*, sans doute, l'esclavage de l'Europe féodale, et *souhaite* sans doute, une intervention de l'Europe « civilisée [1] ». Mais l'esssentiel est-il dans ces interventions de premier rayon? En fait, si, parlant de Naples, qu'il ne connaît pas, et au travers d'un ouvrage de fiction, Balzac a de ces réactions, n'est-ce pas, un peu comme pour la Bretagne, parce qu'il pense à la France, à l'ensemble français, en fonction de la France et de l'ensemble français? Si la France et l'ensemble français allaient de l'avant, dans la justice et dans la raison, drainant les cœurs et ne laissant rien perdre, n'ayant pas ses zones d'ombres (zones, non legs du passé, mais effet de l'ordre actuel, incapable de les faire disparaître, les renforçant à mesure), Naples, comme l'archaïque Bretagne du *Dernier Chouan* aurait-elle pesé aussi lourd? Il semble bien que Naples, comme Fougères, n'aient aidé à la remontée, à la formulation de critiques et de regrets que concernant, au fond, essentiellement, la France et l'ensemble français. Tout est révélateur. Tout est occasion. Balzac, en écrivant *Le Dernier Chouan*, n'a pas, loin de là, fait du roman historique, comme le dit avec complaisance la critique

1. Des guillemets de prudence et de « sic » à *modernité*, mais point à *féodale* : cette réaction spontanée de l'écriture aujourd'hui est un témoignage de premier ordre sur ce qu'est la société française au début du XIXe siècle, et sur ses aptitudes, aujourd'hui mieux mesurables, mais que Balzac apercevait déjà. Cette mise en cause de la modernité du XIXe siècle n'implique d'ailleurs nullement le moindre doute, la moindre révision, en ce qui concerne la féodalité ou ses séquelles, mais, plus simplement et plus fortement, une mise en doute des aptitudes de cette modernité, 1° à mettre réellement un terme au règne de la féodalité en Europe (les banquiers libéraux, Stendhal l'explique clairement aux Anglais, s'arrangent fort bien de traiter avec les despotes d'Orient); 2° à s'achever elle-même en tant que réelle et totale modernité.

officielle. Il a bel et bien fait le roman de la France vivante.
Un effort de plus, et la génération qui suit celle de Hulot
et de Marie, ce sera celle de la pleine *Comédie humaine*.

Maintenant, alors même que Balzac réagissait ainsi aux
grandes leçons du proche passé français, alors que de littéraires, certes, mais non irréalistes échos lui parvenaient de
l'ex-parthénopéenne par l'intermédiaire du découvreur
d'André Chénier, la vie qu'il fallait bien continuer de vivre,
en France, n'apportait-elle pas les plus probantes preuves de
l'échec de Hulot et de ses soldats civilisateurs sur les routes
et dans les chemins de la Bretagne? Liberté de quoi, et pour
quoi, alors que tout, sur le fond de la victoire des Bleus,
allait à se vendre, à lutter avec les pires des armes? Certes,
Balzac n'était pas de la race de ceux qui se complaisent dans
les écœurements de demi-soldes. Libre à certains de tirer de
Naples des raisons de se coucher ou de rompre, de ne plus
aussi bien voir ce que conservait d'authentique et de créateur
ce siècle malheureux. Libre à d'autres de confondre cette
fidélité au positif et au vrai avec un ralliement, discret ou
direct, à l'ordre nouveau. On sait quel est l'éloignement de
Balzac et pour tout immobilisme sentimental, et pour tout
opportunisme, contre lequel il aura toujours de saines ressources de révolte. Latouche et ses semblables, guettés par
les ralliements, ou, ce qui revient au même, par le renoncement
critique, manquent alors d'instruments clairs ou potentiels
de dépassement du libéralisme et de *son* interprétation des
choses. Ils ne sont pas réellement préparés à prendre mesure
de cet univers de l'argent, sauf par boutades ou bons mots.
Balzac, lui, va plus loin, et ne se laisse pas arrêter aux mêmes
effets. La suite, surtout, bien entendu, le prouvera, mais, cette
suite faisant aujourd'hui partie du donné, comment l'immédiat balzacien ne s'en trouverait-il pas éclairé et plus immédiatement appréhensible? La vie se meurt et se traîne à Naples?
L'humanité y apparaît moins *capable?* Mais l'intelligence
et la mise en fiches de ce qui se passe autour de nous, la description minutieuse, sur le fond d'une intuition globale de
l'histoire moderne, ne serait-ce pas là l'un de ces redéparts
qui, liquidant le lyrisme, sauvent par le réalisme? La faillite
libérale à Naples, les victoires humiliantes du pouvoir absolu,
après la Bretagne en 1800, était-ce là, vraiment, un problème
de première grandeur et de premier intérêt pour Balzac?
Était-ce là de quoi, vraiment, mobiliser et orienter? L'expérience du *Dernier Chouan* était probante : dans l'optique
unique du conflit libéralisme-féodalité, c'était la fin de
l'Homme, Flaubert avant la date. Mais la vie parisienne d'un

romancier de trente ans n'avait-elle pas de quoi relancer une inspiration? Un texte, de médiocre intérêt *immédiat*, mais de beaucoup plus grand, à long terme, le prouve.

Le *Code du littérateur et du journaliste, par un entrepreneur littéraire*, qui parut en juin 1829 [1] a été rédigé tout près de Balzac, qui a peut-être mis la main à certains chapitres [2]. Paru après *Les Chouans*, il témoigne de la persistance de l'inspiration « cynique » et « marchande », malgré l'orientation vers le « sérieux » du roman breton.

Pourquoi « séparer le culte des Muses du culte de Plutus [3] »? Tout se vend. Tout est fait pour se vendre. Balzac le savait, qui sortait de l'opération *Dernier Chouan*, avec Latouche. Les gens de lettres « sont devenus des fabricants [4] »; par là, en un sens, ils sont plus libres; ils ne dépendent plus des dédicaces aux mécènes [5]; la Révolution a créé un public tout neuf, plus large; donc, pourquoi ne pas voir les choses en face? Écrire est un métier, et tout métier reçoit salaire. C'est ici toute l'ambiguïté du *Code*. Et, bien entendu, du problème. « C'est *cette littérature marchande* [...] qui fait le but de notre ouvrage [6]. » La vieille expression des préfaces du *Vicaire des Ardennes* et d'*Annette* et de la polémique du *Feuilleton littéraire*, se charge ici d'un sens nouveau. *Que l'écrivain traite de ses œuvres, qu'il vive librement du travail de sa plume, est une conquête du monde moderne* sur l'ancien ordre de choses. Mais... Mais conquête faussée par les lois du marché littéraire, par les fatalités qui pèsent sur la profession littéraire en société capitaliste. L'auteur ne traite pas en position de force, mais en position d'infériorité. Pour survivre, il doit truquer. Tel est le sens profond de ce *Code*, expression de l'une des causes du mal du siècle. Le mot « entrepreneur », si noble, d'origine, se vicie et prend cette désagréable consonance qu'on lui trouve dans le titre; il évoque l'idée non d'attaque large et ferme du réel par un grand esprit,

---

1. B.F du 6 juin 1829, avec cette remarque : « Ce n'est pas un ouvrage de jurisprudence ».

2. Lacroix désigne Balzac comme l'auteur de ce *Code*, et Quérard, Raisson. Bruce Tolley (*art. cit.*, A. B., 1963), n'est ni pour l'un ni pour l'autre, faisant remarquer que Raisson ne l'a jamais joint à ses œuvres. Mais ce *Code* traite de sujets que connaissait trop bien Balzac, il annonce trop directement certains chapitres d'*Illusions perdues* pour qu'on ne retienne pas, à défaut d'une collaboration formelle (qui, subjectivement, nous semble évidente), au moins une « proximité ».

3. *Code du littérateur...*, p. III-IV.

4. *Ibid.*, p. 15.

5. Cette idée sera très exactement reprise par Balzac, en 1830, dans son grand article du *Feuilleton des journaux politiques, De l'état actuel de la librairie.* Cf. t. II.

6. *Code du littérateur...*, p. 15. Ceci sent, bien évidemment, son Balzac.

mais l'idée de fabrication, de sonnettes qu'on tire, de louches ententes. Il n'est d'*entreprise littéraire* qui n'ait besoin, tôt ou tard, de ce « *courtier littéraire* », dont le portrait occupe la meilleure partie du livre. L'original en est soit L'Héritier de l'Ain, soit Raisson[1]. L'ombre de Lepoitevin peut aussi, sans doute, poser sa candidature. Le courtier littéraire propose des canevas, fait rédiger, revoit, place, vend. A l'apprenti écrivain il explique que « la littérature est devenue une profession », que « l'enthousiasme et le génie y entrent pour peu de choses[2] ». Souvenirs! Souvenirs! Lousteau, plus tard, jouera ce rôle auprès de Lucien de Rubempré, monté à Paris avec ses *Marguerites*, comme ces poètes, dont parle le *Code du littérateur*, dont grouillent les salles de rédaction, et qui ont encore dans leurs poches ces « poésies qui ont fait les délices de Morcey ou de Quimper Corentin ». « Dans la profession des lettres, le savoir-faire mène plus sûrement à la fortune que le savoir » : Stendhal l'avait déjà dit, abondamment, à ses lecteurs anglais, lorsqu'il paraphrasait le titre de Scribe appelé à devenir célèbre : *Le Charlatanisme*. Mais Balzac a sans doute plus de profonde amertume parce qu'il n'avait pas, lui, découvert la réalité littéraire une fois l'essentiel de la vie vécue. Le *Code du littérateur*, œuvre ou vérification, conduisant à Balzac ou en étant déjà, c'est, avec encore moins de recul que *Le Dernier Chouan* (et aussi, conséquence, avec moins d'art et de profondeur de champ) une pièce décisive versée au dossier du procès du monde moderne[3].

Malgré la maigreur du succès, malgré la persistance et le renforcement de la littérature marchande, *Le Dernier Chouan* prouva sans doute à Balzac qu'il ne serait pas Lousteau. Les rêves du sentiment, le vouloir-vivre, les réflexions sur l'Histoire, de multiples contacts intellectuels, ont achevé de tirer du romancier encore « industriel » et « sentimental » de 1822-1823, un homme qui pense, qui voit et qui dit. On le

1. Ce qui fait qu'on voit mal l'un ou l'autre être l'auteur, au moins de ce chapitre. Faut-il imaginer un quatrième homme? Voici quelques allusions qui plaident, selon nous, pour l'attribution à Balzac : p. 91, une allusion à une brochure sur les Jésuites, p. 108, une allusion à Gall, p. 111, une autre aux « ventrus », p. 121, une phrase sur *La Mode* (assez prophétique). Ajoutons le passage sur la « littérature marchande », et remarquons que le découpage est le même que celui de la *Monographie de la presse parisienne*, en 1843...

2. *Ibid.*, p. 47.

3. A la veille de la publication de la *Physiologie du mariage*, le genre *Code* fait fureur. Outre celui du commis voyageur, on voit fleurir des *Arts de dîner en ville*, des *Arts de mettre sa cravate*, des *Arts de payer ses dettes*, dont beaucoup sont d'Émile Marco-Sainte Hilaire, ami de Balzac, qui imprima certaines de ces productions. Le 12 août 1829, *Le Globe* écrit : « Nous avons eu l'épidémie des résumés historiques, l'épidémie des petites biographies; nous en sommes cette année à l'épidémie moins malfaisante des *manuels*, des *codes*, des *bréviaires* de toutes sortes. » L'article s'intitule *Des petits livres à la mode*.

voit encore, en 1828-1829, hésiter entre parler de soi, bâtir une intrigue romanesque dans le goût traditionnel, évoquer dans leur épaisseur les êtres et les choses selon une technique objective. Le roman s'est gonflé, mais sans le montrer directement, de tout ce qui porte Balzac depuis des années. Le romancier songe-t-il déjà aux prolongements ultérieurs, à l'histoire de La Chanterie? Toute cette fin d'histoire, ce sang sur les bruyères dont parle Alain, des destins marqués pour toujours, ces souvenirs de grande époque qui ne sont plus que des souvenirs de déchirement de la vie privée, *Le Dernier Chouan* les porte en puissance. Par là, sans doute, il appartient à *La Comédie humaine*. Le Hulot de la Pèlerine conduit aux deux Hulot de *La Cousine Bette*, « le Condé de la République », et le prévaricateur libidineux. « Les vieilles bandes napoléoniennes », dont il sera question dans le grand roman de 1846, c'est-à-dire ces hommes qui ont *traversé* l'Histoire, qui l'ont marquée en détail, mais qui ne l'ont pas transformée en profondeur, ces hommes du courage, de l'organisation, condamnés à devenir des bourgeois faisant carrière et sauvant des restes, nous les voyons se former en 1829, autour de Fougères. *Jamais l'épopée hugolienne ne fera voir cela: Corentin comptant plus que Hulot, appelé, par la « nature des choses », à plus que Hulot.* Balzac, malgré l'opération Latouche, devait savoir, devait sentir, que son roman était porteur de tout un monde, et ce monde, c'était celui dans lequel devaient vivre les enfants du siècle. Le flot s'était retiré. Les affrontements de personnes remplaçaient les affrontements de valeurs. Toute une immense réalité subsistait, intouchée par une Histoire qui se réduisait peu à peu à ses propres soubresauts. Le savoir, mais le dire, *pouvoir* le dire : Balzac était à la fois embarqué et en avant.

Toutefois, cette grande coulée qui conduit au *Dernier Chouan*, toutes ces passions qui, longtemps réfractées à travers artifices et réminiscences, finissent par s'organiser en une première œuvre-bilan, tout cela ne représente, nous le savons, qu'une partie de l'expérience de Balzac : la partie *politique*. Parallèlement, depuis plusieurs années, il a pris conscience des conditions économiques et sociales de cette politique qui fait le décor de la vie quotidienne. Si Balzac était mort en 1829, on dirait peut-être que, entre *Cinq-Mars* et *Notre-Dame de Paris*, un jeune inconnu avait écrit un roman historique, plus proche du réalisme contemporain que du pittoresque d'aventure ou archéologique[1]. Ce qui est sorti du *Der-*

---

1. C'est un peu ce qu'avait dit la *Revue encyclopédique*.

nier Chouan ne serait pas là pour l'expliciter. Les gens qui
tirent les ficelles de Corentin ne nous auraient jamais été
montrés. Et pourtant, Balzac les connaissait. Pour parfaire
l'introduction à l'acte d'accusation du siècle, il fallait reprendre des idées, des ébauches, qui portaient directement sur les
vices sociaux, sur l'argent, sur l'égoïsme et la division dans la
vie de tous les jours. Plus de turgotine, plus de friperies :
Balzac savait bien le lien qui unissait l'absurde histoire de
Marie de Verneuil à la colonisation de la société par une nouvelle classe de féodaux. L'accusée était la bourgeoisie. Pourquoi prendre le détour des routes de Bretagne? Il y avait,
dans les cartons, ces quelques pages de la *Physiologie du
mariage*. En pleine pâte, sans intermédiaire littéraire, sans
Cooper et sans Walter Scott, on pouvait dire combien le siècle
était faussé. Tout ce que Balzac a emmagasiné depuis des
années sur l'argent, le mariage, les rapports sociaux, venant
enrichir la première *Physiologie* et donner forme aux premières
Scènes de la vie privée, va lui fournir enfin cette totale « sincérité » après laquelle il court encore. C'est cette *inspiration*
directe qui va achever de faire de lui un écrivain qui ne doive
rien à personne. Les fameuses années « perdues » vont être,
d'un coup, retrouvées : traité, d'abord, anecdotes, courts
tableaux, avant que la grande forme romanesque, renonçant
à la matière « historique », ne s'empare de cette réalité qui
n'avait encore osé se manifester, littérairement, que par
facettes. Avant *Eugénie Grandet*, avant *Le Père Goriot*, toutefois, il faudra la longue série des œuvres « philosophiques »
pour qu'on puisse passer du tableautin ou du micro-drame
à la tragédie domestique. Après *Le Dernier Chouan*, Balzac
oscille du réalisme fragmentaire au pathétique plus « artiste »
et plus drapé. Les deux éléments se fondront à partir de 1834-
1835, achevant, dans *Le Père Goriot*, de faire de l'auteur de
Gloire et malheur et de celui de *L'Elixir de longue vie*, un seul
et même homme. Cet effort créateur, fouetté, en 1830, par la
découverte complémentaire de ce qu'est une révolution faite
par la bourgeoisie *seule*, est inséparable de l'évolution même
du siècle et de ses difficultés. *Le Dernier Chouan* ne les disait
encore que par la bande. La *Physiologie du mariage* et les
Scènes de la vie privée, avant le choc de *La Peau de chagrin*,
vont « avouer » ce que chacun savait, mais qui, parce qu'on
n'en faisait pas encore objet d'écriture, n'était encore qu'imparfaitement « réel ».

CHAPITRE II : ENTRE LE PÈRE ET LA MÈRE, OU LES ORIGINES D'UN ENFANT DU SIÈCLE

CHAPITRE V : UN DÉBUT DANS LA VIE (2)

ACHEVÉ D'IMPRIMER
LE 1er OCTOBRE 1970
IMPRIMERIE FIRMIN-DIDOT
PARIS - MESNIL - IVRY

Imprimé en France
Nº d'édition : 15354
Dépôt légal : 4ᵉ trimestre 1970.